sanatorium! Breit und geradlinig liegt es mit

Seitenflügel inmitten des weiten Ga[illegible]eit

des Baumwinde ergötzlich ausgestattet ist, und

massig und weich zerklüftet die Berge himmelan

hinter der Anstalt. Mit seinem zweispitzigen

Rosshaar, mit dem man die Maulblas stopft,

diesem Aspect eines Mannes, den die Wissen-

ftigen Pessimismus erfüllt hat, hält er auf

Wunden in seinem Banne, – alle diese Leute,

und sie zu halten, ihr oft Vermögen ausliefern,

hen.

betrifft, so steht sie mit unermüdlicher Hingabe

e, treppauf und treppab, von einem Ende der

che und Vorratskammer, sie waltet im

ie Dienerschaft und bestellt unter den Geschäfts-

Wohlgeschmacks und der äußeren Ansicht den

Thomas Mann

THOMAS MANN

Ein Leben in Bildern

Herausgegeben
von Hans Wysling
und Yvonne Schmidlin

Artemis

Mit Unterstützung der
Eidgenössischen Technischen Hochschule Zürich

Die Deutsche Bibliothek – CIP-Einheitsaufnahme

Thomas Mann:
ein Leben in Bildern/hrsg. von Hans Wysling
und Yvonne Schmidlin. –
Zürich: Artemis, 1994

ISBN 3-7608-1100-0

NE: Wysling, Hans [Hrsg.]

Artemis & Winkler Verlag

Gestaltung: Heinz von Arx, Zürich

Satz, Lithos und Druck: B&K Offsetdruck, Ottersweier
Einband: Buchbinderei Spinner, Ottersweier
Printed in Germany

ISBN 3 7608 1100 0

Inhalt

Einführung

Das Leben als Werk – das Werk als Leben

«Es ist kein kleines, dem letzten Viertel des Neunzehnten Jahrhunderts – eines großen Jahrhunderts –, der Spätzeit des bürgerlichen, des liberalen Zeitalters noch angehört, in dieser Welt noch gelebt, diese Luft noch geatmet zu haben; es ist, so möchte man in Altershochmut sagen, ein Bildungsvorzug vor denen, die gleich in die gegenwärtige Auflösung hineingeboren sind, – ein Fond und eine Mitgift von Bildung, deren die später Angekommenen entbehren, ohne sie natürlich zu vermissen. Es mag etwa das Verhältnis sein eines Mannes, der das Ancien Régime noch erlebt hatte und einige Jahrzehnte in die nachrevolutionäre Zeit hineinlebte, – zu denen, die nach 1789 angetreten waren. Der Vorteil mag hauptsächlich darin bestehen, daß einer, dessen Lebensspanne in zwei Epochen liegt, die Kontinuität, das Übergängliche der Geschichte erfährt.»

Das Übergängliche der Geschichte zu erfahren, war Gelegenheit genug in diesem Leben. Im väterlichen Lübecker Bürgerhaus galten noch die Traditionen der Hansestadt, aber schon züngelte die Hektik der Gründerjahre in die Behäbigkeit der Kaufmannschaft. Die Reichsgründung, das Zeitalter Wilhelms des Zweiten, der Erste Weltkrieg, die Revolution, die Weimarer Republik. Dann die braune Flut, die überschwappende Gewalt des Naziterrors, Machtrausch und Angst, Lähmung, Flucht; die Ratlosigkeit und der Haß im Exil, der Zweite Weltkrieg. Dann der Graben zwischen Deutschland und der übrigen Welt, die neuen Fronten des Kalten Kriegs, der Graben zwischen den beiden deutschen Staaten. Und alles das in einem Weltzustand, der Wörter wie Zuversicht, Aufklärung, Hoffnung zum Gerede machte. «Das letzte Halbjahrhundert», schrieb Thomas Mann in seinem letzten Essay, «sah eine Regression des Menschlichen, einen Kulturschwund der unheimlichsten Art, einen Verlust an Bildung, Anstand, Rechtsgefühl, Treu und Glauben, jeder einfachsten Zuverlässigkeit, der beängstigt.» Ohne Gehör für Warnungen «taumelt eine von Verdummung trunkene, verwahrloste Menschheit [...] ihrem schon gar nicht mehr ungewollten Untergange entgegen.» So 1955.

Thomas Manns Werk ist Zeugnis seiner Zeitgenossenschaft. Was hat er nicht alles durchlebt und durchlitten. Gern wäre er Zuschauer geblieben, gern hätte er sich seine Intellektualität bewahrt, gern hätte er als Wächter der Moralität *au dessus de la mêlée* gewaltet; aber immer wurde er einbezogen, machte den Schmerz der Zeit zu seinem eigenen – auch die Schuld. ‹Rede und Antwort›, ‹Bemühungen›, ‹Die Forderung des Tages›: Nur schon die Titel seiner Essay-Bände drängen auf Wahrheit und Gewissenhaftigkeit. Immer war Prüfung auch Selbstprüfung. In ihrer Gesamtheit ergeben seine Stellungnahmen und Rufe einen Chor zur Zeitgeschichte, wie er radikaler, besorgter, beschwörender nicht sein könnte.

Wandlungen und Steigerungen eines Künstlers

Thomas Mann gehört zur Generation derer, die mit zwanzig Nietzsche lasen. Gott ist tot, die Moral ist doppelbödig: Glauben und Werte waren zusammengebrochen, es gab nichts mehr, woran man sich halten konnte. Nietzsche hat versucht, selbst neue Werte zu setzen, den Übermenschen, den Willen zur Macht, die ewige Wiederkehr; er wollte sich seine eigene Sonne sein. Glauben an das Leben statt Zerfall und *décadence*. Verherrlichung des Lebens: Das schlug durch in allen Varianten. Leibvergotter, Kraftanbeter, Renaissanceverehrer, Cesare-Borgia-Typen tauchten auf in Kunst und Politik und waren noch und wieder da in den Blut- und Rauschfanfaren der Nazizeit, ihrem Mänaden- und Totentanz.

Thomas Mann hat Nietzsches Kraftanbeterei und seinen *bellezza*-Kult nicht mitgemacht. Er hat aus der Erfahrung der *décadence* den Typus des «schwachen» Helden geschaffen. Der schwache Held ergibt sich dem Leiden nicht, er hält durch, mit geballter Faust, am Rande der Erschöpfung. Was er dem Nihilismus und Pessimismus entgegenzustellen hat, ist ein «heroischer Lebenslauf», wie Schopenhauer es genannt hat: das Leben aus dem Trotzdem. Der schwache Held leugnet seine Halt- und Ratlosigkeit nicht, er spricht sie aus. Tonio Kröger und seinesgleichen suchen die Erlösung von ihren Leiden (und Leidenschaften) durch deren Analyse. Ihr Held ist der heilige Sebastian: Er lächelt unter Qualen.

Woher stammt das Lächeln des erkennenden Künstlers? Es entsteht aus den «Vergnügungen des Ausdrucks»: Mit dem genauen Wort trifft er die Sache und «erledigt» sie damit. Solche Kunst der Erkenntnis ist wirklichkeitsfeindlich, sie ist Rache an der Wirklichkeit. Allzuoft wird der Triumph des Genauen erkauft um den Preis des Lebens. Thomas Mann erkannte dies schnell und suchte, wie andere auch, einen Ausweg aus Literatenhochmut, Verödung und Einsamkeit. Dem Chaos und der Dummheit des Lebens wollte er, bei allem Unglauben, etwas Geordnetes entgegenstellen: das Werk. Das Werk, als höchster Wert, war ein Versuch, den Nihilismus zu überwinden.

Und gerade da wurde Wagner zu seinem Vorbild. Auch Tolstoi, Dickens, Flaubert, Ibsen wurden es: alle, die auf Atlasschultern Riesenlasten getragen hatten. Am meisten gefordert fühlte er sich durch Wagner. Der Drang zum großen Werk und zur großen Szene; die protestantisch-faustische Luft; die Überspanntheit des Erotischen dabei; die theatralische Wucht, die Ausgepichtheit der Mittel; die Mischung des Historischen mit Märchen und Mythen; die symbolische Gehobenheit des Augenblicks; die Motivverkettungen, die Wonnen und Schauer des Wiedererkennens. Wagner war ein Künstler, der alle artistischen Mittel mit größtem Kunstverstand einsetzte. Er war ein Hexenmeister, er war ein Verführer, ein Demagoge. Nietzsche hatte das alles beschrieben in seinen Anti-Wagner-Schriften, die von so viel Faszination und Selbsterkenntnis genährt und angestachelt sind.

Thomas Mann stellte sein Werk in die Nachfolge Wagners. Die Nibelungen-Tetralogie ist schon da als Hintergrundschema von «Buddenbrooks», und sie ist noch da im «Joseph». Die Novellen «Tristan» und «Wälsungenblut» nehmen schon im Titel auf Wagner Bezug. «Der Zauberberg» ist als Venusberggeschichte geplant und steht unverkenntlich in der «Tannhäuser»-Imitation. In der «Königlichen Hoheit», gesteht Thomas Mann, habe er zu den «Meistersingern» emporgeblinzelt; er wollte seinen Geschichten von Eros und Thanatos eine lebensfreundliche gegenüberstellen. Parsifal endlich ist das Vorbild für alle Gralssucher in Thomas Manns Werk: Castorp ist ein «Quester Hero», auch Leverkühn.

Immer wieder versucht sich Thomas Mann aus Wagners Bann zu lösen. Nach 1910, als er sich im «Tod in Venedig» dem klassischen Mythos zuwendet; nach 1921, als er Castorp aus einem Tannhäuser in einen Wilhelm Meister verwandeln will; vor allem nach 1933, als Wagner staatlich beschlagnahmt wird und Thomas Mann versucht, aus Joseph eine Art Anti-Siegfried zu machen. Es steckt für Thomas Mann eine ungeheure Herausforderung in Wagners Werk. Alle Ablösungsversuche befreien nicht aus dem Bann. Hanno träumt von Liebesgrotten und Schwanenzauber, und noch der späte Krull träumt vom ewigen Wiegalaweia.

Was ihn an Wagner nicht befriedigte, war dessen hohle Artistik, das Problem so vieler narzißtischer Künstler seit Nietzsche. Thomas Mann suchte – in der Kunst und als Mensch – immer entschiedener ein bestimmtes Maß an Lebenstraulichkeit und -freundlichkeit, er suchte den Zugang zum Du, zum Sozialen. Er suchte Zukunftsgläubigkeit. Das gelang und es gelang nicht. Nie hat Thomas Mann seine nihilistische und pessimistische Erkenntnisposition überwunden. Das «Dreigestirn seiner Jugend» – Nietzsche, Schopenhauer, Wagner – blieb an Thomas Manns Himmel stehen. Aber es tauchten neue Sterne auf: Freud, Goethe und – Hermes.

Von Freud hat Thomas Mann gelernt, daß Psychologie nicht unbedingt Entlarvungspsychologie sein müsse wie bei Nietzsche, damit also verletzend und zerstörerisch. Sie konnte vielmehr auf Gegebenheiten, Gesetzlichkeiten, und damit auf Verläßlichkeiten des menschlichen Lebens aufmerksam machen. Es gab das Mythisch-Typische, es gab Muster. Und diese konnten das Individuelle einbetten und stützen. Die Originalität des Einzelnen war aufgehoben im Mythos; aber gleichzeitig behielt er die Freiheit der Variation: Das *semper idem* des Mythos beschränkte sich nicht auf starre Wiederholung; es gab die individuelle Abweichung, es gab das Spiel der historischen Veränderungen.

«Mythos und Psychologie»: Das ist die Formel, die Thomas Mann in seinen «Joseph»-Romanen und in allen späteren Werken zu ergründen sucht.

«Der Charakter», sagt er im *Freud*-Essay von 1936, «ist eine mythische Rolle, die in der Einfalt illusionärer Einmaligkeit und Originalität gespielt wird, gleichsam nach eigenster Erfindung und auf eigenste Hand, dabei aber mit einer Würde und Sicherheit, die dem gerade obenaufgekommenen und im Lichte agierenden Spieler» erlaubt, sich «in seiner Art musterhaft zu benehmen».

Die Anthropologie des «Joseph» unterscheidet zwei Grundmöglichkeiten: Ein Mensch identifiziert sich unbewußt mit seinem mythischen Muster, oder er tut es bewußt. Das erste ist der Fall bei Eliezer, dem Knecht Jaakobs: Er fühlt sich identisch mit jenem Eliezer, der Abrahams Knecht gewesen ist. Die Eliezer waren immer da, und immer waren sie Knechte: Eliezer weiß nicht recht, in welcher Individuation er lebt. Er vertritt die Gattung, den Typus «Knecht». Anders Joseph. Auch er identifiziert sich, aber er tut es bewußt. Er weiß, daß er eine Rolle spielt. Seine Geschichte ist im Alten Testament vorgegeben. Aber auch der Joseph des Alten Testaments hat sich ja schon identifiziert, und zwar mit Vorbildern göttlichen Ranges, mit Tammuz, Osiris, Adonis, deren Gestalten im Alten Orient zusammenfließen zum Mythos des Vegetationsgottes, der winters in die Grube fährt, aber im Frühjahr wieder aufersteht. Tod und Leben werden in dieser Sequenz als immer gleicher Wechsel erfahren.

Josephs Leben ist also ein «gelebter Mythos», es wiederholt auch alle Motive einer Göttergeschichte: das Motiv der außerordentlichen Geburt, das Auserwähltheitsmotiv, das Glückskindmotiv, das Berufungsmotiv, die Bilder und Ereignisse der Gruben- und der Himmelsfahrt – und so weiter, so wie es vorgegeben ist. Josephs Leben ist mythische Nachfolge. Einerseits ist er gebunden an die «Muster der Tiefe», andererseits ist er frei in der spielerischen Imitation dieser Muster. Was als Traum und Urbild in ihm ist, das *macht* er aus sich und wird so, schopenhauerisch gesprochen, zum «Theaterdirektor seiner Träume».

Hier liegt der Schlüssel zu Thomas Manns später Erzählkunst – und zu seinem eigenen Leben. Auch Thomas Mann geht, immer bewußter, in Spuren. Auch er erlebt einen Traum, und er gestaltet einen Traum. Es ist der Traum vom Glückskind, der Traum von Erhöhung; der Traum von den Heimsuchungen auch, von heroischer Bewährung, vom standhaften Zinnsoldaten. Alle Höhen- und Tiefenfahrten dieses Lebens sind im Mythos vorgegeben, aber sie werden in neuer Variation erlebt und sind damit erst- und einmalig bei all ihrer Vorgeprägtheit.

Die Vaterbilder, die Thomas Mann bewundert, denen er nachfolgt, denen er gleichzukommen, die er zu übertreffen sucht, wechseln zuerst: Wagner, Schiller, Fontane, Storm sind da, Tolstoi mit seinen epischen Riesenlasten und seinen Atlasschultern. Aber immer deutlicher und entschiedener stellt er sich in die Nachfolge Goethes. «Vaterbindung, Vaternachahmung, das Vaterspiel [...] – wie bestimmend, wie prägend und bildend wirken diese Infantilismen auf das individuelle Leben ein. Ich sage: ‹bildend›; denn die lustigste, freudigste Bestimmung dessen, was man Bildung nennt, ist mir allen Ernstes diese Formung und Prägung durch das Bewunderte und Geliebte, durch die kindliche Identifikation mit einem aus innerster Sympathie gewählten Vaterbilde. Der Künstler zumal, dieser eigentlich verspielte und leidenschaftlich kindische Mensch, weiß ein Lied zu singen von den geheimen und doch auch offenen Einflüssen solcher infantilen Nachahmung auf seine Biographie, seine produktive Lebensführung, welche oft nichts anderes ist als die Neubelebung der Heroenvita mit sehr anderen, sagen wir: kindlichen Mitteln.»

Und hier kommt Thomas Mann selber auf Goethe zu sprechen, auf seine «imitatio Goethe's mit ihren Erinnerungen an die Werther-, die Meister-Stufe und an die Altersphase von ‹Faust› und ‹Divan›»: sie habe sein Leben mythisch bestimmt, immer wieder habe das Kindlich-Aufmerksame ins Lächelnd-Bewußte hinübergespielt und sei so nicht nur Halt geworden, sondern auch produktiver Reiz. In seinem Goethe-Roman habe er nichts anderes darzustellen versucht als die «unio mystica» mit dem Vater.

Man hat Thomas Mann vorgehalten, er habe sich mit dieser *imitatio* etwas angemaßt, was ihm nicht zukomme, vom Format her nicht, von der Art her nicht. Er hat sich nie darum geschert. Er wußte, daß er Unmögliches begehrte; er wußte aber auch, daß nur das Unerreichbare ein Sporn und Stachel war. (Man kann ihm vieles vorwerfen, aber nicht, er sei bei der Wahl seiner Vorbilder und gerade dieses Vorbilds zu bescheiden gewesen.) Er wußte auch, daß er eher zu den sentimentalischen Schriftstellern gehörte als zu den naiven, eher zu den christlichen als zu den heidnischen: daß der Geist ihm näherstand als die Natur. Aber auch das war Sporn und Stachel: Er wollte sich nicht vergleichen mit dem, was ihm ohnehin gleich war; er wollte die Grenze zwischen «Schriftsteller» und «Dichter» aufheben. Er wollte sich etwas abverlangen, was seine Grenzen dehnte und seine Beschränktheiten lockerte.

Kam dazu, daß er der Größte seiner Zeit sein wollte – trotz Hauptmann, trotz Hofmannsthal, trotz Carossa und vielen anderen, die alle auf ihre Art in der Nachfolge Goethes standen. «Hofmannsthal», hatte sich Thomas Mann schon 1908 notiert, «betrachtet sich ohne weiteres als eine Art Goethe. Sympathisches daran. Größere Verpflichtung, strengeres Leben.» Das wurde auch zu seinem Fall: die *imitatio* sollte Produktion, Charakter und Lebenslauf fördern und steigern. Thomas Mann hat nun eine ganze Verwandtschaft mit Goethe etabliert – nicht nur auf dieser hohen Stufe der Nachahmung. Er war

Künstlerkind genug, Goethe auch im Kleinen und Kleinsten nachzuäffen, und er tat es mit komödiantischer Freude am Spiel. Zum Beispiel ging er, als er den Orden der Légion-d'honneur erhalten hatte, mit auf dem Rücken gefalteten Händen, die Rosette im Knopfloch, in der Halle seines Kilchberger Hauses auf und ab: In dieser Haltung hatte Goethe am Frauenplan jeweilen seine Gäste empfangen. Oder er war entzückt, als er las, auch Goethe habe Veilchenwasser verwendet, Kuchen über alles geliebt usw. usw.

Seinen Vorträgen über Goethe lassen sich hundert und aberhundert solcher Einzelheiten entnehmen – sie sollten eine Verwandtschaft etablieren, sie sollten das Spiel der Verwechslungen vorantreiben bis zu dem Punkt, wo man nicht mehr wußte, was Nachahmung war, was Gestaltung und Umgestaltung. Denn natürlich war es nicht zu umgehen, daß in diesem Spiel nicht nur die eigene Gestalt sich wandelte, sondern auch die des Vaters. Anklänge, Nachklänge: Wer wollte die noch unterscheiden? Die Absicht war klar: «Es kommt darauf an, sein Leben subjektiv, im Spiel, möglichst hoch zu steigern. Geschieht das mit Phantasie und Intensität, so werden andere veranlaßt, an dem Spiel teilzunehmen.» So am 8.11.1953 im Tagebuch. Damit konnte nicht nur der eigene Nihilismus überwunden werden; auch die Wirkung auf andere war gesichert und damit der Führungsanspruch des Künstlers.

Und nun geschah etwas Eigenartiges. Thomas Mann hat es im letzten «Joseph» erzählt. Im Gespräch mit Pharao erfährt Joseph, daß er Hermes sei. Der Sonnengott nimmt ihn unter die Götter auf und besiegelt die Erhöhung mit der Übergabe der Leier und des Rings. Joseph wechselt damit vom Tammuz-Osiris-Adonis-Schema hinüber ins Hermes-Mythologem – die Leier ist ja ursprünglich das Attribut des Hermes. Die Einsicht, daß Hermes alle diese Gottheiten in sich zusammenfaßt, verdankt Thomas Mann Karl Kerényis Buch über «Das göttliche Kind». «Es ist ein extrem interessantes Buch [...]», schreibt er ihm am 18.2.1941. «Es würde Sie amüsieren, zu sehen, mit wie vielen An- und Unterstreichungen die Seiten meines Exemplars bedeckt sind. Für meinen Teil habe ich mich gefreut, zu sehen, wie eifrig und aufgeregt ich noch lesen kann, wenn ich wirklich in meinem Elemente bin, – und was sollte mein Element derzeit wohl sein als Mythos plus Psychologie.» In diesem Aufsatz schoß förmlich alles zusammen, was Thomas Mann im Grunde schon lange gewußt hatte – denn Hermes geistert ja seit dem «Tod in Venedig» in seinen Schriften herum.

Der Reichtum an Assoziationen, der Thomas Mann bei der Lektüre des Kerényi-Aufsatzes erschauern ließ, kann hier nur angedeutet werden: Hermes war ein verbindend-verbindlicher Gott, der Hüter von Wegen und Stegen. Er verband oben und unten, die Götter mit den Menschen, den Olymp mit dem Hades. Er überspielte die Grenzen. Er war der Geleiter der Toten, verband Leben und Tod, Tag und Nacht, Wachheit und Schlaf. Er war ein erotischer Gott, überspielte die Grenzen zwischen männlich und weiblich, er war hermaphroditisch. Er überspielte die Grenzen des Besitzes, er war der Gott des heimlichen Diebstahls und der Heimlichkeiten überhaupt. Er überspielte die Grenzen der Realität, war der Gott, der alles in die Luft zauberte und zusammenklingen ließ. Thomas Mann erkannte auf einen Blick: Joseph war schon immer Hermes gewesen.

In Hermes sah Thomas Mann aber auch alles vorgebildet, was er selbst an künstlerischen und menschlichen Möglichkeiten in sich trug und ausgebildet hatte. Von nichts außerdem handelten ja die «Joseph»-Romane. Was waren sie anderes als Selbstentdeckung und Selbstgestaltung? Hermes war der Gott der «Beziehungen». Wurde nicht, in jedem Werk Thomas Manns, ein «Riesenteppich» von Assoziationen gewoben, wurde nicht eins mit dem andern verknüpft: die erzählte Handlung mit ihren literarischen und mythischen Mustern – Joseph mit Faust, Joseph mit Don Quichotte, Joseph mit den Hadesfahrern allen, Joseph mit Hermes? Waren diese Werke etwas anderes als geordnete Träume, präzis und hellwach – und gleichzeitig dem Schlaf verfallen und der Versuchung, dem Hang zum Grenzenlosen? Waren die «Joseph»-Romane nicht ein Spiel voller Illusionen, Täuschungen, waren sie nicht Zauberei und Gelächter, ein großer Jokus? Handelte nicht auch dieses Werk von Kindlichkeit und Erwähltheit, vom frischen Geratewohl und vom strengen Glück? Die Götterrolle: Hob sie nicht auf eine lichtere Stufe, wo alle Wirklichkeitsschwere sank und sank? Bedeutete, einen Gott zu spielen, ein bißchen nicht auch: ein Gott zu sein? Zauber, Verwechslungszauber, hermetischer Zauber. Thomas Mann erinnerte sich beim Lesen von Kerényis Buch an seine Kinderspiele: «Ich hüpfte als Hermes mit papiernen Flügelschuhen durch die Zimmer, ich balancierte als Helios eine glanzgoldene Strahlenkrone auf dem ambrosischen Haupt.» So hatte er es im alten Mythologiebuch seiner Mutter gelesen und geträumt. Und so träumte er weiter. Wäre der Traum nicht gewesen, wie hätte er sein Leben bestanden, jene Momente und Jahre, wo er sich von außen bedroht fühlte oder innerlich schwach? Das Geheimnis dieses Lebens ist die Unverletzlichkeit, ja die Unberührtheit des anfänglichen Traumes von der Glückskindschaft.

Was Thomas Mann die «innere Einheit» seines Lebens genannt hat, ist durch diesen Traum gesichert: Das Glückskind-Märchen und der Hermes-Mythos gehören dazu; die Zitat-Hintergründe des «Rings des Nibelungen» und des «Faust» gehören dazu; daß einer ein Werk in der Jugend plant oder beginnt und es im Alter ausführt, gehört dazu. Diese «innere Einheit» wird einer Gegenwart abgetrotzt, die auf Zersplitterung und Auflösung aus ist und mit jeder Gebärde beweist, daß es eine solche Einheit nicht mehr gibt. Sie dennoch realisiert zu haben, bedeutet einen Triumph.

Der politische Unpolitische

Der junge Thomas Mann schaute mit hochmütiger Verachtung auf die Niederungen der Politik hinab. Er wollte sich der Kunst widmen; sie war für ihn die Verwirklichung des «wirklichkeitsreinen» Traums, und dieser Traum sollte nichts zu tun haben mit der Sphäre, wo hart im Raum die Dingen sich stoßen. Er bedeutete das schwerelose Schweben, die ungehinderte Beweglichkeit, das In-die-Luft-Spielen des Harten und Plumpen. Er sicherte die Überlegenheit der Imagination über Zeit und Raum, über Gesetz und Verantwortung.

Dieser Ästhetizismus war nicht nur Hochmut, er war auch Lebensängstlichkeit. Thomas Mann wollte die Distanz zu allem, was gemein war und beanspruchend. Die Sphäre der Kunst war die Sphäre des Geistes, und dieser Geist hatte sich zu schützen gegen alles Zudringliche: das «Leben», die Natur, die Menge, die Politik. Er tat es mit Hilfe der Ironie und der Entlarvungspsychologie. Hohn und Ekel: Das war es, was ein empfindliches Ich gegenüber der Welt der Vielzuvielen, der *stupidité bourgeoise,* empfand.

Die historischen Hintergründe solcher Haltung sind bekannt. Die Künstler der Gründerjahre wandten sich verachtend vom Getriebe der Erfolgreichen ab, satirisierten und ironisierten sie, oder – was häufiger war –, sie ergaben sich einem eigentlichen Kult der *décadence*, der gleichzeitig ein Kult der Schwäche und der Raffiniertheit war. Ihre Verachtung der Realität nährte sich von Nietzsche- oder Schopenhauer-Zitaten. Nietzsche, schwach und empfindlich auch er, hatte mit aristokratischer Gebärde die Verachtung der Gewöhnlichen verlangt und ihnen den Übermenschen gegenübergestellt. Die *décadents* der Jahrhundertwende folgten ihm nicht unbedingt im Bereich der Ruchlosigkeit und des Willens zur Macht, aber sie sicherten sich beinahe ängstlich ihre Überlegenheit über die Rohen und Tüchtigen. Das gilt von George so gut wie von Hofmannsthal und Rilke. Sie alle schrankten sich ab und ließen Gegenwelten entstehen.

Kam dazu Schopenhauers Verdammung der Politik als Humbug und Unfug. Das Prinzip war der Kampf aller gegen alle – nur der Tod konnte Ruhe bringen. Die «Raublust» bestimmte die Geschichte, die Völker waren «Räuberhorden». Die einzige Staatsform, die Schopenhauer sich denken konnte, war «die Despotie der Weisen und Edelen einer ächten Aristokratie, erzielt auf dem Wege *der Generation*, durch Vermählung der Edelmüthigsten mit den klügsten und den geistreichsten Weibern.» Aber das war eine Utopie. Schopenhauers Weltsicht war beherrscht von nihilistischer Skepsis, und es brauchte Nietzsches Ungestüm, diesen Pessimismus in Lebensbejahung zu wenden.

Kam dazu Goethes Apolitie. Von der Revolution, den Napoleonischen Kriegen und dem Befreiungskrieg hatte er sich abgewendet, um sich allein dem zu widmen, was er für fruchtbar hielt. «Hermann und Dorothea» macht es sichtbar: In der Mitte das junge Paar an der Schwelle des Lebens, am Rand die Versehrten und Verfolgten des Kriegs. An dieses Fruchtbare versuchte sich das Bildungsbürgertum zu halten. Es geriet mit Reichsgründung, deutsch-französischem Krieg, Industrialisierung in Zwangslagen, denen es nicht gewachsen war. Die «machtgeschützte Innerlichkeit», von der Thomas Mann gesprochen hat, ging im Ersten Weltkrieg unter.

Nihilistischer Ästhetizismus war nicht mehr gefragt. Die Geistigen sollten handeln, sie sollten Stellung beziehen. Entscheidungen waren verlangt. Eine war die zwischen Kaisertreue und Entente-Freundlichkeit, eine andere war die zwischen aristokratischem Konservatismus und Demokratie, eine andere die zwischen Kriegsbejahung und Pazifismus. Auf solche Entscheidungen waren die wenigsten deutschen Intellektuellen vorbereitet. Auch Thomas Mann nicht. Er gesteht das Paul Amann in einem Brief vom 16. 12. 1916: «Das eigentlich Deutsche, zugleich Protestantisch-Christliche und nach meinem Begriff Bürgerlich-Geistige ist die Weigerung, das Überindividuelle ins Soziale zu verlegen, die Scheidung von ‹Philosophie› und ‹Politik› d. h. die Scheidung des metaphysischen vom sozialen Leben. Mit ihr hielten es die großen Deutschen, die die Bildner meines Lebens waren: Schopenhauer aufs allerschärfste, Wagner, trotz 48, – er haßte die Politik, ‹Ein politischer Mann ist widerlich›: das Wort ist von ihm; und vor allem auch Nietzsche, der sich mit tiefem Recht den ‹letzten unpolitischen Deutschen› nannte.» Nietzsche «war künstlerischer Individualist und liebte deutsches Wesen nur, sofern es un- und überpolitisch war».

Zu einer Entscheidung herausgefordert, schlug sich Thomas Mann auf die Seite der «Philosophie»: Das bedeutete für ihn Tradition, Geschichte, Konservatismus, Individualität, ständische Ordnung, Hierarchie. Auf der andern Seite stand, was er «Politik» nannte: Demokratisierung (was für ihn bedeutete: Nivellierung, Anonymisierung der Gesellschaft), Fortschrittsradikalismus, Utilitarismus, kurz, alles was von der Französischen Revolution herkam und jetzt auch von deutschen Literaten und Aktivisten lautstark vertreten wurde.

Daß sein Bruder zu ihnen gehörte, ja tonangebend war, verschärfte Thomas Manns Abneigung gegen die «Politisierung des Geistes» in einem gefährlichen Maß. Der Zank zwischen den Positionen wurde dadurch personalisiert. Er erfuhr jene Zuspitzung, die nur bei Männern des Worts auftreten kann und ohne den ödipalen Haß des jüngeren Bruders auf den älteren nicht zu verstehen ist. Die nationalen Streitfragen verschwinden nicht: sie verschmelzen mit dem Bruderzwist, und der Briefwechsel zwischen den Brüdern Mann wird zu einer der unerbittlichsten Auseinandersetzungen der Kriegsliteratur.

Die Einseitigkeit und Ausschließlichkeit, mit der Thomas Mann seine Sache begründet und verficht, spricht gegen seine Intellektualität, die sich sonst immer die Abwägung aller Gesichtspunkte zur Pflicht macht. Es war «die persönlich-überpersönliche Qual-Erfahrung», woraus die «Betrachtungen eines Unpolitischen» erwuchsen. Der Kampf, den er gegen den Bruder und dessen Prinzipien führte, war ein Kampf im Namen der metaphysischen Freiheit gegen die politische, des unterscheidenden Ethos gegen soziale Gleichmacherei, der «Musik» gegen das, was er Tugendrhetorik nannte. Seine Utopie wurde dabei politisiert; das war nicht von der Hand zu weisen, wenn man die Auswirkungen seines Buches betrachtet. Später, im Vortrag *Meine Zeit*, hat er die «Betrachtungen» «eine lange *Erkundung* der konservativ-nationalen Sphäre in polemischer Form» genannt – «ohne den Gedanken einer endgültigen Festlegung».

Nach dem Krieg lag Thomas Mann falsch. Seines Bruders «Untertan» war das Buch der Stunde. Es hatte schon 1914 abgeschlossen vorgelegen, durfte aber nicht gedruckt werden. Jetzt wurde es als Prophetie empfunden. Heinrich avancierte zum Repräsentanten der Weimarer Republik. Deren Galionsfigur aber war Gerhart Hauptmann. Er wurde 1919 als Kandidat für die Reichspräsidentschaft genannt und sah sich zu einem Dementi veranlaßt.

Thomas Mann erhielt für die «Betrachtungen» den Dr. h. c. der Universität Bonn – deutschnationale Kreise hatten es veranlaßt. Die Ehrung störte ihn bereits, als er sie entgegennahm. Das Tagebuch zeigt, wie er sich politisch zu orientieren versuchte. Er erwog buchstäblich den ganzen Fächer von Positionen, von der Kaisertreue bis zum Bolschewismus. Er fand an allen etwas Richtiges – und verweigerte sich allen. Im Grunde wollte er mit Politik nichts mehr zu tun haben. Aber schon bald merkte er, daß er sich damit ins Abseits begab. Mit «Herr und Hund» und dem «Gesang vom Kindchen» war keine Geschichte zu machen. Wollte er Repräsentant bleiben, dann war die Auseinandersetzung mit der neuen politischen Situation gefordert.

Er leistete sie im Vortrag «Von deutscher Republik», 1922. Dieser Vortrag ist eines der eigenartigsten politischen Bekenntnisse: Thomas Mann wird zum Republikaner, ohne sich zur *égalité*-Demokratie zu bekennen. Er versucht sich mit Hilfe des Novalis einen Republikbegriff zu bilden, der das Individuum vor das Soziale stellt und die Kultur vor den Staat. Thomas Mann hat die Wende zur Demokratie nie ganz konsequent vollzogen. Das führte zu einer außerordentlich fruchtbaren Spannung in seinem philosophischen und psychischen Haushalt. Einerseits blieb er Pessimist und Nihilist, er blieb einsamer Individualist und Aristokrat, er blieb Artist. Anderseits wollte er lebens- und zukunftsgläubig sein, er wollte das Soziale und das Demokratische, er wollte eine Kunst, die Leben empfand und Leben schuf. Das erste war für ihn eine Grundgegebenheit, das zweite eine Velleität.

Gegen Ende der zwanziger Jahre sahen die Brüder Mann die Gefahren des heraufkommenden Nationalsozialismus sehr deutlich. Heinrich Mann forderte eine «Diktatur der Vernunft», Thomas schrieb 1928 den Aufsatz «Kultur und Sozialismus». 1930 hielt er in Berlin die «Deutsche Ansprache. Ein Appell an die Vernunft», in der er offen vor dem «orgiastisch naturkultischen, radikal humanitätsfeindlichen, rauschhaft dynamistischen» Charakter des «Neo-Nationalismus» warnte. In der «Rede vor Arbeitern in Wien», 1932, und im «Bekenntnis zum Sozialismus», 1933, ermahnt er sich selbst und seinesgleichen, «auf die soziale, die politisch gesellschaftliche Sphäre» nicht hochmütig herabzublicken. Daß Bürgertum und Sozialdemokratie sich einander anzunähern hätten, war damals beiden Brüdern klar. Nur so konnte der Barbarei noch die Stirn geboten werden. Aber diese Annäherung kam sowenig zustande wie der Zusammenschluß von Sozialdemokraten und Kommunisten in der Volksfront.

1933. Die braune Flut überschwemmte das Reich. Es ging alles sehr rasch: Reichstagsbrand, Röhm-Mord, Bücherverbrennung, Kristallnacht. Die gewaltsame Ankurbelung der Wirtschaft riß gleichzeitig das Land aus der Lethargie: Autobahnen, Rüstung, Volkswagen, Kraft durch Freude – Hamburger Hafenkonzert sonntags um 6, «Große Musik unsterblicher deutscher Meister» um 4. Es war ein Taumel sondergleichen.

Heinrich Mann floh als einer der ersten, am 21. Februar 1933, nach Frankreich. Thomas Mann kehrte von einer Vortragsreise – «Leiden und Größe Richard Wagners» – nicht nach München zurück. Er traf in Paris mit Heinrich zusammen, hielt sich anschließend in der Schweiz, dann in Sanary-sur-mer auf, wo sich ein ganzer Emigranten-Kreis gebildet hatte. Thomas Manns «Tagebuchblätter aus den Jahren 1933 und 1934», später herausgegeben unter dem Titel «Leiden an Deutschland», geben ein deutliches Bild seiner Einschätzung der Lage. Im März 1933 notiert er: «Mir klingen die Ohren von Mord- und Schauergeschichten aus München, die die fortlaufenden regulären Gewalttaten politischer Art ständig begleiten: wüste Mißhandlungen von Juden. Angebliche Verzweiflung dieses Idioten von H. über die Anarchie und die Wirkungslosigkeit seiner Verbote. Kein Abflauen der Gewalttätigkeit. – Die keß-sadistischen Propaganda-Pläne der Regierung, die angekündigte Niederwalzung und totale Uniformierung der öffentlichen Meinung, Ausrottung jeder Kritik, Zweckloserklärung jeder Opposition. Der widerlich modernistische Schmiß, das psychologisch Zeitgemäße daran in Anbetracht der kulturellen, geistigen und moralischen Rückbildung. Das Moderne, Tempomäßige, Futuristische im Dienst der zukunftwidrigsten Ideenlosigkeit (Futurismus ohne Zukunft). Mammutreklame für nichts. Es ist schauderhaft und miserabel.

Die Verbote, Verbrennungen, Unterdrückungen. Tendenz, der Nation möglichst alle Bildungsmittel abzuschneiden. Bildung und Denken sind selbstverständlich nicht erwünscht, gewollt wird die restlose Vollendung der Massenverdummung zum Zweck mechanisch einförmiger Beherrschung mit Hilfe der modernen Suggestionstechnik. Schlimmster ‹Bolschewismus›, vom russischen unterschieden durch den Mangel jeder Idee.»

Es kommt in jenen Märztagen zu einer eigentlichen Nervenkrise, zu Weinkrämpfen, Erregungs- und Verzagtheitszuständen, gegen die Thomas Mann aus eigener Kraft nicht mehr ankommt. In seiner Zerquältheit fürchtete er den Glauben an sein Auserwähltenschicksal zu verlieren: Würde er je aus dieser Grube von Schmach und Ohnmacht wieder sich erheben können? Er faßte den Entschluß, ein Buch des Zornes und des Unmuts über das vertierte Deutschland zu schreiben, ein Buch, in dem er «alles» sagen wollte. Aber was konnten solche Haß- und Schimpftiraden helfen? Das Unternehmen war nutzlos und müßig, und es blieb nichts anderes übrig als mit geballter Faust und erstickender Wut dem Treiben der «verbrecherischen und ekelhaften» Horde zuzusehen.

Hitlers Machttrieb wandte sich alsbald nach außen: Es kam zu den Einmärschen nach Österreich, in die Tschechoslowakei, nach Polen. Was half dagegen die Wut der Emigranten? Sie saßen und redeten, verzweifelten und hofften. Worauf? Daß Hitler am Boden liege. 1940 begann der Zweite Weltkrieg. Frankreich wurde überflutet. Heinrich floh zu Fuß über die Pyrenäen nach Spanien und erreichte in Lissabon das letzte Schiff. Thomas hatte schon 1938 vom Schweizer Exil ins amerikanische gewechselt und war von Küsnacht nach Princeton umgezogen.

In Amerika entwickelte er sich zum «Wanderprediger» für Demokratie, wie er es nannte. Er hielt im Verlaufe des Krieges unzählige Vorträge über den «Kommenden Sieg der Demokratie», «Das Problem der Freiheit», den «Krieg und die Zukunft». Er sprach, in seinen Reden «Deutsche Hörer!», auch gegen Hitler. Er sah einen Leviathan in ihm. Mit rationalen Argumenten war den Greueln, zu denen er das deutsche Volk anstachelte, nicht beizukommen.

Der Krieg war vorbei. Im «Doktor Faustus» und im Vortrag «Deutschland und die Deutschen» suchte Thomas Mann aufzuarbeiten, was das Tausendjährige Reich an Atrozitäten und Leiden gebracht hatte. Sowohl der Roman wie der Vortrag stießen in Deutschland auf heftige Kritik. Man sprach Thomas Mann das Recht ab, als einer, der draußen geblieben war, über sein Volk zu urteilen. Er lehnte es ab, nach Deutschland zurückzukehren. 1947 reiste er zum erstenmal nach Europa, um seinen Nietzsche-Vortrag zu halten. Nach Deutschland ging er nicht. Dazu hielt er erst 1949 die Stunde für gekommen. In Goethes Namen glaubte er die Reise antreten zu können. Daß er seinen Vortrag nicht nur in Frankfurt hielt, sondern auch im kommunistischen Weimar, entfesselte in der Bundesrepublik und in den Vereinigten Staaten einen Sturm der Entrüstung. Er hatte sich mit seiner Vermittlergebärde buchstäblich zwischen Stuhl und Bank gesetzt. War der symbolische Akt nur politische Instinktlosigkeit und narzißtische Selbstüberschätzung? Er glaubte – das ist der historische Bezug – Deutschland als Kulturraum betrachten zu können, wie er es immer getan hatte, und ohne die Wartburg, ohne Weimar und Jena, ohne Naumburg, d. h. ohne Luther, Goethe und Schiller, ohne die Schlegel und Nietzsche konnte er sich das Land nicht denken. Zum andern glaubte er tatsächlich und träumerischerweise, sein Name könne die Verbundenheit beider Deutschland wenigstens als Möglichkeit beschwören. Das war eine Hermes-Geste, aber der Zauberstab zerbrach. Das hinderte Thomas Mann allerdings nicht daran, 1955 auch seinen Schiller-Vortrag in West und Ost zu halten.

Nach dem Krieg hatte sich die politische Situation in den USA bald verhärtet. Die russischen Waffengefährten wurden wieder zu Kommunisten. Sie rüsteten auf – aus traumatischer Angst vor einem neuen Krieg, sagten die einen; aus dem wiedererwachten Hunger nach Weltherrschaft, die andern. Der Kalte Krieg führte zu einem Wettrüsten sondergleichen. In den USA und in andern westlichen Ländern kam es zur Bekämpfung kommunistenfreundlicher Umtriebe. Die McCarthy-Bewegung wandte sich gegen alles und jedes, was als antidemokratisch erscheinen konnte. McCarthy arbeitete dabei mit dem FBI, also einer staatlichen Organisation, zusammen, wo die Informationen über Verdächtige aller Art gesammelt wurden. Eine ganze Anzahl deutscher Emigranten wurden vom House Committee on Un-American Activities verhört, Brecht, Eisler, Feuchtwanger und andere gehörten dazu. Paßentzug oder Ausweisung konnte die Folge solcher Verhöre sein. Auch über Thomas Mann wurde ein Dossier angelegt. Davon wußte er nichts, auch glaubte er sich auf seine einflußreichen amerikanischen Freunde verlassen zu können. Als 1950 wegen seines Ostdeutschland-Besuchs der jährliche Vortrag an der «Library of Congress» abgesagt wurde, war ihm das immerhin eine Warnung. Erst die Hetzkampagne, die der Journalist Eugene Tillinger gegen ihn vom Zaune brach, lockte ihn dann aus der Reserve. Tillinger bezeichnete ihn nicht als Kommunisten, aber als Mitläufer des Kommunismus. Thomas Mann bezog am 13. April 1951 im New Yorker «Aufbau» dazu Stellung: «Ich bin kein Kommunist und bin nie einer gewesen. Auch ein Reisekamerad bin ich weder, noch könnte ich je einer sein, wo die Reise ins Totalitäre geht. Daß aber für dieses Land, dessen Bürger zu werden mir eine Ehre und Freude war, der hysterische, irrationale und blinde Kommunistenhaß eine Gefahr darstellt, weit schrecklicher als der einheimische Kommunismus; ja, daß der Verfolgungswahnsinn und die Verfolgungswut, in die man verfallen und der sich mit Haut und Haar zu überlassen man im Begriffe scheint – daß all dies nicht nur zu nichts Gutem führen kann, sondern zum Schlimmsten führen wird, wenn man sich nicht schleunigst besinnt, wollte bei dieser Gelegenheit ausgesprochen sein.»

Für Thomas Mann war Kommunismus kein «scharf umschriebenes, politisch-ökonomisches Programm, gegründet auf der Diktatur einer Klasse, des Proletariats, geboren aus dem historischen Materialismus des neunzehnten Jahrhunderts»; er war eine Vision, die älter war als Marx und dieselben Grundideen enthielt «wie die religiösen Volksbewegungen des ausgehenden Mittelalters», die ja auch einen eschatologisch-kommunistischen Charakter gehabt hätten. Er zitiert hier am Schluß Nietzsche, der «das Besitz- und Genußrecht an den Gütern der Erde» gefordert hatte, ohne von Marx etwas zu wissen. Thomas Mann nahm den Kommunismus als Philosophie, nicht als Ideologie. Solchen Unterscheidungen wollten zur Zeit des Kalten Krieges nur wenige folgen. Idealismus und Intellektualität waren damals kaum gefragt, auf beiden Seiten nicht.

Ob Thomas Mann dann die USA tatsächlich wegen der politischen Stimmung verließ, ist schwer zu sagen. Den Entscheid scheint ganz zuletzt Erika nahegelegt oder erzwungen zu haben. Im Krieg hatte sie ihre ganze Kraft in Vorträgen und Artikeln gegen den Nationalsozialismus verausgabt. Jetzt war sie plötzlich nicht mehr gefragt; noch mehr: sie glaubte wegen prokommunistischer Äußerungen bespitzelt zu werden. Ihre Hysterie schuf im Haus der Eltern eine gespannte und bedrückte Atmosphäre. Schließlich lenkte Katja, die nicht noch einmal hatte umziehen wollen, ein. 1952 gab man das Haus in Pacific Palisades auf und übersiedelte nach der Schweiz.

Ein Unpolitischer war Thomas Mann seit 1922 nicht mehr. Die Schuld des Bildungsbürgertums lag 1933 offen vor seinen Augen. Seit 1945 arbeitete er aus rationalen Gründen immer mehr auf eine sozial ausgeglichene Gesellschaft hin – und vermochte bei alldem seine skeptisch-aristokratische Haltung nie ganz aufzugeben. Der Zug zur Apolitie wurde zwar immer entschiedener in den Hintergrund zurückgedrängt, aber ganz verdrängt wurde er nie. Thomas Mann bewahrte sich das Apolitische in der Sphäre der Kunst: Sie sollte das freie Spiel der Kräfte und Überlegungen sichern.

Was er seit den dreißiger Jahren die «Politisierung des Geistes» nannte, forderte den Widerstand gegen alle diktatorischen Einseitigkeiten, es handle sich nun um nationalsozialistische oder kommunistische – oder, wie im Falle der McCarthy Bewegung, antikommunistische. Von einer gradlinigen politischen Entwicklung wird man nicht sprechen wollen. Thomas Manns Haltung war gegenläufig und dabei auf Gleichgewicht und Ausgleich gerichtet (20. Februar 1935 an Karl Kerényi): «Ich bin ein Mensch des Gleichgewichts.

Ich lehne mich instinktiv nach links, wenn der Kahn rechts zu kentern droht, – und umgekehrt.» Daß Engagement gefordert war, hat er am 8. April 1945 an Hermann Hesse geschrieben, der ihm zu sehr in die Haltung des weisen Klosterbruders ausgewichen war: «Ich glaube, nichts Lebendiges kommt heute um das Politische herum. Die Weigerung ist auch Politik, man treibt damit die Politik der bösen Sache.»

Neben den rational-moralischen Gründen gab es aber auch seelische. Thomas Mann brauchte die Wirkung, er wollte Einfluß nehmen, er wollte beeinflussen. Er brauchte das Rampenlicht. Er wollte, daß die Welt auf ihn höre. Das hängt mit seiner narzißtischen Konstitution zusammen. Das schöne Werk allein genügt ihr nicht. Sie will auch Wirkung. Sie zwang zu direktem Eingreifen – zum demokratischen Wanderrednertum, zum Bekenntnis. Nur so konnte Thomas Mann sein, was er sein mußte, um sich wohl zu fühlen: Führer. Das utopische Ziel, das er sich seit 1922 setzt, ist die universale Humanität, die Menschheitsversöhnung. Diese Utopie ist allen einseitigen Ideologien überlegen. Führertum dieser Art versteht sich als Mittlertum. Es steht im Zeichen des Hermes.

Ruhm und Nachruhm

Zu unterscheiden wäre zwischen Erfolg und Rang. Erfolg wird durch Auflagenhöhen, Anzahl der Rezensionen, Artikel usw. bestimmt. Das ist meßbar, und es läßt sich sagen, daß Wassermann, Werfel, Hesse, Zweig erfolgreichere Schriftsteller gewesen sind als Thomas Mann, zumindest mit einzelnen ihrer Werke. Der Rang eines Künstlers dagegen läßt sich nicht eindeutig und ein für allemal festlegen, er wandelt sich in der Geschichte, aber er erhärtet sich auch in der Geschichte. Trotzdem werten wir, und tun es unablässig. Das führt zu einem nicht immer fröhlichen Ungefähr. Es führt auch zu fruchtbaren Diskussionen.

«Vergleiche dich! Erkenne, was du bist!» hat Thomas Mann in den «Betrachtungen» zitiert. Er hat sich ein Leben lang verglichen, weil er der jeweils Größere sein oder sich wenigstens unterscheiden wollte. Unter seinen Zeitgenossen hat er zwei als eigentliche Gegenspieler und Rivalen empfunden: seinen Bruder Heinrich und Gerhart Hauptmann. Heinrich war ihm anfänglich eine Vaterfigur, er hat ihn eifersüchtig beobachtet und nachgeahmt. «Buddenbrooks» gaben ihm «die Gewißheit, der größere Schriftsteller zu sein». Aber dann kamen die «Göttinnen», die eine ganze Generation faszinierten. Benn, Schickele, Flake haben die Schönheitsseligkeit der Trilogie in den Himmel gehoben. Thomas Mann wurde jetzt zum intimsten Kritiker seines Bruders. Er wandte sich gegen dessen «hysterischen Renaissancismus», gegen den Bellezza-Kult, die Cesare-Borgia-Ruchlosigkeit. Er ließ keine Gelegenheit aus, Heinrichs Werke im Namen der Moral versteckt oder offen zu tadeln. Sie waren «schönheitsgroßmäulig», «Blasebalg», zudem zu rasch hingeworfen, zu steil in der Gebärde, von unausgeglichener Qualität. Seit 1910 dann rissen Heinrichs politische Schriften die Generation der Aktivisten mit. Er war – nach schwankenden Anfängen – zum Politidealisten geworden, streitbar, zornig, angriffig. «Geist und Tat» und «Der Untertan» waren Fanfaren solcher Streitbarkeit. Aber im folgenden verzettelte sich Heinrich zusehends in politischen Kampfschriften und Bekenntnissen. Er schrieb zuviel zum Tage und fand kaum mehr Zeit für das, was über den Rang eines Schriftstellers entscheidet: sein künstlerisches Werk.

Heinrichs Werke *waren* von ungleicher Qualität, er wußte es. Nach den «Göttinnen» und der «Kleinen Stadt» ragt unter seinen Romanen allein noch der «Henri Quatre» heraus. Er ist in vielem ein Gegenstück zum «Joseph»: Auch *le bon roi Henri* ist ein großer Einzelner, ein «großer Ernährer», ein Retter und Erzieher des Volks. Es ist da viel von Güte und Moral die Rede, aber es fällt Heinrich auch in diesem Werk schwer, die «Diktatur der Vernunft» durchzusetzen. Er ist nach wie vor fasziniert von «Flöten» und «Dolchen», Mänadentanz und Blutrunst. Thomas Manns Werk ist repräsentativer, im ganzen wie im einzelnen: Es ist nicht immer mehr Hellsicht darin, aber vielleicht mehr Überblick und Ausgewogenheit. Die frühen Novellen mochten etwas schmalbrüstig sein, zu sehr auf elitäre Künstlerprobleme ausgerichtet. Seine Romane indessen waren allesamt Monumente. Wer machte ihm «Buddenbrooks» nach, wer den «Zauberberg», wer den «Joseph» und den «Doktor Faustus»? Die Geschichte hat Thomas Mann vor Heinrich gestellt. An dieser Rangfolge kann man vielleicht rütteln, umstoßen kann man sie nicht.

Und Gerhart Hauptmann? Als Thomas Mann auf den Plan trat, war Hauptmann schon unbestritten der größte deutsche Dramatiker. Spätestens von 1922 an war er ebenso unbestritten der deutsche Nationaldichter, und 1932 ließ sich seine Goethe-Nachfolge nicht mehr übersehen und auch nicht mehr anfechten. Thomas Mann grenzte sich ab. Hauptmann war volkstümlich: er war, wie er es selbst sagte, «der erhöhte Ausdruck der Volksseele». Er fühlte sich ein, er gestaltete. Auf seinem Felde, dem Drama, wo alles sichtbar wurde, war er nicht zu übertreffen. Aber gleichzeitig fehlte es Hauptmann an analytischer Kraft, an Intellektualität. Seine Essays waren verquollen bis zur Peinlichkeit. Er war kein Prosaist. Genau das aber war Thomas Manns Feld. Hauptmann war Dichter, nicht Schriftsteller, Plastiker, nicht Kritiker. Thomas Mann versuchte beides zu sein. Das Deutsch-Poetische und das Europäisch-Intellektuelle sollten in seinen Werken zusammengehen.

Solche Selbstbestimmung brachte Thomas Mann indes den Seelenfrieden nicht. Der andere stand ihm mit seiner imposanten Allgegenwart im Wege. Überall wurde er gefeiert, und Thomas Mann gab diesen Feiern als Lobredner erhöhten Glanz. Aber der Laudator wollte selbst König sein. Im «Zauberberg» kommt es dann zum Königsmord: Thomas Mann baut Mynheer Peeperkorn zur großmächtigen Figur auf und macht ihn gleichzeitig lächerlich. Peeperkorn wird mit Goethe verglichen, ein tanzender Heidenpriester ist er, ein Spendegott, ein Mythos der Natur. Darüber hinaus hat Peeperkorn heiligmäßige Züge, er ist Dionysos und auch Christus, er ist der sich zerreißende Gott, ein *crucifixus*. Bei aller Bewunderung und Verehrung läßt Thomas Mann die Peeperkorn-Figur immer wieder ins Unzulängliche, nicht recht Taugliche und gar Komische absacken. Die Ambivalenz des Vaterbilds läßt sich nicht übersehen. Hauptmann bleibt der deutsche Repräsentant auch nach 1933. In Thomas Manns Tagebuch kommt es zu Ausfällen. Aber nicht einmal jetzt vermag er den Alten ganz zu verdammen. Als Hauptmann 1946 stirbt, ist Thomas Mann schmerzlich berührt: «Ein glücklicher Mann, ein Segensmensch». Und 1952, zu Hauptmanns 90. Geburtstag, schreibt Thomas Mann auf die Bitte der Witwe seine letzte Laudatio.

Soviel zu den beiden Zeitgenossen, an denen Thomas Mann sich am meisten gerieben hat. Und die übrigen? Thomas Mann hat sie nicht in gleichem Maße zur Kenntnis genommen. Das war zum einen Selbstschutz, zum andern war es Präokkupation. An Hesse schrieb er einmal: «Lebt man denn, wenn andere leben?» Und im Tagebuch (9. März 1944), bei der Lektüre des «Glasperlenspiels»: «Die Erinnerung, daß man nicht allein auf der Welt, immer unangenehm.» Thomas Mann nahm Döblin, Kafka und Broch nicht recht wahr. Auch Musil nicht. Keiner von ihnen hat seinen Ruhm erreicht – mit der Ausnahme Kafkas, der in den Nachkriegsjahren der Autor der Epoche wurde, oder dann Hesses, der 1966 mit «Siddharta» und der «Morgenlandfahrt» die Hippie-Bewegung begleitete – aber das war schon nach seinem Tod. Der populärste Nachkriegsautor war Brecht. Doch Brecht war Dramatiker und konnte Thomas Mann nur schon aus diesem Grunde nicht gefährlich werden. Brechts Nachruhm ist nun in spät- und nachkommunistischer Zeit deutlich abgeklungen. Das hängt mit der ideologischen Eintönigkeit des epischen Theaters zusammen. Die Schwimmhäute Baals interessieren heute viele mehr als die Theorien der Lehrstücke.

Thomas Manns Werke sind nie eigentlich populär gewesen. Sie gelten mit Recht als intellektualistisch, als Arbeiten eines Erkenntnisdichters, eines Psychologen, eines Moralisten. Immer betrachtet er die Menschen von außen, oder er durchschaut sie. Seine Sprache beleuchtet die Dinge eher als daß sie sie leuchten ließe. Das *ex corde* ist seine Sache nicht. Immer ist sein Reden auf Bewältigung aus. Die Analyse soll von den Leiden erlösen, Ironie die Einmaligkeit des Individuums und seiner Schmerzen lächelnd in die Distanz rücken. Bei alledem darf man aber nicht übersehen, daß Thomas Mann auch ein großer Erzähler ist; er erörtert nicht nur, er erlebt und gestaltet. Seine Handlungen stützen sich dabei auf die Ur-Einfalt der Märchen und der Mythen ab. Das Hochbewußte und das Ur-Einfältige durchdringen sich. Diese Romane und Novellen sprechen gleichzeitig die intellektuellen und die einfachen Leser an.

Thomas Manns Nachruhm hat sich in all den vergangenen Jahrzehnten als bemerkenswert kontinuierlich erwiesen. Von der 68er Generation ist er allerdings als bürgerlich-bildungsbürgerlich abgestempelt worden. Hatte nicht schon Döblin von Thomas Manns «Bügelfalten-Prosa» geschrieben? Daß «das Soziale» seine schwache Seite war, wußte Mann mindestens seit dem «Zauberberg». Er hat das indessen im späten «Joseph» weitgehend ausgeglichen; da tritt der Einzelne ja als «großer Ernährer» der vielen auf. Aber das hatte im Vergleich zu revolutionärer Prosa zu wenig Angriffigkeit und Klotzigkeit.

Noch auf ein ganz anderes ist aufmerksam zu machen. Bei der Eröffnung der Tagebücher, 1975, zeigte sich, was viele übersehen hatten: Hinter all dieser Überlegenheit, hinter dem Präzeptor Germaniae, dem Führer der Emigration, dem Verkünder neuer Humanität verbarg sich ein problematischer Mensch. Thomas Manns wohlversteckte Homophilie wurde ruchbar. Es zeigte sich zwar, daß er sich seine Neigungen von früh an verbot und sich

Distanz auferlegte. Seine pater-familias-Rolle deckte die homophile Veranlagung zu. Aber doch: Was er im «Tod in Venedig» in den Mittelpunkt einer Novelle gerückt hat, war autobiographischer als man vermutete. Heute kann man wohl sagen: Manns Werk weist durch seinen Drang zur Makellosigkeit den Gedanken an einen gesellschaftlich anfechtbaren Menschen gerade dort von sich, wo es diesen Menschen zeigt.

Was die Tagebücher bis ins Erschütternde hinein deutlich machen, ist die Konsequenz und die Ausschließlichkeit, mit der dieses Leben auf das Werk hin gelebt wird. Alles hat sich zu fügen. Hier wird ein Leben dem Werk geopfert – und aus dem Werk zurückgewonnen.

1875–1894 Eine Kindheit in Lübeck

Die Geburtsstadt
Die Familie
Musik und Märchenseligkeit
Schiffe und Speicher
Am Katharineum
Frühe Verzauberungen

Die Geburtsstadt

Der Marktplatz in Lübeck um 1870
Lithographie nach einer Zeichnung von Lorenz Ritter.

[...] Wer bin ich, woher komme ich, daß ich bin, wie ich bin, und mich anders nicht machen noch wünschen kann? [...] Ich bin Städter, Bürger, ein Kind und Urenkelkind deutsch-bürgerlicher Kultur. [...] Waren meine Ahnen nicht Nürnberger Handwerker von jenem Schlage, den Deutschland in alle Welt und bis in den fernen Osten entsandte, zum Zeichen, es sei das Land der Städte? Sie saßen als Ratsherren im Mecklenburgischen, sie kamen nach Lübeck, sie waren «Kaufleute des römischen Reiches», – und indem ich die Geschichte ihres Hauses, eine zum naturalistischen Roman entwickelte städtische Chronik schrieb, ein deutsches Buch, das man wohl auf ein Bord mit den Schriftwerken der bürgerlichen Vorzeit stellen mag, erwies ich mich als viel weniger aus der Art geschlagen, als ich selber mir träumen ließ.

Betrachtungen eines Unpolitischen (XII, 115)

Lübeck, Stadtansicht um 1850

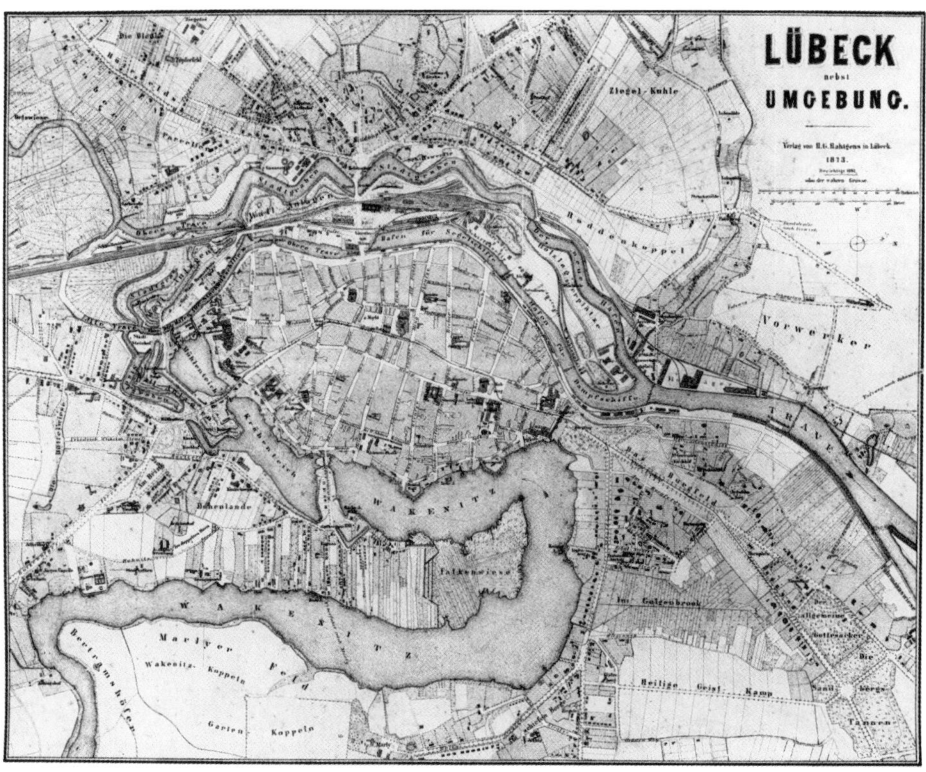

Plan von Lübeck 1873

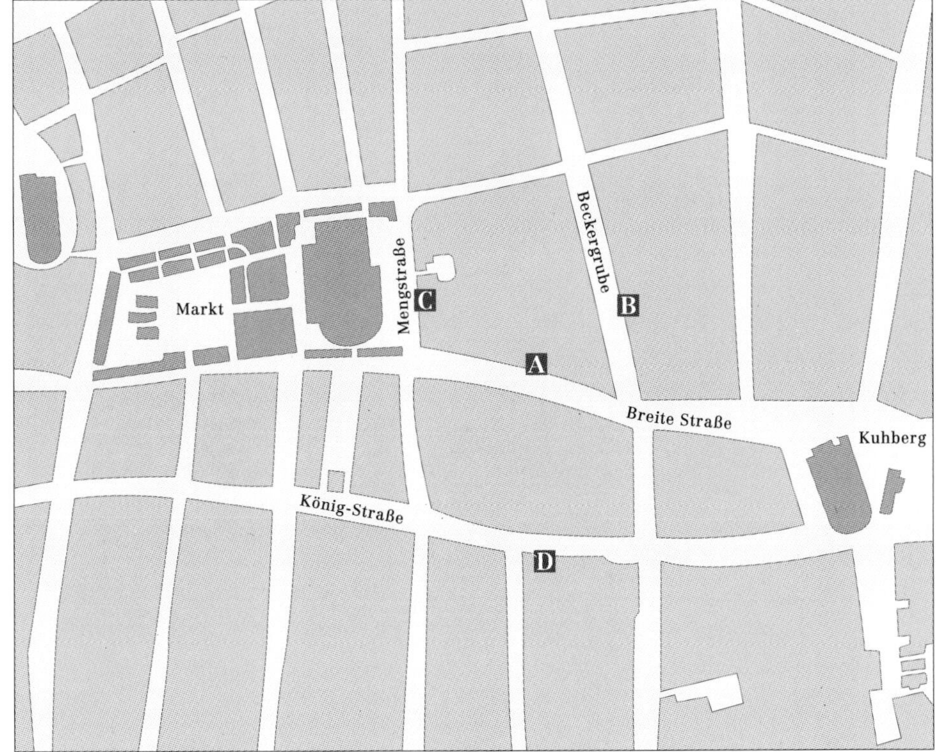

Wohnhäuser der Familie Mann

A 1872–1883 Breite Straße 38

B 1883–1891 Beckergrube 52

C Wohnhaus der Großmutter Elisabeth (Buddenbrook-Haus), Mengstraße 4

D Katharineum

Die Familie

Die Eltern, Julia und Thomas Heinrich Mann

Ich wurde geboren im Jahre 1875 in Lübeck als zweiter Sohn des Kaufmanns und Senators der Freien Stadt Johann Heinrich Mann und seiner Frau Julia da Silva-Bruhns. Während mein Vater Enkel und Urenkel Lübecker Bürger war, hatte meine Mutter in Rio de Janeiro als Tochter eines deutschen Plantagenbesitzers und einer portugiesisch-kreolischen Brasilianerin das Licht der Welt erblickt und war mit sieben Jahren nach Deutschland verpflanzt worden. Sie war von ausgesprochen romanischem Typus, in ihrer Jugend eine vielbewunderte Schönheit und außerordentlich musikalisch. Frage ich mich nach der erblichen Herkunft meiner Anlagen, so muß ich an Goethe's berühmtes Verschen denken und feststellen, daß auch ich «des Lebens ernstes Führen» vom Vater, die «Frohnatur» aber, das ist die künstlerisch-sinnliche Richtung und – im weitesten Sinne des Wortes – die «Lust zu fabulieren», von der Mutter habe.

Lebensabriß (XI, 98)

Thomas Mann im Alter von 2 Jahren

Der Bruder Heinrich, geb. 1871

Thomas mit der Schwester Julia, geb. 1877

Die Mutter Julia Mann, geb. da Silva-Bruhns (1851–1923)

Unsere Mutter war außerordentlich schön, von unverkennbar spanischer Turnüre – gewisse Merkmale der Rasse, des Habitus habe ich später bei berühmten Tänzerinnen wiedergefunden – mit dem Elfenbeinteint des Südens, einer edelgeschnittenen Nase und dem reizendsten Munde, der mir vorgekommen. Gefeierte Gesellschaftsdame, stand sie einem großen Hause vor, in dessen Ballsaal die Offiziere der Garnison die Töchter des Patriziats zum Tanze führten; aber wenn auch wir Geschwister, solange wir Kinder waren, in der Hauptsache der Obhut eines «Fräuleins» überlassen waren, blieb doch das Heim bürgerlich genug, uns immer in Kontakt mit unserer Mutter zu halten, und namentlich ihre freien Abende schenkte sie uns oft, indem sie uns unter der Lampe des Wohnzimmertisches Fritz Reuters Erzählungen vorlas.

Das Bild der Mutter (XI, 421)

Der Vater Thomas Johann Heinrich Mann (1840–1891)

Wie oft im Leben habe ich mit Lächeln festgestellt, mich geradezu dabei *ertappt*, daß doch eigentlich die Persönlichkeit meines verstorbenen Vaters es sei, die als geheimes Vorbild mein Tun und Lassen bestimme. Vielleicht hört heute der eine oder andere mir zu, der ihn noch gekannt, ihn noch hat leben und wirken sehen, hier in der Stadt, in seinen vielen Ämtern, der sich erinnert an seine Würde und Gescheitheit, seinen Ehrgeiz und Fleiß, seine persönliche und geistige Eleganz, an die Bonhomie, mit der er das platte Volk zu nehmen wußte, das ihm in noch ganz echt patriarchalischer Weise anhing, an seine gesellschaftlichen Gaben und seinen Humor. Er war kein einfacher Mann mehr, nicht robust, sondern nervös und leidensfähig, aber ein Mann der Selbstbeherrschung und des Erfolges, der es früh zu Ansehen und Ehren brachte in der Welt – dieser seiner Welt, in der er sein schönes Haus errichtete.

Lübeck als geistige Lebensform (XI, 386)

Die Schwester Carla, geb. 1881

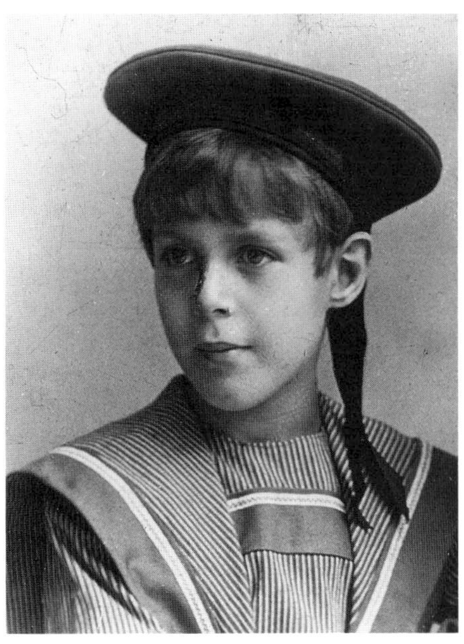

Viktor, das jüngste Kind, geb. 1890

Häuser

Das Geburtshaus Heinrich Manns, Breite Straße 54

Die Familie bezog zunächst eine Mietwohnung an der Breiten Straße 54. Hier kam Heinrich Mann zur Welt. 1872 kaufte Johann Heinrich Mann an der gleichen Straße das Haus Nr. 38. In diesem Haus verbrachten die Geschwister Mann ihre frühe Kindheit. Das Haus war weniger vornehm als etwa das Behnhaus an der Königstraße oder andere Kaufmannshäuser der Stadt. Es war, wie der Plan zeigt, allerdings grösser, als die Frontansicht es vermuten läßt. Der Konsul ließ vor dem Einzug im Obergeschoß des Flügelhauses noch einen Saal einbauen. Das Comptoir der Firma blieb im Stammhaus an der Mengstraße, das später dann als Buddenbrook-Haus bekannt wurde.

Breite Straße 38, das Haus der Familie Mann von 1872–1883
Thomas Mann kam am 6. Juni 1875 in einem Sommerhaus vor dem Burgtor zur Welt. Er wurde am 11. Juni in der Marienkirche auf die Namen Paul Thomas getauft.

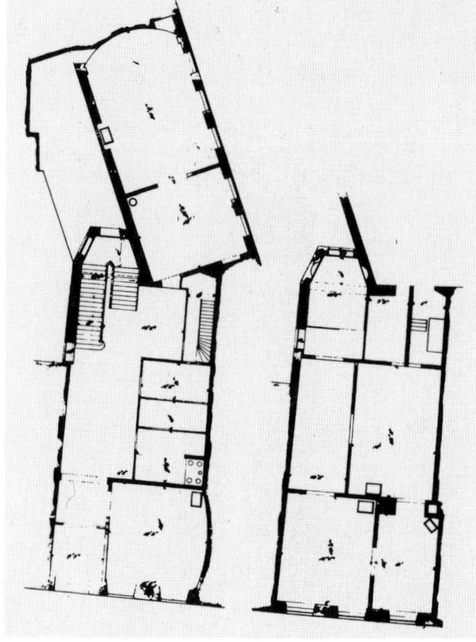

Breite Straße 38, Grundriß

Das Haus Beckergrube 52
Der Vater, Senator Mann, kaufte 1881 das Grundstück in der Beckergrube 52, riß das alte Gebäude nieder und baute ein neues Haus. Hier verbrachte Thomas Mann, vom Frühjahr 1883 an, seine Kinder- und Jugendjahre. Das Haus wurde am 29. März 1942 durch einen Bombenangriff zerstört.

Roeckstraße 7, vor dem Burgtor
Nach dem Tode des Senators (13. Oktober 1891) wohnte Frau Julia Mann mit ihren fünf Kindern noch einige Monate an der Roeckstraße 7. Das Haus an der Beckergrube 52 verkaufte sie. Ostern 1892 zog sie mit ihren drei jüngsten Kindern nach München. Heinrich hatte in Dresden eine Buchhändlerlehre begonnen, Thomas Mann ging zu verschiedenen Oberlehrern in Pension und folgte der Mutter im März 1894 nach München.

Heinrich, Thomas, Carla und Julia, 1885

Julia, Thomas, Carla, Heinrich, um 1889

Musik und Märchenseligkeit

Julia Mann, Aus Dodos Kindheit
Julia Mann schrieb ihre Kindheits- und Jugenderinnerungen nieder. Sie wurden 1958 unter dem Titel «Aus Dodos Kindheit» herausgegeben.

Meine Mutter stammte aus Rio de Janeiro, hatte aber einen deutschen Vater, so daß nur zum vierten Teil unser Blut mit lateinamerikanischem gemischt ist. Uns Kindern erzählte sie von der paradiesischen Schönheit der Bucht von Rio, von Giftschlangen, die sich auf der Pflanzung ihres Vater zeigten und von Negersklaven mit Stöcken erschlagen wurden. Mit sieben Jahren fand sie sich nach Lübeck verpflanzt – den ersten Schnee, den sie sah, hielt sie für Zucker. Sie wuchs dort auf in einem Mädchen-Pensionat, das von einer buckligen kleinen Gelehrten namens Therese Bousset geleitet wurde, und heiratete, sehr jung, den eleganten, lebensvollen und ehrgeizig tätigen Mann, der unser Vater war.

Das Bild der Mutter (XI, 420)

Johann Ludwig Bruhns (1821–1893), der Großvater mütterlicherseits
Johann Ludwig Bruhns, 1821 in Lübeck geboren, wanderte als 19jähriger nach Brasilien aus, gründete eine Exportfirma für Kaffee und Zucker. Er wurde ein erfolgreicher und angesehener Plantagenbesitzer. 1848 heiratete er die Tochter eines befreundeten portugiesischen Großgrundbesitzers, Maria Luiza da Silva.

Senhora Maria Luiza da Silva-Bruhns (1828–1856), Großmutter mütterlicherseits

Im Urwalde, nahe dem atlantischen Ozean, südlich des Äquators, war es, wo Dodo das Licht der Welt erblickte. «Unter Affen und Papageien» wie ihr der Pai (Vater) später in Deutschland erzählte. Sie erschien, als Pai und Mai im Begriffe waren, von einer kleinen Küstenstadt in die andere überzusiedeln. Eine Negerschar nahm sich der drei älteren Kinder und des Gepäckes an und marschierte voraus, während Pai und Mai, welche zu Pferde waren, unter Zurückbehaltung einer Anzahl von Negern zu ihrer Bedienung, eine ausgedehnte Pause in der Reise machten. Darnach ging es in das neue Domizil, wo Dodo zwischen Meer und Urwald aufwuchs.

Ihr Vater war ein großer, blondhaariger Deutscher, der schon mit 16 Jahren nach «drüben» gegangen war, um dort durch Handel mit Plantagen-Erzeugnissen sich Vermögen zu erwerben. Später hat er Senhorinha Maria Luiza da Silva, die Tochter eines Plantagenbesitzers, kennengelernt und die 15jährige geheiratet. Von 5 Kindern war Dodo das vierte, und das einzige, welches gleich dem Pai, blondes und leicht gelocktes Haar hatte. Ihre schwarze Amme hatte viel Freude an dem Haar der Kleinen; sie wickelte es in Papilloten, um nach ihrem Geschmack recht krause Locken zu erzielen. Das Kind war viel bei der Mai, aber auch unter Aufsicht ihrer schwarzen Anna, oder der Mulattin Leokadia. Es lief im Hemdchen, das durch einen Gürtel gehalten wurde, barfuß umher; einmal vornhinaus an den Meeresstrand, um von den mächtigen Steinen die Muscheln und kleinen Austern zu lösen, die sie zum Rösten in's Haus an den Herd brachte; dann wieder hinter das Haus an den Rand des Urwaldes, wo sie herabgefallene Cocosnüsse und Bananen sammelte. Ersteren entnahmen die schwarzen Diener mittels glühend gemachter Spieße, die sie in die drei Nußaugen bohrten, die süße Milch für Dodo und ihre Geschwister. Ach was gab es dort nicht an schönen und guten Dingen! Außer Cocos und Bananen noch die Pinhão, die Mani, die Ananas, die großen dunkelroten saftigen Granatäpfel, die Guayava und die süße große Limona, aus denen Mai so herrliche Jalea kochte, und so ferner. Und wie reizend war es im Garten, wenn die Kleine zwischen den reichfarbigen, wie pontische Azaleen duftenden Blumen stand, und an ihr vorüber, wie goldene Fünkchen, die «Beija-flor» (Colibri) schossen; wie herrlich, wenn sie an der anderen Seite des Hauses auf dem Bache in einer Art Waschzuber Kahn fuhr, wie so schön und ernst die schwarz-grau gefiederten und krummgeschnäbelten Urubu auf den Büschen am Bachesrand saßen und hoheitsvoll auf Dodo schauten, wenn sie an ihnen vorüberfuhr. Und vom Urwalde her ertönte fast ununterbrochen das wilde Geschrei der Brüllaffen und Papageien.

Julia Mann, Aus Dodos Kindheit

Märchen und Tagträume

Die Mutter musizierte, sang, erzählte Märchen – von Hans im Glück, der kleinen Seejungfrau, Riquet mit dem Schopf, von Klumpe-Dumpe, der die Treppe hinunterfiel und doch die Prinzessin zur Frau gewann. Grimm, Andersen, Perrault. Auch das Mythologiebuch von Nösselt war da mit seinen Göttergeschichten. Und dann das Puppentheater! Die Überlegenheit, die es verlieh, wenn man alle Figuren spielen konnte, wenn man sie herbeizaubern und wieder wegschicken konnte, als «Herr der Geschichte»: die Allmachtsphantasien des kleinen Zauberers.

Die Märchen gewährten jenes «träumerische Sichgehenlassen», den Zustand freien Schwebens, der Enthobenheit aus Zeit und Raum. Mochten sich draußen hart die Dinge stoßen: das alles, erinnert sich Heinrich, «schlief ein, als ich zuviel las und die Häuser der Straße nicht hersagen konnte». Märchenbücher! Thomas Mann hat der «Ur-Einfalt des Märchens» bis ins Alter die Treue bewahrt; er glaubte ihr in Wagners Mythen wieder zu begegnen, im jungen Siegfried, in Tannhäusers Venusberg-Verlockung, aber auch im nächtlichen Wunderreich von ‹Tristan und Isolde›. Wie Heinrich, nur eindringlicher und tiefer, hat er alle seine Werke mit Märchen und Mythen verbunden, im Grunde hat er zeit seines Lebens immer nur Märchen erzählt: die Dornröschengeschichte in der ‹Königlichen Hoheit›, das Märchen vom Glückskind im ‹Felix Krull› oder, im ‹Joseph›, die Geschichte vom Sohn, der auszog, ein Königreich zu finden. Königsträume und Götterspiele, sie füllten seine Kindheit aus, und an sie denkt der Dichter zurück, wenn er im Alter von Segensaufstieg und Erhöhung berichtet.

Kinder- und Hausmärchen
gesammelt
durch die
Brüder Grimm.
Berlin. Ferd. Dümmler's Verlagsbuchhandlung.

H. C. Andersen's

Sämmtliche Märchen.

Einzige vollständige vom Verfasser besorgte Ausgabe.

Mit 67 in den Text gedruckten Holzschnitten
und 12 großen Illustrationen
nach Originalzeichnungen von V. Petersen und L. Hutschenreuter

Dreiundzwanzigste Auflage.

Alfred Schwarzschild.

Leipzig,
Ed. Wartig's Verlag
(Ernst Hoppe).
1882.

Märchen

nach

Perrault neu erzählt von Moriz Hartmann,

illustrirt von

Gustav Doré.

Zweite Auflage.

Stuttgart.

Druck und Verlag von Eduard Hallberger.

Die kleine Seejungfrau wird im «Doktor Faustus» herumgeistern

PRINZ RIQUET MIT DEM SCHOPF

Dann war Friede zu Hollerbrunn, – Stille in den Tiefen des Parks und Schweigen unter den umschnörkelten Deckengemälden der hohen, ovalen Zimmer. Die Spiele Klaus Heinrichs mit Ditlind am Springbrunn erhielten eine weltabgeschiedene Innigkeit, und ihre Augen wurden ruhevoll, ihr Lächeln verträumt und ihre Bewegungen süß und lässig dabei. «Nun wollen wir tot sein», sagten sie schließlich zu einander; und dann lagen sie mit inbrünstig geschlossenen Augen in grüner Dämmerung auf dem Rande des Bassins, rührten sich nicht und athmeten nur gerade so viel, als nöthig war, deckten sich mit Stille zu, ließen sich ganz von ihr durchdringen und durchtränken, lösten sich gleichsam in der Stille auf und fanden ein außerordentliches Glück darin, bis es Ditlinden bange ward und sie Mlle Geneviève ersuchte, aus ihren «Märchen am französischen Kamine» vorzulesen. Und die Farben der Märchen glühten in der Stille, und ihre Gestalten wurden leibhaft und greifbar; sie traten hervor aus dem Buch und wandelten im Park, weil kein Geräusch sie verscheuchte und keine Wirklichkeit sie verbleichen machte. Klaus Heinrich war voller Solidaritätsgefühl für die Prinzen, deren Schicksale sich vor ihm vollzogen:
«Sind es Prinzen wie ich?» fragte er ...
«Tout à fait comme vous, mon prince», antwortete Mlle Geneviève.
«Auf die selbe Weise wie ich?»

«Parfaitement, mon prince.»
Er winkte, sie solle weiter lesen und versank in Nachdenken. Er schätzte vor Allen Prinz Riquet mit dem Schopf, der so abstoßend häßlich und so überaus geistreich war und schließlich durch die Prinzessin, die er liebte, sogar noch Schönheit gewann. Erselbst war hübsch, wie man sagte. Aber er fühlte sehr, daß es einem Prinzen wohl anstehe, häßlich und geistreich zu sein ...

Aus den Fragmenten zur «Fürsten-Novelle», einer Vorstufe von «Königliche Hoheit»

Ich erwachte zum Beispiel eines Morgens mit dem Entschluß, heute ein achtzehnjähriger Prinz namens Karl zu sein. Ich kleidete mich in eine gewisse liebenswürdige Hoheit und ging umher, stolz und glücklich mit dem Geheimnis meiner Würde. Man konnte Unterricht haben, spazieren geführt werden oder sich Märchen vorlesen lassen, ohne daß dieses Spiel einen Augenblick unterbrochen zu werden brauchte; und das war das Praktische daran. Übrigens brauchte es nicht immer ein Prinz zu sein, meine Rollen wechselten häufig.

Kinderspiele (XI, 328)

Das Götterspiel

Denn da war ja ferner auch noch das Götterspiel, eine Unterhaltung ersten Ranges. Schon hat der Leser aus dem Namen, den ich meinem Schaukelpferde gab, meine frühe Beschäftigung mit der ‹Ilias› ersehen. In der Tat haben mir Homer und Vergil in der dankenswertesten Weise alle Indianergeschichten ersetzt, um die ich mich nie bekümmert habe. In einem Buche, das schon meiner Mutter beim Mythologie-Unterricht gedient hatte (es trug eine Pallas Athene auf dem Umschlag und gehörte zu denen, die die Kinder dem Bücherschrank entlehnen durften), waren aus den Werken dieser beiden Dichter in deutscher Sprache packende Auszüge enthalten, die ich seitenweis auswendig wußte (besonderen Eindruck machte mir die «diamantscharf schneidende Sichel», die Zeus im Kampf gegen Typhon erhebt – ich wiederholte mir diese Stelle immer wieder), und früh war ich vor Troja, auf Ithaka und dem Olympos so wohl zu Hause wie meine Altersgenossen im Lande des Lederstrumpfs. Und was ich so begierig in mich aufgenommen, das stellte ich spielend vor. Ich hüpfte als Hermes mit papiernen Flügelschuhen durch die Zimmer, ich balancierte als Helios eine glanzgoldene Strahlenkrone auf dem ambrosischen Haupt, ich schleifte als Achilleus meine Schwester, die wohl oder übel den Hektor darstellte, unerbittlich dreimal um die Mauern von Ilion. Aber als Zeus stand ich auf einem kleinen, rotlackierten Tisch, der mir als Götterburg diente, und vergebens türmten die Titanen den Pelion auf den Ossa, so gräßlich blitzte ich mit einer roten Pferdeleine, die obendrein mit Glöckchen benäht war …

Kinderspiele (XI, 328 f.)

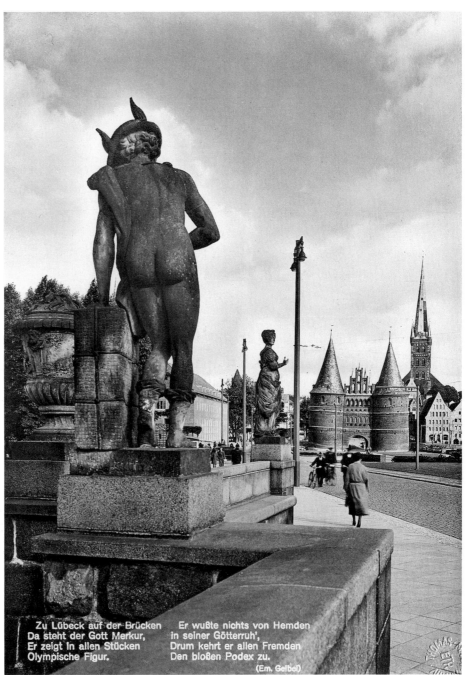

Zu Lübeck auf der Brücken
Da steht der Gott Merkur,
Er zeigt in allen Stücken
Olympische Figur.

Er wußte nichts von Hemden
In seiner Götterruh',
Drum kehrt er allen Fremden
Den bloßen Podex zu.
(Em. Geibel)

Hermes, auf der Puppenbrücke zu Lübeck. Ansichtskarte
Die Lübecker Puppenbrücke hat ihren Namen von sieben Sandsteinfiguren, die der Bildhauer Boy in den Jahren 1774–1776 gestaltete. Dargestellt sind der Flußgott (Trave), die Eintracht, die Klugheit, der Friede, ein römischer Krieger, die Freiheit und der Gott Merkur – der Gott des Handels.
Das aufgedruckte Gedicht hat in höchsteigener Person Emanuel Geibel verfaßt.

Schiffe und Speicher

Solchen Schauern und Verzückungen gegenüber dann die Welt des Vaters. Der Vater als tüchtiger Kaufmann, als angesehener Senator, als fordernde Instanz den Söhnen gegenüber. Sie entzogen sich ihm, Heinrich wie Thomas. Und als der Vater sein Testament aufsetzte, am 30. Juni 1891, schrieb er: «Den Vormündern mache ich die Einwirkung auf eine praktische Erziehung meiner Kinder zur Pflicht. Soweit sie es können, ist den Neigungen meines ältesten Sohnes zu einer s. g. literarischen Thätigkeit entgegenzutreten. Zu gründlicher, erfolgreicher Thätigkeit in dieser Richtung fehlen ihm m. E. die Vorbedingnisse: genügendes Studium und umfassende Kenntnisse. Der Hintergrund seiner Neigungen ist träumerisches Sichgehenlassen und Rücksichtslosigkeit gegen andere, vielleicht aus Mangel an Nachdenken.» Und: «Mein zweiter Sohn ist ruhigen Vorstellungen zugänglich, er hat ein gutes Gemüth und wird sich in einen praktischen Beruf hineinfinden. Von ihm darf ich erwarten, daß er seiner Mutter eine Stütze sein wird.» Eine Stütze? Auch der jüngere Sohn hat, dem Bruder nachstrebend, den Kaufmannsberuf gemieden. In der Schule träumte er. Oder er lehnte sich auf. Da war zuviel Pflicht und Strenge, Stundenschlag und Eisblumenkälte. Was ihn reizte, war die Welt des Theaters …

Das Holstentor

Schiffswerft an der Trave, um 1870
Unbekannter Künstler

Lübeck, Hafen bei der Alfstraße
vor 1848
C. H. Hustede

Markttwiete, um 1865

Ein Geschenk zum 100jährigen Firmenjubiläum am 25. Mai 1890
Im Roman «Buddenbrooks» feiert die Familie 1868 das 100jährige Jubiläum der Firma.

Zeichnung von Heinrich Mann, um 1942

Am Sterbelager des Vaters
Zeichnung von Heinrich Mann, um 1942

Der Senator Mann wurde anfangs Juli 1891 wegen Blasenbeschwerden operiert. Man stellte einen Blasenkrebs fest. Er starb drei Monate später, am 13. Oktober 1891. Um seiner Frau «die Mühe des Entwerfens einer Todesanzeige» zu ersparen, legte er deren Text selbst fest: «Im einundfünfzigsten Lebensjahr verschied heute der Senator Thomas Johann Heinrich Mann. Um stilles Beileid bitten die trauernden Hinterbliebenen. Julia Mann, geb. Bruhns.»

Aus einem Testamentsentwurf vom 1. Juli 1891

Ich bitte das mein Bruder seinen Einfluß auf meinen ältesten Sohn ausübe damit er nicht auf einen falschen zu seinem Unglück führenden Weg gerate. Mein Sohn soll das Ende ins Auge fassen, nicht nur die gegenwärtigen Wünsche. Tommi wird um mich weinen. Gebet, *Ehrfurcht* für seine Mutter und fleißige Arbeit soll er nie vernachlässigen. – Die Geschwister haben sich untereinander lieb und lieben ihre Mutter alle innig. Darauf baue ich meine ganze Hoffnung. Sie wird in Erfüllung gehen, wenn meine Frau nicht schwach sich zeigt.
1 Juli 1891.

H Mann

Am Katharineum

Thomas Mann als Schüler des Katharineums

Ich verabscheute die Schule und tat ihren Anforderungen bis ans Ende nicht Genüge. Ich verachtete sie als Milieu, kritisierte die Manieren ihrer Machthaber und befand mich früh in einer Art literarischer Opposition gegen ihren Geist, ihre Disziplin, ihre Abrichtungsmethoden. Meine Indolenz, notwendig vielleicht für mein besonderes Wachstum; mein Bedürfnis nach viel freier Zeit für Müßiggang und stille Lektüre; eine wirkliche Trägheit meines Geistes, unter der ich noch heute zu leiden habe, machten mir den Lernzwang verhaßt und bewirkten, daß ich mich trotzig über ihn hinwegsetzte. Es mag sein, daß der humanistische Lehrgang meinen geistigen Bedürfnissen angemessener gewesen wäre. Zum Kaufmann bestimmt – ursprünglich wohl zum Erben der Firma –, besuchte ich die Realgymnasialklassen des ‹Katharineums›, brachte es aber nur bis zur Erlangung des Berechtigungsscheines zum einjährig-freiwilligen Militärdienst, das heißt bis zur Versetzung nach Obersekunda.

Lebensabriß (XI, 99)

Zeichnung von Heinrich Mann, um 1942
Sie könnte den Titel tragen: «Hanno kommt zu spät.»

Katharineum, nach 1890

Mitschüler und Lehrer

Die Lehrerschaft des Katharineums, 1889
3. Reihe, 4. von rechts: Oberlehrer Christ. Ad. Eduard Mertens, Geschichts- und Religionslehrer.
3. Reihe, 5. von rechts: Oberlehrer Dr. Ludwig Hermann Baethcke, Thomas Manns Deutschlehrer in U II und O III. Baethcke war in U II auch Thomas Manns Französisch- und Lateinlehrer.
3. Reihe, 3. von links: Dr. Ludwig Weber, Thomas Manns Deutschlehrer in U III (1889/90 und 1890/91).
3. Reihe, 4. von links: Oberlehrer Dr. Heinrich Hupe, bei dem Thomas Mann 1892 in Pension war, bevor er zu Dr. Timpe wechselte. Hupe unterrichtete Thomas Mann eine Zeitlang in Englisch und Französisch.
2. Reihe, 4. von rechts: Oberlehrer Dr. Johann Heinrich Timpe, bei dem Thomas Mann 1892 in Pension war. Vater von Willri Timpe. Dr. Timpe unterrichtete in Französisch, war aber nie Thomas Manns Lehrer.
1. Reihe, Mitte: Direktor Dr. Johannes Julius Schubring (in «Buddenbrooks» Direktor Wulicke).

Armin Martens

Was Thomas Mann dem Mitschüler Armin Martens gegenüber empfand, hat er im »Tonio Kröger» beschrieben. Tonio, einsam und verträumt, liebt Hans Hansen – nicht zuletzt, weil dieser so anders ist als er: kontaktfreudig, spontan, beweglich. Armin Martens ritt gern, für Literatur hatte er wenig Sinn. Er war der Bruder von Ilse Martens, die später ebenfalls nach München zog und dort bisweilen mit Thomas Mann zusammen musizierte. Sie wurde von ihm auch, zusammen mit seinen Schwestern Julia und Carla, zu den ersten Privatlesungen aus «Buddenbrooks» eingeladen.
Armin Martens nahm ein tragisches Ende: er ist 1906, arg verschuldet, in Windhuk (Afrika) gestorben. Der Nachlaßbeamte meldete der Familie:

Am 1. April d. J. ist im hiesigen Lazarett ihr Neffe, der Kaufmann Armin Martens, gestorben. Das Kaiserliche Bezirksgericht Windhuk hat mich zum Nachlaßpfleger bestellt. An Nachlaß hat der Verstorbene nur:
1 Kakirock (alt), 1 Kakihose (alt), 1 Hut (alt), 1 Paar leichte Hausschuhe, 1 Tabakpfeife, 1 Paar Strümpfe, 1 Leibgurt

hinterlassen. Diese Gegenstände habe ich, da sie nur einen ganz geringen Wert hatten, kurzerhand an Eingeborene für zusammen 3 Mark verkauft. Falls Sie über die Eltern und sonstige Angehörige des Verstorbenen irgendwelche Mitteilungen machen können, bitte ich, dies zu tun. An Frau Ilse Martens in München habe ich bereits geschrieben. Ich werde ihnen über den weiteren Verlauf der Nachlaßregulierung später Mitteilung zugehen lassen.
Hochachtungsvoll gez. Müller
(Gerichtsschreiber)

Die Schulklasse am Katharineum, 1890
Thomas Mann unten links,
Armin Martens 2. Reihe von oben, 2. von rechts.

Armin Martens, Thomas Manns Mitschüler am Katharineum, um 1884
Modell zu Hans Hansen in «Tonio Kröger».

Der Schwester von Armin Martens schrieb Thomas Mann:

Liebe Ilse!
Ja, ich habe die Nachricht heute durch meine Frau und dann durch Lula empfangen. Es geht mir wie Dir: Ich kann es mir nicht vorstellen, kann eigentlich nicht daran glauben. Armin und tot, das reimt sich nicht, das will mir nicht in den Sinn. Du weißt, was er meiner ersten, frischesten, zartesten Empfindung gewesen ist. Was soll ich sagen? Es widerstrebt mir, gefühlvolle Sätze darüber zu machen. Ich drücke Dir herzlich die Hand und bitte Dich, Deiner Mutter meine Teilnahme auszusprechen.
Dein alter Thomas Mann

An Ilse Martens, 7. April 1906

Prof. Dr. Ludwig H. Baethcke
(1848–1941)
1877–1922 Oberlehrer
am Katharineum
Thomas Manns Deutschlehrer.

Als Achtzigjähriger noch erinnerte sich Thomas Mann an Dr. Baethcke, seinen Deutschlehrer am Katharineum:

Zerstreut und verstorben sind, mit ganz vereinzelten Ausnahmen, die Mitschüler von damals, die ich alle in deutlicher Erinnerung habe, manche in sehr genauer Erinnerung – von den Lehrern nicht zu reden. Ich will niemanden voreilig totsagen, aber schwerlich wird einer die Hand erheben und sich noch zur Stelle melden. Damals, vor neunundzwanzig Jahren, war ich dem Lübeck meiner Schulzeit noch näher. Ich traf noch den freilich schon emeritierten Ordinarius der Untersekunda, Dr. Baethcke, wieder, bei dem wir Deutsch und Lateinisch hatten, und konnte noch zu ihm sagen: «Herr Professor, ich weiß, daß ich immer den Eindruck eines rechten Taugenichts gemacht, aber unterderhand habe ich sehr viel von Ihren Stunden gehabt.» – «Na», sagte er, «das freut mich ja, daß ich das nachträglich noch erfahre!» Er war ein großer Schillerverehrer, und beim Studium der Schiller'schen Balladen pflegte er uns mit der stehenden Redensart anzuspornen: «Das ist nicht das erstebeste, was Sie lesen, das ist das Beste, was Sie lesen können!» – «Ich habe oft an dieses Wort gedacht», erzählte ich ihm, «und mir gesagt: der Mann hatte eigentlich ganz recht.» – «Ach was, hab' ich das gesagt?» rief er erfreut, «und Sie haben's behalten?»

Ansprache in Lübeck (XI, 535)

Wilmanns
Deutsche Schulgrammatik
nebst Regeln und Wörterverzeichnis
für die
deutsche Rechtschreibung
nach der amtlichen Festsetzung.
Sechste, umgearbeitete Auflage.
Erster Teil,
für die untersten Klassen bis Sexta,
herausgegeben von
H. Poppelreuter, Lehrer am Gymnasium in Saarbrücken, und W. Wilmanns, o. Professor an der Universität Bonn.
Berlin.
Verlag von Paul Parey.
1885.

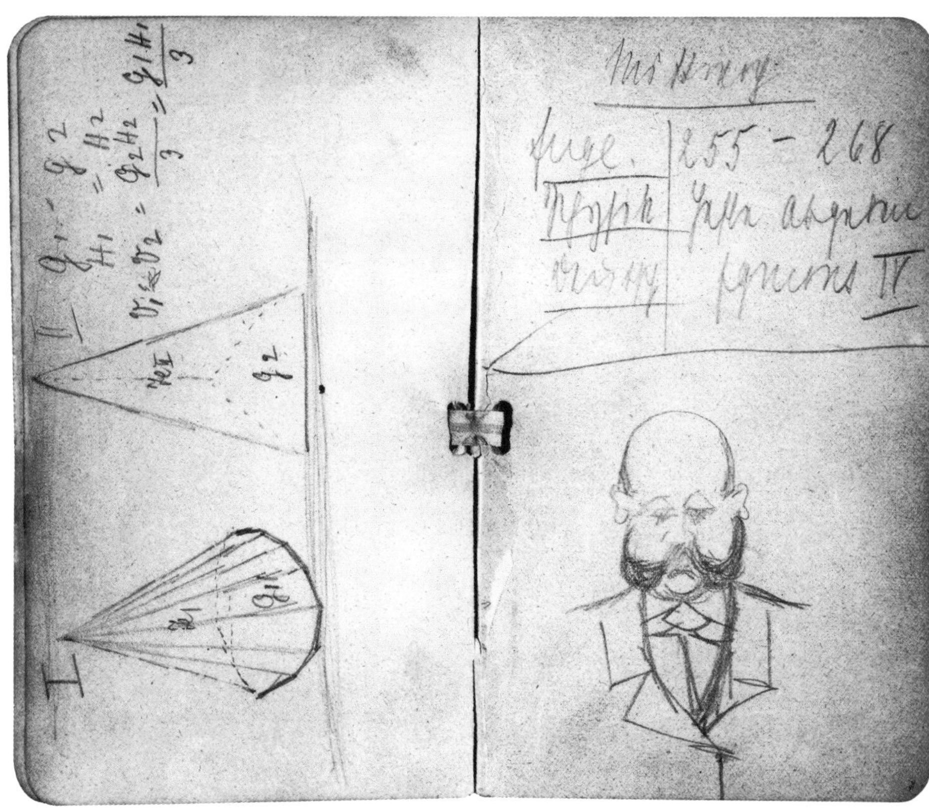

Aus Thomas Manns Notizbuch

Oberlehrer Mertens, Thomas Manns Geschichts- und Religionslehrer in U II (1892/93, 1893/94: Thomas Mann wiederholte die Klasse).

Erste literarische Versuche

Über seine ersten literarischen Versuche erzählt Thomas Mann in «On Myself»:
Es handelte sich um dramatische Texte, Spielpläne, die als Grundlage zu Theateraufführungen dienten, die ich mit jüngeren Geschwistern vor Eltern und Tanten veranstaltete.

Als 15jähriger las er Schiller, und unter dessen Einfluß verfaßte er Dramen, die nicht mehr zu Kinder-Aufführungen bestimmt waren, sondern Dichtungen sein wollten:
Ich erinnere mich an eines, das «Die Priester» hieß, im Mittelalter spielte und sich, Gott weiß warum, in einer extrem antiklerikalen Tendenz gefiel.

On Myself (XIII, 131 f.)

An das Kindermädchen Frieda Hartenstein vom 14. Oktober 1889
Der früheste erhaltene Brief Thomas Manns, mit einer Selbstkarikatur.

Hier in Lübeck geht wieder alles seinen gewohnten Gang. Die Schule hat wieder angefangen und ich habe in letzter Zeit ziemlich viel Schularbeiten zu machen gehabt. – Wie fanden Sie die Abschiedsscene vor Ihrem Wagen auf dem Bahnhofe? Rührend?! Nicht wahr? – –
Aber ich habe noch einen langen Brief an Heinrich zu schreiben, darum schließe ich. Viele Grüße von Mama, Papa, Lula und Carla, die alle, – ich nicht ausgeschlossen, – viel an Sie denken. Schreiben Sie recht bald Ihrem Freund, Verehrer und Anbeter
Th. Mann, Lyrisch-dramatischer Dichter.

Auf Weihnachten 1889 hatte Thomas Mann Schillers Werke geschenkt bekommen. Die «Abschiedsscene» auf dem Bahnhof wird im nächsten Brief an Frieda Hartenstein sofort dichterisch erhöht:

Lübeck d. 2. Januar 1890.
Liebes Fried!
[...]
Ich lese jetz immer sehr fleißig in Schillers Werken, welche ich zu Weihnachten bekam, und war eben gerade bei dem Gedicht: «Hecktors Abschied von Andromache», da fiel mir der Abschied vor Ihrem Wagen ein an dem Morgen, wo Sie abfuhren. Das war doch wirklich eine dramatisch rührende Scene alsob die guten Damen mit Schiller sagen wollten: «Hecktors Liebe stirbt im Lethe nicht!» Sonnabend fängt die Schule wieder an. Denken Sie sich: Sonnabend! Welch ein Blöd!! Ich glaube jedoch ganz gut mit Arbeiten fertig zu werden. Aber jetzt will ich schließen, liebes Fried. Viele Grüße von Papa, Mama, Lula und Carla.
Gott erhalte sie so gesund, wie Sie hoffendlich sind
Ihr dankbarer Th. Mann

Doppel-Ausgabe für Juni und Juli 1893.

Der Frühlingssturm.

Monatsschrift für Kunst und Litteratur.

Herausgeber: Paul Thomas.

Druck von Max Schmidt in Lübeck.

Thomas Mann als Herausgeber
Titelblatt der von Thomas Mann mit seinem Mitschüler Otto Grautoff herausgegebenen Schülerzeitschrift «Der Frühlingssturm». Thomas Mann zeichnete mit seinem Schriftstellernamen Paul Thomas. Von der Zeitschrift erschienen zwei Nummern; während das erste Heft, Mai 1893, verloren ging, ist vom zweiten ein Exemplar erhalten geblieben: die Doppelnummer Juni/Juli 1893.

Heinrich Heine, der „Gute".

Von Paul Thomas.

Daß Sympathie da ist — o gewiß, das ist sehr erfreulich, aber daß sie sich immer wieder darin äußert, ihn als „guten" Menschen rehabilitieren zu wollen, das ist wirklich komisch!

Es mag sehr Unrecht von mir sein, aber ich habe nun einmal die Gewohnheit, sobald ich den Ausdruck „ein guter Mensch" höre, ihn mir blitzschnell ins französische zu übersetzen: un bonhomme. Man könnte sagen, das sei ein Beispiel für den berühmten Schritt vom Süblimen zum Ridicülen; meiner Auffassung nach jedoch haftet dem „gut" in obengenannter Verbindung so herzlich wenig Süblimes an, daß ich mich geradezu beleidigt fühlen würde, wollte mir jemand dies Prädikat aufhängen.

Indem ich dies sage, stelle ich mich nicht einmal auf meinen sonstigen philosophischen Standpunkt, von dem aus ich die Wörter „gut" und „schlecht" als soziale Aushängeschilder ohne jede philosophische Bedeutung und als Begriffe betrachte, deren theoretischer Wert nicht größer ist, als derjenige der Begriffe „oben" und „unten". Ein absolutes „gut" oder „schlecht", „wahr" oder „unwahr", „schön" oder „häßlich" giebt es eben in der Theorie ebensowenig, wie es im Raum ein oben und unten giebt.

Aber, wie gesagt, soviel Philosophie braucht man garnicht herbeizuziehn, um zu verstehn wie ich's meine. Ganz abgesehn von aller grauen Theorie bitte ich nur, mir einmal in der grünen, goldnen Praxis einen wirklich guten Menschen zu zeigen. Ich schwöre, sofort reuig an meine Brust zu schlagen, denn ein solcher Mensch wäre eine wahrhaft süblime Erscheinung.

Aber bleibt mir nur vom Leibe mit diesen sogenannt „guten" Menschen, deren Gutheit aus praktischem Lebensegoismus und christlicher Moral mit möglichster Inkonsequenz zusammengestückt ist! Von dem sümblien, wirklich guten Idealmenschen bis zu diesem ridicülen Otterngezüchte ist nicht ein Schritt, sondern eine Ewigkeit!

Frühlingssturm! Ja, wie der Frühlingssturm in die verstaubte Natur, so wollen wir hineinfahren mit Worten und Gedanken in die Fülle von Gehirnverstaubtheit und Ignoranz und bornierten, aufgeblasenen Philistertums, die sich uns entgegenstellt. Das will unser Blatt, das will «Der Frühlingssturm»!

Frühlingssturm (XI, 545)

Heinrich Heine
Zeichnung von Samuel Dietz 1842.
Auch Heine gehörte zu Thomas Manns frühen Leseeindrücken. In «Frühlingssturm», Juni/Juli 1893, widmete er ihm einen Aufsatz.

Mit Schmiß und pubertärer Gönnerhaftigkeit schreibt der Herausgeber Paul Thomas zum Schluß:

Da schwang sich wieder vor einiger Zeit im ‹Zeitgeist› (Beiblatt des ‹Berliner Tageblattes›) ein Dr. Conrad Scipio zu einem mäßig stilisierten Artikel auf, betitelt ‹Zur Würdigung Heinrich Heines›, in dem er aus Leibeskräften bewies, das lockere Privatleben Heine's müsse man demselben unbedingt verzeihn, weil er doch im Grunde ein guter Protestant und ein guter Patriot – und was der Komplimente noch mehr waren – gewesen sei. Es ist zu lächerlich! Glaubt denn dies Menschlein wirklich, dem toten Harry Heine einen nachträglichen Gefallen zu erweisen, wenn er ihm solche Beschränktheiten nachsagt?! – Und was das für Beweise waren! – Weil Heine mit Begeisterung von Martin Luther spricht, ist er ein Protestant! Mit demselben Rechte könnte Dr. Scipio sagen: Weil Heine – ich glaube, es war auf Helgoland – so eifrig die Bibel las und dies Buch sehr schön fand, war er ein Pietist! – Heinrich Heine, mein lieber Herr Doktor, bewunderte Napoleon, trotzdem er ein geborener Deutscher war, und er bewunderte Luther, trotzdem er *kein* Protestant war.

Wozu überhaupt der Versuch, ihn selbst Lügen zu strafen, der sich noch in der letzten Zeit seines Lebens, als er «zuweilen an Auferstehung glaubte» und die Hoffnung aussprach: «Dieu me pardonnera, c'est son métier –» eifrig gegen das ausgestreute Gerücht verwahrte, er sei «in den Schoß einer Kirche zurückgekehrt»? Für Geister, wie Sie *keiner* sind, werter Herr, sind dogmatische Zwangsjacken irgendwelcher Art nun mal nicht geschneidert. –

Ach, und dann das Triumphgeschrei, das man so oft anhören muß: «Ja, nicht wahr? Daß dieser Heine, der sein Lebtag unsere Moral mit Worten und Werken geschmäht hat, auf dem Totenbett zu seinem Gott zurückgekehrt ist, das beweist doch ...» Was, bitte? Wann ist das Urteil eines Menschen am kompetentesten, wenn er in körperlicher und geistiger Blüte steht, oder wenn er zum «spiritualistischen Skelette» abgemagert der gänzlichen Auflösung entgegensiecht?! – Und das Patriotentum Heine's!

Ich muß gestehen, die diesbezüglichen Beweise Dr. Scipio's sind mir zu weit entfallen, als daß ich sie hier heranziehen könnte. Aber wenn von Patriotismus überhaupt die Rede ist, fällt mir immer ein Wort ein, das ich einmal von einem meiner Schullehrer hörte. «Goethe's Geist», so sagte etwa dieser Brave, «war zu groß und gewaltig, um an der Vaterlandsliebe Genüge zu finden; er umspannte die ganze Welt.» Bravo! Also der Mensch muß schon von einer gewißgradigen geistigen Beschränktheit sein, um Patriot sein zu können. – Ob wohl Heine's Geist beschränkt genug dazu war, Herr Dr. Scipio? –

Nein, Heinrich Heine war kein ‹guter› Mensch. Er war nur ein *großer* Mensch. – Nur ...!

Der Artikel war übrigens so dürr und würdig geschrieben, daß der Doktor dafür Professor zu werden verdiente. –

Heinrich Heine, der «Gute» (XI, 712 f.)

5.

Dichters Tod.

Nun will ich noch einmal singen
Von Lust und Liebe und Mai,
und wenn die Saiten zerspringen,
dann ist das Ganze vorbei.

Noch einmal laß wild dich umschlingen,
o Leben, du blühende Fey!
Noch einmal laßt schäumend erklingen
die Becher in jauchzender Reih'!
Und wenn die Saiten zerspringen,
dann ist das Ganze vorbei.

Schwüldüftiger Hauch von Syringen!
o süße Genußzauberei!
und wenn . . . .

. . . O du, die meine Lieder singen
und meine trunk'ne Lust, — verzeih' . . .
denn wenn die Saiten zerspringen,
dann ist das Ganze vorbei! —

Paul Thomas.

Ein frühes Gedicht Thomas Manns – das erste, das gedruckt wurde
Aus «Frühlingssturm».

Emanuel Geibel (1815–1884)
Zu den berühmten Schülern des Katharineums gehörte der Lübecker Dichter Emanuel Geibel.

Ich habe Emanuel von Geibel als Kind noch gesehen, in Travemünde, mit seinem weißen Knebelbart und seinem Plaid über der Schulter, und bin von ihm um meiner Eltern willen sogar freundlich angeredet worden. Als er gestorben war, erzählte man sich, eine alte Frau auf der Straße habe gefragt: «Wer kriegt nu de Stell? Wer ward nu Dichter?»

Lübeck als geistige Lebensform (XI, 378)

Thomas Mann hat, trotz zweifacher Wiederholung einer Klasse, das Abitur nicht geschafft. Er galt als indolent, verstockt, gleichgültig. Das Abgangszeugnis, unterzeichnet von Schuldirektor Schubring und dem Klassenlehrer Baethcke, datiert vom 16. März 1894. Die Hauptqualifikation ist «befriedigend». Zeichnen ist «nur teilweise befriedigend», Singen «zuletzt befriedigend», Turnen definitiv «mangelhaft». Auch in Deutsch genügt «befr.». Aufmerksamkeit und Fleiß sind «im ganzen vorhanden», das Betragen wird zunächst als «gut» bezeichnet, dann aber auf «im ganzen gut» zurückgeschraubt. Überhaupt scheinen sich die Lehrer schwer getan zu haben, die richtigen Zensuren zu finden – die vielen Streichungen bezeugen es. Der Schüler, wird vermerkt, verläßt die Schule, um «Versicherungs-Beamter» zu werden.

Katharineum zu Lübeck. Realgymnasium.

Abgangszeugnis.

Paul Thomas Mann geboren den 6. Juni 1875

zu L. ev.-luth. Religion, Sohn des

verstorb. Senators T. J. H. Mann zu L.

hat das Realgymnasium seit Ost. 89 von Klasse UIII an besucht und

gehört seit Ost. 92 der Klasse UII an, aus welcher er jetzt abgeht, um

Versicherungs-Beamter z. w.

Schulbesuch: regelmäßig

Betragen: ~~gut~~ im ganzen gut.

Aufmerksamkeit: | im ganzen vorhanden
Fleiß: |

Fortschritte und Leistungen:

Religion recht befr.

Deutsch: mündlich | befr.
schriftlich |

Lateinisch:
Schriftsteller mündlich befr.
schriftlich | noch befr.
Grammatik |

Französisch: Schriftsteller | befr.
Lesen und Sprechen |
Grammatik und schriftlich ~~[gestrichen]~~ noch befr.

Englisch: Schriftsteller ~~[gestrichen]~~ } noch befr.
Lesen und Sprechen ~~[gestrichen]~~ }
Grammatik und schriftlich ~~[gestrichen]~~ }

Geschichte noch befr.

Erdkunde befr.

Mathematik: Geometrie | noch befr.
Trigonometrie |
Arithmetik befr.

Physik | befriedigend
Chemie |
Naturbeschreibung |

Rechnen

Zeichnen nur etw. befr.

Singen zuletzt befr.

Turnen mangelhaft.

Versetzung: 12 Mrz. nach Obersekunda

Bemerkungen:

Lübeck den 16 Mrz 1894

Direktor
Schubring

Ordinarius der UII
Dr Baethcke

Gebühren: M. 1,80

№ 1 gut im vollsten Sinne № 2—1 oft gut, recht befriedigend № 2 befriedigend
№ 2—3 nur teilweise befriedigend, mangelhaft № 3 ungenügend.

Frühe Verzauberungen

Der «Kurmusiktempel» von Travemünde

Das ist das *Meer*, die Ostsee, deren der Knabe zuerst in Travemünde ansichtig wurde, dem Travemünde von vor vierzig Jahren mit dem biedermeierlichen alten Kurhaus, den Schweizerhäusern und dem Musiktempel, in dem der langhaarig-zigeunerhafte kleine Kapellmeister Heß mit seiner Mannschaft konzertierte und auf dessen Stufen, im sommerlichen Duft des Buchsbaums, ich kauerte – Musik, die erste Orchestermusik, wie immer sie nun beschaffen sein mochte, unersättlich in meine Seele ziehend. An diesem Ort, in Travemünde, dem Ferienparadies, wo ich die unzweifelhaft glücklichsten Tage meines Lebens verbracht habe, Tage und Wochen, deren tiefe Befriedigung und Wunschlosigkeit durch nichts Späteres in meinem Leben, das ich doch heute nicht mehr arm nennen kann, zu übertreffen und in Vergessenheit zu bringen war, – an diesem Ort gingen das Meer und die Musik in meinem Herzen eine ideelle, eine Gefühlsverbindung für immer ein, und es ist etwas geworden aus dieser Gefühls- und Ideenverbindung – nämlich Erzählung, epische Prosa: – Epik, das war mir immer ein Begriff, der eng verbunden war mit dem des Meeres und der Musik, sich gewissermaßen aus ihnen zusammensetzte, und wie C. F. Meyer von seiner Dichtung sagen konnte, allüberall darin sei Firnelicht, das große, stille Leuchten, so möchte ich meinen, daß das Meer, sein Rhythmus, seine musikalische Transzendenz auf irgendeine Weise überall in meinen Büchern gegenwärtig ist, auch dann, wenn nicht, was oft genug der Fall, ausdrücklich davon die Rede ist. Ja, ich will hoffen, daß ich ihm einigen Dank abgestattet habe, dem Meer meiner Kindheit, der Lübecker Bucht. Seine Palette war es am Ende, derer ich mich bediente, und wenn man meine Farben matt fand, glutlos, enthaltsam, nun, so mögen gewisse Durchblicke zwischen silbrigen Buchenstämmen in eine Pastellblässe von Meer und Himmel daran schuld sein, auf denen mein Auge ruhte, als ich ein Kind und glücklich war.

Lübeck als geistige Lebensform (XI, 388 f.)

Travemünde, um 1910

Die lichtesten Zeiten meiner Jugend aber waren die alljährlichen Sommerferienwochen in Travemünde mit ihren Badevormittagen am Strande der Ostseebucht und ihren Nachmittagen zu Füßen des fast ebenso leidenschaftlich geliebten Kurmusiktempels gegenüber der Hotelanlage. Die gepflegte, geschützte und unbildenlose Idyllik dieses Aufenthalts mit vielgängigen Table-d'hôte-Mahlzeiten sagte mir unbeschreiblich zu; sie leistete meiner natürlichen, viel später erst leidlich korrigierten Neigung zu träumerischer Trägheit Vorschub, und wenn die anfangs unabsehbaren vier Wochen zu Ende waren und es nach Haus in den Alltag ging, so war meine Brust von dem weichlichen Schmerz der Selbstbemitleidung zerrissen.

Lebensabriß (XI, 98 f.)

Travemünde: Strandpavillon um 1860

Das Theater

Das Casino-Theater in der Beckergrube

Gerhäuser als Tannhäuser und Lohengrin

Aber später war Gerhäuser am Stadttheater. Er sang, mit seiner impetuosen Inbrunst, den Tannhäuser. Er sang jeden zweiten Abend den Lohengrin. Er kam im Sturm der Instrumente ein wenig ruckweise herangeschwommen und sang mit weichen Bewegungen: «Nun sei bedankt». Er kam mit leise klirrenden Schritten nach vorn, er sang: «Heil, König Heinrich!», und seine Stimme klang wie eine silberne Trompete. Es war damals, daß mir zuerst die Kunst Richard Wagners entgegentrat, diese moderne Kunst, die man erlebt, erkannt haben muß, wenn man von unserer Zeit irgend etwas verstehen will. Und dieses ungeheure und fragwürdige Werk, das zu erleben und zu erkennen ich nicht satt werde, dieser kluge und sinnige, sehnsüchtige und abgefeimte Zauber, diese fixierte theatralische Improvisation, die außerhalb des Theaters nicht vorhanden ist, – sie ist es in der Tat, und sie allein, die mich auf Lebenszeit dem Theater verbindet. Daß man die dramatischen Dichter, Schiller, Goethe, Kleist, Grillparzer, daß man Henrik Ibsen und unsere Hauptmann, Wedekind, Hofmannsthal nicht ebensogut lesen als aufgeführt sehen könne, daß man in der Regel nicht besser tue, sie zu lesen, wird niemand mich überzeugen. Aber Wagner ist nur im Theater zu finden, ist ohne Theater nicht denkbar. Das zu beklagen ist eitel. Zu wünschen, Instinkt und Ehrgeiz möchten ihn nicht zur großen Oper getrieben haben, ist müßig, seine Wirkung vom Theater zu lösen unmöglich. Er hat, mit größerer praktischer Kraft als Schiller, das Pathos des Theaters erhöht, hat ihm, zur höheren Glorie seines eigenen Werkes, Würde und Weihe ertrotzt.

Versuch über das Theater (X, 37)

Der Tenor Emil Gerhäuser (1868–1917) war 1893/94 am Stadttheater Lübeck engagiert

Die Mutter am Flügel

Ihr Bechstein-Flügel stand im Salon, einem lichten Erkerzimmer, in dem der bürgerliche Prunkstil von 1880 mit dem guten Geschmack einen Frieden ohne Sieger und Besiegten geschlossen hatte, und hier kauerte ich stundenlang in einem der hellgrau gesteppten Fauteuils und lauschte dem wohlgeübten, sinnlich feinfühligen Spiel meiner Mutter, das sich am glücklichsten wohl an den Etüden und Notturnos von Chopin bewährte. Meine eingewurzelte Neigung für die mondäne Romantik dieser Musik, meine Kenntnis der klassisch-romantischen Klavierliteratur überhaupt stammt von damals, und noch empfänglicher vielleicht fand den Jungen, dessen Gefühlsleben unter dem Einfluß von Eichendorff, Heine und Storm die lyrische Verschmelzung mit dem Sprachlichen einzugehen begann, die Verbindung von Wort und Ton im Liede. Meine Mutter hatte eine kleine, aber überaus angenehme und liebliche Stimme, und mit einem künstlerischen Takt, der das Sentimentale so selbstverständlich wie das Theatralische ausschloß, sang sie sich und mir, nach einem reichen Vorrat von Noten, alles Hochgelungene, was diese wundervolle Sphäre von Mozart und Beethoven über Schubert, Schumann, Robert Franz, Brahms und Liszt bis zu den ersten nachwagnerischen Kundgebungen zu bieten hatte. Ihr verdanke ich eine nie verlorene Vertrautheit mit diesem vielleicht herrlichsten Gebiet deutscher Kunstpflege, einer Kultur für sich, in der Tat, in der ein Meister dem anderen den goldenen Ball zuwirft.

Das Bild der Mutter (XI, 421 f.)

Das Tivoli-Theater an der Wakenitzmauer, 1866
Lithographie von C. Schmidt-Carlson.

Das Theater ... Es sei fern von mir, eine Stätte zu schmähen, an die sich die Erinnerung so vieler seltsam erregender Eindrücke knüpft! – Man war ein Junge, man durfte das ‹Tivoli› besuchen. Ein schlecht rasierter, fremdartig artikulierender Mann, in einer ungelüfteten Höhle, die auch am Tage von einer offenen Gasflamme erleuchtet war, verkaufte die Billette, diese fettigen Pappkarten, die ein abenteuerliches Vergnügen verbürgten. Im Saal war Halbdunkel und Gasgeruch. Der ‹eiserne Vorhang›, der langsam stieg, die gemalten Draperien des zweiten Vorhangs, das Guckloch darin, der muschelförmige Souffleurkasten, das dreimalige Klingelzeichen, das alles machte Herzklopfen. Und man saß, man sah ... Verworrene Bilder kehren zurück: Szene, Symmetrie; eine Mitteltür. Ein Armstuhl rechts, einer links. Ein Bedienter rechts, einer links. Jemand reißt von außen die Mitteltür auf, steckt zuerst den Kopf hindurch, kommt herein und klappt mit beiden Händen die Flügel hinter sich zu, wie man nie im Leben eine Tür hinter sich zuklappt ... Erregter Auftritt, Lustspielkatastrophe. Ein eleganter, kurzlockiger Jüngling, der im Zorn einen Stuhl gegen seinen Widersacher erhebt ... Bediente fallen ihm in den Arm ... Aschenputtel und die Tauben an Drähten! König Kakadu, ein Komiker mit rotem Gesicht und goldener Krone. Eine verkleidete Dame, namens Syfax, Diener der Fee, in grünen Trikots, klatscht in die Hände und bewirkt so den unglaublichsten Zauber ... Ballett, Feenglanz ... rosa Beine, ideale Beine, makellos, himmlisch, trippeln, schwirren, federn nach vorn ... Die Galoschen des Glücks ... Die Versenkung! Jemand sagt im Ärger: ‹Ich wollt', ich wär', wo der Pfeffer wächst!›, versinkt und steigt wieder auf in tropischer Landschaft, umtanzt von Wilden, wird fast gefressen ... Draußen vorm Saal war ein Ladentisch mit Kuchen, Schaumhügeln mit roter Süßigkeit auf dem Grunde. Man vergrub die Lippen im Schaum. Bunte Lampen glühten. Und der Garten war voller Leut' ...
Welcher Rausch! Welche Entgleistheit der Seele!

Versuch über das Theater (X, 35 f.)

Lübecker Theater.

Tivoli. Mittwoch den 24. Mai. Das Sonntagskind.
Große Operette in drei Akten von Hugo Wittmann und Bauer.
Musik von Carl Millöcker.

Nach den schweren Kunstgenüssen, die uns das Stadttheater im vergangenen Winter brachte, wirken die kleinen Tivoli- und Wilhelmtheater-amüsements etwa wie ein Glas Selters nach einem großen Diner. — Die gewaltigen Wagner-Gerhäuser-Abende der Saison lagen mir — um im Bilde zu bleiben — noch schwer im Magen; so that mir Millöckers Kohlensäure-Musik wirklich ganz ausgezeichnet gut.

Wenn schon Blödsinn — denn schon gehörig. Das ist ein unbestreitbar richtiges Princip. Daher geh' ich auch nicht gern zur Schule. Das ist halber Kram. Im „Sonntagskind" aber ist der Blödsinn mit reizender Konsequenz durchgeführt, und darum ist es ein durchaus lobenswertes und ästhetisch völlig unanfechtbares Stück. In den Couplets wird sogar Ibsen citiert. Ich meine, mehr kann man doch nicht verlangen!

Gespielt und gesungen wurde im allgemeinen ganz nett. Durch flottes Spiel und hübschen Vortrag zeichnete sich besonders Herr Paulson aus. Nur Herr Zähler als Sir Edgar wußte nicht recht, wie er sich benehmen sollte. Es ist aber auch eine unheimliche Rolle, und der Übergang von dem melancholischen Helden des ersten Akts zu dem ulkigen Drrrrr—Dragoner nachher ist wirklich etwas hastig. Na, — hübsch war's doch!

Regie und Orchester waren gleich fürtrefflich. In der königlichen Oper zu Berlin mag es ja noch besser sein. So hörte ich wenigstens.

Paul Thomas.

Thomas Mann im Tivoli, 1893
Thomas Mann übte sich schon früh als Theaterkritiker. Der Aufsatz über eine Aufführung der Operette «Das Sonntagskind» erschien in seiner Schülerzeitschrift «Der Frühlingssturm», Juni/Juli 1893.

Thomas Mann zur Zeit der
Übersiedlung nach München

1894–1897 In München und Italien

München leuchtete

München leuchtete. Über den festlichen Plätzen und weißen Säulentempeln, den antikisierenden Monumenten und Barockkirchen, den springenden Brunnen, Palästen und Gartenanlagen der Residenz spannte sich strahlend ein Himmel von blauer Seide, und ihre breiten und lichten, umgrünten und wohlberechneten Perspektiven lagen in dem Sonnendunst eines ersten, schönen Junitages.

Vogelgeschwätz und heimlicher Jubel über allen Gassen … Und auf Plätzen und Zeilen rollt, wallt und summt das unüberstürzte und amüsante Treiben der schönen und gemächlichen Stadt. Reisende aller Nationen kutschieren in den kleinen, langsamen Droschken umher, indem sie rechts und links in wahlloser Neugier an den Wänden der Häuser hinaufschauen, und steigen die Freitreppen der Museen hinan …

Gladius Dei (VIII, 197)

Marienplatz gegen das Alte Rathaus, 1898

Karlsplatz und Karlstor, um 1905

Der angehende Schriftsteller

Das Vestibül der Universität München, um 1850

An der Universität …

Meine Bureautätigkeit, in der ich von Anfang an ein reines Verlegenheitsprovisorium erblickt hatte, endete schon nach Jahresfrist. Mit Hilfe eines Rechtsanwalts, der meine Mutter beriet und Vertrauen zu mir gefaßt hatte, gewann ich die Freiheit. Unter seiner Zustimmung erklärte ich, ‹Journalist› werden zu wollen, ließ mich an den Münchener Hochschulen, der Universität und dem Polytechnikum, als Hörer eintragen und belegte Vorlesungen, die geeignet schienen, mich auf jenen etwas unbestimmten Beruf allgemein vorzubereiten: historische, nationalökonomische, kunst- und literargeschichtliche Unterweisungen, die ich zeitweise regelmäßig und nicht ganz ohne Nutzen besuchte. Besonders fesselte mich ein Kolleg über ‹Höfische Epik›, das der Dichter und Übersetzer aus dem Mittelhochdeutschen Wilhelm Hertz damals am Polytechnikum las.

Als Student lebend, ohne es rite zu sein, machte ich in der akademischen Lesehalle die Bekanntschaft von Angehörigen des ‹Akademisch-dramatischen Vereins› und wurde Mitglied einer theatralisch und dichterisch bestrebten Kaffeehauskumpanei, in der ich als Verfasser von ‹Gefallen› ein gewisses Ansehen genoß. Mein Hauptgesprächspartner unter den Kommilitonen war ein junger Jurist aus Norddeutschland, Koch mit Namen, ein kluger Junge, der später die Verwaltungskarriere einschlug, Oberbürgermeister von Kassel wurde und unter dem Namen Koch-Weser in der Politik eine bedeutende Rolle spielte. Nach der Revolution war er Reichsinnenminister und ist noch heute der Führer der Demokratischen Partei Deutschlands. Auch etablierte Schriftsteller und Dichter, wie O. E. Hartleben, Panizza, J. Schaumberger, L. Scharf, der alte Heinrich von Reder verkehrten gelegentlich in diesem jugendlichen Kreise. Das Hauptereignis meiner Zugehörigkeit bildete die deutsche Uraufführung von Ibsens ‹Wildente›, die der Verein unter der Leitung Ernst von Wolzogens herausbrachte und unter dem Protest eines konservativen Publikums zu literarischem Erfolge führte. Wolzogen selbst spielte die Rolle des alten Ekdal, der Schriftsteller Hans Olden den Hjalmar und ich, in Wolzogens Pelz und Brille, den Großhändler Werle. Bei späteren Begegnungen erklärte der Autor des ‹Lumpengesindels› wohl scherzend, er habe mich ‹entdeckt›.

Lebensabriß (XI, 102 f.)

Von meinem Studium muß ich Dir ausführlich später einmal berichten. Es ist nämlich schon 2 Uhr nachts. – Ich höre Kunstgeschichte, Nationalökonomie, Litteraturgeschichte, Ästhetik und über Shakespeare's Tragödien. Fast am interessantesten von allem ist – sollte man's glauben! – die Nationalökonomie, die der berühmte Professor Haushofer liest.

An Otto Grautoff, 13./14. November 1894

Thomas Manns Kollegheft

Der Schriftsteller und Kabarettist Ernst von Wolzogen (1855–1934)

Ernst Ritter von Possart (1841–1921)

Als ich nach München kam, zur Zeit der Regentschaft, thronte über dem theatralischen Leben der Stadt der bis zur Komik meisterliche Mann, der auf den Spielzetteln schlicht als ‹Herr Possart› figurierte, in all seiner amtlichen Pracht aber Generalintendant Professor Doktor Ernst Ritter von Possart hieß. […] Komödiant großen Stils, Diplomat, Höfling, geriebener Verwaltungsmensch, ist und bleibt er, mit seinem verzuckerten Zynismus, seinem verklärten Schmierentum, dem erzenen Wohllaut seiner Stimme, dem auf Hochglanz polierten, idealischen Realismus, Sprechkunst, die jedes Wort zu einem erstaunlichen Treffer ins Schwarze machte, – vollkommen unvergeßlich.

Erinnerungen ans Münchner Residenztheater (XI, 517 f.)

… UND IM THEATER

Freilich ist München immer interessant und man bekommt es so leicht nicht satt. Immer macht man neue Bekanntschaften, Schauspieler, Dichter, Maler – das reißt nicht ab; man kennt sich garnicht mehr aus. Immer ist etwas los; man kommt nicht zum ruhigen Atmen. Kaum ist jetzt der Faschingstrubel überstanden, so steht schon wieder eine große Theateraufführung vor der Thür. Der «Akadem. dramat. Verein» veranstaltet nämlich jedes Halbjahr unter der Regie des Herrn Ernst von Wolzogen in einem hiesigen Theater die Aufführung eines modernen Stückes vor einem exquisiten Publikum, der Bluts-, Geld- und Geistesaristokratie Münchens. Das letzte Mal, als ich noch nicht Mitglied war, gab man das Webergeheul des Herrn Hauptmann. Aber die Darstellung war sehr gut. Viele Zeitungen sprachen davon. Diesmal haben wir Ibsens grandiose «Wildente» gewählt, ein Stück, das ich selbst im Verein sehr warm befürwortet habe und worin ich den Großhändler Werle spielen werde. Paß auf, mein Ruhm soll durch alle Zeitungsblätter rauschen! Die Proben sind in vollem Gange und nehmen viel Zeit in Anspruch. Ja, wenn es das allein wäre! Aber dann der bummelige Verkehr im Café, im Theater, in Concerten, – immer drei Viertel des Tages und drei Viertel der Nacht dem Schreibtisch fern! Ich komme zu keiner Arbeit, auf die Dauer verbummele ich hier ganz und gar. Und ich fürchte, das würde in Berlin nicht viel anders werden.

An Otto Grautoff, 5. März 1895

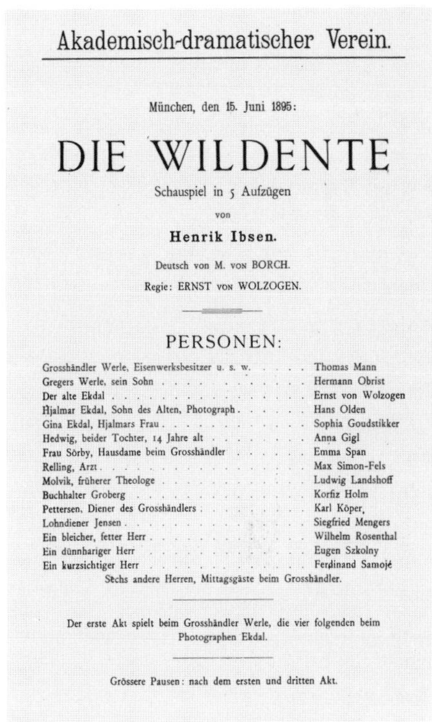

Akademisch-dramatischer Verein.

München, den 15. Juni 1895:

DIE WILDENTE

Schauspiel in 5 Aufzügen

von

Henrik Ibsen.

Deutsch von M. VON BORCH.

Regie: ERNST VON WOLZOGEN.

PERSONEN:

Grosshändler Werle, Eisenwerksbesitzer u. s. w.	Thomas Mann
Gregers Werle, sein Sohn	Hermann Obrist
Der alte Ekdal	Ernst von Wolzogen
Hjalmar Ekdal, Sohn des Alten, Photograph	Hans Olden
Gina Ekdal, Hjalmars Frau	Sophia Goudstikker
Hedwig, beider Tochter, 14 Jahre alt	Anna Gigl
Frau Sörby, Hausdame beim Grosshändler	Emma Span
Relling, Arzt	Max Simon-Fels
Molvik, früherer Theologe	Ludwig Landshoff
Buchhalter Groberg	Korfiz Holm
Pettersen, Diener des Grosshändlers	Karl Köper
Lohndiener Jensen	Siegfried Mengers
Ein bleicher, fetter Herr	Wilhelm Rosenthal
Ein dünnhariger Herr	Eugen Szkolny
Ein kurzsichtiger Herr	Ferdinand Samojé

Sechs andere Herren, Mittagsgäste beim Grosshändler.

Der erste Akt spielt beim Grosshändler Werle, die vier folgenden beim Photographen Ekdal.

Grössere Pausen: nach dem ersten und dritten Akt.

Thomas Mann als Schauspieler
Während seiner Studentenzeit in München war Thomas Mann Mitglied des Akademisch-dramatischen Vereins.

Erste Arbeiten

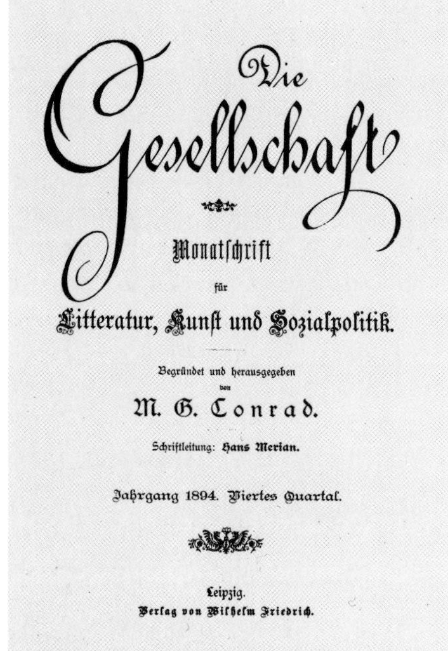

Die Gesellschaft

Monatschrift für Litteratur, Kunst und Sozialpolitik.

Begründet und herausgegeben von M. G. Conrad.

Schriftleitung: Hans Merian.

Jahrgang 1894. Viertes Quartal.

Leipzig.
Verlag von Wilhelm Friedrich.

Titelblatt der Zeitschrift «Die Gesellschaft»
Hier erschien im Oktober 1894 Thomas Manns erste Novelle «Gefallen».

Richard Dehmel (1863–1920)
Er «entdeckte» Thomas Mann.

Unter schnupfenden Beamten kopierte ich Bordereaus und schrieb zugleich heimlich an meinem Schrägpult meine erste Erzählung, eine Liebesnovelle mit dem Titel ‹Gefallen›, die mir den ersten literarischen Erfolg brachte. Nicht nur daß sie in derselben sozialistisch-naturalistischen Kampfzeitschrift, M. G. Conrads ‹Gesellschaft›, die schon während meiner Schülerzeit ein Gedicht von mir gedruckt hatte, veröffentlicht wurde und jungen Leuten gefiel; sie trug mir auch einen warmherzigen und ermutigenden Brief Richard Dehmels ein, ja wenig später sogar den Besuch des bewunderten Dichters, dessen enthusiastische Menschlichkeit in meinem schreiend unreifen, aber vielleicht nicht unmelodiösen Produkt Spuren von Begabung erfühlt hatte und seitdem meinen Weg bis zu seinem Tode mit Sympathie, Freundschaft und ehrenvollen Prophezeiungen begleitet hat.

Lebensabriß (XI, 101 f.)

Brief Richard Dehmels vom 4. November 1894

Verehrter Herr!
Ich habe eben Ihre wundervolle Erzählung «Gefallen» in der «Gesellschaft» gelesen und dann nochmals meiner Frau vorgelesen und muß Ihnen mein Entzücken und meine Ergriffenheit schreiben. Es gibt heutzutage so wenig Dichter, die ein Erlebnis in einfacher, seelenvoller Prosa darstellen können, daß Sie mir diese etwas aufdringliche Bekundung meiner Freude und Bewunderung schon erlauben müssen. Falls Sie noch andere Erzählungen von gleicher Reife liegen haben, möchte ich Sie bitten, mir die Manuskripte für die in Gründung begriffene Kunstzeitschrift PAN einzusenden, von der Sie wohl gehört haben und in deren Aufsichtsrat ich sitze. (Honorar: 10–15 Mark für die Druckseite.)
Gruß und Hochachtung!
Richard Dehmel.

Richard Dehmel an Thomas Mann, 4. November 1894

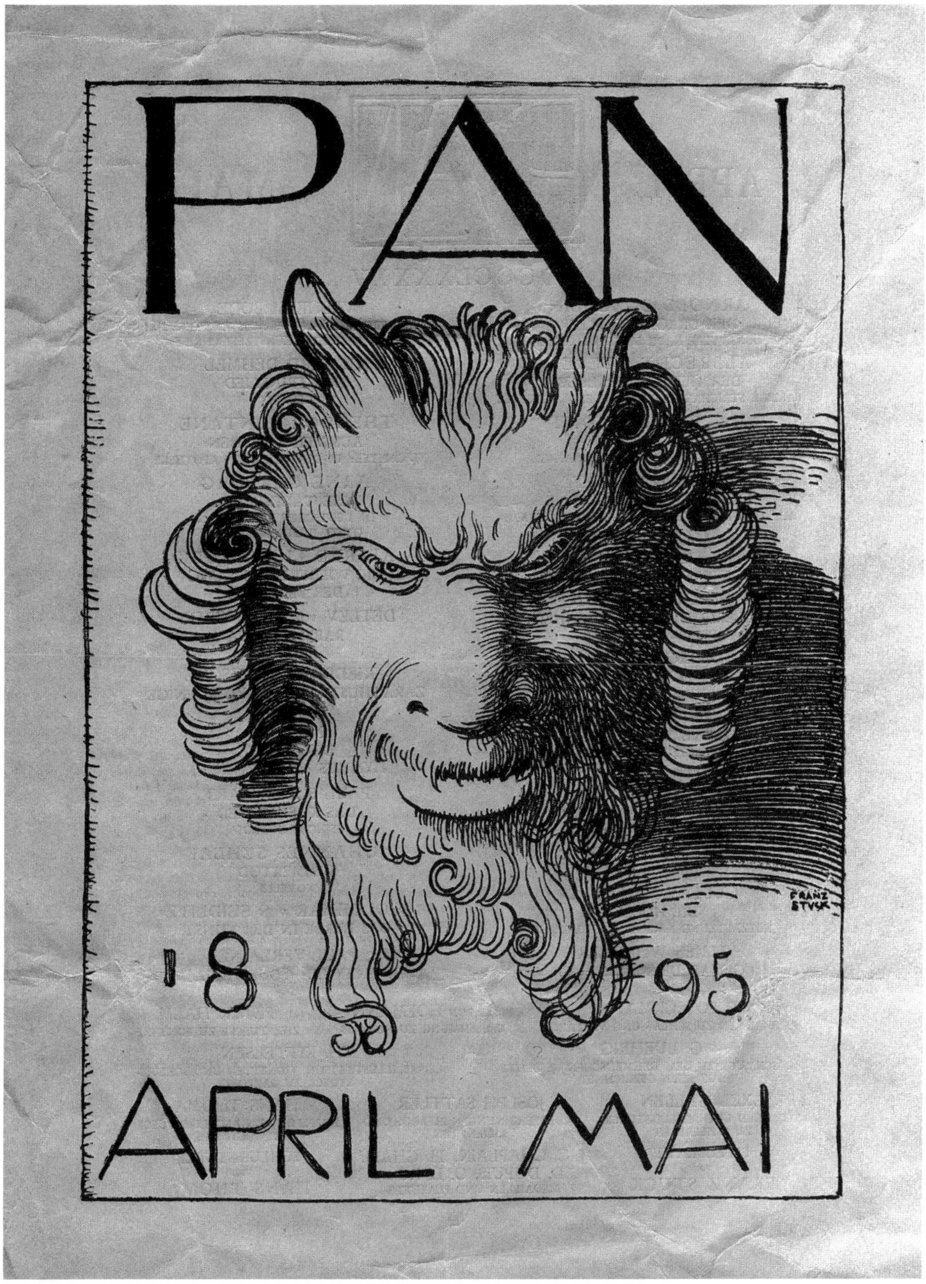

PAN

FRANZ STUCK

18 95

APRIL MAI

Titelblatt der im April 1895 neugegründeten Zeitschrift «PAN»
Herausgeber waren Otto Julius Bierbaum und Julius Meier-Graefe. Das Titelbild schuf Franz von Stuck.

In seinem Brief vom 4. 11. 1894 ermunterte Dehmel Thomas Mann, weitere Erzählungen «von gleicher Reife» der Kunstzeitschrift «PAN» einzusenden, deren Redaktionsausschuß er angehörte.
Thomas Mann schreibt am 13./14. 11. 1894 an seinen Freund Otto Grautoff:

Ich arbeite nun natürlich an einer neuen Novelle für den «PAN». Das ist nämlich ein großes, von einer Vereinigung Berliner Schriftsteller gegründetes Kunstblatt, das Bilder der berühmten Maler, Stuck etc., bringen wird und dichterische Produktionen aller Art. Die Mitarbeiterschaft an dieser Zeitschrift ist jedenfalls ein sehr glücklicher Beginn meiner künstlerischen Laufbahn, – abgesehen davon, daß das Blatt mich anständig honorieren wird, weil ich mich ja nicht angedrängt habe, sondern *aufgefordert* worden bin.

Mit der Novelle dürfte «Der kleine Professor», eine Vorstufe zum «Kleinen Herrn Friedemann», gemeint sein.

Auf dem Odeonsplatz in München, um 1900 (Thomas Mann im Vordergrund von hinten)

Freundschaften

Otto Grautoff (1876–1937)
Schulkamerad Thomas Manns, von 1894–1900 dessen vertrautester Briefpartner. Er wurde Schriftsteller und Kunsthistoriker. Sein Buch «Exzentrische Liebes- und Künstlergeschichten» (1907) widmete er Thomas Mann «für viele Jahre treuer Freundschaft». Der Held der Geschichte «Hans Pahlen» trägt Züge von Thomas Mann.

NUR EINS

Wir, denen Gott den trüben Sinn gegeben
Und alle Tiefen wies, wo Scham und Gram,
Sind ewig fremd den Fröhlichen im Leben,
Die harmlos auf des Daseins Spiele schaun.

Und weil der Menschen Seele zu ergründen
Hohnvoll auch mich der Drang gefangen hält,
Will ich es euch mit schwerem Worte künden:
Erkenntnis ist die tiefste Qual der Welt.

Denn Eines ist es, was in allem Leiden
Uns stark erhält und aufrecht fort und fort,
Ein trostreich Spiel voll höchster, feinster Freuden
den Unglückseligsten: Es ist das *Wort.*

Beilage zum Brief an Otto Grautoff, 22. Dezember 1898

WER SCHAFFEN WILL, MUSS FRÖHLICH SEIN

Freilich «Wer schaffen will, muß fröhlich sein», wie der wundervolle alte Fontane, dessen Romane wir uns jetzt abends immer im Familienkreise vorlesen, gesagt hat, und so ist es nicht unwichtig, daß ich mich in letzter Zeit recht gut, ziemlich gut befinde. Mit etwas Philosophie und versöhnendem Spott kommt man schon durch, und – jugendlichere Kräfte, als diese, sind ebenfalls noch immer im Spiele, denn Du weißt, daß neben dem Träumer Iwan Sergewitsch Turgenjew noch immer wie zur Zeit, als Doctor Bäthge mich zu erziehen versuchte, der Sieger Napoléon (übrigens neu eingerahmt) auf meinem Schreibtisch steht, – und da giebt es mancherlei Hoffnung und Stolz und Ehrgeiz ... Im Übrigen will ich an dieser Stelle, weil er's schöner kann, den edlen und klugen August von Platen reden lassen, den immer wieder zu lesen ich Dir dringend empfehle:
[...]

«So ward ich ruhiger und kalt zuletzt.
Und gerne möcht' ich jetzt
Die Welt, wie außer ihr, von Ferne schaun:
Erlitten hat das bange Herz
Begier und Furcht und Graun,
Erlitten hat es seinen Theil von Schmerz,
Und in das Leben setzt es kein Vertraun;
Ihm werde die gewaltige Natur
Zum Mittel nur,
Aus eigner Kraft sich eine Welt zu baun.»

An Otto Grautoff, 25. Oktober 1898

Kurt Martens und Thomas Mann, 1900
Der Schriftsteller Kurt Martens (1870–1945) wurde später Feuilletonredakteur der «Münchener Neuesten Nachrichten».

Sympathische Beziehungen verbanden mich mit K. Martens, dem Romancier und Novellisten, der dieser Freundschaft, zu der er die Initiative ergriffen hatte, in seinen Lebenserinnerungen lebhaft gedenkt. Er gehört zu den wenigen, an den Fingern einer Hand herzuzählenden Menschen, mit denen ich im Lauf meines Lebens auf den Duzfuß kam. –

Lebensabriß (XI, 108)

KURT MARTENS BERICHTET

Große Freude und dauernden inneren Gewinn brachte mir die Bekanntschaft mit dem in größter Zurückgezogenheit lebenden Thomas Mann. Die wenigsten wußten damals in München von einem jungen Schriftsteller dieses Namens. Mir aber waren gleich seine ersten Skizzen und ein Gedicht von ihm, das in der «Gesellschaft» stand, aufgefallen. Weniger die noch ziemlich unvollkommene tastende Form, die immerhin schon den eigenen Ton verriet, hatte mich gepackt und menschlich ergriffen, als der Bekenntnisdrang einer Persönlichkeit, die der meinigen nach Herkunft, Gefühlsrichtung und inneren Erlebnissen nahe verwandt erschien. Was es mit diesem Thomas Mann auf sich hatte und wo er lebte, ahnte ich nicht. Um so freudiger war ich überrascht, als ich eines Tages aus der Redaktion des «Simplizissimus», der ich eine Novelle «Der Geiger John Baring» eingesandt hatte, eine freundliche Annahmeerklärung erhielt, unterzeichnet mit dem Namen Thomas Mann.
Sofort bat ich ihn um seinen Besuch. Er stellte sich auch wirklich ein. Überaus bescheiden, fast schüchtern, doch in guter Haltung trat ein ernster, schlanker Jüngling über die Schwelle. Sein kluges, besinnliches, in sanfte Schwermut getauchtes Gespräch bezauberte mich, wie niemals eines Mannes Worte je zuvor. Wir besuchten einander von da ab immer häufiger. Er bewohnte in einem Armeleutehaus der Feilitzschstraße ein dürftiges Stübchen. Dort spielte er mir ein paarmal Geige vor und erzählte von einem großen, zweibändigen, halb autobiographischen Romanentwurf, mit dem er sich ohne viel Selbstvertrauen schrecklich plagte.

Kurt Martens, Schonungslose Lebenschronik I, 1921

Mit Heinrich Mann in Italien

Die Reise von 1895

Thomas Manns erste Italienreise fällt in das Jahr 1895. Wir wissen von dieser Reise nicht viel. Der Bruder hatte geschrieben, Thomas Mann traf ihn am 12. Juli in Rom, und offenbar reisten die beiden sofort weiter nach «Palestrina (presso Roma), Casa Pasta-Bernardini». Ende September war man wieder in Rom, Via Torre Argentina 34, Ende Oktober ging Thomas Mann nach München zurück. Er zählt Otto Grautoff gegenüber verschiedene Manuskripte auf, die in der zweiten Jahreshälfte 1895 entstanden seien: «Im Mondlicht» (Palestrina, August), «Begegnung» (Porto Anzio, September), «Zur Psychologie des Leidens» (München, November), «Der Wille zum Glück» (München, Dezember). Erhalten ist nur das letzte.

Die Treppengasse in Palestrina, wo die Brüder in der Casa Bernardini wohnten

Der Marktplatz. Skizze von Heinrich Mann zu seinem Roman «Die kleine Stadt» (1909)

[…] und der Platz schlief weiter in seiner weißen Sonne, winklig beleckt von den Schatten. Der des Palazzo Torroni, am Eingang des Corso, lief spitz hinüber zum Dom, und vor der buckligen Kirchenfront malten die beiden säulentragenden Löwen ihr schwarzes Abbild aufs Pflaster. Wildgezackt sprang der Schatten des Glockenturmes bis an den Brunnen vor.

Heinrich Mann, Die kleine Stadt

Mein vier Jahre älterer Bruder Heinrich, der spätere Verfasser bedeutendster und einflußreichster Romandichtungen, lebte damals, abwartend wie ich, in Rom und schlug mir vor, zu ihm zu stoßen. Ich reiste, und wir verlebten, was wenige Deutsche tun, einen langen, glutheißen italienischen Sommer zusammen in einem Landstädtchen der Sabiner Berge, Palestrina, dem Geburtsorte des großen Musikers. Den Winter, mit seinem Wechsel von schneidenden Tramontana- und schwülen Sciroccotagen, verbrachten wir in der ‹ewigen› Stadt als Untermieter einer guten Frau, die in der Via Torre Argentina eine Wohnung mit steinernen Fußböden und Strohstühlen innehatte. Wir waren Abonnenten eines kleinen Restaurants namens ‹Genzano›, das ich später nicht wiederfand und wo es guten Wein und vorzügliche ‹Croquette di Pollo› gab. Abends spielten wir Domino in einem Café und tranken Punsch dazu. Wir verkehrten mit keinem Menschen. Hörten wir Deutsch sprechen, so flohen wir. Wir betrachteten Rom als Berge unserer Unregelmäßigkeit, und wenigstens ich lebte dort nicht um des Südens willen, den ich im Grunde nicht liebte, sondern einfach, weil zu Hause noch kein Platz für mich war. Die historisch-ästhetischen Eindrücke, welche die Stadt zu bieten hat, nahm ich ehrerbietig auf, nicht eben mit dem Gefühl, daß sie meine Sache seien und mich unmittelbar zu fördern vermöchten. Die antike Plastik des Vatikans hatte mir mehr zu sagen als die Malerei der Renaissance. Das ‹Jüngste Gericht› erschütterte mich als Apotheose meiner durchaus pessimistisch-moralistischen und antihedonistischen Stimmung.

Lebensabriß (XI, 103)

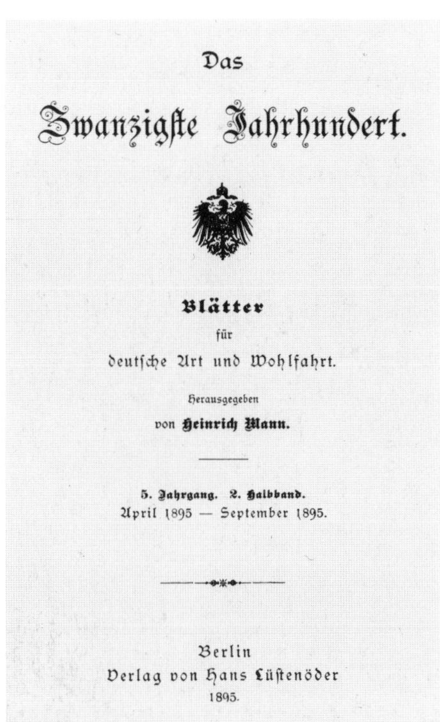
Das

Zwanzigste Jahrhundert.

Blätter

für

deutsche Art und Wohlfahrt.

Herausgegeben

von Heinrich Mann.

5. Jahrgang. 2. Halbband.

April 1895 — September 1895.

Berlin

Verlag von Hans Lüstenöder

1895.

Titelblatt der Zeitschrift «Das Zwanzigste Jahrhundert»
Heinrich Mann zeichnete als Herausgeber und verantwortlicher Schriftleiter vom April 1895 bis Dezember 1896.

Übrigens: Kürzlich habe ich mich zum litterarischen Mitarbeiter des «xx. Jahrhunderts» aufgeschwungen; mein Bruder ist ja Herausgeber. In der letzten (August-)Nummer habe ich schon eine unsäglich überlegene Notiz über Panizza gebracht, die mit «T. M.» gezeichnet ist. Im nächsten Heft kommen zwei Bücherbesprechungen. Die Sache macht mir Spaß, obgleich sie ja gar keinen Zweck hat.

An Otto Grautoff, August 1895

Der Aufenthalt von 1896/1897

Im Oktober 1896 war es wieder soweit. Thomas Mann reiste nach Venedig, wo er sich drei Wochen aufhielt, von dort ging's am 1. November weiter über Ancona und Rom direkt nach Neapel, Via Santa Lucia. Im Dezember traf er sich mit Heinrich in Rom, Via del Pantheon 57^{III}*. Im Juli 1897 folgte der steinerne Saal in Palestrina, im Herbst kehrten die Brüder nach Rom zurück, an die Via Torre Argentina 34. Hier begann Thomas Mann «Buddenbrooks» zu schreiben. Er hatte diese Monate abenteuerlich viel gelesen, skandinavische, russische, französische Autoren, und immer wieder Nietzsche, und immer wieder Storm und Fontane.*

Schon in Palestrina hatte ich, nach eifrigen Vorarbeiten, ‹Buddenbrooks› zu schreiben begonnen. Ohne viel Glauben an die praktischen Aussichten des Unternehmens, mit jener Geduld, die meine natürliche Langsamkeit mir auferlegte, einem Phlegma, das vielleicht richtiger bezähmte Nervosität zu nennen wäre, führte ich die Erzählung in der Via Torre Argentina fort und nahm ein schon bedenklich angeschwollenes Manuskript mit nach München, wohin ich nach ungefähr einjähriger Abwesenheit denn doch zurückkehrte.

Lebensabriß (XI, 104)

Bilderbuch für artige Kinder

In leeren Stunden saßen die Brüder am «Bilderbuch für artige Kinder, fünfundsiebzig Kunstwerke von Meisterhand, worunter achtundzwanzig kolorierte Bilder und siebenundvierzig Kupfer, nebst sechzehn begleitenden Kunstgedichten und vielen Textbemerkungen sittlich belehrenden und erheiternden Inhalts mit Sorgfalt und unter besonderer Berücksichtigung des sittlichen Gedankens für die heranreifende deutsche Jugend gesammelt und herausgegeben»; es war als Konfirmationsgabe für Schwester Carla gedacht. Und Heinrich strichelte an einer «endlosen Bilderfolge, die wir ‹Das Lebenswerk› nannten und deren eigentlicher Titel ‹Die soziale Ordnung› lautete». Vom Kaiser und Papst bis zum Lumpenproletarier hat sich da alles versammelt. In Stunden des Übermuts dachten die Brüder daran, «eine Art Gipperroman» auf Lübeck und die liebe Verwandtschaft zu schreiben. Thomas Mann schrieb den Roman allein. Aus dem spielerischen Ulk erwuchs ein Werk der Weltliteratur.

Carla

Raubmörder Bittenfeld vom Sonnenuntergang überwältigt

Das lange und höchst pathetische Gedicht war mit Kreuzchen, Sternchen und anderen Anmerkungszeichen gespickt, und unter dem Strich kommentierte ein Schulfuchs von Literaturprofessor den Nationaldichter auf das furchtbarste. Die Verdeutschung von «Chaos» zum Beispiel war durch eine Abhandlung über die Aussprache ergänzt, wobei «Schaos» als wahrscheinlich richtig hingestellt wurde. Schiller selbst habe das Wort olympisch scherzend als «Schaos» ausgesprochen. Und so weiter und so fort.
Auf dem zugehörigen großen Bild blickte man in einen Sonnenuntergang, dessen wildfarbige Opernhaftigkeit es nur am westlichen Himmel der Campagna gibt. Und vorne stand ein Kerl, über dessen Beruf kein Zweifel walten konnte. Ein böser, breiter Gnom mit riesigem, geschorenem Zuchthäuslerschädel, langen Affenarmen und kurzen Krummbeinen. Unter der niedrigen Stirn glotzten blau umschattete Säuferaugen in die flammenden Tinten des Götterhimmels. Augen, Schnapsnase und stummelzähniger Mund tropften. Eine Hand preßte die Brust derartig nach oben, daß sie sich weiblich wölbte, und der anderen Faust entfiel ein langes, blutiges Messer. Es fiel aber nach oben, da der untere Bildrand zu nahe war. Ich habe viele, viele Male diesem Phänomen nachgegrübelt.
«Schorke», so wurde dieser Untermensch vom Dichter angeredet, und der Kommentator erklärte den Sinn der Lautänderung mit akustischer Wirkungssteigerung.

Schorke! Kam auch dir die Stunde jetzt,
da dein Blick sich am Erhabnen letzt,
eine Träne deine harte Wange netzt
und das gramzerfressene Gerippe ätzt.
Jene Träne, die aus Eden stammt,
Schorke, so bist du doch nicht ganz
verdammt?

Es wurden Herrn Bittenfeld allerhand pathetische Wahrheiten über sein Vorleben gesagt. Aber jene aus Eden stammende Träne, die dick und quallig an seinem Mörderkinn hing, eben sein Überwältigtsein vom Erhabenen, ließ immerhin eine Auseinandersetzung mit ihm und vage Hoffnung auf eine ferne Gnadenwürdigkeit zu.

Ha, den Busen preßt die Lotterfaust,
Während du in Jovis Auge schaust,
Der im Kreise der Olympier schmaust,
Schorke, ha, dem vor sich selbst
nun graust,
Eine Laus, ein Wurm nur stehst du da,
Seelen fordert Philadelphia!

Besonders die letztere Behauptung gab dem professoralen Interpreten Gelegenheit zu den lehrreichsten Ausführungen. Am Schluß wurde der Nationaldichter erhaben-trostreich:

Fasse dich! In deine Brust allhie
braust die Sphärenharmonie.

Viktor Mann, Wir waren fünf

Das Gespenst

Baron Tobias ging zu Bette,
doch plötzlich ward er leichenfahl,
er lauschte bang, er hörte Schrette
im angelegnen Ahnensaal.

Er ging, denn er war keine Memme,
und lang und weißlich stand es da,
und sprach und sprach mit hohler Stemme:
«Huh! Ich bin deine Großmama!»

Baron Tobias schlug zur Erde
vor Grausen kalt, er fand kein Wort,
jedoch des Ärmsten Angstgebärde
seht ihr auf jenem Bilde dort.

Am Morgen fanden ihn die Leute
und weckten ihn, mit Müh' gelang's,
des Mittags starb er, eine Beute
des grausigen Evenemangs.

«Jenes Bild» zeigte den Ahnensaal und ein richtiges langweißes Gespenst, das aus hohlen Augen auf den in die Knie gesunkenen Baron Tobias hinunterstarrte. Der arme Schloßherr war klein und beleibt, trug einen Biedermeierfrack, Vatermörder und Stulpenstiefel, und sein Blick war gänzlich rettungslos und höchst töricht dem Schrecken hingegeben.

Viktor Mann, Wir waren fünf

DAS LÄBEN

Viktor Mann berichtet

Das Bilderbuch für artige Kinder war sauber und dauerhaft in Pappe und Leinen gebunden, und sein Deckel zeigte eine Federzeichnung von Thomas: eine traumhaft-gespenstige Vollmondlandschaft mit einem Moorweiher, aus dessen traurig-glatter Fläche ein übertrieben melancholischer Männerkopf auftauchte. Ein nächtlich Badender? Der Geist eines Ertrunkenen? Ein unterernährter Nök, oder Nickelmann? Ich habe es nie erfahren können. Es war wohl als l'art pour l'art gedacht und hatte mit dem Inhalt des Buches wenig zu tun.
Dann kam die farbige Titelseite, auf der ich mich mit meiner damaligen Löwenmähne und «überbeißenden» Oberlippe erkennen konnte an der Hand der noch stärker karikierten «Atta». Als Herausgeber wurde ein Oberlehrer Doktor Hugo Giese-Widerlich in Wort und Bild vorgestellt, der mit tückisch-strenger Miene, Brille, Fischmaul, schütterem Bart und zweireihig hochgeschlossenem Rock geradenwegs aus der dunkelsten der damaligen Mittelschulen kam und mir Angst vor meinen künftigen Lehrern einjagte.

Viktor Mann, Wir waren fünf

«Rechtsanwalt Jakoby und Gattin»

«Die Verlobung»

MVTTER NATVR

Zeichnungen aus dem «Bilderbuch für artige Kinder»
Eine kleine Anzahl der Zeichnungen blieb erhalten, das Buch selbst ging 1933 verloren.

Mein Bruder und ich hatten den Geist der Langen'schen Gründung, ihre literarische Karikaturistik, ihren pessimistisch-phantastischen Humor gewissermaßen antizipiert in einem Bilderbuch, das wir mit sonderbarem Fleiß in Palestrina hergestellt und höchst unpassenderweise unserer zweiten Schwester zur Konfirmation verehrt hatten. Ein paar stümperhaft-komische Zeichnungen daraus, die von mir stammten, sind bei Gelegenheit meines fünfzigsten Geburtstags öffentlich bekannt gemacht worden.

Lebensabriß (XI, 105 f.)

«Ein treuer Knecht war Fridolin»

«Das Schirm-Männchen»

Der kleine Herr Friedemann

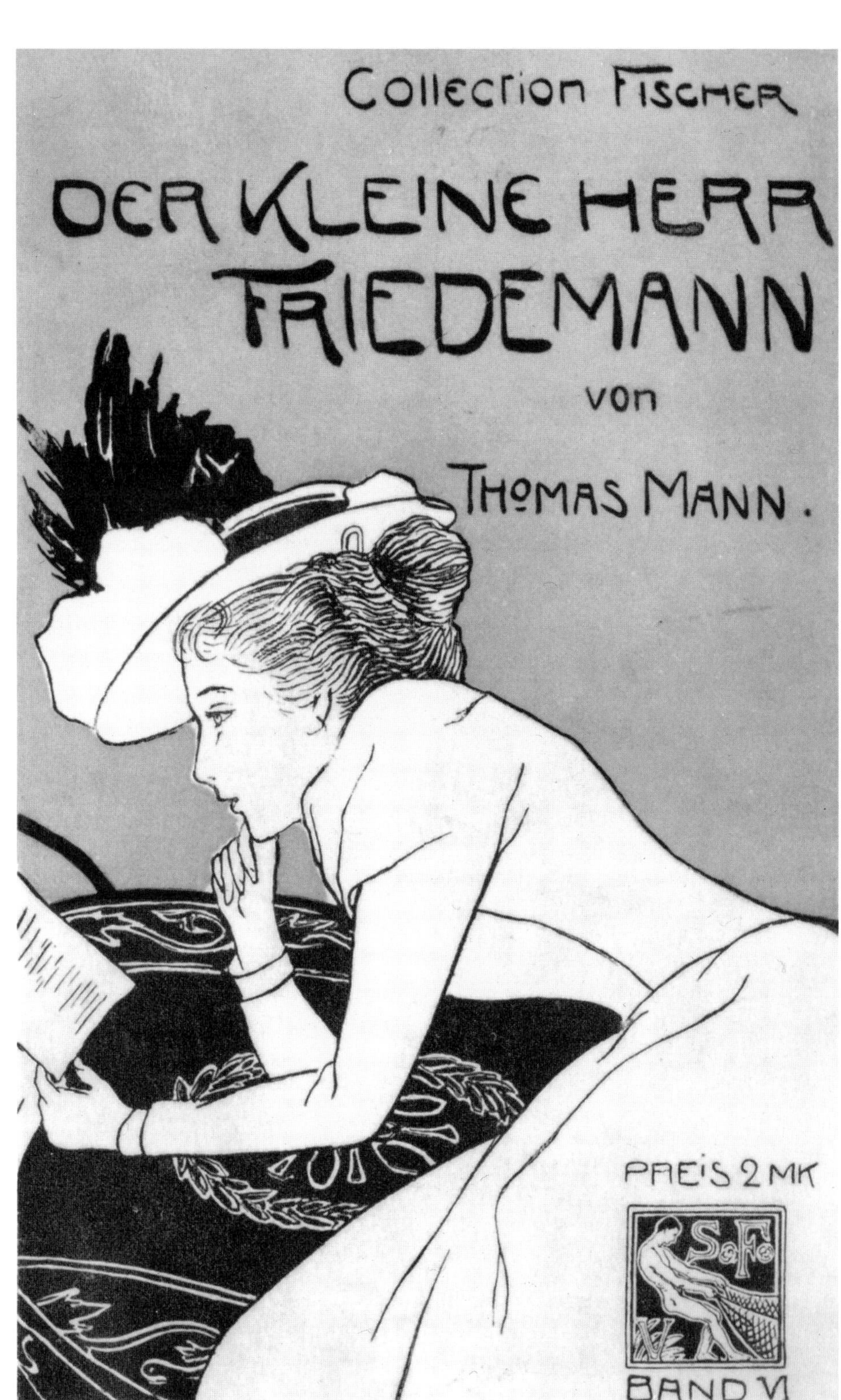

Thomas Manns erstes Buch
Umschlag der Novellensammlung von 1898 mit der Zeichnung von Baptiste Scherer

Im Mai 1897 erschien die Novelle «Der kleine Herr Friedemann» in der «Neuen Deutschen Rundschau». Unter dem gleichen Titel bereitete der Fischer Verlag einen Novellenband vor, der 1898 erschien.

Er enthielt:
«Der kleine Herr Friedemann»
«Der Tod»
«Der Wille zum Glück»
«Enttäuschung»
«Der Bajazzo»
«Tobias Mindernickel»

Ich muß wohl sagen, daß mein eigentlicher Durchbruch in die Literatur mit der Erzählung «Der kleine Herr Friedemann» geschah, die ich von Rom aus, wo ich ein Jahr meines damals ganz provisorischen und experimentellen Daseins verbrachte, an die Redaktion der «Neuen Deutschen Rundschau», das Organ des S. Fischer-Verlages, sandte, wo sie denn auch zu meinem freudigen Stolze erschien. [...]
Diese melancholische Geschichte des kleinen Buckligen stellt auch insofern einen Markstein in meiner persönlichen Geschichte dar, als sie zum erstenmal ein Grundmotiv anschlägt, das im Gesamtwerk die gleiche Rolle spielt wie die Leitmotive im Einzelwerk.

On Myself (XIII, 135)

Formen und Masken

Wahrhaftig, mir ist, als dürfte ich meinen zukünftigen Werklein mit Lust und Zuversicht entgegensehen. Mir ist seit einiger Zeit zu Mute, als seien irgendwelche Fesseln von mir abgefallen, als hätte ich jetzt erst Raum bekommen, mich künstlerisch auszuleben, als wären mir jetzt erst die Mittel gegeben, mich auszudrücken, mich mitzuteilen ... Seit dem «Kleinen Herrn Friedemann» vermag ich plötzlich die diskreten Formen und Masken zu finden, in denen ich mit meinen Erlebnissen unter die Leute gehen kann. Während ich ehemals, wollte ich mich auch nur mirselbst mitteilen, eines heimlichen Tagebuches bedurfte ... Ja, ich glaube, daß ich demnächst etwas sehr Sonderbares schreiben werde – aber ach! schon die verhältnismäßig zahme Romantik des «Todes» im «Simplicissimus» schien bei manchen Leuten Anstoß zu erregen. Mein Freund Vitzthum, zum Beispiel, schrieb mir vollkommen stupéfait und mochte die Sache garnicht leiden. Übrigens hast Du sie ja gelesen aber mir noch nie ein Wort darüber geschrieben, – woraus ich schließen muß, daß Du sie keines Wortes würdig gefunden? –
– Hier ist jetzt schon ganz warmer Frühling, und neulich habe ich bereits mit meinem Bruder (der übrigens in diesen Tagen bei Langen einen Novellenband «Das Wunderbare» herausgiebt) einen mehrtägigen Ausflug in die Berge und ans Meer gemacht. Jetzt in dieser Zeit des Wartens – auf den Korrekturdruck des Kl. H. Fr., auf den Entscheid über das Buch – beschäftige ich mich hauptsächlich damit, den Augias-Stall meines Gewissens ein wenig zu kehren – denn es hilft nichts, man hat ein Gewissen, und bestehe es auch nur in dem unabweisbaren Bedürfnis, sichselbst zu gefallen ... Ich stehe zeitig auf, gehe viel spazieren, wozu sich hier reichliche und schöne Gelegenheit[en] bieten, schränke das Cigarettenrauchen ein und suche auf alle Weise, meinen verwahrlosten Nerven ein wenig aufzuhelfen.

An Otto Grautoff, 6. April 1897

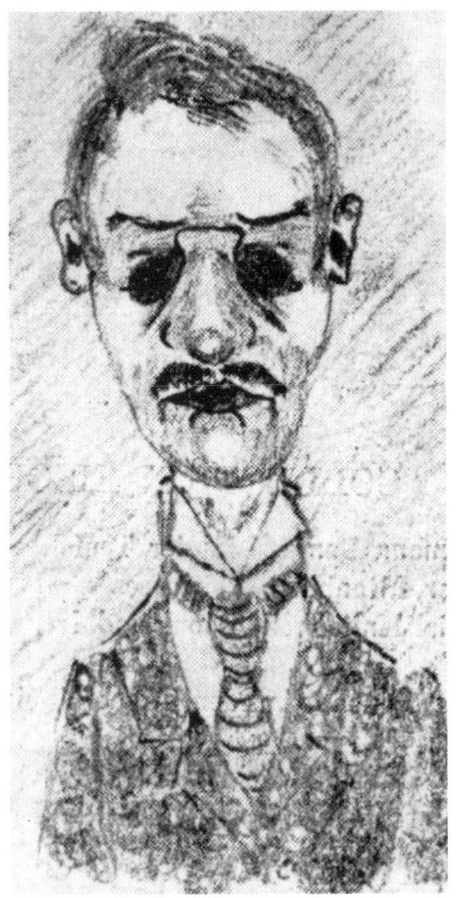

Mit einem Selbstporträt widmete Thomas Mann das Buch seinem Bruder Heinrich

Formen und Masken: Thomas Mann hat seit dieser Zeit seelische Hemmnisse seiner Helden als körperliche Defekte sichtbar gemacht. Friedemanns Buckel, Klaus Heinrichs verkümmerte Hand weisen auf solche Hemmnisse hin.

Beim Simplicissimus

Nach München zurückgekehrt, arbeitete Thomas Mann nebenbei als Lektor und Korrektor beim «Simplicissimus». Hier lernte er Korfiz Holm, Albert Langen, Wassermann und Wedekind kennen.

Meine Beziehungen zu dem außerordentlichen Witzblatt entbehrten also nicht der inneren Legitimität. Während ich bei seiner Redaktion behilflich war, blieb ich direkter Mitarbeiter. Mehrere meiner kurzen Novellen, ‹Der Weg zum Friedhof› etwa, auch solche, die ich nicht in meine Gesammelten Schriften aufgenommen habe, erschienen dort zuerst, sogar ein Weihnachtsgedicht. ‹Der Weg zum Friedhof› fand den besonderen Beifall Ludwig Thoma's, der damals dem ‹Simplicissimus› und seinem Verlage schon nahestand. Noch größeren Anklang fand bei Langen und den Seinen die sehr subjektive Schillerstudie ‹Schwere Stunde›, die ich zum hundertsten Todestage des Dichters für den ‹Simplicissimus› schrieb. Es war mir erstaunlich und rührte mich, mit welcher warmen und ernsten Anerkennung der oberbayerische Volksdichter diese kleine Arbeit des Jüngeren und so anders Gearteten begrüßte. Von meiner Seite habe ich seine ‹Lausbubengeschichten› und Filser-Briefe herzlich bewundert und geliebt. Ich verbrachte einen und den andern Abend mit ihm und weiteren ‹Simplicissimus›-Leuten, Geheeb, Th. Th. Heine, Thöny, Reznicek und anderen in der Odeonbar. Meistens schlief Thoma, die erkaltete Pfeife im Munde. –

Lebensabriß (XI, 106)

Weihnacht

O festlich Sternenzelt!
Du breitest dich ob meiner Einsamkeit
Und schirmest weithin die gesühnte Welt.

Sanft glitzerndes Gefild!
Dein Friedenszauber füllt mein ganzes Herz,
Daß es von Rührung und Beschämung schwillt:

O weiße Weihenacht!
In mildem Leuchten liegt ein heilig Kind,
Des Lächeln alles Leid zur Glorie macht!

Ein Gedicht Thomas Manns aus dem «Simplicissimus», 23. Dezember 1899

Albert Langen (1869–1909)

Ludwig Thoma (1867–1921), Erzähler, Dramatiker, Redaktor beim «Simplicissimus»

Ludwig Thoma erinnert sich

Hier und da kam ein junger Mann in der Uniform eines bayrischen Infanteristen, trug einen Stoß Manuskripte, die er für den Verlag geprüft hatte, bei sich und übergab der Redaktion ab und zu geschätzte Beiträge; er war sehr zurückhaltend, sehr gemessen im Ton, und man erzählte von ihm, daß er an einem Roman arbeite. Der Infanterist hieß Thomas Mann, und der Roman erschien später unter dem Titel «Buddenbrooks».

Ludwig Thoma, Erinnerungen, 1919

Schwabing

Pension Gisela in München, Giselastraße 15
Hier wohnte Thomas Mann vom 1.–30. September 1902. Im «Doktor Faustus» dann wird auch Leverkühn hier wohnen.

Es war die Zeit der Boheme. Thomas Mann zog in Schwabing von einer Wohnung zur andern. Aber er gehörte nie recht zu «Schwabing» oder «Wahnmoching», wie Franziska zu Reventlow es nannte. Dem Münchner «Künstlervölkchen» begegnete er nur auf Distanz. Die Kabarettisten, Feuilletonisten, Novellisten waren seine Sache nicht. Ihr unsteter Lebensstil: freie Liebe, freie (oder keine) Arbeit, ihr ganzes Treiben nächtens und am Tage, paßte ihm nicht. Er hatte Ambitionen und hielt sich fern.
Er besann sich auf sich selbst. Was ihn hielt und ihm Halt gab, war das Werk, das langsam, aber unaufhaltsam wuchs: «Buddenbrooks». Das war er. Niemand hatte es ihm vorgemacht, und keiner würde es ihm nachmachen.

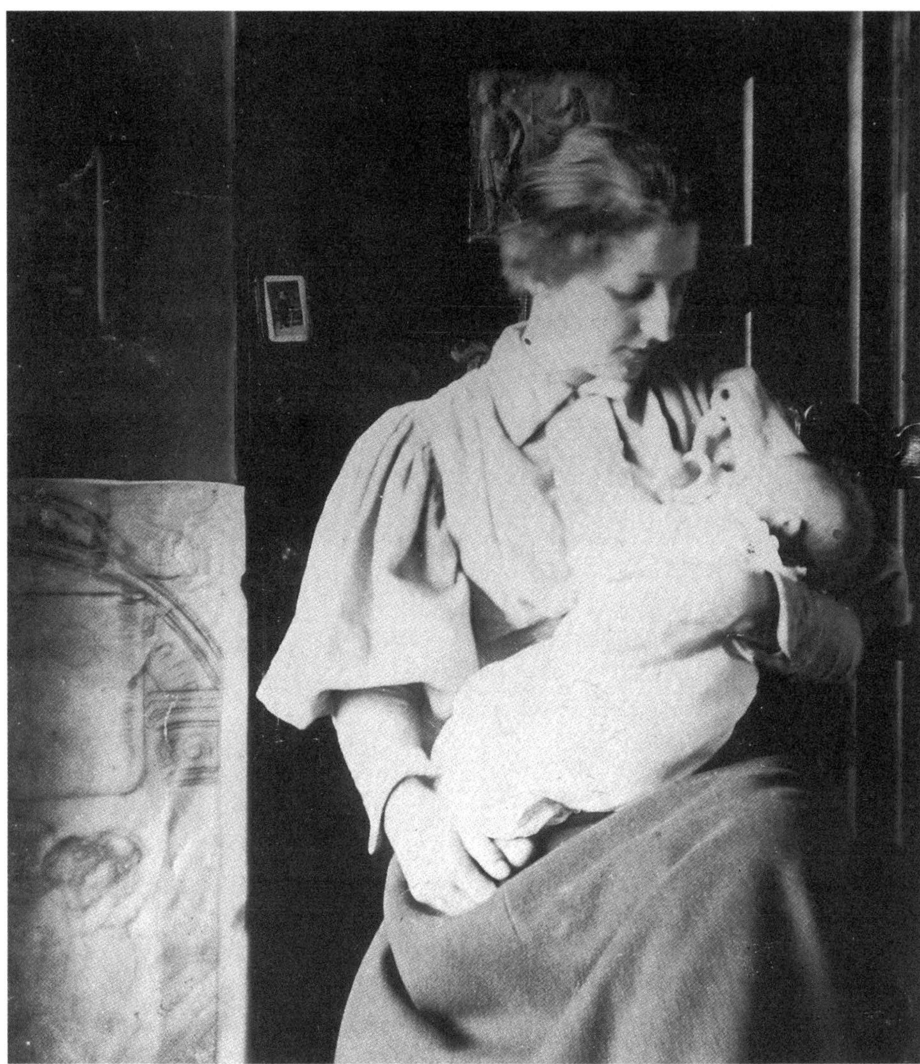

Franziska Gräfin zu Reventlow hat die Schwabinger Boheme vielleicht am reinsten verkörpert. Sie wechselte in ihrer Münchner Zeit wohl dreißigmal ihre Wohnung und noch öfter die Männer. Bald feierte sie an Atelierfesten mit bis zur Besinnungslosigkeit, dann wieder fiel sie in Depressionen, bemühte sich, einen «Rest von Moral» zu bewahren – bis sie wieder «frühlingssehnsüchtig» wurde. 1899 schrieb sie «Viragines oder Hetären?», 1913 «Herrn Dame's Aufzeichnungen oder Begebenheiten aus einem merkwürdigen Stadtteil». Sie war das Modell zu Figuren aus Heinrich Manns «Jagd nach Liebe» und Thomas Manns «Beim Propheten».

Franziska Gräfin zu Reventlow (1871–1918) mit ihrem Sohn Rolf, dem «vaterlosen» Kind, 1897

Aus ihrem Tagebuch:
Warum fühle ich das Leben herrlich und intensiv, wenn ich viele habe? – immer das Gefühl, eigentlich gehöre ich allen. Und dann wieder der haltlose Jammer, daß ich dadurch gerade den Einen verliere, der mich liebt. Warum gehn Liebe und Erotik für mich so ganz auseinander?

Neujahrsnacht 1896/97

Die Cafés

Das Café Luitpold in München, wo die Literaten verkehrten

Das Café Luitpold ist mir jetzt in der Tat ein zweites Heim geworden, wie ich schon in Berlin erwartet hatte. Zwar werden einem die Knöpfe von den Hosen gestohlen, und wer einen neuen Paletot mitbringt, tut gut, sich gleich draufzusetzen. Er möchte später keine Gelegenheit mehr dazu finden. Die illustrierten Zeitungen verschwinden meistens schon den ersten Tag aus ihren Mappen; die leeren Mappen erfüllen den Leser mit einiger Beschämung vor sich selbst, wenn er sie sich mühsam herausgesucht, an seinen Platz geschleppt und dort eine nach der anderen mit sinkender Zuversicht aufschlägt. Dagegen weist das Lokal so mancherlei Vorzüge auf, daß man über vieles hinwegsieht. Was mir besonders gefällt, ist die Beleuchtung, bei Tag ein mildes Oberlicht, das jeden Winkel erreicht, ohne zu blenden, und nachts die Beleuchtung der helldekorierten Kuppeln durch unsichtbare Lichtquellen, wodurch die Säulengänge und seitlichen Kolonnaden etwas anmutig Feenhaftes erhalten.

Aus Wedekinds Tagebuch, 9. September 1889

Hier habe ich gleich wieder zu leben angefangen, wie ich aufgehört hatte: faul und bummelig, in Gesellschaft beim Wein im Café Luitpold, morgens zu Bett und mittags wieder auf. Seit Wochen habe ich keine Zeile Prosa mehr geschrieben. Nur, wie gesagt, ein paar Gedichte, darunter ein Sonett, – das erste meines Lebens, aber hübsch; Frau Holm schwamm in Entzücken. Ich schicke es dem «Magazin». – Jetzt kommt es mir so vor, als sollte ich wieder arbeitsamer werden. Es zieht mich wieder zu meiner begonnenen Novelle, die glaube ich, «Piété sans la foi» heißen wird, und eine Allerneueste habe ich heute concipiert.

An Otto Grautoff, Juni 1895

Das Café Stefanie an der Ecke Amalien-/Theresienstraße. Hier traf sich die Münchner Boheme

Die elf Scharfrichter

Plakat der «Elf Scharfrichter» von Th. Th. Heine

Das Kabarett «Die elf Scharfrichter» wurde am 13. April 1901 an der Münchner Türkenstraße eröffnet. Ein Programm gab es anfänglich nicht. Die Künstler trugen ihre eigenen Gedichte, Lieder, Sketche und Parodien vor. Diese richteten sich meist gegen die gesellschaftliche Erstarrung. Vom Oktober 1901 an wurde täglich gespielt. Zeitweise waren über dreißig Mitarbeiter da. Aber schon im Herbst 1903 löste sich die Gruppe auf.

EIN AUGENZEUGE …

Die Aufführungen, «Exekutionen», fanden dreimal wöchentlich statt in dem von Langheinrich und Neumann geschaffenen stimmungsvollen Raum des Goldenen Hirschen in der Türkenstraße, einem kaum 100 Zuschauer fassenden Saale, dessen Wände Werke jüngerer Künstler schmückten, Zeichner der Jugend und des Simplizissimus, aber auch Franzosen, wie Rops, Steinlen, Leandre. Das Publikum mußte sich durch Einschreibung persönlich einladen lassen, denn die Scharfrichter waren ein «Verein», dessen «Mitglieder» kein Eintrittsgeld, sondern nur eine Garderobegebühr zahlten; dadurch sollte die Zensur umgangen werden, die allerdings die Komödie dieser Aufmachung nicht lange duldete. Die erste Nummer war ein grotesker «Introduktionsmarsch für Orchester und Chor» von Greiner-Weinhöppel, gesungen und getanzt von allen 11 Scharfrichtern in blutrotem Talar. Darauf sagte der «Regisseur des Abends» die Vortragsordnung von Fall zu Fall an, ein Programm, das sich durch Gediegenheit und Reichtum auszeichnete: Rezitation von Lyrik, erzählende Gedichte, Parodien, Satiren, außerdem Lieder, Chansons, Bänkelgesänge, Tänze, ernste dramatische Handlungen, szenische Parodien und Grotesken, Puppenspiele, Schattenspiele. Vortragende waren in erster Linie die Schaffenden selbst: «Mr. Henry» – Balthasar Starr –, nicht auffallend als Verfasser französischer Brettltexte, aber ein höchst liebenswürdiger Conférencier und temperamentvoller Rezitator; Otto Falckenberg – Peter Luft –, der Puppenspiele, Tanzgrotesken, Melodramen, Dialoge und Einakter schrieb und Regie führte abwechselnd mit Leo Greiner – Dionysius Tod –, dem Lyriker, der aber auch szenische Spiele lieferte und satirische Vorträge hielt «zur Pflege des Familiensinnes»; der Kritiker Willi Rath – Willibaldus Rost –, der leider nur einmal hervortrat mit einer politischen Puppenkomödie, deren Figuren von Waldemar Hecker stammten. Die musikalische Seele der 11 Scharfrichter war H. R. Weinhöppel – Hannes Ruch –, er schuf den genannten Eingangsmarsch und eine Überouvertüre, zu welcher ein eigener Musikführer erschien; das künstlerisch Bedeutende aber waren seine Gitarrelieder. Einige brachte er selber zum Vortrag, die meisten aber ließ er singen. Manche dieser Lieder wurden ebenso bekannt wie Wolzogens Glanznummern; sie machten starken Eindruck und standen auch künstlerisch auf einer ansehnlichen Höhe. Zu den Scharfrichtern gehörte auch Rechtsanwalt Dr. Robert Kothe – Frigidius Strang –, Dichter und Komponist, der aber hauptsächlich als Sänger älterer deutscher Lieder und Pierrotpoesien auftrat. Bedeutend war noch die Mitwirkung Ernst Neumanns – Kaspar Beil –, welcher Schattenfiguren schnitt, Dekorationen malte und Titelblätter und Vignetten der Programme entwarf. Bildhauer Wilhelm Hüsgen – Till Blut – formte den originellen Saalschmuck der Scharfrichtermasken; Max Langheinrich – Max Knax – sorgte für Ausstattung und Beleuchtung. Weniger beteiligte sich der Maler Willy Oertel – Serapion Grab –, der nur einige Hintergründe herstellte, und Viktor Frisch – Gottfried Still –. Übrigens taten sie alle mit in Rollen, die der Abend gerade erforderte.

Arthur Kutscher, Frank Wedekind

Wedekind in der Elf-Scharfrichter-Zeit

Frank Wedekind, der bei den ersten Vorstellungen noch nicht dabei war, weil er sich in Norditalien befand, sang schon im Aprilprogramm Balladen und Lieder zur Gitarre und zwar außer der Heilsarmee und «Als ich in Hamburg war» nur eigene Verse. Ein undatiertes späteres Programm [1902] verzeichnet als seine Nummern: Brigitte B., Das arme Mädchen, Der Tantenmörder, Franziskas Abendlied, Der Taler, Die 7 Rappen, Mein Lieschen, Galathea, Die Symbolisten, Der Zoologe von Berlin, Hundeballade [...]. Seine Stimme war spröde, doch fein pointierend und rhythmisierend, sein Vortrag von höchster Prägnanz, Eindringlichkeit und mitziehender Beschwingtheit, seine Mimik zwar verhalten, aber überlegen, reich. Ganz im Banne von Melodie und Dichtung stand er da mit geschlossenen oder suchenden, über sein Publikum weg unheimlich flackernden Augen. Weinhöppel, der entzückt war über das Plastische, Drastische und Lapidare seiner musikalischen Begabung, nennt seinen Gesang einzigartig und unübertrefflich, den Gipfelpunkt der Begeisterung bei den genußfähigen Zuhörern. Für Josef Ruederer ist er der klassische deutsche Chansonier: «Er trug am meisten dazu bei, diese oft diabolische Stimmung hervorzubringen, die an manchen Abenden über dem einfachen Brettl lagerte.»

Arthur Kutscher, Frank Wedekind

Frank Wedekind (links) mit einigen Mitgliedern des Kabaretts ‹Die Elf Scharfrichter› im Hof des Gasthauses ‹Zum goldenen Hirschen› in der Türkenstraße

Der George-Kreis

Antikes Fest, München 1903
George als Cäsar, Wolfskehl als Bacchus, vorne links Franziska von Reventlow

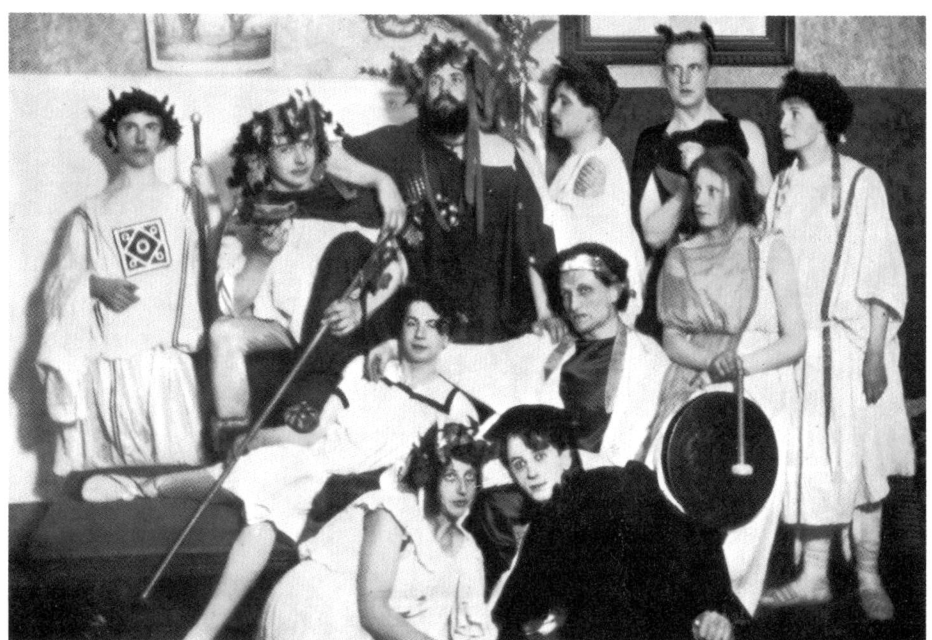

Der George-Kreis feierte den Karneval auf seine Weise. George trat als Cäsar oder Dante auf, Wolfskehl als Dionysos oder Homer. Thomas Mann scheint dem Kreis ausgewichen zu sein. Immerhin verkehrte er mit Wolfskehl, auch schildert er eine Lesung in Derleths Dichterbehausung («Beim Propheten»). Weshalb ging Thomas Mann auf Distanz? Vielleicht gerade, weil er von George fasziniert war. Das Männerbündische, der Erlösungszauber, der Kult um Maximin, das alles hat Thomas Mann unterschwellig sicher bewegt, auch wenn er nach außen nichts davon durchblicken ließ. Das gestelzte (und gleichzeitig karnevalistische) Zeremoniell der George-Sphäre hat ihn dagegen abgestoßen. Umgekehrt wieder bestach ihn Georges Intellektualität. Sie bewies sich auch in Georges Widerstand gegen die Nazis, zu einer Zeit, da der «Blutleuchte»-Schuler und Klages sich von dieser Sphäre schon hatten einfangen lassen.

Dichterzug, München 1901
Apollon voran, Wolfskehl als Homer, hinten George als Dante, begleitet von Maximilian Kronberger

Beim Propheten

In der Karfreitagswoche 1904 folgte Thomas Mann einer Einladung Ludwig Derleths zur Vorlesung seiner «Proclamationen». Derleth (1870–1948), der dem George-Kreis angehörte, lebte mit dem Bewußtsein einer prophetischen Sendung. Das Erlebnis dieser Lesung schildert Thomas Mann in der Novelle «Beim Propheten».

ZU DEN PROCLAMATIONEN LUDWIG DERLETH GELESEN IN
DER KARFREITAGWOCHE 1904 WIRD
GEBETEN UM BEREITWILLIGE GEGENWART
CONVENT DESTOUCHESSTRASSE I

Die Geschwister Ludwig und Anna Maria Derleth

Die «horstähnliche Behausung» von Ludwig und Anna Derleth am Marienplatz 2, 5. Stock

Es war Karfreitag, abends um acht. Mehrere von denen, die Daniel geladen hatte, kamen zu gleicher Zeit. Sie hatten Einladungen in Quartformat erhalten, auf denen ein Adler einen nackten Degen in seinen Fängen durch die Lüfte trug und die in eigenartiger Schrift die Aufforderung zeigten, an dem Konvent zur Verlesung von Daniels Proklamationen am Karfreitagabend teilzunehmen, und sie trafen nun zur bestimmten Stunde in der öden und halbdunklen Vorstadtstraße vor dem banalen Mietshause zusammen, in welchem die leibliche Wohnstätte des Propheten gelegen war.

Einige kannten einander und tauschten Grüße. Es waren der polnische Maler und das schmale Mädchen, das mit ihm lebte, der Lyriker, ein langer, schwarzbärtiger Semit, mit seiner schweren, bleichen und in hängende Gewänder gekleideten Gattin, eine Persönlichkeit von zugleich martialischem und kränklichem Aussehen, Spiritist und Rittmeister außer Dienst, und ein junger Philosoph mit dem Äußern eines Känguruhs. Nur der Novellist, ein Herr mit steifem Hut und gepflegtem Schnurrbart, kannte niemanden. Er kam aus einer andern Sphäre, war nur zufällig hierher geraten. Er hatte ein gewisses Verhältnis zum Leben, und ein Buch von ihm wurde in bürgerlichen Kreisen gelesen. Er war entschlossen, sich streng bescheiden, dankbar und im ganzen wie ein Geduldeter zu benehmen. In einem kleinen Abstande folgte er den anderen ins Haus.

Sie stiegen die Treppe empor, eine nach der andern, gestützt auf das gußeiserne Geländer. Sie schwiegen, denn es waren Menschen, die den Wert des Wortes kannten und nicht unnütz zu reden pflegten. Im trüben Licht der kleinen Petroleumlampen, die an den Biegungen der Treppe auf den Fenstergesimsen standen, lasen sie im Vorübergehen die Namen an den Wohnungstüren. Sie stiegen an den Heim- und Sorgenstätten eines Versicherungsbeamten, einer Hebamme, einer Feinwäscherin, eines «Agenten», eines Leichdornoperateurs vorüber, still, ohne Verachtung, aber fremd. Sie stiegen in dem engen Treppenhaus wie in einem halbdunklen Schacht empor, zuversichtlich und ohne Aufenthalt; denn von oben, von dort, wo es nicht weiter ging, winkte ihnen ein Schimmer, ein zarter und flüchtig bewegter Schein aus letzter Höhe.

Endlich standen sie am Ziel, unter dem Dach, im Lichte von sechs Kerzen, die in verschiedenen Leuchtern auf einem mit verblichenen Altardeckchen belegten Tischchen zu Häupten der Treppe brannten. An der Tür, welche bereits den Charakter eines Speichereinganges trug, war ein graues Pappschild befestigt, auf dem in römischen Lettern, mit schwarzer Kreide ausgeführt, der Name «Daniel» zu lesen war. Sie schellten …

[…]

Eine feierlich schwankende und flimmernde Helligkeit, erzeugt von zwanzig oder fünfundzwanzig brennenden Kerzen, herrschte in dem mäßig großen Raum, den sie betraten. Ein junges Mädchen mit weißem Fallkragen und Manschetten über dem schlichten Kleid, Maria Josefa, Daniels Schwester, rein und töricht von Angesicht, stand dicht bei der Tür und reichte allen die Hand. Der Novellist kannte sie. Er war an einem literarischen Teetische mit ihr zusammengetroffen. Sie hatte aufrecht dagesessen, die Tasse in der Hand, und mit klarer und inniger Stimme von ihrem Bruder gesprochen. Sie betete Daniel an.

Beim Propheten (VIII, 362 ff.)

Thomas Mann, um 1903

1897–1901 Der Durchbruch zum Erfolg

«Buddenbrooks»
Das Dreigestirn der Jugend:
Schopenhauer, Nietzsche, Wagner

Buddenbrooks

«Buddenbrooks», Volksausgabe

Buddenbrook-Haus, Mengstraße 4
Das Haus von Thomas Manns Groß-mutter, Elisabeth Mann, geb. Marty.
Es ist als «Buddenbrook-Haus» bekannt geworden.
Älteste Photographie, um 1870

Konsul Buddenbrook stand, die Hände in den Taschen seines hellen Beinkleides vergraben, in seinem Tuchrock ein wenig fröstelnd, ein paar Schritte vor der Haustür und lauschte den Schritten, die in den menschenleeren, nassen und matt beleuchteten Straßen verhallten. Dann wandte er sich und blickte an der grauen Giebelfassade des Hauses empor. Seine Augen verweilten auf dem Spruch, der überm Eingang in altertümlichen Lettern gemeißelt stand: «Dominus providebit.» Während er den Kopf ein wenig senkte, trat er ein und verschloß sorgfältig die schwerfällig knarrende Haustür. Dann ließ er die Windfangtüre ins Schloß schnappen und schritt langsam über die hallende Diele.

Buddenbrooks (I, 44)

Das Haus

Zur Linken ward das Grundstück durch eine Mauer vom Nachbargarten abgegrenzt; rechts aber war die Seitenwand des Nebenhauses in ihrer ganzen Höhe mit einem hölzernen Gerüst verkleidet, das bestimmt war, mit der Zeit von Schlinggewächsen bedeckt zu werden. Es gab zu den Seiten der Freitreppe und des Pavillonplatzes ein paar Johannis- und Stachelbeersträucher; aber nur ein großer Baum war da, ein knorriger Walnußbaum, der links an der Mauer stand.

Buddenbrooks (I, 428)

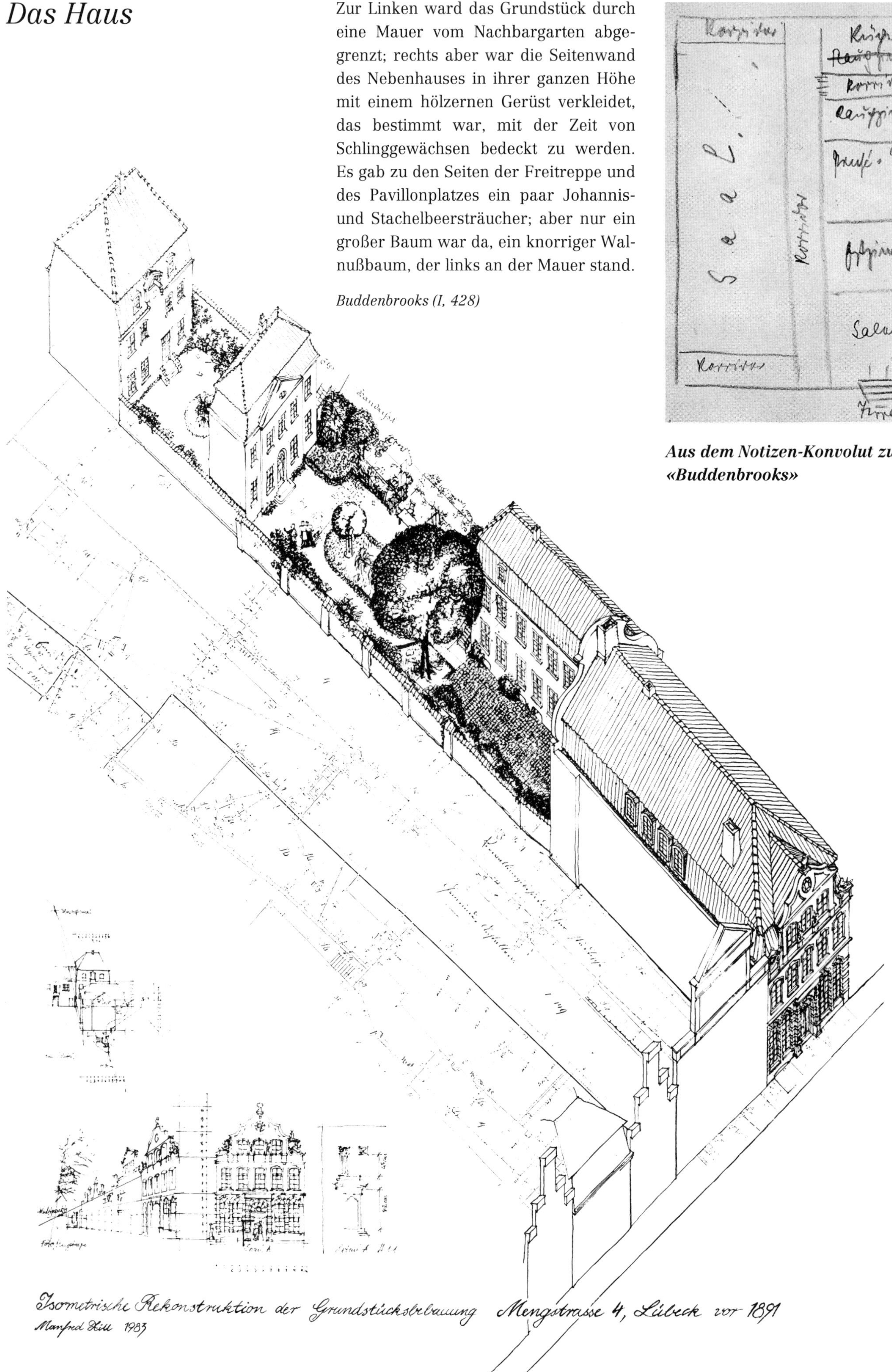

Isometrische Rekonstruktion der Grundstücksbebauung Mengstrasse 4, Lübeck vor 1891
1983

Aus dem Notizen-Konvolut zu «Buddenbrooks»

Das «Landschaftszimmer»

Man saß im «Landschaftszimmer», im ersten Stockwerk des weitläufigen alten Hauses in der Mengstraße, das die Firma «Johann Buddenbrook» vor einiger Zeit käuflich erworben hatte und das die Familie noch nicht lange bewohnte. Die starken und elastischen Tapeten, die von den Mauern durch einen leeren Raum getrennt waren, zeigten umfangreiche Landschaften, zartfarbig wie der dünne Teppich, der den Fußboden bedeckte, Idylle im Geschmack des achtzehnten Jahrhunderts, mit fröhlichen Winzern, emsigen Ackersleuten, nett bebänderten Schäferinnen, die reinliche Lämmer am Rande spiegelnden Wassers im Schoße hielten oder sich mit zärtlichen Schäfern küßten ... Ein gelblicher Sonnenuntergang herrschte meistens auf diesen Bildern, mit dem der gelbe Überzug der weißlackierten Möbel und die gelbseidenen Gardinen vor den beiden Fenstern übereinstimmten.

Buddenbrooks (I, 12)

Das «Götterzimmer»

[...] und nebeneinander überschritten sie die Schwelle zum hellerleuchteten Speisesaal, wo die Gesellschaft mit der Placierung um die lange Tafel soeben fertig geworden war.
Aus dem himmelblauen Hintergrund der Tapeten traten zwischen schlanken Säulen weiße Götterbilder fast plastisch hervor. Die schweren roten Fenstervorhänge waren geschlossen, und in jedem Winkel des Zimmers brannten auf einem hohen, vergoldeten Kandelaber acht Kerzen, abgesehen von denen, die in silbernen Armleuchtern auf der Tafel standen. Über dem massigen Büffet, dem Landschaftszimmer gegenüber, hing ein umfangreiches Gemälde, ein italienischer Golf, dessen blaudunstiger Ton in dieser Beleuchtung außerordentlich wirksam war. Mächtige, steiflehnige Sofas in rotem Damast standen an den Wänden.

Buddenbrooks (I, 22)

«Die Eiche», Speicher der Familie Mann, Lübeck 1873

[...] als er zum ersten Male auf seinem Drehsessel am Pulte saß, emsig mit Stempeln, Ordnen, Kopieren beschäftigt, und als der Vater ihn nachmittags auch an die Trave hinunter in die Speicher ‹Linde›, ‹Eiche›, ‹Löwe› und ‹Walfisch› führte, wo Thomas eigentlich ebenfalls längst zu Hause war, wo er aber nun als Mitarbeiter vorgestellt wurde ...

Buddenbrooks (I, 77)

Die Diele im Buddenbrook-Haus, vor 1928
Aufnahme von Julius Hollos

Die Familie

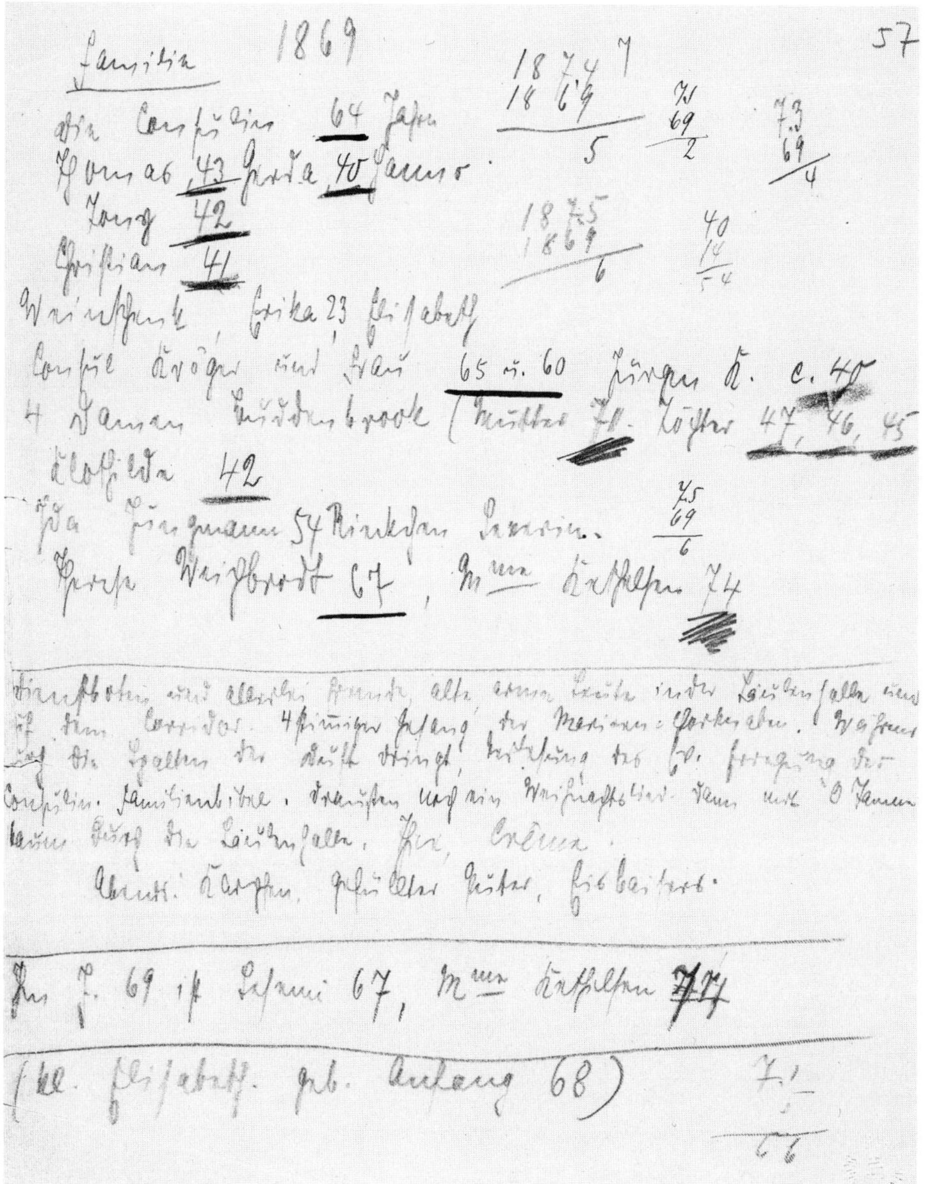

Datenschema aus den Vorarbeiten, «Familie 1869»

Und so ging es denn an ein Notizenmachen, ein Entwerfen chronologischer Schemata und genauer Stammbäume, ein Sammeln psychologischer Pointen und gegenständlichen Materials – ich wußte nicht genug, ich wandte mich mit allerlei geschäftlichen, städtischen, wirtschaftsgeschichtlichen, politischen Fragen nach Lübeck, an einen nun längst verstorbenen Verwandten, einen Vetter meines Vaters, den soldatisch liebenswürdigen Konsul Wilhelm Marty [...].

Lübeck als geistige Lebensform (XI, 380)

Johann Buddenbrook, der Ältere
Der Urgroßvater Johann Siegmund Mann sen. (1761–1848), Gründer der Firma Mann.

Madame Kröger
Catharina Elisabeth Marty, geb. Croll (1782–1869), Thomas Manns Urgroßmutter väterlicherseits. Im Roman: Madame Kröger, Gattin des Lebrecht Kröger.

Lebrecht Kröger
Johann Heinrich Marty (1779–1844), Urgroßvater Thomas Manns. Johann Marty stammte aus Glarus/Schweiz. 1805 heiratete er in Lübeck Catharina E. Croll, die Tochter seines Geschäftsfreundes Wilhelm Croll. Im Roman: Lebrecht Kröger, der «à-la-mode-Kavalier».

Konsulin Bethsy Buddenbrook
Elisabeth Mann, geb. Marty (1811–1890), Großmutter Thomas Manns.

Konsul Johann Buddenbrook
Johann Siegmund Mann jun. (1797–1863), Großvater Thomas Manns. Er kaufte 1843 das «Buddenbrook-Haus» in der Mengstraße.

Thomas Buddenbrook
Thomas Johann Heinrich Mann, 1840–1891, Kaufmann, Konsul und Senator, um 1880. Thomas Manns Vater.

Welch ein Gegensatz zwischen der leidenden Schlaffheit seiner Züge und der eleganten, beinahe martialischen Toilette, die diesem Kopfe gewidmet war – dem parfümierten, lang ausgezogenen Schnurrbart, der peinlich rasierten Glätte von Kinn und Wangen, der sorgfältigen Frisur des Haupthaares, dessen beginnende Lichtung am Wirbel nach Möglichkeit verdeckt war, das, in zwei länglichen Einbuchtungen von den zarten Schläfen zurücktretend, einen schmalen Scheitel bildete und über den Ohren nicht mehr lang und gekraust, wie einst, sondern sehr kurz gehalten war, damit man nicht sähe, daß es an dieser Stelle ergraute.

Buddenbrooks (I, 466)

Gerda Arnoldsen, Hannos Mutter
Julia Mann, geb. da Silva-Bruhns, 1851–1923, Thomas Manns Mutter.

Das schwere, dunkelrote Haar umrahmte das weiße Gesicht, und in den Winkeln der nahe beieinanderliegenden braunen Augen lagerten bläuliche Schatten.
Es war Gerda, die Mutter zukünftiger Buddenbrooks.

Buddenbrooks (I, 304)

Leutnant von Throta

In «Buddenbrooks» beschreibt Thomas Mann das Verhältnis zwischen Gerda Arnoldsen und dem Leutnant von Throta mit folgenden Worten:

Sie erschien gleichsam konserviert in der nervösen Kälte, in der sie lebte und die sie ausströmte. Ihr dunkelrotes Haar hatte genau seine Farbe behalten, ihr schönes, weißes Gesicht genau sein Ebenmaß und die Gestalt ihre schlanke und hohe Vornehmheit. In den Winkeln ihrer etwas zu kleinen und etwas zu nahe beieinanderliegenden braunen Augen lagerten immer noch die bläulichen Schatten ... Man traute diesen Augen nicht. Sie blickten seltsam, und was etwa in ihnen geschrieben stand, vermochten die Leute nicht zu entziffern. Diese Frau, deren Wesen so kühl, so eingezogen, verschlossen, reserviert und ablehnend war, und die nur an ihre Musik ein wenig Lebenswärme zu verausgaben schien, erregte unbestimmte Verdächte. Die Leute holten ihr bißchen verstaubte Menschenkenntnis hervor, um sie gegen Senator Buddenbrooks Gattin anzuwenden. Stille Wasser waren oft tief. Mancher hatte es faustdick hinter den Ohren. Und da sie doch wünschten, sich die ganze Sache ein Stückchen näher zu bringen und überhaupt irgend etwas davon zu wissen und zu verstehen, so führte ihre bescheidene Phantasie sie zu der Annahme, es könne wohl nicht anders sein, als daß die schöne Gerda ihren alternden Mann nun ein wenig betröge.
Sie gaben wohl acht, und es dauerte nicht lange, bis sie einig darüber waren, daß Gerda Buddenbrook in ihrem Verhältnis zu Herrn Leutnant von Throta, gelinde gesagt, die Grenzen des Sittsamen überschritt.
René Maria von Throta, aus den Rheinlanden gebürtig, stand als Secondeleutnant bei einem der Infanterieba-

taillone, die in der Stadt garnisonierten. Der rote Kragen nahm sich gut aus zu seinem schwarzen Haar, das seitwärts gescheitelt und rechts in einem hohen, dichten und gelockten Kamm von der weißen Stirn zurückgestrichen war. Aber obwohl er groß und stark von Gestalt erschien, rief seine ganze Erscheinung, seine Bewegungen sowohl wie seine Art zu sprechen und zu schweigen, einen äußerst unmilitärischen Eindruck hervor. Er liebte es, eine Hand zwischen die Knöpfe seines halb offenen Interimsrockes zu schieben oder dazusitzen, indem er die Wange gegen den Handrücken lehnte; seine Verbeugungen entbehrten jeglicher Strammheit, man hörte nicht einmal seine Absätze dabei zusammenschlagen, und er behandelte die Uniform an seinem muskulösen Körper genau so nachlässig und launisch wie einen Zivilanzug. Selbst sein schmales, schräg zu den Mundwinkeln hinablaufendes Jünglings-Schnurrbärtchen, dem nicht Spitze noch Schwung hätte gegeben werden können, trug dazu bei, diesen unmartialischen Gesamteindruck zu verstärken. Das Merkwürdigste an ihm aber waren die Augen: große, außerordentlich glänzende und so schwarze Augen, daß sie wie unergründliche, glühende Tiefen erschienen, Augen, welche schwärmerisch, ernst und schimmernd auf Dingen und Gesichtern ruhten ...

[...]

Und dann, plötzlich, vernahm Hanno über sich etwas, was in gar keinem Zusammenhange mit dem eigentlichen Gespräche stand, eine leise, angstvoll bewegte und beinahe beschwörende Stimme, die er noch nie gehört, die Stimme seines Vaters dennoch, welche sagte: «Nun ist der Leutnant schon zwei Stunden bei Mama ... Hanno ...»

Buddenbrooks (I, 644 f., 650)

Gerda Arnoldsen
und Leutnant von Throta
Zeichnung von Heinrich Mann, um 1942.
Frau Julia Mann und der Offizier.
Am Boden offensichtlich der vierjährige Heinrich.

Notizen zu Christian

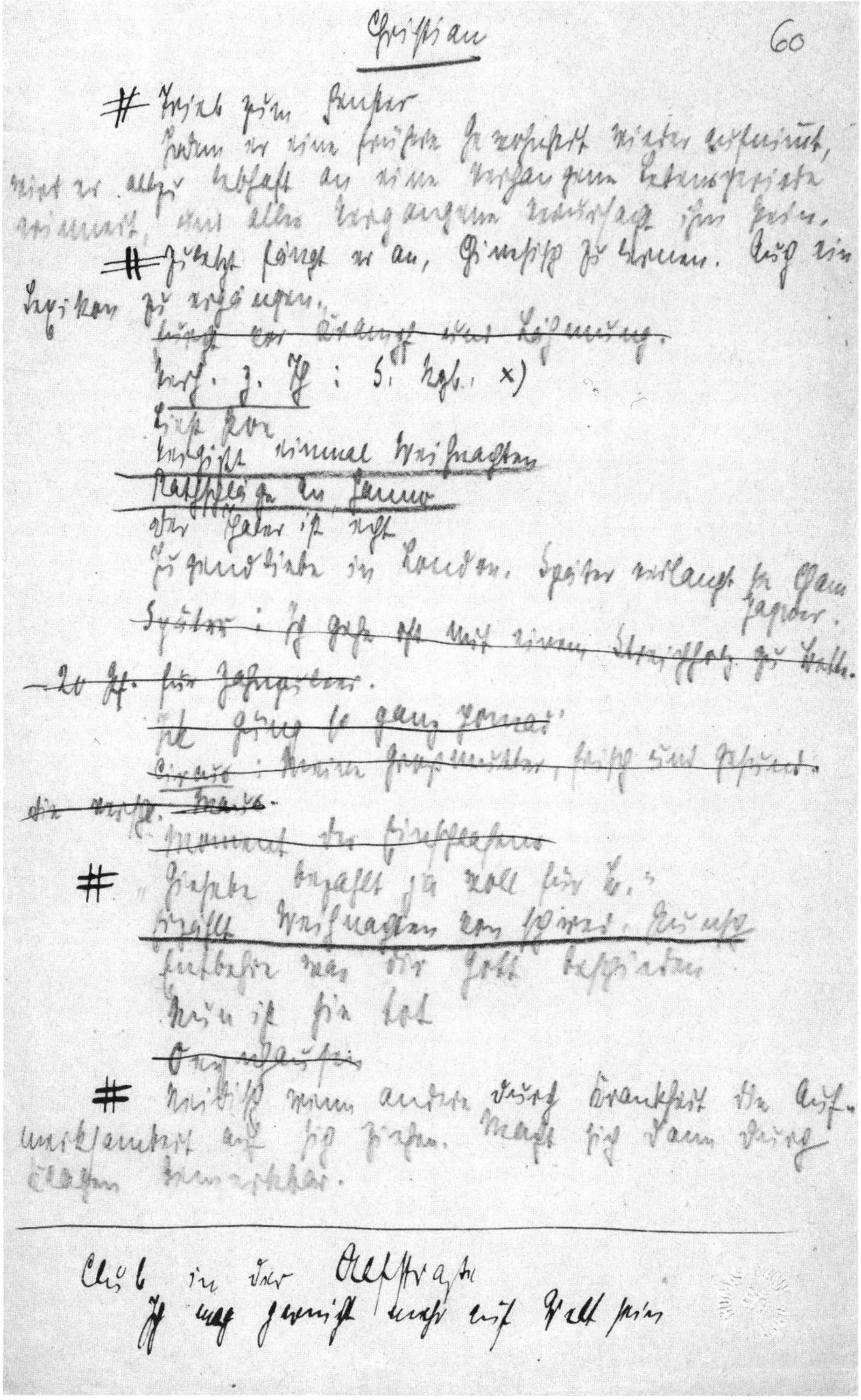

Christian Buddenbrook
Friedrich Wilhelm Leberecht Mann (1847–1926), Bruder von Thomas Manns Vater, genannt Onkel Friedel. Friedrich Mann ist eines der Modelle zu Christian Buddenbrook. Dieser hat aber auch Züge von Heinrich und von Thomas Mann selbst erhalten. Christian ist nicht nur libertin, er ist auch décadent – willensschwach, nervös, unfähig zur Arbeit.

Christian hatte sich durchaus nicht verschönt. Er war hager und bleich. Die Haut umspannte überall straff seinen Schädel, zwischen den Wangenknochen sprang die große, mit einem Höcker versehene Nase scharf und fleischlos hervor, und das Haupthaar war schon merklich gelichtet. Sein Hals war dünn und zu lang, und seine mageren Beine zeigten eine starke Krümmung nach außen ... Übrigens schien sein Londoner Aufenthalt ihn am nachhaltigsten beeinflußt zu haben, und da er auch in Valparaiso am meisten mit Engländern verkehrt hatte, so hatte seine ganze Erscheinung etwas Englisches angenommen, was nicht übel zu ihr paßte. Es lag etwas davon in dem bequemen Schnitt und dem wolligen, durablen Stoff seines Anzuges, in der breiten und soliden Eleganz seiner Stiefel und in der Art, wie sein rotblonder, starker Schnurrbart mit etwas säuerlichem Ausdruck ihm über den Mund hing. Ja selbst seine Hände, die von jenem matten und porösen Weiß waren, wie die Hitze es hervorbringt, machten mit ihren rund und kurz geschnittenen sauberen Nägeln aus irgendwelchen Gründen einen englischen Eindruck.

Buddenbrooks (I, 261)

Tony Buddenbrook
Elisabeth Mann, um 1870

Elisabeth Amalia Hippolyta Haag, gesch. Elfeld, geb. Mann (1838–1917), Schwester von Thomas Manns Vater. Modell zu Tony Buddenbrook, der späteren Frau Permaneder, gesch. Grünlich. Tony Buddenbrook ist eine literarische Nachfolgerin von Fontanes Effi Briest.

Madame Grünlich konservierte sich aufs vorteilhafteste und angesichts ihres starken, aschblonden Haares, das zu beiden Seiten des Scheitels gepolstert, über den kleinen Ohren zurückgestrichen und auf der Höhe des Kopfes mit einem breiten Schildkrotkamm zusammengefaßt war, – angesichts des weichen Ausdrucks, der ihren graublauen Augen blieb, ihrer hübschen Oberlippe, des feinen Ovals und der zarten Farben ihres Gesichtes hätte man nicht auf dreißig, sondern dreiundzwanzig Jahre geraten. Sie trug höchst elegante herabhängende Ohrringe von Gold [...]. Eine lose sitzende Taille aus leichtem, dunklen Seidenstoff mit Atlasrevers und flachen Epaulettes von Spitzen gab ihrer Büste einen entzückenden Ausdruck von Weichheit.

Buddenbrooks (I, 310 f.)

Alois Permaneder
Abbildung aus dem «Simplicissimus», November 1897, die als Vorlage zur Beschreibung von Alois Permaneder diente. Thomas Mann hat das Bild selbst ausgeschnitten und zum «Buddenbrooks»-Material gelegt.

Clara Tiburtius, geb. Buddenbrook
Olga Sievers, geb. Mann (1845–1886), Schwester von Thomas Manns Vater, verheiratet mit dem Petersburger Kaufmann Gustav Sievers. Im Roman: Gattin des Pastors Tiburtius.

Sesemi Weichbrodt
Therese Bousset (1801–1895), Photographie von 1873. Fräulein Bousset, Vorsteherin eines Mädchenpensionats in Lübeck, war Pflegemutter und Erzieherin von Julia Mann-da Silva, der Mutter Thomas Manns.

Hanno
Der 9jährige Thomas Mann

Das ganze längliche und schmale Untergesicht jedoch gehörte weder den Buddenbrooks noch den Krögers, sondern der mütterlichen Familie – wie auch vor allem sein Mund, der frühzeitig – schon jetzt – dazu neigte, sich in zugleich wehmütiger und ängstlicher Weise verschlossen zu halten ... mit diesem Ausdruck, dem später der Blick seiner eigenartig goldbraunen Augen mit den bläulichen Schatten sich immer mehr anpaßte ...

Buddenbrooks (I, 423 f.)

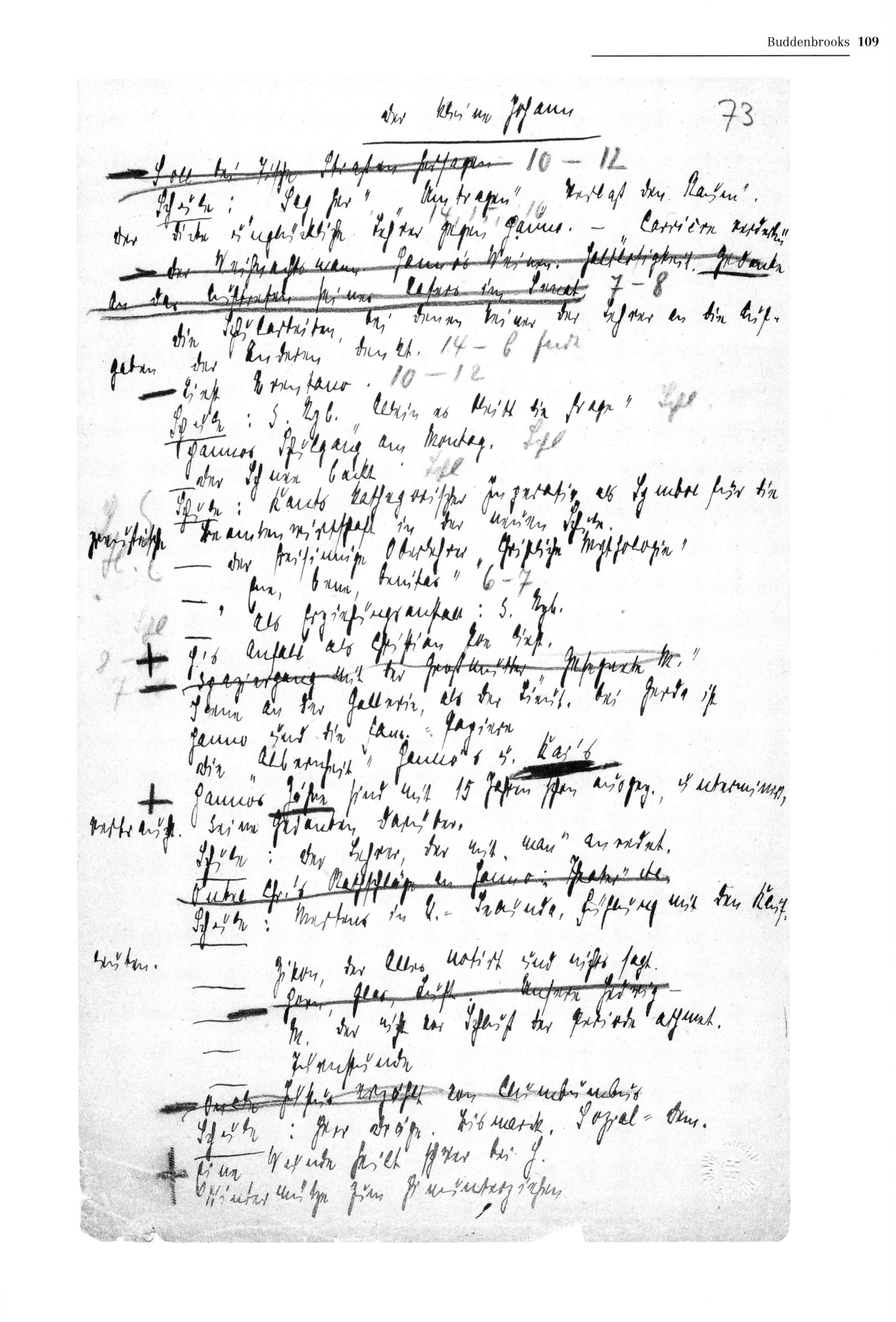

der kleine Johann

73

Revolution!

Hamburger Revolution
Aus den «Düsseldorfer Monatsheften», 1848

Im Revolutionskapitel der «Buddenbrooks» tritt Konsul Buddenbrook vor die aufgeregte Menge und fragt, was hier denn los sei.

Es war bald sechs Uhr, und obgleich die Dämmerung weit vorgeschritten war, hingen die Öllampen unangezündet an ihren Ketten über der Straße. Diese Tatsache, diese offenbare und unerhörte Unterbrechung der Ordnung, war das erste, was den Konsul Buddenbrook aufrichtig erzürnte, und sie war schuld daran, daß er in ziemlich kurzem und ärgerlichem Tone zu sprechen begann: «Lüd, wat is dat nu bloß für dumm Tüg, wat ji da anstellt!»
Die Vespernden waren vom Trottoir emporgesprungen. Die Hinteren, jenseits des Fahrdammes, stellten sich auf die Zehenspitzen. Einige Hafenarbeiter, die im Dienste des Konsuls standen, nahmen ihre Mützen ab. Man machte sich aufmerksam, stieß sich in die Seiten und sagte gedämpft: «Dat's Kunsel Buddenbrook! Kunsel Buddenbrook will 'ne Red' hollen! Holl din Mul, Krischan, hei kann höllschen fuchtig warn! ... Dat's Makler Gosch ... kiek! Dat's so 'n Aap! ... Is hei 'n beeten öwerspönig?»

«Corl Smolt!» fing der Konsul wieder an, indem er seine kleinen, tiefliegenden Augen auf einen etwa zweiundzwanzigjährigen Lagerarbeiter mit krummen Beinen richtete, der, die Mütze in der Hand und den Mund voll Brot, unmittelbar vor den Stufen stand. «Nu red mal, Corl Smolt! Nu is' Tied! Ji heww hier den leewen langen Namiddag bröllt ...»
«Je, Herr Kunsel ...», brachte Corl Smolt kauend hervor. «Dat's nu so 'n Saak ... öäwer ... Dat is nu so wied ... Wi maaken nu Revolutschon.»
[...]

«Großer Gott, du Tropf!» rief der Konsul und vergaß, platt zu sprechen vor Indignation ... «Du redest ja lauter Unsinn ...»
«Je, Herr Kunsel», sagte Corl Smolt ein bißchen eingeschüchtert; «dat is nu allens so, as dat is. Öäwer Revolutschon mütt sien, dat is tau gewiß. Revolutschon is öwerall, in Berlin und in Poris ...»
«Smolt, wat wull Ji nu eentlich! Nu seggen Sei dat mal!»
«Je, Herr Kunsel, ick seg man bloß: wie wull nu 'ne Republike, seg ick man bloß ...»
«Öwer du Döskopp ...Ji *heww* ja schon een!»
«Je, Herr Kunsel, denn wull wi noch een.»

Buddenbrooks (I, 192 f.)

Tagungsort der «Bürgerschaft», Oktober 1848

Sie waren schon vor das einfache, mit gelber Ölfarbe gestrichene Haus gelangt, in dessen Erdgeschoß sich der Sitzungssaal der «Bürgerschaft» befand. Dieser Saal gehörte zu der Bier- und Tanzwirtschaft einer Witwe namens Suerkringel, stand aber an gewissen Tagen den Herren von der «Bürgerschaft» zur Verfügung.

Buddenbrooks (I, 184)

Saal der «Bürgerschaft»
Heute reformierte Kirche, Königstraße 18

Der Saal war kalt, kahl, scheunenartig, mit geweißter Decke, an der die Balken hervortraten, und geweißten Wänden; seine drei ziemlich hohen Fenster hatten grüngemalte Kreuze und waren ohne Gardinen. Ihnen gegenüber erhoben sich amphitheatralisch aufsteigend die Sitzreihen.

Buddenbrooks (I, 184)

Das erste Publikum

Ilse Martens hat berichtet:

Er kam dann und wann und las vor, was neu entstanden war. Er zog sich einen Frack an, es wurde ein Tischchen in den Vorplatz der Wohnung gestellt, ein großer Stuhl, zwei Kerzen, eine Kanne mit Wasser und ein Glas. Wir drei, Julia, Carla und ich, zogen uns wunderschön an, weiß oder himmelblau oder so. Dann saßen wir auf den Stühlen. Noch niemand war im Zimmer. Nur die Kerzen, die waren schon angezündet, in Erwartung auf den Dichter Thos. Thomas nannte sich selber Thos. Und dann kam er, ungeheuer vornehm und ernst, mit seinem Manuskript unter dem Arm. Dann wurden wir begrüßt und er setzte sich und fing an zu lesen. Und so habe ich den ganzen Roman entstehen sehen. Einmal haben wir nachher aus der Speisekammer der Frau Senatorin eine riesige Ochsenzunge aufgefressen, in Gelatine, es war herrlich!

Ilse Martens (1877–1974)
Schwester von Armin Martens, Freundin von Julia Mann. Ausschnitt aus einem Gemälde von F. Bleicher.

Julia Mann, 1898

Carla Mann, um 1900

Thomas Mann widmete Ilse Martens das Reclam-Bändchen «Eckermanns Gespräche mit Goethe»:

Früh am Morgen wie am spöten
Abend, Freundin, ist's von Nöthen,
Daß man lese die Gespräche
Zwischen Eckermann und Göthen.
Wundern sollt's mich, wenn sie Dir für
Geist und Herz nicht Vieles böten,
Wenn vor Lust sich Dir beim Lesen
Nicht die Wangen hold erröthen!
Nimm aus meiner Hand dies Buch denn,
Das zwar werth nur wen'ge Kröten,
Doch erklecklich stieg im Preise,
seit ich süß und mit Erröthen
Mir erlaubt, als Widmung dieses
Liebliche Ghasel zu flöten!
München, d. 1. Apr. 99
Der Dichter Thos

Von hier aus schrieb Thomas Mann 1899 Ilse Martens eine Karte:
Ich grüße Sie von dieser Stätte wahrer, reiner, hoher Kunst aus begeistertem Herzen. T. M. – Die Kapelle spielt soeben den Einzug der Götter in Walhall, – in ihrer Art ganz drollig.

In München um 1900: Thomas Mann im Garten des Hofbräuhauses

[illegible]

I

Rom
Mitte Oktober 1897

1. (Platen)

"Was ist das. – Was – ist das …"

"Je, den Düwel ook, c'est la question, ma très chère demoiselle!"

Die Consulin Buddenbrook, neben ihrer Schwiegermutter auf dem geradlinigen, weiß lackierten und mit einem goldenen Löwenkopf verzierten Sofa, dessen Polster hellgelb überzogen waren, warf einen Blick auf ihren Gatten, der in einem Armsessel bei ihr saß, und kam ihrer kleinen Tochter zu Hilfe, die der Großvater am Fenster auf den Knieen hielt.

"Tony!" sagte sie, "ich glaube, daß mich Gott –"

Und die kleine Antonie, achtjährig und zartgebaut, in einem [illegible] gestreiften Kleidchen aus einer Art ganz leichter, changierender Seide, den hübschen Blondkopf ein wenig vom Gesichte des Großvaters abgewandt, blickte aus ihren hellblauen Augen angestrengt nachdenkend und ohne etwas zu sehen ins Zimmer hinein, wiederholte noch einmal: "Was ist das", sprach darauf langsam: "Ich glaube, daß mich Gott", fügte, während ihr Gesichtchen sich aufklärte, rasch hinzu: "– geschaffen hat samt allen Creaturen", war plötzlich auf glatter Bahn geraten und schnurrte nun, glückstrahlend und unaufhaltsam, den ganzen Artikel daher, getreu nach dem Katechismus, wie er soeben, Anno 1835, unter Genehmigung eines hohen und wohlweisen Senates, neu revidiert herausgegeben war – schnell und dennoch mit deutlicher Aussprache eines jeden Buchstabens, wie sie es bei Rinke Haak in der Schule gelernt hatte. Wenn man im Gange war, dachte sie, war es ein Gefühl, wie wenn man im Winter auf dem kleinen Handschlitten mit den Brüdern den Jerusalemsberg hinunterfuhr: es vergingen einem geradezu die Gedanken dabei, und man konnte nicht einhalten, wenn man es auch wollte.

Die erste Seite der «Buddenbrook»-Urhandschrift, datiert: Rom Ende Oktober 1897

Vom Eigenwillen eines Werkes

In Rom also schichtete ich langsam Blatt für Blatt die ersten Teile auf, und ein schon auffallend stattliches Manuskript begleitete mich nach München, wo ich zu schreiben fortfuhr. Ja, was war im Begriffe, aus den zweihundertfünfzig Seiten zu werden! Die Arbeit schwoll mir unter den Händen auf; alles nahm ungeheuer viel mehr Raum (und Zeit) in Anspruch, als ich mir hatte träumen lassen; während ich mich eigentlich nur für die Geschichte des sensitiven Spätlings Hanno und allenfalls für die des Thomas Buddenbrook interessiert hatte, nahm all das, was ich nur als Vorgeschichte behandeln zu können geglaubt hatte, sehr selbständige, sehr eigenberechtigte Gestalt an, und ein wenig fühlte sich meine Sorge über dies Wachstum erinnert an das ‹Ring›-Erlebnis Wagners, dem aus der Konzeption von ‹Siegfrieds Tod›, die leitmotiv-durchwobene Tetralogie geworden war.

Es ist etwas höchst Merkwürdiges um diesen Eigenwillen eines Werkes, das werden soll, das ideell eigentlich schon da ist und bei dessen Verwirklichung den Autor selbst die größten Überraschungen treffen. Ein erstes Werk, welche Schule der Erfahrung für den jungen Künstler – der objektiven und subjektiven Erfahrung! Was das eigentlich sei, das Element des Epischen, ich erfuhr es erst, indem es mich auf seinen Wellen dahintrug. Was ich selber sei, was ich wolle und nicht wolle, nämlich nicht südliche Schönheitsruhmredigkeit, sondern den Norden, Ethik, Musik, Humor; wie ich mich zum Leben verhielte und zum Tode: ich erfuhr das alles, indem ich schrieb – und erfuhr zugleich, daß der Mensch auf keine andere Weise sich kennenlernt, als indem er handelt. So wuchs die Achtung vor dem Unternehmen, das so, wie es sich da machte, von mir gar nicht unternommen worden war, eine Achtung freilich mit Einschaltungen tiefer Gleichgültigkeit, gelangweilten Unglaubens. Lektüre mußte die schwankende Kraft stützen: russische namentlich, die geliebte, westöstliche Turgenjews immer wieder, Tolstois moralistisches Gigantenwerk und Gontscharow, den ich in Aalsgaard am Sunde las, wo ich einen Urlaub verbrachte, den ich als Lektor des Verlages Albert Langen in München genommen, und wo der ‹Tonio Kröger› unbewußt entworfen wurde. Endlich denn, nach einer Arbeitszeit von drei Jahren, längere Unterbrechungen eingerechnet, war der Roman geschlossen: die erste und einzig vorhandene Niederschrift, das ungeschickteste Manuskript, auf liniiertem Geschäftspapier doppelseitig geschrieben, und so schickte ich es an Fischer, ohne viel Hoffnung, ohne viel Verzweiflung: hier denn, ich hatte getan, was ich konnte.

Lübeck als geistige Lebensform (XI, 380 f.)

Thomas Mann, um 1900

Der Erfolg

Samuel Fischer (1859–1934)
Aufnahme von 1909

Am 13. August 1900 sandte Thomas Mann das Roman-Manuskript an Fischer. Fischer hatte Bedenken und wünschte, Thomas Mann möge den Roman um die Hälfte kürzen. Darauf schrieb ihm dieser einen «langen, leidenschaftlichen Brief». Der Brief ist nicht erhalten, aber er hatte Erfolg. Nach langem Zögern, im März 1901, entschloß sich Fischer dazu, den Roman ungekürzt zu drucken.

Das Manuskript war unmöglich. Doppelseitig geschrieben – ich hatte es ursprünglich abschreiben wollen, aber später, da der Umfang überhand genommen hatte, darauf verzichtet –, täuschte es über seinen Umfang, stellte aber für Lektoren und Setzer eine starke Zumutung dar. Eben weil es nur einmal vorhanden war, erste und einzige Niederschrift, entschloß ich mich zu einer Postversicherung und setzte neben die Inhaltsangabe ‹Manuskript› eine Wertsumme auf das Paket: ich glaube gar eintausend Mark.

Lebensabriß (XI, 112)

Kürzen Sie bitte um die Hälfte!
S. Fischers Brief vom 26. Oktober 1900

S. FISCHER, VERLAG

TELEPHON: AMT VI, No 1062.

BERLIN W., DEN 26/X. 1900
BÜLOWSTRASSE 91.

Sehr geehrter Herr Mann!

Ich hätte Ihnen schon längst geschrieben, bei dem Umfang meiner Geschäfte ist es aber keine Kleinigkeit, eine Arbeit von etwa 65 Druckbogen zu bewältigen. Ich habe mich mit der Lektüre Ihres Werkes befasst und bin nun bis zur Hälfte gekommen. Alles was ich Ihnen darüber sagen könnte, ist viel besser in einem Referat meines Lektors niedergelegt, das ich zu Ihrer Kenntnisnahme beifüge. Glauben Sie, dass es Ihnen möglich ist, Ihr Werk um etwa die Hälfte zu kürzen, so finden Sie mich im Prinzip sehr geneigt, Ihr Buch zu verlegen. Ein Roman von 65 Bogen eng gedruckten ~~Umfang~~ ist für unser heutiges Leben fast eine Unmöglichkeit; ich glaube nicht, ob sich viele Menschen finden, die Zeit und Conzentrationslust haben, um ein Romanwerk von diesem Umfange in sich aufzunehmen. Ich weiss, dass ich Ihnen eine ungeheuerliche Zumutung stelle und dass das vielleicht für Sie bedeutet, das Buch ganz neu zu schreiben, allein als Verleger kann ich mich zu dieser Frage nicht anders stellen. Vielleicht ist der Stoff für die Ihnen ~~anhaftende~~ epische Breite etwas zu gross und umfangreich, vielleicht ~~[illegible]~~ könnten Sie aber auch finden, dass sich eine grössere stoffliche Concentration zum Vorteil des Werkes machen lässt.

Sie sehen, was ich einzuwenden habe, berührt nicht so sehr das Kunstwerk als solches, obgleich ich nicht verschweigen möchte, dass das Verweilen beim gegenständlichen oft das Wesentliche erscheinen lässt, was sicher nicht Ihre Absicht sein konnte.
[illegible] hat mir Ihre wundervolle [illegible] Erzählung [illegible]

EIN SELBSTKOMMENTAR, 1906

Diese große Arbeit beendete ich mit 23 Jahren, nachdem ich 3 Jahre lang, unter seelischen Umständen, die ich einfach als ungünstig bezeichnen will, langsam, aber fast unablässig und mit hartnäckiger Geduld daran gearbeitet hatte. Ich wurde zum Militär eingezogen, als ich fertig war, und ich lag im Lazareth, als ich den Brief meines Verlegers erhielt, in welchem er mir mittheilte, daß, wenn ich das Buch auf die Hälfte zusammenstriche, er nicht abgeneigt sein würde, es zu übernehmen. Ohnedies durch meine Lage bedrückt, war ich außer mir und schrieb auf meinem Lager, die Füße mit Wasserglas verbunden, mit Bleistift einen langen, leidenschaftlichen Brief an den Verleger, in dem ich mit meiner Erinnerung nach zündender Rhetorik mein Werk gegen die Zumuthung der Verstümmelung vertheidigte und mit aller Kraft darauf drang, es unverkürzt zu veroeffentlichen. Wirklich hatte dieser Brief zur Folge, daß Herr Fischer, wenn auch mit Besorgnis, das Buch so wie es war herausgab. Der Eindruck, den es machte, war stark bei der Kritik sowohl wie beim Publikum. Nach einem Jahr war das erste Tausend verkauft, und jetzt ist das 37.ste Tausend im Handel.

Viel Staunen darüber ist laut geworden, daß dieses Buch die Conception eines Zwanzigjährigen sei. Aber erstens enthält, wie meine gesamte Produktion, auch dieses scheinbar reife und «objektive» Buch viel Jünglinghaftes, – z. B. in der Figur des Thomas Buddenbrook. Und zweitens kann von einer Gesamt-Conception, nach der ich mein Werk gestaltete, überhaupt nicht die Rede sein. Es ist geworden, was es ist: es war es nicht schon in meiner Vision und Absicht. Ich wollte nach gutem norwegischen Muster eine Familiengeschichte schreiben, – nichts weiter. Aber das Buch wuchs mir unter den Händen, und mit ihm wuchs mein eigener Respekt davor, ein Respekt vor der quantitativen Größe, der sich naiv in dem feierlicheren und epischeren Styl des zweiten Bandes ausdrückt. Habent sua fata libelli: Das Wachsthum des Romans war mit seiner Beendigung nicht beendet. Einer seiner ersten Kritiker gebrauchte die Wendung: «Es wird noch von vielen Generationen gelesen werden; *es wird wachsen mit der Zeit.*» In der That, es ist vor meinen Augen gewachsen, es ist zu einer Etappe, einem Gipfel, einem Meisterwerk geworden, es wird, wie es scheint, immer genannt werden und es hat schon heute zweifellos eine litterarhistorische Bedeutung gewonnen. Aber ich erkläre unumwunden, daß die rein entwicklungsgeschichtlichen Qualitäten, die dem Buche von den Verfassern moderner Litteraturgeschichten zugeschrieben werden (R. M. Meyer z. B. nennt in seiner «Deutschen Litteratur des XIX. Jahrhunderts» die Buddenbrooks «eine wirklich neue Stufe in der Entwicklungsgeschichte des deutschen Romans», den «Gipfel einer Entwicklungslinie, die von Wilhelm Meister über die Leiden eines Knaben und Nyls Lyhne zu der völligen Auflösung des romanhaften Heldenbegriffes führt») durchaus außerhalb meiner Absicht lagen und mit meiner Conception nichts zu thun haben, daß ich ohne jedes intellektuelle Verdienst daran bin. Ich habe, erfüllt von großen Vorbildern, mit jugendlicher Unbefangenheit die Erlebnisse meiner 20 Jahre zu möglichster Greifbarkeit gestaltet – nichts weiter. Und das tiefste und süßeste dieser Erlebnisse war mein Bekanntwerden mit den Schriften Schopenhauers, wie ich es gegen Ende des Buches als Erlebnis des Thomas Buddenbrook in voller subjektiver Ergriffenheit dargestellt habe.
München, November 1906

Thomas Mann an William Sawitzky, eigenhändige Widmung (Faksimile in: Librarium, Dezember 1984)

Nachspiele

Eine Entschlüsselungsliste
«Sammlung Stolterfoht», Stadtbibliothek Lübeck

Nach dem Erscheinen des Buches erhob sich in Lübeck ein Proteststurm. Die Personen, die sich in ihrer Porträtierung erkannten, waren entrüstet. Entschlüsselungslisten begannen zu zirkulieren.

Es sind mir im Laufe der letzten 12 Jahre durch die Herausgabe der

„Buddenbrocks“,

verfasst von meinem Neffen, Herrn **Thomas Mann** in München, dermassen viele Unannehmlichkeiten erwachsen, die von den traurigsten Konsequenzen für mich waren, zu welchen jetzt noch die Herausgabe des Alberts'schen Buches **„Thomas Mann und seine Pflicht“** tritt.

Ich sehe mich deshalb veranlasst, mich an das lesende Publikum Lübecks zu wenden und dasselbe zu bitten, das oben erwähnte Buch gebührend einzuschätzen.

Wenn der Verfasser der „Buddenbocks“ in karikierender Weise seine allernächsten Verwandten in den Schmutz zieht und deren Lebensschicksale eklatant preisgibt, so wird jeder rechtdenkende Mensch finden, dass dieses verwerflich ist. Ein trauriger Vogel, der sein eignes Nest beschmutzt.

17078 **Friedrich Mann, Hamburg.**

Ein trauriger Vogel
Entrüstet war auch Thomas Manns Onkel, Friedrich Mann. Aber erst 12 Jahre später, als das Buch von Wilhelm Alberts, «Thomas Mann und sein Beruf» (Leipzig, Xenien-Verlag 1913), erschien, gab er seinem Unmut in einem Inserat Ausdruck. Friedrich Manns Protest erschien in den «Lübeckischen Anzeigen» am 28. Oktober 1913.

Alfred Kerr, «Thomas Bodenbruch»

I

Als Knabe war ich schon verknöchert;
Ob knapper Gaben knurr-ergrimmt.
Hab dann die Littratur gelöchert
Mit Bürger- und Patrizierzimt.
Sprach immer stolz mit Breite
Von meiner Väter Pleite.

II

Ich dichte nicht – ich drockse.
Ich träume nicht – ich ochse.
Ich lasse Worte kriechen,
Die nach der Lampe riechen,
Ich ledernes Kommis'chen.
Ich kenne keine Blitze,
Kein Feuer, das erhitzt.
Ich schreibe mit dem Sitze,
Auf dem man sitzt.
Im Grund bin ich nicht bös –
Nur skrophulös.

III

Voll hemmender Bedenklichkeit
Und zaudernder Entfaltung,
Staffier' ich meine Kränklichkeit
Als «Haltung».

IV

Meist hock' ich, ein gereiztes Lamm,
Musiklos, aber arbeitsam.
Mein Zustand zeugt geheime Tücke
(Man ist nicht eben ein Genie) –
Romane werden … Schlüsselstücke:
«Das geht auf Den!»,
«Das geht auf Die!»
Ich male zur Genüge
(Ach, mühsam, teigig, tonig)
Die körperlichsten Züge –
Mich selbst verschon' ich …

[…]

VI

Ein Trost: ich schlage den Rekord
Im Gründlichen, Langstieligen,
Ich bleibe nach wie vor ein Hort
Gebildeter Familien.
Sie äußern keinen Widerspruch
Und schätzen Thomas Bodenbruch.
Ich bin doch voll und ganz
Die Lust des Mittelstands.

Alfred Kerr, Caprichos

Die
Bilanz der Moderne
von
S. Lublinski

Berlin 1904
Verlag Siegfried Cronbach

Ein Kritiker

Aber Thomas Mann war noch etwas mehr als nur ein talentvoller norddeutscher Erzähler; er war schlechtweg der bedeutendste Romandichter der Moderne, und seinen «Buddenbrooks» ist bis zum heutigen Tage kaum etwas Gleichwertiges aus der zeitgenössischen erzählenden Literatur an die Seite zu stellen. Weder die Jungen noch die Alten noch die vermittelnden Talente unter unsern Erzählern reichen an diese Leistung heran. […] Eine ursprünglich robuste und heraufgekommene Kaufmannsfamilie geht langsam zugrunde, weil mit der Kulturverfeinerung die brutalen und selbst etwas dummen Instinkte abzubröckeln beginnen, und weil dieser Zersetzungsprozeß unglücklicherweise seinen Höhepunkt in den siebziger Jahren erreicht, deren kapitalistischer und industrieller Aufschwung nach robusten Gewaltnaturen förmlich schrie. Das ist der wahre Kern dieser hervorragenden Romandichtung, und wenn auf Zeichen körperlicher Entartung bei einzelnen Familiengliedern hingewiesen wird, so darf man solche Zutat ruhig hinnehmen, gleichsam als einen begleitenden Oberton zu dem traurig schweren Lied vom großen Herbst und vom Verwelken. Es ist aber ein kühler und sonnenheller Herbst, über den sich ein stahlblauer klarer Himmel wölbt, während das rostbraune Laub auf dem glatten Pflaster der Großstadt unter den Füßen der Spaziergänger raschelt. Aber diese Stimmung lebt freilich zwischen den Zeilen und erschließt sich nur einem feinhörigen und sehr geduldigen Leser. Denn Thomas Mann befleißigt sich einer streng naturalistischen Sachlichkeit und gibt fast niemals Farbe und Lyrik, sondern klare und kalte Linien, die er mit fester und feiner Hand hinzeichnet, so daß sie nicht mehr zu verwischen sind. Das hängt mit einer intellektuellen und jünglinghaften Männlichkeit zusammen, die in stolzer Scham die Zähne aufeinander beißt und ruhig dasteht, während ihr die Schwerter und Speere durch den Leib gehen. Diese Haltung entspricht dem Charakter seiner Menschen und zumal des Haupthelden, des Konsuls und Senators Buddenbrook, der immer noch durch eine vornehme und kühle Haltung die Geschäftsehre und Tradition aufrecht zu erhalten weiß, während er sich längst von innen heraus unterhöhlt fühlt. Diese Tragödie wirkt um so herzzerreißender, weil sie mit so ungeheurer Geduld und Widerstandskraft ertragen wird. Der junge Dichter gibt sein eigenes Mitgefühl nur durch eine wehmütig höhnische Ironie zu erkennen, die für den Seelenkundigen kein undurchsichtbarer Panzer bleibt. Darum muß es erstaunlich erscheinen, daß man ihn vielfach der Kälte und Mache zu bezichtigen wagte, und es läßt sich nur dadurch erklären, daß dieser erste und einzige naturalistische Roman zu einer Zeit erschienen ist, als alle Welt bereits mit viel Geschrei im neuromantisch-symbolistischen Fahrwasser plätscherte und die narkotische Betrunkenheit durch Stimmung begehrte.

Samuel Lublinski, Bilanz der Moderne, 1904

Das Dreigestirn der Jugend

Schopenhauer, Nietzsche und Wagner: ein Dreigestirn ewig verbundener Geister. Deutschland, die Welt stand in seinem Zeichen, bis gestern, bis heute – wenn auch morgen nicht mehr. Tief und unlösbar sind ihre Schöpfer- und Herrscherschicksale verknüpft. Nietzsche nannte Schopenhauer seinen «großen Lehrer»; welch ungeheueres Glück für Wagner das Erlebnis Schopenhauers war, weiß der Erdkreis; die Freundschaft von Tribschen mochte sterben, – sie ist unsterblich, wie die Tragödie unsterblich ist, die nachher kam und die nie und nimmermehr eine Trennung, sondern eine geistesgeschichtliche Umdeutung und Umbetonung dieser ‹Sternenfreundschaft› war. Die drei sind eins. Der ehrfürchtige Schüler, dem ihre gewaltigen Lebensläufe zur Kultur geworden, möchte wünschen, von allen dreien auf einmal reden zu können, so schwer scheint es ihm, auseinanderzuhalten, was er dem einzelnen verdankt. Wenn ich von Schopenhauer den Moralismus – ein populäreres Wort für dieselbe Sache lautet ‹Pessimismus› – meiner seelischen Grundstimmung habe, jene Stimmung von «Kreuz, Tod und Gruft», die schon in meinen ersten Versuchen hervortrat: so findet sich diese «ethische Luft», um mit Nietzsche zu reden, auch bei Wagner; in ihr steht ganz und gar sein riesenhaftes Werk, und ebensogut auf seinen Einfluß könnte ich mich berufen. Wenn aber eben diese Grundstimmung mich zum Verfallspsychologen machte, so war es Nietzsche, auf den ich dabei als Meister blickte; denn nicht so sehr der Prophet irgendeines unanschaulichen «Übermenschen» war er mir von Anfang an, wie zur Zeit seiner Modeherrschaft den meisten, als vielmehr der unvergleichlich größte und erfahrenste Psychologe der Dekadenz …

Betrachtungen eines Unpolitischen (XII, 79)

Die erste Gesamtausgabe, die Thomas Mann sich gekauft hat, war die von Nietzsches Werken. Nietzsche beschrieb die Erfahrung des Nihilismus, den Verlust des Glaubens und der Moral in der Zeit der Gründerjahre; er versuchte, an die Stelle des entstandenen Wertvakuums eigene Werte zu setzen: den Willen zur Macht, den Übermenschen, die ewige Wiederkehr. Thomas Mann hat diese sekundären Orientierungen nie übernommen. Wichtig war ihm Nietzsche als Psychologe. Er war für ihn der erfahrenste Psychologe der décadence. Selbsterkenntnis, Selbstkritik – das ging bei Nietzsche bis ins Zerstörerische. «Selbstkennertum – Selbsthenkertum» ist seine Formel. Wichtiger noch als das Erkennen aus vielen Perspektiven war ihm das «Durchschauen».

Thomas Mann erkannte, und auch das machte ihn betroffen, daß Nietzsche aus der Schwäche heraus den Starken spielte. Er erkannte das Gebaren des Narziß, der in seinem Sprachwerk Herrlichkeit und Größe behauptet, obwohl er schwach ist und häßlich, weil er schwach ist und häßlich. Der «Zarathustra» und Nietzsches Ecce-homo-Überheblichkeiten waren gleichzeitig ein Ausdruck des Leidens und die Behauptung übermenschlicher Größe. Sein Leben und seine hektische Lebensbejahung waren Veranstaltung, Spiel, Schauspiel, seine Sprachwerke überschnappende Allmachtsdemonstrationen, circensische Sprachakrobatik, Kraftakte eines Schwachen.

Friedrich Nietzsche (1844–1900)

Es geschah in seiner Schule, daß man sich gewöhnte, den Begriff des Künstlers mit dem des Erkennenden zusammenfließen zu lassen, so daß die Grenzen von Kunst und Kritik sich verwischten. Er brachte den Bogen neben der Leier als apollinisches Werkzeug in Erinnerung, er lehrte zu treffen, und zwar tödlich zu treffen. Er verlieh der deutschen Prosa eine Sensitivität, Kunstleichtigkeit, Schönheit, Schärfe, Musikalität, Akzentuiertheit und Leidenschaft – ganz unerhört bis dahin und von unentrinnbarem Einfluß auf jeden, der nach ihm deutsch zu schreiben sich erkühnte.

Betrachtungen eines Unpolitischen (XII, 87 f.)

Nietzsche

Ethische Luft, Kreuz, Tod und Gruft

Meine Jugend, so darf ich sagen, hinderte mich nicht, den Ethiker in Nietzsche zu erkennen zu einer Zeit, als seine Mode- und Gassenwirkung auf einen kindischen Mißbrauch des Übermenschen-Namens hinauslief. Die seelischen Voraussetzungen und Ursprünge aber der ethischen Tragödie seines Lebens, dieses unsterblichen europäischen Schauspiels von Selbstüberwindung, Selbstzüchtigung, Selbstkreuzigung mit dem geistigen Opfertode als herz- und hirnzerreißendem Abschluß – wo anders sind sie zu finden als in dem Protestantismus des Naumburger Pastorssohnes, als in jener nordisch-deutschen, bürgerlich-dürerisch-moralischen Sphäre, in welcher das Griffelwerk ‹Ritter, Tod und Teufel› steht und die auf allen Fahrten die Heimatsphäre seiner Seele geblieben ist? «Mir behagt an Wagner», schreibt er Oktober 1868 an Rohde, «was mir an Schopenhauer behagt: die ethische Luft, der faustische Duft, Kreuz, Tod und Gruft.» Das war um jene Zeit, als er zu Basel dreimal in einer Woche – der Karwoche – die «Matthäus-Passion» hörte … Kreuz, Tod und Gruft! Das ist ein weiteres Wesenselement der dürerisch-deutschen Charakterwelt, innig verschränkt mit jener «Männlichkeit und Ständigkeit», jenem Rittertum zwischen Tod und Teufel: Passion, Kryptenhauch, Leidenssympathie, faustische Melencolia, idyllisiert auch wohl zum frommen Stubenfleiß rezeptiven Friedens, dessen Butzen malende Fenstersonne den Totenkopf wärmt und dessen demütiger Kleinlichkeit Ewigkeitsblick und Größe gewahrt ist durch Sanduhr und lagernden Löwen …

Dürer, 1928 (X, 231)

Gegen Bellezza-Kult und «Blonde Bestie»

Zweifellos ist der geistige und stilistische Einfluß Nietzsche's schon in meinen ersten an die Öffentlichkeit gelangten Prosaversuchen kenntlich. Ich habe in den ‹Betrachtungen eines Unpolitischen› von meinen Beziehungen zu diesem zaubervollen Komplex gesprochen und sie auf ihre persönlichen Bedingungen und Grenzen zurückgeführt. Die Berührung mit ihm war in hohem Grade bestimmend für meine sich bildende Geistesform; aber unsere Substanz zu verändern, etwas anderes aus uns zu machen, als wir sind, ist keine Bildungsmacht imstande; alle Bildungsmöglichkeit überhaupt hat ein Sein zur Voraussetzung, das den Instinktwillen und die Fähigkeit zur persönlichen Auswahl, Assimilierung, Verarbeitung ins Besondere besitzt. Goethe hat gesagt, daß man etwas sein müsse, um etwas zu machen. Aber schon, um in irgendeinem höheren Sinn etwas lernen zu können, muß man etwas sein. Zu untersuchen, welche Art von organischer Einbeziehung und Umwandlung Nietzsche's Ethos und Künstlertum in meinem Falle gefunden hat, bleibt einer Kritik überlassen, die sich dazu bemüßigt findet. Auf jeden Fall war es eine komplizierte Art, die sich zur Mode- und Gassenwirkung des Philosophen, allem simplen ‹Renaissancismus›, Übermenschenkult, Cesare Borgia-Ästhetizismus, aller Blut- und Schönheitsgroßmäuligkeit, wie sie damals bei groß und klein im Schwange war, durchaus verachtungsvoll verhielt. Der Zwanzigjährige verstand sich auf die Relativität des ‹Immoralismus› dieses großen Moralisten; wenn ich dem Schauspiel seines Hasses auf das Christentum zusah, so sah ich seine brüderliche Liebe zu Pascal mit und verstand jenen Haß durchaus moralisch, nicht aber psychologisch, – ein Unterschied, der sich mir auch in seinem – kulturkritisch epochalen – Kampf gegen das bis in den Tod Geliebteste, gegen Wagner zu bewähren schien. Mit einem Worte: ich sah in Nietzsche vor allem den Selbstüberwinder; ich nahm nichts wörtlich bei ihm, ich glaubte ihm fast nichts, und gerade dies gab meiner Liebe zu ihm das Doppelschichtig-Passionierte, gab ihr die Tiefe. Sollte ich es etwa ‹ernst› nehmen, wenn er den Hedonismus in der Kunst predigte? Wenn er Bizet gegen Wagner ausspielte? Was war mir sein Machtphilosophem und die ‹Blonde Bestie›? Beinahe eine Verlegenheit. Seine Verherrlichung des ‹Lebens› auf Kosten des Geistes, diese Lyrik, die im deutschen Denken so mißliche Folgen gehabt hat, – es gab nur eine Möglichkeit, sie mir zu assimilieren: als Ironie. Es ist wahr, die ‹Blonde Bestie› spukt auch in meiner Jugenddichtung, aber sie ist ihres bestialischen Charakters so ziemlich entkleidet, und übriggeblieben ist nichts als die Blondheit zusammen mit der Geistlosigkeit, – Gegenstand jener erotischen Ironie und konservativen Bejahung, durch die der Geist, wie er genau wußte, sich im Grunde so wenig vergab. Mochte doch die persönliche Verwandlung, die Nietzsche in mir erfuhr, Verbürgerlichung bedeuten. Diese Verbürgerlichung schien mir und scheint mir noch heute tiefer und verschlagener als aller heroisch-ästhetische Rausch, den Nietzsche sonst wohl literarisch entfachte.

Lebensabriß (XI, 109 f.)

Schopenhauer

Arthur Schopenhauer (1788–1860)

Das kleine, hochgelegene Vorstadtzimmer schwebt mir vor Augen, worin ich, es sind sechzehn Jahre, tagelang hingestreckt auf ein sonderbar geformtes Langfauteuil oder Kanapee, ‹Die Welt als Wille und Vorstellung› las. Einsamunregelmäßige, welt- und todsüchtige Jugend – wie sie den Zaubertrank dieser Metaphysik schlürfte, deren tiefstes Wesen Erotik ist und in der ich die geistige Quelle der Tristan-Musik erkannte! So liest man nur einmal.

Betrachtungen eines Unpolitischen (XII, 72)

Schopenhauers Philosophie war für Thomas Mann, als er seinen Thomas Buddenbrook dem Tod entgegenführte, ein «metaphysischer Zaubertrank». Die Lektüre im hochgelegenen Münchner Vorstadtzimmer hatte die Heftigkeit eines pubertären Schubs, sie war ein Erlebnis, nicht ein Studium. Sie brachte ihm die Erfahrung der Ausweitung ins Verheißungsvolle und Ungeheuerliche, in Liebe, Rausch und Tod. Diese drei bedeuteten nichts als das Zurücksinken in die Allgemeinheit des Willens, die Auflösung der Individuation, die Erlösung aus der Vereinzelung.

EROS UND THANATOS

Das Wort «Erkenntnisekel» steht im ‹Tonio Kröger›. Es bezeichnet recht eigentlich die Krankheit meiner Jugend, die, so glaube ich mich zu erinnern, meiner Empfänglichkeit für die Philosophie Schopenhauers, die mir erst nach einiger Bekanntschaft mit Nietzsche entgegentrat, nicht wenig Vorschub leistete. Ein seelisches Erlebnis ersten Ranges und unvergeßlicher Art, – während dasjenige Nietzsche's eher ein geistig-künstlerisches zu nennen wäre. Es ging mir mit diesen Büchern ein wenig so, wie ich es meinem Thomas Buddenbrook dann mit dem Bande Schopenhauer ergehen ließ, den er in der Schublade des Gartentisches findet: die Brockhausausgabe war ein Okkasionskauf beim Buchhändler gewesen, geschehen mehr um des Besitzes als um des Studiums willen, und Jahr und Tag hatten die Bände unaufgeschnitten das Bort gehütet. Aber die Stunde kam, die mich lesen hieß, und so las ich denn, Tage und Nächte lang, wie man wohl nur einmal liest. An meiner Erfülltheit, meiner Hingerissenheit hatte die Genugtuung über die machtvolle sittlich-geistige Verneinung und Verurteilung der Welt und des Lebens in einem Gedankensystem, dessen symphonische Musikalität mich im tiefsten ansprach, einen bezeichnenden Anteil. Ihr Wesentliches aber war ein metaphysischer Rausch, der mit spät und heftig durchbrechender Sexualität (ich spreche von der Zeit um mein zwanzigstes Jahr) viel zu tun hatte und der eher leidenschaftlich-mystischer als eigentlich philosophischer Art war. Nicht um «Weisheit», um die Heilslehre der Willensumkehr, dies buddhistisch-asketische Anhängsel, das ich rein lebenskritisch-polemisch wertete, war es mir zu tun: was es mir antat auf eine sinnlich-übersinnliche Weise, war das erotisch-einheitsmystische Element dieser Philosophie, das ja auch die nicht im geringsten asketische Tristanmusik bestimmt hatte, und wenn mir damals der Selbstmord gefühlsmäßig sehr nahe stand, so eben darum, weil ich begriffen hatte, daß es keineswegs eine Tat der ‹Weisheit› sein würde. Heilig leidvolle Wirren drängender Jugendzeit! Es war eine glückliche Fügung, daß sich mir sogleich die Möglichkeit bot, mein überbürgerliches Erlebnis in das zu Ende gehende Bürgerbuch einzuflechten, wo es dienen mochte, Thomas Buddenbrook zum Tode zu bereiten.

Lebensabriß (XI, 110 f.)

Maja

So hieß der Roman, den Thomas Mann seit 1905 geplant hatte und den er dann an Gustav von Aschenbach abtrat. Die Maja-Thematik aber geht ein in die «Anekdote» und die «Bekenntnisse des Hochstaplers Felix Krull». Zugrunde liegt Schopenhauers Erkenntnis, daß die Sansara-Welt trügerisch sei, «Fopperei, verursacht durch Vorstellung». Das Mundus-vult-decipi-Motiv spielt schon in den Notizen zum «Krull» eine zentrale Rolle:

«Mundus vult decipi» (vgl. Manolescu II, S. 112–115!) – «Die Welt schreit von Ewigkeit danach, betrogen zu werden» – sehr gut. Aber auch seine Sehnsucht nach der Welt ist das Werk eines Betruges vonseiten der Welt, das Blendwerk des Schleiers der Maja. (Früher Besuch im Variété Operette? Weinen.) Es ist ein erotisches Betrugsverhältnis auf Gegenseitigkeit. Er hat von der Welt das Blenden gelernt und macht sich zum Ideal, zum Lebensreiz, zur Verführung ihr gegenüber – worauf sie gründlich hineinfällt. «Alle fliegen wie die Mücken ins Licht». Die Welt, diese geile und dumme Metze will geblendet sein – und das ist eine göttliche Einrichtung, denn das Leben selbst beruht auf Betrug und Täuschung, es würde versiegen ohne die Illusion. Beruf der Kunst.

Die Welt als Blendwerk, der sehnsüchtige Mensch als Betrogener, der Künstler als betrogener Betrüger – als Illusionist eben: Diese Thematik läßt sich durch Thomas Manns ganzes Werk verfolgen, von den «Geliebten» bis hin zur «Betrogenen».

Heros

Dürer kann ich nicht denken, ohne daß ein anderer, näherer Name sich zugesellt: Nietzsche's reiner und heiliger Name, in welchem Geschichte und Zukunft auf eine Weise sich verbinden, daß ihn anzurufen tiefstes Erinnern und höchstes Hoffen auf einmal bedeutet. Durch das Medium Nietzsche's habe ich Dürers Welt zuerst erlebt, geahnt, geschaut, mit dem Gefühl begriffen, wie ja die Jugend, zur Historie unlustig von Natur, des Altertümlichen kaum anders gewahr wird als durch das Moderne, das es nicht lehrt, aber durchscheinend dafür ist. Kommt des Nürnbergers Name bei Nietzsche vor? Ich wüßte nicht. Wenn aber dieser etwa von Schopenhauer spricht und seiner Autorität, die Wagners femininem Künstlertum zum asketischen Ideal überhaupt erst Mut gemacht habe, – wenn er sagt: «Was bedeutet es, wenn ein wirklicher Philosoph dem asketischen Ideale huldigt, ein wirklich auf sich gestellter Geist wie Schopenhauer, ein Mann und Ritter mit erzenem Blick, der den Mut zu sich selber hat, der allein zu stehen weiß und nicht erst auf Vordermänner und höhere Winke wartet?» – an was denkt er, oder, wenn er nicht daran denkt, was meint er bei dieser eigentümlich genauen und ausführlichen Beschreibung sittlicher Unmittelbarkeit und Männlichkeit? Ginge man fehl, wenn man an den Rand dieser Stelle den Namen Dürer schriebe? Man täte gut, die Lobesverschen hinzuzufügen, mit denen Goethe, ungeachtet gelegentlicher klassizistischer Mißlaune über «trübe Form und bodenlose Phantasie», das Wesen von Dürers Kunst kennzeichnet:

Ihr festes Leben und Männlichkeit,
Ihre innere Kraft und Ständigkeit.

Dürer, Goethe, Schopenhauer, Nietzsche, Wagner – es wäre, an einer ‹Stelle› mit zwei Randnotizen, alles auf einmal da, der ganze Schicksalskomplex und Sternenstand, eine Welt, die deutsche Welt mit dem ambitiösen Schauspielertum ihrer selbst, der zauberisch-intellektualistischen Zersetzung am Ende – und nicht am Ende. Denn neben dem großen Gaukler und Beschwörer steht der Seher und Überwinder, der Mythos selbst neben dem Theatraliker des Mythos, er, Held und Opfer, Verkünder neuen, höheren Menschentums.

Dürer (X, 230 f.)

Wagner

Was Kunst hieß, hat Thomas Mann zuerst bei Wagner erfahren, im Stadttheater zu Lübeck, auf der Piazza Colonna in Rom. Kaum auszumessen, was ihm Wagner alles bedeutet: den Willen zum großen Werk – die Atlas-Schultern, die nötig waren, solche Werke zu tragen –, die Meisterhaftigkeit in der Zelebration von Symbolen, die Kunst der Motivverknüpfung, den Glanz des leitmotivischen Zusammenhangs und Zusammenhalts, die Kraft zu tausend und abertausend Einzelinspirationen, dabei die «Ur-Einfalt» der Märchen- und Mythenhandlungen, den Drang nach Wirkung, der sich bei Wagner ins Demagogische steigerte – Wagner wurde ihm zum Volks- und Menschheitsbeglücker, zum Zauberer, der alle in seinen Bann schlug.
Nietzsche hatte in den Schriften von 1888 vernichtende Kritik an Wagner geübt – und sich dabei selbst analysiert. Thomas Mann tat es ihm nach. Was er später über Wagner schrieb, ist voller Hingerissenheit und voller Gehässigkeit zugleich. «Leiden und Größe Richard Wagners» – das waren auch seine eigenen Leiden und sein eigener Wille zur Größe, und was er an Wagner bewunderte und kritisierte, das bewunderte und kritisierte er an sich selbst.

Richard Wagner (1813–1883)

MEIN MEISTER ...

Fragte man mich nach meinem Meister, so müßte ich einen Namen nennen, der meine Kollegen von der Literatur wohl in Erstaunen setzen würde: Richard Wagner. Es sind in der Tat die Werke dieses Mächtigsten, die so stimulierend wie sonst nichts in der Welt auf meinen Kunsttrieb wirken, die mich immer aufs neue mit einer neidisch-verliebten Sehnsucht erfüllen, wenigstens im Kleinen und Leisen ‹auch dergleichen zu machen›, – und ich bin freudig bewegt, dies einmal aussprechen zu dürfen; denn da ich noch nicht so weit bin, daß bessere Psychologen genötigt wären, sich mit mir zu beschäftigen – in weiteren Kreisen bin ich, glaub' ich, als Schilderer guter Mittagessen geschätzt –, so weiß natürlich niemand etwas davon, obwohl der Titel meines letzten Buches einiges darüber aussagt. Oder hat von den acht- oder zehntausend geduldigen Leuten, die meine ‹Buddenbrooks› gelesen haben, dennoch einer oder der andere in diesem epischen, von Leitmotiven verknüpften und durchwobenen Generationenzuge vom Geist des ‹Nibelungenringes› einen Hauch verspürt? Buddenbrooks und die Wälsungen, das ist komisch, nicht wahr? Aber ich sagte ja: im Kleinen. Und meinetwegen auch im Komischen. – Das Motiv, das Selbstzitat, die autoritative Formel, die wörtliche und gewichtige Rückbeziehung über weite Strecken hin, das Zusammentreten von höchster Deutlichkeit und höchster Bedeutsamkeit, das Metaphysische, die symbolische Gehobenheit des Moments – alle meine Novellen haben den symbolischen Zug –: Diese wagnerischen und eminent nordischen Wirkungsmittel (man findet die meisten davon ja auch bei Ibsen) sind schon völlig Instinkt bei mir geworden.

Der französische Einfluß, 1904 (X, 837 f.)

Es war um dieselbe Zeit, daß meine Passion für das Kunstwerk Richard Wagners auf ihre Höhe kam oder doch ihrem Höhepunkt sich näherte: ich sage ‹Passion›, weil schlichtere Wörter, wie ‹Liebe› und ‹Begeisterung›, die Sache nicht wahrhaft nennen würden. Die Jahre der größten Hingebungsfähigkeit sind nicht selten zugleich auch diejenigen der größten psychologischen Reizbarkeit, welche in meinem Falle durch eine gewisse kritische Lektüre noch mächtig verschärft wurde; und Hingabe zusammen mit Erkenntnis – eben dies ist Passion. Die innig-schwerste und fruchtbarste Erfahrung meiner Jugend war diese, daß Leidenschaft hellsichtig – oder ihres Namens nicht wert ist. Blinde Liebe, nichts als panegyrisch-apotheosierende Liebe – eine schöne Simpelei! Eine gewisse Art approbierter Wagner-Literatur habe ich nie auch nur lesen können. Jene verschärfend kritische Lektüre aber, von der ich sprach, war diejenige der Schriften Friedrich Nietzsche's: insbesondere sofern sie Kritik des Künstlertums, oder, was bei Nietzsche dasselbe besagt, Wagnerkritik sind. Denn überall, wo in diesen Schriften vom Künstler und Künstlertum die Rede ist – und es ist auf keine gutmütige Weise davon die Rede –, da ist der Name Wagners, sollte er auch im Texte fehlen, unbedenklich einzusetzen: Nietzsche hatte, wenn nicht die Kunst selbst – aber auch dies könnte man behaupten –, so doch das Phänomen ‹Künstler› durchaus an Wagner erlebt und studiert, wie dann der so viel geringere Nachkömmling das Wagner'sche Kunstwerk und in ihm beinahe die Kunst selbst durch das Medium dieser Kritik leidenschaftlich erlebte – und dies in entscheidenden Jahren, so daß all meine Begriffe von Kunst und Künstlertum auf immer davon bestimmt, oder, wenn nicht bestimmt, so doch gefärbt und beeinflußt wurden [...].

Betrachtungen eines Unpolitischen (XII, 73 f.)

Plakat der Richard-Wagner-Aufführungen im Prinzregententheater 1901

Thomas Mann ließ zeit seines Lebens kaum eine Wagner-Aufführung aus. Er konnte dessen Texte weitgehend auswendig. Abends, beim Plattenhören, legte er immer wieder Wagner auf. Wagner-Motive sind in Thomas Manns Werk allgegenwärtig.
Hanno Buddenbrook träumt von Wagner-Szenen und -Melodien. Die Novellen «Tristan» und «Wälsungenblut» sind Wagner verpflichtet, die Venusberg-Musik aus «Tannhäuser» stimuliert den «Zauberberg», die Ring-Tetralogie gibt den «Buddenbrooks» und dem «Joseph»-Roman das strukturelle Gepräge.

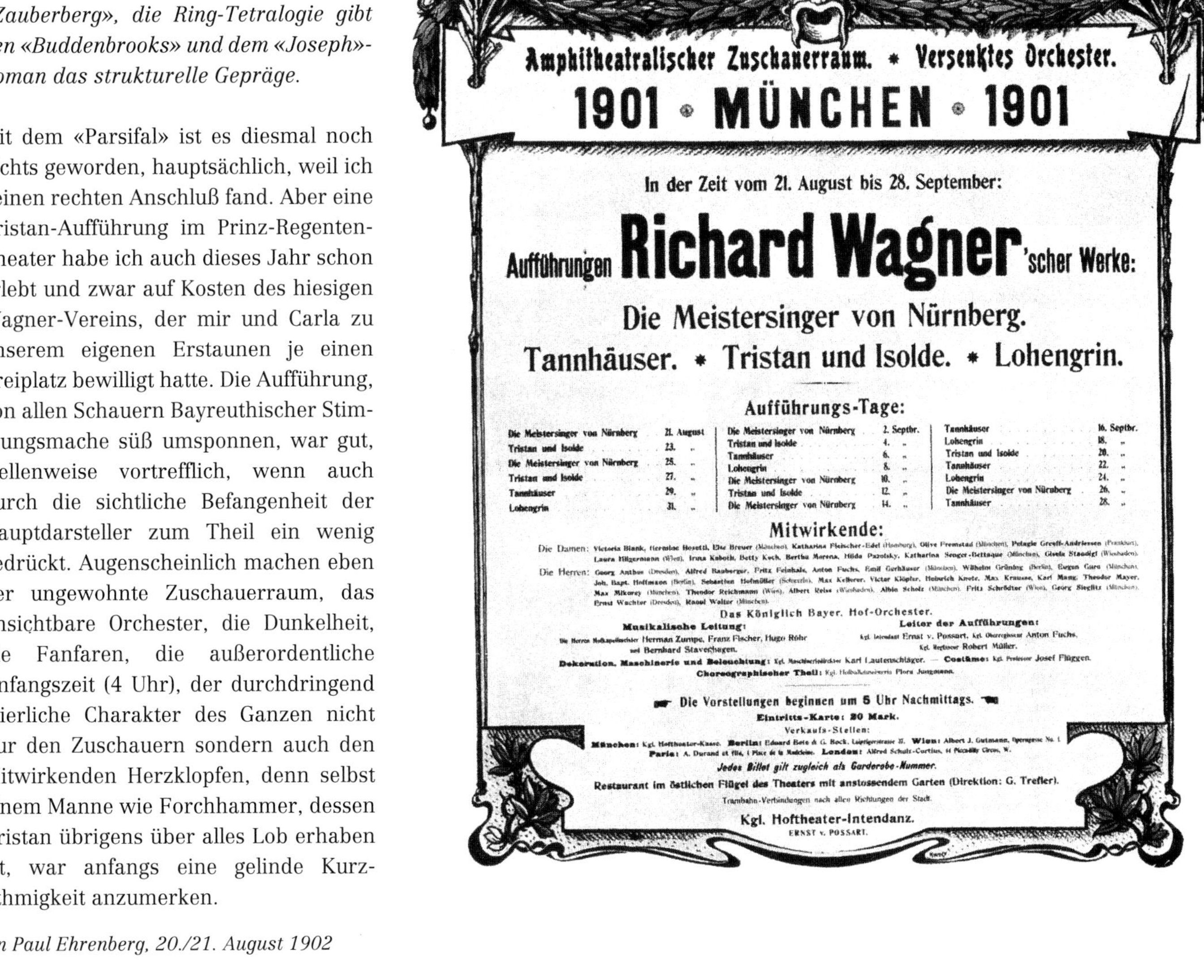

Mit dem «Parsifal» ist es diesmal noch nichts geworden, hauptsächlich, weil ich keinen rechten Anschluß fand. Aber eine Tristan-Aufführung im Prinz-Regenten-Theater habe ich auch dieses Jahr schon erlebt und zwar auf Kosten des hiesigen Wagner-Vereins, der mir und Carla zu unserem eigenen Erstaunen je einen Freiplatz bewilligt hatte. Die Aufführung, von allen Schauern Bayreuthischer Stimmungsmache süß umsponnen, war gut, stellenweise vortrefflich, wenn auch durch die sichtliche Befangenheit der Hauptdarsteller zum Theil ein wenig gedrückt. Augenscheinlich machen eben der ungewohnte Zuschauerraum, das unsichtbare Orchester, die Dunkelheit, die Fanfaren, die außerordentliche Anfangszeit (4 Uhr), der durchdringend feierliche Charakter des Ganzen nicht nur den Zuschauern sondern auch den Mitwirkenden Herzklopfen, denn selbst einem Manne wie Forchhammer, dessen Tristan übrigens über alles Lob erhaben ist, war anfangs eine gelinde Kurzathmigkeit anzumerken.

An Paul Ehrenberg, 20./21. August 1902

Thomas Mann an seinem Schreibtisch in München, um 1903

1901–1905 Metaphysik, Musik und Pubertätserotik

«Die Geliebten» und der «Maja»-Plan
Heinrich Mann, der Rivale
«Tristan» und «Tonio Kröger»
«Fiorenza»

«Die Geliebten» und der «Maja»-Plan

In den Nach-Buddenbrooks-Jahren, zu Ruhm gekommen, mußte sich Thomas Mann darüber klar werden, was Kunst für ihn war und was sie vermochte. Er tat es im «Tonio Kröger», in «Fiorenza» und einigen kleineren Werken. Woran er sich aber zwei Winter lang aufrieb, war ein Werk, das mit ihm ganz allein zu tun hatte, mit seiner Person, seiner Stellung zur Welt: es war die Novelle «Die Geliebten». In deren Mittelpunkt stand Thomas Manns spätpubertäre, schmerzlich-distanzierte Neigung zu Paul Ehrenberg, einem jungen Maler aus dem Schwabinger Bekanntenkreis. Thomas Mann empfand diese Leidenschaft als Befreiung aus seiner literatenhaften Vereisung und Verödung: Es war noch lebendiges, unmittelbares Gefühl in ihm. Anderseits wußte er, daß eine solche Neigung gesellschaftsunfähig war.

Er füllt im Winter 1901/02 ein ganzes Notizbuch mit Selbstbeobachtungen, und bald einmal hat man den Eindruck, daß er seiner Leidenschaft nicht nur verfallen war, sondern auch mit ihr experimentierte. «Der Literat drückt aus, indem er erlebt, er erlebt, indem er ausdrückt, und er erlebt, um auszudrücken», hat er später geschrieben. Das ist nichts anderes als eine neue Poetik. Es geht da nicht mehr nur um Erlebnisdichtung. Vielmehr werden die Erlebnisse provoziert und zum vornherein der Kunst geopfert. Das Erlebnis als Experiment. Das läßt sich im 20. Jahrhundert an vielen Schriftstellern beobachten, bis hin in die Generation der Frisch, Muschg und Burger. Wo einem der Stoff ausgeht, beschafft man sich den Stoff: man macht die Beteiligten zum Material.

Thomas Mann, 1902
Mit einem Widmungsgedicht an Paul Ehrenberg:

Hier ist ein Mensch, höchst mangelhaft:
Voll groß und kleiner Leidenschaft,
Ehrgeizig, eitel, liebegierig,
Verletzlich, eifersüchtig, schwierig,
Unfriedsam, maßlos, ohne Halt,
Bald überstolz und elend bald,
Naiv und fünf mal durchgesiebt,
Weltflüchtig und doch weltverliebt,
Sehnsüchtig, schwach, ein Rohr im Wind,
Halb seherisch, halb blöd und blind,
Ein Kind, ein Narr, ein Dichter schier,
Schmerzlich verstrickt in Will' und Wahn,
Doch mit dem Vorzug, daß er Dir
Von ganzem Herzen zugethan!

Meinem lieben Paul Ehrenberg,
München, Juni 1903
Thomas Mann

Paul Ehrenberg (1878–1949)
Im «Doktor Faustus» trägt der Geiger Rudi Schwerdtfeger Züge Paul Ehrenbergs.

Lieber Paul!
[...]
Wo ist der Mensch, der zu mir, dem Menschen, dem nicht sehr liebenswürdigen, launenhaften, selbstquälerischen, ungläubigen, argwöhnischen aber empfindenden und nach Sympathie ganz ungewöhnlich heißhungrigen Menschen, Ja sagt –? Unbeirrbar? Ohne sich durch scheinbare Kälte, scheinbare Abweisungen einschüchtern und befremden zu lassen? Ohne zum Beispiel solche Kälte und solche Abweisungen aus Bequemlichkeit und Gleichgültigkeit damit erklären zu wollen, «daß ich mich erst wieder an ihn gewöhnen müsse», sondern aus Neigung und Vertrauen unverbrüchlich zu mir hält? Wo ist dieser Mensch?!? – Tiefe Stille. Und wenn irgendwo ein Cello oder Contrabaß ein bißchen pizzicato machte, so wäre es eine Stimmung wie im «Lohengrin», Akt I, nach dem «Wer hier im Gotteskampf ...»
Ich habe in den letzten Tagen sehr arge Erfahrungen gemacht, bin sehr häßlich verletzt worden und fühle mich bei Gott nicht in Tanz- und Mummenschanz-Stimmung, vielmehr äußerst vereinsamt, unverstanden, verdüstert und schwer gesinnt. Eine Aussprache würde mir, glaube ich, gut thun, und darum – hätte ich beinah gesagt: «Besuche mich doch mal», wenn ich irgendwie berechtigt wäre, anzunehmen, daß Du nicht zu all den Übrigen gehörst, die das Talent höchst respektabel und den Menschen scheußlich finden.
Herzlichen Gruß! T. M.

An Paul Ehrenberg, 28. Januar 1902

Widmung auf der Rückseite der Photographie:

Meinem lieben Thomas Mann zur freundlichen Erinnerung an treues Zusammenhalten und
Paul Ehrenberg

Die Widmung ist datiert vom 5. 5. 1902

Thomas Mann mit Paul Ehrenberg

Ich war in jenen Jahren ein so leidenschaftlicher Radfahrer, daß ich fast keinen Schritt zu Fuße ging und selbst bei strömendem Regen, in Gummischuhen und Lodenpelerine, alle meine Wege auf dem Vehikel zurücklegte. Auf der Schulter trug ich es die drei Treppen hinauf in meine Wohnung, wo es in der Küche seinen Platz hatte. Vormittags, nach der Arbeit, pflegte ich es zu putzen, indem ich es auf den Sattel stellte. Ein zweites Geschäft, bevor ich mich rasierte und zum Essen in die Stadt fuhr, bestand in der Reinigung meines Petroleumofens. Eine Bedienerin räumte die Wohnung auf, während ich meine 1-Mark-20-Mahlzeit nahm. An Sommernachmittagen fuhr ich, ein Buch an der Lenkstange, in den Schleißheimer Wald.

Lebensabriß (XI, 107 f.)

Am 13. Februar 1901 schreibt Thomas Mann seinem Bruder Heinrich:

Wenn der Frühling kommt, werde ich einen innerlich unerhört bewegten Winter hinter mir haben. Depressionen wirklich arger Art mit vollkommen ernst gemeinten Selbstabschaffungsplänen haben mit einem unbeschreiblichen, reinen und unverhofften Herzensglück gewechselt, mit Erlebnissen die sich nicht erzählen lassen, und deren Andeutung natürlich wie Renommage wirkt. Sie haben mir aber Eines bewiesen, diese sehr unlitterarischen, sehr schlichten und lebendigen Erlebnisse: nämlich, daß es in mir doch noch etwas Ehrliches, Warmes und Gutes giebt und nicht bloß «Ironie», daß in mir doch noch nicht Alles von der verfluchten Litteratur verödet, verkünstelt und zerfressen ist. Ach, die Litteratur ist der Tod! Ich werde niemals begreifen, wie man von ihr beherrscht sein kann, ohne sie bitterlich zu hassen! Das Letzte und Beste, was sie mich zu lehren vermag, ist dies: den Tod als eine Möglichkeit aufzufassen, zu ihrem Gegentheil, zum Leben zu gelangen. Mir graut vor dem Tage, und er ist ja nicht fern, wo ich wieder allein mit ihr eingeschlossen sein werde, und ich fürchte, daß die egoistische Verödung und Verkünstelung dann rasche Fortschritte machen wird ... Genug! in alle diese Wechselfälle von Glut und Frost, von lebensvoller Gehobenheit und Sterbensekel platzte neulich ein Brief von S. Fischer hinein, in dem er mir mittheilte, daß er zum Frühjahr zunächst einen zweiten kleinen Novellenband von mir bringen und zum Oktober «Buddenbrooks» unverkürzt, wahrscheinlich in drei Bänden herausgeben wolle. Ich werde mich photographiren lassen, die Rechte in der Frackweste und die Linke auf die drei Bände gestützt; dann kann ich eigentlich getrost in die Grube fahren. –

An Heinrich Mann, 13. Februar 1901

München, den 7. III. 1901

Lieber Heinrich:
Ich hätte Deinen Brief natürlich sofort beantwortet, aber seit ungefähr 8 Tagen hat sich die ganze für mich einlaufende Post oben in meinem Briefkasten festgestaut, sodaß ich, wenn ich durchs Gitter sah, nie etwas erblickte. Wie ich heute den Kasten zufällig öffne, fällt mir ein ganzer Wust von Zuschriften, zum Theil wichtigen, entgegen, darunter auch die Deine.
Nein, Du kannst ganz ruhig sein und getrost nach Italien fahren; ich mache vorderhand keine «Dummheiten». In «Buddenbrooks» ist eine gute Stelle: da, wo die Nachricht kommt, daß der ruinirte adelige Gutsbesitzer sich erschossen hat, und Thomas Buddenbrook mit einem Gemisch von Nachdenklichkeit, Spott, Neid und Verachtung vor sich hin sagt: «Ja, ja, so ein Rittersmann!» Das ist sehr charakteristisch, nicht nur für Thomas Buddenbrook, und mag Dich bis auf Weiteres durchaus beruhigen. Auch von dem Typhus will ich zur Stunde garnichts wissen. Das Ganze ist Metaphysik, Musik und Pubertätserotik: – ich komme nie aus der Pubertät heraus. Auch Grautoff hatte schon große Angst; aber die Sache ist so wenig akut, sie schlägt so langsam Wurzeln, und es liegt augenblicklich so wenig praktischer Grund dafür vor, Ernst zu machen, daß Ihr unbesorgt sein könnt. Freilich, was einmal wird, dafür kann ich nicht einstehen, und ob ich zum Beispiel, die fixe Idee vom «Wunderreich der Nacht» im Herzen, die Wiederholung des Militärdienstes aushalten werde, ist eine Frage, die michselbst beunruhigt. Aber vorher strömt ja noch viel Wasser zum Meere, und vorher sind wir ja noch hier zusammen.

An Heinrich Mann, 7. März 1901

Die «Maja»-Welt

Die «Geliebten»-Novelle wuchs sich in den Jahren 1903–1908 zum Plan eines Münchner Gesellschaftsromans aus. Er hätte den Titel «Maja» tragen sollen. Die Notizbücher dieser Jahre zeigen, daß Thomas Mann eine ganze Reihe von Einzelfiguren und Gruppen in einem buntschillernden Karneval hätte auftreten lassen wollen: seine eigene Mutter mit ihrem Salon, die Schwestern Julia und Carla, Heinrich; die Künstler, die bei seiner Mutter verkehrten; die Gelehrtenkreise der Zeit mit ihren Einbildungen und ihrem Gefasel; die Salons, in denen die Mächtigen und Bedeutenden verkehrten: der Adel, die Spitzen der Wirtschaft, die Generalität, die Geheimräte. Dieser Roman wäre zu einem Gegenstück zu Heinrich Manns «Jagd nach Liebe» geworden – aber mit philosophischem Hintergrund.

Carl Ehrenberg (1878–1962)

Schon 1902 hatte Thomas Mann seine Photographie dem Kapellmeister Carl Ehrenberg, Pauls Bruder, gewidmet.

Wieder kehrt er gelassen
auf seinen Thron,
Der gut gepflegte Bürgerssohn!
Allein im «Busen» (Weh und Graus)
Da sieht's ihm etwas anders aus.
Doch wie's auch steh'
mit dem stillen Herrn
Hab' Du ihn von innen und außen gern.

München d. 20. Sept. 1902
Thomas Mann

Ein grosses Projekt

Der «Friedrich», die «Maja», die Novellen, die ich schreiben möchte, könnten vielleicht Meisterwerke werden, aber man verzehrt sich in Plänen und verzagt am Anfangen. Kleist hat seinen Robert Guiscard nicht gemacht und Hartleben nicht seinen Diogenes.

An Heinrich Mann, 11. Juni 1906

Carl Ehrenberg erinnert sich

Durch meinen älteren Bruder, den Kunstmaler Paul Ehrenberg, eingeführt, fand ich auch die freundlichste Aufnahme in der Familie Mann (damals Herzogstr. 2, später Nikolaiplatz), wo die Musik mit großer Begeisterung gepflegt wurde und zwar in erster Linie durch Thomas Manns Mutter, die ‹Senatorin›, welche eine sehr gute Pianistin war und seit langem schon mit meinem Bruder, der auch als Geiger Vortreffliches leistete, regelmäßig musizierte. Da ich damals noch ganz anständig Cello spielte, konnten nun auch Klaviertrios ausgeführt werden, auch spielte ich mit der ‹Senatorin› vierhändig und so wurde oft bis nach Mitternacht unermüdlich musiziert. Unser Repertoire umfaßte Trios und Sonaten von Haydn, Mozart, Beethoven, Schubert, Grieg, Brahms, R. Strauss und meist mußte ich noch irgendetwas von R. Wagner spielen.
Thomas Mann verhielt sich hierbei fast immer rein passiv, d. h. genießend und erlebend, obwohl er ganz gut Geige und auch ein wenig Klavier spielte. Um ihn zur aktiven Teilnahme an unserm Musizieren anzuregen, schrieb ich ein paar kleine leichte Stücke für zwei Geigen und Cello, die wir auch ein paarmal durchspielten. Doch da er mit Takt und Rhythmus etwas auf Kriegsfuß stand, schien ihn dies mehr zu irritieren als zu erfreuen. Seine Liebe zur Musik trieb ihn weniger zur Ausführung als zur Aufnahme derselben und seine außerordentliche Sensibilität ließ ihm jedes stark empfundene und gestaltete musikalische Kunstwerk zu einem Erlebnis werden, wenn auch seine besondere Liebe der Musik R. Wagners galt, die er nicht müde wurde, sich von mir vorspielen und in ihren sinnvollen Zusammenhängen und feinnervigen Einzelheiten näher bringen zu lassen. Und er kennt seinen Wagner, sowohl durch das Erleben der Dichtung wie durch das Erleben der Musik, die noch aussagt, was die Dichtung verschweigt.

Carl Ehrenberg an Kurt Dyckerhoff, 22. Mai 1950

Thomas Manns Münchner Freundeskreis
Links außen: Paul Ehrenberg, daneben dessen Halbschwester Hilde Distel; rechts außen : Carl Ehrenberg, daneben Carla Mann.

Konzerte und Bälle

Nicht minder anregend aber gestaltete sich sehr bald auch mein Leben außerhalb des Theaters. Da waren vor allem die «Kaim-Konzerte», welche unter Felix Weingartners Leitung standen, während Siegmund von Hausegger damals die «Volkssinfoniekonzerte» dirigierte; ferner die «Akademie-Konzerte» unter Zumpe, der mir hier wie zuvor schon im «Fidelio» als Beethoveninterpret einen tiefen Eindruck machte, wenngleich seine etwas herbe Wiedergabe wesentlich von der mir durch Schuch bekannten abwich.

Da ich auch in meiner Freizeit mich meist studierend oder komponierend mit Musik beschäftigte, hätte ich leicht einer, für einen werdenden Künstler durchaus unangebrachten Einseitigkeit verfallen können. Davor bewahrte mich, außer meinem von jeher großen Interesse für bildende Kunst, ein bald einsetzender reger Verkehr mit geistvollen Vertretern der Literatur. Diesen danke ich vor allem dem gastfreien Hause der Frau Senator Mann, einem Sammelpunkt lebensfroher, künstlerisch interessierter Jugend, wo wir unvergeßliche Stunden verlebten, deren Reiz und Anziehungskraft durch die Liebenswürdigkeit der Gastgeberin und ihrer beiden schönen Töchter Julia und Carla noch erhöht wurde. Ihr ältester Sohn Heinrich Mann hatte sich schon einen Namen als Schriftsteller gemacht, war aber seltener zugegen, weil er wohl auswärts lebte. Auch von Thomas, den wir Tommy nannten, waren schon kleinere Arbeiten erschienen und er arbeitete damals an den «Buddenbrooks», aus denen er uns von Zeit zu Zeit vorlas und mir gegenüber einmal äußerte: «Wer in aller Welt soll sich nur für diese Familiengeschichte interessieren?» Aber man interessierte sich doch! Wenn nicht für die Geschichte, so doch für die Art ihrer Darstellung. Und dieses Buch begründete seinen Ruhm. Von seiner Mutter, die eine sehr gute Pianistin war, hatte er wohl seine Liebe und Begabung für Musik geerbt, spielte selbst ganz hübsch Geige und bewies eine feinsinnige Aufgeschlossenheit besonders für die Musik von R. Wagner, die ich ihm oft vorspielen mußte. Dies hat uns wohl besonders nahe gebracht und später widmete er mir daher seine Novelle «Tristan». – Oft kam er zum Plaudern oder um mich zu einem kleinen Bummel abzuholen zu mir auf meine «Bude», wo er mich vor lauter Tabaksqualm bisweilen nicht gleich sehen konnte, sonst aber trafen wir uns bei seiner Mutter. Dort begann der Abend meist mit Musik, dann lasen wir, d. h. «Tommy» las aus Tolstoi, Knut Hamsun oder aus eignen Werken vor, hierauf gabs wieder Musik und so fort bis spät in die Nacht, und wenn unsre Ausdauer auch nicht zu bewundern war, so doch die Langmut der übrigen Hausbewohner, welche diese Musikorgien geduldig sich gefallen ließen. Es wurden Klaviertrios und Geigensonaten von Haydn, Beethoven, Schubert, Grieg, Brahms und R. Strauss gespielt und ich steuerte meine «Improvisationen» für Violine und Klavier, ein Klaviertrio und einige «Intermezzi» für 2 Violinen und Violoncell bei, damit wir auch ohne Klavier etwas zu spielen hätten.

Bei Manns trafen wir auch häufig zusammen mit einem ehemaligen Mitschüler von Thomas aus Lübeck Otto Grautoff, einem originellen witzigen Kopf, dessen lustige Einfälle uns viel zu lachen gaben, sowie mit einer Freundin von Carla Mann, Liane Pricken, die bei Frau Emilie Kaula Gesang studierte und später als Opernsängerin erfolgreich war. Durch Prickens kamen wir in die «Museumsgesellschaft», einer gesellschaftlichen Vereinigung, deren Mitglieder nebst Gästen sich an Sonntagnachmittagen im sogen. «Museum», einem Barock-Palais in der Promenadestraße, zusammenfanden. Nach scheinbar zwanglosem, programmmäßig jedoch zuvor festgelegtem Musizieren in dem schönen, akustisch idealen Kammermusiksaal wurde nach dem Abendessen getanzt, was zu sehr erwünschter Annäherung der Jugend beiderlei Geschlechtes führte. Tanz, nicht als abgezirkeltes Gesellschaftsspiel, sondern als künstlerischen Ausdruck von Lebensfreude und freiem Humor, das sah und erlebte ich zum ersten Male im Münchener Karneval.

Gleich nach Neujahr begannen die zahllosen großen Maskenbälle und die Kostümfeste der Künstlervereinigungen und mein erstes Erlebnis dieser Art war die alljährlich vom Verein Deutscher Kunststudierender veranstaltete «Bauern-Kirta» in der Schwabinger Brauerei, wo mein Bruder Paul und ich in echten, von Bauern ausgeliehenen Festtagskleidern als Dachauer Bauern erschienen.

Unser Geldbeutel erlaubte uns freilich nur selten, an solchen Vergnügungen teilzunehmen und Veranstaltungen wie das «Botticellifest» im Künstlerhaus mit seinen kostspieligen Kostümanforderungen waren nur für prall gefüllte Börsen erschwinglich. Ob es auf diesem Feste renaissance-mäßig zuging oder gut

Ansichtskarten an Paul und Carl Ehrenberg, 1902

münchnerisch, kostümlich muß es wunderbar gewesen sein. Man erzählte sich freilich, daß auf dem Heimweg von diesem Fest einer seiner Teilnehmer seine Ehehälfte frug: «Ist Botticelli eigentlich ein Käse oder ein Wein?»

Von besonderem künstlerischem Reiz waren auch die Feste des «Münchener Orchestervereins», deren spiritus rector Emanuel von Seidl war. Da gab es einen «Ball in Rot», einen «Schwarz-Weiß-Ball», bei welchem die Damen so viel als möglich Brillanten und Pailletten zu tragen hatten, welche in wechselndem Scheinwerferlicht überall aufblitzten; dann ein «Biedermeier-Fest» mit dem Thema: «Die Enthüllung des Monopteros». Hierbei war der große Saal des Hackerbräues in einen Ausschnitt des Englischen Gartens verwandelt mit einer Nachbildung des Monopteros in der Mitte, umgeben von Lauben, Buden und kleinen Schenken mit echten Biedermeiermöbeln, und die Enthüllung vollzog sich unter Absingung grotesk feierlicher Männerchöre aus der Zeit. Dies alles waren geschlossene Vereinsveranstaltungen zu denen man als Fremder nur durch Einführung Zutritt hatte. Daneben aber waren die öffentlichen «Bal-Paré's» im Deutschen Theater ein allgemeiner Treffpunkt aller Fremden und Einheimischen. Bei einem derselben hatte ich an einem Literaten-Tisch Aufnahme gefunden und sah mich da ganz unverdientermaßen in Gesellschaft von Wolzogen, Bierbaum, Wedekind und andrer Größen.

Aus Carl Ehrenbergs autobiographischen Notizen. In: Bayerische Staatsbibliothek, Jugendstil-Musik? Münchner Klassikleben 1890–1918. Ausstellungskatalog 40. Wiesbaden 1987, S. 71 f.

Im «Lebensabriß» (1930) hat Thomas Mann die Erfahrungen von 1901/1902 sehr kühl dargestellt:

Herzlich befreundet war ich zu jener Zeit mit zwei jungen Leuten aus dem Jugendkreise meiner Schwestern, Söhnen eines Dresdener Malers und Akademieprofessors E[hrenberg]. Meine Neigung für den Jüngeren, Paul, der ebenfalls Maler war, Akademiker damals und Schüler des berühmten Tiermalers Zügel, außerdem vorzüglich Violine spielte, war etwas wie die Auferstehung meiner Empfindungen für jenen zugrunde gegangenen blonden Schulkameraden, aber dank größerer geistiger Nähe sehr viel glücklicher. Karl, der Ältere, Musiker von Beruf und Komponist, ist heute Akademieprofessor in Köln. Während sein Bruder mein Porträt malte, spielte er uns in seiner bewundernswert gebundenen und wohllautenden Art ‹Tristan› vor. Wir führten, da auch ich etwas geigte, zusammen seine Trios auf, fuhren Rad, besuchten im Karneval miteinander die Schwabinger «Bauernbälle» und hatten oft, bei mir oder den Brüdern, die gemütlichsten Abendmahlzeiten zu dritt.

Lebensabriß (XI, 107)

«Maja» im «Doktor Faustus»

Vierzig Jahre später, als er im «Doktor Faustus» seine frühen Münchner Jahre gestaltete, hat Thomas Mann die Notizen aus der Maja-Zeit wieder hervorgezogen. Er stieß dabei auch auf die Gestalt des syphilitischen Künstlers, der mit Hilfe der Krankheit zu höheren Erkenntnissen durchstoßen will – ein «Doktor Faustus» sui generis. Und jetzt holt Thomas Mann den «Maja»-Roman nach. Aber er holt nicht nur nach, er nimmt auch Begebenheiten auf, die sich inzwischen in seiner Familie und in der Münchner Welt zugetragen hatten. Die Hauptbeteiligten waren alle tot, nur Heinrich lebte noch. Mutter Julia tritt jetzt als Senatorin Rodde auf, umgeben von den etwas zweifelhaften Künstlern ihres Salons (Kap. XXIX u. a.). Neu eingegliedert wird der Selbstmord von Carla Mann, der sich 1910 ereignet hatte; sie wird zur Clarissa Rodde des Romans (XXXV). Die heiklen Eheverhältnisse der Schwester Julia Mann (auch sie hatte sich das Leben genommen, 1927) werden in den Geschicken der Ines Institoris-Rodde dargestellt; die alte Dresdener Straßenbahngeschichte lebt dabei wieder auf. Ihr Gatte Helmut Institoris ist auch jetzt noch eine Karikatur der Bellezza-Anbeter. Kommt dazu der Gelehrtenkreis um Kridwiss, kommen dazu die «helfenden Frauen» – sie alle sind erinnert. Die «Maja»-Welt ist wieder gegenwärtig.

Die Mutter Julia Mann, München 1900
Sie tritt im «Doktor Faustus» als Senatorin Rodde auf.

Die Wohnung der Mutter Julia Mann an der Rambergstraße 2 in München
Hier wohnte Thomas Mann bis zum Sommer 1895.

Im «Doktor Faustus» wohnt auch Leverkühn in der Rambergstraße, als Untermieter einer Senatorswitwe:

Dieser Salon nun, ausgestattet mit gesteppten Fauteuils, bronzierten Kandelabern, vergoldeten Gitterstühlchen, einem Sofa-Tisch mit Brokatdecke und einem reich gerahmten, stark nachgedunkelten Ölgemälde von 1850, welches das Goldene Horn mit dem Blick auf Galata darstellte – [...].

Doktor Faustus (VI, 260 f.)

Die Tramwagen-Geschichte

Durch die Journale ging vor einiger Zeit eine trübe Geschichte, die sich in Dresden zwischen einem jungen Musiker, einem Mitglied des Hof-Orchesters, und einer Dame der Gesellschaft zugetragen hat. Es handelte sich um eine langjährige unglückliche Liebe vonseiten der Frau, und eines Abends nach dem Theater nahm die Sache im Tram-Bahn-Wagen ein böses Ende. Sie wissen nun, was ich meine, zumal Sie beide Theile persönlich gekannt und damals lebhaften Antheil an der Sache genommen haben. Mir hat sie, aus Gründen theils technischer und theils seelischer Natur, einen ganz merkwürdig starken Eindruck gemacht, und es ist nicht unmöglich, daß ich mich ihrer einmal als Tatsachen- und Fabel-Gerippe zu einer wundervoll melancholischen Liebesgeschichte bediene. (Die «Fabel» ist ja unendlich gleichgültig, aber man muß doch eine haben, nicht wahr?)
Mit einem Worte: würden Sie mir wohl den Gefallen thun, mir in einer Mußestunde einmal die ganze Geschichte von ihren Uranfängen bis zu dem Schluß- und Knalleffekt recht genau, recht eingehend, recht ausführlich zu erzählen?! Ich bemerke dabei, daß die Détails mir die Hauptsache sind. Sie sind so anregend! Wie war «ihre», wie «seine» Vorgeschichte? Wie war «ihr» Exterieur? Wer war «ihr» Gatte, und unter welchen Umständen hatte sie ihn geheirathet? Wie hatte sie «ihn» kennen gelernt, wie war «er» in ihr Haus gekommen? Wie stand das Ehepaar zu einander, und wie stand der Gatte zu «ihm»? Wie war der Charakter der Dame im Allgemeinen? Hatte sie Kinder? War ihre unglückliche Leidenschaft nicht zehn Jahre alt? Ist in diesen 10 Jahren irgend etwas Besonderes passiert? Waren die beiden von Zeit zu Zeit getrennt oder waren sie immer in Dresden bei einander? Wie benahm «er» sich «ihr» gegenüber und umgekehrt? Wie verhielt es sich mit den Geschenken, die er, wissentlich oder unwissentlich, von ihr angenommen haben soll? Welcher Art war der Verkehr zwischen den beiden? Musikalisch? Gesellschaftlich? Wodurch wurde am Ende die Katastrophe herbeigeführt? Durch eine Liebschaft oder Verlobung seinerseits? Wie ging die Sache im Tram-Wagen genau vor sich und waren ihr irgend welche bemerkenswerthe Umstände vorangegangen? Und so weiter.

An Hilde Distel, 14. März 1902

Julia Löhr-Mann (1877–1927) mit ihren drei Töchtern Eva Maria, geb. 1901, und den Zwillingen Rosemarie und Ilsemarie, geb. 1907
Sie ist das Modell zu Ines Institoris im «Doktor Faustus».

Carla Mann, um 1903
Sie ist das Modell zu Clarissa Rodde im «Doktor Faustus».

Heinrich Mann, der Rivale

Brüder sein, das heißt: Zusammen in einem würdig provinziellen Winkel des Vaterlandes kleine Jungen sein und sich zusammen über den würdigen Winkel lustig machen; heißt: die Freiheit, Unwirklichkeit, Lebensreinheit, die absolute Boheme der Jugend teilen. Heißt dann: einzeln, aber immer in organischer Verbundenheit und im Gedanken aneinander, hineinwachsen, hineinaltern ins eben noch radikal ironisierte ‹Leben›, hineinwachsen vor allem durch das Werk, das als Erzeugnis absoluter Boheme gemeint war, aber sich als eingegeben vom Leben, als in seinem Dienste getan und damit als sittlich verwirklichend erweist. Brüder sein, wie wir es sind, das heißt aber auch: gemeinsam dem wirklichkeitsreinen Unernst von einst im tiefsten die Treue halten; es heißt: mit jener halb geistigen, halb kindheitsprovinziellen Erregung und Schüchternheit, welche die große Welt der Wirklichkeit uns einflößt, die Ironie der Frühzeit verbinden; und es heißt: in Stunden besonders pointierter und unter dem kindlichen Gesichtspunkt unglaubwürdiger Verwirklichung sich aus dem Einzeldasein wieder zueinanderfinden, sich lächelnd anblicken und, wenn nicht mit dem Munde, so doch mit den Augen zueinander sagen: «Wer hätte es gedacht.»

Ansprache an den Bruder, 1941 (X, 306 f.)

1897 in Rom, Via Argentina 34, überfiel mich das Talent, ich wußte nicht, was ich tat. Ich glaubte einen Bleistiftentwurf zu machen, schrieb aber den beinahe fertigen Roman. Mein Talent ist in Rom geboren, nach dreijähriger Wirkung der Stadt.

*Heinrich Mann an Karl Lembke,
29. Januar 1947*

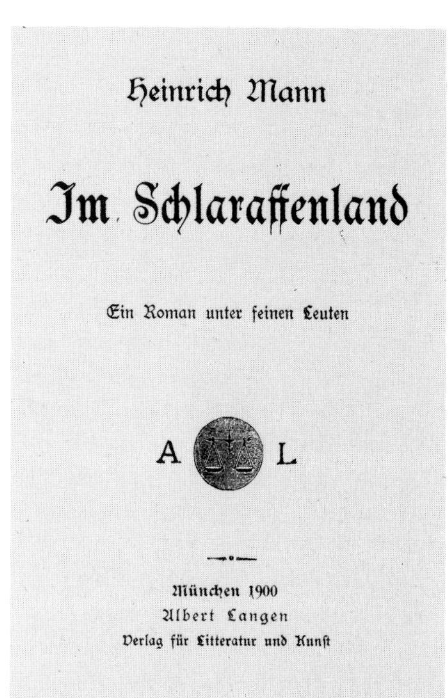

Zu Heinrich Manns «Schlaraffenland», aus einer Rezension von Heinrich Hart:

Das Beste jedoch an dem Werke sind künstlerisch die Gesellschaftsschilderungen; sie muten an wie gewisse Satiren, die das kaiserliche Rom in seiner ganzen sittlichen Verkommenheit zur Schau stellen. Sumpf an Sumpf und nirgends eine sonnige Lichtung, eine Höhe, von der eine Aussicht ins Helle und Weite zu gewinnen wäre. Mann hat nichts von einem Juvenal oder einem Tolstoi. Er zürnt und grollt nicht, wie der Römer, und er stellt nicht, wie der Russe, dem Gemeinen das Erhebende gegenüber, das den Leser schließlich über alles Widrige hinweg zu einer großen Weihestimmung führt. Mann spielt nirgends den Sittenrichter, über all die Niedrigkeiten, die er vorführt, tändelt er mit einer Art von Grazie hinweg, und das Einzige, was seine Schaustellungen auf die Dauer erträglich macht, ist ein gewisser Humor. Der reicht aber nicht hin, um dem Werke, was es auch künstlerisch bieten mag, eine ideelle, menschlich große Bedeutung zu verleihen.

Die «Schlaraffenland»-Satire geißelt den beau monde im Berlin der Gründerjahre: Bankiers, Schieber, beflissene Presseleute und Literaten. Vor dem «Renaissance-Menschen» James Louis Türkheimer und der Macht des Geldes kriechen alle. Der Roman geht zurück auf Berliner und Lübecker Eindrücke Heinrich Manns; er lehnt sich aber auch an Maupassants Aufsteigergeschichte «Bel Ami» an. Es läßt sich nicht übersehen: Manns Kritiklust wird durch geheime Faszinationen verschärft. Ruchlosigkeit und décadence, Luxus und Ausschweifung stoßen ihn ab und reizen ihn zugleich. Seine Unersättlichkeit treibt alles ins Groteske und Burleske.

Die orgiastischen Feste, die Heinrich im «Schlaraffenland» schildert, gehen zum Teil auf Jugenderinnerungen zurück.

Zu Hause klappen die Türen von Besuchen. Oft ist die Luft warm und dick von Menschen; Gerüche aus Bärten und Ballkleidern verwickeln sich mit denen, die der Küche entsteigen. Musik stapft durch die Dunkelheit, in der er liegt, Tanzschritte schleifen über seinem Kopf. Manchmal das Kreischen einer Frau, auf der Treppe vielleicht; eine schnarrende Offiziersstimme; auch Rütteln am Türgriff. Rüttelt ihr nur, hier ist's für euch zu Ende, ihr als Balldamen verkleideten Wirtschafterinnen, ihr uniformierten Turnlehrer. Wenn ihr wüßtet, was ihr hier, in dem kleinen dunkeln Zimmer, für eine lächerliche Entlarvung erfahrt, und wie euer Anspruch darauf, Eleganz, Schönheit, hohes Leben darzustellen, hier zu kläglicher Schande wird. Ein fünfzehnjähriger Pennäler, werdet ihr sagen. Jawohl; und das Tragische ist eben dies, daß er sich, begegnete er einem von euch im Flur, in fliegender Scham über den Hof retten müßte, und daß es höchst alltäglich um ihn zu stehen scheint.

Heinrich Mann, Der Unbekannte, 1906

Heinrich und Thomas Mann, um 1900

Die Göttinnen

Es sind die Abentheuer einer großen Dame aus Dalmatien. Im ersten Theile glüht sie vor Freiheitssehnen, im zweiten vor Kunstempfinden, im dritten vor Brunst. Sie ist bemerkenswerther Weise ein Mensch und wird ernst genommen; die meisten übrigen Figuren sind lustige Thiere wie im «Schl». Die Handlung ist bewegt, sie erstreckt sich auf Zara, Paris, Wien, Rom, Venedig, Neapel. Wenn Alles gelingt, wird der 1. Theil exotisch bunt, der 2te kunsttrunken, der 3te obscön und bitter.

Heinrich Mann an Albert Langen, 2. Dezember 1900

Heinrich Mann, um 1903, mit einem Band der Göttinnen

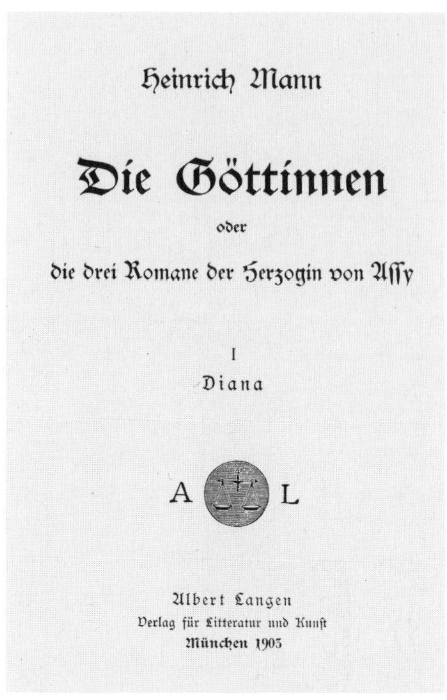

Heinrich Mann

Die Göttinnen

oder

die drei Romane der Herzogin von Assy

I

Diana

A L

Albert Langen
Verlag für Litteratur und Kunst
München 1903

1903 erschien Heinrich Manns Trilogie «Die Göttinnen»: Diana, Minerva, Venus

Die Göttinnen oder Die drei Romane der Herzogin von Assy

Die Herzogin von Assy ist eine Schönheit großen Stils, die zu verschiedenen Zeiten Gesellschaft und Presse in Spannung erhält durch ungewöhnliche Abenteuer. Sie veranlaßt politische Aufstände. Sie läßt pomphafte Kunstwerke erstehen. Ihre Liebesgeschichten haben die Unbedenklichkeit antiker Fabeln.

In dem ersten ihrer Romane sieht man die Herzogin jung, nach Freiheit und nach Thaten dürstend, und immer in Bewegung, wie eine Jägerin Diana, ihr Land Dalmatien durchstreifen. Das halbwilde Land, die sonderbar gemischte Hofgesellschaft, und die seltsam korrumpirte Barbarei aller Verhältnisse, mit denen die hochgesinnte und leidenschaftliche Frau den Kampf aufnimmt, bringen eine exotische und spannende Handlung hervor … Anstatt Königin zu werden, muß die Herzogin über das Meer flüchten. In Rom spinnt sie ihren abenteuerlichen Traum fort, bis er blutig endet. – Eingeweihte werden unter den vielen Anekdoten des Buches, manche der römischen cronique scandaleuse entlehnte wiedererkennen, neben andern, die dem Wiener Hofklatsch oder der internationalen hohen Gesellschaft angehören.

In ihren stürmischen Träumen enttäuscht, und geistig gereift, findet man die Herzogin von Assy in ihrem zweiten Roman in Venedig als großartige Beschützerin der Kunst. Realistischen Grundlagen und genauem Studium von Kultur, Kunst und Leben Italiens entsteigen in der «Minerva», wie in den beiden andern Bänden, so phantastische Ereignisse und Stimmungen, wie moderne Romane sie selten bieten … In dieser Umgebung von leidenschaftlicher Schönheit, entwickeln sich mächtige Leidenschaften (namentlich die der großen Bildhauerin Properzia Ponti) – die schließlich auch die Herzogin selbst überwältigen.

So ist aus der keuschen Freiheitsschwärmerin und der prachtliebenden Kunstbegeisterten im dritten Roman eine unersättliche Liebhaberin geworden. Die brünstige Natur Neapels steigert ihre Erotik bis zum körperlichen Wahnsinn. Physiologisch betrachtet, ist «Venus» der Roman des Climacteriums. Und das Krankhafte, das dem Lebensalter der Heldin angehört, trägt einen bitteren Geschmack in ihre überhitzten Lüste. Die Herzogin geht, wie in allem was ihr Leben bewegt hat, auch in der Liebe bis zum Äußersten. Von Liebesgeschichten mit der Schlichtheit und Naturempfindung von Hirten-Idyllen gelangt sie bis zu Orgien, die starkes antikes Leben in die raffinirtesten modernen Verhältnisse übertragen und von einer kaum zu überbietenden Fleischlichkeit strotzen. Überall in diesem merkwürdigen Liebesroman strömen Landschaft und Menschen eine erstaunliche sinnliche Hitze aus.

Die Herzogin genießt bis zur Selbstzerstörung. Ihr Tod ist stürmisch wie ihr Leben; aber sie bereut nichts. Eine Freudigkeit um jeden Preis athmet aus all diesem Leben, so viel Tragik es auch hervorbringt. [folgt Unleserliches] Kein Pessimismus kommt auf, kein Drang nach Übersinnlichem wird empfunden: – ein fast antikes Vertrauen zur Erde, eine heidnische Dankbarkeit für jedes Schicksal, geben trotz aller modernen Ausschweifungen des Geistes und der Sinne diesem Buche eine sittliche Grundlage. Die Roman-Trilogie der Herzogin von Assy läßt eine Weltanschauung fühlen, die heute Bedürfniß ist und Zukunft hat. Deshalb wird man diese drei Bände aus ernstem Grunde lesen, wenn man es nicht schon darum thäte, weil sie ungewöhnlich gut unterhalten und in ihrer verdichteten Sinnlichkeit, fast möchte man sagen, berauschen.

Heinrich Mann, Einführung zu den «Göttinnen», um 1902

DIE «HYSTERISCHE RENAISSANCE»

Die «Göttinnen»-Trilogie wurde zum Roman einer ganzen Generation: Gottfried Benn, Schickele und Flake waren begeistert. Thomas Mann aber wehrte sich instinktiv gegen Heinrichs Bellezza-Kult und setzte ihm asketische Strenge, Kreuz, Tod und Gruft entgegen. Es kommt in seinem Werk zu rabiaten Ausfällen gegen Heinrichs «Schönheitsgroßmäuligkeit», gegen die «hektische Kraft- und ‹Schönheits›-Anbetung» der d'Annunzio-Jünger allgemein. Die frühesten Ausfälle finden sich in den Notizen zur Novelle «Die Geliebten». In «Königliche Hoheit» dann übernimmt Axel Martini den Heinrich-Part: «Dieser Herr Martini, der, während ihm die ungesunde Röte über den Wangenhöhlen glomm, beständig rief: ‹Wie ist das Leben so stark und schön!›, jedoch um zehn Uhr vorsichtig zu Bette ging» – er ist der Verfasser der «viel gerühmten Poesiebücher ‹Evoe!› und ‹Das heilige Leben›». Im «Doktor Faustus» schließlich heißt es über den schwächlichen Renaissance-Schwärmer Institoris:

Er war ein blonder Langschädel, eher klein und recht elegant, mit glattem, gescheiteltem, etwas geöltem Haar. Den Mund überhing leicht ein blonder Schnurrbart, und hinter der goldenen Brille blickten die blauen Augen mit zartem, edlem Ausdruck, der es schwerverständlich – oder vielleicht eben gerade verständlich – machte, daß er die Brutalität verehrte, natürlich nur, wenn sie schön war. Er gehörte dem von jenen Jahrzehnten gezüchteten Typ an, der, wie Baptist Spengler es einmal treffend ausdrückte, «während ihm die Schwindsucht auf den Wangenknochen glüht, beständig schreit: Wie ist das Leben so stark und schön!»

Franz von Stuck, Die Sünde, 1893

Nun, Institoris schrie nicht, er sprach vielmehr leise und lispelnd, selbst wenn er die italienische Renaissance als eine Zeit verkündete, die «von Blut und Schönheit geraucht» habe. Und er war auch nicht schwindsüchtig, hatte höchstens, wie fast jedermann, in früher Jugend eine leichte Tuberkulose durchgemacht. Aber zart und nervös war er, litt am Sympathikus, dem Sonnengeflecht, von dem so viele Beängstigungen und verfrühte Todesgefühle ausgehen, und war Stammgast eines Sanatoriums für reiche Leute in Meran. Sicherlich versprach er sich – und versprachen seine Ärzte ihm – von dem Gleichmaß eines gepflegten Ehelebens auch eine Stärkung seiner Gesundheit.

Doktor Faustus (VI, 381 f.)

Eine aufschlußreiche Abrechnung mit dem Typus steht in den «Betrachtungen eines Unpolitischen», im Kapitel «Ästhetizistische Politik»:

«Ruchlos»: das Wort wurde uns zuerst durch Schopenhauer lebendig, und zwar auf durchaus negative Art, als stärkste moralische Verurteilung, als strafendes Attribut jedes Optimismus, welchen der Verkünder der Willensumkehr als erlösungswidrige Unempfindlichkeit gegen das ungeheuere Leiden der Welt verstand. – Das Wort begegnete uns wieder bei Nietzsche, aber wie sehr in seinem Sinn und Klange gewandelt! «Ruchlos» oder auch «unbedenklich», «bedenklich-unbedenklich»: das war nicht länger ein moralisches Urteil, das Wort war «moralinfrei» nunmehr und höchst positiv, höchst zustimmend, ja geradezu als Verherrlichung gemeint: «Ruchlos» – ein dionysisches Wort, ein Lob und Preis von fast feminin-entzückter Art auf das Leben, das starke, hohe, mächtige, unschuldig-sieghafte, gewalttätige und namentlich schöne Leben, das Cesare-Borgia-Leben, wie der Schwache, auf ewig von diesem Leben Getrennte es sich in hektisch-sentimentalischer Sehnsucht erträumte … Ja, vornehmlich als schön, als die Schönheit selbst war hier das ‹Leben› in seiner amoralischen und überschwenglich-männlichen Brutalität empfunden, gefeiert, umschmeichelt und umworben; es war ein ästhetizistisch gedeutetes, eine ästhetizistisch geschaute Schönheit, und «ruchlos» wurde das Leib- und Lieblingswort alles von Nietzsche herkommenden Ästhetentums.
Es ist der Augenblick, bekennend festzustellen, daß ich mit diesem unzweifelhaft auf Nietzsche's ‹Lebens›-Romantik zurückgehenden Ästhetizismus, welcher zur Zeit meiner Anfänge in Blüte stand, niemals, mit zwanzig Jahren sowenig wie mit vierzig, das Geringste zu schaffen gehabt habe, – womit nicht gesagt ist, daß er mir nicht ‹zu schaffen gemacht› hätte. Das hatte sich damals mit Überzeugung und hinlänglicher Ruchlosigkeit den Sinnen ergeben, das schwärmte für dick vergoldete Renaissance-Plafonds und fette Weiber, das lag mir in den Ohren mit dem «starken und schönen Leben» und mit Sätzen etwa des Inhalts: «Nur Menschen mit starken, brutalen Instinkten können große Werke schaffen!» – während ich doch wußte, daß Werke wie das ‹Jüngste Gericht›, das ich in Rom gesehen, und der Roman ‹Anna Karenina›, der mich stärkte, während ich an ‹Buddenbrooks› schrieb, aus höchst moralistischen, leidenswilligen und christlich skrupulösen Konstitutionen hervorgegangen waren. «Du hältst dich zu lange bei der Kritik der Wirklichkeit auf», so hörte ich aus nächster Nähe. «Aber du wirst schon auch noch zur Kunst gelangen.» Zur Kunst? Aber Kritik des Wirklichen, plastischen Moralismus, eben dies empfand ich als Kunst, und ich verachtete die programmatisch ruchlose Schönheitsgeste, zu der die Tugend von heute mich damals ermutigen wollte.
Ja, in Jahren, die zur Verachtung sonst wenig geschickt machen, hatte ich den ästhetizistischen Renaissance-Nietzscheanismus rings um mich her zu verachten, der mir als eine knabenhaft mißverständliche Nachfolge Nietzsche's erschien. Sie nahmen Nietzsche beim Wort, nahmen ihn wörtlich. Nicht er war es, was sie geschaut und erlebt hatten, sondern das Wunschbild seiner Selbstverneinung, und mechanisch kultivierten sie dieses. Sie glaubten ihm einfältig den Namen des ‹Immoralisten›, den er sich beigelegt; sie sahen nicht, daß dieser Abkömmling protestantischer Geistlicher der reizbarste Moralist, der je lebte, ein Moralbesessener, der Bruder Pascals gewesen war. Aber was sahen sie denn überhaupt! Sie versäumten kein Mißverständnis, zu dem sein Wesen nur immer Gelegenheit bot. Das Element romantischer Ironie in seinem Eros, – weit gefehlt, daß sie ein Organ dafür gehabt hätten. Und wozu sein Philosophieren sie denn also begeisterte, das waren recht nüchterne Schönheits-Festivitäten, Romane voll aphrodisischer Pennälerphantasie, Kataloge des Lasters, in denen keine Nummer vergessen war.

Betrachtungen eines Unpolitischen (XII, 538 ff.)

Heinrich Mann
Die Jagd nach Liebe
Roman
Zweites Tausend
A L
Albert Langen
Verlag für Litteratur und Kunst
München 1903

«Die Jagd nach Liebe» wurde in München als Schlüsselroman gelesen. In Claude und Ute hatte Heinrich Mann sichtlich sich selbst und seine Schwester Carla dargestellt. Carla hat das auch sofort erkannt:

Dein Buch habe ich jetzt erhalten – besten Dank! – und schon ausgelesen. Die Ute hat mich außerordentlich interessiert, besonders da ich künstlerisch mehr Ähnlichkeit mit ihr habe, als Du glaubst. Wundervoll finde ich die Schilderung der Rosmersholm-Vorstellung. Der Ute scheint auch alles Kranke zu liegen. Ich bin auch nicht eigentlich temperamentlos, aber mein Temperament scheint anormal zu sein. All die Wesen die, wenn ein trauriges oder schreckliches Schicksal sie ereilt, in voller Kraft und Gesundheit toben und jammern, sind und bleiben mir fremd. Nur die, die einfach zusammenbrechen, geistig oder körperlich, kann ich spielen. Dann natürlich alle, die von vornherein hysterisch oder sonstwie krankhaft veranlagt sind. Und ich glaube, daß es Ute ähnlich geht, nicht wahr?
Bella ist entzückend! Und mit Vergnügen habe ich Josia Diener, meine Bodenkammer und den Schädel Natanaël wiederbegrüßt.

Carla Mann an Heinrich, 11. November 1903

Carla Mann, um 1903

Ich sehe sie, als ob sie lebte, sich entfalten; aufrecht in dem langen, eng angeschmiegten Kleid, wie sie damals getragen wurden. Sie bewegte Arme, Schenkel, Hals, ließ ihre Stimme klingen, ihr Gesicht sich verwandeln und sprach mit der Zuversicht ihrer zwanzig Jahre. «Du schreibst», sagte sie. «Wer dich liest, sieht Menschen. Ich will selbst zu sehen sein, mich ihnen wirklich vorführen. Dasselbe wie du mit deinem Geist allein, bin ich in ganzer Gestalt.»

Heinrich Mann, Ein Zeitalter wird besichtigt

Das Zerwürfnis

Thomas Mann reagierte mit einem äußerst heftigen Brief auf die «Jagd nach Liebe» (5. Dezember 1903). Er warf dem Bruder «Geschmacklosigkeit», «Schnellfertigkeit», «Jagd nach Wirkung» vor:

Lieber Heinrich, ich rede aufrichtig und sage Dinge, die ich längst auf dem Herzen habe. Es ist, meiner Einsicht nach, die Begierde nach Wirkung, die Dich corrumpirt, wenn anders nach diesem Buche wirklich von Verderbnis gesprochen werden muß. Du hast mir zuviel von Wirkung und Erfolg geredet in letzter Zeit. Du hast mir gegenüber den Schluß von «Salome» an «Wirksamkeit» dem der – Cavalleria verglichen, hast, als ich Dir von «Königliche Hoheit» erzählte, vor Allem betont, der Titel werde sich gut im Schaufenster ausnehmen, während ich, ohne heilig thun zu wollen, bis dahin noch nicht ans «Schaufenster» gedacht hatte, Du hast den Unterschied zwischen uns beiden dahin formulirt, daß ich dem deutschen Volksempfinden näher stände, Du dagegen «es mit der Sensation machen müßtest» ... Was da – machen! Wer «macht» denn irgend etwas! Die Auflagen von «Buddenbrooks» sind ein Mißverständnis, ich sage es noch einmal, und nach Allem, was ich hege und plane, wird außer den paar Hundert innerlich Interessirten kein Hahn krähen. Auch weiß ich wohl: nicht der Erfolg von «Buddenbrooks» hat es Dir angethan – es wäre dumm und lächerlich das anzunehmen –, sondern, früher schon, das Buch als Leistung, als Quantität. Deine Besorgnis, infolge Deiner Nervenkrankheit hinter mir, der ich doch auch nicht gerade unter zärtlichen Bedingungen arbeite, an Leistung zurückzubleiben, wurde zum Ehrgeiz. Mit einer hygienischen Disciplin, von der ich niemals recht wußte, ob ich sie bewundern oder verachten sollte, hast Du Dich weit über mich hinaus zur Arbeitsfähigkeit trainirt, die quantitative Leistung Deines letzten Jahres stellt einen Record dar, der meines Wissens noch von keinem ernsthaften Schriftsteller erreicht ist, – aber (verzeih' die Trivialität!) nicht die Menge thut es, und das «Wunderbare» ist viel, viel mehr, als die «Jagd nach Liebe»; Du hast Dich so gesund gemacht, daß Du sechs Stunden am Tage arbeiten kannst, aber was Du machst, ist krank, nicht weil es «krankhaft» wäre, sondern weil es das Resultat einer schiefen und unnatürlichen Entwicklung ist und einer Wirkungssucht, die Dir unaussprechlich schlecht zu Gesichte steht.

[...]

Auch mit dem Historischen willst Du wohl fertig sein. Auch die Überwindung des Historischen gehört wohl zu Deinem Künstlerthum. Ich habe von Dir gehört, daß Du des Historischen müde seist, daß nun doch das ganz Moderne, Gegenwärtige und – o mein Gott! – Lebendige Dich interessire; während meiner Überzeugung nach die historische Novelle Dein eigentliches Gebiet ist. Die «Göttinnen», die neben gellenden Geschmacklosigkeiten ganz wundervolle Schönheiten enthielten, habe ich nicht nur gegen Schaukal vertheidigt. Ich habe auf den großartigen äußeren Reichthum und die sinnliche Schönheit dieses Werks, vor Allem aber auf seine historische Tiefe hingewiesen, die wie ein kunstvoller Gobelin den grottesken Ereignissen als Folie dient. Da aber in der «Jagd nach Liebe» von der Schönheit nicht viel, vom Historischen garnichts übrig ist, – was bleibt?

Es bleibt die Erotik, will sagen: das Sexuelle. Denn Sexualismus ist nicht Erotik. Erotik ist Poesie, ist das, was aus der Tiefe redet, ist das Ungenannte, was Allem seinen Schauer, seinen süßen Reiz und sein Geheimnis gibt. Sexualismus ist das Nackte, das Unvergeistigte, das einfach bei Namen Genannte. Es wird ein wenig oft bei Namen genannt in der «Jagd nach Liebe». Wedekind, wohl der frechste Sexualist der modernen deutschen Litteratur, wirkt sympathisch im Vergleich mit diesem Buch. Warum? Weil er dämonischer ist. Man spürt das Unheimliche, das Tiefe, das ewig Zweifelhafte des Geschlechtlichen, man spürt ein Leiden am Geschlechtlichen, mit einem Worte, man spürt Leidenschaft. Aber die vollständige sittliche Nonchalance, mit der Deine Leute, haben sich nur ihre Hände berührt, mit einander umfallen und l'amore machen, kann keinen besseren Menschen ansprechen. Diese schlaffe Brunst in Permanenz, dieser fortwährende Fleischgeruch ermüden, widern an. Es ist zu viel, zu viel «Schenkel», «Brüste», «Lende», «Wade», «Fleisch», und man begreift nicht, wie Du jeden Vormittag wieder davon anfangen mochtest, nachdem doch gestern bereits ein normaler, ein tribadischer und ein Päderasten-Aktus stattgefunden hatte. Selbst in der rührenden Scene zwischen Ute und Claude an des Letzteren Sterbebett, dieser Scene, bei der ich weich wurde, bei der ich gern vergessen hätte, – selbst da muß unvermeidlich Ute's «Schenkel» in Action treten, und ein Schluß war nicht möglich, ohne daß Ute nackt in der Stube umherging! Ich spiele nicht Frà Girolamo, indem ich dies schreibe. Ein Moralist ist das Gegentheil von einem Moralprediger: ich bin ganz Nietzscheaner in diesem Punkte. Aber nur Affen und andere Südländer können die Moral überhaupt ignoriren, und wo sie noch nicht einmal Problem, noch nicht Leidenschaft geworden ist, liegt das Land langweiliger Gemeinheit. Ich habe mehr und mehr die Identität von Moral und Geist begriffen und verehre ein Wort Börne's, das mir eine unsterbliche Wahrheit zu enthalten scheint: «Die Menschen», sagt er, «wären geistreicher, wenn sie sittlicher wären» ...

An Heinrich Mann, 5. Dezember 1903

Heinrich Mann, 1904
Karikatur von Olaf Gulbransson

Julia Mann litt sehr unter dem Zerwürfnis ihrer Söhne. Am 20. November 1904 schreibt sie Heinrich:

Wenn es noch dabei sein Bewenden hätte, daß T[ommy] u. L[öhr]s wie ein großer Teil des lesenden Publikums Deine letzten Romane scharf verurteilen – aber daß Du Dich von den Geschwistern abwendest, tut mir für Dich sehr leid. Halte Dich zu ihnen, mein lieber Heinrich, schicke ihnen ab und zu einige freundliche Zeilen und Kritiken, u. zeige ihnen nicht, daß Du Dich von der literarischen Welt nicht so anerkannt fühlst, als es T. momentan ist – oder wenn, dann daß Dich das Gefühl nicht verstimmt. Du hast der Welt einen Spiegel vorhalten wollen, hast stellenweise Undank u. Unwillen geerntet (zugegeben: weil sie sich zu sehr getroffen fühlt) – zugleich aber auch Dich in dieser Weise jetzt genügend ausgesprochen (nach meiner Meinung) u. gehst auf ein anderes Geleise, nicht wahr? Doch ich fühle, lieber Heinrich, daß es anmaßend von mir ist, Dir in Deiner Kunst Vorschriften machen zu wollen, möchte nur offen Dir gegenüber sein. Auf voriges zurückkommend: ich finde, solange die persönliche Fühlung unter Geschwistern u. Freunden, Mutter u. Kindern nicht gestört ist, hält das Band; ich habe solche Erfahrungen gemacht u. zu solchen Zeiten alles getan, was einer Mutter möglich ist, um das Band nicht reißen zu lassen, u. es hat sich bewährt. Bitte, bitte, lieber Heinrich, befolge meinen Rat und ziehe Dich nicht von T. u. L.s zurück; behalte persönliche Liebenswürdigkeit bei, u. zeige von nun an wieder, daß Du auch der sensibleren Klasse von Lesern gerecht zu werden befähigt bist. Man darf nicht zu sehr Idealist sein, denn man wird ja vom kleinsten Teil der Mitmenschen verstanden. Und auch Tommy weiß ja, daß nicht jeder ihn unbedingt rühmt u. nicht alles, was er schreibt, seinen Anhängern gefällt. Übrigens bei meiner Mitteilung an ihn, daß Du mir gute Kritiken geschickt habest, antwortete er ungefähr: «Sei nur stolz, daß H. Dir sie schickt, ich u. auch L.s bekommen nichts dergl. von ihm mehr – H. muß doch am besten wissen, wie hoch ich ihn einschätze, trotzdem ich vieles in seinen letzten Romanen nicht goutiere.» – Das ist nun doch nicht unbillig, nicht wahr? – Daß Du in der «Jagd n. Liebe» in zu gewagter Weise Münchener bekannte Persönlichkeiten hineinzogst, ist Löhr in seiner Stellung etwas unangenehm; u. der Bierb[aum] war ja wütend; aber was wird nicht alles geschrieben, u. wie wird nicht auch mit der Feder herausgefordert u. Krieg gespielt, da stehst Du nicht vereinzelt da. Doch nochmals, mein lieber Heinrich, das andere, was Du nach dieser Übersetzung schreibst, soll wieder weniger starke Unsittlichkeiten aufdecken, nicht wahr? Ich wünschte so von ganzer Seele, daß auch Dir die äußerliche Anerkennung zuteil würde, denn leider kann der Schriftsteller nicht ohne sie fertig werden, u. mir persönlich als Eure[r] Mutter gehen abfällige Urteile über einen von Euch jedesmal durch und durch, so wie mich anerkennende Kritiken, wie die mir gesendete, u. mündliche Lobeserwähnungen, u. pekuniäre Fortschritte bei Euch, jedesmal hoch erfreuen.

Julia Mann an Heinrich Mann, 20. November 1904

Heinrich Mann

Professor Unrat

oder

Das Ende eines Tyrannen

Roman

Albert Langen
Verlag für Litteratur und Kunst
München 1905

Thomas Mann reagierte auch auf «Professor Unrat» sehr scharf:

Anti-Heinrich
Ich halte es für unmoralisch, aus Furcht vor den Leiden des Müßigganges ein schlechtes Buch nach dem andern zu schreiben.
«Künstlerische Unterhaltungslektüre» – Alles gut. Wenn es nur zuletzt nicht doch eine contradictio in adjecto wäre!
Das Alles ist das amüsanteste und leichtfertigste Zeug, das seit Langem in Deutschland geschrieben wurde.
Drüber und drunter! Der Schüler Ertzum giebt einen Aufsatz ab, nachdem er vor Beginn des Schreibens ins Kabuff geschickt wurde; Cigarrenhändler und Cafétier sind Schüler des Gymnasial-Professors: Dergleichen ist wohl kaum noch «Unbedenklichkeit des Künstlers» sondern etwas mehr, nämlich Belletristenthum, das sich ins Zeug legt. Das Buch scheint nicht auf Dauer berechnet.
In Wahrheit, Grütze essen muß sehr leichtsinnig machen – und sehr produktiv. Aber vielleicht ist Produktivität nur eine Form des Leichtsinns.
Unmöglichkeiten, daß man seinen Augen nicht traut! Unrath ruft im Concertsaal: «Ins Kabuff!»!
Eine gottverlassene Art von Impressionismus. («Er klomm steil».)

Aus Thomas Manns 7. Notizbuch

Tristan und Tonio Kröger

Umschlag der Erstausgabe des Novellenbandes «Tristan» mit der Zeichnung von Alfred Kubin, 1903
Der Band enthielt: «Der Weg zum Friedhof», «Tristan», «Der Kleiderschrank», «Luischen», «Gladius Dei», «Tonio Kröger».

Eine Burleske, die ich in Arbeit habe, und die wahrscheinlich «Tristan» heissen wird. (*Das* ist echt! Eine Burleske, die «Tristan» heißt!)

An Heinrich Mann, 13. Februar 1901

Der Zeichner und Illustrator Alfred Kubin (1877–1959)

Holitscher beklagt sich

Wir hatten uns heute, herzlicher als bisher, über Dinge unseres Lebens ausgesprochen; meine Einsamkeit war durch Zweifel an meiner Arbeit beunruhigt und bedrückt, diese Angst wenigstens blieb Mann erspart, denn er kannte seinen Wert. So waren wir, ich fühlte es, in diesen Nachmittagsstunden einander nahe gekommen, und ich ging mit dem frohen Bewußtsein die Straße entlang, daß ich einen Freund habe. Durch irgendeinen Umstand wurde ich beim Weitergehen gezwungen, stehen zu bleiben und mich umzudrehen. Da sah ich oben im Fenster der Wohnung, die ich soeben verlassen hatte, Mann, mit einem Opernglas bewaffnet, mir nachblicken. Es dauerte indes nur einen Augenblick, im nächsten verschwand der Kopf blitzschnell aus dem Fenster.

An einem der nächsten Morgen, es war noch sehr früh, erschien Mann in meiner Wohnung. Ich war eben erst aufgestanden, war tags zuvor ziemlich spät zu Bette gegangen und saß dem Besucher in nachlässiger Morgentoilette, ungewaschen und schlaftrunken gegenüber. Ich hatte meine hübschen Zimmer in der Amalienstraße eben bezogen und meine Schätze auf Tischen und an den Wänden ordentlich verteilt. Da hingen die schönen Photographien des Londoner «Hypnos» und des Kopfes der Beata Beatrix von Rossetti zwischen den Fenstern, und auf dem Tisch lag das sakrale Werk Stefan Georges «Der Teppich des Lebens». Der Besucher erwähnte nichts von dem Zwischenfall mit dem Opernglas. Durch mein halbwaches Hirn huschte der Eindruck: er sei gekommen, um mich einmal in früher Morgenstunde zu beobachten, dabei ein paar Einzelheiten über die Art, wie ich aussehen, mich benehmen würde, sowie auch über meine Behausung und die Dinge, die mich umgaben, aufzuzeichnen.

[…]

Zwei Jahre nach dem Erscheinen der «Buddenbrooks», die den verdienten Erfolg gefunden hatten, veröffentlichte Mann sein zweites Werk, einen Novellenband: «Tristan». Ich befand mich auf der Durchreise nach Italien in München, als das Buch erschien. Mann brachte es mir, er hatte es auf der Titelseite mit einer Widmung versehen, die mich seiner zuverlässigen Gefühle versicherte. In nicht minderem Maße als der Roman, in dem er die Schicksale seiner Familie geschildert hatte, verkündeten die Novellen Manns Meisterschaft in der plastischen Herausarbeitung von Gestalten und Geschehnissen. Die Wärme aber, die im Roman einige seinem Herzen nahestehende Figuren umgeben hatte, war in dem Novellenband nur in einer einzigen Erzählung zu finden, jener, in der Mann etwas sentimental sein eigenes Schicksal, das ihn von den ersehnten und begehrten Menschen des Durchschnitts abtrennte, zu gestalten unternommen hatte. Hier webte wieder die zarte, schmerzliche Ironie um Gestalten und Begebenheiten, diese Ironie, die den besten Teil von Manns Kunst ausmacht. In den anderen Novellen aber tummelte sich eine groteske Schar von Karikaturen, «Helden» des Alltags, die ihre Lebensuntauglichkeit in Situationen von kläglicher Komik bewiesen. Sofort erkannte ich mich in einer dieser bösartig verzerrten Gestalten wieder und erinnerte mich plötzlich an jenes Opernglas, das ein schon von Natur aus scharfes Auge noch schärfer geschliffen hatte. Auch in den anderen Novellen erkannte ich die Urbilder aus Münchens Straßen, aus dem «engeren Kreis», sie waren mit allen Einzelheiten deutlich erkennbar dem Gelächter der lesenden und schreibenden Spießerwelt preisgegeben.

Arthur Holitscher, Lebensgeschichte eines Rebellen

Arthur Holitscher (1869–1941)
Thomas Mann benutzte den Schriftsteller als Modell zu Detlev Spinell im «Tristan». Holitscher fühlte sich verletzt, als er sich in der Gestalt wiedererkannte. Seine Erlebnisse mit Thomas Mann schrieb er in seiner «Lebensgeschichte eines Rebellen» (1924) nieder.

Hauptgebäude des Sanatoriums in Riva, Modell zum Sanatorium «Einfried» in «Tristan»
Die Brüder Mann weilten während der Jahre 1901 bis 1904 – Heinrich war bereits 1893 zum erstenmal dort – öfters zur Kur im Nervensanatorium des Dr. Christoph von Hartungen in Riva am Gardasee. In Heinrich Manns «Göttinnen» tritt er als Dr. von Männingen auf.

Dr. Christoph von Hartungen

Riva am Gardasee
Ansichtskarte aus Riva vom 19. 4. 1904 an Philip Witkop

Ich bin benannt Herr Thomas Mann

Nun will ich aber heben an,
Von Mitterbad will ich sagen,
Und wie sich dort fünf Wochen lang
Mein Leben zugetragen.

Ich stund wohl auf bei guter Zeit
Den Kaffee nahm ich im Freien
Dies[er] war gut, die Butter war frisch,
(?)

Drauf bin ich mit Nagelschuhen u. Stab
Im Hochwald spazieren gegangen;
An den Ruhebänken da und dort
Die lieblichsten Verse prangen.

Im Bauch entsteht dir bei ihrem Genuß
Ein eigentümliches Grimmen;
Besonders die auf «St. Helena»
Gehören zu den schlimmen.

Oft stiegen auf die Berge wir
Zum Wohle unsrer Lungen;
Die Laugenspitze erklommen wir da
Mit dem Doctor von Hartungen.

Um zwölf ein halb Uhr war table d'hôte:
Zwei Gänge und süße Speise;
Ich muß die Küche von Mitterbad
Loben in jeder Weise.

Am Nachmittag ward dem Kegelspiel
Die allereifrigste Pflege;
Nur einmal nahm ich teil daran,
Dieweil ich sonst zu träge.

Um sieben Uhr ward zu Nacht gespeist:
Ein Fleischgericht nebst Käsen;
Auch diese Mahlzeit ist auf mein Wort
Stets lobenswerth gewesen.

An Kaisers Geburtstag war Festbankett,
Es gab die schönsten Guirlanden,
Und Fräulein Bertha erschien in Weiß,
Was ihr sehr gut gestanden.

Am Abend war großes Feuerwerk:
Welch patriotisch Knallen!
Zumal die Raketen haben mir
Ganz ungemein gefallen.

Der Aufenthalt in Mitterbad
Ist Jedem zu empfehlen;
Mich hat er gelabt und frisch gestärkt,
Den Leib und auch die Seelen.

Nun geht es an ein Lebewohl,
Mir wird wohl weh und bange.

Ich bin benannt Herr Thomas Mann
Und weiß ein Theil von Sange.

Aus Thomas Manns 4. Notizbuch

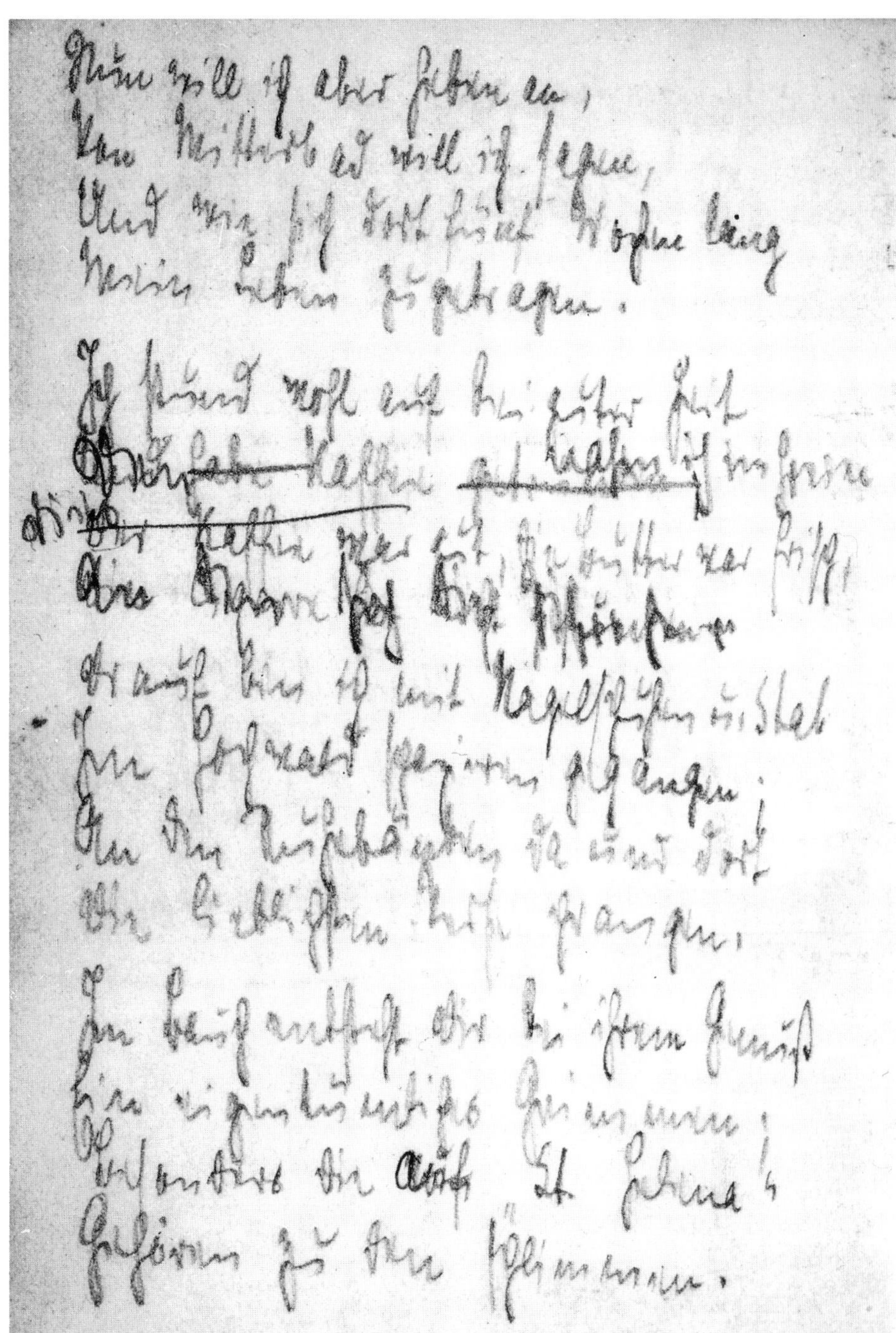

Gedicht auf Mitterbad

Thomas Mann weilte mit seinem Bruder Heinrich vom 11. Juli bis Ende August 1901 in Mitterbad. Der Leiter auch dieser Kuranstalt war Dr. med. Christoph von Hartungen. Die 1. Strophe des Gedichts ist eine Anspielung auf das Tannhäuserlied in «Des Knaben Wunderhorn»:

«Nun will ich aber heben an;
Von Tanhäuser wollen wir singen
und was er Wunders hat gethan
Mit Frau Venussinnen ...»

Das Tannhäuserlied wurde von Heine bearbeitet.

Tonio Kröger

Illustrierte Ausgabe des «Tonio Kröger» mit Zeichnungen von Erich M. Simon (1913)

Im Februar 1903 erschien die Novelle «Tonio Kröger» in der Berliner «Neuen Deutschen Rundschau».

Die Konzeption ging zurück in die Zeit der Arbeit an ‹Buddenbrooks›, das Jahr meiner Tätigkeit bei Langen. Ich benutzte damals einen vierzehntägigen Sommerurlaub zu jener Reise über Lübeck nach Dänemark, von der in der Novelle die Rede ist, und meine Eindrücke, in dem kleinen Badeort Aalsgard am Sund, nahe Helsingör, bildeten den Erlebniskern, um den nun die beziehungsreiche kleine Dichtung zusammenschoß. Ich schrieb sie sehr langsam.

Lebensabriß (XI, 115)

Tonio und Hans Hansen

Die Sache war die, daß Tonio Hans Hansen liebte und schon vieles um ihn gelitten hatte. Wer am meisten liebt, ist der Unterlegene und muß leiden, – diese schlichte und harte Lehre hatte seine vierzehnjährige Seele bereits vom Leben entgegengenommen; und er war so geartet, daß er solche Erfahrungen wohl vermerkte, sie gleichsam innerlich aufschrieb und gewissermaßen seine Freude daran hatte, ohne sich freilich für seine Person danach zu richten und praktischen Nutzen daraus zu ziehen. Auch war es so mit ihm bestellt, daß er solche Lehren weit wichtiger und interessanter achtete als die Kenntnisse, die man ihm in der Schule aufnötigte, ja, daß er sich während der Unterrichtsstunden in den gotischen Klassengewölben meistens damit abgab, solche Einsichten bis auf den Grund zu empfinden und völlig auszudenken. Und diese Beschäftigung bereitete ihm eine ganz ähnliche Genugtuung, wie wenn er mit seiner Geige (denn er spielte die Geige) in seinem Zimmer umherging und die Töne, so weich, wie er sie nur hervorzubringen vermochte, in das Plätschern des Springstrahles hinein erklingen ließ, der drunten im Garten unter den Zweigen des alten Walnußbaumes tänzelnd emporstieg ...

Der Springbrunnen, der alte Walnußbaum, seine Geige und in der Ferne das Meer, die Ostsee, deren sommerliche Träume er in den Ferien belauschen durfte, diese Dinge waren es, die er liebte, mit denen er sich gleichsam umstellte, und zwischen denen sich sein inneres Leben abspielte, Dinge, deren Namen mit guter Wirkung in Versen zu verwenden sind und auch wirklich in den Versen, die Tonio Kröger zuweilen verfertigte, immer wieder erklangen.

Dieses, daß er ein Heft mit selbstgeschriebenen Versen besaß, war durch sein eigenes Verschulden bekannt geworden und schadete ihm sehr, bei seinen Mitschülern sowohl wie bei den Lehrern. Dem Sohne Konsul Krögers schien es einerseits, als sei es dumm und gemein, daran Anstoß zu nehmen, und er verachtete dafür sowohl die Mitschüler wie die Lehrer, deren schlechte Manieren ihn obendrein abstießen und deren persönliche Schwächen er seltsam eindringlich durchschaute. Andererseits aber empfand er selbst es als ausschweifend und eigentlich ungehörig, Verse zu machen, und mußte all denen gewissermaßen recht geben, die es für eine befremdende Beschäftigung hielten. Allein das vermochte ihn nicht, davon abzulassen ...

Tonio Kröger (VIII, 273 f.)

Hans Hansen, Tonio Krögers Freund, älter geworden
Auch Armin Martens, Thomas Manns Schulfreund, war ein Pferdeliebhaber gewesen. Ein Bild aus dem Besitz von Ilse Martens, Armins Schwester.

PFERDE UND LEDERZEUG

«Da kommt Erwin Jimmerthal», sagte Hans.
Tonio verstummte. Möchte ihn doch, dachte er, die Erde verschlingen, diesen Jimmerthal! Warum muß er kommen und uns stören! Wenn er nur nicht mit uns geht und den ganzen Weg von der Reitstunde spricht … Denn Erwin Jimmerthal hatte ebenfalls Reitstunde. Er war der Sohn des Bankdirektors und wohnte hier draußen vorm Tore. Mit seinen krummen Beinen und Schlitzaugen kam er ihnen, schon ohne Schulmappe, durch die Allee entgegen.
«Tag, Jimmerthal», sagte Hans. «Ich gehe ein bißchen mit Kröger …»
«Ich muß zur Stadt», sagte Jimmerthal, «und etwas besorgen. Aber ich gehe noch ein Stück mit euch … Das sind wohl Fruchtbonbons, die ihr da habt? Ja, danke, ein paar esse ich. Morgen haben wir wieder Stunde, Hans.» – Es war die Reitstunde gemeint.
«Famos!» sagte Hans. «Ich bekomme jetzt die ledernen Gamaschen, du, weil ich neulich die Eins im Exerzitium hatte …»
«Du hast wohl keine Reitstunde, Kröger?» fragte Jimmerthal, und seine Augen waren nur ein Paar blanker Ritzen …
«Nein …», antwortete Tonio mit ganz ungewisser Betonung.
«Du solltest», bemerkte Hans Hansen, «deinen Vater bitten, daß du auch Stunde bekommst, Kröger.»
«Ja …», sagte Tonio zugleich hastig und gleichgültig. Einen Augenblick schnürte sich ihm die Kehle zusammen, weil Hans ihn mit Nachnamen angeredet hatte; und Hans schien dies zu fühlen, denn er sagte erläuternd:
«Ich nenne dich Kröger, weil dein Vorname so verrückt ist, du, entschuldige, aber ich mag ihn nicht leiden. Tonio … Das ist doch überhaupt kein Name. Übrigens kannst du ja nichts dafür, bewahre!»
«Nein, du heißt wohl hauptsächlich so, weil es so ausländisch klingt und etwas Besonderes ist …», sagte Jimmerthal und tat, als ob er zum Guten reden wollte.
Tonio's Mund zuckte. Er nahm sich zusammen und sagte:
«Ja, es ist ein alberner Name, ich möchte, weiß Gott, lieber Heinrich oder Wilhelm heißen, das könnt ihr mir glauben. Aber es kommt daher, daß ein Bruder meiner Mutter, nach dem ich getauft worden bin, Antonio heißt; denn meine Mutter ist doch von drüben …»
Dann schwieg er und ließ die beiden von Pferden und Lederzeug sprechen.

Tonio Kröger (VIII, 278 f.)

Magdalena Vermehren
Magdalene Brehmer
Sie war das Modell zu Tonio Krögers Tanzpartnerin Magdalena Vermehren, dem Mädchen, das immer hinfiel.

François Knaak
Rudolf Knoll, der Tanzlehrer der Mannschen Kinder in Lübeck.
Modell zum Tanzlehrer François Knaak im «Tonio Kröger».

Das Hotel Stadt Hamburg, Lübeck

TONIOS WIEDERKEHR

In der oberen Stadt gab es Bogenlampen, und eben erglühten sie. Da war das Hotel, und es waren die beiden schwarzen Löwen, die davor lagen, und vor denen er sich als Kind gefürchtet hatte. Noch immer blickten sie mit einer Miene, als wollten sie niesen, einander an; aber sie schienen viel kleiner geworden seit damals. – Tonio Kröger ging zwischen ihnen hindurch.

Tonio Kröger (VIII, 308 f.)

Notizblatt aus den Vorarbeiten zum «Tonio Kröger»

«T. K. von Natur sanftmüthig und gutdenkend, von der psychologischen Erkenntnis aufgerieben ...»

Die im Lichte tanzten

Die Veranda war leer und unerleuchtet, aber die Glastür zum Saale, wo die beiden großen, mit blanken Reflektoren versehenen Petroleumlampen hell erstrahlten, stand geöffnet. Dorthin schlich er sich auf leisen Sohlen, und der diebische Genuß, hier im Dunkeln stehen und ungesehen die belauschen zu dürfen, die im Lichte tanzten, verursachte ein Prickeln in seiner Haut. Hastig und begierig sandte er seine Blicke nach den beiden aus, die er suchte …

Und dann:

Ja, sie waren da, die beiden, die heute im Sonnenlicht an Tonio Kröger vorübergezogen waren, er sah sie wieder und erschrak vor Freude, als er sie fast gleichzeitig gewahrte. Hier stand Hans Hansen, ganz nahe bei ihm, dicht an der Tür; breitbeinig und ein wenig vorgebeugt, verzehrte er bedächtig ein großes Stück Sandtorte, wobei er die hohle Hand unters Kinn hielt, um die Krümel aufzufangen. Und dort an der Wand saß Ingeborg Holm, die blonde Inge, und eben schwänzelte der Adjunkt auf sie zu, um sie durch eine ausgesuchte Verbeugung zum Tanze aufzufordern, wobei er die eine Hand auf den Rücken legte und die andere graziös in den Busen schob; aber sie schüttelte den Kopf und deutete an, daß sie zu atemlos sei und ein wenig ruhen müsse, worauf der Adjunkt sich neben sie setzte.

Tonio Kröger sah sie an, die beiden, um die er vorzeiten Liebe gelitten hatte, – Hans und Ingeborg. Sie waren es nicht so sehr vermöge einzelner Merkmale und der Ähnlichkeit der Kleidung, als kraft der Gleichheit der Rasse und des Typus, dieser lichten, stahlblauäugigen und blondhaarigen Art, die eine Vorstellung von Reinheit, Ungetrübtheit, Heiterkeit und einer zugleich stolzen und schlichten, unberührbaren Sprödigkeit hervorrief …

Tonio Kröger (VIII, 329 ff.)

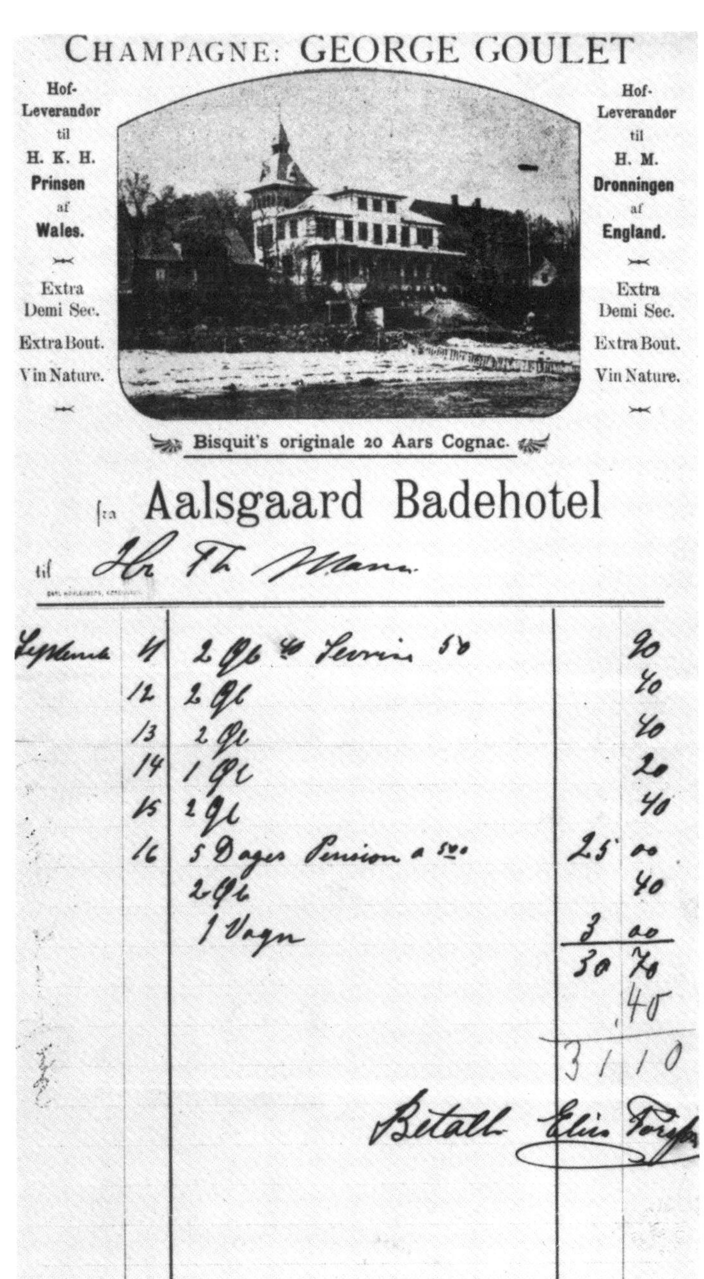

CHAMPAGNE: GEORGE GOULET

Hof-Leverandør til H. K. H. Prinsen af Wales.
Extra Demi Sec. Extra Bout. Vin Nature.

Hof-Leverandør til H. M. Dronningen af England.
Extra Demi Sec. Extra Bout. Vin Nature.

Bisquit's originale 20 Aars Cognac.

fra Aalsgaard Badehotel

til Hr. Th. Mann

September 11	2 Fl. & Service 50		90
12	2 Fl.		40
13	2 Fl.		40
14	1 Fl.		20
15	2 Fl.		40
16	5 Dages Pension à 5.00	25	00
	2 Fl.		40
	1 Vogn	3	00
		30	70
			40
		31	10

Betalt Elis [illegible]

Tonio Krögers Badehotel
Hotelrechnung vom September 1899. Nach dieser Vorlage schilderte Thomas Mann das Badehotel in Aalsgaard.

Fiorenza

Hinrichtung des Savonarola auf der Piazza della Signoria in Florenz
Kunstblatt aus dem Bildmaterial zu «Fiorenza»

Was bedeuten asketische Ideale?

Jetzt erst, nachdem wir den asketischen Priester in Sicht bekommen haben, rücken wir unsrem Probleme: was bedeutet das asketische Ideal? ernsthaft auf den Leib – [...] Es muß eine Nezessität ersten Ranges sein, welche diese lebensfeindliche Spezies immer wieder wachsen und gedeihen macht – es muß wohl ein Interesse des Lebens selbst sein, daß ein solcher Typus des Selbstwiderspruchs nicht ausstirbt. Denn ein asketisches Leben ist ein Selbstwiderspruch: hier herrscht ein Ressentiment sondergleichen, das eines ungesättigten Instinktes und Machtwillens, der Herr werden möchte, nicht über etwas am Leben, sondern über das Leben selbst, über dessen tiefste, stärkste, unterste Bedingungen; hier wird ein Versuch gemacht, die Kraft zu gebrauchen, um die Quellen der Kraft zu verstopfen; hier richtet sich der Blick grün und hämisch gegen das physiologische Gedeihen selbst, insonderheit gegen dessen Ausdruck, die Schönheit, die Freude; während am Mißraten, Verkümmern, am Schmerz, am Unfall, am Häßlichen, an der willkürlichen Einbuße, an der Entselbstung, Selbstgeißelung, Selbstopferung ein Wohlgefallen empfunden und gesucht wird. Dies ist alles im höchsten Grade paradox: wir stehen hier vor einer Zwiespältigkeit, die sich selbst zwiespältig will, welche sich selbst in diesem Leiden genießt und in dem Maße sogar immer selbstgewisser und triumphierender wird, als ihre eigne Voraussetzung, die physiologische Lebensfähigkeit, abnimmt. «Der Triumph gerade in der letzten Agonie»: unter diesem superlativischen Zeichen kämpfte von jeher das asketische Ideal; in diesem Rätsel von Verführung, an diesem Bilde von Entzücken und Qual erkannte es sein hellstes Licht, sein Heil, seinen endlichen Sieg. Crux, nux, lux – das gehört bei ihm in eins. –

Friedrich Nietzsche, Zur Genealogie der Moral

Savonarola
Kunsttafel, die Thomas Mann während der Arbeit an «Fiorenza» auf seinem Schreibtisch stehen hatte. Savonarola ist, als «asketischer Priester», Gegenspieler des Lorenzo de' Medici.

Lorenzo de' Medici
Gemalt von Vasari. Uffizien zu Florenz. Aus Eduard Heycks «Die Mediceer»

«Fiorenza» ist ein Traum von Größe und seelischer Macht. «Es geht um Seelen, es geht um das Reich» – das ist Alles. Es ist die Darstellung eines heroischen Kampfes zwischen den Sinnen und dem Geist, – und diese Darstellung ist vollkommen unparteiisch. Daß Fiore die Künstlerkinder von oben herab behandelt, bedeutet doch keine Tendenz. Eine Tendenz würde das Buch erst haben, wenn ich den Lorenzo von oben herab behandelt hätte. Ich habe ihn als Helden behandelt. Ich habe eine fast excessive Gerechtigkeit walten lassen. Der Prior kommt momentweise sehr zu kurz. Und hast Du nicht gefühlt, daß ich dem Lorenzo mindestens so viel von Eigenem mitgegeben habe, wie dem Prior, daß er eine mindestens so subjective und lyrische Figur ist? –

An Kurt Martens, 28. März 1906

In einem hochlehnigen Armstuhl vorm Kamin sitzt Lorenzo de' Medici, schlafend, mit auf die Brust gesunkenem Haupt, ein Kissen im Rücken, eine Decke über den Knien. Er ist häßlich: von olivengelber Gesichtsfarbe und finsterem Ausdruck, der durch die Falte zwischen seinen Brauen hervorgerufen wird. Sein breites, flaches Antlitz zeigt eine eingedrückte Nase und einen großen vorspringenden Mund mit weichen Winkeln. Seine Wangen sind, von der Nase bis zum abgemagerten Kinn, von zwei tiefen und schlaffen Furchen durchzogen, die dadurch noch sichtbarer werden, daß er, unfähig, durch die Nase zu atmen, die Lippen stets geöffnet hält. Aber seine Augen, als er erwacht, sind trotz seiner Schwäche feurig und klar und scheinen mit ihrem Blick Menschen und Gegenstände fest und inbrünstig zu umfassen; seine hohe und ereignisvolle Stirn triumphiert über die Unschönheit seiner Züge; und seine Bewegungen sind auch im Affekt von vollendeter Vornehmheit. Zuweilen kann auf seinem verwüsteten Gesicht, von innen heraus, ein Ausdruck hinreißend harmloser Lustigkeit hervorbrechen, der es gänzlich zu entsündigen und kindlich zu verklären scheint.

Aus der Erstausgabe der «Fiorenza»

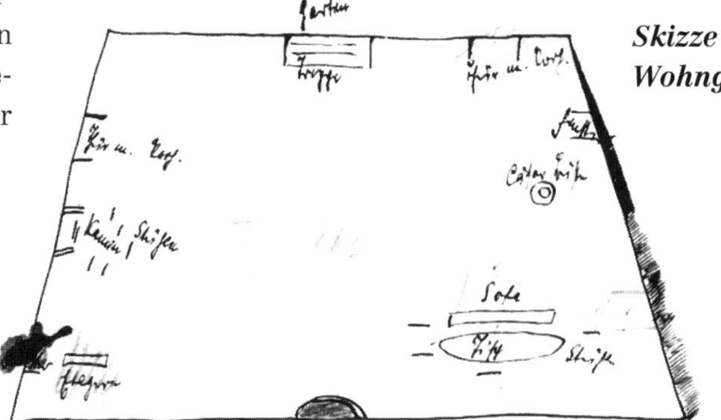

Skizze zur Beschreibung von Lorenzos Wohngemach im 3. Akt

Sie steht noch einen Augenblick unbeweglich und kommt dann, in der Haltung, wie Pico sie beschrieb, mit rechtwinklig gebogenen Armen, die Hände auf dem Leibe zusammengelegt, schlank aufgerichtet und zurückgelegten Hauptes, aber mit tiefniedergeschlagenen Augen, auf dem Mittelwege langsam nach vorn. Sie ist von einer kostbaren und wundervoll künstlichen Schönheit. Ihre Erscheinung ist streng linear, ruhevoll symmetrisch, fast maskenhaft. Ihr Haar, in ein dünnes Tuch eingebunden, fließt zu beiden Seiten der Wangen in blonden, ebenmäßigen Locken darunter hervor. Über ihren länglich geschnittenen Augen sind die Brauen auf irgend eine Weise entfernt oder unsichtbar gemacht, sodaß die nackte Partie über den gesenkten oberen Lidern mit empfindlichem Ausdruck aufwärts gezogen zu sein scheint. Die Haut ihres Gesichtes ist wie poliert, straff, gespannt; ihre klar umrissenen Lippen sind in einem vieldeutigen Lächeln geschlossen. Um ihren langen, weißen Hals liegt eine ganz feine goldene Kette. Ihr starres Brokatkleid, mit dunklen, engen und leicht durchbrochenen Sammetärmeln ist so geschnitten, daß der Leib ein wenig hervortritt, und auf der Brust ein Stück des verschnürten Mieders sichtbar ist.

Aus der Erstausgabe der «Fiorenza»

Fiore
Domenico Ghirlandaio,
Giovanna Tornabuoni, 1488
Kalenderblatt aus dem Arbeitsmaterial
zu «Fiorenza»

Thomas Manns Reise nach Florenz, 1901

Der Plan, ein Renaissance-Drama zu schreiben, geht zurück bis in die Buddenbrooks-Zeit. Thomas Mann las Literatur über Florenz, sammelte Bilder, besuchte Ausstellungen und reiste im Mai 1901 selbst nach Florenz.

Ich bin natürlich hauptsächlich in Fra Girolamos Spuren gewandelt, war schließlich im Kloster San Marco ganz zu Hause und habe überhaupt Manches profitiert. Die Möglichkeit, einen Savonarola zu schreiben, ist mir entschieden näher gerückt, wenn ich vorderhand auch noch anderes zu thun habe.

An Paul Ehrenberg, 26. Mai 1901

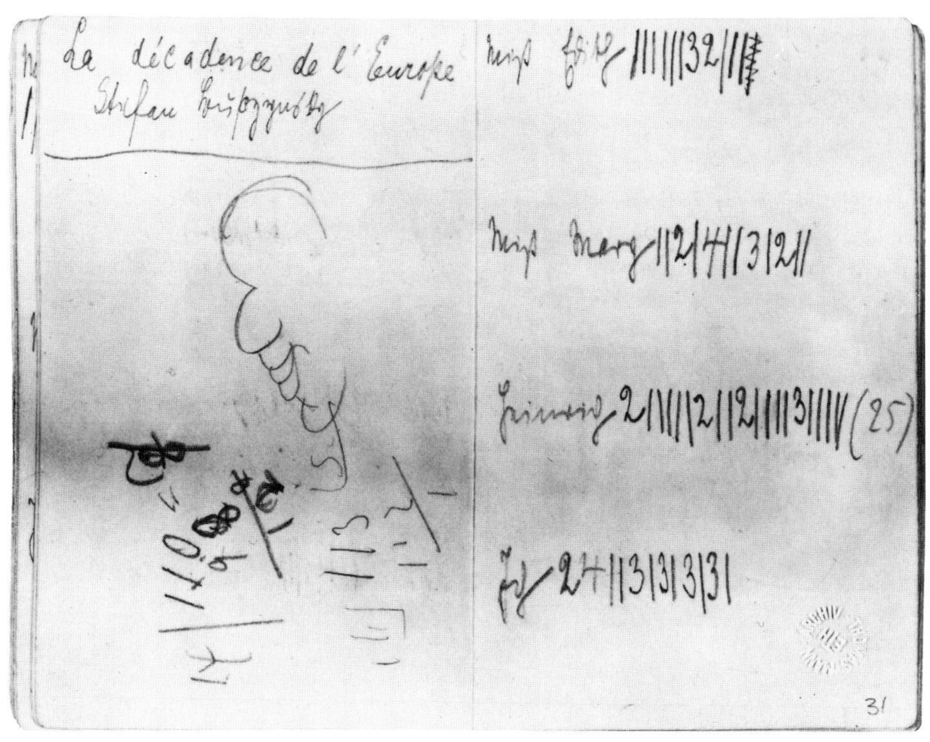

Kartenspiel mit Mary, Edith und Heinrich, Florenz 1901
Aus dem 4. Notizbuch

Mary Smith

In diese Tage fällt die Begegnung mit der Engländerin Mary Smith. Sie ist unbekannt geblieben. Thomas Mann hat ihr «Gladius Dei» gewidmet.

Schon einmal, mehrere Jahre zurück, hatte ich dicht vor der Heirat gestanden. In einer Florentiner Pension hatte näherer Umgang mit zwei Tischgenossinnen, Schwestern aus England, sich ergeben, von denen ich die Ältere, Dunkle sympathisch, die Jüngere, Blonde reizend fand. Mary, oder Molly, erwiderte meine Zuneigung, und ein zärtliches Verhältnis entwickelte sich, von dessen ehelicher Befestigung zwischen uns die Rede war. Was mich schließlich zurückhielt, war das Gefühl, es möchte zu früh sein, es waren auch Bedenken, die die fremde Nationalität des Mädchens betrafen. Ich glaube, die kleine Britin empfand ähnlich, und jedenfalls löste die Beziehung sich in nichts auf.

Lebensabriß (XI, 117 f.)

Miß Edith und Miß Mary lassen grüßen. Erstere möchte Dein Schlaraffenland lesen. Sie hat damals, unbegreiflicher Weise, darauf gewartet, daß Du es ihr anbötest. Miß Mary, deren Geburtstag vorgestern war und der ich ein Körbchen Zuckerfrüchte geschenkt habe, hat mir viel Freude gemacht. Aber nun werde ich ihr, glaube ich, zu melancholisch. She is so very clever, und ich bin so dumm, immer die zu lieben, die clever sind, obgleich ich doch auf die Dauer nicht mitkann.

An Heinrich Mann, 7. Mai 1901

Gladius Dei

To M. S. in remembrance of our days in Florence.

Widmung in «Tristan», Novellen, 1903

Ein schönes Kind mit blinden Augen

Die Uraufführung von «Fiorenza» fand erst am 11. Mai 1907 im Frankfurter Schauspielhaus statt. Die Kammerspiele Berlin führten das Drama am 3. Januar 1913 auf. Die Berliner Kritiken waren schlecht, die gehässigste stammte aus der Feder des gefürchteten Alfred Kerr. Thomas Mann selbst bezeichnete das Stück als «schönes Kind mit blinden Augen».

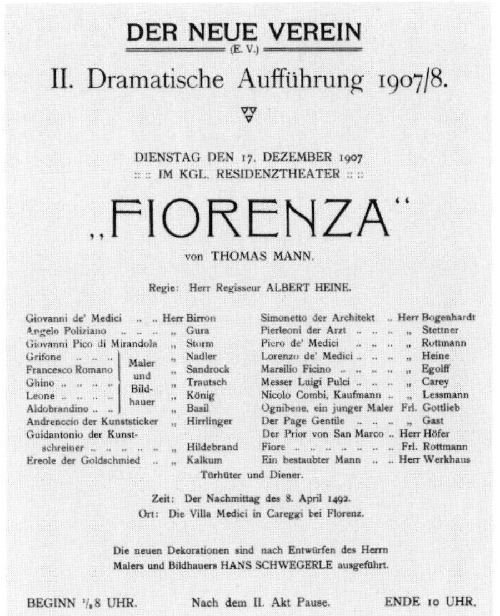

DER NEUE VEREIN
(E. V.)
II. Dramatische Aufführung 1907/8.

DIENSTAG DEN 17. DEZEMBER 1907
:: :: IM KGL. RESIDENZTHEATER :: ::

„FIORENZA"
von THOMAS MANN.

Regie: Herr Regisseur ALBERT HEINE.

Giovanni de' Medici	Herr Birron	Simonetto der Architekt ..	Herr Bogenhardt
Angelo Poliziano	„ Gura	Pierleoni der Arzt	„ Stettner
Giovanni Pico di Mirandola	„ Storm	Piero de' Medici	„ Rottmann
Grifone .. .. .. (Maler und Bildhauer)	„ Nadler	Lorenzo de' Medici	„ Heine
Francesco Romano (Maler und Bildhauer)	„ Sandrock	Marsilio Ficino	„ Egolff
Ghino .. .. (Maler und Bildhauer)	„ Trautsch	Messer Luigi Pulci	„ Carey
Leone .. .. (Maler und Bildhauer)	„ König	Nicolo Combi, Kaufmann ..	„ Lessmann
Aldobrandino .. .. (Maler und Bildhauer)	„ Basil	Ognibene, ein junger Maler	Frl. Gottlieb
Andrenccio der Kunststicker	„ Hirrlinger	Der Page Gentile	„ Gast
Guidantonio der Kunstschreiner	„ Hildebrand	Der Prior von San Marco ..	Herr Höfer
Ereole der Goldschmied ..	„ Kalkum	Fiore	Frl. Rottmann
		Ein bestaubter Mann	Herr Werkhaus

Türhüter und Diener.

Zeit: Der Nachmittag des 8. April 1492.
Ort: Die Villa Medici in Careggi bei Florenz.

Die neuen Dekorationen sind nach Entwürfen des Herrn Malers und Bildhauers HANS SCHWEGERLE ausgeführt.

BEGINN 1/2 8 UHR. Nach dem II. Akt Pause. ENDE 10 UHR.

Ankündigung der «Fiorenza»-Aufführung des Neuen Vereins, München, 17. Dezember 1907

Daß Kerr und Thomas Mann einander nicht hold waren, hat einen sehr persönlichen Grund: Als Katja, 21jährig, mit ihrer Mutter an der Ostsee im Urlaub weilte, war auch Alfred Kerr dort. Er verliebte sich sogleich in sie und hielt, kaum war's geschehn, auch schon um ihre Hand an. Diesem Wunsch könne sie nicht entsprechen, sie sei nämlich schon verlobt. Als Kerr aber den Namen des «Verlobten» erfuhr, «geriet er fassungslos in Wut, raufte sich den Bart und schwor, nun könne er sich nur noch sinnlos betrinken oder sich umbringen oder gar beides». So hat es Katja Mann in ihren «Ungeschriebenen Memoiren» berichtet.

Kerrs Verriss

I
Was man aus Geschichtsbüchern über die Renaissance kennengelernt hat, kommt hier in einer blassen, doch fleißigen, durch selbständige Kraft nicht bestürzenden, doch wenigstens manchmal geschmackvollen Auswahl, nur etwas langwierig, zur Wiederholung. Der Verfasser ist ein feines, etwas dünnes Seelchen, dessen Wurzel ihre stille Wohnung im Sitzfleisch hat. Was zu ersitzen war, hat er hier ersessen. Es gibt ja zwei Gattungen von Schriftstellern; die erste gleicht in irgend etwas dem raschen Siegfried: heiter; unverwundbar kraft einer hörnenen Haut; schier; blitzend. Die andre Gattung (zu ihr zählt Herr Th. Mann) ist weniger im Blitzen als im Sitzen stark. Bei dieser Gattung bildet sich die Siegfried-Hornhaut nur an einer Stelle. Doch manche, wenn auch schwächliche Hübschheit sprießt und füllt achtungsvoll-sympathisch ihr Plätzchen.

II
In der Mitte steht eine Frauensperson, die offenbar als Gleichnis für die Stadt Florenz zu gelten vom Verfasser gewünscht worden ist. (Mancherlei Fingerzeige deuten hierauf.) Das Bildnis jener Frau ist, wo nicht alles trügt, nicht vom Blitz gezeichnet, sondern … gewissermaßen Philologenarbeit. Mehr eine Gemäldebeschreibung als Blutempfundenes. Herr Mann sah Fiore-Fiorenza gewiß mit den Augen, die über der Schreibtischplatte sind, aber auch gewissermaßen mit denen unterhalb dieser.

Berliner Tageblatt, 5. Januar 1913

Alfred Kerr
Karikatur von Benedikt Fred Dolbin

Von einer Überzeugung war Alfred Kerr […] fest durchdrungen: daß er ein größerer schöpferischer Geist war als die meisten Dramatiker, die er kritisierte …
Kerr reckt sich in jeder Zeile, die er schreibt, daß die Muskeln fast platzen und die Knochen knacken – man merkt das Gewaltsame, Affektierte. Davon hatte er auch als Mensch manches an sich.

Aus B. F. Dolbin/Willy Haas, Gesicht einer Epoche, München 1962

Thomas Mann, um 1905

1905–1909 Ein strenges Glück

Katja Pringsheim
«Königliche Hoheit»
Pater familias
«Schwere Stunde» und der «Friedrich»-Plan
«Wälsungenblut»

Katja Pringsheim

Katja, die «Prinzessin»

Die Märchenbraut

Wenn du wüßtest, was für Wunder und wilde Mären ich mir in diesen Tagen – und Nächten – habe träumen lassen ... Ich Narr! Ich Geck! der besser thäte, sich auf die Hosen zu setzen und etwas Gutes zu arbeiten, anstatt solchen Zaubermärchen nachzuhangen.

Was Thomas Mann am 29. August 1903 an Otto Grautoff schreibt, bezieht sich auf eine junge Dame, die ihm auf der Trambahn, aber auch im Theater aufgefallen war – «den Silbershawl um Ihre Schultern, Ihr schwarzes Haar, die Perlenblässe Ihres Gesichtes darunter». Er sieht in Katja Pringsheim von Anfang an eine Märchenbraut, eine Prinzessin, eine Königin. Das Leben als Märchen, das Märchen als Leben.
Eigentlich wollte sie ihn nicht. Sie fühlte sich zu jung, auch war ihr der Schriftsteller wohl ein bißchen unheimlich. Eine Einladung bei einem Münchner Rechtsanwalt brachte die beiden erstmals zusammen, Einladungen im palastähnlichen elterlichen Haus an der Arcisstraße folgten. Sie entzog sich, hielt ihn hin. «Sonnabend d. 9ten April: Große Aussprache mit K. P.» Das führte zu nichts, auch nicht zu einer Ablehnung. «Montag d. 16. Mai: Zweite große Aussprache mit K. P. Seit Donnerstag d. 19. Mai begann die Wartezeit.» Katja verreiste, nach Kissingen zuerst, zum kranken Vater, dann an die Ostsee.

In dieser Zeit schrieb ihr Thomas Mann die inzwischen berühmt gewordenen Briefe:

Ich weiß ja, weiß es so schrecklich gut, wie sehr *ich* Schuld bin an der ‹Art von Unbeholfenheit oder so etwas› (dieses rührende ‹oder so etwas!›), die Sie mir gegenüber so leicht empfinden, wie sehr ich durch meinen ‹Mangel an Harmlosigkeit›, an Unbefangenheit, an Unbewußtheit, durch die ganze Nervosität, Künstlichkeit und Schwierigkeit meines Wesens es jedermann, auch den Wohlmeinendsten, erschwere, mir näher zu kommen oder überhaupt auf leidlich behagliche Art mit mir fertig zu werden; und das betrübt mich umso mehr, wenn ich, was bei all dem ganz unglaublich oft geschieht, jenes wärmere Interesse, das man Sympathie nennt, aus dem Verhalten der Leute gegen mich herausfühle ...
Und dann:
Sie wissen, welch kaltes, verarmtes, rein darstellerisches, rein repräsentatives Dasein ich Jahre lang geführt habe; wissen, daß ich mich Jahre, *wichtige* Jahre lang als Menschen für nichts geachtet und nur als Künstler habe in Betracht kommen wollen ... Sie begreifen auch, daß dies kein leichtes, kein lustiges Leben sein und selbst bei starker Antheilnahme der Außenwelt kein gelassenes und keckes Selbstvertrauen zeitigen kann. Eine Heilung von dem Repräsentativ-Künstlichen, das mir anhaftet, von dem Mangel an harmlosem Vertrauen in mein persönlich-menschliches Theil ist mir durch Eines möglich: durch das Glück; durch *Sie* meine kluge, süße, gütige, geliebte kleine Königin! ... Was ich von Ihnen erbitte, erhoffe, ersehne, ist Vertrauen, ist das zweifellose Zumirhalten selbst einer Welt, *selbst mirselbst* gegenüber, ist etwas wie Glaube, kurz – ist *Liebe* ...

An Katja Pringsheim, Ende Juni 1904

Friedrich von Kaulbach, Kinderkarneval, 1892
Die Pringsheimkinder als Pierrots (links außen Katja als Pierrette).

Kaulbachs Bild «Kinderkarneval» war so bekannt, daß auch Thomas Mann – schon als Sekundaner in Lübeck – eine Reproduktion davon besaß.

Es waren aber die Kinder des Münchener Mathematikprofessors Pringsheim, die die Maler-Exzellenz auf einem Faschingsfest – wahrscheinlich im prächtigen Elternhause – in diesen Kostümen mit so viel Vergnügen gesehen, daß er sich ihre Porträtierung ausgebeten hatte. Und so habe ich meine zukünftige Frau schon als Schuljunge, in ahnungslosem Wohlgefallen, dauernd vor Augen gehabt.

Katja Mann zum siebzigsten Geburtstag (XI, 523)

Katja Pringsheim
Kinderporträt von Franz von Lenbach.

Katjas Eltern: Prof. Alfred Pringsheim (1850–1941) und Frau Hedwig Pringsheim, geb. Dohm (1855–1942)

Ich bin gesellschaftlich eingeführt, bei Bernsteins, bei Pringsheims. Pringsheims sind ein Erlebnis, das mich ausfüllt. Tiergarten mit echter Kultur. Der Vater Universitätsprofessor mit goldener Cigarettendose, die Mutter eine Lenbach-Schönheit, der jüngste Sohn Musiker, seine Zwillingsschwester Katja (sie heißt Katja) ein Wunder, etwas unbeschreiblich Seltenes und Kostbares, ein Geschöpf, das durch sein bloßes Dasein die kulturelle Thätigkeit von 15 Schriftstellern oder 30 Malern aufwiegt ... Dies spricht der Rausch: aber es ist diesmal einer, der, wenn ich in ihm handle, unermeßliche Folgen der verschiedensten Art haben kann. Eines Tages fand ich mich in dem italienischen Renaissance-Salon mit den Gobelins, den Lenbachs, der Thürumrahmung aus giallo antico und nahm eine Einladung zum großen Hausball entgegen. Es war am nächsten Abend. 150 Leute, Litteratur und Kunst. Im Tanzsaal ein unsäglich schöner Fries von Hans Thoma. Ich hatte Frau Justizrath Bernstein (Ernst Rosmer) zu Tisch. Zum ersten Mal seit den 18 Auflagen war ich in großer Gesellschaft und hatte in der anstrengendsten Weise zu repräsentieren.

An Heinrich Mann, 27. Februar 1904

Musiksaal im Hause des Professors Pringsheim, München

Katja Pringsheim als Studentin, um 1900

Katja Pringsheim als Abiturientin, 1900
Zur Zeit, als sie Thomas Mann kennenlernte, studierte sie Mathematik an der Universität München.

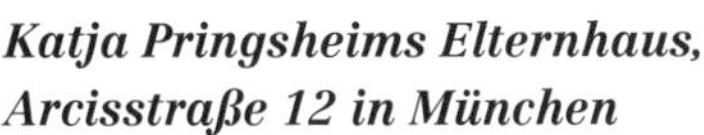

Katja Pringsheims Elternhaus, Arcisstraße 12 in München

Die Familie Pringsheim bei der Teestunde
Links am Tisch die 5 Kinder (Katja stehend), ferner die Eltern und Verwandte.

Hedwig Dohm (1833–1919)
Hedwig Dohm, die Großmutter von Katja Mann, war Schriftstellerin und Frauenrechtlerin, Gattin von Ernst Dohm, dem Gründer und Herausgeber des Berliner Blattes «Kladderadatsch». Sie wohnte im Tiergartenquartier zu Berlin.

Sie war eine eifernde Verfechterin der Ehre ihres Geschlechtes und seines unbedingten Anspruchs auf Gleichberechtigung, eine leidenschaftliche Kämpferin für das, was man damals Frauenemanzipation nannte, ja eine anerkannte Führerin dieser Bewegung, und als ich während meiner Verlobungszeit in Berlin ihre Bekanntschaft machte, bekam ich es wohl zu spüren, daß sie mich als einen Räuber an dem freien und ebenbürtigen geistigen Streben des Weibes betrachtete.

Es war eine der denkwürdigsten Bekanntschaften meines Lebens, vielleicht die denkwürdigste. Der Zauber von Little Grandma's Erscheinung und Persönlichkeit war unbeschreiblich und machte einen Eindruck auf mich, der sich bei jedem Wiedersehen im Lauf der Jahre bis zu ihrem Tode – sie ist nun schon mehr als zwanzig Jahre tot – in Rührung und Bewunderung erneuerte. Äußerst zierlich von Gestalt und gekleidet in ein schlicht fließendes, von aller Mode ‹emanzipiertes› graues Gewand, besaß sie den malerischsten, mild-bedeutendsten Kopf, den ich je gesehen, ein wahres Sibyllenhaupt, das Haupt einer gütigen alten Fee.

Little Grandma (XI, 469)

Verlobung und Hochzeit

Die Briefe an die Braut überwinden schließlich deren «Entschließungsangst». Triumphierend kann Thomas Mann im Oktober 1904 dem Bruder und Kurt Martens, dem Vertrauten dieser Monate, die Verlobung melden. Dem Bruder gegenüber glaubt er sich entschuldigen zu müssen:

München d. 23. XII. 1904
Ainmillerstraße 31 III

Lieber Heinrich:
Jetzt zu Weihnachten muß denn doch irgend etwas geschehen, das sehe ich wohl; ich bedarf Deiner Nachsicht und Einsicht ohnedies nur zu sehr. Du wirst begreifen: diese Zeitläufte sind dem Briefschreiben so ungünstig, sie führen für mich so viel Erregung und Verwirrung und Anspannung und Abspannung mit sich, daß ich Dich nicht hindern konnte, in der Ferne den Eindruck zu gewinnen, als hätte ich es überhaupt aufgegeben, mich um das nicht ganz simple Problem unseres Verhältnisses noch weiter zu grämen und als lebte ich skrupellos meinem «Glücke» ... Nun, das ist natürlich Unsinn. Das «Glück» selbst müßte etwas minder Problematisches sein, damit es sich so verhalten könnte – und mein Mißtrauen dagegen geringer. Das Glück ist ganz und gar etwas Anderes, als diejenigen, die es nicht kennen, sich darunter vorstellen. Es ist schlechterdings nicht geeignet, Ruhe und Behagen und Skrupellosigkeit ins Leben zu bringen, und ich bestreite ausdrücklich, daß es zur Erleichterung und Erheiterung beizutragen vermag. Ich habe das gewußt. Nie habe ich das Glück für etwas Leichtes und Heiteres gehalten, sondern stets für etwas so Ernstes, Schweres und Strenges wie das Leben selbst – und vielleicht meine ich das Leben selbst. Ich habe es mir nicht «gewonnen», es ist mir nicht «zugefallen», – ich habe mich ihm unterzogen, aus einer Art Pflichtgefühl, einer Art von Moral, einem mir eingeborenen Imperativ, den ich, da er ein Zug vom Schreibtische weg ist, lange als eine Form von Liederlichkeit fürchtete, den ich aber mit der Zeit doch als etwas Sittliches anzuerkennen gelernt habe. Das «Glück» ist ein Dienst – das Gegentheil davon ist ungleich bequemer; und ich betone das, nicht, weil ich irgend etwas wie Neid bei Dir voraussetzte, sondern weil ich argwöhne, daß Du im Gegentheile sogar mit etwas Geringschätzung auf mein neues Sein und Wesen blickst. Thu das nicht. Ich habe es mir nicht leichter gemacht. Das Glück, mein Glück ist in zu hohem Grade Erlebnis, Bewegung, Erkenntnis, Qual, es ist zu wenig dem Frieden und zu nahe dem Leide verwandt, als daß es meinem Künstlerthume dauernd gefährlich werden könnte ... Das Leben, das Leben! Es bleibt eine Drangsal. Und so wird es mich denn wohl auch mit der Zeit noch zu ein paar guten Büchern veranlassen.
Um aber ein wenig gegenständlicher zu werden – so weiß ich nicht, ob Du Dich völlig in meine Lage versetzen kannst. Es gilt, sich, mit nicht immer ganz frischen Kräften, in eine ganz neue Daseinsform einzuarbeiten, in einem nie gewohnten Grade aktiv zu sein, überhaupt zu «sein», während man früher nur repräsentirte. Ich mache meine Sache nicht schlecht, wie es scheint. Man versichert mir daß ich viel weltlicher geworden bin; und zum Frack trage ich eine hellgraue Velvet-Weste mit Silberknöpfen. Dies sei als symbolische Pointe hergesetzt, damit ich nicht zu weitläufig zu werden brauche. Sonst bekommst Du den Brief noch nicht einmal am ersten Feiertage ... Nochmals, es gilt andauernd, sich menschlich stramm zu halten, und oft genug läuft das ganze «Glück» auf ein Zähne zusammenbeißen hinaus. Die letzte Hälfte der Werbezeit – nichts als eine große seelische Strapaze. Die Verlobung – auch kein Spaß, Du wirst das glauben. Die absorbirenden Bemühungen, mich in die neue Familie einzuleben, einzupassen (soweit es geht). Gesellschaftliche Verpflichtungen, hundert neue Menschen, sich zeigen, sich benehmen. Berlin – ein üppiges Abenteuer. Lübeck – ein skurriler und rührender Traum. Und zwischendurch tagtäglich die fruchtlosen und enervirenden Extasen, die dieser absurden Verlobungszeit eigenthümlich sind: dies Alles aufgezählt noch immer als Entschuldigung für mein Schweigen. Du wirst verstehen; ich konnte nicht anders. Selbst mit dem Alleinsein war nichts anzufangen. Es giebt ein oberflächliches Alleinsein wie es einen oberflächlichen Schlaf giebt. Erst jetzt wird es langsam ein bischen besser, ruhiger, gewohnter, wurschtiger. [...]
Nun, vorher kommt noch Weihnachten, und es ist jammerschade, daß Du nicht dabei sein kannst. Es wird völlig neuartig und amüsant dies Jahr. Am zweiten Feiertage sind die Mutter, Löhrs, Vicco und Grautoff mit mir bei Pringsheims. Doch eine wunderliche Constellation, die ich da bewerkstelligt habe!
Aber zur Hochzeit kommst Du doch sicher! Es soll garnicht strapaziös werden. Nicht einmal kirchliche Trauung (Katja mag nicht) und das Diner im allerengsten Familienkreise, in dem aber Du keinesfalls fehlen darfst. Ich freue mich schon längst darauf, Dich in der Arcisstraße einzuführen; auch ist man dort sehr gespannt, Deine Bekanntschaft zu machen. Deine Kunstleistung weiß man sehr zu schätzen, und ich zweifle keinen Augenblick, daß auch Dir die neue Familie durchaus angenehm sein wird. Bislang verträgt sich Alles vorzüglich. Die Mutter wird von Katja schon «Mama» und «Du» genannt, und Lula ist mit Katja schon so weit, daß sie neulich auf der Straße zu ihr gesagt hat: «Guten Tag, Du Löweneckerchen!» Und dabei weiß man nicht einmal, was ein Löweneckerchen ist.

An Heinrich Mann, 23. Dezember 1904

Thomas Mann und Katja Pringsheim zur Zeit ihrer Verlobung
Am 3. Oktober 1904 verlobte sich Thomas Mann mit Katja Pringsheim. Die Hochzeit fand am 11. Februar 1905 in München statt, die Hochzeitsreise führte nach Zürich und Luzern.

Als Ehegatte

Eine kirchliche Trauung gab es nicht, sehr zum Leidwesen von Thomas Manns Mutter. Über den Hochzeitstag, den 11. Februar 1905, schreibt Julia Mann ihrem Sohn Heinrich:

Aber wie war ich froh, meinen Jungen den letzten Abend u. noch d. anderen Vormittag ganz für mich zu haben! Wir aßen gemütlich und gingen um 10 1/2 zur Ruhe. Geschlafen habe ich dann nicht. Mir ging's in Kopf u. Herzen herum wie ruheloser Spuck. T. gegenüber nahm ich mich natürlich zusammen; früh besorgte ich für ihn ein Myrtensträußchen u. half ihm dann seine mitzunehmenden und zurückbleibenden Sachen packen; bis er zum Standesamt, vorher zum Friseur mußte. Inzwischen ging ich zu Löhrs, Evele hatte etwas Influenza, ist aber jedesmal recht froh, wenn sie mich sieht, ihr Verstand sagt ihr jetzt, daß ihre Großmami ihr näher steht als Hekkele. – Dann ging ich zurück, bestellte Wagen, u. nachdem T. zurückkam – als Ehegatte! –, warfen wir uns in Hochzeitskleider, ich in das lila von Löhrs Hochzeit, jetzt schwarz gefärbt und sehr einfach gemacht; es war mir aber alles einerlei, fein sah ich ja doch aus. – 1 1/4 Uhr fuhren wir zur Arcisstr. 12, wo außer Eltern und Brüdern nur noch die Patin Katias, Frau Dr. Schäuffelen u. Gatte, eine plötzlich zugereiste Tante der Mutter, Grautoff und eine Freundin K.s anwesend waren. Löhrs kamen zuletzt. Katia hatte weiße Crêpe-de-Chine-Toilette mit Spitzen garniert u. Myrtenkranz – ohne Schleier! –, sie äußerte einmal, mit Schleier käme ihr die Braut wie ein Opfertier vor. – Nun diese Räume u. ihre Einrichtung, Fresken von Thoma, Porträts von Lenbach u. Kaulbach, diese Bibliothek! Diese alten Gobelins. Du wirst doch, trotzdem Du viel gesehen, immer noch Anlaß zur Bewunderung finden. Im großen Saal eine große Tafel voller schönster Blumen und vielen Hochzeitsgaben; erwähnen will ich noch eine Büste, Gotik aus dem Bamberger Dom, von Grautoff; ein einzelnes Stück, das schwer nachzuhaben sei. – Man ging zu Tische in den kleineren Saal – 15 Personen, herrlich geschmückte Tafel. Telegramme kamen u. waren schon früher eingetroffen, nur schade, daß sie bei Tische nicht kursierten, es wurden nur die Absender genannt. Ich habe aber nicht alles gehört, weiß nur bestimmt, daß speziell Tommy tel. Glückw. erhielt von Dir, Carla, Tante El[isabeth], Tante Stolterf[oht], P. Ehrenb[erg], Ida Springer u. Alfred Mann. Ich saß natürl. neben dem Professor, den ich, selbst nicht sehr heiter, immer in möglichst guter Laune erhielt; er seinerseits hielt soviel als möglich Katias Hand in der seinen. Rechts von mir der Zwillingsbruder Klaus, Komponist, dem der Abschied von K. natürlich recht nahe geht; ein Abschied ja eigentl. bloß illusorisch, da K. in München bleibt u. soviel sie kann u. mag zu ihnen u. sie wiederum zu ihr gehen können; auch glaube ich, daß K. immer dieselbe bleiben und in derselben haustöchterlichen Weise, ganz ihnen gehörend, fortleben wird – Tommy aber leicht verübeln wird, wenn er sich auch einmal nach Mutter und Geschwistern sehnt. – Na, dies ist ja schon eine kurze Auslassung dessen, was ich empfinde, Heinrich. – Also, Reden sollten nicht gehalten werden, jedoch erhob sich der alte Freund Dr. Schäuffelen mit annähernd folgenden Worten: «Verehrte Versamml., ich bin nicht Redner, sondern nur Hörer; in letzter Zeit sprach Prof. Pringsh. in den Vorlesungen über Kongruenz – hier haben wir nun d. schönste Kongruenz, etc. – ich bin nur Hörer u. hege den innigen Wunsch, von diesem Paare immer das Schönste und Beste zu hören!!» – Er sprach's natürl. nicht so abbreviert, sehr herzlich u. nett. Frau Professor trank auf das Wohl aller beiderseitigen Geschwister, Tanten u. Onkel. Dann erhob sich Tommy: «Verehrte Gesellschaft, erschrecken Sie nicht, ich will mich kurz fassen, bitte Sie nur, zuzuhören: Mumme, Pumme, Miemchen, Fink u. Fey – hoch!» Dies fand großen Beifall mit Heiterkeit. – Vater Pr. sprach leise zu mir, er könne partout nicht reden, ich möge doch seine aufrichtigen Gesinnungen auch so anerkennen u. mit ihm privat auf mein Wohl trinken; das geschah, u. darauf sprach er zur Versammlung, wenn sie jetzt mit mir anstoßen wollten, so hätten wir nichts dagegen, wir hätten die Sache privatissime abgetan. – Und so wurde alles in allem die Sache der Verheiratung meines Tommy so durchaus andersartig vollzogen, auch an Kirche und Pastor gar nicht gedacht; Katia ist ruhig, äußerlich kühl – hoffentlich nicht auch innerlich. Daher, weil ich darüber noch im finstern tappe, ist mir immer, als wenn ich T. nicht genug Liebe erzeigen könne, und ich fühlte in letzter Zeit, daß es auch ihn wieder viel mehr zu Mutter u. Geschwistern zog! –

Julia Mann an Heinrich, 16. Februar 1905

«Mumme, Pumme, Miemchen, Fink u. Fey» – das waren Katjas Großeltern aus Berlin (Paula und Rudolf Pringsheim), Hedwig Dohm, Hedwig und Alfred Pringsheim.

Auf der Hochzeitsreise wohnten Thomas und Katja im Hotel Baur au Lac, Zürich:

[...] wo ich zur Zeit mit Katja auf größtem Fuß lebe, mit «Lunch» und «Diner» und abends Smoking und Livree-Kellnern, die vor einem her laufen und die Thüren öffnen ...

An Heinrich Mann, 18. Februar 1905

UND DANN

1925, in seinem Aufsatz «Über die Ehe», wird Thomas Mann das Verhältnis von Liebe und Ehe mit Hilfe von Hegel bestimmen:

Hegel hat gesagt, der sittlichste Weg zur Ehe sei der, bei dem zuerst der Entschluß zur Verehelichung stehe und dieser dann schließlich die Neigung zur Folge habe, so daß bei der Verheiratung beides vereinigt sei. Ich habe das mit Vergnügen gelesen, denn es war mein Fall [...].

Der Wille zur Verehelichung bedeutete um 1903/04 auch das Einlenken in die Konvention. Nach dem Erlebnis mit Ehrenberg faßte Thomas Mann den Entschluß, sich eine «Verfassung» zu geben, wie er dem Bruder am 17. Januar 1906 schrieb. In Georges Leben läßt sich ein ähnlicher Versuch feststellen. 1892, nach der Begegnung mit Hofmannsthal, wendet er sich Ida Coblenz zu. Aber er ist nicht sicher genug, das Schicksal zu zwingen oder zu spielen, und da sie selbst das Wort nicht sagt, bleibt er allein in seiner Unsicherheit. In seinem «letzten Brief», nicht abgesandt und erst Jahre später publiziert, wendet er sich brüsk von ihr ab und läßt seine Liebe in Haß umschlagen. Thomas Mann hat, mit seinen beschwörenden Briefen an Katja, das Märchen verwirklicht. Schließlich konnte er, unübersehbar und eindrücklich, als «pater familias» auftreten.

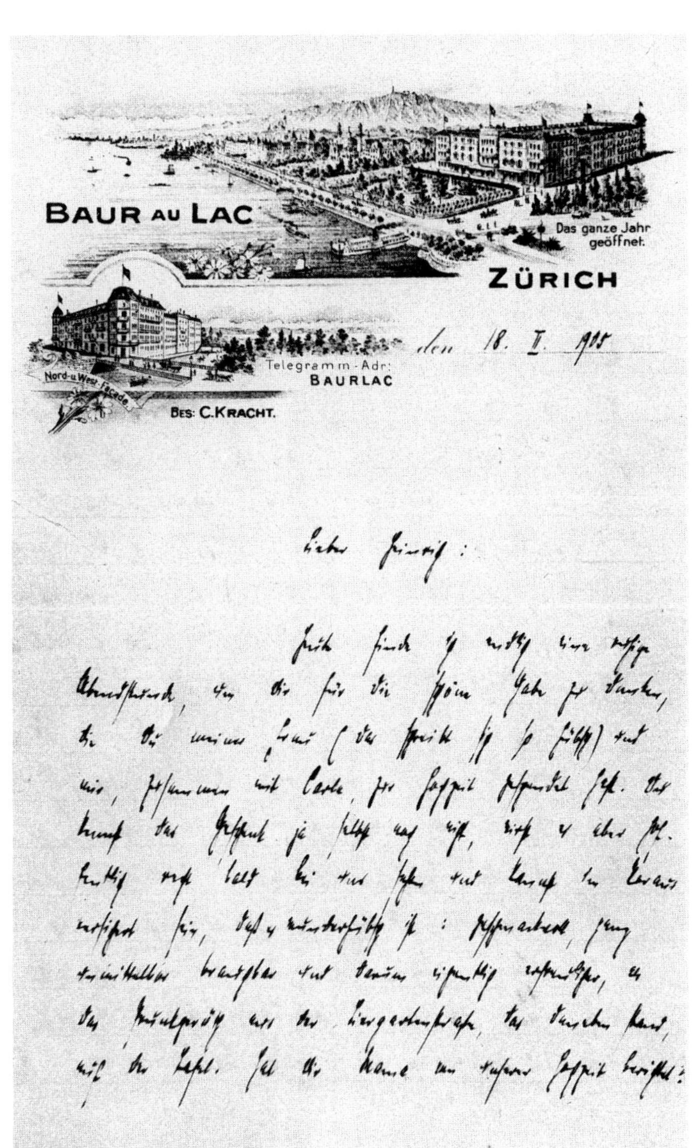
BAUR AU LAC
Das ganze Jahr geöffnet.
ZÜRICH
Nord- u. West-Façade
Telegramm-Adr: BAURLAC
Bes: C. KRACHT.

Die Hochzeitsreise
Brief an Heinrich Mann vom 18. Februar 1905

Königliche Hoheit

«Königliche Hoheit»
Illustration von Gottfried Rasp 1961
im Bertelsmann Lesering

Ursprünglich sollte «Königliche Hoheit» die verträumte Existenz eines Prinzen schildern, der auf einem abgeschiedenen Märchenschloß lebt und den Zugang zur Welt nur schwer findet. Der lebensängstliche Prinz wäre wieder eine Allegorie des einsamen Künstlers gewesen.

Man führt, möchte ich sagen, ein symbolisches, ein repräsentatives Dasein, ähnlich einem Fürsten, – und, sehen Sie! in diesem Pathos liegt der Keim zu einer ganz wunderlichen Sache, die ich einmal zu schreiben gedenke, einer Fürsten-Novelle, einem Gegenstück zu «Tonio Kröger», das den Titel führen soll: «Königliche Hoheit» ...

An Walter Opitz, 5. Dezember 1903

Prinz Klaus Heinrich hat als einzige Gespielin seine Schwester. Mit ihr vertreibt er die Nachmittage im Park, Märchen hörend, Märchen spielend: die Königskinder.

Die Fürsten-Novelle

Illustration zu «Ihre Hoheit» aus Herman Bangs «Excentrischen Novellen»

Nur schon die Stimmungen von Bangs Novelle mußten Thomas Mann ergreifen: das Verdämmern in Wehmut, der Schmerz der Einsamkeit, die Sehnsucht nach dem fernen Leben, dazwischen die Blitze von Ironie und Satire – die Mischung von Kritik und Dekadenzgefühl. Die kleine Prinzessin Karolina auf der Schloßterrasse hinter Gittern und Hecken, ausgestellt und ausgeschlossen, behütet und gedrillt. Draußen die Menge der kreischenden Kinder, sie in der Stille des Parks. «Ihre Hoheit Prinzessin Karolina hatte schon viele Jahre bei Hofe repräsentiert. Es waren jedes Jahr dieselben Feste.» Die entsagungsvolle, peinliche und stumm-verzweifelnde Liebe der Prinzessin zu einem nichtsahnenden und nichtswürdigen Schauspieler. Wie sie am Hoffest allein auf dem Balkone steht und zusieht, wie «das gekrönte M. K. in Grün und Gelb» über den Schloßkanal hingleitet und erlischt.

Ein repräsentatives Dasein

Im Parkhotel Düsseldorf notiert sich Thomas Mann anfangs Oktober 1903:

Gala-Umgebung: Park-Hôtel. Lift-Boy mit der Mütze am Oberschenkel. Die noblen Bediensteten dürfen nicht reden, sonst verlieren sie stark. Treppen u. Korridore mit weißen Marmorböden u. Läufern. (Schloß) Bett, Spiegel, Beleuchtung, – Luxus. Wieviel leichter es dennoch die Nicht-Hervorragenden haben. Kein Behagen, nur Würde. Könnte es bequemer, menschlicher haben, verschmäht aber die «Gemüthlichkeit» u. sucht das Schwere, Fürstliche. – Schlafzimmer: Möbel aus hellgelbem Holz. Tapete graublau, längsgestreift; hellgrauer Teppich durchs ganze Zimmer. Weiß lackirte Doppelthür mit messingnem Griff u. Riegel. – Niemand spricht zu ihm. Niemand geht laut in seiner Nähe. Befehle werden in etwas geneigter Haltung, ernst, mit hochgezogenen Brauen u. einem ganz gedämpften «Jawohl, Kgl. Hoheit» entgegengenommen. – Eine kleine Nachmittagserfrischung wird servirt: Auf einem weiß gedeckten Theebrett ein silberner Henkelkorb mit Früchten, ein Teller mit Biscuits auf einer Papierspitze, eine geschliffene Schale mit Wasser. Kleines, goldnes Obstbesteck. – Alle Glassachen ganz dünn geschliffen. – Allgemeine Lautlosigkeit seines Lebens: Gehen (Teppiche), Fahren (Gummi), leichtes, leises, wie geöltes Funktioniren des äußeren Lebens. Festlärm, Beifall, Hochgeschrei unterbricht die Stille.

Ich weiß nicht viel vom «Elend des Lebens» (Hunger, Kampf ums Dasein, Krieg, Syphilis, Krankenhaus-Graus etc) Ich habe nichts davon gesehen, ausgenommen den Tod selbst. Und doch kenne ich des Lebens ganze Schwere.

Wie schlecht er im Theater die Schauspieler findet. Erselbst kanns besser, hat eine viel feinere Übung, hat einen viel echteren, täuschenderen «Naturalismus» nöthig.

Ditlinde.

Aus Thomas Manns 7. Notizbuch

Der Roman

Aus den Briefen an die Braut

Im Hinblick auf den Roman «Königliche Hoheit» exzerpierte Thomas Mann selbst eine Reihe von Briefen, die er 1904 an Katja geschrieben hatte. Die Exzerpte sind erhalten geblieben, die Briefe gingen verloren.

Um 1904 wandelt sich das Projekt: Aus der Geschichte um den vereinsamten Prinzen und seine kleine Schwester wird ein Liebesroman. Der junge Fürst möchte aus einem verödeten Leben ausbrechen, eine Prinzessin erobern und mit ihr die Welt. In den Briefen an die Braut arbeitet Thomas Mann insgeheim schon an seinem Roman.

Notizblatt «Figuren» aus den Vorarbeiten zum Roman

Die erste künstlerische Frucht meines jungen Ehestandes aber war der Roman ‹Königliche Hoheit›, und er trägt die Merkmale seiner Entstehungszeit. Dieser Versuch eines Lustspiels in Romanform, der zugleich den Versuch eines Paktes mit dem ‹Glücke› bedeutete, wurde nach den ‹Buddenbrooks› von der Kritik allgemein zu leicht befunden. Gewiß mit Recht.

Lebensabriß (XI, 118)

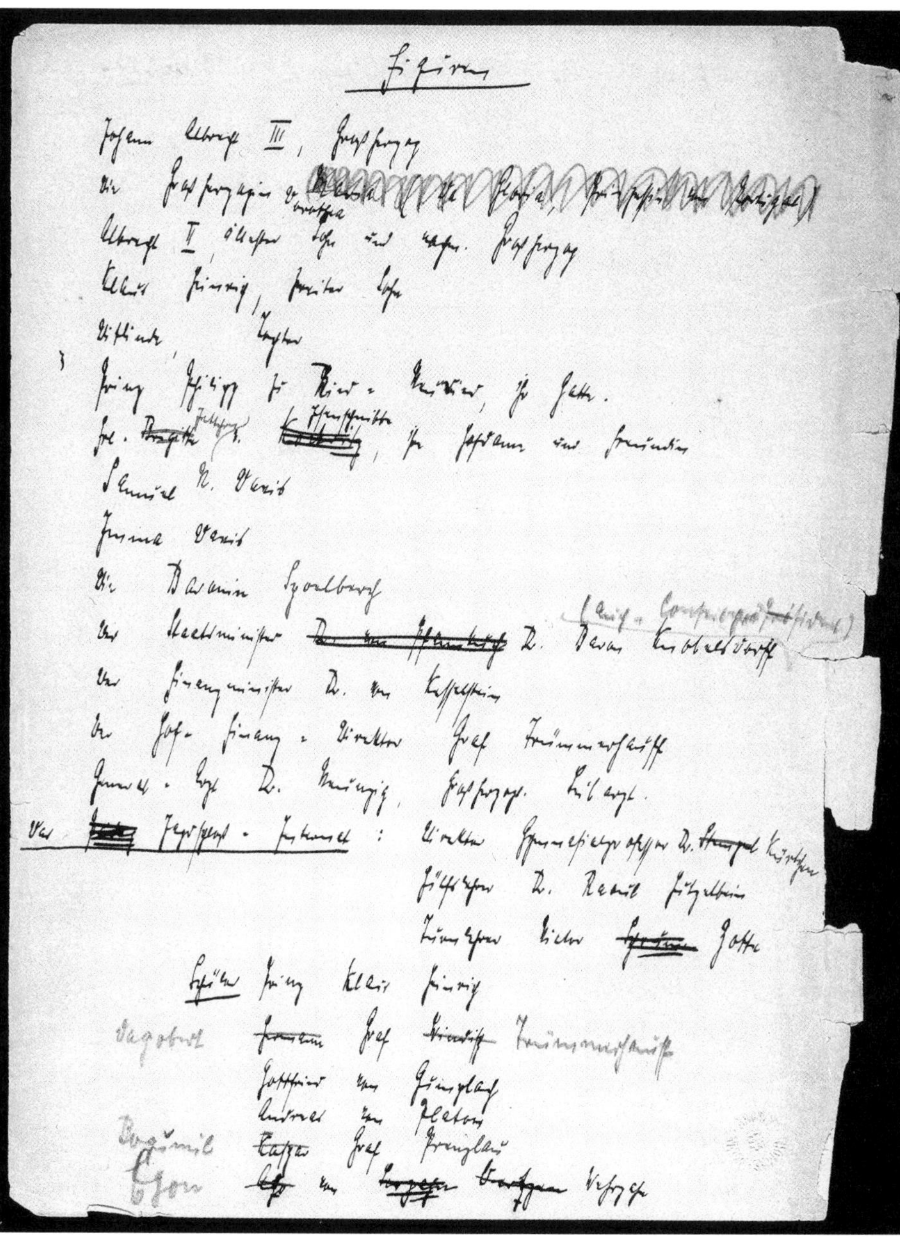

Der Brautzug
Jubeltage in Karlsruhe: Fahrt des großherzoglichen Paars und des schwedischen Kronprinzenpaars zu der von der Stadt veranstalteten Huldigungsfeier. Die Woche, 29. September 1906. Aus dem Arbeitsmaterial zu «Königliche Hoheit».

Wilhelm II.
Auch Klaus Heinrichs linke Hand ist verkümmert – eine «Hemmungsbildung».

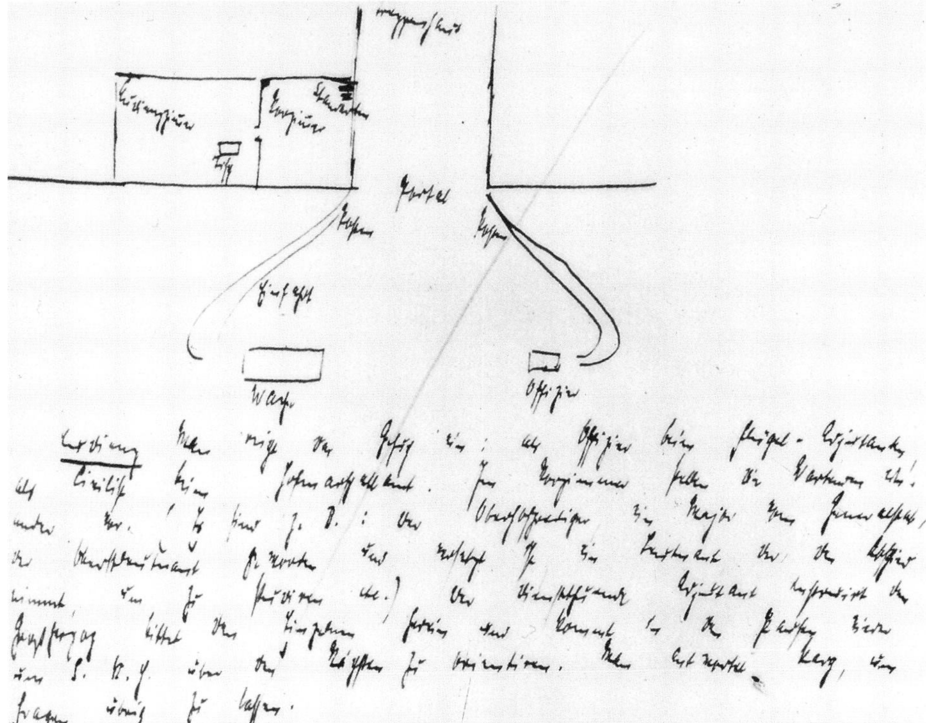

Man reicht das Gesuch ein: als Offizier beim Flügel-Adjutanten, als Civilist beim Hofmarschallamt. Im Vorzimmer stellen die Wartenden einander vor.

Aus den Vorarbeiten zum Roman, Skizze Audienz

Pater Familias

Thomas Mann in München, 1906

Thomas Mann und Katja bezogen nach ihrer Hochzeit (am 11. Februar 1905) eine Wohnung an der Franz-Joseph-Straße in München. Im Herbst 1908 wird der Bau eines Sommerhauses in Bad Tölz beschlossen. 1910 übersiedelt die Familie in eine neue Wohnung an der Mauerkircherstraße 13. Im Januar 1914 kann sie das Haus an der Poschingerstraße 1 beziehen. Hier wohnen die Manns bis 1933. Sechs Kinder kommen zur Welt: Erika (1905), Klaus (1906), Golo (1909), Monika (1910), Elisabeth (1918) und Michael (1919). Thomas Mann als pater familias.

Über die Wohnung an der Franz-Joseph-Straße berichtet Julia Mann am 16. Februar 1905 an Heinrich Mann:

Pr[ofessor] Pringsh. richtet die Wohnung, Franz-Jos[eph]-Str. 2 III sehr hübsch ein u. duldet kaum, daß T., der es doch ganz gut könnte, sich daran beteiligt. Ich habe T. aber gebeten, sich nicht alles geben zu lassen; man fühlt sich ja kaum Herr im Hause, wenn das wenigste einem durch eignen Kauf gehört. Telephon hat der Vater auch schon anbringen lassen. Ich denke mir, daß er jeden Morgen nach d. Befinden seiner Tochter fragen wird. –
Also Heinrich, als wir nach Ankunft Tee genommen, kamen Frau Pr. u. Katia (letztere hatte ich gebeten, mich zu besuchen); ihnen gefielen meine Geschenke vorzüglich der alten Vornehmheit halber, u. ich überreichte Katia noch ein hübsches Braut-Taschentuch aus Spitzen, gestickt mit KATIA. Darauf gingen wir auf No. 2 III hinauf, wo Herr Pr. schon tätig war; es ist eine schöne große Wohnung mit – 2 Wasserclosets! – ist das nicht ideal? Tommys Arbeitszimmer – sehr groß, daran K. Zimmer, dann Speisezimmer, dann 2 Schlafzimmer, weißlackierte Meubles; es ist alles noch nicht ganz fertig. In allen Zimmern kreisförmige elektr. Lustres; reizend sind die kleineren im Schlafzimmer, grünes Laub mit roten Beeren, daran hängen die elektr. Birnen.

Thomas Mann mit Erika, geb. 9. November 1905

In Tölz, Sommer 1909
Thomas und Katja Mann vor ihrem Hause mit den Kindern Erika, Klaus und dem im März geborenen Angelus Gottfried Thomas (Golo).

Katja Mann mit Klaus im Elternhaus in der Arcisstraße

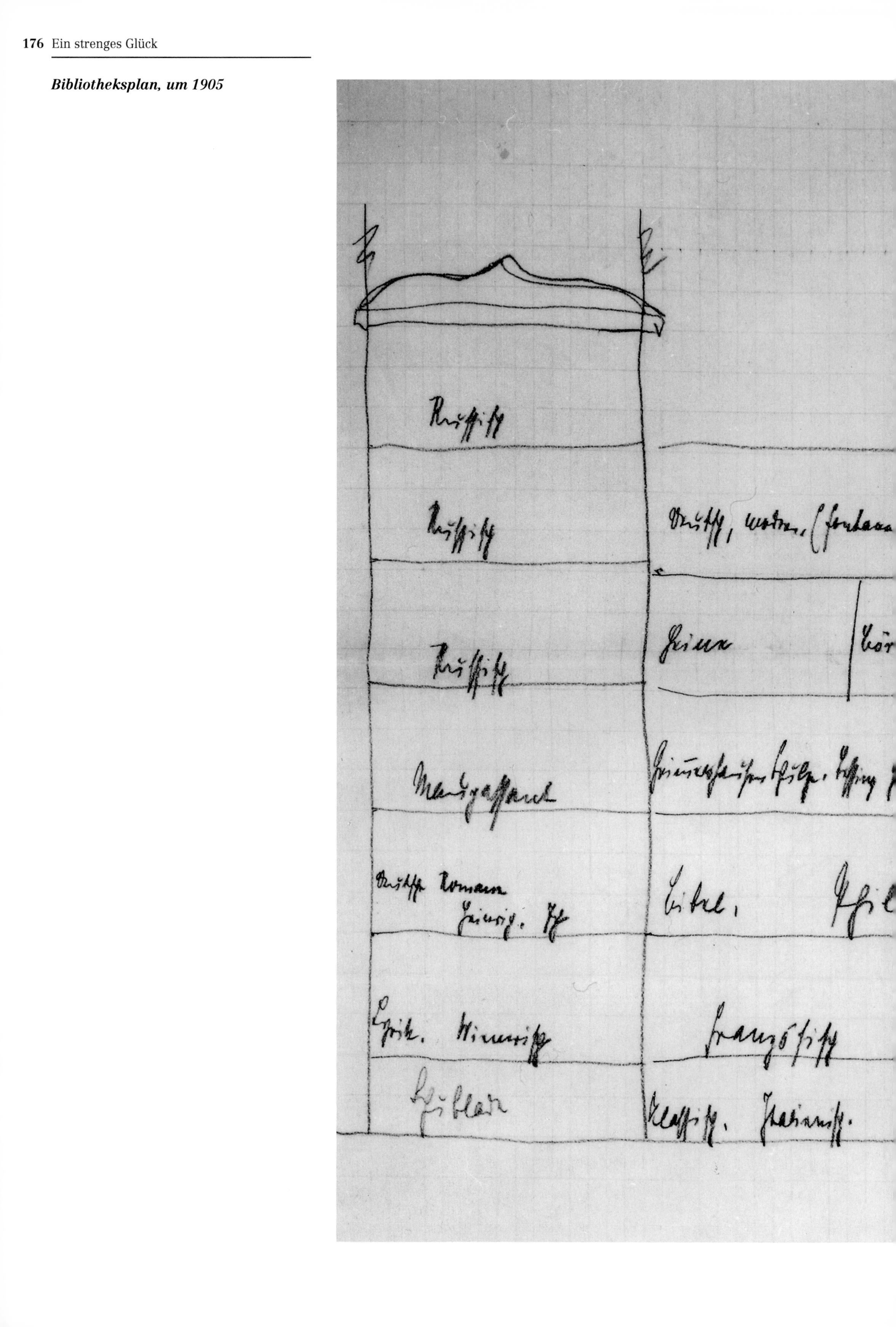

Bibliotheksplan, um 1905

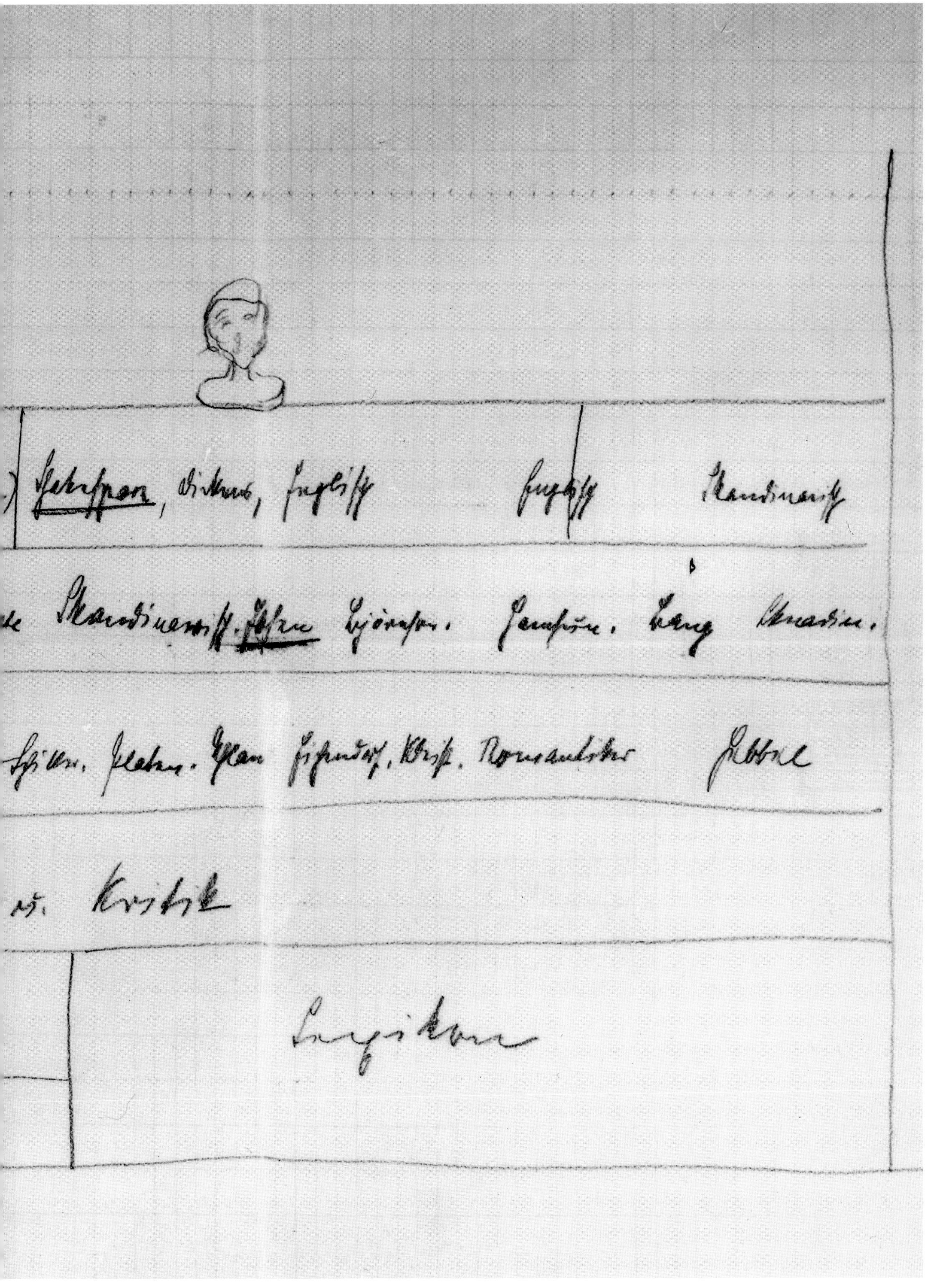
Shakespeare, Dickens, Englisch Englisch Skandinavisch

Skandinavisch. Ibsen Björnson. Hamsun.

Schiller. Platen. Eichendorff. Kleist. Romantiker Hebbel

Kritik

Lexikon

Schwere Stunde und der Friedrich-Plan

Zum 100. Todestag Friedrich Schillers schrieb Thomas Mann für den «Simplicissimus» den Beitrag «Schwere Stunde». Die Skizze zeigt Schiller in seinem Arbeitszimmer, wie er mit dem Stoff des «Wallenstein» ringt und an Goethe denkt, «den Hellen, Tastseligen, Sinnlichen, Göttlich-Unbewußten», der leicht wie die Götter seine Werke schaffe.

Schiller-Nummer

Preis 20 Pfg.

10. Jahrgang Nummer 6

SIMPLICISSIMUS

Illustrierte Wochenschrift

An Friedrich Schiller

«Schwere Stunde»
Umschlag der Schiller-Nummer vom 9. Mai 1905

Schillers Arbeitszimmer in Weimar
Erstdruck der Studie «Schwere Stunde», Simplicissimus 1905

Das sechseckige Zimmer, kahl, nüchtern und unbequem, mit seiner geweißten Decke, unter der Tabaksrauch schwebte, seiner schräg karierten Tapete, auf der oval gerahmte Silhouetten hingen, und seinen vier, fünf dünnbeinigen Möbeln, lag im Lichte der beiden Kerzen, die zu Häupten des Manuskripts auf der Schreibkommode brannten. Rote Vorhänge hingen über den oberen Rahmen der Fenster, Fähnchen nur, symmetrisch geraffte Kattune; aber sie waren rot, von einem warmen, sonoren Rot, und er liebte sie und wollte sie niemals missen, weil sie etwas von Üppigkeit und Wollust in die unsinnlich-enthaltsame Dürftigkeit seines Zimmers brachten …

Er stand am Ofen und blickte mit einem raschen und schmerzlich angestrengten Blinzeln hinüber zu dem Werk, von dem er geflohen war, dieser Last, diesem Druck, dieser Gewissensqual, diesem Meer, das auszutrinken, dieser furchtbaren Aufgabe, die sein Stolz und sein Elend, sein Himmel und seine Verdammnis war. Es schleppte sich, es stockte, es stand – schon wieder, schon wieder! Das Wetter war schuld und sein Katarrh und seine Müdigkeit. Oder das Werk? Die Arbeit selbst? Die eine unglückselige und der Verzweiflung geweihte Empfängnis war?

Schwere Stunde (VIII, 371 f.)

Friedrich der Große
Porträt von Adolph von Menzel

Schloß und Park Sanssouci in Potsdam zur Zeit Friedrichs des Großen

Zuweilen hege ich ehrgeizige Pläne. Was sagst Du z. B. zu diesem: einen historischen Roman namens «Friedrich» zu schreiben? Seit ich zweimal in Potsdam und Sanssouci war, ist die Gestalt mir aufregend nahegekommen. Und mein letztes litterarisches Erlebnis ist Carlyle's «Friedrich der Große», der kürzlich in einer ausgezeichneten deutschen Ausgabe erschienen ist. Ein herrliches Buch – wenn auch sein Begriff vom Heldenthum sich von meinem, wie ich schon in «Fiorenza» andeutete, wesentlich unterscheidet. Einen Helden menschlich-allzumenschlich darstellen, mit Skepsis, mit Gehässigkeit, mit psychologischem Radicalismus und dennoch positiv, lyrisch, aus eigenem Erleben: mir scheint, das ist überhaupt noch nicht geschehen … Die Gegenfigur würde sein Bruder (das Bruderproblem reizt mich immer) der Prinz von Preußen, der die Voss liebte, ein Träumer, der am «Gefühl» zu Grunde ging … Ob ich zu dieser Aufgabe berufen bin? Ich bin nun dreißig. Es ist Zeit, auf ein Meisterstück zu sinnen. Es ist nicht unmöglich, daß ich nach «Kgl. Hoheit» (das ein Kinderspiel ist im Vergleich [zu] dem neuen Plan) alles andere vom Tische streiche und mich über Friedrich hermache. Was sagst Du dazu? Hältst Du's für möglich? –
An Heinrich Mann, 5. Dezember 1905

Bruchstück aus den «Friedrich»-Notizen

Kein Zweifel, daß ihm die Erlebnisse mit dem Vater bis auf den Grund gegangen sind, ihn auf immer verändert haben. Friedrich Wilhelm hatte die historische Aufgabe, die schöne Seele seines Sohnes für das Leben häßlich und gemein genug zu machen.

Der Friedrich-Roman kam nicht zustande. Das gesammelte Material sowie die Aufzeichnungen, ein Notizbuch mit 53 beschriebenen Seiten, verwendete Thomas Mann für den Essay «Friedrich und die große Koalition» (1915).

Wälsungenblut

Steinzeichnungen von Th. Th. Heine in der Phantasusausgabe von 1921: Umschlag

Die Novelle «Wälsungenblut» entstand im Sommer 1905. Sie spielt im Berliner Tiergartenviertel. Die Geschichte lehnt sich an Wagners «Walküre» an und behandelt das Motiv der inzestuösen Liebe auserwählter Kinder. Auf Verlangen des Schwiegervaters wurde sie von Thomas Mann zurückgezogen. Sie erschien erst 1921 als Privatdruck im Phantasus-Verlag in München.

Also kurz und kühl: Von meiner Dezember-Reise zurückkehrend, fand ich hier bereits das Gerücht vor, ich hätte eine heftig «antisemitische» (!) Novelle geschrieben, in der ich die Familie meiner Frau fürchterlich compromittirte. Was hätte ich thun sollen? Ich sah meine Novelle im Geiste an und fand, daß sie in ihrer Unschuld und Unabhängigkeit nicht gerade geeignet sei, das Gerücht niederzuschlagen. Und ich muß anerkennen, daß ich menschlich-gesellschaftlich nicht mehr frei bin. Ich sandte also ein paar herrische Telegramme nach Berlin und erreichte, daß die Januar-Nummer der «Rundschau», die schon fix und fertig gewesen war, ohne «Wälsungenblut» erschien. [...] ich, der ich anfangs einigermaßen ins Gebiß geschäumt hatte, bin nun ziemlich gleichmüthig. So gut war die Sache ja nicht, und das daran, was Werth hat, nämlich die Milieu-Schilderung, die ich wirklich für sehr neu halte, läßt sich wohl einmal anderweitig verwerthen. Ein Gefühl von Unfreiheit, das in hypochondrischen Stunden sehr drückend wird, werde ich freilich seither nicht los, und Du nennst mich gewiß einen feigen Bürger. Aber Du hast leicht reden. Du bist absolut. Ich dagegen habe geruht, mir eine Verfassung zu geben.

An Heinrich Mann, 17. Januar 1906

Illustrationen von Th. Th. Heine

In der Oper

Siegmund Aarenhold

Sieglind Aarenhold

Bibliothekszimmer im Hause des Professors Pringsheim, München
Rechts das Bärenfell, das in «Wälsungenblut» eine Rolle spielt.

Katja mit ihrem Zwillingsbruder Klaus

Thomas Mann, 1910

1909–1914 Selbstklärungen

«Geist und Kunst»
«Bekenntnisse des Hochstaplers Felix Krull»
Carla Manns Tod
«Der Tod in Venedig»
«Der Zauberberg»
Das Haus an der Poschingerstraße 1

Geist und Kunst

Nach Abschluß der «Königlichen Hoheit» (1909) waren es vier Projekte, die Thomas Mann bewegten: der «Maja»- und der «Friedrich»-Plan, «Bekenntnisse des Hochstaplers Felix Krull», dann der Literatur-Essay «Geist und Kunst». Gerichtet war dieser Essay zunächst gegen Wagner. Das ist auch Selbstkritik: Thomas Mann wollte loskommen von Artistik, Histrionentum, Wirkungssucht. Seine Sympathie galt eher den moralistischen Literaten, den Aufklärern und Pädagogen. Und mehr und mehr galt sie der Naturhaftigkeit Goethes oder Hauptmanns. Bei jungen Autoren, wie Speyer, Friedrich Huch, Bruno Frank, glaubte er eine neue Sinnlichkeit zu entdecken. War er, mit 35, schon veraltet? Eine Antwort darauf sollte der «Literatur-Essay» geben.

Ich habe mich da auf eine Sache eingelassen, etwas Kritisches, eine Abhandlung, und daran zermürbe ich mir jeden Vormittag die Nerven so sehr, daß ich nachmittags dem Blödsinn näher bin als der Epistolographie. Ja, Schiller hat recht, wenn er sagt, daß es schwerer sei, einen Brief des Julius zu schreiben, als die beste Scene zu machen! Und dann ist gerade mein Gegenstand so überaus häklich und verschränkt.

An Walter Opitz, 26. August 1909

Notizblatt aus den Vorarbeiten zu «Geist und Kunst»

Die Abhandlung über «Geist und Kunst» ist als formlose Notizenmasse liegen geblieben. Ein Teilaspekt kam 1913 in der Studie «Der Künstler und der Literat» zur Darstellung. Im übrigen hat Thomas Mann die Notizen über Jahrzehnte als Arbeitsmaterial verwendet.

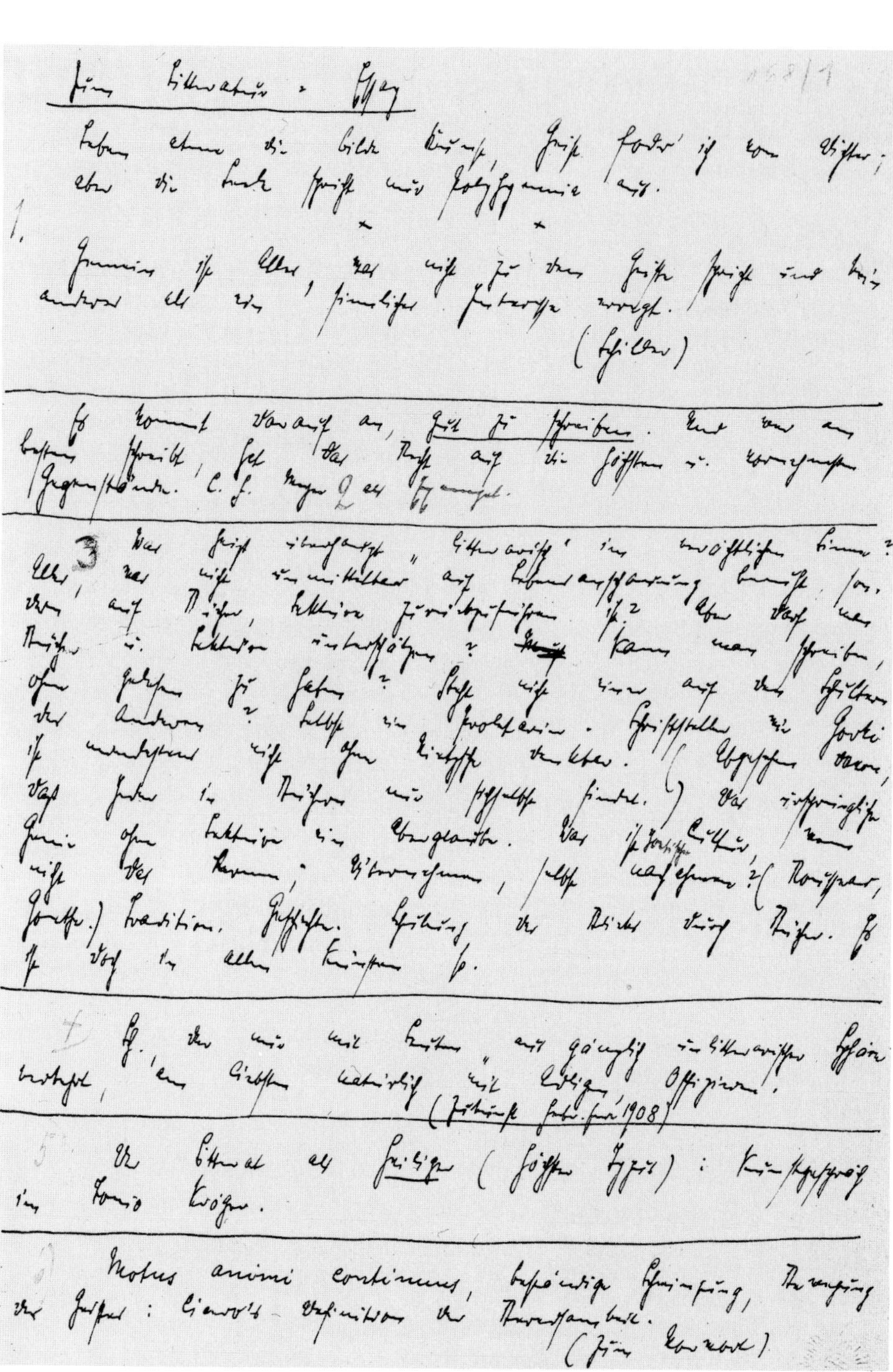

Zum Litteratur-Essay
Leben atme die bilde[nde] Kunst, Geist fodr' ich vom Dichter; aber die Seele spricht nur Polyhymnia aus.
Gemein ist Alles, was nicht zu dem Geiste spricht und kein anderes als ein sinnliches Interesse erregt.
(Schiller)

Es kommt darauf an, gut zu schreiben. Nur wer am besten schreibt, hat das Recht auf die höchsten und vornehmsten Gegenstände. C. F. Meyer als Exempel.

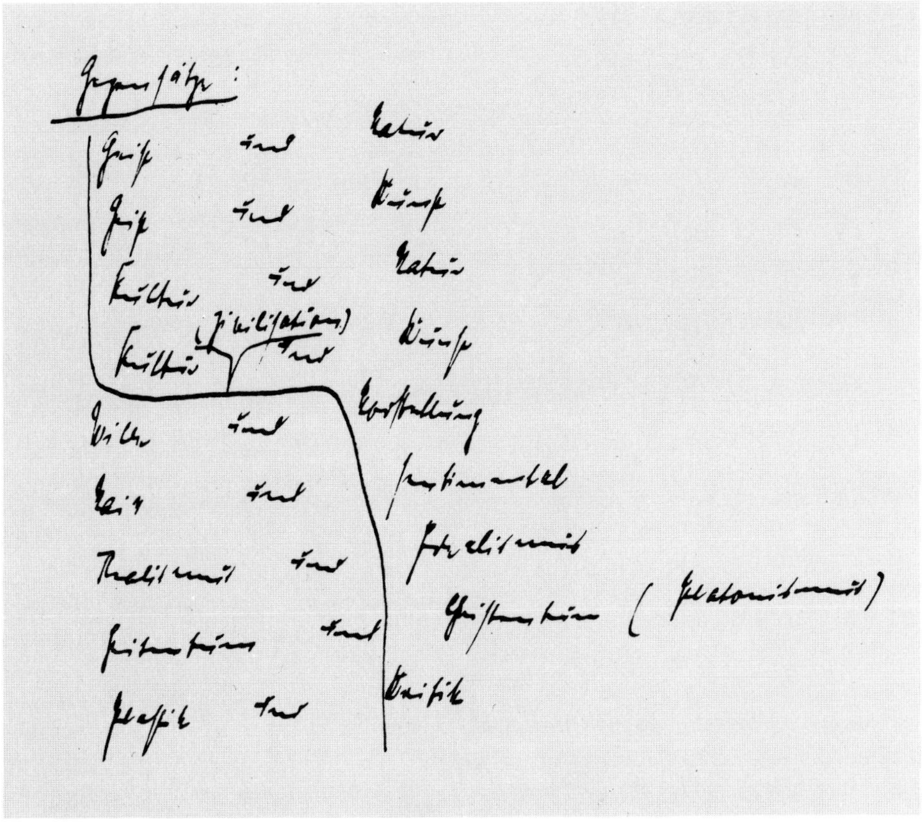

Notizblatt zu «Geist und Kunst»: «Gegensätze»

Die Hauptthemen des geplanten Essays haben Thomas Mann zeit seines Lebens beschäftigt. Fünf Komplexe hätten im Vordergrund gestanden: 1. Der Wagner-Reinhardt-Komplex, der Nietzsche-Verdacht, daß der Künstler ein Komödiant sei, dem «Olymp des Scheins» verfallen, und «das Parodische» zur Natur habe. Dabei hätte 2. in einem Kapitel «Volkstümlichkeit» Wagners Popularität beleuchtet werden sollen, seine demagogische Wirkungssucht, die sich das Mittel der «wechselnden Optik» geschaffen hatte, um mit deren Effekten gleichzeitig die plump-sinnlichen wie die raffiniertesten Ansprüche befriedigen zu können. 3. Dem Artisten und Künstler-Scharlatan gedachte Thomas Mann den Literaten entgegenzustellen, der bewußt und verantwortlich in seiner Zeit lebt und ihr durch seine Analysen mehr hilft als jene Dichter, die in irgendwelchen Konventikeln den Idealen längst entschwundener Zeiten nachtrauern. Auf Grund seiner Intellektualität und seiner psychologisierenden Scharfsicht war der Literat nach Thomas Manns Erachten zum Kritiker und Moralisten berufen. Er entsprach auf seiner höchsten Entwicklungsstufe dem Typus des Schopenhauerschen Heiligen, der sich von der Welt befreit, indem er sie durchschaut.

Den Literaten in seiner Reinheit und Würde, seiner asketischen Strenge vom «Künstlerkind» und vom Scharlatan abzugrenzen, betrachtete Thomas Mann als eines der vornehmsten Ziele des Essays. 4. Anderseits sah er sich genötigt, auch das Verhältnis des Literaten zum naiv gestaltenden Künstler zu untersuchen. Schriftsteller und Dichter, Kritiker und Plastiker, wie verhielten sie sich zueinander? Eine Lösung dieser Frage suchte Thomas Mann zum Teil mit Hilfe von Schillers Begriffen «naiv» und «sentimentalisch» zu finden. 5. befaßte er sich auch mit der sogenannten «Regeneration», mit der «neuen Generation» von Dichtern, die, von Whitman und Thoreau beeinflußt, vielleicht wieder eine «reine Gefühlsintensität» zu gewinnen vermochten und sich damit weniger an den Kritiker und Moralisten in Nietzsche wandten als an den Verherrlicher der gesunden, vornehmen Natur.
Die geplante Theorie der Literatur hätte sich, das lassen die erhaltenen Notizen erkennen, zu einer Kritik der Kunst, ja zu einer Kritik der modernen Zivilisation ausgeweitet.

Die grosse Konfusion

Im «Zauberberg» erfährt dann auch Castorp das Gegen- und Durcheinander der Begriffe als «große Konfusion»:

Schließlich war sogar von «Kunst» auf der einen und «Kritik» auf der anderen Seite die Rede und jedenfalls immer wieder von «Natur» und «Geist» und davon, was das Vornehmere sei, vom «aristokratischen Problem». Aber dabei war keine Ordnung und Klärung, nicht einmal eine zweiheitliche und militante; denn alles ging nicht nur gegeneinander, sondern auch durcheinander, und nicht nur wechselseitig widersprachen sich die Disputanten, sondern sie lagen in Widerspruch auch mit sich selbst. Settembrini hatte oft genug rednerische Vivats auf die «Kritik» ausgebracht, wo er nun das Gegenteil davon, welches die «Kunst» sein sollte, als das adelige Prinzip in Anspruch nahm; und während Naphta mehr als einmal als Verteidiger des «natürlichen Instinktes» aufgetreten war, gegen Settembrini, der Natur als die «dumme Macht», als bloßes Faktum und Fatum traktiert hatte, wovor Vernunft und Menschenstolz nicht abdanken durften, faßte jener nun Posto auf seiten des Geistes und der ‹Krankheit›, allwo Adel und Menschheit einzig zu finden seien, indes dieser sich zum Anwalt der Natur und ihres Gesundheitsadels aufwarf, uneingedenk aller Emanzipation. [...]
Ach, die Prinzipien und Aspekte kamen einander beständig ins Gehege, an innerem Widerspruch war kein Mangel, und so außerordentlich schwer war es zivilistischer Verantwortlichkeit gemacht, nicht allein, sich zwischen den Gegensätzen zu entscheiden, sondern auch nur, sie als Präparate gesondert- und sauberzuhalten, daß die Versuchung groß war, sich kopfüber in Naphta's «sittlich ungeordnetes All» zu stürzen. Es war die allgemeine Überkreuzung und Verschränkung, die große Konfusion, und Hans Castorp meinte zu sehen, daß die Streitenden weniger erbittert gewesen wären, wenn sie ihnen selbst nicht beim Streite die Seele bedrückt hätte.

Der Zauberberg (III, 644, 646)

Bekenntnisse des Hochstaplers Felix Krull

Nach der Zurücklegung von ‹Königliche Hoheit› hatte ich die ‹Bekenntnisse des Hochstaplers Felix Krull› zu schreiben begonnen – ein sonderbarer Entwurf, auf den, wie viele erraten haben, die Lektüre der Memoiren Manolescu's mich gebracht hatte. Es handelte sich natürlich um eine neue Wendung des Kunst- und Künstlermotivs, um die Psychologie der unwirklich-illusionären Existenzform. Was mich aber stilistisch bezauberte, war die noch nie geübte autobiographische Direktheit, die mein grobes Muster mir nahelegte, und ein phantastischer geistiger Reiz ging aus von der parodistischen Idee, ein Element geliebter Überlieferung, das Goethisch-Selbstbildnerisch-Autobiographische, Aristokratisch-Bekennerische, ins Kriminelle zu übertragen. Wirklich ist diese Idee die Quelle großer Komik, und ich schrieb das ‹Buch der Kindheit›, wie es als Torso des geplanten Ganzen in einer Ausgabe der ‹Deutschen Verlagsanstalt› vorliegt, mit soviel Lust, daß es mich nicht wunderte, als Kenner das Fragment für das Glücklichste und Beste erklärten, was ich gemacht hätte. Es mag in gewissem Sinn das Persönlichste sein, denn es gestaltet mein Verhältnis zur Tradition, das zugleich liebevoll und auflösend ist und meine schriftstellerische ‹Sendung› bestimmt. Die inneren Gesetze, nach denen später der ‹Bildungsroman› des ‹Zauberbergs› sich herstellte, waren ja verwandter Natur.

Lebensabriß (XI, 122 f.)

Das Wunderkind

Was Thomas Mann in Travemünde geträumt hat, läßt er Felix Krull in Langenschwalbach erleben: den Zauber schöner Welt und den Auftritt als Wunderkind.

Was aber die stärkste Anziehungskraft auf mich ausübte, waren die Konzerte, die täglich von einem wohlgeschulten Orchester dem Badepublikum dargeboten wurden. Die Musik entzückt mich, ja, obwohl ich nicht Gelegenheit genommen habe, ihre Ausübung zu erlernen, besitzt diese träumerische Kunst einen fanatischen Liebhaber in mir, und schon das Kind konnte sich nicht von dem hübschen Pavillon trennen, worin die kleidsam uniformierte Truppe unter der Leitung eines kleinen Kapellmeisters von zigeunerhaftem Ansehen ihre Potpourris und Opernstücke erklingen ließ. Stundenlang kauerte ich auf den Stufen des zierlichen Kunsttempels, ließ mein Herz von dem anmutig ordnungsvollen Reigen der Töne bezaubern und verfolgte zugleich mit eifrig teilnehmenden Augen die Bewegungen, mit denen die ausübenden Musiker ihre verschiedenen Instrumente handhabten. Namentlich das Geigenspiel hatte es mir angetan, und zu Hause, im Hotel, ergötzte ich mich und die Meinen damit, daß ich mit Hilfe zweier Stöcke, eines kurzen und eines längeren, das Gebaren des ersten Violinisten aufs getreueste nachzuahmen suchte. Die schwingende Bewegung der linken Hand zur Erzeugung eines seelenvollen Tones, das weiche Hinauf- und Hinabgleiten aus einer Grifflage in die andere, die Fingergeläufigkeit bei virtuosenhaften Passagen und Kadenzen, das schlanke und geschmeidige Durchbiegen des rechten Handgelenkes bei der Bogenführung, die versunkene und lauschend gestaltende Miene bei hingeschmiegter Wange – dies alles wiederzugeben gelang mir mit einer Vollkommenheit, die besonders meinem Vater den heitersten Beifall abnötigte. [...]
Das Publikum, vornehmes und schlichteres, staute sich vor dem Pavillon, es strömte von allen Seiten herbei. Man sah ein Wunderkind. Meine Hingebung, die Blässe meiner arbeitenden Miene, eine Welle Haares, die mir über das eine Auge fiel, meine kindlichen Hände, deren Gelenke von den blauen, an den Oberarmen bauschigen und nach unten eng zulaufenden Ärmeln kleidsam umspannt waren – kurz, meine ganze rührende und wunderbare Erscheinung entzückte die Herzen. Als ich mit einem vollen und energischen Bogenstrich über alle Saiten geendigt hatte, erfüllte das Geprassel des Beifalls, untermischt mit hohen und tiefen Bravorufen, die Kuranlagen. Man hebt mich, nachdem der kleine Kapellmeister meine Geige nebst Bogen in Sicherheit gebracht, zur ebenen Erde nieder. Man überhäuft mich mit Lobsprüchen, mit Schmeichelnamen, mit Liebkosungen. Aristokratische Damen und Herren umdrängen mich, streicheln mir Haare, Wangen und Hände, nennen mich Teufelsbub und Engelskind. Eine alte russische Fürstin, ganz in veilchenfarbener Seide und mit gewaltigen weißen Ohrlocken, nimmt meinen Kopf zwischen ihre beringten Hände und küßt mich auf die feuchte Stirn. Hierauf nestelt sie leidenschaftlich eine große, funkelnde Diamantbrosche in Leiergestalt von ihrem Halse los und befestigte sie, unaufhörlich französisch redend, an meiner Bluse.

Bekenntnisse des Hochstaplers Felix Krull (VII, 280 ff.)

Felix Krull erhält vor dem Musik-tempel eine «funkelnde Diamanten-brosche in Leyer-Gestalt»
Illustration von Oskar Laske, in der Prachtausgabe des Rikola Verlags 1922

Aus Thomas Manns Notizen zum «Krull»

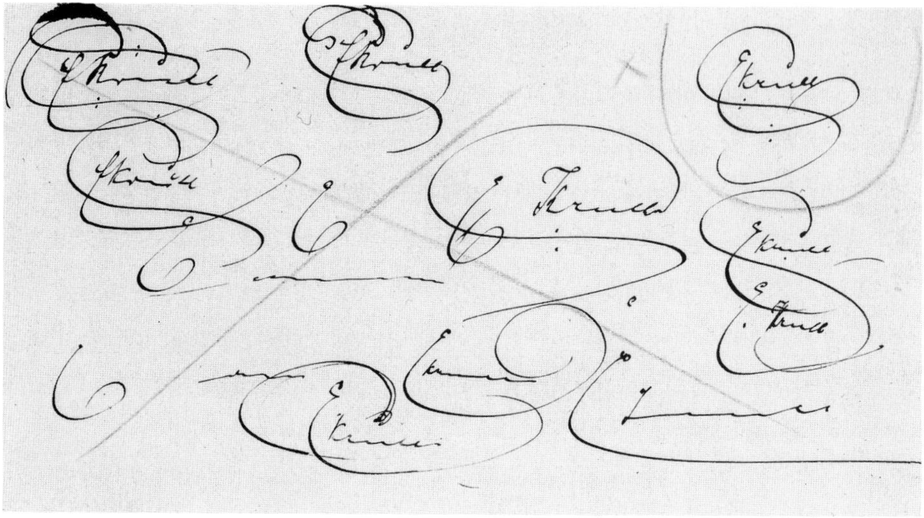

Krull imitiert die Unterschrift seines Vaters

Dabei leistete mir eine lange spielerische Übung, die Handschrift meines Vaters nachzuahmen, vorzügliche Dienste. Ein Vater ist stets das natürliche und nächste Muster für den sich bildenden und zur Welt der Erwachsenen hinstrebenden Knaben. Unterstützt durch geheimnisvolle Verwandtschaft und Ähnlichkeiten der Körperbildung, setzt der Halbwüchsige seinen Stolz darein, sich von dem Gehaben des Erzeugers anzueignen, was die eigene Unfertigkeit ihn zu bewundern nötigt – oder, um genauer zu sein: Diese Bewunderung ist es, die halb unbewußt zu der Aneignung und Ausbildung dessen führt, was erblicherweise in uns vorgebildet liegt. Dereinst so rasch und geschäftlich leicht die Stahlfeder zu führen wie mein Vater war schon mein Traum, als ich noch hohe Krähenfüße in die liniierte Schiefertafel grub, und wieviel Fetzen Papiers bedeckte ich später, die Finger genau nach seiner schlanken Manier um den Halter geordnet, mit Versuchen, die väterlichen Schriftzüge aus dem Gedächtnis nachzubilden. Das war nicht schwer, denn mein armer Vater schrieb eigentlich eine Kinderhand, fibelgerecht und ganz unausgeschrieben, nur daß die Buchstaben winzig klein, durch überlange Haarstriche jedoch so weitläufig, wie ich es sonst nie gesehen, auseinandergezogen waren, eine Manier, deren ich rasch aufs täuschendste habhaft wurde. Was den Namenszug «E. Krull» betraf, der, im Gegensatz zu den spitzig-gotischen Zeichen des Textes, den lateinischen Duktus aufwies, so umhüllte ihn eine Schnörkelwolke, die auf den ersten Blick schwer nachzuformen schien, jedoch so einfältig ausgedacht war, daß gerade die Unterschrift mir fast stets zur Vollkommenheit gelang. Die untere Hälfte des E nämlich lud weit zu gefälligem Schwunge aus, in dessen offenen Schoß die kurze Silbe des Nachnamens sauber eingetragen wurde. Von oben her aber, den U-Haken zum Anlaß und Ausgang nehmend und alles von vorn umfassend, gesellte sich ein zweiter Schnörkel hinzu, welcher den E-Schwung zweimal schnitt und, gleich diesem von Zierpunkten flankiert, in zügiger S-Form nach unten verlief. Die ganze Figur war höher als breit, barock und kindlich von Erfindung und eben deshalb so vortrefflich zur Nachahmung geeignet, daß der Urheber selbst meine Produkte als von seiner Hand würde anerkannt haben.

Bekenntnisse des Hochstaplers Felix Krull (VII, 296 f.)

Seltene Vertraulichkeit
Zeichnung von Heinrich Mann, um 1942

NACHDENKLICHKEIT

Die Szene, die der kleine Voyeur Heinrich beobachtet, ist auch im «Krull» dargestellt:

Mutter und Tochter lebten in seltener Vertraulichkeit miteinander, und ich erinnere mich zum Beispiel, beobachtet zu haben, wie die Ältere mit einem Meterbande den Oberschenkel der Jüngeren nach seinem Umfange maß, was mich auf mehrere Stunden zur Nachdenklichkeit stimmte.

Bekenntnisse des Hochstaplers Felix Krull (VII, 277)

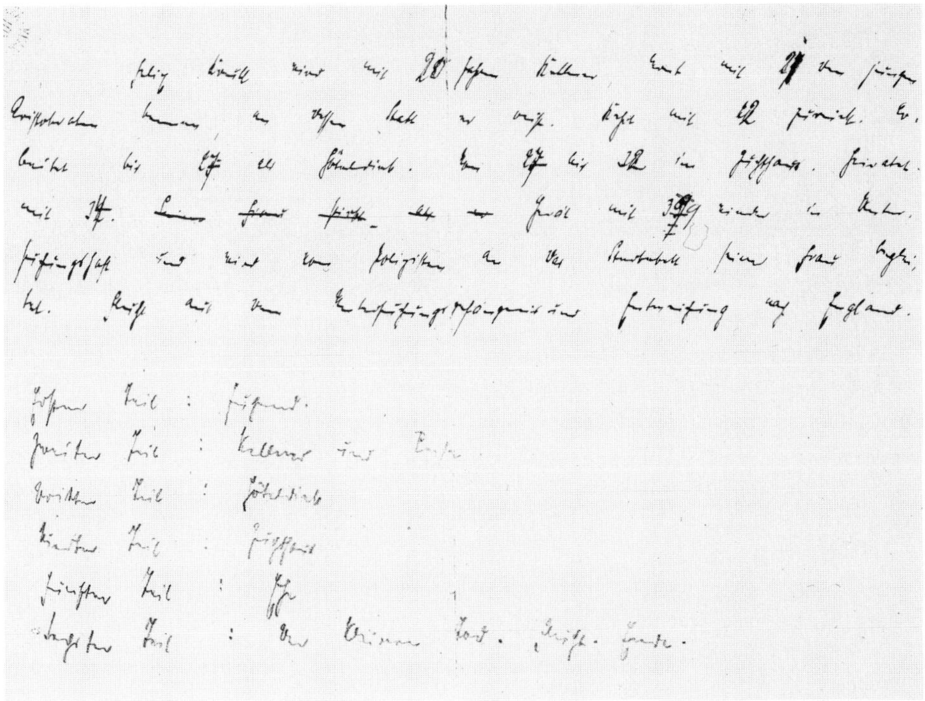

Krulls Lebenslauf
Notizblatt aus dem Arbeitsmaterial Thomas Mann hat zuerst Heinrich Manns Geburtsjahr eingesetzt, später sein eigenes.

Ich kann wieder mal nicht anfangen und finde hundert Ausflüchte. Was da ist, ist das psychologische Material, aber es hapert mit der Fabel, dem Hergang. Auch muß ich aufpassen, daß der Kuchen nicht wieder so auseinandergeht und daß nicht wieder aus einem Novellenstoff ein Roman wird. Ich lese Kleists Prosa, um mich so recht in die Hand zu bekommen, und war nach dem Kohlhaas wütend auf Goethe, der ihn wegen seiner «Hypochondrie» und seines «Widerspruchsgeistes» abgelehnt hat.

An Heinrich Mann, 17. Februar 1910

Hochstapler und Träumer

Der Hochstapler Georges Manolescu
Manolescus Memoiren boten eine Menge von Anregungen zu Krulls Hochstapler-Bekenntnissen.

Die Memoiren erschienen 1905 unter dem Titel «Ein Fürst der Diebe» und hatten einen so großen Erfolg, daß der Verlag einen zweiten Band nachfolgen ließ.

Titelseiten von Herman Bangs «Exzentrischen Novellen», mit Illustrationen von Marcus Behmer
Auch die Novelle «Franz Pander» hat die Hochstapler-Bekenntnisse beeinflußt.

Illustration aus «Franz Pander»

Schon hier aber sei berichtet, daß ich denn doch, dem bloßen Schauen mich entraffend, einige persönliche Berührung mit jener Welt, zu der die Natur mich drängte, suchte und fand, indem ich nämlich bei Schluß der Theater vor den Eingängen dieser Anstalten mich umhertrieb und als ein behender und diensteifriger Bursche dem höheren Publikum, das angeregt plaudernd und erhitzt von süßer Kunst den Vorhallen entströmte, beim Anhalten der Droschken, beim Herbeirufen wartender Equipagen behilflich war.

Bekenntnisse des Hochstaplers Felix Krull (VII, 346 f.)

Vom Probleme des Schauspielers

Über den Künstler als Schauspieler hatte Nietzsche schon lange nachgedacht – nicht zuletzt in seinen Wagner-Schriften von 1888. In der «Fröhlichen Wissenschaft» (1882) schreibt er:

Vom Probleme des Schauspielers. – Das Problem des Schauspielers hat mich am längsten beunruhigt; ich war im Ungewissen darüber (und bin es mitunter jetzt noch), ob man nicht erst von da aus dem gefährlichen Begriff «Künstler» – einem mit unverzeihlicher Gutmüthigkeit bisher behandelten Begriff – beikommen wird. Die Falschheit mit gutem Gewissen; die Lust an der Verstellung als Macht herausbrechend, den sogenannten «Charakter» bei Seite schiebend, überfluthend, mitunter auslöschend; das innere Verlangen in eine Rolle und Maske, in einen Schein hinein; ein Überschuß von Anpassungs-Fähigkeiten aller Art, welche sich nicht mehr im Dienste des nächsten engsten Nutzens zu befriedigen wissen: Alles das ist vielleicht nicht nur der Schauspieler an sich? ... Ein solcher Instinct wird sich am leichtesten bei Familien des niederen Volks ausgebildet haben, die unter wechselndem Druck und Zwang, in tiefer Abhängigkeit ihr Leben durchsetzen mußten, welche sich geschmeidig nach ihrer Decke zu strecken, auf neue Umstände immer neu einzurichten, immer wieder anders zu geben und zu stellen hatten, befähigt allmählich, den Mantel nach jedem Winde zu hängen und dadurch fast zum Mantel werdend, als Meister jener einverleibten und eingefleischten Kunst des ewigen Versteckens-Spielens, das man bei Thieren mimicry nennt: bis zum Schluß dieses ganze von Geschlecht zu Geschlecht aufgespeicherte Vermögen herrisch, unvernünftig, unbändig wird, als Instinct andre Instincte commandiren lernt und den Schauspieler, den «Künstler» erzeugt (den Possenreißer, Lügenerzähler, Hanswurst, Narren, Clown zunächst, auch den classischen Bedienten, den Gil Blas: denn in solchen Typen hat man die Vorgeschichte des Künstlers und oft genug sogar des «Genie's»).

Friedrich Nietzsche, Fröhliche Wissenschaft

Thomas Mann notiert sich in «Geist und Kunst» (1909):

Das Variété Talent der Künstler zu jener äffischen (Affen-) Begabung gehörig, die vielleicht nicht nur beim Schauspieler, sondern überall, die seelische Grundlage des Künstlers ist, dieser unbändig interessanten, nie genug zu kritisierenden, die Erkenntnis immerfort reizenden Kreuzung von Lucifer und Clown. Das Parodische ist die Wurzel, nicht nur bei den Reinhardt-Leuten, sondern bei jedem Künstler. Aber wie beim Schauspieler (dem Künstler im Urzustand, gewissermaßen) ist die starke Begabung bei jedem Künstler ein Stachel zur Würde, zu hoher Geistigkeit der Aufgaben und Leistungen.

Geist und Kunst, Notiz 59

Krull, «eine Art Künstlernatur», wird nach Lombrosos und Nietzsches décadence-Theorie als moderner Artist gezeichnet:

Endlich: die zunehmende Civilisation, die zugleich nothwendig auch die Zunahme der morbiden Elemente, des Neurotisch-Psychiatrischen und des Criminalistischen mit sich bringt. Eine Zwischen-Species entsteht, der Artist, von der Criminalität der That durch Willensschwäche und sociale Furchtsamkeit abgetrennt, insgleichen noch nicht reif für das Irrenhaus, aber mit seinen Fühlhörnern in beide Sphären neugierig hineingreifend: diese specifische Culturpflanze, der moderne Artist, Maler, Musiker, vor Allem Romancier, der für seine Art, zu sein, das sehr uneigentliche Wort «Naturalismus» handhabt ...

Friedrich Nietzsche, Der Wille zur Macht

Die «Bekenntnisse» als Parodie auf «Dichtung und Wahrheit»

Krull lehnt sich in seinen Bekenntnissen nicht nur an Manolescus Memoiren an, er imitiert auch den Stil von Goethes «Dichtung und Wahrheit».

«Liebe zu sich selbst», hat ich weiß nicht mehr welcher Autor gesagt – es war ein geistreicher Autor, soviel ist sicher – «Liebe zu sich ist immer der Anfang eines romanhaften Lebens.» Liebe zu sich selbst, so kann man hinzufügen, ist auch der Anfang aller Autobiographie. Denn der Trieb eines Menschen, sein Leben zu fixieren, sein Werden aufzuzeigen, sein Schicksal literarisch zu feiern und die Teilnahme der Mit- und Nachwelt leidenschaftlich dafür in Anspruch zu nehmen, hat dieselbe ungewöhnliche Lebhaftigkeit des Ichgefühls zur Voraussetzung, die, nach jenem Autor, ein Leben nicht nur subjektiv zum Roman zu stempeln, sondern auch objektiv ins Interessante und Bedeutende zu erheben vermag. Das ist etwas Stärkeres, Tieferes und Produktiveres als ‹Selbstgefälligkeit›. Es ist in den schönsten Fällen das dankbar-ehrfürchtige Erfülltsein der Götterlieblinge von sich selbst, wie es mit unvergleichlich innigem Nachdruck aus den Zeilen spricht:

Alles geben die Götter, die unendlichen,
Ihren Lieblingen ganz:
Alle Freuden, die unendlichen,
Alle Schmerzen, die unendlichen, ganz.

Es ist das naiv-aristokratische Interesse an dem Mysterium hoher Bevorteilung, substantieller Vornehmheit, gefährlicher Auszeichnung, angeborener Verdienste, als deren Träger sie sich fühlen, ist die Lust, aus geheimster Erfahrung zu bekunden, wie ein Genie sich bildet, Glück und Verdienst nach irgendwelchem Gnadenschlusse sich unauflöslich verketten: Sie brachte ‹Dichtung und Wahrheit› hervor; und sie ist recht eigentlich der Geist der großen Autobiographie überhaupt.
[…]
Nicht die Meisterwerke spielend-erfindender Kunst unter den Büchern sind es, die am meisten geliebt, am meisten gelesen werden; es sind die persönlichsten, unmittelbarsten und vertraulichsten, sind die Urkunden leidenschaftlichen oder doch innigen sinnlich-sittlichen Ichgefühls, die Bekenntnisse, die Autobiographien. Oder wo wäre die freie Dichtung, auf der so viel Liebe geruht hätte wie auf Augustins, Jean Jacques' und Goethe's Konfessionen, auf Jung Stillings sanfter Lebenserzählung oder selbst auf der einsamen Selbstzergliederung Anton Reisers? Heute zumal, wo eine Hochflut neuedierter Memoiren und Briefsammlungen den Markt überschwemmt, wo von Cellini bis Casanova, von Casanova bis zu den Gedanken und Erinnerungen jenes glänzenden Herrn Manolescu, die, wie man hört, ein großer moderner Verlag neu herauszugeben sich anschickt, alle primären, direkten und dokumentarischen Veröffentlichungen eines Massenabsatzes sicher sind: scheint es nicht heute, als hätte alles Vertrauen, alle auf das Menschliche gerichtete Wißbegier sich von den Erzeugnissen dichtender Einbildung abgewandt und sich auf solche Bücher geworfen, in denen Menschenschicksal und Leben ohne Fiktion, Intrige und Flausen sich selber vortragen?

Vorwort zu dem Roman eines Jungverstorbenen, 1913 (X, 559 f.)

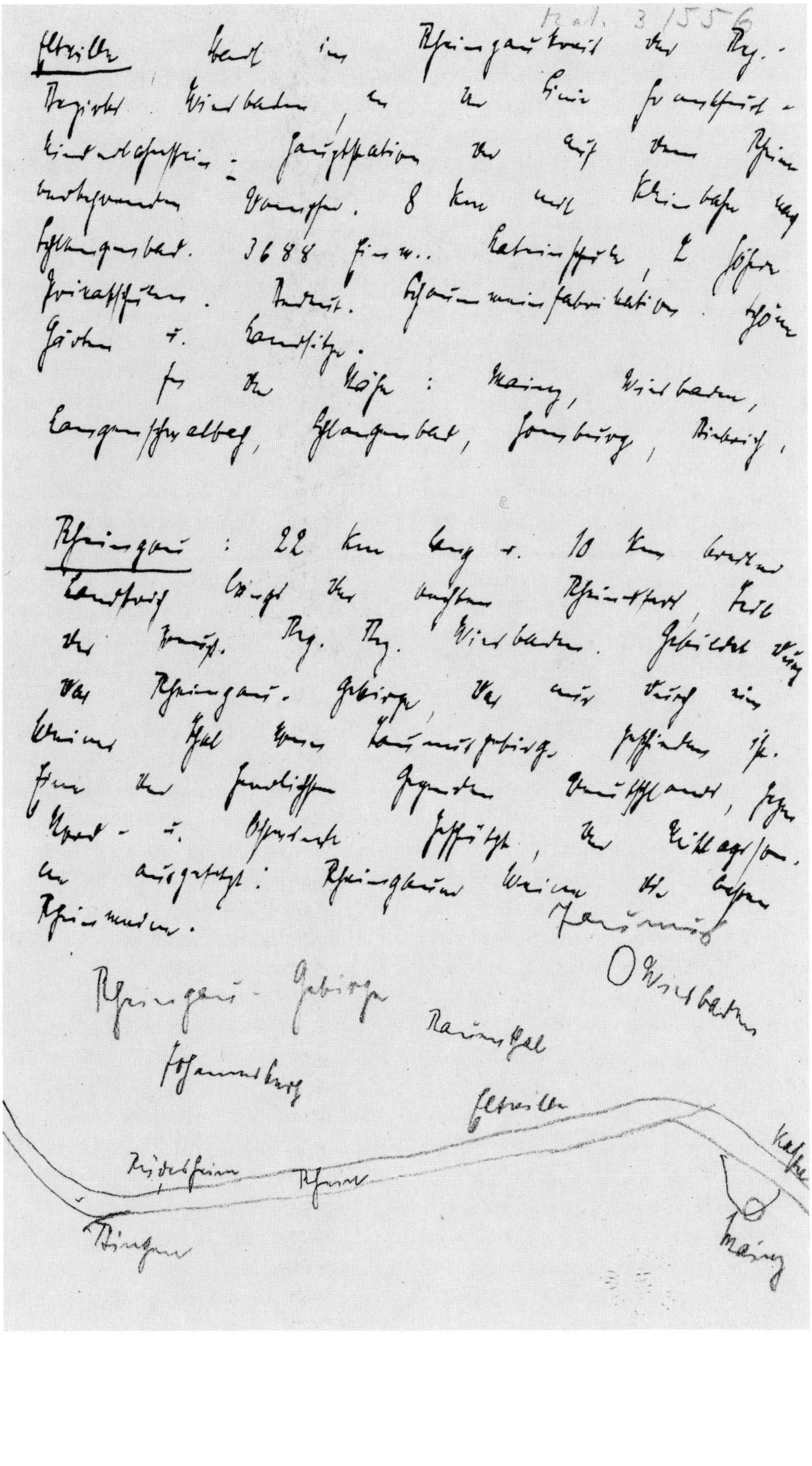

Notizblatt «Rheingau», mit geographischer Skizze
Thomas Mann hat darauf Eltville, Krulls Geburtsort, eingezeichnet.

Der Rheingau hat mich hervorgebracht, jener begünstigte Landstrich, welcher, gelinde und ohne Schroffheit sowohl in Hinsicht auf die Witterungsverhältnisse wie auf die Bodenbeschaffenheit, reich mit Städten und Ortschaften besetzt und fröhlich bevölkert, wohl zu den lieblichsten der bewohnten Erde gehört.

Bekenntnisse des Hochstaplers Felix Krull (VII, 266)

Eltville
Stahlstich von Johann Gabriel Poppel, gez. von B. Schwartz. Aus Thomas Manns graphischer Sammlung zum «Krull».

Krulls Abschied von Eltville im Roman:
… unbewegt läßt der ins Weite stürmende Jüngling die kleine Heimat in seinem Rücken, ohne sich nach ihrem Turme, ihren Rebenhügeln auch nur noch einmal umzusehen!

Bekenntnisse des Hochstaplers Felix Krull (VII, 335)

Carla Manns Tod

Am 30. Juli 1910 nahm sich Thomas Manns Schwester Carla in der Wohnung ihrer Mutter in Polling das Leben. Sie hatte als Schauspielerin keinen Erfolg gehabt. Am Schluß zerbrach sie an einer enttäuschten Liebe.

Meine zweite Schwester, Carla, nahm sich das Leben. Sie hatte die Bühnenlaufbahn eingeschlagen, wohl dazu ausgestattet durch ihre Schönheit, aber kaum nach der Seite ursprünglich-wurzelhaften Talentes. Als kleines Kind schon war sie dem Tode nah gewesen: eine furchtbare Komplikation von Zahnkrämpfen, Keuchhusten und Lungenentzündung hatte die Ärzte an ihrem Aufkommen verzweifeln lassen. Ihr Wesen blieb zart, gefährdet, heikel. Ein stolzer und spöttischer Charakter, entbürgerlicht, aber vornehm, liebte sie die Literatur, den Geist, die Kunst und wurde durch eine unentwickelte, ihrer Stufe ungünstige Zeit ins unselig Bohemehafte gedrängt. Ein makabrer Ästhetizismus, der sich sehr wohl mit der kindlichsten, uns allen eigenen Lachlust vertrug, hatte sie schon ihr Mädchenzimmer mit einem Totenkopf schmücken lassen, dem sie einen skurrilen Namen gab. Später besaß sie Gift – es ist nur zu vermuten, durch wen –: eine phantastisch-spielerische Akquisition wohl auch dies, doch glaube ich, daß der zeitige stolze Entschluß daran beteiligt war, sich keine Erniedrigung gefallen zu lassen, die das Leben ihr etwa zugedacht hatte. Ohne handgreifliche Talente literarischer oder kunstfertiger Art, umfaßte sie das Theater leidenschaftlich als Sphäre möglicher Betätigung und Selbstverwirklichung; den gefühlten Mangel jedoch an vital-komödiantischer Gabe, dem, was man Theaterblut nennt, suchte sie durch eine außerkünstlerische Überbetonung ihrer Person und Weiblichkeit zu kompensieren, so daß man früh das ängstigende Gefühl hatte, hier werde eine Aufgabe schief, unglücklich und mit gefährlichem Mißverstand angegriffen. Ihre Laufbahn stockte in der Provinz. Von der Bühne enttäuscht, begehrt von den Männern, aber ohne höheren Erfolg, mochte sie sich nach einem Rückweg ins Bürgerliche umsehen, und ihre Lebenshoffnungen klammerten sich an die Heirat mit einem jungen elsässischen Industriellensohn, der sie liebte. Sie hatte jedoch vorher einem anderen Manne gehört, der, Arzt von Beruf, seine Macht über sie zu erotischen Erpressungen ausnutzte. Der Bräutigam fand sich betrogen und stellte sie zur Rede. Da nahm sie ihr Zyankali, eine Menge, mit der man wohl eine Kompanie Soldaten hätte töten können.

Die Tat geschah fast unter den Augen unserer armen Mutter, auf dem Lande, in Polling bei Weilheim in Oberbayern, wohin die einst gefeierte Gesellschaftsdame bei wachsendem Ruhe- und Einsamkeitsbedürfnis mit einigen Möbeln, Büchern und Andenken sich zurückgezogen hatte. Meine Schwester war bei ihr zu Besuch, der Bräutigam hatte sich eingefunden, von einer Unterredung mit ihm kommend, eilt die Unglückliche lächelnd an ihr vorbei in ihr Zimmer, schließt sich ein, und das letzte, was von ihr laut wird, ist das Wassergurgeln, womit sie die Verätzungen in ihrem Schlunde zu kühlen sucht. Sie hatte danach noch Zeit gehabt, sich auf die Chaiselongue zu betten. Dunkle Flecken an den Händen und im Gesicht zeugten von dem Erstickungstode, der, nach einem kurzen Zögern der Wirkung, jäh gewesen sein mochte. Ein Zettel in französischer Sprache fand sich: «Je t'aime. Une fois je t'ai trompé, mais je t'aime.» Ein Telephonanruf, dessen Umschreibungen nicht viel zu bezweifeln übrigließen, störte uns abendlich auf, und in nächster Frühe fuhr ich nach Polling, in die Arme unserer Mutter, um ihren wimmernden Schmerz an meiner Brust zu bergen.

Ihr ohnedies mit dem Alter schwach und ängstlich gewordenes Herz hat den Stoß niemals verwunden. In dem meinen mischte sich der Jammer um die Verlorene, das Erbarmen mit dem, was sie durchlitten haben mußte, mit dem Protest dagegen, daß sie ihre Schreckenstat in unmittelbarer Nähe dieses schwachen Herzens hatte begehen müssen und mit der Auflehnung gegen die Tat selbst, die mir in ihrer Selbständigkeit, ihrer lebensstrengen und fürchterlich endgültigen Wirklichkeit auf irgendeine Weise wie ein Verrat an unserer geschwisterlichen Gemeinschft erschien, einer Schicksalsgemeinschaft, die ich – es ist schwer zu sagen – den Wirklichkeiten des Lebens im letzten als ironisch übergeordnet empfand und deren die Schwester für mein Gefühl bei ihrer Tat vergessen hatte. In Wahrheit durfte ich mich nicht beklagen. Denn auch ich war ja schon weitgehend ‹wirklich› geworden, durch Werk und Würde, Haus, Ehe und Kind, oder wie die Dinge des Lebens, die strengen und menschlich gemütlichen, nun hießen, und wenn die Verwirklichung in meinem Falle nach Segen und Heiterkeit aussah, so bestand sie doch aus demselben Stoff wie die Tat meiner Schwester und schloß dieselbe Untreue ein. Alle Wirklichkeit hat todernsten Charakter, und es ist das Sittliche selbst, das, eins mit dem Leben, es uns verwehrt, unserer wirklichkeitsreinen Jugend die Treue zu halten. –

Lebensabriß (XI, 119 ff.)

Thomas Mann hat die Geschichte seiner Schwester Carla im «Doktor Faustus» noch einmal erzählt:

Hier handelt es sich um eine intim menschliche, von der Außenwelt kaum beachtete Katastrophe, zu deren Erfüllung vieles zusammenkam: männliche Schurkerei, weibliche Schwäche, weiblicher Stolz und berufliches Mißlingen. Es sind nun zweiundzwanzig Jahre, daß, beinahe vor meinen Augen, Clarissa Rodde, die Schauspielerin, Schwester der ebenfalls sichtlich gefährdeten Ines, zugrunde ging: Nach Ablauf der Winter-Saison 1921–22, im Mai, nahm sie sich zu Pfeiffering, im Hause ihrer Mutter und ohne viel Rücksicht auf diese, hastig und entschlossen mit dem Gifte das Leben, das sie eben für den Augenblick, wo ihr Stolz das Leben nicht mehr ertragen würde, von langer Hand her in Bereitschaft gehalten hatte.
Ich will die Vorgänge, die zu ihrer uns alle erschütternden, doch im Grunde nicht zu tadelnden Schreckenstat führten, und die Umstände, unter denen sie die Tat vollzog, mit kurzen Worten hier wiedergeben. [...] sie war erfolglos oder ohne rechten Erfolg, aus dem einfachen und doch für den, den es angeht, so schwer zu fassenden Grunde, daß ihre natürliche Begabung nicht ihrem Ehrgeiz gleichkam, kein echtes und rechtes Theaterblut ihrem Wissen und Wollen zur Wirksamkeit verhalf und ihr auf der Bühne die Sinne und Herzen einer widerspenstigen Menge gewann. [...] Etwas anderes kam hinzu, Clarissa's Existenz zu verwirren. Sie hielt, wie ich längst mit Bedauern bemerkt hatte, Bühne und Leben nicht wohl auseinander; sie war Schauspielerin und betonte die Schauspielerin, vielleicht eben weil sie keine rechte war, auch außerhalb des Theaters [...].

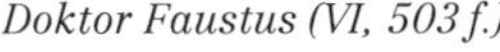
Doktor Faustus (VI, 503 f.)

Carla Mann (1881–1910)

Carla Mann auf dem Totenbett

Tölz, den 4. August 1910
Lieber Heinrich:

Eben kamen die Photographien von Carla's Leiche an, und Mama unterlag einem neuen Schmerzensausbruch, der sehr schwer zu beruhigen war. Das Schlimme ist, daß Mama an dem Mißtrauen krankt, daß sie uns mit ihrer Trauer zur Last fällt, – eine unsinnige und, da keine Beteuerungen helfen, auf die Dauer kränkende Einbildung. Mama strebt fortwährend weg, weiß freilich selbst nicht, wohin. Ich will froh sein, wenn Du hier bist. Am Sonnabend kommen Katja's Mutter und Cousine auf einen Tag zu Besuch. Mama will, was ich verstehe, niemanden sehen und fährt an diesem Tage mit Tante E[lisabeth], die abreist, nach München. Sie will auch nach Polling, um einiges zu holen. Am Sonntag oder Montag erwarten wir Dich dann. Du wirst wohl am besten thun, wenn Du Mama nach Polling begleitest und mit ihr hierher fährst.

Wir sind Alle übel daran. Es ist das Bitterste, was mir geschehen konnte. Mein geschwisterliches Solidaritätsgefühl läßt es mir so erscheinen, daß durch Carla's That unsere Existenz mit in Frage gestellt, unsere Verankerung gelockert ist. Anfangs sagte ich immer vor mich hin: «Einer von uns!» Was ich damit meinte, verstehe ich erst jetzt. Carla hat an niemanden gedacht, und Du sagst: «Das fehlte auch noch!» Und doch kann ich nicht anders, als es so empfinden, daß sie sich nicht hätte von uns trennen dürfen. Sie hatte bei ihrer That kein Solidaritätsgefühl, nicht das Gefühl unseres gemeinsamen Schicksals. Sie handelte sozusagen gegen eine stillschweigende Abrede. Es ist unaussprechlich bitter. Mama gegenüber halte ich mich. Sonst weine ich fast immer.

Der Hauptzweck dieses Briefes ist, Dich zu bitten, daß Du, bevor Du zu uns kommst, Lula besuchst. Du thust ihr Unrecht, und Du machst Dich nach meiner Auffassung eines Mangels an Selbstachtung schuldig, wenn Du Einen von uns für einen gemeinen Philister hältst. Das kann niemand von uns sein. Wenn Du diesen Zeitpunkt vorübergehen läßt, so besteht Gefahr, daß der Bruch zwischen Dir und Lula etwas so Definitives wie Carla's Tod, ja etwas dem Tode Carla's ganz Aehnliches wird. Ich appelliere an Deinen Geist und an Dein Herz und wäre schwer enttäuscht, wenn Du kämest ohne Lula gesprochen zu haben.
Herzlich T.

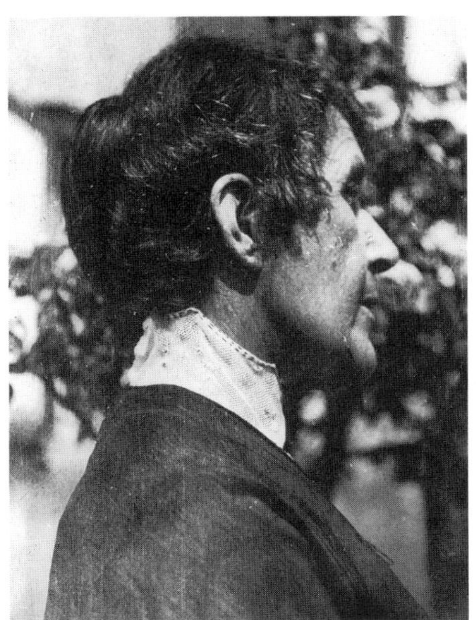

Die Mutter Julia Mann, 1917

Heinrich Mann, 1911
Heinrich Mann, der Carla sehr nahe gestanden hatte, verarbeitete ihre Geschichte unmittelbar nach ihrem Tod im Drama «Schauspielerin» (1911).

Carla Manns letzter Aufenthalt: der Hof Schweighardt in Polling

Der Tod in Venedig

Titelbild und Titelblatt von Wolfgang Borns Farblithographien zum «Tod in Venedig»

Im «Tod in Venedig» erzählt Thomas Mann die Geschichte eines großen Künstlers, der das Opfer einer Knabenliebe wird: seine Enthemmung, seinen Tod. Fünfmal, berichtet Thomas Mann, habe er während der Niederschrift der Novelle die «Wahlverwandtschaften» gelesen. Erprobt wird in dieser Novelle auch der Einbezug des antiken Mythos. Die schlaffmachende Krankheit, die Cholera, kommt aus dem asiatischen Osten, wie einst Dionysos. In der Schluß-Apotheose erscheint der schöne Knabe Tadzio in der Pose des Hermes Psychopompos. Aschenbach, das Schöne mit Augen sehend, tritt seine charontische Fahrt an.

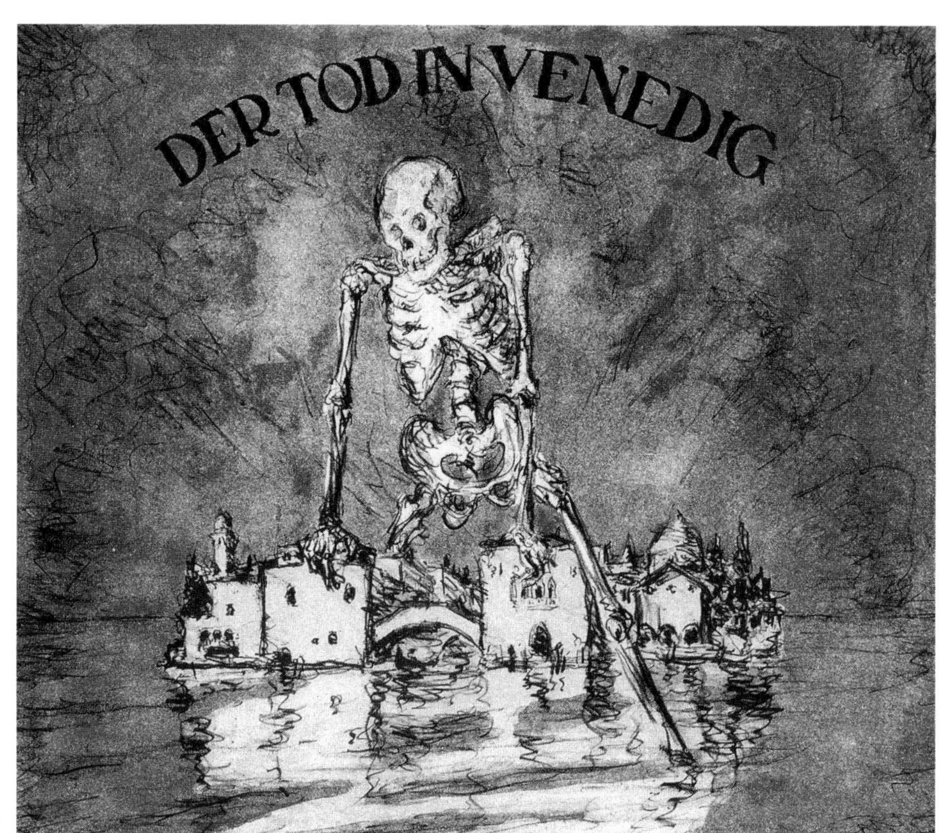

Grandhôtel des Bains, Venedig-Lido, um 1911

Ein Selbstkommentar

Den Krull'schen Memoirenton, ein heikelstes Balancekunststück, lange festzuhalten, war freilich schwer, und der Wunsch, davon auszuruhen, leistete wohl der Konzeption Vorschub, durch die im Frühjahr 1911 die Fortsetzung unterbrochen wurde. Nicht zum erstenmal verbrachten wir, meine Frau und ich, einen Teil des Mai auf dem Lido. Eine Reihe kurioser Umstände und Eindrücke mußte mit einem heimlichen Ausschauen nach neuen Dingen zusammenwirken, damit eine produktive Idee sich ergäbe, die dann unter dem Namen des «Tod in Venedig» ihre Verwirklichung gefunden hat. Die Novelle war so anspruchslos beabsichtigt wie nur irgendeine meiner Unternehmungen; sie war als rasch zu erledigende Improvisation und Einschaltung in die Arbeit an dem Betrügerroman gedacht, als eine Geschichte, die sich nach Stoff und Umfang ungefähr für den ‹Simplicissimus› eignen würde. Aber die Dinge – oder welches dem Begriff des Organischen nähere Wort hier sonst einzusetzen wäre – haben ihren eigenen Willen, nach dem sie sich ausbilden: ‹Buddenbrooks›, geplant nach Kielland'schem Muster als Kaufmannsroman von allenfalls zweihundertfünfzig Seiten, hatten den ihren gehabt, der ‹Zauberberg› würde den seinen durchsetzen, und auch Aschenbachs Geschichte erwies sich als ‹eigensinnig›, ein gutes Stück über den Sinn hinaus, den ich ihr hatte beilegen wollen. In Wahrheit ist jede Arbeit eine zwar fragmentarische, aber in sich geschlossene Verwirklichung unseres Wesens, über das Erfahrungen zu machen solche Verwirklichung der einzige, mühsame Weg ist, und es ist kein Wunder, daß es dabei nicht ohne Überraschungen abgeht. Hier schoß, im eigentlich kristallinischen Sinn des Wortes, vieles zusammen, ein Gebilde zu zeitigen, das, im Licht mancher Facette spielend, in vielfachen Beziehungen schwebend, den Blick dessen, der sein Werden tätig überwachte, wohl zum Träumen bringen konnte. Ich liebe dies Wort: Beziehung. Mit seinem Begriff fällt mir der des Bedeutenden, so relativ er immer auch zu verstehen sei, durchaus zusammen. Das Bedeutende, das ist nichts weiter als das Beziehungsreiche, und ich erinnere mich wohl des dankbaren Einverständnisses, mit dem ich, als Ernst Bertram uns das tiefe Venedig-Kapitel seiner Nietzsche-Mythologie aus dem Manuskript vorlas, den Namen meiner Geschichte fallen hörte.

Es ging an der Peripherie ihrer Fabel nicht anders zu als weiter innen. Alles stimmte auf eine besondere Weise, und was mich dabei an Erfahrungen mit dem ‹Tonio Kröger› erinnerte, war die eingeborene Symbolik und Kompositionsgerechtheit auch unscheinbarer, durch die Wirklichkeit gegebener Einzelheiten. Man sollte denken, daß in jener Jugendnovelle Szenen wie die in der Volksbibliothek oder die mit dem Polizisten zweckhaft, um der Idee, des Witzes willen erdacht seien. Sie sind es nicht, sind einfach der Wirklichkeit abgenommen. Ganz ebenso ist im ‹Tod in Venedig› nichts erfunden: Der Wanderer am Münchener Nordfriedhof, das düstere Polesaner Schiff, der greise Geck, der verdächtige Gondolier, Tadzio und die Seinen, die durch Gepäckverwechslung mißglückte Abreise, die Cholera, der ehrliche Clerc im Reisebureau, der bösartige Bänkelsänger oder was sonst anzuführen wäre – alles war gegeben, war eigentlich nur einzustellen und erwies dabei aufs verwunderlichste seine kompositionelle Deutungsfähigkeit. Auch damit mochte es zusammenhängen, daß ich bei der – wie immer langwierigen – Arbeit an der Novelle momentweise das Gefühl eines gewissen absoluten Wandels, einer gewissen souveränen Getragenheit erprobte, wie ich es sonst nicht gekannt hatte.

Lebensabriß (XI, 123 f.)

Gustav von Aschenbach
Gustav Mahler (1860–1911), Zeitungsbild anläßlich seines Todes. Thomas Mann schnitt das Bild aus und legte es zum Arbeitsmaterial.

Äußerlich trägt dieser Gustav von Aschenbach die Züge Gustav Mahlers, des großen österreichischen Musikers, der damals gerade als schwerkranker Mann von einer amerikanischen Konzerttournee zurückgekehrt war; und sein fürstliches Sterben in Paris und Wien, das man in den täglichen Bulletins der Zeitungen schrittweise miterlebte, bestimmte mich, dem Helden meiner Erzählung die leidenschaftlich strengen Züge der mir vertrauten Künstlerfigur zu geben. Wieder war mein Thema der verwüstende Einbruch der Leidenschaft, die Zerstörung eines geformten, scheinbar endgültig gemeisterten Lebens, das durch den «fremden Gott», durch Eros-Dionysos entwürdigt und ins Absurde gestoßen wird. Der Künstler, dem Sinnlichen verhaftet, kann nicht wirklich würdig werden: diese Grundtendenz bitter melancholischer Skepsis gegen alles Künstlertum kommt in dem (Platons Dialogen nachgeformten) Bekenntnis zum Ausdruck, das ich dem schon vom Tode gezeichneten Helden in den Mund legte.

On Myself (XIII, 149)

GUSTAV VON ASCHENBACH

Gustav von Aschenbach, war etwas unter Mittelgröße, brünett, rasiert. Sein Kopf erschien ein wenig zu groß im Verhältnis zu der fast zierlichen Gestalt. Sein rückwärts gebürstetes Haar, am Scheitel gelichtet, an den Schläfen sehr voll und stark ergraut, umrahmte eine hohe, zerklüftete und gleichsam narbige Stirn. Der Bügel einer Goldbrille mit randlosen Gläsern schnitt in die Wurzel der gedrungenen, edel gebogenen Nase ein. Der Mund war groß, oft schlaff, oft plötzlich schmal und gespannt; die Wangenpartie mager und gefurcht, das wohlausgebildete Kinn weich gespalten. Bedeutende Schicksale schienen über dies meist leidend seitwärts geneigte Haupt hinweggegangen zu sein, und doch war die Kunst es gewesen, die hier jene physiognomische Durchbildung übernommen hatte, welche sonst das Werk eines schweren, bewegten Lebens ist. Hinter dieser Stirn waren die blitzenden Repliken des Gesprächs zwischen Voltaire und dem Könige über den Krieg geboren; diese Augen, müde und tief durch die Gläser blickend, hatten das blutige Inferno der Lazarette des Siebenjährigen Krieges gesehen. Auch persönlich genommen ist ja die Kunst ein erhöhtes Leben. Sie beglückt tiefer, sie verzehrt rascher. Sie gräbt in das Antlitz ihres Dieners die Spuren imaginärer und geistiger Abenteuer, und sie erzeugt, selbst bei klösterlicher Stille des äußeren Daseins, auf die Dauer eine Verwöhntheit, Überfeinerung, Müdigkeit und Neugier der Nerven, wie ein Leben voll ausschweifender Leidenschaften und Genüsse sie kaum hervorzubringen vermag.

Der Tod in Venedig (VIII, 456 f.)

Tadzio
«Ich war Thomas Manns Tadzio»: Unter diesem Titel erschien im August 1965 in der Zeitschrift «twen» (München) ein Aufsatz über den polnischen Baron Wladyslaw Moes, der sich als Tadzio zu erkennen gegeben hatte.

Thomas Mann scheint kein Bild von Wladyslaw Moes besessen zu haben. Jedenfalls glich er Tadzios Porträt dem Typus der Blondgelockten an.

Sein Antlitz, bleich und anmutig verschlossen, von honigfarbenem Haar umringelt, mit der gerade abfallenden Nase, dem lieblichen Munde, dem Ausdruck von holdem und göttlichem Ernst ...

Der Tod in Venedig (VIII, 469)

Tadzios Mutter
Die Mutter von Wladyslaw Moes

Die Haltung dieser Frau war kühl und gemessen, die Anordnung ihres leicht gepuderten Haares sowohl wie die Machart ihres Kleides von jener Einfachheit, die überall da den Geschmack bestimmt, wo Frömmigkeit als Bestandteil der Vornehmheit gilt.

Der Tod in Venedig (VIII, 471)

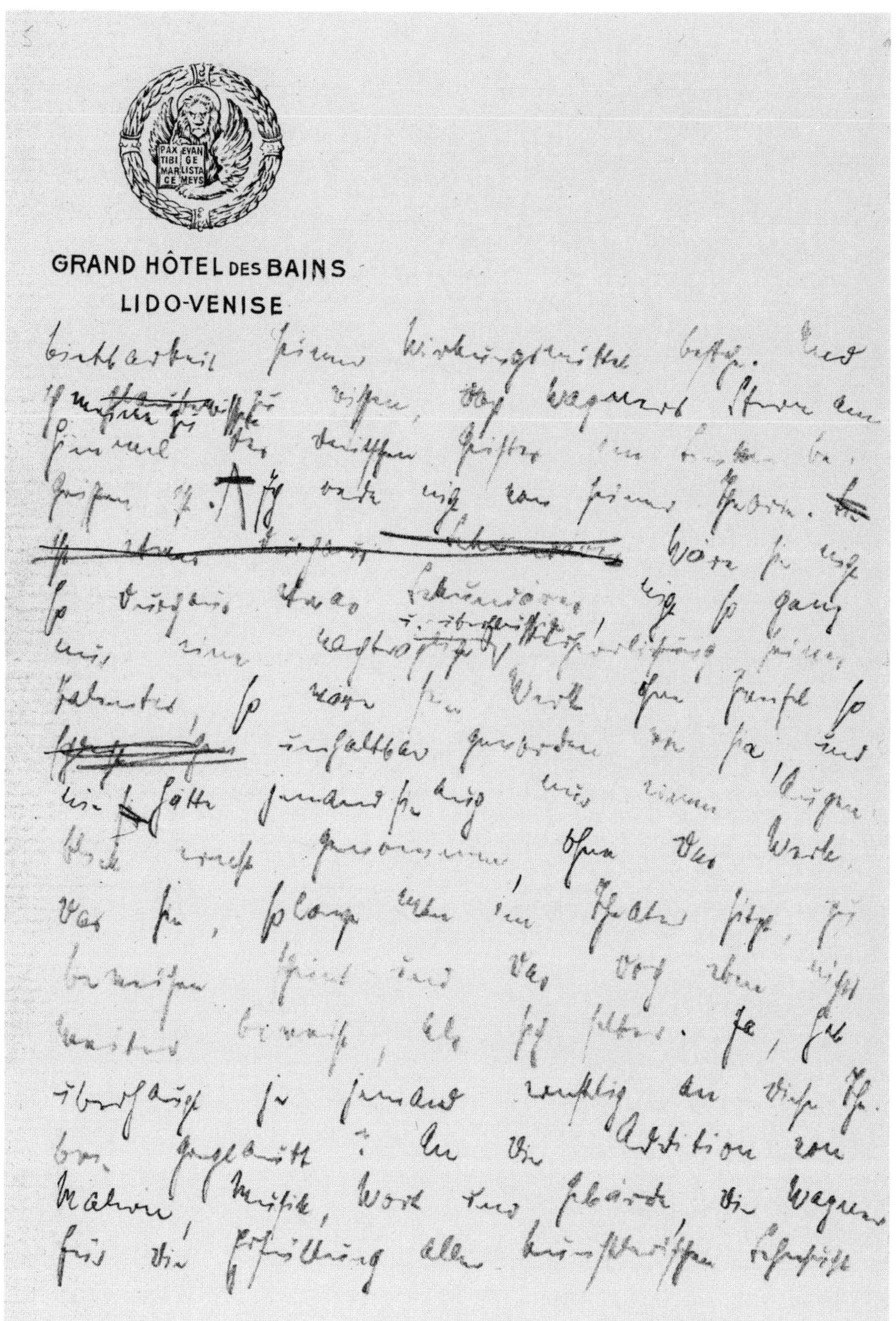

Manuskriptseite aus dem Essay «Auseinandersetzung mit Wagner», geschrieben auf dem Papier des Grand Hôtel des Bains

GUSTAV VON ASCHENBACHS LETZTER ESSAY

Nie hatte er die Lust des Wortes süßer empfunden, nie so gewußt, daß Eros im Worte sei, wie während der gefährlich köstlichen Stunden, in denen er, an seinem rohen Tische unter dem Schattentuch, im Angesicht des Idols und die Musik seiner Stimme im Ohr, nach Tadzio's Schönheit seine kleine Abhandlung, – jene anderthalb Seiten erlesener Prosa formte, deren Lauterkeit, Adel und schwingende Gefühlsspannung binnen kurzem die Bewunderung vieler erregen sollte.

Der Tod in Venedig (VIII, 492 f.)

«Der Tod»
Bild aus dem Zyklus farbiger Lithographien zum «Tod in Venedig» von Wolfgang Born

Noch ein Wort über das letzte, ‹Tod› betitelte Bild, das mich durch eine Ähnlichkeit sonderbar und fast geheimnisvoll anmutet. In die Konzeption meiner Erzählung spielte, Frühsommer 1911, die Nachricht vom Tode Gustav Mahlers hinein, dessen Bekanntschaft ich vordem in München hatte machen dürfen und dessen verzehrend intensive Persönlichkeit den stärksten Eindruck auf mich gemacht hatte. Auf der Insel Brioni, wo ich mich zur Zeit seines Abscheidens aufhielt, verfolgte ich in der Wiener Presse die in fürstlichem Stile gehaltenen Bulletins über seine letzten Stunden, und indem sich später diese Erschütterungen mit den Eindrücken und Ideen vermischten, aus denen die Novelle hervorging, gab ich meinem orgiastischer Auflösung verfallenen Helden nicht nur den Vornamen des großen Musikers, sondern verlieh ihm auch, bei der Beschreibung seines Äußeren, die Maske Mahlers – wobei ich sicher sein mochte, daß bei einem so lockeren und versteckten Zusammenhange der Dinge von einem Erkennen auf seiten der Leserschaft gar nicht würde die Rede sein können. Auch bei Ihnen, dem Illustrator, war nicht die Rede davon, denn weder hatten Sie Mahler gekannt, noch war Ihnen von mir über jenen heimlich-persönlichen Zusammenhang etwas anvertraut worden. Trotzdem – und dies ist es, worüber ich beim ersten Anblick fast erschrak – zeigt der Kopf Aschenbachs auf Ihrem Bilde unverkennbar den Mahler'schen Typ.

Vorwort zu einer Bildermappe (XI, 583 f.)

Die Stadt der Träume

Ich ging an Bord in Venedig ... Mein Gott, mit welcher Bewegung sah ich die geliebte Stadt wieder, nachdem ich sie dreizehn Jahre lang nur im Herzen getragen! Die langsame Fahrt in der Gondel vom Bahnhof zum Dampfer, mit fremden Menschen, durch Nacht und Wind, werde ich immer zu meinen liebsten, phantastischsten Erinnerungen an sie zählen. Ich hörte wieder ihre Stille, das geheimnisvolle Anschlagen des Wassers an ihre schweigenden Paläste, ihre Todesvornehmheit umgab mich wieder. Kirchenfassaden, Platz und Stufen, Brücken und Gassen mit vereinzelten Fußgängern erschienen unverhofft und entschwebten. Die Gondolieri tauschten ihren Ruf. Ich war zu Hause ... Der Dampfer, der vor der Piazzetta lag, fuhr erst am nächsten Abend. Ich war vormittags in der Stadt, auf dem Platz, in San Marco, den Gassen. Ich stand den ganzen Nachmittag auf Deck und betrachtete die geliebte Komposition: die Säulen mit dem Löwen, dem Heiligen, die arabisch verzauberte Gotik des Palastes, die prunkend vortretende Flanke des Märchentempels; ich war überzeugt, kein Gesicht der kommenden Fahrt werde vor meiner Seele dies Bild überbieten können; ich schied mit wirklichen Schmerzen.

Unterwegs, 1925 (XI, 357)

Der Zauberberg

Als humoristisches Gegenstück zum «Tod in Venedig» ist die Novelle «Der Zauberberg» geplant worden: Auch sie sollte eine Hadesfahrt beschreiben, auch sie handelte also von Eros und Thanatos, von der romantischen «Sympathie mit dem Tode», vom Zurücksinken ins Unbewußte. Im Brief vom 8. November 1913 schreibt Thomas Mann dem Bruder von «Erschöpfung, Skrupel, Müdigkeit». Seine Verfalls- und Sterbegeschichten seien nicht mehr zeitgemäß. Später, nach 1918, versuchte er dem Werk dann eine andere Richtung zu geben.

Das Bacchanale aus dem «Tannhäuser»
Szenen-Illustration von Michael Echter, nach der Münchner Inszenierung von 1867.

Castorps Venusberg-Nacht lehnt sich an Wagners «Tannhäuser»-Bacchanale und Goethes «Walpurgisnacht» an.

Erste Szene.*)

Die Bühne stellt das Innere des Venusberges [Hörselberges bei Eisenach] dar. Weite Grotte, welche sich im Hintergrunde durch eine Biegung nach rechts wie unabsehbar dahin zieht. Aus einer zerklüfteten Öffnung, durch welche mattes Tageslicht hereinscheint, stürzt sich die ganze Höhe der Grotte entlang ein grünlicher Wasserfall herab, wild über Gestein schäumend; aus dem Becken, welches das Wasser auffängt, fließt nach dem ferneren Hintergrunde der Bach hin, welcher dort sich zu einem See sammelt, in welchem man die Gestalten badender **Najaden**, und an dessen Ufern gelagerte **Sirenen** gewahrt. Zu beiden Seiten der Grotte Felsenvorsprünge von unregelmäßiger Form, mit wunderbaren, korallenartigen tropischen Gewächsen bewachsen. Vor einer nach links aufwärts sich dehnenden Grottenöffnung, aus welcher ein zarter, rosiger Dämmer herausscheint, liegt im Vordergrunde **Venus** auf einem reichen Lager, vor ihr, das Haupt in ihrem Schoße, die Harfe zur Seite, **Tannhäuser** halb knieend. Das Lager umgeben, in reizender Verschlingung gelagert, die drei **Grazien**. Zur Seite und hinter dem Lager zahlreiche schlafende **Amoretten**, wild über- und nebeneinander gelagert, einen verworrenen Knäuel bildend, wie Kinder, die von einer Balgerei ermattet, eingeschlafen sind. Der ganze Vordergrund ist von einem zauberhaften, von unten her dringenden, rötlichen Lichte beleuchtet, durch welches das Smaragdgrün des Wasserfalls, mit dem Weiß seiner schäumenden Wellen, stark durchbricht; der ferne Hintergrund mit den Seeufern ist von einem verklärt blauen Dufte mondscheinartig erhellt. — Beim Aufzuge des Vorhangs sind, auf den erhöhten Vorsprüngen, bei Bechern noch die Jünglinge gelagert, welche jetzt sofort den verlockenden Winken der **Nymphen** folgen, und zu diesen hinabeilen; die **Nymphen** hatten um das schäumende Becken des Wasserfalls den auffordernden Reigen begonnen, welcher die **Jünglinge** zu ihnen führen sollte: die Paare finden und mischen sich; Suchen, Fliehen und reizendes Necken beleben den Tanz. Aus dem ferneren Hintergrunde naht ein Zug von **Bacchantinnen**, welcher durch die Reihen der liebenden Paare, zu wilder Lust auffordernd, daherbraust. Durch Gebärden begeisterter Trunkenheit reißen die **Bacchantinnen** die Liebenden zu wachsender Ausgelassenheit hin. **Satyre** und **Faune** sind aus den Klüften erschienen, und drängen sich jetzt mit ihrem Tanze zwischen die Bacchanten und liebenden Paare. Sie vermehren durch ihre Jagd auf die Nymphen die Verwirrung; der allgemeine Taumel steigert sich zur höchsten Wut. Hier, beim Ausbruche der höchsten Raserei, erheben sich entsetzt die drei **Grazien**. Sie suchen den Wütenden Einhalt zu tun und sie zu entfernen. Machtlos fürchten sie selbst mit fortgerissen zu werden: sie wenden sich zu den schlafenden **Amoretten**, rütteln sie auf, und jagen sie in die Höhe. Diese flattern wie eine Schar Vögel aufwärts auseinander, nehmen in der Höhe, wie in Schlachtordnung, den ganzen Raum der Höhle ein, und schießen von da ab herab einen unaufhörlichen Hagel von Pfeilen auf das Getümmel in der Tiefe. Die Verwundeten, von mächtigem Liebessehnen ergriffen, lassen vom rasenden Tanze ab und sinken in Ermattung. Die Grazien bemächtigen sich der Verwundeten und suchen, indem sie die Trunkenen zu Paaren fügen, sie mit sanfter Gewalt nach dem Hintergrund zu zu zerstreuen. Dort nach den verschiedensten Richtungen hin entfernen sich [zum Teil auch von der Höhe herab durch die Amoretten verfolgt] die Bacchanten, Faunen, Satyren, Nymphen und Jünglinge. Ein immer dichterer rosiger Duft senkt sich herab; in ihm verschwinden zunächst die Amoretten; dann bedeckt er den ganzen Hintergrund, so daß endlich, außer **Venus** und **Tannhäuser**, nur noch die drei **Grazien** sichtbar zurückbleiben. Diese wenden sich jetzt nach dem Vordergrunde zurück; in anmutigen Verschlingungen nahen sie sich **Venus**, ihr gleichsam von dem Siege berichtend, den sie über die wilden Leidenschaften der Untertanen ihres Reiches gewonnen. — **Venus** blickt dankend zu ihnen.

*) Die beiden ersten Szenen sind hier nach der späteren Ausführung gegeben, welche der Verfasser als einzig giltig auch für die Aufführung derselben anerkannt wissen will. D. Herausg.

Grotte und Gruft

Eros und Thanatos führen in der Schopenhauerischen Philosophie gleichermaßen zum Verlust von Zeit und Raum, zur Auflösung der Individuation. Wagner gibt sich dieser Faszination in «Tristan und Isolde» hemmungslos hin. Im «Tannhäuser» stellt er der Venusgrotte das «schöne Tal» entgegen, wo Herdengeläut und Hirtenschalmei ertönen. Es gelingt jedoch Tannhäuser nicht, das bukolische Glück mit Elisabeth zu verwirklichen. Er pilgert nach Rom, wird aber vom Papst nicht entsühnt. Die Geschichte endet mit «Kreuz, Tod und Gruft».

Nietzsches «Olympischer Zauberberg»

Das Wort «Zauberberg» kommt schon in Eichendorffs «Marmorbild» vor. Thomas Mann dürfte es aber aus Nietzsches «Geburt der Tragödie» übernommen haben.

Jetzt öffnet sich uns gleichsam der olympische Zauberberg und zeigt uns seine Wurzeln. Der Grieche kannte und empfand die Schrecken und Entsetzlichkeiten des Daseins: um überhaupt leben zu können, mußte er vor sie hin die glänzende Traumgeburt der Olympischen stellen. Jenes ungeheure Mißtrauen gegen die titanischen Mächte der Natur, jene über allen Erkenntnissen erbarmungslos thronende Moira, jener Geier des großen Menschenfreundes Prometheus, jenes Schreckensloos des weisen Ödipus, jener Geschlechtsfluch der Atriden, der Orest zum Muttermorde zwingt, kurz jene ganze Philosophie des Waldgottes, sammt ihren mythischen Exempeln, an der die schwermüthigen Etrurier zu Grunde gegangen sind – wurde von den Griechen durch jene künstlerische Mittelwelt der Olympier fortwährend von Neuem überwunden, jedenfalls verhüllt und dem Anblick entzogen. Um leben zu können, mußten die Griechen diese Götter, aus tiefster Nöthigung, schaffen: welchen Hergang wir uns wohl so vorzustellen haben, daß aus der ursprünglichen titanischen Götterordnung des Schreckens durch jenen apollinischen Schönheitstrieb in langsamen Übergängen die olympische Götterordnung der Freude entwickelt wurde: wie Rosen aus dornigem Gebüsch hervorbrechen.

Friedrich Nietzsche, Die Geburt der Tragödie

Sanatorien in Davos

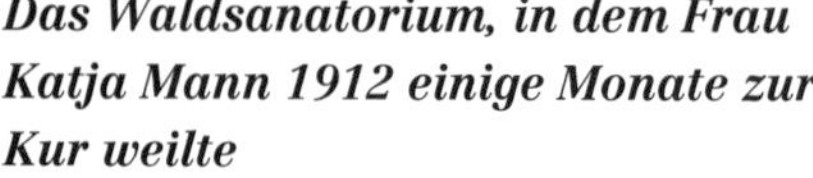
Das Waldsanatorium, in dem Frau Katja Mann 1912 einige Monate zur Kur weilte

Hofrat Behrens
Dr. Friedrich Jessen (1868–1935), leitender Arzt des Waldsanatoriums

KRANKHEIT ALS ABENTEUER

Im Jahre 1912 war meine Frau an einem Lungenspitzenkatarrh erkrankt und mußte zweimal, in diesem Jahre und aufs neue im übernächsten, eine Reihe von Monaten im Schweizer Hochgebirge verbringen. Im Mai und Juni 1912 verbrachte ich drei Wochen als Hospitant bei ihr in Davos und sammelte – aber das Wort entspricht sehr schlecht der Passivität meiner Erlebnisart – jene wunderlichen Milieueindrücke, aus denen die Hörselbergidee zu einer knappen Novelle sich bildete, gedacht wiederum als rasche Einlage in die Schwindlerbekenntnisse, die durchaus zur Fortsetzung lockten, und als Satyrspiel zu der novellistischen Tragödie der Entwürdigung, von der ich kam. Die Faszination durch den Tod, der Sieg höchster Unordnung über ein auf Ordnung gegründetes und der Ordnung geweihtes Leben sollte hier verkleinert und ins Komische herabgesetzt werden. Ein schlichter Held, ein kurioser Konflikt von bürgerlicher Pflicht und makabrem Abenteuer – der Ausgang war vorderhand ungewiß, würde sich aber finden, und unbedingt würde, was ich da vorhatte, bequem, lustig und auf mäßigem Raume zu machen sein. Nach Tölz und München zurückgekehrt, begann ich die ersten Kapitel des ‹Zauberbergs› zu schreiben und las sogar gelegentlich, in der ‹Galerie Caspari›, in Gegenwart Wedekinds, wie ich mich erinnere, öffentlich daraus vor.

[...]

Daß die Davoser Geschichte ‹es in sich hatte›, daß sie über sich selber anders dachte, als ich es tun mußte, um mich auf sie einzulassen, fühlte ich früh – ganz äußerlich schon gab sie es mir zu verstehen: gerade die englische Bequemlichkeit des Tons, den ich – zur Erholung gleichsam von der Severität des ‹Tod in Venedig› – hier angeschlagen, das ausladend Humoristische forderte einfach Raum. Es war für die Form des ‹Zauberbergs› noch ein Glück, daß der Krieg mich zu jener Generalrevision meiner Grundlagen, dem mühsamen Gewissenswerk der ‹Betrachtungen eines Unpolitischen› zwang, durch welches dem Roman das Schlimmste an grüblerischer Beschwerung abgenommen oder doch zu seinen Gunsten spiel- und kompositionsreif gemacht wurde. Die Probleme aber der Erzählung wie des Bekenntnis- und Kampfbuches waren vor dem Kriege da und in mir lebendig – alles war da vor dem Kriege und wurde durch ihn nur aktualisiert und in die grelle und wüste Beleuchtung der Feuersbrunst getaucht.

Lebensabriß (XI, 125 f.)

Der «Berghof»
Höhenklinik Valbella in Davos
Aufnahme aus den dreißiger Jahren

[...] ein langgestrecktes Gebäude mit Kuppelturm, das vor lauter Balkonlogen von weitem löcherig und porös wirkte wie ein Schwamm.

Der Zauberberg (III, 17)

Clawdia Chauchat …

Katja Mann, um 1912

Clawdia Chauchat erinnert nur schon durch die Schreibung des Vornamens an Katja Mann. Aber alles Biographische ist bis zur Unkenntlichkeit mit literarischen Bezügen überdeckt. Der Erzähler baut ein riesiges Tarnsystem auf. Im Vordergrund steht die Anlehnung an die Tannhäuser- und an die Tristan-Sage: das Motiv des Untergangs im Venusreich, das Motiv des Liebestodes in der Grotte. Ein ähnliches Schicksal wäre in der ursprünglich geplanten Novelle wohl Hans Castorp beschieden gewesen: «Laisse-moi périr, mes lèvres sur les tiennes», flüstert er im Kapitel «Walpurgisnacht» seiner blaumützigen Geliebten zu. Der Anspielungen sind aber viel mehr. Das geht von Proserpina zu Lilith, von Kirke zu Beatrice, von Lucinde zu Aida und Mimi. Die ganze Welt der Mythen und Sagen, alle Liebesgeschichten der Weltliteratur werden herbeizitiert, und immer mit dem einen Ziel: den autobiographischen Hintergrund zu verhüllen.

Anamnesis

Aber mit alldem nicht genug. Die Sache hat auch eine tiefenpsychologische Seite. Hans Castorp fühlt sich beim Anblick Clawdias an seinen Mitschüler Pribislav Hippe erinnert – sowie Thomas Mann seine Frau Katja mit dem Mitschüler Williram Timpe in Verbindung gebracht haben mag. Neben den breiten Backenknochen und den Tatarenaugen hat Clawdia mit Katja auch das Burschikose und das kleine Laster des Fingerkauens gemeinsam.

Es war eine Dame, die da durch den Saal ging, eine Frau, ein junges Mädchen wohl eher, nur mittelgroß, in weißem Sweater und farbigem Rock, mit rötlichblondem Haar, das sie einfach in Zöpfen um den Kopf gelegt trug. Hans Castorp sah nur wenig von ihrem Profil, fast gar nichts. Sie ging ohne Laut, was zu dem Lärm ihres Eintritts in wunderlichem Gegensatz stand, ging eigentümlich schleichend und etwas vorgeschobenen Kopfes zum äußersten Tische links, der senkrecht zur Verandatür stand, dem ‹Guten Russentisch› nämlich, wobei sie die eine Hand in der Tasche der anliegenden Wolljacke hielt, die andere aber, das Haar stützend und ordnend, zum Hinterkopf führte. Hans Castorp blickte auf diese Hand, – er hatte viel Sinn und kritische Aufmerksamkeit für Hände und war gewöhnt, auf diesen Körperteil zuerst, wenn er neue Bekanntschaften machte, sein Augenmerk zu richten. Sie war nicht sonderlich damenhaft, die Hand, die das Haar stützte, nicht so gepflegt und veredelt, wie Frauenhände in des jungen Hans Castorp gesellschaftlicher Sphäre zu sein pflegten. Ziemlich breit und kurzfingrig, hatte sie etwas Primitives und Kindliches, etwas von der Hand eines Schulmädchens; ihre Nägel wußten offenbar nichts von Maniküre, sie waren schlecht und recht beschnitten, ebenfalls wie bei einem Schulmädchen, und an ihren Seiten schien die Haut etwas aufgerauht, fast so, als werde hier das kleine Laster des Fingerkauens gepflegt. Übrigens erkannte Hans Castorp dies eher ahnungsweise, als daß er es eigentlich gesehen hätte, – die Entfernung war doch zu bedeutend. Mit einem Kopfnicken begrüßte die Nachzüglerin ihre Tischgesellschaft, und indem sie sich setzte, an die Innenseite des Tisches, den Rücken gegen den Saal, zur Seite Dr. Krokowski's, der dort den Vorsitz hatte, wandte sie, noch immer die Hand am Haar, den Kopf über die Schulter und überblickte das Publikum, – wobei Hans Castorp flüchtig bemerkte, daß sie breite Backenknochen und schmale Augen hatte … Eine vage Erinnerung an irgend etwas und irgendwen berührte ihn leicht vorübergehend, als er das sah …

Der Zauberberg (III, 110 f.)

... und Pribislav Hippe

Dann schien es dem Träumenden, als befinde er sich auf dem Schulhof, wo er so viele Jahre hindurch die Pausen zwischen den Unterrichtsstunden verbracht, und sei im Begriffe, sich von Madame Chauchat, die ebenfalls zugegen war, einen Bleistift zu leihen. Sie gab ihm den rotgefärbten, nur noch halblangen, in einem silbernen Crayon steckenden Stift, indem sie Hans Castorp mit angenehm heiserer Stimme ermahnte, ihn ihr nach der Stunde bestimmt zurückzugeben, und als sie ihn ansah, mit ihren schmalen blaugraugrünen Augen über den breiten Backenknochen, da riß er sich gewaltsam aus dem Traum empor, denn nun hatte er es und wollte es festhalten, woran und an wen sie ihn eigentlich so lebhaft erinnerte.

Der Zauberberg (III, 130)

Pribislav Hippe
Wilhelm (Williram, Willri) Timpe, Thomas Manns älterer Mitschüler, am Strand von Niendorf. Pribislav Hippe klingt an Williram Timpe an.
Im Strandstuhl, links: seine Mutter. Ihre Wangenknochen und Augen kehren bei den Söhnen Willri und Ernst wieder.

Ernst Timpe, Bruder von Willri (mit dem bei ihm besonders ausgeprägten Kirgisengesicht der Timpes)
Ernst Timpe war am Katharineum primus omnium, machte 1891 das beste Abitur. Er wurde Priester.

Der Kirgise

Der Knabe, mit dem Hans Castorp sprach, hieß Hippe, mit Vornamen Pribislav. Als Merkwürdigkeit kam hinzu, daß das r dieses Vornamens wie sch auszusprechen war: es hieß «Pschibislav»; und dieser absonderliche Vorname stimmte nicht schlecht zu seinem Äußeren, das nicht ganz durchschnittsmäßig, entschieden etwas fremdartig war. Hippe, Sohn eines Historikers und Gymnasialprofessors, notorischer Musterschüler folglich und schon eine Klasse weiter als Hans Castorp, obgleich kaum älter als dieser, stammte aus Mecklenburg und war für seine Person offenbar das Produkt einer alten Rassenmischung, einer Versetzung germanischen Blutes mit wendisch-slawischem – oder auch umgekehrt. Zwar war er blond, – sein Haar war ganz kurz über dem Rundschädel geschoren. Aber seine Augen, blaugrau oder graublau von Farbe – es war eine etwas unbestimmte und mehrdeutige Farbe, die Farbe etwa eines fernen Gebirges –, zeigten einen eigentümlichen, schmalen und genaugenommen sogar etwas schiefen Schnitt, und gleich darunter saßen die Backenknochen, vortretend und stark ausgeprägt, – eine Gesichtsbildung, die in seinem Falle durchaus nicht entstellend, sondern sogar recht ansprechend wirkte, die aber genügt hatte, ihm bei seinen Kameraden den Spitznamen ‹der Kirgise› einzutragen. Übrigens trug Hippe schon lange Hosen und dazu eine hochgeschlossene, blaue, im Rücken gezogene Joppe, auf deren Kragen einige Schuppen von seiner Kopfhaut zu liegen pflegten.

[…]

Und so stand er denn nun im Gewühle des Klinkerhofes wirklich vor Pribislav Hippe und sagte zu ihm:

«Entschuldige, kannst du mir einen Bleistift leihen?»

Und Pribislav sah ihn an mit seinen Kirgisenaugen über den vorstehenden Backenknochen und sprach zu ihm mit seiner angenehm heiseren Stimme, ohne Verwunderung oder doch ohne Verwunderung an den Tag zu legen.

«Gern», sagte er. «Du mußt ihn mir nach der Stunde aber bestimmt zurückgeben.» Und zog sein Crayon aus der Tasche, ein versilbertes Crayon mit einem Ring, den man aufwärts schieben mußte, damit der rotgefärbte Stift aus der Metallhülse wachse. Er erläuterte den einfachen Mechanismus, während ihre beiden Köpfe sich darüberneigten.

«Aber mach ihn nicht entzwei!» sagte er noch.

Wo dachte er hin? Als ob Hans Castorp die Absicht gehabt hätte, den Stift etwa nicht zurückzuerstatten oder gar ihn fahrlässig zu behandeln.

Dann sahen sie einander lächelnd an, und da nichts mehr zu sagen blieb, so kehrten sie sich erst die Schultern und dann die Rücken zu und gingen.

Das war alles. Aber vergnügter war Hans Castorp in seinem Leben nie gewesen als in dieser Zeichenstunde, da er mit Pribislav Hippe's Bleistift zeichnete, – mit der Aussicht obendrein, ihn nachher seinem Besitzer wieder einzuhändigen, was als reine Dreingabe zwanglos und selbstverständlich aus dem Vorhergehenden folgte. Er war so frei, den Bleistift etwas zuzuspitzen, und von den rotlackierten Schnitzeln, die abfielen, bewahrte er drei oder vier fast ein ganzes Jahr lang in einer inneren Schublade seines Pultes auf, – niemand, der sie gesehen hätte, würde geahnt haben, wie Bedeutendes es damit auf sich hatte.

Der Zauberberg (III, 170, 173 f.)

Clawdia Chauchat wird Hans Castorp am Ende der «Walpurgisnacht» ein Crayon leihen.

Fliesenhof und Bleistiftschnitzel

An den «nackten Fliesenhof» – und damit an das Erlebnis mit Timpe erinnert sich Thomas Mann auch im Brief vom 29. August 1903 an Otto Grautoff (im 7. Notizbuch), und die «Bleistiftschnitzel W. T.'s» kommen ihm noch im Tagebuch, am 15. September 1950, in den Sinn.

Auch an den Strand von Niendorf denkt Thomas Mann zurück, als er am 24. Mai 1926 den Jugendfreund Grautoff zu einem Treffen in Lübeck einlädt:

Es gibt eine Gedenkfeier im Theater, die ‹Meistersinger›, ein Orchesterkonzert unter Abendroth, einen Festzug u. dergl. mehr. Und da wollte ich Dich nun ernstlich fragen, ob Du nicht, gerade auch im Hinblick auf Deinen Geburtstag, auch zu diesen Festtagen hinzukommen Lust hast. Ich finde, es ist eine sinnreiche Idee. Wir könnten uns erinnern und uns amüsieren, könnten am 7. bei gutem Wetter nach Travemünde fahren und alte Tage erneuern. Auch ein Gang am Strande nach Niendorf wäre nicht übel, wo in den Ferien ein gewisser Timpe zu weilen pflegte.

An Otto Grautoff, 24. Mai 1926

DIE TAUFSCHALE

Der Alte aber nahm von einem mittleren Fach eine stark angelaufene runde silberne Schale, die auf einem ebenfalls silbernen Teller stand, und wies beide Stücke dem Knaben vor, indem er sie voneinander nahm und unter schon oft gegebenen Erklärungen einzeln hin und her wandte.
Becken und Teller gehörten ursprünglich nicht zueinander, wie man wohl sah und wie sich der Kleine aufs neue belehren ließ; doch seien sie, sagte der Großvater, seit rund hundert Jahren, nämlich seit Anschaffung des Beckens, im Gebrauche vereinigt. Die Schale war schön, von einfacher, edler Gestalt, geformt von dem strengen Geschmack der Frühzeit des letzten Jahrhunderts. Glatt und gediegen, ruhte sie auf rundem Fuße und war innen vergoldet; doch war das Gold von der Zeit schon zum gelblichen Schimmer verblichen. Als einziger Zierat lief ein erhabener Kranz von Rosen und zackigen Blättern um ihren oberen Rand. Den Teller angehend, so war sein weit höheres Alter ihm von der Innenseite abzulesen. «1650» stand dort in verschnörkelten Ziffern, und allerlei krause Gravierungen umrahmten die Zahl, ausgeführt in der «modernen Manier» von damals, schwülstig-willkürlich, Wappen und Arabesken, die halb Stern und halb Blume waren. Auf der Rückseite aber fanden sich in wechselnder Schriftart die Namen der Häupter einpunktiert, die im Gange der Zeit des Stückes Inhaber gewesen: Es waren ihrer schon sieben, versehen mit der Jahreszahl der Erb-Übernahme, und der Alte in der Binde wies mit dem beringten Zeigefinger den Enkel auf jeden einzelnen hin. Der Name des Vaters war da, der des Großvaters selbst und der des Urgroßvaters, und dann verdoppelte, verdreifachte und vervierfachte sich die Vorsilbe «Ur» im Munde des Erklärers, und der Junge lauschte seitwärts geneigten Kopfes, mit nachdenklich oder auch gedankenlos-träumerisch sich festsehenden Augen und andächtig-schläfrigem Munde auf das Ur-Ur-Ur-Ur, – diesen dunklen Laut der Gruft und der Zeitverschüttung, welcher dennoch zugleich einen fromm gewahrten Zusammenhang zwischen der Gegenwart, seinem eigenen Leben und dem tief Versunkenen ausdrückte und ganz eigentümlich auf ihn einwirkte: nämlich so, wie es auf seinem Gesichte sich ausdrückte. Er meinte modrig-kühle Luft, die Luft der Katharinenkirche oder der Michaeliskrypte zu atmen bei diesem Laut, den Anhauch von Orten zu spüren, an denen man, den Hut in der Hand, in eine gewisse, ehrerbietig vorwärts wiegende Gangart ohne Benutzung der Stiefelabsätze verfällt; auch die abgeschiedene, gefriedete Stille solcher hallender Orte glaubte er zu hören [...].

Der Zauberberg (III, 35 f.)

Silberne Taufschale. Familienerbstück der Familie Mann aus dem Jahre 1654
Geschenk der Familie Mann an die Stadt Lübeck, 1975.

DER FRÜHE «ZAUBERBERG»

Ich hatte vor dem Kriege eine größere Erzählung begonnen, die im Hochgebirge, in einem Lungensanatorium spielt, – eine Geschichte mit pädagogisch-politischen Grundabsichten, worin ein junger Mensch sich mit der verführerischsten Macht, dem Tode, auseinanderzusetzen hat und auf komisch-schauerliche Art durch die geistigen Gegensätze von Humanität und Romantik, Fortschritt und Reaktion, Gesundheit und Krankheit geführt wird, aber mehr orientierend und der Wissenschaft halber, als entscheidend. Der Geist des Ganzen ist humoristisch-nihilistisch, und eher schwankt die Tendenz nach der Seite der Sympathie mit dem Tode. «Der Zauberberg» heißt es, etwas vom Zwerg Nase, dem sieben Jahre wie Tage vergehen, ist darin, und der Schluß, die Auflösung, – ich sehe keine andere Möglichkeit, als den Kriegsausbruch. Man kann als Erzähler diese Wirklichkeit nicht ignorieren, und ich glaube ein Recht auf sie zu haben, da das Vorgefühl davon in allen meinen Conceptionen war.

An Paul Amann, 3. August 1915

Das Haus an der Poschingerstraße

Poschingerstraße 1, München
Hier wohnte Thomas Mann mit seiner Familie vom Januar 1914 bis Februar 1933.

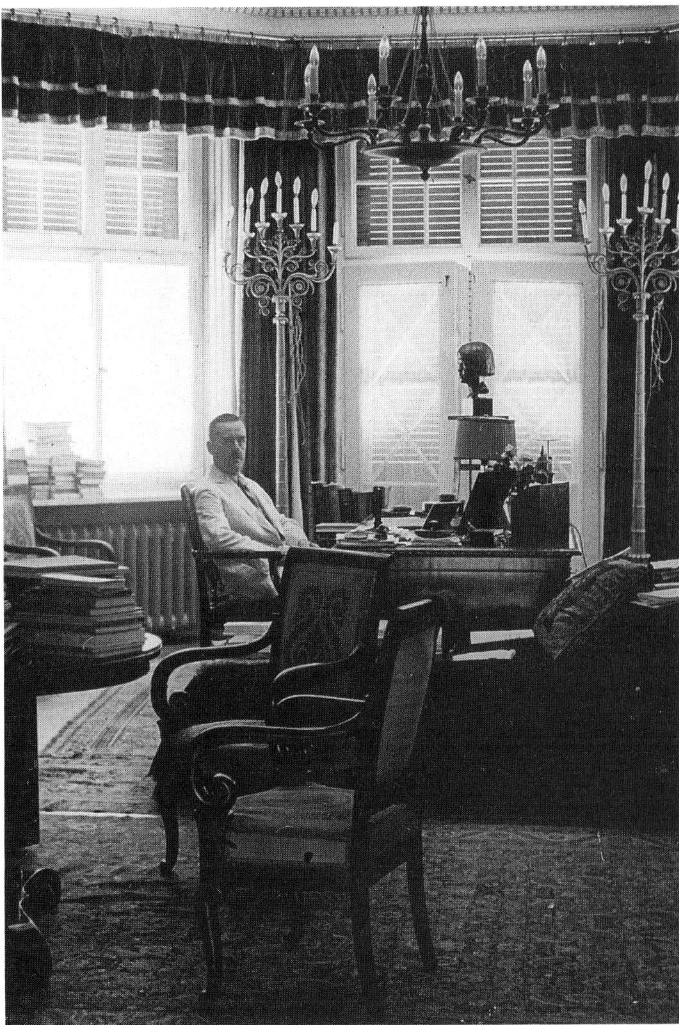

Thomas Manns Schreibtisch, vor 1928
In der Mitte, am hintern Rand des Pults, steht ein siamesischer Buddha (Thomas Mann bezeichnete ihn als «siamesischen Krieger»), der an Schopenhauer denken läßt und an dessen Forderung nach einem «heroischen Lebenslauf». Den Krieger flankieren zwei Kerzen – sie sollen an Schillers Schreibtisch erinnern und sind in der «Schweren Stunde» erwähnt; aber auch auf Aschenbachs Schreibtisch stehen «zwei Kerzen zu Häupten des Manuskripts», die hieratische Atmosphäre des Arbeitsplatzes betonend. An der Wand rechts Ludwig von Hofmanns Bild «Die Quelle», das in Hans Castorps Südtraum beschrieben wird.

Thomas Mann in seinem Arbeitszimmer
Hier schrieb Thomas Mann die «Betrachtungen eines Unpolitischen», «Herr und Hund», den «Gesang vom Kindchen», den «Zauberberg» und Teile der «Joseph»-Geschichten.

Frau Katja Mann mit den Kindern Klaus, Erika, Golo und Monika. München, um 1915

Und wieder «Kinderspiele»

Wie wunderbar wir gespielt haben! Mit den Puppen war mehr anzufangen, als mit dem Dichter- und Komponistenquartett, dem «Villanor»-Baukasten, den Mühlesteinen oder der Eisenbahn. Beim Dichterquartett konnte man freilich, danach gefragt, ob man Schillers «Jungfrau von Orleans» vorrätig habe, mit feinstem Spott antworten: «Bedaure ganz außerordentlich – aber vielleicht kannst du mir mit Grillparzers ‹Medea› aufwarten!» – und beim Mühlespielen durfte man den Partner durch die infame Zwickmühle wahrhaftig grün ärgern; aber die Puppen wurden wirklich lebendig; das bedeutete natürlich einen ungeheueren Vorteil. Ja, Bobbelchen, Madamchen und all die anderen lebten, sie hatten sogar die kompliziertesten und größten Schicksale. Sie zankten sich, sie bekamen Kinder, sie erwarben Vermögen, verloren sie, unternahmen Reisen, litten an bösen Krankheiten. Sie hatten Lieblingsgerichte, so daß sie im Chore riefen: «Darum – laßt uns – Wurstbrot – schmatzen –»; einige von ihnen waren so eitel, daß man ihnen ständig neue Kostüme schneidern mußte, andere schienen boshaft und aufsässigen Charakters. – Ich weiß, daß ich mit zehn und elf Jahren noch mit Puppen spielte. Freilich wurden die kleinen Stoff- und Zelluloidgebilde selber beinah nebensächlich, während die großen Geschichten, die sich um sie spannen, immer selbständiger wuchsen.

Dieser Kreis der Puppengeschichten stand in einem engen, wenn auch komplizierten Zusammenhang mit dem großen Spiel von «Gro-Schie» oder dem Spiel von Herrn Steinrück und Löbenzahn. – Das Spiel «Gro-Schie» bestand darin, daß unser Haus und der ganze Garten sich in einen enormen Ozeandampfer verwandelte, wobei der Garten zum Schiffsdeck, die Zimmer zu den Kabinen wurden. Die schiffstechnischen Einzelheiten dieses schönen Spiels waren angeregt durch die Lektüre eines Romans, den wir ganz herrlich fanden und fast auswendig wußten: «Kapitän Spieker und sein Schiffsjunge». So kannten wir uns aus: Unser Vater war der Kapitän, der sich selten zeigte, aber in der «Betriebskabine» alles lenkte; Mielein wurde Wirtschaftsdame und hieß feinerweise Gräfin Baudessin. Erika und Moni waren Passagiere erster Klasse, desgleichen Golo und ich. Während Erika und Moni aber eben nur einfach reisende Ladys waren, hieß ich Herr Steinrück, Golo Herr Löbenzahn, wir waren beide steinreiche Sonderlinge und miteinander befreundet. Herr Löbenzahn, wenngleich auch seinerseits reich, schrullenhaft und von großer Welt, stand doch in einem gewissen Abhängigkeitsverhältnis zu Herrn Steinrück, der sich allerlei mit ihm erlauben konnte. Herr Steinrück war Bobbelchens Vater und Bobbelchen war leichtlebig, zu Herrn Steinrücks Sorge. So verflochten sich die Puppenschicksale mit den Schicksalen der Groß-Schiff-Bewohner. Bobbelchen und Madamchen ließen sich schrecklich gehen, während Papa Steinrück seine Weltreise machte. Darüber sprach der würdige alte Millionär mit Freund Löbenzahn, wenn die beiden hochvermögenden Käuze auf Deck promenierten. Die Wiesen waren das Meer. Wenn wir vormittags spazieren gehen mußten, wurde eine «Landung» eingelegt; der Wiesenweg in den Ort verwandelte sich in eine Palmenallee von Honolulu, und wir besichtigten das ehrliche alte Tölz wie Bombay.

Klaus Mann, Kind dieser Zeit

Hochzeiten

Maria Kanova (Kahn), die Braut Heinrich Manns
Heinrich Mann lernte Maria Kanova (1886–1946) während der Proben seines Stücks «Die große Liebe» kennen. Er heiratete sie am 12. August 1914. 1916 gebar sie die Tochter Carla Maria Henriette Leonie. Um 1930 trennte sie sich von Heinrich Mann und kehrte in die Tschechoslowakei zurück. Während des Zweiten Weltkriegs verbrachte sie fünf Jahre im Konzentrationslager Theresienstadt. Sie starb kurz nach der Aufhebung des Lagers.

Nelly Kilian und Viktor Mann
Thomas Manns jüngster Bruder Viktor mit seiner Frau Nelly geb. Kilian. Die Kriegstrauung fand am 1. August 1914 statt.

Thomas Mann, 1919

1914–1918 Der Erste Weltkrieg

Kriegsausbruch
«Betrachtungen eines Unpolitischen» –
Der Bruderzwist
Versuch einer Versöhnung
Der Zusammenbruch des Kaiserreichs

Kriegsausbruch

Kaiser Wilhelm II. begibt sich mit seinen Söhnen zur Neujahrsparade 1914

Kriegsausbruch August 1914
Kriegsbegeisterte Menge am 2. August vor der Feldherrenhalle in München

Kriegsausbruch! Er kam für Thomas Mann völlig unerwartet. «Im Ernst, muß man sich nicht schämen, so garnichts geahnt und gemerkt zu haben? Selbst nach dem Fall des Erzherzogs hatte ich noch keinen Schimmer, und als der Kriegszustand verhängt war, schwor ich immer noch, daß es zu nichts Ernsthaftem kommen werde.» So am 11. November 1914 an Philipp Witkop. Die Regimenter marschierten unter dem Jubel der Bevölkerung durchs Brandenburger Tor, an der Feldherrenhalle vorbei, die Soldaten steckten Blumensträuße in Gewehrläufe und Geschützrohre. Das Hochgefühl nationaler Einhelligkeit brandete die Mauern empor. Schriftsteller aller Richtungen feierten den heroischen Aufstand des deutschen Volkes. Wer die ersten Kriegsnummern der «Neuen Rundschau» oder anderer Blätter durchsieht, greift sich an den Kopf. Alle waren dabei, Kaisertreue, Sozialdemokraten, Naturalisten, Expressionisten, Impressionisten, alle fielen in die Saiten, um den Krieg als deutsches Ereignis zu feiern: Hauptmann und Wedekind, Dehmel und Rilke, Hofmannsthal, Wassermann, Musil und Hesse, alle schrieben sie Aufrufe, dichteten Hymnen oder Haßgesänge. Auch Thomas Mann ist dabei. In einem Brief vom 18. September 1914 an Heinrich spricht er von einem «großen, grundanständigen, ja feierlichen Volkskrieg» und schreibt im gleichen Monat noch den Aufsatz «Gedanken im Kriege».

Postkarte an Kurt Martens vom 12. August 1914
«Welche Heimsuchung! Noch immer glaubt man, zu träumen. Und doch muß man sich jetzt fast schämen, nicht gesehen zu haben, daß es kommen mußte. – Ich nahm neulich in München Abschied von meinem jungen Bruder, der gleich fort mußte.»

Mobilmachung

Die nervenzerreißenden Tage vor der Mobilmachung, dem Ausbruch der Völkerkatastrophe verbrachten wir in unserer Tölzer Zurückgezogenheit. Wie es im Lande, in der Welt aussah, davon bekamen wir einen Begriff, als wir, um uns von meinem jüngeren Bruder zu verabschieden, der sogleich als Artillerist an die Front gehen mußte, zur Stadt fuhren und der sommerheiße Wirrwarr der verstopften Bahnhöfe, das Gebrodel einer aufgewühlten, in Angst und Begeisterung gerissenen Menschheit uns umgab. Das Verhängnis nahm seinen Lauf. Ich teilte die Schicksalsergriffenheit eines geistigen Deutschtums, dessen Glaube soviel Wahrheit und Irrtum, Recht und Unrecht umfaßte und so furchtbaren, ins Große gerechnet aber heilsamen, Reife und Wachstum fördernden Belehrungen entgegenging. Ich habe diesen schweren Weg zusammen mit meinem Volke zurückgelegt, die Stufen meines Erlebens waren die des seinen, und so will ich's gutheißen. Sowenig denn aber meine Anlagen und Bildungsüberlieferungen, die moralisch-metaphysischer, nicht politisch-gesellschaftlicher Art waren, mich in den Stand setzten, von jener Ergriffenheit, jenem Glauben einen Abstand zu nehmen, der anderen vielleicht zu natürlich war, sowenig wußte ich mich meiner körperlichen Natur nach zum Kriegsmann und Soldaten geschaffen, und nur augenblicksweise, im Anfang, war ich versucht, dies Wissen zu verleugnen. «Mit euch zu leiden» gab es in den folgenden Jahren auch zu Hause in physischer und geistiger Beziehung hinlängliche Gelegenheit, und die ‹Betrachtungen eines Unpolitischen› waren ein Gedankendienst mit der Waffe, zu welchem, wie ich im Vorwort sagte, nicht Staat und Wehrmacht, sondern die Zeit selbst mich ‹eingezogen› hatte.

Lebensabriß (XI, 126 f.)

Der Krieg ist da!

Stimmen deutscher Schriftsteller zum Kriegsanfang
Aus der «Neuen Rundschau», 1914

GEDANKEN IM KRIEGE

Im Gebrauch der Schlagworte «Kultur» und «Zivilisation» herrscht, namentlich in der Tagespresse – und zwar der des In- und Auslandes –, große Ungenauigkeit und Willkür. Oft scheint man sie einfach als gleichbedeutend zu verwechseln, oft sieht es auch aus, als ob man das erstere für eine Steigerung des anderen halte, oder auch umgekehrt, – es bleibt ungewiß, welcher Zustand nun eigentlich für den höhern und edleren gilt. Für meine Person habe ich mir die Begriffe folgendermaßen zurechtgelegt.
Zivilisation und Kultur sind nicht nur nicht ein und dasselbe, sondern sie sind Gegensätze, sie bilden eine der vielfältigen Erscheinungsformen des ewigen Weltgegensatzes und Widerspiels von Geist und Natur. Niemand wird leugnen, daß etwa Mexiko zur Zeit seiner Entdeckung Kultur besaß, aber niemand wird behaupten, daß es damals zivilisiert war. Kultur ist offenbar nicht das Gegenteil von Barbarei; sie ist vielmehr oft genug nur eine stilvolle Wildheit, und zivilisiert waren von allen Völkern des Altertums vielleicht nur die Chinesen. Kultur ist Geschlossenheit, Stil, Form, Haltung, Geschmack, ist irgendeine gewisse geistige Organisation der Welt, und sei das alles auch noch so abenteuerlich, skurril, wild, blutig und furchtbar. Kultur kann Orakel, Magie, Päderastie, Vitzliputzli, Menschenopfer, orgiastische Kultformen, Inquisition, Autodafés, Veitstanz, Hexenprozesse, Blüte des Giftmordes und die buntesten Greuel umfassen. Zivilisation aber ist Vernunft, Aufklärung, Sänftigung, Sittigung, Skeptisierung, Auflösung, – Geist.

Gedanken im Kriege (XIII, 527 f.)

Gedanken im Kriege
von Thomas Mann

Drei Kriegsgedichte
von Richard Dehmel

Deutschlands Fahnenlied

Es zieht eine Fahne vor uns her,
herrliche Fahne.
Es geht ein Glanz von Gewehr zu Gewehr,
Glanz um die Fahne.
Es schwebt ein Adler auf ihr voll Ruh,
der rauschte schon unsern Vätern zu:
hütet die Fahne!

Der Adler, der ist unsre Zuversicht;
fliege, du Fahne!
Er trägt eine Krone von Herrgottslicht;
fliege, du Fahne!
Lieb Vaterland, Mutterland, Kinderland,
wir schworen's dem Kaiser in die Hand:
hoch, hoch ...

Reims
von Alfred Döblin

Als im Beginn des August 1914 der Krieg in Europa sichtbar wurde, standen auf einen Schlag, aus der Erde gestoßen, fertige Nationen an derselben Stelle, wo noch eben kommunizierende Staatsverbände ihre Geschäfte getrieben hatten. Interessenverbände über die Grenzen weg klafften auseinander. Dem Ineinanderwallen der Völker war ein rapides Ende bereitet. Innerhalb der Staaten fielen Schlangenhäute des Standes, Berufes von den Menschen; nur die umtobte geographische Grenze gab dem Denken eine Orientierung. Alles andere war Luxus, Zwischenaktsmusik.
Rasch wurden in der Kunst die Fahnen eingezogen. In dieser feinfühligen Gesellschaft begriff man: unsere Tage sind vorbei. Die Lähmung war vollkommen. Angedonnert, wenn man dieses alte Wort gebrauchen will, legte sich die Kunst um, fiel. Besser als Ideen waren jetzt flinke Beine, statt Leinewand obenauf mit Farbe bemalen war es Zeit, auf lebende Haut zu klopfen: die Farbe kam von unten allein angespritzt. Wer Bildhauer war, konnte sich sein Grabdenkmal hauen, wenn er es nicht vorzog Schanzen zu bauen. Schreiben, mit Kraft für ein interessiertes Publikum schreiben, war nur dem Oberquartiermeister vergönnt; die übrigen fanden Verwendung für ihr Papier und ihr Talent in Eingaben an Armenkommissionen, in schwungvollen Gesuchen um Speisemarken. So waren die Gaben verteilt. In den Lüften die Flieger, die Luftschiffe; auf dem Boden, über den Flüssen, auf den Brücken die Soldatenkolonnen, schießend, sprengend, verheerend, unter den Füßen die sehr geräumige Erde, die zwar ...

n Krieg; die meisten
daß die durch Aktien
aufs Blut entzweien
e und durch etwas
ß die Schicksale der
und Gutwollens zu
hatten selbst diese in
Hunderttausende von
zu brechen; und da
gäbe, und kaum ein
, so viele Opfer mit
e Schlacht. Nichts=
Ofen wärmen und
gewoben ist.
den aus der Zukunft

„O mein Vaterland"

von Gerhart Hauptmann

O mein Vaterland, heiliges Heimatland,
Wie erbleichtest du mit einemmal?
Banger Atem ging durch Feld und Tal,
Bleiern wuchs ringsum der Wolken Wand.

O mein Vaterland, heiliges Heimatland,
Wer denn rief das Wetter dir herein,
Daß des fahlen Hasses gelber Schein
Dich umzucket wie ein Weltenbrand?

„Das tat meine Ehr, die untadlig war,
Tat mein unbeflecktes Friedenskleid,
... die mich gebar, die große Zeit,
... gebar!"

Aus dem Kriegsbuch eines Hirnwesens

von Alfred Kerr

I.

Was ich über Sterben und Krieg denke, hab ich mehrfach
Jetzt war der Krieg da.

Als ich an das Bezirkskommando, General=Pape=Straße
„Der Unterzeichnete meldet sich hiermit freiwillig zum Eintritt
Heer. Er ist Landsturm mit Waffe, von Beruf Schriftsteller.
lich gewandt usw. Er möchte nicht bis zu seinem späten Aufgebo
— und bittet ihn anzunehmen," lagen zwei Regungen hinter mi

Ein Gefühl des Abrückens von einer Menschengattung, die
noch nicht gelernt hat als mit solchen Mitteln hiesige Dinge zu
Habe nichts mit ihnen zu schaffen; in Ewigkeit; in Ewigkeit; in

Der andere Ruf sagt: sie dürfen diesem edlen Volk nichts tun.
diesem „Deutschland" benannten Gefühl, das wir im Blut habe
Man hat die Frechheit uns am Atmen hindern zu wollen. Sch

ng der Mobilmachung heißt: „Die Russen
mit einem Schlag von einer gedrückten

dies Land, für seine Beseeltheit, für seinen

Weltkrieg

ch Meinecke

die Tage des 31. Juli
al dröhnend an den
wir den Klang, un
s Bangen der Kreat
Gedanken beseelt,
n, was uns zur
ziehen konnte ins
ieg, anders als die
durch ein Mitkämp
Wehrpflicht hat
am 3. Septemb
en —, einen noch
s selbst die kühnst
schaft von damal
die auf der V
icht ganz und ga
brechen. So m

Europäertum, Krieg, Deutschtum

von Robert Musil

Der Krieg, in andren Zeiten ein Problem, ist heute Tatsache. Viele der Arbeiter am Geiste haben ihn bekämpft, solange er nicht da war. Viele ihn belächelt. Die meisten bei Nennung seines Namens die Achseln gezuckt, wie zu Gespenstergeschichten. Es galt stillschweigend für unmöglich, daß die durch eine europäische Kultur sich immer enger verbindenden großen Völker heute noch zu einem Krieg gegeneinander sich hinreißen lassen könnten. Das dem widersprechende Spiel des Allianzen=systems erschien bloß wie eine diplomatisch sportliche Veranstaltung.

Tagelang, da der phantastische Ausbruch des Hasses wider uns und Neides ohne unsre Schuld Wirklichkeit geworden war, lag es über vielen Geistern noch wie ein Traum. Kaum einer, der sein Weltbild, sein inneres Gleichgewicht, seine Vorstellung von menschlichen Dingen nicht irgendwo entwertet fühlte. Man darf vielleicht gerade diese Erschütterung, die sich jedem so deutlich einprägte, nicht überschätzen; denn fühlt einer sein letztes Stündlein in der Nähe, denkt er anders über seine Pläne und faßt Vorsätze, die auszuführen später keinen Sinn hat, weil man wieder für das Leben lebt und nicht für den Tod. Trotzdem bleibt ungeheuer, wie die plötzlich erwiesene Möglichkeit eines Krieges in unser moralisches Leben von allen Seiten umändernd eingreift, und wenn heute auch nicht der Zeitpunkt ist, über diese Fragen nachzudenken, wollen wir, vielleicht auf lange hinaus letzten Europäer, in ernster Stunde doch auch nicht auf Wahr-
en baun, die für uns keine mehr waren, und haben, bevor wir hinaus=
n, unser geistiges Testament in Ordnung zu brin...
reue, Mut, Unterordn...

Der Krieg bricht los

von Hermann Stehr

Der Krieg lag eingescharrt in einem
zehn Schuh tief in der Erde und
sich wogend über ihm die goldne
des Korns im Sommerwind, rotflackernd
der Mohn, das Bienlein trug zur Wabe,
die Wachtel schlug, der Schnitter dengelnd
die Sense auf dem Amboß hin und her
und Deutschlands Herz war fried= und seger

Da schnitts erst durch die Luft wie Habichts
und Sonnenwolken wurden schreckensweiß,
dann spürte man ein dumpfes Bangen schwei
hin durch den Leib der Städte, furchtvoll=leis,
zuletzt, wie Rossehufe jagend greifen,
sprangs durch die Lande und schrie fieberheiß:
„Krieg, wache auf! Franzosen dräun am Rhei
und der Kosak brach schon in Schlesien ein!"

Allein, der eingescharrte, grause Reiter
blieb still im Bodenloch, schob nur verglö...
die Knochenhand ...

der Taten geworden
r wir, die wir als
äußeren Krieg den
wir mit der nicht zu
elt zu bringen, uns
helfen. Selbstrecht=
wir wieder einmal
ch seiner Erfahrung,
riff des Artikels ge=
blaß geworden oder
keit. Jetzt schreiben
dliche und zukunfts=
eimliche Sehnsucht
Stil legt sich. Wir
denn wir jeder von
en, so sagen wir es
elben Worte sagen,
nicht verlieren kann
gt.
sich in den Augen=

Der Genius des Krieges

von Max Scheler

Als zu Beginn des Augustmonats unser deutsches Schicksal wie eine einzige ungeheure dunkle Frage vor uns hintrat — jedes Individuum bis ins Mark erschütternd — da war es nur eine Antwort, die aus deutschen Seelen zurücktönte, ein einziger erhobener Arm: Zum Schwert zum Siege! In der heiligen Forderung der Stunde ertranken mit Parteigezänk auch die tiefsten Differenzen unserer Weltanschauung. der Verwunderung einer Generation, für die der Friedenszustand die rklichkeit der Atmosphäre angenommen hatte, sahen und fühlten wir wie die Forderung ernster Tat einte, was in der Meinung über den und in den Interessen an Krieg und Friede getrennt war. Der weite Gang der Welt und jeder Seele innigste Bestrebung sahen sich plötz=n einen Knoten geschürzt und wundersam auf ihren gegenseitigen ang angewiesen. Wir waren nicht mehr, was wir so lange waren: ! — Der zerrissene Lebenskontakt zwischen den Reihen: Individuum — — Nation — Welt — Gott wurde mit einem Male wieder ge=sen — und reicher wogten die Kräfte hin und her als es alle Dich=

Aus dieser Zeit

von Franz Blei

s sich in dieser Zeit vollzieht, gibt den Gedanken
noch Ruhe zu bemessener Architektur mit Grundriß,
und Dachwerk. Sie bleiben ungeordnet und so, wi
hoffnungsbeschwingt an den Tag kommen, der langsa
r keine Übersicht gibt. Mit gutem Geschmack stark
ropäischen Unterhalter Dickens und Dumas im Jah
Kriege, denn besser lügen als der eine sollten bald die
eschen können und das Heimchen am Herd hätte k
ner zirpen hören. Es schweigen die Musen im Kr
r den kurzen stoßenden Atem des Kampfliedes, den
els. Ein Flugblatt zeichnerischer Künstler erscheint, un
reibt darunter, unsere Maler hätten wohl alles Dru
st besessen, aber der Inhalt habe ihnen gefehlt und be

Betrachtungen eines Unpolitischen – Der Bruderzwist

Im Herbst 1915 beginnt Thomas Mann eine längere Arbeit, in der er «alles» sagen will: Aktuelles und Zeitkritisches soll sich mit einer Revision seiner persönlichen Grundlagen «auf wunderliche und gewagte Weise vereinigen». Aus der Abhandlung wird im Verlauf der nächsten Jahre ein Buch, «Die Betrachtungen eines Unpolitischen». Das Buch ist nicht zuletzt Thomas Manns Gegnern zu verdanken. Schon 1914 wendet sich Romain Rolland im «Journal de Genève» gegen die «Gedanken im Kriege» und verlangt von den Intellektuellen aller Nationen, daß sie «au-dessus de la mêlée» zu stehen hätten. Thomas Mann schlägt zurück und wütet gegen «das politische Advokatentum, das Jakobiner- und Freimaurerwesen der Romanen, der demokratische Doktrinär und tyrannische Revolutionsschulmeister ist mir ein Gräuel, und ich habe mich in diesem Kriege, der ja überhaupt die Geister scheidet, geschieden und wohl auf immer geschieden von jenen Ententefreunden im Inneren Deutschlands: unserem radikalen Literatentum, den ‹Intellektuellen› par excellence, die den ‹Geist› in Pacht zu haben meinen, während es nur der literarische Geist der bürgerlichen Revolution ist, den sie meinen und kennen, – all jenen belles lettres-Politikern, die deutsches Wesen fanatischer hassen, als irgend ein äußerer Feind, und die heute, glauben Sie mir! bitter enttäuscht sind, daß die französisch-englische Invasion, die physische und moralische Überwältigung Deutschlands durch den Westen nicht Wahrheit werden will … ‹Solidarität aller Geistigen› … Ich wußte nie bessser, daß es das nicht giebt. Menschliche Duldsamkeit zwischen allem was geistig, ist möglich und wünschenswert. Aber der Radikalismus ist es, der sie nicht übt …» (an Paul Amann, 10. September 1915).

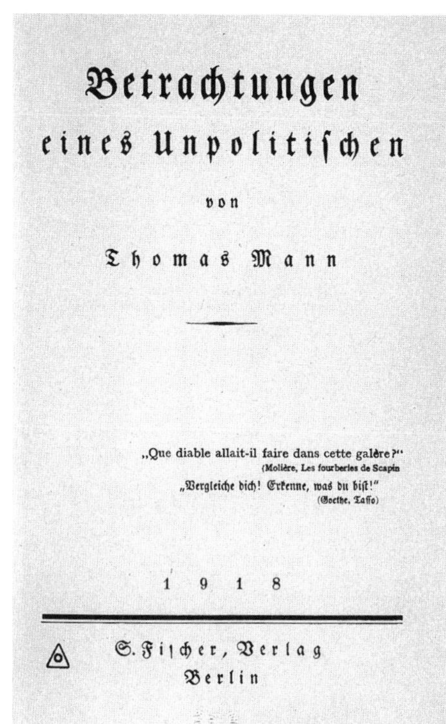

Betrachtungen
eines Unpolitischen
von
Thomas Mann

„Que diable allait-il faire dans cette galère?"
(Molière, Les fourberies de Scapin
„Vergleiche dich! Erkenne, was du bist!"
(Goethe, Tasso)

1 9 1 8

S. Fischer, Verlag
Berlin

Prix : 2 Fr.

ROMAIN ROLLAND

AU-DESSUS
DE LA MÊLÉE

PARIS
PAUL OLLENDORFF
EDITEUR

NEUCHATEL
ATTINGER Frères
ÉDITEURS

1915

Was in den folgenden Jahren entsteht, ist ein kämpferisches Buch. Thomas Mann kämpft als konservativer Monarchist, als Nationaler gegen die fortschrittlich und international sich gebenden Entente-Demokraten. Er repräsentiert das offizielle Deutschland. Aber gleichzeitig bleibt er in Goethes Fußstapfen «unpolitisch», ja antipolitisch. Als Unpolitischer kämpft er gegen ideologische Festgefahrenheit, gegen jedes aktivistische Menschheitspathos. Er legt sich mit dem westlichen Zivilisations-, Gleichheits- und Utilitätsprinzip an und setzt sich für Kultur, Individualität und «Seele» ein. Und dabei versucht er sich immer wieder über die Positionen zu stellen; die eigenen wie die fremden. Er nimmt dann bereits die Haltung des spätern «Zauberberg»-Autors ein, der die Meinungen aufeinanderprallen läßt, ohne selbst Partei zu nehmen.

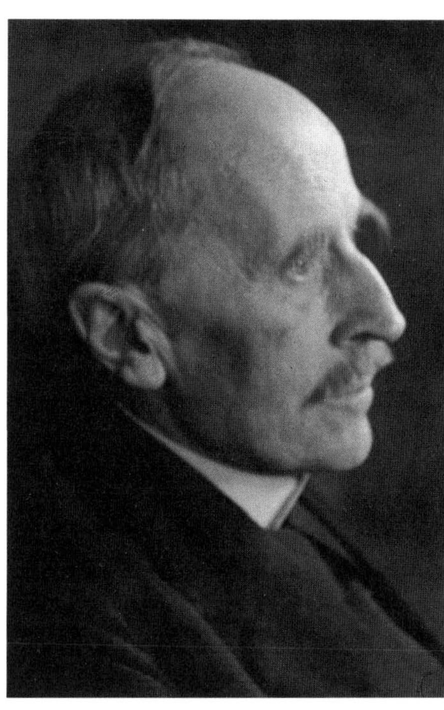

Romain Rolland (1866–1944)

ENTENTE-IDEEN

Verzeihen Sie! Ich frage mich, wie Sie die Schlußwendung Ihres Briefes, die zuversichtliche Erwartung, daß alles zum guten – für Deutschland guten – Austrag kommen müsse, vereinigen mit der Überzeugung, daß Deutschland Romantik und Reaktion bedeute und das französische Revolutionsprinzip die *Zukunft* (alle, die ganze Zukunft?!) für sich habe. Denn das Merkwürdige ist ja, daß wir alle im Grunde an den Krieg glauben, ihn als Gottesgericht betrachten und seinen Spruch als inappellabel hinzunehmen bereit sind. Und Ihrer Überzeugung nach die Zukunft den Entente-Ideen gehört, ich meine den westlichen, die auch die des liberalen Rußlands sind, so müßten Sie Deutschlands Niederlage mit Bestimmheit gewärtigen. Oder scheint Ihnen ein irrtümlicher, sinnwidriger, anti-ideeller Ausgang des Krieges denkbar? Mir keinen Augenblick. Vielmehr bin ich tief überzeugt, daß Frankreich – ins Große, Historische gerechnet – heute ohne jede Sendung, jeden Auftrag ist, zeitblind, verurteilt, desorientiert, hoffnungslos, daß es einen toten, von jedem anderen als dem heroischen Standpunkt überflüssigen Kampf kämpft und daß alles historische Recht, alle wirkliche Modernität, Zukunft, Siegbestimmtheit bei Deutschland ist. Wäre es denn nicht auch das erste Mal in aller Geschichte, daß Ideen, die vor 100 Jahren Sieg, Jugend, Zukunft für sich hatten, sie nach ihrem Siegeszug noch immer und wiederum für sich haben? Erscheinen uns die Westmächte heute nicht hauptsächlich als *alt*, ja altmodisch? Indem sie die weltpolitische und civilisatorische Legitimität vertreten, wirken sie aristokratisch, und ich glaube, daß manche Sympathie, die, angeblich aus demokratistischen Motiven, bei uns für den Westen lebendig ist, in Wahrheit aristokratische Sympathie, Sympathie mit alten, noblen, sinkenden Welten, Romantik, «Sympathie mit dem Tode» ist. Der Westen ist alt, naiv und vornehm, er ist achtzehntes Jahrhundert in seiner Humanität, Ideologie und Phraseologie, seine Ideen sind die der bürgerlichen Revolution, des literarischen «Geistes», der Emancipation des Dritten Standes, nichts darüber hinaus. Man lockt heute keinen Hund mehr damit vom Ofen. Freilich, das, was Deutschland dem Neues entgegenzustellen hat, ist noch nicht formuliert, ist vorderhand schwer zu formulieren, weil es weit weniger literarischer Natur ist und auf Thaten angewiesen. Das Schlagwort, das die Alten aufgegriffen haben, ist «Organisation», und in der That drückt es aus, worauf es heute und im nächsten Jahrhundert ankommt, – denn, nichtwahr, es ist zuletzt nichts Geringeres, als die *soziale Neuorganisation Europa's,* auf die es ankommt, – eine Aufgabe, der der Westen offenbar nicht gewachsen ist und in der ebenso offenbar die deutsche Sendung besteht … Aber ich sehe wohl, daß mein Aplomb zu meiner Originalität in schlechtem Verhältnis steht. Das Schöne ist, daß Deutschland auch an der westlichen Vornehmheit teil hat, nämlich nach Osten hin, dort, wo Sie kämpfen.

An Paul Amann, 3. August 1915

Paul Amann (1884–1958)
Der österreichische Geisteswissenschaftler war ein früher Bewunderer Thomas Manns. Als er «Gedanken im Kriege» las, fühlte er sich zum Widerspruch gedrängt und schrieb Thomas Mann. Es war der Beginn eines wichtigen Briefwechsels.

Heinrich Manns Essay über Zola

Dann aber kam Heinrich. Im November 1915 ließ er in Schickeles «Weißen Blättern» seinen «Zola»-Essay erscheinen, durch den sich Thomas Mann aufs infamste angegriffen fühlte. Nun ging es nicht mehr allein um den Konflikt zwischen Deutschland und Frankreich, zwischen Kultur und Zivilisation, Konservatismus und Radikalismus, Monarchismus und Demokratismus, Kriegsentschlossenheit und Pazifismus. Es entbrannte ein tödlicher Zwist. Thomas Manns Rachsucht füllt ganze Kapitel der «Betrachtungen» und gipfelt schließlich in den Briefen, die um die Jahreswende 1917/18 zwischen den Brüdern gewechselt werden. Heinrich weist darin den «Vorwurf des Bruderhasses» zurück. Das hätte Thomas nicht tun können. Seine Ausfälle gegen den Bruder sind exzessiv und blindwütend.

Heinrich Mann
Gemälde von Max Oppenheimer, 1910

Zola

Von Heinrich Mann

Jugend

Erste Manuskriptseite des Essays von 1915

Die weißen Blätter

EINE MONATSSCHRIFT

ELFTES HEFT • 2. JAHRGANG • NOVEMBER 1915

INHALT:

Franz Werfel: Traum von einer neuen Hölle
Heinrich Mann: Zola
Hans Gathmann: Der Tod des Vaters – Bahnfahrt
Robert Zellermayer: Liebe

GLOSSEN: Annette Kolb, VIII. Brief an einen Toten. Emil Faktor, Vom waffenlosen Krieg (Gespräch zweier Gefangener – Besser als… – Gegenüber – Das Unwahrscheinlichste – Der Unschuldige). Franz Blei und R. S., Polnische Juden.

Vier Holzschnitte von Christian Schad

EINZELPREIS MARK 2.– VIERTELJÄHRL. MARK 5.–

1915

LEIPZIG/VERLAG DER WEISSEN BÜCHER

Heinrich Manns «Zola»-Essay erschien im November 1915 in den «Weißen Blättern».

Heinrich Mann:

ZOLA

JUGEND

DER Schriftsteller, dem es bestimmt war, unter allen das größte Maß von Wirklichkeit zu umfassen, hat lange nur geträumt und geschwärmt. Sache derer, die früh vertrocknen sollen, ist es, schon zu Anfang ihrer zwanzig Jahre bewußt und weltgerecht hinzutreten. Ein Schöpfer wird spät Mann. Zola war der poetisierende Jüngling, der sich hingibt und der glaubt, bevor er zweifeln und sich behaupten lernt. Absichtslos mit Kinderhänden werden Vorräte gesammelt an seelischer Triebkraft, tragendem Gefühl: Besitzergreifung seiner selbst, eine Art innerer Meisterschaft vor der produktiven; und eben sie wird dann den Arbeiter unverbraucht erhalten bis zum Schluß, ihn unnachsichtig tapfer bleiben lassen in Jahren, wo Andere schon nachgeben, wo Andere sich schon ergeben.

Ein Guss Schwefelsäure

Aber Heinrich hat sich damals, auf hochliterarische Weise, in seinem Zola-Essay, dessen Lektüre mich für Wochen krank machte, feindlich und ausdrucksvoll von mir getrennt …

An Ludwig Ewers, 6. April 1921

Gleich die ersten Sätze des «Zola»-Essays kränkten Thomas Mann tief. In den «Betrachtungen eines Unpolitischen» hat er die Nachwirkungen beschrieben:

Was gibt es noch? Leidenschaftlichste Dinge! Kaum sind nur ein paar Worte gefallen, so erscheint schon das schmucke Sätzchen: «Sache derer, die früh vertrocknen sollen, ist es, schon zu Anfang ihrer zwanzig Jahre bewußt und weltgerecht hinzutreten.» – Ich gestehe, für einen Dichter der Menschenliebe und gelernten Philanthropen ist das alles, was man erwarten kann. Radikale Polemik darf man das nennen. Es ist ja ein kleiner Guß Schwefelsäure, en passant dem Nächsten ins Angesicht. Wirklich, schon zu Anfang meiner zwanzig Jahre «trat ich hin», – nicht sehr bewußt, aber ziemlich weltgerecht, wie es schien. Nicht selbstgerecht, aber weltgerecht, – so früh. Wie kam das? – Es gibt, meint Goethe, für jeden Menschen die Stunde, da er «vertrieben wird aus dem Paradiese der warmen Gefühle, um ein Mann zu sein und im Werke ein neues geistiges Paradies zu finden». Das ist wahr. Die Stunde aber, von der Goethe spricht, kommt früher für den einen und für den anderen später. Ich erinnere mich, daß ich während der Arbeit an ‹Buddenbrooks› plante, dem Werk als Motto die Verse Platens voranzuführen:

So ward ich ruhiger und kalt zuletzt,
Und gerne möcht' ich jetzt
Die Welt, wie außer ihr, von ferne schau'n:
Erlitten hat das bange Herz
Begier und Furcht und Grau'n,
Erlitten hat es seinen Teil von Schmerz,
Und in das Leben setzt es kein Vertrau'n;
Ihm werde die gewaltige Natur
Zum Mittel nur,
Aus eigner Kraft sich eine Welt zu bau'n.

Ich weiß nicht zu sagen, warum ich den Wahlspruch zuletzt unterdrückte. Mit inniger Genauigkeit drückt er den Zustand, das Schicksal früher Weltgerechtigkeit, Werkgerechtigkeit aus, die mit ‹Reife› wenig und mit minderwertiger Lebensgewandtheit überhaupt nichts zu schaffen hat. Ich nenne sie ein Schicksal, eine Gestaltungsform menschlichen Lebens, und nehme damit einige Sympathie für sie in Anspruch, gleichviel ob man sie nun als einen Glücksfall oder als ein Verhängnis betrachte. Ist sie mit Notwendigkeit ein Verhängnis und zahlt es sich teuer, schon früh zur Männlichkeit des Werkes angehalten, früh, schon als Jüngling, durch ein Werk der Welt gerecht geworden zu sein – in kleinen und mittleren Fällen wenigstens: da ja ganz große Fälle, der Fall Goethe's etwa und seines sensationellen Jugendromans, das Gegenteil zu beweisen scheinen? Ist frühes Verdorren der Sold, die Buße, die unweigerlich für eine so strenge Schicksalsgunst zu zahlen ist? – Nun, es gibt Formen künstlerischen Verdorrens, die ihre begeisterten Liebhaber finden und von diesen als das gerade Gegenteil des Verdorrens empfunden werden: die Form der politischen Tugend zum Beispiel, in der das Verdorren Zola's sich abspielte. Nicht diese ist es, so viel ist sicher, die das Schicksal mir zugewiesen hat. Wäre sie es, – vielleicht, sogar wahrscheinlich, daß ich Sympathie fände, dort, wo ich jetzt bösen Hohn ernte. Was ist verdorren? Der Tod ist dem Leben eingeboren, Leben selbst ist Sterben und dennoch Wachstum zugleich. Im künstlerischen Leben zumal sind Wachstum und Verdorren untrennbar verschlungen, und spätere Werke mögen gegen die ersten, frischen neben Merkmalen des Dorrens bedeutende Vorzüge an Geist und Kunst besitzen. Das Leben eines Künstlers, wie sein Werk, ist eine Einheit von vornherein, und wenig verschlägt zuletzt die Art seines Ablaufs. Die Lust, mit der ich gewisser Dinge gedenke, die ich noch bilden möchte, bietet mir Gewähr, daß ich auch außer mir, auch in der Menschenwelt Lust damit wecken werde. Dennoch ist es sehr möglich, daß ich zeitig das Beste gab, das zu geben mir vorbestimmt war –, ein Los, das man traurig oder selbst tragisch nennen mag, solange der, dem es fiel, noch lebt und kämpft.

[…]

Gleichviel. Der politische Säurespritzer war gezielt und traf. Blind, mit zerätzter und dick verbundener Miene ist man des Weiteren gewärtig. Und das Weitere, Eigentliche findet sich, –

Betrachtungen eines Unpolitischen (XII, 190 ff.)

Der Geistige handle

In seinen Anfängen hat er das politische Handwerk verachtet, wie nur je ein Literat. Jetzt sah er wohl, was die Politik in Wirklichkeit war: «das leidenschaftlich bewegte Feld, auf dem das Leben der Völker ringt, und wo Geschichte gesät wird für künftige Ernten von Wahrheit und Gerechtigkeit.» Literatur und Politik hatten denselben Gegenstand, dasselbe Ziel und mußten einander durchdringen, um nicht beide zu entarten. Geist ist Tat, die für den Menschen geschieht; – und so sei der Politiker Geist und der Geistige handle!

Heinrich Mann, Zola

Nein, der Geistige handle nicht

Nein, der Geistige handle nicht, das ist ihm verboten. Die Kluft zwischen Gedanke und That, Dichtung u. Wirklichkeit wird immer breit u. offen bleiben. Auch ein politischer Artikel ist ein Gedicht, und ein Gedicht kann Wirkungen im Wirklichen haben; aber das, was es bewirken soll, darf der Schriftsteller nicht handelnd in die Wege leiten wollen, das ist zu viel des Guten und geht schief. Der Geistige hat zu wirken, aber nicht zu handeln. Verkennt er dies, reißt seine Leidenschaft ihn ins Wirkliche, so gerät er [in] ein falsches Element, wo er sich schlecht, dilettantisch u. ungeschickt ausnimmt, menschlich Schaden leidet u. sich in ein falsches u. unnötiges Märtyrertum kleiden muß, um noch eine leidliche Figur zu machen. Wirke, Künstler, handle nicht!

Aus Thomas Manns 11. Notizbuch

Wider Heinrich

Im 10. Notizbuch schreibt Thomas Mann:

Rede ich gegen die Demokratie? Was mich empört, was mich anwidert, ist die gefestigte Tugend, die doktrinäre, selbstgerechte u. tyrannische Hartstirnigkeit des Civilisationsliteraten, der den Grund gefunden hat, der ewig seinen Anker hält, und verkündigt, daß jedes Talent verdorren müsse, das sich nicht der Demokratie verschwört. Dann will ich lieber in Freiheit u. Melancholie verdorren, als durch politische Borniertheiten blühen u. selig werden.
Hingabe an eine Doktrin mag mit 20 Jahren ein schönes Zeichen sein. Mit 45 ist es das Philisterium, die Unterkunft.

Nun hatte Thomas Mann am 8. November 1913 dem Bruder geschrieben, wie schwer er sich tue:

Ich bin oft recht gemütskrank und zerquält. Der Sorgen sind zu viele: die bürgerlich-menschlichen und die geistigen, um mich und meine Arbeit. [...] Wenn nur die Arbeitskraft und -lust entsprechend wäre. Aber das Innere: die immer drohende Erschöpfung, Skrupel, Müdigkeit, Zweifel, eine Wundheit und Schwäche, daß mich jeder Angriff bis auf den Grund erschüttert; dazu die Unfähigkeit, mich geistig und politisch eigentlich zu orientieren, wie Du es gekonnt hast; eine wachsende Sympathie mit dem Tode, mir tief eingeboren: mein ganzes Interesse galt immer dem Verfall, und das ist es wohl eigentlich, was mich hindert, mich für Fortschritt zu interessieren. Aber was ist das für ein Geschwätz. Es ist schlimm, wenn die ganze Misere der Zeit und des Vaterlandes auf einem liegt, ohne daß man die Kräfte hat, sie zu gestalten. Aber das gehört wohl eben zur Misere der Zeit und des Vaterlandes. Oder wird sie im «Unterthan» gestaltet sein? Ich freue mich mehr auf Deine Werke, als auf meine. Du bist seelisch besser dran, und das ist eben doch das Entscheidende. Ich bin ausgedient, glaube ich, und hätte wahrscheinlich nie Schriftsteller werden dürfen. «Buddenbrooks» waren ein Bürgerbuch und sind nichts mehr fürs 20. Jahrhundert. «Tonio Kröger» war bloß larmoyant, «Königliche Hoheit» eitel, der «Tod in Venedig» halb gebildet und falsch. Das sind so die letzten Erkenntnisse und der Trost fürs Sterbestündlein. Daß ich Dir so schreibe, ist natürlich eine krasse Taktlosigkeit, denn was sollst Du antworten. Aber es ist nun mal geschrieben.

Da ist, bei aller Selbstbezweiflung, auch Hoffnung auf Widerspruch drin. Item, Thomas Mann hatte Heinrichs Äußerung im «Zola»-Essay gewissermassen selbst vorbereitet. Heinrich hat später behauptet, der Essay beziehe sich nicht auf den Bruder. Aber noch später, bei einer Überarbeitung des «Zola», hat er einige der verletzenden Sätze gestrichen.

Bücher, Bücher

Woraus Thomas Mann zur Zeit der «Betrachtungen» schöpfte, woran er sich rieb:

Der «Eideshelfer» sind viele: Nietzsche, Schopenhauer, Goethe, Dostojewski. Unter den Zeitgenossen ragen Lagarde, Troeltsch, Sombart hervor – Thomas Mann schöpft dabei z. T. aus Emil Hammachers Buch «Hauptfragen der modernen Kultur» (1914). Dazu kommen Dutzende von Artikeln aus Zeitschriften und Tageszeitungen, an denen sich Thomas Mann erwärmt oder gestoßen hat. Die «Betrachtungen» sind eine der zitierfreudigsten Schriften Thomas Manns; sie sind auch zum Zitat verflucht. Zitate bestätigen – oder sie quälen, reizen, zerplagen.

HOUSTON STEWART CHAMBERLAIN

RICHARD WAGNER

Prometheus soll von seinem Sitz erstehen
Und dem Geschlecht der Welt verkündigen:
„Hier ward ein Mensch, so hab' ich ihn gewollt!"
Heinrich von Kleist

NEUE AUSGABE

MÜNCHEN
VERLAGSANSTALT F. BRUCKMANN A.-G.
1901

Die Bedeutung
des Protestantismus für die
Entstehung der modernen
Welt

Von

ERNST TROELTSCH
Dr. theol., phil., jur.

München und Berlin
Druck und Verlag von R. Oldenbourg
1911

Franz Overbeck und
Friedrich Nietzsche/
Eine Freundschaft/

Nach ungedruckten Dokumenten
und im Zusammenhang mit der bisherigen
Forschung dargestellt von
Carl Albrecht Bernoulli
Erster Band/Mit Porträt und drei Beilagen
Verlegt bei Eugen Diederichs Jena 1908

Erster Band

Paul
de Lagarde
Deutscher Glaube
Deutsches Vaterland
Deutsche Bildung
Das Wesentliche
aus seinen Schriften
ausgewählt und
eingeleitet von
Friedrich Daab

Erstes-fünftes Tausend / Verlegt bei
Eugen Diederichs in Jena / 1913

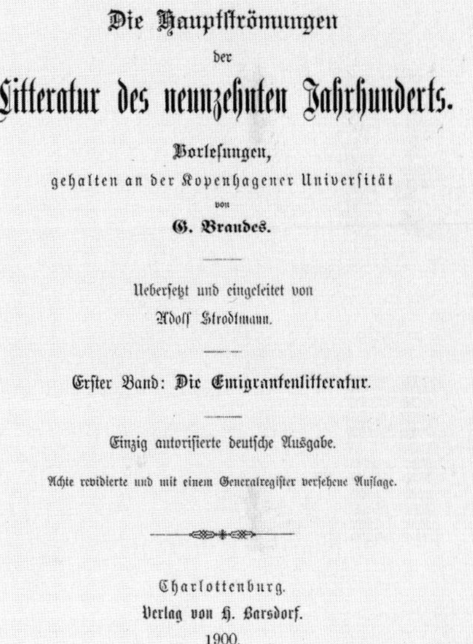
Die Hauptströmungen
der
Litteratur des neunzehnten Jahrhunderts.

Vorlesungen,
gehalten an der Kopenhagener Universität
von
G. Brandes.

Uebersetzt und eingeleitet von
Adolf Strodtmann.

Erster Band: Die Emigrantenlitteratur.

Einzig autorisierte deutsche Ausgabe.

Achte revidierte und mit einem Generalregister versehene Auflage.

Charlottenburg.
Verlag von H. Barsdorf.
1900.

WOODROW WILSON
NUR LITERATUR
BETRACHTUNGEN EINES AMERIKANERS

MÜNCHEN 1913 BEI GEORG MÜLLER

Freunde und Feinde

Am 12. Juni 1917 wurde Pfitzners «Palestrina» uraufgeführt.

Ich hörte Hans Pfitzners musikalische Legende *«Palestrina»* dreimal bisher, und merkwürdig rasch und leicht ist mir das spröde und kühne Produkt zum Eigentum, zum vertrauten Besitz geworden. Dies Werk, etwas Letztes und mit Bewußtsein Letztes aus der schopenhauerisch-wagnerischen, der romantischen Sphäre, mit seinen dürerisch-faustischen Wesenszügen, seiner metaphysischen Stimmung, seinem Ethos von «Kreuz, Tod und Gruft» [...].

Betrachtungen eines Unpolitischen (XII, 407)

Kurt Hiller greift 1917 im Namen der Aktivisten Thomas Manns «Taugenichts»-Kapitel an:

Im Novemberheft der Neuen Rundschau knüpft Thomas Mann an die Würdigung einer bibliophilen Ausgabe des Eichendorffschen Taugenichts polemische Betrachtungen über eine Bewegung, die, unter Führung Heinrich Mann's und Anderer, seit etwa 1910 in Deutschland da ist, von akademischer Pathetik gelegentlich als Neu-Idealismus bezeichnet wird, sonst als Voluntarismus, Politizismus oder *Aktivismus*, und, so sehr ihr Kernwille in den einzelnen Vertretern differenziert, doch dies als ihre oberste Norm wohl durchweg anerkennt: *Umgestaltung der Welt nach dem Befehl der Idee.*

Kurt Hiller, Taugenichts – Tätiger Geist – Thomas Mann

Hans Pfitzner (1869–1949)

Im Tagebuch schreibt Thomas Mann unter dem 14. September 1918:

Sonnabend den 14. Sept.
Kühler, blauer, goldener Herbsttag. Aber stockende Arbeit. – Empfinde den «Nietzsche» als ein rührend gutes Buch und den Verfasser als einen Freund im tröstlichsten und beinahe höchsten Sinn des Wortes. Rückblick-Ergriffenheit beim Betrachten dieser geistigen Landschaft, Übersicht des eigenen Lebens. Todeswehmut. Dachte auf dem Mittagsspaziergang wieder einmal, wie gut es wäre, wenn ich jetzt stürbe. Dann Liebesgefühl für das Kindchen und innere Versuche zu dem Hexameter-Gedicht. Sah aber auch die thematischen Zusammenhänge der zukünftigen Arbeiten, mit der Sphäre, die mich beim Lesen umgibt: die Todesromantik plus Lebensja im Zauberberg, den Protestantismus des Hochstaplers. Selbstbewußtsein. –

Ernst Bertram (1884–1957)
Germanist an der Universität in Bonn. Er war Thomas Manns Freund und Berater während der Entstehung der «Betrachtungen eines Unpolitischen».

NIETZSCHE

VERSUCH EINER MYTHOLOGIE

VON

ERNST BERTRAM

1·9·1·8

BEI GEORG BONDI IN BERLIN

Bertrams «Nietzsche» erschien kurz vor den «Betrachtungen»

Katja Mann, um 1920
Die «Betrachtungen» erschienen im Oktober 1918. Thomas Mann widmete seiner Frau Katja ein Exemplar:

Wir haben es zusammen getragen, liebes Herz, und wer weiß, wer schwerer daran zu tragen hatte, denn zuletzt hat der immerhin Thätige es leichter, als der nur Duldende. Auch trug ich es nur aus Not und Trotz, Du aber trugst es aus Liebe. Schmeichler sagen Dir wohl, es sei nichts Geringes und Leichtes, meine Gefährtin zu sein. Aber mich schmerzt das Gewissen dabei, und ich weiß wohl, daß dieser Schmerz nur durch immerwährende Dankbarkeit zu beruhigen ist.

Die «Betrachtungen» im Rückblick

Und dann begann, in mehreren Anläufen, die Arbeit an den ‹Betrachtungen›, – ein wegloses Sich-durchs-Gestrüpp-Schlagen, das zwei Jahre dauern sollte. Ich habe nie eine Arbeit betrieben, die in meinen eigenen Augen so sehr das Gepräge des Privatwerkes und der öffentlichen Aussichtslosigkeit getragen hätte. Ich war allein mit meiner Plage. Keinem Fragenden war auch nur klarzumachen, was ich da eigentlich täte. Ernst Bertram war der Vertraute meiner uferlosen politisch-antipolitischen Grübeleien; ich las ihm vor daraus, wenn er in München war, er ehrte sie als zwanghaft-leidenschaftliche Gewissenserforschung und verstand sich auf ihren Protestantismus und Konservatismus. Was diesen betrifft, so weiß ich genau, daß ich selbst ihn mehr als eine künstlerische Eroberung und Erkundung der melancholisch-reaktionären Sphäre denn als Ausdruck meines letzten Wesens empfand. Er war ein psychologisches oder, wenn man will, ein im Wortsinne pathologisches Phänomen: Was ich dachte, stand im Zeichen und unter dem Druck des Krieges und sagte mehr über diesen aus als über mich. Dennoch herrschte die schmerzlichste Solidarität und Einheit des Schreibenden mit seinem schwer präzisierbaren Gegenstande. Das Problem des Deutschtums, um das es ging, war zweifellos mein eigenes – das war der Nationalismus des Buches, das in aller Qual, allem polemischen Trotz zuletzt seinen erzieherischen Lebenssinn erwies. «Que diable allait-il faire dans cette galère?» Das Motto kam ihm wohl zu, und auch der ‹Tasso›-Vers «Vergleiche dich! Erkenne, was du bist!» stand an seiner Spitze zu Recht. Ich hätte ein drittes Wort hinzufügen sollen, wenn ich es nicht erst später hätte finden können: «Niemand bleibt ganz, der er ist, indem er sich erkennt.»
Die ‹Betrachtungen› erschienen 1918, im – äußerlich gesehen – ungünstigsten, ja unmöglichsten Augenblick, dem des Zusammenbruchs und der Revolution. In Wahrheit war es der richtige: Was über das deutsche Bürgertum an geistiger Not und Aufgabe jetzt hereinbrach, hatte ich anticipando durchgemacht und ausgesprochen, und es ist manchem behilflich gewesen – nicht ganz allein im Beharren, so will ich meinen, möge auch das Buch seinen geistesgeschichtlichen Sinn und Wert vor allem als letztes, großes und nicht ohne Bravour geführtes Rückzugsgefecht romantischer Bürgerlichkeit vor dem ‹Neuen› behalten.

Lebensabriß (XI, 128 f.)

Versuch einer Versöhnung

In der Weihnachtsnummer des «Berliner Tageblattes» vom 27. Dezember 1917 veröffentlichte Thomas Mann einen Beitrag zur Umfrage über das Thema «Möglichkeiten eines künftigen Weltfriedens». Er zitiert darin 1. Joh. 4, 20–21:

So jemand spricht: Ich liebe Gott und hasset seinen Bruder, der ist ein Lügner. Denn wer seinen Bruder nicht liebet, den er siehet, wie kann er Gott lieben, den er nicht siehet?

«Weltfrieden?» – Ein Weihnachtsartikel von Thomas Mann

WELTFRIEDEN?

Weltfriede … Wir Menschen sollten uns nicht allzu viel Moral einbilden. Wenn wir zum Weltfrieden, zu einem Weltfrieden gelangen – auf dem Wege der Moral werden wir nicht zu ihm gelangt sein. Scheidemann sagte neulich, die Demokratie werde auf Grund der allgemeinen Erschöpfung reißende Fortschritte machen. Das ist nicht sehr ehrenvoll für die Demokratie – und für die Menschheit auch nicht. Denn die Moral aus Erschöpfung ist keine so recht moralische Moral. Außerdem aber – ich weiß genau, was sich gehört, aber außerdem könnte bezweifelt werden, daß die Begriffsverbindung «demokratischer Weltfriede» eine besonders unlösbare Verbindung sei. Daß Volksherrschaft Herrschaft der Vernunft oder gar des Geistes, daß sie sicheren Frieden bedeute, ist nicht erhärtet – so weit ich sehe, nicht. Die Völker wollen den Frieden, und zwar unbedingt, wenn der Krieg sehr lange gedauert hat und sehr schwer war. Bevor dies der Fall, steht es um ihre Tugend so-so. Die Rousseau-Lehre vom «guten Volk», der revolutionäre Optimismus überhaupt, das heißt: der Glaube an die Politik, an den Ameisenbau, den Sozialismus und die république démocratique, sociale et universelle – ich weiß genau, was sich gehört, aber meiner Natur und Erziehung nach kann ich dieser Lehre nicht anhängen und diesen Glauben nicht teilen. Russischer und deutscher Geist, Dostojewski und Schiller stimmen darin überein, daß die Frage des Menschen überhaupt nicht politisch, sondern nur seelisch-moralisch zu lösen ist: durch Religion, durch die christliche Selbstvervollkommnung des *einzelnen* – so will es der eine; durch die Kunst, durch «ästhetische Erziehung» und Befreiung *des einzelnen* – so will es der andere. In Richard Dehmels neuem merkwürdigen, dreistrophigen Drama sagt jemand, der sich auf Gewissensangelegenheiten versteht: «Selbst das größte Gefühl wird klein, wenn es sich aufputzt mit großen Begriffen; ein bißchen Güte von Mensch zu Mensch ist besser als alle Liebe zur Menschheit. So ist es, glaube das nur! Die rhetorisch-politische Menschheitsliebe ist eine recht periphere Art der Liebe und pflegt am schmelzendsten verlautbart zu werden, wo es im Zentrum hapert. Werde besser du selbst, weniger hart, weniger rechthaberisch-dünkelhaft, weniger angreiferisch-selbstgerecht, bevor du den Philanthropen spielst … Es mag einer großen Sukzeß haben, der sehr schön zu sagen versteht: «Ich liebe Gott!» Wenn er aber unterdessen «seinen Bruder hasset», dann ist, nach dem Johannes-Evange-

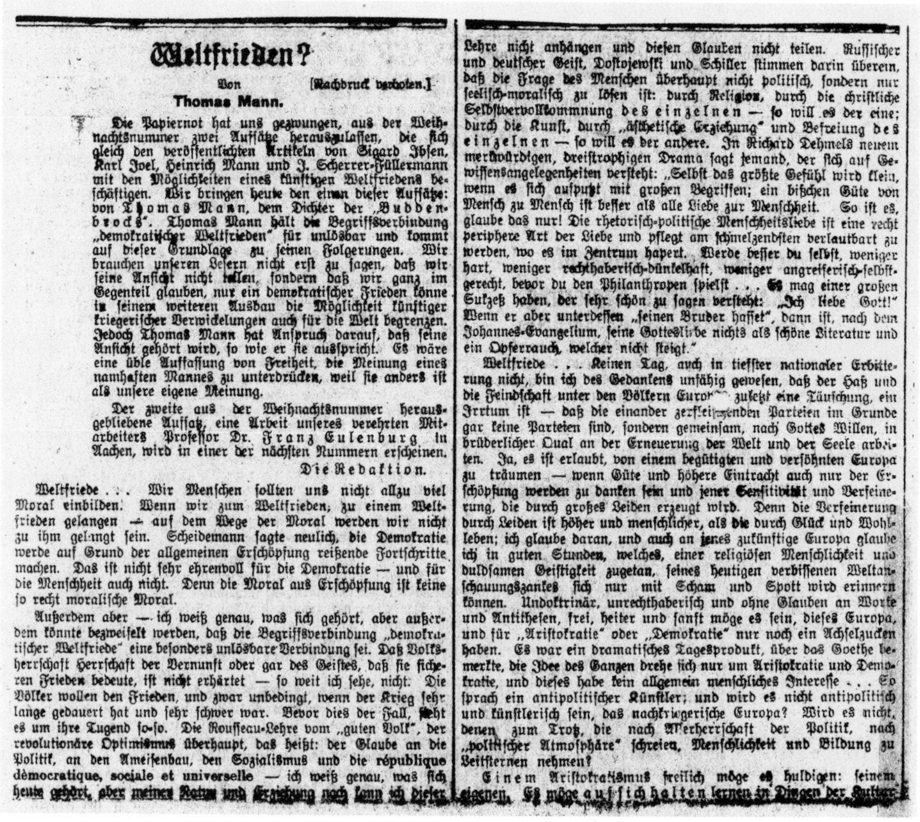

lium, seine Gottesliebe nichts als schöne Literatur und ein Opferrauch, welcher nicht steigt.»
Weltfriede … Keinen Tag, auch in tiefster nationaler Erbitterung nicht, bin ich des Gedankens unfähig gewesen, daß der Haß und die Feindschaft unter den Völkern Europas zuletzt eine Täuschung, ein Irrtum ist – daß die einander zerfleischenden Parteien im Grunde gar keine Parteien sind, sondern gemeinsam, nach Gottes Willen, in brüderlicher Qual an der Erneuerung der Welt und der Seele arbeiten. Ja, es ist erlaubt, von einem begütigten und versöhnten Europa zu träumen – wenn Güte und höhere Eintracht auch nur der Erschöpfung werden zu danken sein und jener Sensitivität und Verfeinerung, die durch großes Leiden erzeugt wird. Denn die Verfeinerung durch Leiden ist höher und menschlicher, als die durch Glück und Wohlleben; ich glaube daran, und auch an jenes zukünftige Europa glaube ich in guten Stunden, welches, einer religiösen Menschlichkeit und duldsamen Geistigkeit zugetan, seines heutigen verbissenen Weltanschauungszankes sich nur mit Scham und Spott wird erinnern können. Undoktrinär, unrechthaberisch und ohne Glauben an Worte und Antithesen, frei, heiter und sanft möge es sein, dieses Europa, und für «Aristokratie» oder «Demokratie» nur noch ein Achselzucken haben. Es war ein dramatisches Tagesprodukt, über das Goethe bemerkte, die Idee des Ganzen drehe sich nur um Aristokratie und Demokratie, und dieses habe kein allgemein menschliches Interesse … So sprach ein antipolitischer Künstler; und wird es nicht antipolitisch und künstlerisch sein, das nachkriegerische Europa? Wird es nicht, denen zum Trotz, die nach Alleinherrschaft der Politik, nach «politischer Atmosphäre» schreien, Menschlichkeit und Bildung zu Leitsternen nehmen?

Weltfrieden? (XIII, 560ff.)

Heinrich Mann, um 1920

Heinrich fühlte sich direkt angesprochen. Jahre später, am 2. Februar 1922, schreibt Thomas Mann an Ernst Bertram:

Das Herz will sich mir umkehren, wenn ich höre, daß er nach dem Lesen einiger Sätze im ‹Berliner Tageblatt›, in denen ich von Solchen sprach, die Gottesliebe verkünden und ihren Bruder hassen, sich hingesetzt und geweint habe. Aber mir ließ der Jahre lange Kampf um Gut und Blut, den ich bei physischer Unterernährung zu führen hatte, zu Thränen keine Zeit. Davon, und wie die Zeit mich zum Manne schmiedete, wie ich dabei wuchs und auch anderen zum Helfer und Führer wurde, – von alldem weiß er nichts. Vielleicht wird ers irgendwie fühlen, wenn wir wieder zusammen kommen.

Versuch einer Versöhnung

30. Dez. 1917

Lieber Tommy,

Dein Artikel im B[erliner] T[ageblatt] wurde in meiner Gegenwart verlesen. Ich weiss nicht, ob es den andern Hörern auffiel, mir selbst schien es, als sei er in einzelnen Abschnitten an mich gerichtet, fast wie ein Brief. Daher glaube ich Dir antworten zu müssen, wenn auch ohne den Umweg über die Presse und nur zu dem einen Zweck, um Dir zu sagen, wie unberechtigt der Vorwurf des Bruderhasses ist. – In meinen öffentlichen Kundgebungen kommt kein «Ich» vor, u. daher auch kein Bruder. Sie sind in das Weite gerichtet, sehen ab – wenigstens will ich es so – von mir, meinem Bürgerlichen, meinem Vortheil oder Nachtheil u. gelten allein einer Idee. Liebe zur Menschheit (politisch gesprochen: europäische Demokratie) ist allerdings die Liebe einer Idee; wer aber sein Herz so sehr in die Weite hat erheben können, wird es des öftern auch im Engen erwiesen haben. «Güte von Mensch zu Mensch» verlangt das Stück, für das ich dem Verfasser Dehmel sogleich nach dem Anhören der Generalprobe meine wärmste Sympathie dargeboten habe. Ich weiss, dass ich im Laufe des Lebens von dieser Güte einiges gewonnen habe, und kenne Fälle, in denen ich sie öfter gewährte als empfing. Dein ganzes Werk ist von mir begleitet worden mit dem besten Willen, es zu verstehen u. mitzufühlen. Die Gegnerschaft Deines Geistes kannte ich von jeher, u. wenn Deine extreme Stellungnahme im Krieg Dich selbst verwundert hat, für mich war sie vorauszusehen. Dieses Wissen hat mich nicht gehindert, Dein Werk oftmals zu lieben, noch öfter in es einzudringen, wiederholt es öffentlich zu rühmen oder zu vertheidigen, u. Dich, wenn Du an Dir zweifeltest, zu trösten wie einen jüngeren Bruder. Bekam ich von dem allen fast nichts zurück, ich habe es mich nicht verdriessen lassen. Ich wußte, um sicher zu stehen, brauchtest Du die Selbstbeschränkung, sogar die Abwehr des Anderen, – und so habe ich auch Deine Angriffe – sie reichen von den Zeiten eines Blattes names «Freistatt» bis in Dein jüngstes Buch – noch immer ohne große Mühe verwunden. Verwunden u. nicht vergolten – oder erst dann ein einziges Mal vergolten, als es nicht mehr um Persönliches ging, nicht mehr um literarische Vorliebe oder geistige Rechthaberei, sondern um die allgemeinste Noth u. Gefahr. In meinem, «Zola» betitelten Protest war es, dass ich gegen die auftrat, die sich, so musste ich es ansehen, vordrängten, um zu schaden. Nicht gegen Dich nur, gegen eine Legion. Anstatt der Legion sind es heute nur noch einige Verzweifelte; Du selbst schreibst wehmüthig; – u. Dein letztes Argument wäre nur der Vorwurf des Bruderhasses? Ich kann Dir betheuern, wenn nicht beweisen, daß er mich nicht trifft. Nie aus solchem Gefühl habe ich gehandelt – u. habe ihm grade entgegengehandelt, als ich Annäherung suchte sogar in der Zeit, als es hoffnungslos schien. Unsere Mittheilung von der Geburt unseres Kindes wurde nicht gut aufgenommen. Vielleicht finden meine heutigen Erklärungen ein besseres Gehör. Das wäre möglich, wenn Deine neueste Klage gegen mich von Schmerz diktirt ist. Dann mögest Du erfahren, dass Du meiner nicht als eines Feindes zu denken brauchst.

Heinrich.

UND EINE ANTWORT

München den 3. Jan. 18

Lieber Heinrich:

Dein Brief trifft mich in einem Augenblick, wo es mir physisch unmöglich ist, ihn im eigentlichen Sinn zu beantworten. Ich muß eine vierzehntägige Reise antreten, die ich verwünsche und deren Charakter meiner Stimmung wenig angemessen ist, die ich aber nun einmal auf mich genommen habe. Ich frage mich aber auch, ob es einen Sinn hätte, die Gedankenqual zweier Jahre noch einmal in einen Brief zu pressen, der notwendig viel länger ausfallen müßte, als der Deine. Ich glaube Dir aufs Wort, daß Du keinen Haß gegen mich empfindest. Nach dem erlösenden Ausbruch des Zola-Aufsatzes und wie sonst Alles für Dich steht und liegt, zur Zeit, hast Du gar keinen Grund dazu. Das Wort vom Bruderhaß war auch mehr ein Symbol für allgemeinere Diskrepanzen in der Psychologie des Rousseauiten.

Hattest Du es schwer mit mir, so hatte ich es natürlich noch viel schwerer mit Dir, das lag in der Natur der Dinge; und auch ich habe redlich das Meine gethan. Wenigstens zwei Deiner Bücher preise ich bis zum heutigen Tage gegen jedermann als Meisterwerke. Wie oft Du, mit dem «Recht der Leidenschaft», erbarmungslos meine einfachsten und stärksten Empfindungen mißhandelt hattest, bevor ich mit einem Satz dagegen reagierte, vergißest Du oder verschweigst Du. Natürlich war dieser Satz so wenig ganz persönlich gezielt, wie irgend einer von Dir. Das brüderliche Welterlebnis färbt Alles persönlich. Aber Dinge, wie Du sie in Deinem Zola-Essay Deinen Nerven gestattet und den meinen zugemutet hast, – nein, dergleichen habe ich mir niemals gestattet und nie einer Seele zugemutet. Daß Du nach den wahrhaft französischen Bösartigkeiten, Verleumdungen, Ehrabschneidereien dieses glanzvollen Machwerks, dessen zweiter Satz bereits ein unmenschlicher Exzeß war, glaubtest, «Annäherung suchen» zu können, obgleich es «hoffnungslos schien», beweist die ganze Leichtlebigkeit Eines, der «sein Herz ins Weite erhob». Übrigens hat damals meine Frau der Deinen zart, menschlich, ausführlich geschrieben und bekam Frechheiten zur Antwort.

Daß mein Verhalten im Kriege «extrem» gewesen sei, ist eine Unwahrheit. Das Deine war es und zwar bis zur vollständigen Abscheulichkeit. Ich habe aber nicht zwei Jahre lang gelitten und gerungen, meine liebsten Pläne vernachlässigt, mich zum künstlerischen Verstummen verurteilt, mich erforscht, mich verglichen und behauptet, um auf einen Brief hin, der – begreiflicher Weise – Triumph atmet, mich nach letzten Argumenten suchend an der Spitze «einiger Verzweifelter» sieht und schließlich findet, ich brauchte Deiner nicht als eines Feindes zu gedenken, – um Dir auf diesen in keiner Zeile von etwas anderem als sittlicher Geborgenheit und Selbstgerechtigkeit diktierten Brief hin schluchzend an die Brust zu sinken. Was hinter mir liegt, war eine Galeeren-Arbeit; immerhin danke ich ihr das Bewußtsein, daß ich Deiner zelotischen Suade heute weniger hülflos gegenüber stünde, als zu der Zeit, da Du mich bis aufs Blut damit peinigen konntest.

Mögest Du und mögen die Deinen mich einen Schmarotzer nennen. Die Wahrheit, meine Wahrheit ist, daß ich keiner bin. Ein großer bürgerlicher Künstler, Adalbert Stifter, sagte in einem Brief: «Meine Bücher sind nicht Dichtungen allein, sondern als sittliche Offenbarungen, als mit strengem Ernste bewahrte menschliche Würde haben sie einen Wert, der länger bleiben wird, als der poetische.» Ich habe ein Recht, ihm das nachzusprechen, und Tausende, denen ich leben half – auch ohne, eine Hand auf dem Herzen und die andere in der Luft, den contrat social zu rezitieren – sehen es, dieses Recht.

Du nicht. Du kannst das Recht und das Ethos meines Lebens nicht sehen, denn Du bist mein Bruder. Warum brauchte niemand, weder Hauptmann, noch Dehmel, der sogar die deutschen Pferde besang, noch der präventivkriegerische Harden (dem Du jetzt Huldigungsvisiten machst) die Invektiven des Zola-Artikels auf sich zu beziehen? Warum war er in seiner ganzen reißenden Polemik auf mich eingestellt? Das brüderliche Welterlebnis zwang Dich dazu. Demselben Dehmel, der mir für meinen ersten Kriegsartikel in der Neuen Rundschau aus dem Schützengraben Dank und Glückwunsch sandte, kannst Du als Generalproben-Intimer wärmste Sympathie darbieten, und er kann sie annehmen; denn ihr seid zwar sehr verschiedene Geister, aber ihr seid nicht brüderliche Geister, und darum könnt ihr beide leben. – Laß die Tragödie unserer Brüderlichkeit sich vollenden.

Schmerz? Es geht. Man wird hart und stumpf. Seit Carla sich tötete und Du fürs Leben mit Lula brachst, ist Trennung für alle Zeitlichkeit ja nichts Neues mehr in unserer Gemeinschaft. Ich habe dies Leben nicht gemacht. Ich verabscheue es. Man muß zu Ende leben so gut es geht.

Lebe wohl. T.

Der Zusammenbruch des Kaiserreichs

Proklamation der Republik in Bayern, Flugblatt, 1918

Anfangs November 1918, mit der Abdankung des Kaisers, war der Weltkrieg beendet. Im ganzen Land kam es zu Antikriegs-Kundgebungen, Streiks und Revolutionen. In München bildete sich ein «Arbeiter-, Soldaten- und Bauernrat». Die Republik Bayern wurde proklamiert und der SPD-Politiker Kurt Eisner zu ihrem Ministerpräsidenten ernannt. Die Intellektuellen, unter ihnen Ernst Toller, Erich Mühsam, Gustav Landauer und Heinrich Mann, riefen einen «politischen Rat geistiger Arbeiter» ins Leben. Sie verlangten die Diktatur des Proletariats, obwohl ihre Meinungen weder mit dem Marxismus noch mit den Losungen der kommunistischen Dritten Internationalen übereinstimmten. Lenin gewährte den Anarchisten keine Unterstützung, er nahm sie nicht einmal ernst.
Am 21. Februar 1919 wurde Eisner, auf dem Wege zur Eröffnung des Landtages, von dem reaktionären Grafen Arco-Valley erschossen. Heinrich Mann hielt am 16. März im Odeon die Gedenkrede. Am 7. April wurde die «Räte-Republik» ausgerufen.

Proklamation.

Volksgenossen!

Um nach jahrelanger Vernichtung aufzubauen, hat das Volk die Macht der Zivil- und Militärbehörden gestürzt und die Regierung selbst in die Hand genommen. Die Bayerische Republik wird hierdurch proklamiert. Die oberste Behörde ist der von der Bevölkerung gewählte Arbeiter-, Soldaten- und Bauernrat, der provisorisch eingesetzt ist, bis eine endgültige Volksvertretung geschaffen werden wird. Er hat gesetzgeberische Gewalt. Die ganze Garnison hat sich der Republikanischen Regierung zur Verfügung gestellt. Generalkommando und Polizeidirektion stehen unter unserem Befehl. Die Dynastie Wittelsbach ist abgesetzt. Hoch die Republik!

Der Arbeiter- und Soldatenrat: Kurt Eisner.

2. Extraausgabe Sonnabend, den 9. November 1918.

Vorwärts
Berliner Volksblatt.
Zentralorgan der sozialdemokratischen Partei Deutschlands.

Der Kaiser hat abgedankt!

Der Reichskanzler hat folgenden Erlaß herausgegeben:
Seine Majestät der Kaiser und König haben sich entschlossen, dem Throne zu entsagen.

In den frühen Morgenstunden des 10. November 1918 ging Kaiser Wilhelm II. bei Eysen über die holländische Grenze ins Exil

Kurt Eisner ermordet

EISNERS ERMORDUNG

Thomas Mann notierte am 22./23. Februar 1919 im Tagebuch:

Es soll in der Nacht noch mehrfach starke Schießereien gegeben haben. Levien steht, wie verlautet, an der Spitze der Regierung. Keine Post, keine Zeitung. Auch kein Tramverkehr. Aber das Telephon funktioniert. – Schrieb gestern an Bab und Preetorius. – Einige Verse am Gedicht. Sitze fest beim militärischen Paten, wo es ein politisch Lied gilt. Ratlos. – Spaziergang, lau, regnerisch, schmutzig. – Teleph. Gespräche mit Martens, Schwegerle, Walter. Eine Elfmänner-Regierung hat sich gebildet, bestehend aus Mehrheitssozialisten, Unabhängigen und Kommunisten. Levien und der üble Sauber stehen an der Spitze. Das militaristisch-kriegerische Institut der Schutzhaft wird eifrig in Anspruch genommen: Viele Aristokraten, Offiziere, Industrielle, selbst Prinz Leopold, sollen verhaftet sein, weitere Verhaftungen bevorstehen. Auer ist am Leben, von Professor Sauerbruch, der es verheimlichte, behandelt. Die Herrschenden stellen es so hin, als liege ein reaktionäres Komplott vor, eine Aktion, die mit dem Matrosenputsch begonnen habe, und wovon die Tötung der beiden sozialistischen Führer die Fortsetzung sei, mit dem Ziele, den Prinzen Leopold zum König zu machen. Sie geben vor, daß auch Auer von Reaktionären erschossen sei, während das Geschrei «Rache für Eisner!» dabei laut geworden und auch [ein] Centrumsabgeordneter erschossen ist. Das Volk glaubt jedenfalls an die royalistische Verschwörung. Jedenfalls haben wir den Bolschewismus. Die Bewaffnung des Proletariats ist angekündigt. Plünderer jedoch werden mit dem Tode bedroht, und auch die gestrigen Hausdurchsuchungen, bei denen geplündert wurde, waren durchaus «improvisiert». Es giebt Sicherheitswachen. Die unsere ist in der Turnhalle Jahn, u. wir sind durch Walter im Besitz der Telephon-Nummer. Die Handgranatenschießerei gestern Abend war ein Gefecht zwischen Soldaten und Plünderern. – Es ist nicht klar, ob die Räterepublik offiziell verkündigt u. der Landtag endgültig gesprengt ist, oder ob die jetzige Lage ein Provisorium vorstellt. Das erstere würde die Trennung vom Reich u. die Verhinderung des Friedens bedeuten. Möglich, daß die Bewegung aufs Reich übergreift. Das würde zunächst die Verlängerung der Blockade bedeuten. – Gerücht, daß der Erzbischof ermordet sei. Das Glockengeläute heute Vormittag mag aber Eisner gegolten haben, obgleich es kaum passend wäre. – Ich konnte nachmittags schlafen. Begann nach dem Thee einen Brief an Wassermann über den «Wahnschaffe». Las in Landauers «Aufruf zum Sozialismus», dessen Polemik gegen den Marxismus gut ist. In der Menschenpraxis aber nimmt alles sich anders aus, und Auer und Ebert sind wackere Männer. Übrigens sind das vielleicht auch die jetzt in Bayern Regierenden. Wem Gott ein Amt gibt, dem pflegt er zugleich auch ein wenig Vorsicht, Verantwortlichkeitsgefühl und Konservatismus zu geben, besonders im deutschen Vaterlande. Es wird, denke ich, nicht allzu russisch zugehen. – Draußen ist es ruhig.

Sonntag den 23. II. 19.
[…] An der Straßenstelle, wo Eisner fiel, liegt ein Kranz mit seinem Bild, und ein Häufchen blutigen Straßenschmutzes ist zusammengekehrt. Die Bestattung ist auf Mittwoch angesetzt; wahrscheinlich ist sie so eindrucksvoll wie möglich geplant. Der Generalstreik läuft morgen ab.

Die Räterepublik vom 7. April 1919

Die erste Seite der Nachrichten mit der Proklamation der Räte-Republik bedeckt. Heute Generalstreik und «Nationalfeiertag». Anschluß an Ungarn und Rußland, Bruch mit Berlin. Rote Garde. Sozialisierung der Presse. Expropriierungspläne. Der Ton ist scharf, und doch ist klar, daß es sich um ein vorbeugendes Werk der Mehrheitssozialisten handelt, wie schon bei der ersten Revolution, allerdings so weit gehend, daß die Kommunisten mitthun können.

Tagebuch, 7. April 1919

Morgen-Ausgabe

Münchner Neueste Nachrichten

und Handels-Zeitung, Alpine und Sport-Zeitung, Theater- und Kunst-Chronik

Montag, 7. April 1919 Knorr & Hirth, München 72. Jahrgang Nr. 159

An das Volk in Baiern!

Die Entscheidung ist gefallen. **Baiern ist Räterepublik.** Das werktätige Volk ist Herr seines Geschickes. Die revolutionäre Arbeiterschaft und Bauernschaft Baierns, darunter auch alle unsere Brüder, die Soldaten sind, durch keine Parteigegensätze mehr getrennt, sind sich einig, daß von nun an jegliche Ausbeutung und Unterdrückung ein Ende haben muß. Die Diktatur des Proletariats, die nun zur Tatsache geworden ist, bezweckt die Verwirklichung eines wahrhaft sozialistischen Gemeinwesens, in dem jeder arbeitende Mensch sich am öffentlichen Leben beteiligen soll, einer gerechten sozialistisch-kommunistischen Wirtschaft.

Der Landtag, das unfruchtbare Gebilde des überwundenen bürgerlich-kapitalistischen Zeitalters, ist aufgelöst, das von ihm eingesetzte Ministerium zurückgetreten. Von den Räten des arbeitenden Volkes bestellte, dem Volk verantwortliche Vertrauensmänner erhalten als Volksbeauftragte für bestimmte Arbeitsgebiete außerordentliche Vollmachten. Ihre Gehilfen werden bewährte Männer aus allen Richtungen des revolutionären Sozialismus und Kommunismus sein; die zahlreichen tüchtigen Kräfte des Beamtentums, zumal der unteren und mittleren Beamten, werden zur tatkräftigen Mitarbeit im neuen Baiern aufgefordert. Das System der Bureaukratie aber wird unverzüglich ausgetilgt.

Die Presse wird sozialisiert.

Zum Schutz der baierischen Räterepublik gegen reaktionäre Versuche von außen und von innen wird sofort eine rote Armee gebildet. Ein Revolutionsgericht wird jeden Anschlag gegen die Räterepublik sofort rücksichtslos ahnden.

Die Baierische Räterepublik folgt dem Beispiel der russischen und ungarischen Völker. Sie nimmt sofort die brüderliche Verbindung mit diesen Völkern auf. Dagegen lehnt sie jedes Zusammenarbeiten mit der verächtlichen Regierung Ebert, Scheidemann, Noske, Erzberger ab, weil diese unter der Flagge einer sozialistischen Republik das imperialistisch-kapitalistisch-militaristische Geschäft des in Schmach zusammengebrochenen deutschen Kaiserreichs fortsetzt.

Sie ruft alle deutschen Brudervölker auf, den gleichen Weg zu gehen. Allen Proletariern, wo immer sie für Freiheit und Gerechtigkeit, wo immer sie für den revolutionären Sozialismus kämpfen, in Württemberg und im Ruhrgebiet, in der ganzen Welt, entbietet die Bairische Räterepublik ihre Grüße.

Zum Zeichen der freudigen Hoffnung auf eine glückliche Zukunft für die ganze Menschheit wird hiemit der 7. April zum **Nationalfeiertag** erklärt. Zum Zeichen des beginnenden Abschieds vom fluchwürdigen Zeitalter des Kapitalismus ruht am Montag, den 7. April 1919, in ganz Baiern die Arbeit, soweit sie nicht für das Leben des werktätigen Volkes notwendig ist, worüber gleichzeitig nähere Bestimmungen ergehen.

Es lebe das freie Baiern! Es lebe die Räterepublik! Es lebe die Weltrevolution!

München, 6. April 1919.

Der revolutionäre Zentralrat Baierns.

«Bayern ist Räterepublik»

Ernst Tollers Rückblick

Ernst Toller, der in den stürmischen Tagen der Räterepublik in vorderster Linie dabei war, berichtet:

Der Schuß Arcos alarmiert die Republik, die erregten Volksmassen fordern Rache für Eisner, der Zentralrat der Arbeiter-, Bauern- und Soldatenräte übernimmt die Regierungsgewalt, er proklamiert den Generalstreik, er verhängt den Belagerungszustand über Bayern, er beruft den Rätekongreß ein, die Arbeiterschaft, von der sozialen Tatenlosigkeit der Republik enttäuscht, fordert, daß der politischen endlich die soziale Revolution folge, was in Rußland gelungen ist, muß auch hier gelingen, der Parlamentarismus habe versagt, der Gedanke der Räterepublik gewinnt die Massen.

[...]

In der Nacht vom sechsten zum siebenten April 1919 versammelt sich der Zentralrat, versammeln sich die Delegierten der Sozialistischen Parteien, der Gewerkschaften, des Bauernbundes im Wittelsbacher Palais. Wo früher Zofen und betreßte Lakaien herumwedelten, stapfen jetzt die groben Stiefel von Arbeitern. Bauern und Soldaten, an den seidenen Vorhängen der Fenster des Schlafzimmers der Königin von Bayern lehnen Wachen, Kuriere, übernächtigte Sekretärinnen.

Ernst Toller, Eine Jugend in Deutschland

Die Räterepublik vom 13. April 1919

Die erste Räterepublik war intellektuell-anarchistisch. Sie dauerte nur eine Woche. Unter Führung der Kommunisten wurde bereits am 13. April 1919 eine zweite Räterepublik ausgerufen. Der vierköpfige Vollzugsausschuß bestand aus Eugen Leviné, Max Levien, Tobias Axelrod und Ernst Toller, der allerdings dem Ausschuß mit sehr gemischten Gefühlen angehörte:

Die Polizei wird aufgelöst, die rote Garde übernimmt den Sicherheitsdienst der Stadt. Der Oberbefehl über die rote Garde wird dem Kommunisten Eglhofer übertragen. [...] Die erste populäre Handlung der Regierung ist die Beschlagnahme der gehamsterten Lebensmittel, es bleibt bei der Beschlagnahme. Die bürgerlichen Zeitungen dürfen nicht mehr erscheinen, zum Regierungsorgan wird das Mitteilungsblatt des Vollzugsrats der Betriebs- und Soldatenräte bestimmt. Die Betriebe arbeiten nicht, der Generalstreik mit unbestimmter Dauer ist verkündet.

Ernst Toller, Eine Jugend in Deutschland

Aus Thomas Manns Tagebuch

Thomas Mann berichtet in seinem Tagebuch über die Kämpfe zwischen der «Roten Garde» und den Regierungstruppen. Er hat sichtlich Mühe, sich im Wirrwarr der Gerüchte zurechtzufinden:

Die Stadt ist fast ganz in den Händen der Regierungstruppen, die im Lauf des Nachmittags eingezogen, von der Bevölkerung lebhaft akklamiert. Es sind preußische und süddeutsche Corps, in Stahlhelmen, gut aussehend, wohl discipliniert. Sie haben kaum Widerstand gefunden, das Schießen hatte nicht viel zu sagen, der angekündigte Heroismus der Roten ist offenbar gleich null gewesen. Nur um Justizpalast und Stachus ist gekämpft worden. Geschossen wird noch immer, mit schwerem und leichtem Geschütz. Ein studentisches reaktionäres Freikorps soll sich «unangenehm bemerkbar machen», in die Stadt schießen, das Publikum terrorisieren. Eine Militärdiktatur über die Stadt wird zunächst errichtet und zwar preußisch, bis die bayrischen Freicorps, die zahlreich im Entstehen begriffen, bei einander sind. Generalmajor Möhl, der bayr. Befehlsinhaber, zeichnet Flugblätter, die zur Dingfestmachung der wahrscheinlich mit Geldern flüchtigen Rädelsführer auffordern. Daß unter den ermordeten Geiseln sich Geheimr. Döderlein befinde, wurde vormittags versichert, bestätigt sich aber nicht. Dagegen gehört dazu Graf Moy, der frühere Adjutant des Königs und zwei adlige Damen, was besonders widrig. Die bürgerl. Zeitungen werden morgen Abend wieder erscheinen. Die Nachrichten stammen von Martens, der sie Krell nach einer Redaktionssitzung telephonierte. – Die Münchener kommunistische Episode ist vorüber; es wird wenig Lust vorhanden sein, sie zu erneuern. Eines Gefühls der Befreiung und Erheiterung entschlage auch ich mich nicht. Der Druck war abscheulich. Hoffentlich wird man der gewissenlosen «Massen»-Helden, die auch die verbrecherische Rammeldummheit des Geiselmordes auf dem Gewissen haben, habhaft und hält exemplarisches Gericht. Die Hinmetzelung der Frauen ist das abstoßendste Vorkommnis. Graf Moy war ein menschlich angenehmer, verbindlicher, durchaus unpolitischer und unaggressiver Herr, seine Tötung stumpfsinnig.

Tagebuch, 1. Mai 1919 (12 Uhr mittags)

Die ganze Nacht Schießen, das sich morgens verstärkte und weiter anhält. Hochgewachsene Soldaten mit schwarz-weiß-roten Armbinden, Reichswehr, patroullierten vorm Hause. Ich sprach zunächst Rommel wegen des Kleinen, der leichte Gelbsucht hat. Dann Moni's Lehrerin, die absagte, da sie nicht über die Brücke könne. Diese sind sämtlich gesperrt. Später rief Frau Hallgarten an: Die Soldaten sagten ihr, Rote Garde hätte sich bei Maffei verschanzt, wo mutmaßlich geschossen werden würde. Es werde um den Bahnhof gekämpft, der augenblicklich wieder rot sei. Lula, die danach anrief, wollte das Gegenteil wissen. Auf jeden Fall hat der Widerstand, der gestern fast ganz ausblieb, sich heute hergestellt und wird zweifellos Tage lang andauern. Der Herzogpark ist ganz abgesperrt, man gelangt nicht über den Kufsteiner Platz hinaus. Lula telephonierte aus dem Karolinum, ihr Mann ist in der Bank. Sie schilderte den gestrigen Einzug der Preußen durch die Leopoldstraße unter dem Jubel der bürgerlich Gesinnten. In der Schwabinger Brauerei sei Widerstand geleistet worden. Die Mehrzahl der kommun. Arbeiter habe sich mit der Hoffnung auf den «Einmarsch der Russen» resigniert. Der Geiselmord soll von russischen Gefangenen oder mit Hülfe von solchen ausgeführt worden sein. In der Leichenhalle festgestellt wurden die Personen eines jungen Fürsten Turn u. Taxis, einer Gräfin Westarp, die Spionin der Weißen Garde gewesen sein soll, des Malers Prof. Berger, der verhaftet worden, weil er auf der Straße ein kommun. Plakat abgerissen, und einer Dame mit 2 Kindern. Die Opfer sind entstellt; Berger ist nur am Bart zu erkennen gewesen. Es handelt sich nicht um den Geheimr. Döderlein, sondern allenfalls um einen General dieses Namens. Die übrigen Geiseln haben bei der Hinrichtung zusehen müssen.

Tagebuch, 2. Mai 1919 (10 1/2 vormittags)

Besprach mit Bertram die geistige Lage, die Notwendigkeit einer Kulturfront gegen allen nicht nur unnationalen, sondern weltgefährlichen ekstatischen Extremismus. Man habe in einen Abgrund geblickt. Die Entente ist hassenswert, aber das Abendland ist vor den Greueln der Völkerwanderung von unten zu retten. – Der kleine Michael war zum ersten Male im Eßzimmer. Ein merkwürdiges Gesichtchen, zur Zeit etwas elend und gelbsüchtig. K. ging nach Löhrs Weggang wieder zu Bett, ich machte mit Bertram von 7 bis 8 einen Spaziergang bis zur versenkten Fähre und aß mit ihm zu Abend. Unterhaltung über Hebbel, seinen Nationalismus und Konservatismus, seine psychologische Kasuistik und seine Prosa, die ich nicht kenne. – Las nach B.'s Weggang und dem Besuch bei K. mit Interesse die Abendzeitung, die sehr «militaristischen» Inhalts. Ein Aufruf des Kommando's Möhl zur Ausmerzung des lümmelhaften Soldatentyps hat meinen vollen Beifall. Übrigens versicherte Löhr, daß standrechtlich nicht übel «aufgeräumt» werde, was gewiß nicht zu beklagen. In der Stadt sind zu meiner Genugthuung die roten Fahnen verschwunden, von der Residenz, dem Kriegsministerium etc. Militärmusik hat am Siegesthor «Deutschland, Deutschland über alles» gespielt. Das Epp'sche Corps ist unter großem Jubel in bester Haltung eingezogen. K.'s Mutter geht es schon wieder zu «militaristisch» zu, aber ich bin voller Einverständnis und finde, daß es sich unter der Militärdiktatur bedeutend freier atmet, als unter der Herrschaft der Crapule.

Tagebuch, 5. Mai 1919

Ernst Toller

Auf meinen Kopf hat die Regierung einen Preis von 10000 Mk. ausgesetzt, an den Litfaßsäulen klebt ein Plakat:

10000 Mark Belohnung
wegen Hochverrats

nach § 81 Ziff. 2 des RStGB ist Haftbefehl erlassen gegen den hier abgebildeten Studenten der Rechte und der Philosophie Ernst Toller. Er ist geboren am 1. Dezember 1893 in Samotschin in Posen, Reg. Bez. Bromberg, Kreis Kolmar, Amtsger. Margonin, als Sohn der Kaufmannseheleute Max und Ida Toller geb. Kohn.
Toller ist von schmächtiger Statur, er ist etwa 1,65–1,68 m. groß, hat mageres, blasses Gesicht, trägt keinen Bart, hat große braune Augen, scharfen Blick, schließt beim Nachdenken die Augen, hat dunkle, beinahe schwarze wellige Haare, spricht schriftdeutsch.
Für seine Ergreifung und für Mitteilungen, die zu seiner Ergreifung führen, ist eine Belohnung von

zehntausend Mark

ausgesetzt.
Sachdienliche Mitteilungen können an die Staatsanwaltschaft, die Polizeidirektion München oder an die Stadtkommandantur München-Fahndungsabteilung gerichtet werden. Um eifrigste Fahndung, Drahtnachricht bei Festnahme und weitmöglichste Verbreitung dieses Ausschreibens wird ersucht.
Bei Aufgreifung im Auslande wird Auslieferungsantrag gestellt.
München, den 13. Mai 1919.
Der Staatsanwalt bei dem standrechtlichen Gericht für München.

Ernst Toller, Eine Jugend in Deutschland

Ernst Toller (1893–1939)

Thomas Manns Weigerung

Draußen gehen Revolution, Räterepublik, Militärdiktatur, Kapp-Putsch vorbei. Thomas Mann schwankt, hält sich zurück, zeigt Abscheu. In den Tagebüchern stehen alle Doktrinen und Formeln gegeneinander. Keyserlings Konservatismus, Landauers «Aufruf zum Sozialismus», ein kommunistisch-christlicher Gottespakt, die Vereinigung von Hölderlin und Marx, Spenglers «Preußischer Sozialismus» – alles wird erwogen, aber Thomas Mann ist nicht bereit zu öffentlicher Stellungnahme oder gar zum Anschluß. Das Ehrendoktorat, das ihm rechtsnationale Kreise der Universität Bonn 1919 verleihen, schmeichelt ihm und erschreckt ihn zugleich: Er möchte nicht vereinnahmt werden. Dagegen verfällt er Oswald Spenglers Philosophie vom «Untergang des Abendlandes» – er sieht in diesem Buch sein tiefstes Leseerlebnis seit der «Welt als Wille und Vorstellung», stellt es in eine Reihe mit den «Betrachtungen» und Bertrams «Nietzsche». Er braucht Jahre, bis er sich von Spenglers Untergangsfaszination und -prophetie befreit hat.

DIE PHILOSOPHISCHE FAKULTÄT
DER RHEINISCHEN
FRIEDRICH-WILHELMS-UNIVERSITÄT ZU BONN
VERLEIHT
THOMAS MANN IN MÜNCHEN
DEM DICHTER VON GROSSEN GABEN DER IN STRENGER SELBSTZUCHT UND BESEELT VON EINEM STARKEN VERANTWORTUNGSGEFÜHL AUS INNERSTEM ERLEBEN DAS BILD UNSERER ZEIT FÜR MIT- UND NACHWELT ZUM KUNSTWERK GESTALTET
DIE WÜRDE UND DIE RECHTE EINES EHRENDOKTORS DER PHILOSOPHIE
GEGEBEN AM TAGE DER JAHRHUNDERTFEIER DER UNIVERSITÄT DEN 3. AUGUST 1919
UNTER DEM REKTORAT DES PROFESSORS DER RECHTE DR. ERNST ZITELMANN
UNTER DEM DEKANAT DES PROFESSORS DER BOTANIK DR. JOHANNES FITTING

Dr. Joh. Fitting

Ehrendoktor-Urkunde
Am 3. August 1919 erhielt Thomas Mann von der Philosophischen Fakultät der Universität Bonn die Ehrendoktorwürde. Deutschnationale Kreise ehrten damit den Verfasser der «Betrachtungen eines Unpolitischen».

Oswald Spengler (1880–1936)
Als 1918 der erste Band von Spenglers «Der Untergang des Abendlandes» erschien, war Thomas Mann begeistert. Er erklärte das Werk nicht nur zum «Buch der Stunde», sondern zum «Buch der Epoche».

Ich weise die Möglichkeit immer weniger ab, daß Spenglers Buch in meinem Leben Epoche machen könnte auf ähnliche Weise wie vor 20 Jahren die «W. a. W. u. V.» Ich kann nicht einmal immer folgen und kümmere mich nicht darum. Es hindert mich nicht, die a priori vertraute Essenz des Buches begierig aufzunehmen. – –

Tagebuch, 2. Juli 1919

Dr. h. c. Thomas Mann

1919–1925 Die ersten Jahre der Weimarer Republik

Heinrich Manns «Untertan»
Regeneration
«Von deutscher Republik»
«Der Zauberberg»
Gerhart Hauptmann grollt
Der 50. Geburtstag
Unordnung und frühes Leid

Heinrich Manns «Untertan»

Heinrich Mann stand, mit seinen Freunden und Eideshelfern Herzog, Hiller, Schickele und den übrigen Aktivisten, Sozialisten, Expressionisten aller Schattierungen, auf der Seite der Sieger. Das ließ sich seit 1917 nicht mehr bestreiten. Er hatte, mitten im Krieg, mit seinem Stück «Madame Legros» einen Erfolg zu verzeichnen, und Thomas Mann wußte, daß «Der Untertan», seit 1914 beendet, nur darauf wartete, auch in Deutschland publiziert zu werden. Bei Kriegsende war es soweit: Heinrichs Roman überschwemmte den Markt in einer Auflage von 100 000. Die «Betrachtungen» brachten es auf 6000. Das war deutlich genug. Heinrich hatte gesiegt. Thomas Mann lag falsch. Später hat er im Rückblick auf diese Zeit sein Buch als Rückzugsgefecht eines Romantikers bezeichnet. Noch am 8. Februar 1947 schreibt er an Hermann Hesse, es sei als Reaktion auf die Entente-Propaganda zu verstehen: «der Pazifismus von damals ging mir ebenso auf die Nerven, wie die jakobinisch-puritanische Tugendpropaganda der Ententemächte, und ich verteidigte dagegen ein protestantisch-romantisches, un- und antipolitisches Deutschtum, das ich als meine Lebensgrundlage empfand.»

Gleich nach Kriegsende erschien Heinrich Manns Satire auf den Wilhelminismus, «Der Untertan»
Der Roman war bereits 1914 beendet, wurde aber während des Krieges nicht zugelassen.

Heinrich Mann

Der Untertan

Roman

Erstes bis siebentes Tausend

Kurt Wolff Verlag
Leipzig

Von diesem Buch, dessen Herausgabe während des Krieges nicht beabsichtigt ist, wurden auf Veranlassung von Kurt Wolff im Mai 1916 zehn Exemplare hergestellt und — nur zur persönlichen Kenntnisnahme — übersandt an:
Ernst Ludwig, Großherzog von Hessen und bei Rhein / Karl Kraus / Fürstin Mechtild Lichnowsky / Oberstleutnant im Generalstab Madlung / Helene von Nostitz-Wallwitz / Jesko von Puttkamer / Peter Reinhold / Fürst Günther zu Schönburg-Waldenburg / Joachim von Winterfeldt, M. d. R. / Elisabeth Wolff-Merck

Editorische Bemerkung im Privatdruck von 1916

UNTERTANENGEIST

«Heute muß man sich offen entscheiden, Herr Bürgermeister. Seine Majestät haben es selbst gesagt: wer nicht für mich ist, ist wider mich! Unsere Bürger sollen endlich aus dem Schlummer erwachen und bei der Bekämpfung der umwälzenden Elemente selbst mit Hand anlegen!»
Hier schlug Doktor Scheffelweis die Augen nieder. Um so gebieterischer reckte sich Diederich.
«Wo aber bleibt der Bürgermeister?» fragte er, und seine Frage klang in einer drohenden Stille so lange nach, bis Doktor Scheffelweis sich entschloß, ihn anzublinzeln. Zum Sprechen brachte er es nicht; Diederichs Erscheinung, blitzend, gesträubt und blond gedunsen, verschlug ihm die Rede. In fliegender Verwirrung dachte er: «Einerseits – andrerseits» – und blinzelte immerfort das Bild der neuen Jugend an, die wußte, was sie wollte, den Vertreter der harten Zeit, die nun kam!
Diederich, mit herabgezogenen Mundwinkeln, nahm die Huldigung entgegen. Er genoß einen der Augenblicke, in denen er mehr bedeutete als sich selbst, und im Geiste eines Höheren handelte. Der Bürgermeister war länger als er, aber Diederich sah auf ihn hinunter, als hätte er gethront. «Nächstens haben wir Stadtverordnetenwahlen: da kommt es nun ganz auf Sie an,» äußerte er gnädig und knapp. «Der Prozeß Lauer hat einen Umschwung der öffentlichen Meinung bewirkt. Die Leute haben Angst vor mir. Wer mir behilflich sein will, ist mir willkommen; wer sich mir entgegenstellt –»
Den Nachsatz wartete Doktor Scheffelweis nicht ab. «Ich bin ganz Ihrer Meinung,» flüsterte er beflissen, «Freunde des Herrn Buck dürfen nicht mehr gewählt werden.»
«Das liegt in Ihrem eigensten Interesse. Bei den Schlechtgesinnten untergräbt man Ihren guten Ruf, Herr Bürgermei-

ster! Könnten Sie es heute überleben, daß die Gutgesinnten den abscheulichen Verleumdungen nicht mehr widersprechen?» Eine Pause, in der Doktor Scheffelweis zitterte; dann wiederholte Diederich, ermutigend: «Es kommt nur auf Sie an.» – Der Bürgermeister murmelte: «Ihre Energie und anständige Gesinnung in Ehren –»
«Meine hochanständige Gesinnung!»
«Freilich ... Aber Sie sind ein politischer Heißsporn, mein junger Freund. Die Stadt ist noch nicht reif für Sie. Wie wollen Sie mit ihr fertig werden?»
Statt einer Antwort trat Diederich plötzlich zurück und machte einen Kratzfuß. Im Eingang stand Wulckow.
Er kam herbei unter elastischem Schwenken des Bauches, legte seine schwarze Tatze dem Doktor Scheffelweis auf die Schulter und sagte dröhnend: «Na, Bürgermeisterchen, so solo hier? Ihre Stadtverordneten haben Sie wohl hinausgeworfen?» – worauf Doktor Scheffelweis bleich mitlachte. Aber Diederich sah sich heftig besorgt nach der Saaltür um, die noch offen stand. Er trat vor Wulckow hin, so daß der Präsident von drinnen nicht zu sehen war, und flüsterte ihm einige Worte zu, infolge deren der Präsident sich abwandte und seine Kleider ordnete. Dann sagte er zu Diederich:
«Sie sind wirklich sehr brauchbar, Doktorchen.»
Diederich lächelte geschmeichelt. «Ihre Anerkennung, Herr Präsident, macht mich glücklich.»

Heinrich Mann, Der Untertan

Die «Lohengrin»-Aufführung

Die schöne Laune, die mit ihrem Dasein spielte, führte sie eines Abends in den Lohengrin. Die beiden Mütter hatten sich dazu verstehen müssen, zu Hause zu bleiben; es war der feste Wille des Brautpaares, der Schicklichkeit zum Trotz allein in einer Proszeniumsloge zu sitzen. Das breite rote Plüschsofa an der Wand, wo man nicht gesehen werden konnte, war eingedrückt und fleckig, es hatte etwas reizvoll Fragwürdiges. Guste wollte wissen, daß diese Loge eigentlich den Herren Offizieren gehörte, und daß sie hier Besuche von Schauspielerinnen empfingen!
«Über die Schauspielerinnen sind wir glücklich hinaus,» erklärte Diederich, und er ließ durchblicken, daß er allerdings bis vor kurzem mit einer gewissen Dame vom Theater, die er natürlich nicht nennen könne –. Gustes fieberhafte Fragen wurden rechtzeitig unterbrochen durch das Klopfen des Kapellmeisters. Sie nahmen ihre Plätze ein.
«Hähnisch ist noch wabbeliger geworden,» bemerkte Guste sogleich, und sie nickte nach dem Dirigenten hinab. Er machte auf Diederich einen hochkünstlerischen, wenn auch ungesunden Eindruck. Schwarze, verwirrte Haarsträhnen wippten, indes er mit allen seinen Gliedmaßen den Takt schlug, über seinem großen grauen Gesicht, dessen Fettsäcke mitwippten, und in Frack und Hose wogte es rhythmisch. Im Orchester war großer Betrieb, dennoch gab Diederich zu verstehen, daß er auf Ouvertüren keinen Wert lege. Überhaupt, meinte Guste, wenn man den Lohengrin in Berlin kannte! Der Vorhang ging auf, und schon kicherte sie verachtungsvoll. «Gott, die Ortrud! Sie hat einen Schlafrock und ein Frontkorsett!» Diederich hielt sich mehr an den König unter der Eiche, der sichtlich die prominenteste Persönlichkeit war. Sein Auftreten wirkte nicht besonders schneidig; Wulckow brachte Baß und Vollbart entschieden besser zur Geltung; aber was er äußerte, war vom nationalen Standpunkt aus zu begrüßen. «Des Reiches Ehr' zu wahren, ob Ost, ob West.» Bravo! So oft er das Wort deutsch sang, reckte er die Hand hinauf, und die Musik bestätigte es ihrerseits. Auch sonst unterstrich sie einem markig, was man hören sollte. Markig, das war das Wort. Diederich wünschte sich, er hätte zu seiner Rede in der Kanalisationsdebatte eine solche Musik gehabt. Der Heerrufer dagegen stimmte ihn wehmütig, denn er glich auf's Haar dem dicken Delitzsch in all seiner verflossenen Bierehrlichkeit. Infolgedessen sah Diederich die Gesichter der Mannen näher an und fand überall Neuteutonen. Sie hatten größere Bäuche und Bärte bekommen und sich gegen die harte Zeit mit Blech gerüstet. Auch schienen nicht alle sich in günstigen Lebensumständen zu befinden; die Edlen sahen aus wie mittlere Beamte des Mittelalters, mit Ledergesichtern und Knickebeinen, die Unedlen noch weniger glänzend; aber der Verkehr mit ihnen wäre unzweifelhaft in tadellosen Formen verlaufen. Überhaupt ward Diederich gewahr, daß man sich in dieser Oper sogleich wie zu Hause fühlte. Schilder und Schwerter, viel rasselndes Blech, kaisertreue Gesinnung, Ha und Heil und hochgehaltene Banner, und die deutsche Eiche: man hätte mitspielen mögen.

Heinrich Mann, Der Untertan

Regeneration

«Herr und Hund», Titelblatt von Emil Preetorius
Tägliche Spaziergänge führten Thomas Mann und seinen Hund ans Ufer der Isar. Das Idyll «Herr und Hund» erschien 1919, mit Illustrationen von Emil Preetorius.

Herr und Hund
Thomas Mann mit Bauschan

Um Zeit zu gewinnen, schreibt Thomas Mann die Idylle «Herr und Hund» und den «Gesang vom Kindchen» (1919). Beide sollen ihn aus der Verkrampfung der «Betrachtungen» lösen und ihn zu natürlicher Spontaneität und Einfachheit führen. Der Hexameter soll, nach soviel Kritik, homerische Durchsonntheit gewähren.

Freud über seinen Hund Jofi

Es sind wirklich die Gründe, weshalb man ein Tier wie Topsy (oder Jofi) mit so merkwürdiger Tiefe lieben kann, die Zuneigung ohne Ambivalenz, die Vereinfachung des Lebens, von dem schwer erträglichen Konflikt mit der Kultur befreit, die Schönheit einer in sich vollendeten Existenz. Und bei aller Fremdartigkeit der organischen Entwicklung doch das Gefühl einer innigen Verwandtschaft, einer unbestrittenen Zusammengehörigkeit. Oft, wenn ich Jofi gestreichelt, habe ich mich dabei ertappt, eine Melodie zu summen, die ich ganz unmusikalischer Mensch als die Arie aus dem ‹Don Juan› erkennen mußte:
Ein Band der Freundschaft bindet uns beide.

Freud an Marie Bonaparte, 6. 12. 1936

Gesang vom Kindchen

Ein Idyll

Von Thomas Mann

„So sind wir denn vorerst ganz still zu Haus,
Von Tür zu Türe sieht es lieblich aus;
Der Künstler froh die stillen Blicke hegt,
Wo Leben sich zum Leben freundlich regt,
Und wie wir auch durch fremde Lande zieh'n.
Da kommt es her, da kehrt es wieder hin;
Wir wenden uns, wie auch die Welt entzücke,
Der Enge zu, die uns allein beglücke."
(Goethe, Campagne in Frankreich)

Vorsatz

Bin ich ein Dichter? War ich's zuweilen? Ich weiß nicht. In Frankreich
Hieße Poet ich nicht. Man scheidet bequem und verständig
Dort den Reimschmied vom Manne der gradausgehenden Rede.
Jener heißt Dichter, der andere Autor etwa, Stiliste
Oder Schriftsteller; und wahrlich, man schätzt sein Talent nicht geringer.
Nur eben Dichter nennt man ihn nicht: er drechselt nicht Verse.
Mein Teil nun war immer die Prosa, schon seit dem Knaben
Erste Liebesschmerzen verblüht und frühe der Jüngling
Sich zum Werke nüchtern bereitet. Ein edles Gewaffen
Schuf der Verletzliche sich in ihr, die Welt zu bestehen,
Und er trug es mit Anmut: Gesteh' ich's, manch schönes Gelingen
Krönte mein Mühen um deutsches Wort, und ebengeboren
Dünkt ich mich manchem Sänger an Künstlerwürde und -wissen.
Denn Gewissen schien immer mir Sinn und Sache der Prosa:
Das Gewissen des Herzens und das des verfeinerten Ohres.
Ja, sie schien mir Moral und Musik, — so übt' ich sie immer.
Dichter? Ich war es! Denn wo sich ursprünglich die Liebe zur Sprache
Jeder Liebe gesellt und allem Erleben sich mischet,
Da sei von Dichtertum kühnlich die Rede, — das Wort ist am Platze. —
Dennoch, erinnere dich! Gedenke verjährter Beschämung,
Heimlicher Niederlage, nie eingestandnen Versagens:

Das Hexametergedicht «Gesang vom Kindchen», Erstdruck im «Neuen Merkur», April 1919
Eine Huldigung an die kleine Elisabeth

Thomas Mann und Elisabeth, 1925

Das zweitletzte Kind, Elisabeth, kam am 24. April 1918 zur Welt, das letzte, Michael, am 21. April 1919

Katja Mann mit den Kindern (von links): Monika, Golo, Michael, Klaus, Elisabeth und Erika

Der Zauberer

Sogar Papa und Mama gingen dann und wann auf einen Maskenball. Mama als indische Prinzessin und Papa in einem Talar angetan von bunt-glühendem Glanze – schwarze Schulterlocken, gewaltige Augenbrauen und silberne Spitzpantoffeln –, so zeigte er sich, Zauberstab in der funkelberingten Hand, mit hämischem Grinsen bei uns, die wir vor Überraschung und Vergnügen jauchzten und ihn von der Stunde an den «Zauberer» nannten.

Monika Mann, Vergangenes und Gegenwärtiges

Der Jugend Zauber für und für

Postkarte aus Glücksburg an Philipp Witkop vom 16. Juli 1919
Als Gast Samuel Fischers verbrachte Thomas Mann im Sommer 1919 einen Urlaub im Strandhotel Glücksburg. Er machte dabei eine sonderbare Erfahrung: Er glaubte Hans Castorp zu begegnen.

Aus dem Tagebuch

Es kommt die Luft hinzu, die Gerüche, die Farben, die Sprache, der Menschentyp. Tonio Kröger, Tonio Kröger. Es ist jedesmal dasselbe und die Bewegung tief. Die Reederfamilie Kirsten aus Hamburg, mit den beiden weit behosten Söhnen, von denen der Eine einen Armin Martens-Schädel hat. – – Der ehemalige Seeoffizier Schellong, ein G. Hauptmann-Typus. Seine Frau spitz, norddeutsch, anämisch, etwas von Lula. Das Kinderfräulein, hübsch, hamburgisch-überseeisch. Schöne Segelfahrt auf der Föhrde, mit Schellong, Fr. Fischer und Tutti. Auf der «Reunion» im Kurhaus als Gäste des etwas zweifelhaften, ziemlich dummen, junggesellenhaft melancholischen Baron Schenk. Kirstens = Hans Castorp.

Tagebuch, 24. Juli 1919

– Vom jungen Kirsten hatte ich gestern mehrfach unmittelbare Eindrücke. Er zeigte Photographien am Nachbartisch, wobei ich ihn sprechen hörte, mit ziemlich tiefer Stimme u. stark Hamburgisch, und seine Hand sehen konnte. Bis auf die mißförmige Nase ist sein Gesicht schön und fein. Er scheint eine Neigung zur Absonderung und zum stillen Sitzen zu haben (am Tennisplatz). Wenn ich nicht irre, so hörte ich ihn Oswald nennen. Er hat mich, auch beim Passieren, noch niemals angesehen. Wie mir scheint, vermeidet er es aus Diskretion. Hier wäre denn also das «Nie veraltende», das sich mit Glücksburg «eng verzweigen» wird, der obligate «Lenz», der sich nur halb – (halb?) – entfaltet.

Tagebuch, 1. August 1919

Oswald Kirsten (1902–1988)
Oswald Kirsten ist in Maria Mörings Firmengeschichte «A. Kirsten Hamburg» (1952) abgebildet, allerdings nicht als 17jähriger.

Die neue Generation

Josef Ponten (1883–1940)
Im September 1919 lernte Thomas Mann Josef Ponten kennen, dessen Roman «Der babylonische Turm» 1918 erschienen war.

Pontens «Babylonischer Turm» war ein Buch, das Thomas Manns Begriff deutscher Meisterlichkeit genau entsprach. Er hatte einen Gesinnungsgefährten gefunden, und dazu erst noch einen jungen; noch war nicht alles verabschiedet, was er unter deutscher Kultur und Geistigkeit verstand ... Und wie Ponten ihn seiner Verehrung versichert, ihm recht eigentlich huldigt, ist er zu Tränen gerührt und gesteht ihm seine Rührung und seinen Stolz, «von einem Angehörigen des jüngeren Geschlechts, einem Dichter, an dessen Wert und Zukunft ich glaube und bei Zeiten geglaubt habe, eine solche kameradschaftliche Huldigung empfangen zu dürfen» (22. Januar 1923).

Vor kurzem erschien:

EMIL SINCLAIR

Demian

Die Geschichte einer Jugend

Geheftet 5 Mark, gebunden 7.50 Mark

Aus einem Briefe von

THOMAS MANN

an den Verleger:

„Sagen Sie mir bitte: Wer ist Emil Sinclair? Wie alt ist er? Wo lebt er? Sein ‚Demian' in der Rundschau hat mir mehr Eindruck gemacht, als irgend etwas Neues seit langem. Das ist eine schöne, kluge, ernste, bedeutende Arbeit! Ich hatte sie übersehen, mußte erst darauf aufmerksam gemacht werden und las sie vor wenigen Tagen nach — mit größter Bewegung und Freude. Und so ein Rückstand wie ich freut sich ja natürlich, wenn er zu etwas Neuestem einmal ganz unmittelbar Ja und Bravo sagen kann. Für den Augenblick ist man da mit seiner Sympathie und Zustimmung wieder auf der Höhe, oder vielmehr, man sieht, daß es Neuestes gibt, das durchaus nicht auf der üblichen ‚Höhe' und doch offenbar sehr gut ist. Über einen gewissen künstlerischen Widerspruch kommt man bei der Geschichte nicht ganz hinweg. Sie gibt sich durchaus als Leben, bis zu dem Grade, daß der Name des Verfassers auch der des Erzählenden ist, und doch ist ‚Leben' — im Sinne etwa von Tolstois ‚Kindheit und Knabenalter' — vielleicht gerade ihre schwache Seite, so sehr ist sie Komposition und geistige Dichtung. Aber wenn man will, ist dieser Widerspruch auch wieder ein Reiz, und jedenfalls war ich ganz außerordentlich gefesselt und erfüllt. Auf so bedeutende Art hat noch keiner eine Erzählung in den Krieg einmünden lassen ......"

S. FISCHER / VERLAG / BERLIN

Emil Sinclair

Ähnlich wie Pontens «Turm» wirkte Emil Sinclairs «Demian» auf Thomas Mann. (Hinter dem Pseudonym versteckte sich Hermann Hesse.)

Ich habe über Sinclair so gut wie nichts erfahren können, er hüllt sich in Geheimnis. Fischer, bei dem ich anfragte, erklärt, er habe das Manuskript durch Hermann Hesse bekommen, es stamme von einem jungen, kranken, in der Schweiz lebenden Dichter. Das ist alles. Ich freue mich, daß Sie meinem Urteil über «Demian» so lebhaft zustimmen. Gäbe der Verfasser nicht zu verstehen, daß er unbehelligt sein will, ich glaube, ich würde ihm schreiben, wie ich Ihnen nach dem «Turm» schrieb, der mir ähnliche Genugthuung bereitete. Was Sie mir des weiteren von sich zu sagen die Güte haben, hat mich sehr interessiert und meine respektvolle Sympathie verstärkt. Meine Unwissenheit ist groß, ich habe wirklich nichts anderes gelernt, als – allenfalls – deutsch zu schreiben; und nur der Gedanke, daß dies doch mehr besagt, als das Wort zu sagen scheint, tröstet mich meistens über meine sonstige Unzulänglichkeit.

An Josef Ponten, 8. Juli 1919

Regeneration im Zeichen von Goethe und Tolstoi

Der Anspruch auf Liebe

Daß alle Werke Goethes nur «Bruchstücke einer großen Konfession» darstellen, wüßten wir auch dann, wenn wir es nicht von ihm selbst wüßten; und außerdem hat er ja «Dichtung und Wahrheit», neben Augustins und Rousseaus Bekenntnissen die berühmteste Autobiographie der Welt, geschrieben. Bekenntnisse nun hat auch Tolstoi verfaßt – ich meine zunächst ein Buch dieses Titels, gelegen durchaus auf der großen Linie der Lebens- und Seelenbeichten, die von dem afrikanischen Heiligen bis Strindberg, dem Sohn der Magd, heraufführt. Aber es ist wie bei Goethe: Nicht durch ein Buch ist Tolstoi Autobiograph. Er ist es, angefangen bei dem Jugendroman «Kindheit und Knabenalter», durch sein gesamtes Lebenswerk in dem Grade, daß Mereschkowski, der große russische Kritiker, sagen konnte: «Die künstlerischen Werke L. Tolstois sind im Grunde nichts anderes als ein mächtiges, durch fünfzig Lebensjahre hindurch geführtes Tagebuch, eine endlose, ausführliche Beichte.» Ja, dieser Beurteiler setzt hinzu: «In der Literatur aller Zeiten und aller Völker wird sich wohl kaum ein zweiter Schriftsteller finden, der sein persönliches Privatleben, ja oft die intimsten Seiten desselben mit einer so großherzigen Aufrichtigkeit enthüllt wie Tolstoi.» – «Großherzig» – ich merke an, daß das ein etwas euphemistisches Beiwort ist. Man könnte, wollte man gehässig sein, dieser Aufrichtigkeit der berühmten Autobiographen auch andere Beiwörter geben, schlimmere, des Sinnes etwa, wie Turgenjew einmal ironisch von «Fehlern» sprach, die «einem großen Schriftsteller unentbehrlich seien» – womit offenbar das «Fehlen» gewisser Hemmungen gemeint ist, einer gewissen, sonst geforderten Schamhaftigkeit, Diskretion, Keuschheit, Bescheidenheit, oder, ins Positiv-Fehlerhafte gewendet, die Herrschaft eines gewissen Liebesanspruchs an die Welt, und zwar eines unbedingten Liebesanspruchs insofern, als es bei der Selbstentblößung gleich viel gilt, ob Vorzüge oder Laster entblößt werden: Man will gekannt und geliebt sein – geliebt, weil gekannt, oder geliebt, obwohl gekannt, das ist es, was ich «unbedingten» Anspruch auf Liebe nenne. Das Merkwürdige ist, daß die Welt diesen Anspruch bestätigt und erfüllt.

Goethe und Tolstoi, 1921 (IX, 68f.)

Bekenntnis und Erziehung

Autobiographie und Erziehung … Die beiden Gedanken fügen sich uns wieder zusammen in dem Augenblick, da die Idee der menschlichen Gestalt, dieses höchsten Gegenstandes der Sympathie mit dem Organischen, vor uns ersteht. Ja, angesichts dieser Idee, der eigentlich plastischen, verfließen diese beiden Triebe zu humaner Einheit: Das pädagogische Element lebt, bewußt oder unbewußt (und besser, wenn unbewußt), bereits in dem autobiographischen, es ergibt sich daraus, es wächst daraus hervor.

Goethe nennt Wilhelm Meister irgendwo sein «geliebtes Ebenbild» … Wieso doch? Liebt man sein Ebenbild? Sollte nicht ein Mensch, der nicht an unheilbarer Selbstgefälligkeit krankt, in der Anschauung seines Ebenbildes der eigenen Verbesserungsbedürftigkeit sich recht bewußt werden? Doch, eben dies sollte er. Und eben dies Gefühl der Verbesserungs- und Vervollkommnungsbedürftigkeit, diese Empfindung des eigenen Ich als einer Aufgabe, einer sittlichen, ästhetischen, kulturellen Verpflichtung, objektiviert sich im Helden des autobiographischen Bildungs- und Entwicklungsromans, vergegenständlicht sich zu einem Du, an welchem das dichterische Ich zum Führer, Bildner, Erzieher wird – identisch mit ihm und zugleich ihm überlegen in dem Grade, daß Goethe seinen Wilhelm, den guten Kerl in seinem dunklen Drange, den er aus sich herausgestellt, einmal mit väterlicher Zärtlichkeit einen «armen Hund» nennt – ein Wort voller Empfindung für sich und ihn. Im Innern des autobiographischen Pathos selbst also vollzieht sich bereits die Wendung ins Erzieherische. Und dieser Objektivierungsprozeß schreitet im ‹Wilhelm Meister› fort durch die Einführung der Gesellschaft des ‹Turmes›, die Wilhelms Schicksal und menschliche Ausbildung in die Hände nimmt, sein Leben an geheimen Fäden leitet; immer deutlicher wandelt sich in den ‹Lehrjahren› die Idee der persönlich-abenteuernden Selbstausbildung in die der Erziehung, um in den ‹Wanderjahren›, wie wir sagten, völlig ins Soziale, ja Politische zu münden […].

Goethe und Tolstoi (IX, 149f.)

Goethe und Tolstoi

Vortrag, zum ersten Mal gehalten September 1921
anläßlich der Nordischen Woche zu Lübeck

Von

Thomas Mann

In Weimar lebte noch zu Anfang unseres Jahrhunderts ein Mann, Julius Stöterer mit Namen und Lehrer seines Zeichens, der, als er noch ein Schüler, ein Gymnasiast von 16 Jahren war, mit Dr. Eckermann unter demselben Dache wohnte, nur wenige Schritte von Goethes Hause. An der Seite eines Schulkameraden, der mit ihm logierte, erhaschte Stöterer manchmal mit Herzklopfen einen Schimmer und Schatten von der Gestalt des Greises, wenn dieser an seinem Fenster saß. Aber beseelt von dem Wunsche, ihn einmal recht aus der Nähe und ganz genau zu sehen, wandten sich die Jungen an ihren Hausgenossen, den Famulus, und baten ihn sehr, ihnen eine solche Gunst doch irgendwie zu verschaffen. Eckermann war freundlich von Natur; er ließ die Knaben an einem Sommertage durch eine Hintertür in den Garten des berühmten Hauses ein, und da standen sie nun in ihrer Beklommenheit und warteten auf Goethe, der denn auch zu ihrem Schrecken wirklich daherkam: in einem hellen Hausrock — es wird wohl der Flanell-Schlafrock gewesen sein, von dem wir wissen — erging er sich hier um diese Stunde, und da er der Jünglinge ansichtig wurde, schritt er auf sie zu, blieb, nach Eau de Cologne duftend, natürlich die Hände auf dem Rücken, mit vorgeschobenem Unterleib und jener Miene eines Reichsstadt-Syndikus, hinter der er, wie glaubwürdig bezeugt ist, Verlegenheit verbarg, vor ihnen stehen und fragte sie nach Namen und Begehr — wahrscheinlich nach beidem zugleich, was, wenn es so geschah, wiederum sehr streng wirkte und kaum zu beantworten war. Da sie denn etwas gestammelt hatten, empfahl ihnen der Alte, fleißig in ihren Studien zu sein, was sie sich dahin übersetzen mochten: rätlicher, als hier Maulaffen feilzuhalten, sei es für sie, sich hinter ihre Schulaufgaben zu setzen — und ging weiter.

So lief das ab — es war im Jahre 1828. — Dreiunddreißig Jahre später, eines Mittags um 1 Uhr, wollte Stöterer, der unterdessen ein tüchtiger, seinem Beruf in Liebe ergebener Mittelschullehrer geworden war, eben den Unterricht in der zweiten Klasse beginnen, als ein Schüler des Seminars den Kopf durch die Tür steckte und meldete, ein Fremder wünsche Herrn Stöterer zu sehen. Dieser Fremde trat denn auch ohne weiteres ein, bedeutend jünger als der Lehrer, mit nicht sehr starkem Vollbart, vortretenden Backenknochen, kleinen, grauen Augen und einem Paar Falten zwischen den dunklen Brauen. Er unterließ es, sich auszuweisen oder vorzustellen, sondern fragte sofort, worin heute nachmittag unterrichtet werde; und als er erfuhr, daß erst Geschichte, dann deutsche Sprache daran sei, fand er das ausgezeichnet und sagte, er habe die Schulen von Süddeutschland, Frankreich und England besucht und möchte nun auch die von Norddeutschland kennen lernen. Er sprach wie ein

15 Deutsche Rundschau. XLVIII, 6. 225

Tolstoi-Medaille, ein Geschenk Ernst Bertrams von 1920
Thomas Mann hat die Medaille auf seinem Schreibpult aufgestellt.

Das neue Thema: «Goethe und Tolstoi»
Am 4. September 1921 hielt Thomas Mann im Johanneum in Lübeck den Vortrag «Goethe und Tolstoi». Er hat ihn in den folgenden Jahren mehrmals überarbeitet. Die neu einströmenden Gedanken veränderten auch die Konzeption des «Zauberbergs». Ließ er sich nicht als Bildungsroman auffassen?

Von deutscher Republik

Mann über Bord.

Zu Thomas Mann's Vortrag: Von deutscher Republik.

Von Werner Otto.

„Ich bekenne mich tief überzeugt, daß das deutsche Volk die politische Demokratie niemals wird lieben können . . .“

Thomas Mann. 1918.

I.

Sie hielten, Thomas Mann, in der vergangenen Woche im Berliner Beethovensaal einen Vortrag, den Sie „von der deutschen Republik“ betitelten und in dem Sie sich mit warmem Herzen zur Republik bekannten; ja wir stehen nicht an zu erklären: Sie taten es mit jener Gewissenhaftigkeit, um derentwillen Sie uns wert und lieb sind, und die, um Sie selbst zu zitieren, eine Eigenschaft ist, „die einen so wesentlichen Bestandteil Ihres Künstlertums ausmacht, daß man kurz sagen könnte, es bestehe daraus“.

Freilich, was in dem Buche geschrieben steht, dem wir diese Worte entnehmen, klang anders, ganz anders als das, was Sie nunmehr im Jahre der Republik 1922 einem ehrenwerten Publikum zu sagen hatten. Aber stürmte nicht damals im blutigen Frühjahr von 1918 das „protestierende“ Deutschland, um Sie wieder zu zitieren, in der Erfüllung seines, von Ihnen tief erlebten Schicksals gegen die feindliche Welt? Und ist das heroische Zeitalter, seit Fahnen und Waffen zerbrochen wurden, nicht gestorben und mit ihm die Erfüllung unseres deutschen Schicksals? Leben wir statt dessen nicht wohlbehütet in einer Republik? Und erfüllen wir nicht statt dessen den Versailler Vertrag? Nehmen Sie das wirklich als „innere“ Tatsachen? Und sind es nichts als äußere Tatsachen — Gegensätze erstehen und legen sich zwischen unsere Herzen und Ihre wie immer vollbedachte und erarbeitete Sprache. Das Schicksal ist stärker als der Zufall, die Tat mehr als das Wort. Und solange die deutsche Republik nur Zufall und Wort ist, haben wir nichts mit ihr zu schaffen. Was geht uns die Republik an? Es lebe Deutschland!

Mann über Bord
Aus der Zeitschrift «Das Gewissen», Potsdam, 23. Oktober 1922

1922 ist Thomas Mann soweit: Am 6. Oktober liest er seine Rede «Von deutscher Republik» vor Freunden, am 15. Oktober in Berlin. Zu seinem Begriff von Demokratie kommt Thomas Mann in dieser Rede nicht über den westlich-aufklärerischen Weg der Montesquieu, Voltaire und Rousseau – das ist der Weg Heinrichs. Unter Berufung auf Novalis, Goethe und Whitman entwickelt er vielmehr einen Demokratie-Begriff, der gleichzeitig konservativ und fortschrittlich ist:

Die Republik … wie gefällt euch das Wort in meinem Munde? Übel, – bestimmten Geräuschen nach zu urteilen, die man leider als Scharren zu deuten genötigt ist. Und doch ist mir jenes Wort, anders als den meisten von euch, von jung auf vertraut und geläufig. Meine Heimat war ein republikanischer Bundesstaat des Reiches, wie diejenigen, aus denen es heute durchaus besteht. Dennoch war ich niemals ein Republikaner vom Verrina-Stamm, kein Mann der lehrhaften Tugendstarre, kein Revolutionär dieses Sinnes, ihr wißt es. «Diejenigen», sagte und sage ich mit Novalis, «die in unsern Tagen gegen Fürsten als solche deklamieren und nirgends Heil statuieren als in der neuen französischen Manier, auch die Republik nur unter der repräsentativen Form erkennen und apodiktisch behaupten, daß nur da Republik sei, wo es Primär- und Wahlversammlungen, Direktorium und Räte, Munizipalitäten und Freiheitsbäume gäbe, die sind armselige Philister, leer an Geist und arm am Herzen, Buchstäbler, die ihre Seichtigkeit und innerliche Blöße hinter den bunten Fahnen der triumphierenden Mode, unter der imposanten Maske des Kosmopolitismus zu verstecken suchen, und die Gegner, wie die Obskuranten, verdienen, damit der Frosch- und Mäusekrieg vollkommen versinnlicht werde.»

Von deutscher Republik (XI, 817 f.)

SINNESÄNDERUNG?

Thomas Mann mußte es hinnehmen, daß ihm die «Rede von deutscher Republik» als «Abfall vom Deutschtum und Widerspruch zu den ‹Betrachtungen›» verübelt wurde. Andere begrüßten seine Aufgeschlossenheit gegenüber dem Neuen. Im Herzen mochte er Aristokrat und Monarchist bleiben, die Vernunft entschied sich für die Republik – ihr gehörte die Zukunft. Thomas Mann selbst hat seine Wendung mit dem Satz begleitet: «Ich weiß von keiner Sinnesänderung. Ich habe vielleicht meine Gedanken geändert, – nicht meinen Sinn.» Was er sich über all diese Jahre erhalten will, ist das Prinzip der kreativen Freiheit, der schöpferischen Potenz: Die Offenheit des Kreativen ermöglicht es ihm – das gilt für sein ganzes Leben –, sich immer wieder aus allen Festgefahrenheiten zu lösen.

Heinrich Mann hatte demgegenüber keinen Grund zur «Sinnesänderung». Er trat gleich zu Beginn der Weimarer Republik als praeceptor Germaniae auf. 1923 erschien sein Buch «Diktatur der Vernunft».

THOMAS MANNS WANDLUNG IM RÜCKBLICK

Mein persönliches Bekenntnis zur Demokratie geht aus einer Einsicht hervor, die gewonnen sein wollte und meiner deutsch-bürgerlich-geistigen Herkunft und Erziehung ursprünglich fremd war: der Einsicht, daß das Politische und Soziale ein Teilgebiet des Menschlichen ausmacht, daß es der Totalität des humanen Problems angehört, vom Geiste in sie einzubeziehen ist, und daß diese Totalität eine gefährliche, die Kultur gefährdende Lücke aufweist, wenn es ihr an dem politischen, dem sozialen Element gebricht.

Es mag sonderbar klingen, wenn ich die Demokratie der Politik einfach gleichsetze, sie geradehin als die politische Seite des Geistigen, als die Bereitwilligkeit des Geistes zur Politik bestimme; aber das habe ich schon vor zwanzig Jahren getan, in einem mühselig-umfangreichen Buch, genannt ‹Betrachtungen eines Unpolitischen›, worin ich dieser Bestimmung ein kämpferisch-negatives Vorzeichen gab und worin ich mich dem, was ich ‹Demokratie› nannte, nämlich der Politisierung des Geistes, im Namen der Kultur und sogar der Freiheit aus allen Kräften widersetzte. Ich sage: sogar im Namen der Freiheit; denn unter dieser verstand ich dem Gepräge meines Denkens gemäß sittliche Freiheit – von deren Beziehungen zur bürgerlichen Freiheit ich wenig wußte und wenig wissen wollte. Das Buch, in den Kriegsjahren geschrieben, war ein leidenschaftliches Stück Arbeit der Selbsterforschung und der Revision meiner Grundlagen, meiner Gesamt-Überlieferung, welche die einer politikfremden deutschbürgerlichen Geistigkeit war, eines Kulturbegriffs, zu dessen Gestaltung Musik, Metaphysik, Psychologie, eine pessimistische Ethik, ein individualistischer Bildungsidealismus sich vereinigt hatten, der aber das politische Element geringschätzig ausschied. Selbsterforschung aber, wird sie nur gründlich genug betrieben, ist meistens schon der erste Schritt zur Wandlung, und ich erfuhr, daß niemand ganz der bleibt, der er war, indem er sich erkennt. Jenes Buch selbst schon, in seinem Drange, von allen Dingen auf einmal zu reden, war der Ausdruck einer Krisis, das Produkt einer neuen, von tiefaufwühlenden äußeren Ereignissen hervorgerufenen Situation: die Frage des Menschen, das Problem der Humanität stand in seiner Ganzheit und fordernd wie nie vor dem geistigen Gewissen, und das Bekenntnis, daß Geist und Politik nicht reinlich zu trennen sind; daß es ein Irrtum deutscher Bürgerlichkeit gewesen war, zu glauben, man könne ein unpolitischer Kulturmensch sein; daß die Kultur in schwerste Gefahr gerät, wenn es ihr am politischen Instinkt und Willen mangelt – kurzum, das demokratische Bekenntnis drängte sich auf die Lippen und wollte trotz allen Hemmungen antipolitischer Tradition abgelegt sein. Ich danke es meinem guten Genius, daß ich es nicht zurückhielt. Denn wo wäre ich heute, auf welcher Seite fände ich mich, wenn mein Konservativismus bei einem Deutschtum verharrt wäre, das all sein Geist und all seine Musik nicht davor bewahren konnten, in die niedrigste Gewaltanbetung und in eine die Grundlagen der abendländischen Gesittung bedrohende Barbarei einzumünden!

Kultur und Politik, 1939 (XII, 853 f.)

Der Zauberberg – zweite Arbeitsperiode

Das «Zauberberg»-Manuskript, 1924
Das Manuskript ging im Zweiten Weltkrieg verloren.

1919 nahm Thomas Mann die Arbeit am «Zauberberg» wieder auf:

Unterdessen bedenke ich den Zbg., den wieder in Angriff zu nehmen jetzt wirklich erst der Zeitpunkt gekommen ist. Im Kriege war es zu früh, ich mußte aufhören. Der Krieg mußte erst als Anfang der Revolution deutlich werden, sein Ausgang nicht nur da sein, sondern auch als Schein-Ausgang erkannt sein.

Tagebuch, 17. April 1919

Tannhäuser
und
der Sängerkrieg auf Wartburg.

Personen.

Hermann, Landgraf von Thüringen.
Tannhäuser,
Wolfram von Eschenbach,
Walther von der Vogelweide,
Biterolf,
Heinrich der Schreiber,
Reinmar von Zweter,
} Ritter und Sänger.
Elisabeth, Nichte des Landgrafen.
Venus.
Ein junger Hirt.
Thüringische Grafen und Edelleute.
Edelfrauen.
Edelknaben.
Ältere und jüngere Pilger.
Die drei Grazien. — Jünglinge.
Sirenen. Najaden. Nymphen. Amoretten. Bacchantinnen.
Satyre und Faune.
Thüringen. Wartburg.
Im Anfange des 13. Jahrhunderts.

«Tannhäuser»

Goethe

Wilhelm Meisters
Lehrjahre

Zweiter Teil

Der Tempel-Verlag
Berlin und Leipzig

«Wilhelm Meister»

Der «Zauberberg», ursprünglich als Modernisierung von Wagners «Tannhäuser» gedacht, wird seit 1921 in die imitatio Goethes gestellt und in einen Bildungsroman umgedeutet. Castorp, versichert Thomas Mann, sei in die Fußstapfen Wilhelm Meisters getreten. Die «Sympathie mit dem Tode» soll durch Lebenstraulichkeit abgelöst werden, die Neigung zu zersetzender Kritik durch Zukunftsglauben, Nihilismus durch Menschenfreundlichkeit. Eine entschiedene und endgültige Wende ist Thomas Mann nicht gelungen. Aber fortan bestehen beide Positionen neben- und gegeneinander, und gerade das gibt seinem Werk jene Spannung und Nervigkeit, die es auszeichnet.

Schwierigkeiten mit dem Neuanfang

Nach dem Krieg mußte sich Thomas Mann politisch neu orientieren – ein äußerst langwieriger Prozeß. Was vom «Zauberberg» zu Papier stand, war zeitgeschichtlich überholt; es vermochte auch den Ansprüchen der Selbsterziehung nicht mehr zu genügen. Im Tagebuch stellte er seit Ende 1918 Überlegungen an, welche Richtung er dem Roman geben wolle. Im April 1919, zur Zeit der Räterepubliken, wird es ernst:

[...] packte das Zauberberg-Mt. aus, nahm wieder erste Einsicht in das Material und beschäftigte mich mit dem Geschriebenen, das ich wahrscheinlich aus äußeren u. inneren Gründen ganz umschreiben werde. Ein neuer Anfang ist auszuführen. Mit dem 1. Kapitel wird es wohl, abgesehen von einer Erweiterung, die den fromm-konservativen, «spanischen» Großvater zu betreffen hat, beim Alten bleiben. Wieder die Herrschaft über das Material zu gewinnen, wird keine kleine Arbeit sein.

Tagebuch, 9. April 1919

Der Konflikt von Reaktion (Mittelalter-Freundlichkeit) und humanistischer Aufklärung durchaus historisch-vorkriegerisch. Die Synthese scheint in der (kommunistischen) Zukunft zu liegen: Das Neue besteht im Wesentlichen in einer neuen Konzeption des Menschen als einer Geist-Leiblichkeit (Aufhebung des christlichen Dualismus von Seele und Körper, Kirche und Staat, Tod und Leben), einer übrigens auch schon vorkriegerischen Konzeption. Es handelt sich um die Perspektive auf die Erneuerung des christlichen Gottesstaates ins Humanistische gewandt, auf einen irgendwie transcendent erfüllten menschlichen Gottesstaat also, geist-leiblich gerichtet; und Bunge sowohl wie Settembrini haben mit ihren Tendenzen beide so recht wie unrecht. Die Entlassung Hans Castorps in den Krieg also bedeutet seine Entlassung in den Beginn der Kämpfe um das Neue, nachdem er die Komponenten, Christlichkeit und Heidentum, erziehlich durchkostet.

Tagebuch, 17. April 1919

Ich begann nach 4jähriger Unterbrechung wieder am «Zauberberg» zu schreiben, d.h. ich fing das 1. Kapitel mit neuer Einleitung und in der Absicht, es um die Figur des Großvaters Castorp zu erweitern, unter dem Titel «Die Taufschale» wieder an und werde wahrscheinlich alles Fixierte auf dem guten Papier, an das ich durch das Mt. der Betrachtungen gewöhnt bin, neu schreiben, zumal an vielen Orten zu bessern ist. Die neue Einleitung schlägt das Zeit-Thema erstmalig an. Das Kaptl. wird außerdem um das Motiv der Tauf-Schale, als Symbol der Geschichte und des Todes, bereichert. Man kennt das Gerät aus dem «Ges. v. Kn.», und so hat es autobiographische und vereinheitlichende Bedeutung.

Tagebuch, 20. April 1919 (Ostersonntag)

Problematisch in künstlerischer Beziehung die Lehren Settembrini's. Sie sind es aber auch in geistiger Hinsicht, weil sie, obgleich nicht ernst genommen, das sittlich einzig Positive und dem Todeslaster Entgegenstehende sind. Andrerseits beruht die geistige Komik des Romans auf diesem Gegensatz von Fleischesmystik und politischer Tugend. Übrigens gestehe ich mir, daß ich das Buch jetzt auf denselben Punkt gebracht habe, auf dem der «Hochstapler» nicht zufällig stehen geblieben ist.

Tagebuch, 14. November 1919

Die neuen Gestalten

Naphta
Georg Lukács (1885–1971), ungarischer Philosoph und Literarhistoriker, ein Modell des Jesuiten und Kommunisten Naphta im «Zauberberg».

NAPHTA

Im Januar 1922 traf Thomas Mann in Budapest mit Georg Lukács zusammen. Dieser hatte seine frühen idealistischen Positionen («Die Seele und die Formen», 1911) aufgegeben und war Marxist geworden. Der scharfzüngige Konvertit wurde zu einem Modell für Naphta.

Thomas Mann hatte den Typus des revolutionären Juden schon früher kennengelernt, in Trotzki etwa oder in Eugen Leviné, dem letzten Führer der Münchner Räterepublik. Am 2. 5. 1919 hatte er im Tagebuch notiert:

Wir sprachen auch von dem Typus des russischen Juden, des Führers der Weltbewegung, dieser sprengstoffhaften Mischung aus jüdischem Intellektual-Radikalismus und slawischer Christus-Schwärmerei. Eine Welt, die noch Selbsterhaltungsinstinkt besitzt, muß mit aller aufbietbaren Energie und standrechtlichen Kürze gegen diesen Menschenschlag vorgehen.

«Jüdischer Intellektual-Radikalismus und slawische Christus-Schwärmerei»: Die Formel trifft auf Naphta zu, auch wenn sie nicht den ganzen Naphta erfaßt. In dessen Biographie versucht Thomas Mann verschiedenste Züge synkretistisch zu vereinen: Naphta stammt aus einem kleinen Ort in der Nähe der galizisch-wolhynischen Grenze. Sein Vater ist Schächter, tötet nach dem Gesetze Moses, nimmt dabei etwas Priesterliches in sein Wesen auf; sein Sohn sieht noch den Sternenschein, den des Vaters Augen ausstrahlten, wenn er das Schachotmesser schwang. Diese Mischung von Frömmigkeit und Blutgeruch setzt sich im Sohn fort. Der junge Naphta wird durch ein Pogrom aus der Heimat vertrieben, lernt den Sozialismus und das Jesuitentum als Ersatz-Heimaten kennen. Aus seiner Schwäche also, seiner Heimat- und Hilflosigkeit ist es zu erklären, daß er zu Absolutheit, Diktatur (Allmacht) und Terror neigt – und sich damit als Nachfolger Savonarolas entpuppt.

Mynheer Peeperkorn

Bei einem Urlaub in Bozen, Oktober 1923, traf Thomas Mann mit Gerhart Hauptmann zusammen. Beide wohnten im Hotel Austria. Es kam zu gemeinsamen Gelagen, bei denen Hauptmann der wesentlich Trinkfestere und Seßhaftere war. Immerhin bemerkte er bei Gelegenheit, daß auch Thomas Mann in einem Laster exzellierte: «Er rookt.»
In diese Zeit fällt Thomas Manns Entschluß, einer von ihm vage geplanten Romangestalt Züge Hauptmanns zu geben. Er nennt diese Gestalt Peeperkorn. Aber Peeperkorn ist nicht nur eine äußere Karikatur, er ist, wie der Hauptmann des «Griechischen Frühlings», «Emanuel Quints» und des «Ketzers von Soana», eine merkwürdige Mischung von Goethe und Nietzsche, und er gemahnt zeitweise auch an Dionysos und Christus. Der Gott der überschäumenden Lebenskraft, des Rausches, des Blutes, des Todes – der sich zerreißende Gott, und der Crucifixus mit seinen zerrissenen Lippen – vermischen sich aufs überraschendste. Die Karikatur erhält ein mythisches Gepräge von tödlichem Ernst.

In Hiddensee mit Gerhart Hauptmann, Sommer 1924

Im Sommer 1924 verbrachten die Familien Hauptmann und Mann ihren Urlaub in Kloster auf Hiddensee, im «Haus am Meer». Die Peeperkorn-Kapitel waren zu dieser Zeit wohl schon geschrieben; Thomas Mann hat aber möglicherweise bei erneuter Beobachtung das Peeperkorn-Bild noch ergänzt.

EIN KOMMENTAR DER ACHTZEHNJÄHRIGEN ERIKA MANN

Hiddensee, 23. 7. 1924

[...] Und jeden Morgen um 4 Uhr krähen 12 Hähne auf dem Misthaufen *vor meinem Fenster!* Das ist schmerzlich. Am Strand büßte ich auch heute einige Preziosen ein, so mein kleines Goldkettchen und mein wertvolles [unleserlich] – ich vergaß es schlichthin und verkatert wie ich nun einmal war. In der Nacht war das *komischste* Fest gewesen, das ich in meinem langen, langen Leben mitmachte; – bei Hauptmanns. Erst waren viele Wandervögel zum Dichter gepilgert, hatten gesungen und gesprungen und er hatte dümmlich geredet und Magda Bauer tanzte und schon all das war Scherz genug. Aber dann ging man in die werte Privatwohnung und dort gab es so toll und voll Bowle, daß alle aber auch alle (mit Ausnahme des Zauberers, versteht sich) recht sehr betrunken waren. Schillings, der Kapellmeister und Hülsen und Maler Kruse und auch Tante Katia und auch Hauptmann und auch die Mann (die aber für den Laien kaum merklich). All die Würdenträger und so heiter! Unausdenkbar! Ich fuhr Hauptmann durchs schöne weiße Häärle und er küßte mich und ich müßte doch fühlen, wie sehr ich seinem gefallenen Neffen ähnlich sähe. So weit wars gekommen! – Übrigens ist er, der Gerhart, unbeschreiblich *üsis* und ganz anders als man denkt. Er ist ein Lichtalbe im andern Sinn des Wortes und hat dabei etwas so uneitel Melancholisches; – ich mag ihn schon sehr gern. Seine Frau ist ein Rindviel und eine *Person,* pudert sich so schlecht und ist so unliebenswürdig, wie ich es selten antraf.

Erika Mann an Pamela Wedekind, 23. Juli 1924

SPÄTE HULDIGUNG

Leiden – Blut – der Schrecken der Nacht: und daraus denn nun, inbrünstig verschlungen damit, das Verlangen nach Schönheit, Licht, nach dem «lösenden Jubel der Sonnen». Daraus, zusammen damit – die Liebe zum Frühling Griechenlands, so offiziell wie rührend mit einundsiebzig Jahren einbekannt bei der Ernennung zum Korrespondierenden Mitglied der Athener Akademie: «Ich bin durch leidenschaftliche Neigung seit meiner Frühzeit mit Athen verbunden.» Die Neigung zu Athen, zu Griechenland, zu lichter Schönheit, die Sehnsucht nach der Genesung am Leiblichen, an freier Sinnlichkeit, an Frauenpracht, wie sie in seinem späteren Dichten immer stärker hervortritt, war «leidenschaftlich», war aus Leiden geboren, und seine Erotik lebt aus der Zwiefältigkeit von Leidens- und Schönheitsinbrunst. Da sind die christlich zarten, bleichsüchtigen, wie transparenten Seelenmägdlein, die Hannele, Ottegebe, Elsalil in der ‹Winterballade›, und da sind die naturhaften Evasgestalten, göttinnengleich, wie die Agata des ‹Ketzers von Soana›, mit der betörenden Süße ihrer fast höhnisch gekräuselten Lippen, ihrem Nacken, ihren Schultern, «gegen deren Anspruch es keinen Schutz, keine Waffe gibt», ihrer von Lebensschaudern beseligten und bewegten Brust. «Sie stieg aus der Tiefe der Welt empor und stieg an dem Staunenden vorbei – und sie steigt und steigt in die Ewigkeit, als die, in deren gnadenlose Hände Himmel und Hölle überantwortet sind.» – Welche Trunkenheit! Welches Überwältigtsein von sinnlicher Herrlichkeit! Und bei weitem ist das das einzige Beispiel in seiner Dichtung nicht von enthusiastischer Verfallenheit, tiefer Hingenommenheit vom Ewig-Leiblichen. Der Gekreuzigte und Dionysos waren in dieser Seele mythisch vereinigt, wie in derjenigen Nietzsche's – der Schmerzensmann, der Mann von Gethsemane, und der das Gewand im sakralen Tanze raffende Heidenpriester ...
Ist mir nicht, als hätte ich eben zitiert – und zwar nicht mehr ihn, sondern mich selbst? Und dennoch ihn, wie ich ihn zitiert, das heißt: beschworen habe in einem Roman, in dem das Erlebnis seiner Persönlichkeit ein Stück skurriler Dichtung geworden ist? Ich kann's nicht bereuen, noch heute, nach mehr als einem Vierteljahrhundert, es nicht verwünschen, so schwarz man es mir angestrichen hat. In dieser Stunde sollte ich ihn feiern – ich habe es, wenn auch sündigerweise, besser, dauernder getan in jenem Stück Dichtung. Denn nur dichterisch, nicht mit dem zerlegenden Wort, kann man dem Irrational-Dichterischen begegnen.

Gerhart Hauptmann, 1952 (IX, 811 f.)

Hauptmanns «Griechischer Frühling» und Castorps Traum

Hauptmann

Gleich einem zweiten Corethas brechen mir überall in dem großen parnassischen Seelengebiet – und so auch in der Tiefe des roten Steinkraters, darin ich mich eben befinde – neue chthonische Quellen auf. Es sind jene Urbrunnen, deren Zuflüße unerschöpflich sind und die noch heute die Seelen der Menschen mit Leben speisen: derjenige aber unter ihnen, der dem inneren Auge der Seele und gleicherweise dem leiblichen Auge vor allen anderen sichtbar und mystisch ist, bleibt immer der springende Brunnen des Bluts.

Ich fühle sehr wohl, welche Gefahren auf den Pilger in solchen parnassischen Brunnengebieten lauern, und vergesse nicht, daß die Dünste aller chthonischen Quellen von einem furchtbaren Wahnsinn schwanger sind. Oft treten sie über dünnen Schichten mürben Grundes ans Tageslicht, unter denen glühende Abgründe lauern. Der Tanz der Musen auf den parnassischen Gipfeln geschah, da sie Göttinnen waren, mit leichten, die Erde nicht belastenden Füßen: das ihnen Verbürgte nimmt uns die Schwere des Leibes, die Schwere des Menschenschicksals nicht.

Auch aus der Tiefe des Blutbrunnens unter mir stieg dumpfer, betäubender Wahnsinn auf. Indem man die grausame Forderung des sonst wohltätigen Gottes im Bocksopfer sinnbildlich darstellte, und im darauf folgenden, höheren Sinnbild gotterfüllter dramatischer Kunst, gaben die Felsen den furchtbaren Schrei des Menschenopfers unter der Hand des Rächers, den dumpfen Fall der rächenden Axt, die Chorklänge der Angst, der Drohung, der schrecklichen Bangigkeit, der wilden Verzweiflung und des jubelnden Bluttriumphes zurück.

Es kann nicht geleugnet werden, Tragödie heißt: Feindschaft, Verfolgung, Haß und Liebe als Lebenswut! Tragödie heißt: Angst, Not, Gefahr, Pein, Qual, Marter, heißt Tücke, Verbrechen, Niedertracht, heißt Mord, Blutgier, Blutschande, Schlächterei – wobei die Blutschande gewaltsam in das Bereich des Grausens gesteigert ist. Eine wahre Tragödie sehen hieß, beinahe zu Stein erstarrt, das Angesicht der Medusa erblicken, es hieß das Entsetzen vorwegnehmen, wie es das Leben heimlich immer, selbst für den Günstling des Glücks, in Bereitschaft hat. Der Schrecken herrschte in diesem offenen Theaterraum, und wenn ich bedenke, wie Musik das Wesen einfacher Worte irgend eines Liedes, erregend erschließt, so fühle ich bei dem Gedanken an die begleitenden Tänze und Klänge der Chöre zu dieser Mordhandlung eisige Schauder im Gebein. Ich stelle mir vor, daß aus dem vieltausendköpfigen Griechengewimmel dieses Halbtrichters zuweilen ein einziger, furchtbarer Hilfeschrei der Furcht, der Angst, des Entsetzens, gräßlich betäubend zum Himmel der Götter aufsteigen mußte, damit der grausamste Druck, die grausamste Spannung sich nicht in unrettbaren Wahnsinn überschlug.

Gerhart Hauptmann, Der griechische Frühling

Wir sind den steilen Abhang des delphischen Tempelbezirks bis an den obersten Rand emporgeklommen. Ich bin erstaunt, hier, wo aus dem scheinbar Unzugänglichen die rote unzugängliche Felswand sich erhebt, auf eine schöne, eingeschlossene Fläche zu stoßen, hier oben, gleichsam in der Gegend der Adlernester, zwischen Felsenklippen, auf ein Stadion.

Es ist still. Es ist vollkommen still und einsam hier. Das schöne Oblong der Rennbahn, eingeschlossen von den roten Steinen der Sitzreihen, ist mit zarten Gräsern bedeckt. Inmitten dieser verlassenen Wiese hat sich eine Regenlache gebildet, darin man die roten Umfassungsmauern des Felsendomes, mit vielen gelben Blumenbüscheln widergespiegelt sieht.

Ist nicht das Stadion dann am schönsten, wenn der Lärm der Ringer und Renner, wenn die Menge der Zuschauer es verlassen hat? Ich glaube, daß der göttliche Priester Apolls, Plutarch, oft, wie ich jetzt, im leeren Stadion der einzige Zuschauer war und den Gesichten und Stimmen der Stille lauschte.

Es sind Gesichte von Jugend und Glanz, Gesichte der Kraft, Kühnheit und Ehrbegier, es sind Stimmen gottbegeisterter Sänger, die unter sich wetteifernd den Sieger oder den Gott preisen. Es ist der herrlichste Teil der griechischen Phantasmagorie, die hier für den nicht erloschen ist, der gekommen ist, Gesichte zu sehen und Stimmen zu hören.

Die schrecklichen Dünste des Blutbrunnens drangen nicht bis in dieses Bereich, ebensowenig das Todesröcheln der Menschen- und Tieropfer. Hier herrschte das Lachen, hier herrschte die freie, von Erdenschwere befreite, kraftvolle Heiterkeit.

Gerhart Hauptmann, Der griechische Frühling

Thomas Mann

Castorp steigt, nachdem er von den Sonnenleuten geträumt hat, in den unterirdischen Tempel, hinab in den Hades, zu den «Wurzeln des Zauberbergs»:

Auch er sah rückwärts ... Mächtige Säulen, ohne Sockel, aus zylindrischen Blöcken getürmt, in deren Fugen Moos sproßte, ragten hinter ihm – die Säulen eines Tempeltors, auf dessen in der Mitte offenem Stufenunterbau er saß. Schweren Herzens stand er auf, stieg seitlich die Stufen hinab und ging in den tiefen Torweg hinein, hindurch, auf einer mit Fliesen belegten Straße fort, die ihn alsbald vor neue Propyläen führte. Er durchschritt auch sie, und nun lag vor ihm der Tempel, massig, graugrünlich verwittert anzusehen, mit steilem Treppensockel und breiter Stirn, die auf den Kapitälen solcher gewaltiger und fast gedrungener, nach oben sich verjüngender Säulen lag, aus deren Gefüge manchmal ein gekehlter Rundblock, verschoben, seitlich austrat. Mit Mühe, auch unter Gebrauch der Hände und seufzend, denn immer beengter wurde es ihm ums Herz, erkletterte Hans Castorp die hohen Stufen und gewann den Hallenwald der Säulen. Der war sehr tief, er ging darin umher wie zwischen den Stämmen des Buchenwaldes am blassen Meer, indem er absichtlich die Mitte vermied und auszuweichen suchte. Doch schweifte er wieder zu ihr zurück und fand sich, wo die Säulenreihen auseinandertraten, vor einer Statuengruppe, zwei steinernen Frauenfiguren auf einem Sockel, Mutter und Tochter, wie es schien: die eine, sitzend, älter, würdiger, recht milde und göttlich, doch mit klagenden Brauen über den sternlos leeren Augen, in faltenreicher Tunika und Oberkleid, den gewellten Matronenscheitel mit einem Schleier bedeckt; die andere, stehend, von jener mütterlich umschlungen, mit rundem Jungfrauengesicht, Arme und Hände in die Falten ihres Übergewandes geschlungen und darin verborgen.

In der Betrachtung des Standbildes wurde Hans Castorps Herz aus dunklen Gründen noch schwerer, angst- und ahnungsvoller. Er getraute sich kaum und war doch genötigt, die Gestalten zu umgehen und hinter ihnen die nächste doppelte Säulenreihe zurückzulegen: Da stand ihm die metallene Tür der Tempelkammer offen, und die Knie wollten dem Armen brechen vor dem, was er mit Starren erblickte. Zwei graue Weiber, halbnackt, zottelhaarig, mit hängenden Hexenbrüsten und fingerlangen Zitzen, hantierten dort drinnen zwischen flackernden Feuerpfannen aufs gräßlichste. Über einem Becken zerrissen sie ein kleines Kind, zerrissen es in wilder Stille mit den Händen – Hans Castorp sah zartes blondes Haar mit Blut verschmiert – und verschlangen die Stücke, daß die spröden Knöchlein ihnen im Maule knackten und das Blut von ihren wüsten Lippen troff. Grausende Eiseskälte hielt Hans Castorp in Bann. Er wollte die Hände vor die Augen schlagen und konnte nicht. Er wollte fliehen und konnte nicht. Da hatten sie ihn schon gesehen bei ihrem greulichen Geschäft, sie schüttelten die blutigen Fäuste nach ihm und schimpften stimmlos, aber mit letzter Gemeinheit, unflätig, und zwar im Volksdialekt von Hans Castorps Heimat. Es wurde ihm so übel, so übel wie noch nie. Verzweifelt wollte er sich von der Stelle reißen – und so, wie er dabei an der Säule in seinem Rücken seitlich hingestürzt, so fand er sich, das scheußliche Flüsterkeifen noch im Ohr, von kaltem Grausen noch ganz umklammert, an seinem Schuppen im Schnee, auf einem Arme liegend, mit angelehntem Kopf, die Beine mit den Ski-Hölzern von sich gestreckt.

Der Zauberberg (III, 682 f.)

Thomas Mann dürfte sich bei der Komposition von Castorps Schneetraum an Hauptmanns «Griechischen Frühling» erinnert haben. Dort war von den chthonisch-dionysischen Gewalten der Natur, aber auch von der apollinisch-lichten Traumwelt die Rede – wie schon in Nietzsches «Geburt der Tragödie» und in Rohdes «Psyche».

Ludwig von Hofmanns Bilder von südlichen Gefilden

Thomas Mann hat bei der Gestaltung von Castorps Traum eine ganze Reihe von Hofmann-Bildern beschrieben. Er fand sie in Oskar Fischels Monographie (1903) über den Maler. Hauptmann hat das bei seiner «Zauberberg»-Lektüre sofort bemerkt; er notiert am Rand seines Romanexemplars: «Das ist ja L. v. H. ganzes Werk.» (Hofmann hatte ihn 1907 auf der Griechenlandreise begleitet.)

Die Quelle
Ölgemälde von Ludwig von Hofmann (1861–1945). Thomas Mann kaufte das Bild 1914. Es hing bis zu seinem Tode in seinem Arbeitszimmer.

Bekam den Band Handzeichnungen von L. v. Hofmann, den ich bei Marcks gesehen und mir bestellt hatte. Er enthält eine Studie zu meiner «Quelle» u. auch sonst viel schöne jugendliche Körperlichkeit, namentlich männliche, die mich entzückt. Ich liebe sehr seinen Strich und seine arkadische Schönheitsphantasie. –

Tagebuch, 3. März 1919

Ludwig von Hofmann, «Tanzende in der Landschaft» (1902)

An einer wie ein Bergsee die Ufer spiegelnden Bucht, die weit ins Land trat, war Tanz von Mädchen. Eine, von deren zum Knoten hochgenommenem Nackenhaar besonderer Liebreiz ausging, saß, die Füße in einer Bodenvertiefung, und blies auf einer Hirtenflöte, die Augen über ihr Fingerspiel hinweg gerichtet auf die Gefährtinnen, die, lang- und weitgewandet, einzeln, die Arme lächelnd ausgebreitet, und zu Paaren, die Schläfen lieblich aneinander gelehnt, im Tanze schritten, während im Rücken der Flötenden, der weiß und lang und zart und seitlich gerundet war infolge der Stellung der Arme, andere Schwestern saßen oder umschlungen standen, zuschauend in ruhigem Gespräch.

Der Zauberberg (III, 679)

Fülle des Wohllauts

Gegen Ende des Romans gibt sich Hans Castorp einem haltlosen Musikhören hin, seine Vorzugsplatten sind Debussys «L'après-midi d'un faune» und Schuberts Lied vom Lindenbaum. Das Schlußbild des Romans zeigt ihn auf einem Schlachtfeld des Ersten Weltkriegs, das Lied vom Lindenbaum auf den Lippen.

Den «Lindenbaum» habe ich gewählt aus demselben Grunde wie Hansens andere records, weil ich sie eben selbst hatte und sie mir auf meinem, ach, noch so primitiven Apparat immer wieder vorführte. Daher die minutiöse Beschreibung, die übrigens dem epischen Stil des ganzen Buches entspricht. Das Thermometer wird ebenso genau beschrieben, oder das Blut. Meine Lindenbaum-Platte war von Tauber gesungen, sehr musikalisch und geschmackvoll. Das Lied wurde mir zum Symbol alles Liebenswert-Verführerischen, worin der heimliche Keim der Verderbnis lauert.

An Agnes E. Meyer, 12. Januar 1943

Julius Babs «Zauberberg»-Kritik

Der Kritiker Julius Bab, von Thomas Mann sehr geschätzt, besprach im April 1925 den «Zauberberg» und brachte dabei einige Vorbehalte an. Thomas Mann antwortete:

Daß das Soziale meine schwache Seite ist, – ich bin mir dessen voll bewußt und weiß auch, daß ich mich damit in einem gewissen Widerspruch zu meiner Kunstform selbst, dem Roman, befinde, der das Soziale fordert und mit sich bringt. Aber der Reiz – ich drücke es ganz frivol aus – des Individuellen, Metaphysischen ist für mich nun einmal unvergleichlich größer. Sicher, Roman, das heißt Gesellschaftsroman, und ein solcher ist der Zbg. bis zu einem Grade ja auch ganz von selbst geworden. Einige Kritik des vorkriegerischen Kapitalismus läuft mit unter. Aber freilich, das «andere», das Sinngeflecht von Leben und Tod, die Musik, war mir viel, viel wichtiger. Ich bin deutsch, – glauben Sie nicht, daß ich das Wort im Sinn unbedingten Selbstlobes und ohne nationale Selbstbezweifelung gebrauche. Das Zolaeske ist schwach in mir, und daß ich auf den 8 Stunden-Tag hätte kommen müssen, mutet mich fast wie eine Parodie des sozialen Gesichtspunktes an. Aber da haben wir ja nun den «Kopf». Ich gehe erst jetzt daran, vermute aber im Voraus, daß das Prinzip der Arbeitsteilung zwischen uns Brüdern gewahrt ist.

Übrigens haben Sie vollkommen recht: Hans Castorp ist am Ende ein Vortypus und Vorläufer, ein Vorwegnehmer, ein kleiner Vorkriegsdeutscher, der durch «Steigerung» zum Anticipieren gebracht wird. Das ist in der Entlassungsanrede direkt angesprochen, und während der Arbeit sagte ich immer: «Ich schreibe von einem jungen Deutschen, der vorm Kriege schon über den Krieg hinauskommt.»

An Julius Bab, 23. April 1925

Gerhart Hauptmann grollt

Hauptmann war über das Peeperkorn-Porträt empört. Sein «Zauberberg»-Exemplar ist in diesen Kapiteln voller zorniger Anstriche und Randglossen.

Die Anklage

Am 4. Januar 1925 setzte Hauptmann dreimal zu einem Brief an den Verleger Fischer an. Wir drucken den zweiten Entwurf ab:

Da hast Du nun doch noch den alten Panoptikums-Onkel Peeperkorn aus seinem Mottenwinkel herausgeholt, wohin ich ihn geschoben hatte, um ihn dort seinem Schicksal zu überlassen. [Gestrichen: Was soll ich dazu sagen?] Gewiß, ich könnte meinen Lebenserfahrungen ein Kapitel Peeperkorn anfügen, aber die trübselige Wachspuppe an sich, deren Namen es tragen würde, hätte [gestrichen: Im Grunde] auch hierbei nichts zu tun. [Gestrichen: Brrr! lieber Fischer! «Peeperkorn» ein übles Kapitel.]
Ich hatte eigentlich immer gedacht, daß ich mehr zu den bildenden Künstlern gehöre. [Gestrichen: Sie sind im allgemeinen mein liebster Umgang gewesen.] Mein Bedarf nach Verkehr mit Kollegen war nie sehr groß. Ich habe zum Beispiel, ohne Thomas Mann zu vermissen, sechzig Jahre in der Welt gelebt. Bozen brachte uns dann zufällig für mehrere Wochen unter das gleiche Dach. Der College gewann meine wirkliche Sympathie, und das drückte sich unter anderem darin aus, daß ich ihn in Stockholm brieflich für den Nobel-Preis empfahl.
Herr Schütz vom Hotel Austria hatte Grete und mir ein kleines und ein sehr schönes großes, zweibettiges Zimmer eingeräumt: In einem seiner beiden Betten lag ich eines Tages grippekrank. Ich war sehr gerührt, als Thomas Mann mich besuchte. Ich trinke nie Wein am Tage, aber in diesem Fall stand eine Flasche Terlaner schon am Vormittag neben dem Bett, da sie der Arzt mir verordnet hatte. Die Verordnung ist ja bei Grippe die übliche.

Nun, um mit Thomas Mann zu reden «geeignet, die zornige Scham jedes nüchtern Hinzukommenden zu erregen» hat dieser Schriftsteller und Gentleman die Eindrücke seines Krankenbesuches sofort in seinen Roman hineingebacken und eine Scene an Peeperkorns Bett fabuliert, für die ich die Kosten zu tragen habe.

Damals muß ihm beim Essen der Appetit gekommen sein. Er ist mir nach Hiddensee nachgereist, wo wir ja, wie Du weißt, im Sommer meist den ersten Stock im sogenannten «Haus am Meer» innehaben. Dort ist er mit Max von Schillings, dem Regierungspräsidenten Haussmann und einigen Schriftstellern, Malern und Musikern öfter unser Gast gewesen. Am nächsten Tage war er dann wohl zuweilen so glücklich, als pflichtgetreuer Lumpensammler, einen Sack voll frischer Lappen und Flicken für seine Peeperkorn-Puppe zur Hand zu haben. Er hockte dann den Morgen über versteckt im oberen Stock, und man hörte den Braven förmlich sticheln.

Aus einer solchen sehr angeregten Abend-Bowlen-Gesellschaft wird dann eine unmotivierte, sinnlose Orgie Peeperkorns mit den mediocren Gästen eines Davoser Sanatoriums.

Kurz: einem Holländer, einem Säufer, einem Giftmischer, einem Selbstmörder, einer intellektuellen Ruine, von einem Luderleben zerstört, behaftet mit Goldsäcken und Quartanfieber, zieht Thomas Mann meine Kleider an. [Gestrichen: Ich sehe davon ab, daß er ihn unvollendete Sätze stottern läßt, eine Unart, welche auch ich zuweilen an mir habe. Das Wort «perfect» gebrauche ich nicht, oft aber die Worte «erledigt» und «absolut». Ich bin sechzig Jahre alt, wie Peeperkorn. Wie Peeperkorn trage ich Wollhemden und eine Weste, die bis zum Halse geschlossen ist. In Hiddensee hatte ich lange Nägel, wie Peeperkorn. Schilderungen auf Seite 349 beweisen die Abfingerung meiner kleinen, blassen Augen und meiner Stirn. «Und seine Schlußweste verleiht ihm was Geistliches, trotzdem der Gehrock kariert ist». Die Beschreibung sei gut, sagt Thomas Mann, «allerdings war sein (des Belauschers) Beobachtungsposten der günstigste gewesen.»]

Gerhart Hauptmann an Samuel Fischer, 4. Januar 1925 (Entwurf)

— 377 —

Das Leben – junger Mann – es ist ein Weib, ein hingespreitet Weib, mit dicht beieinander quellenden Brüsten und großer, weicher Bauchfläche zwischen den ausladenden Hüften, mit schmalen Armen und schwellenden Schenkeln und halbgeschlossenen Augen, das in herrlicher, höhnischer Herausforderung unsere höchste Inständigkeit beansprucht, alle Spannkraft unserer Manneslust, die vor ihm besteht oder zuschanden wird, – zuschanden, junger Mann, begreifen Sie, was das hieße? Die Niederlage des Gefühls vor dem Leben, das ist die Unzulänglichkeit, für die es keine Gnade, kein Mitleid und keine Würde gibt, sondern die erbarmungslos und hohnlachend verworfen ist, – er–ledigt, junger Mann, und ausgespien... Schmach und Entehrung sind gelinde Worte für diesen Ruin und Bankerott, für diese grauenhafte Blamage. Sie ist das Ende, die höllische Verzweiflung, der Weltuntergang..."

Der Holländer hatte beim Sprechen den mächtigen Körper mehr und mehr zurückgeworfen, während zugleich sein königliches Haupt sich zur Brust neigte, als wollte er einschlafen. Bei dem letzten Worte aber ließ er die schlaffe Faust ausholend zu schwerem Schlage auf den Tisch fallen, so daß der schmächtige Hans Castorp, nervös von Spiel und Wein und von der Eigentümlichkeit aller Umstände, zusammenfuhr und ehrfürchtig erschrocken auf den Gewaltigen blickte. „Weltuntergang" – wie das Wort ihm zu Gesichte stand! Hans Castorp erinnerte sich nicht, es jemals aussprechen gehört zu haben, außer etwa in der Religionsstunde, und das war kein Zufall, dachte er, denn wem unter allen Menschen, die er kannte, wäre ein solches Donnerwort wohl zugekommen, wer hatte das Format dafür – um die Frage richtig zu stellen? Der kleine Naphta hätte sich seiner wohl einmal bedienen können; doch wäre das Usurpation und

Eine Randglosse Hauptmanns in seinem «Zauberberg»-Exemplar: «Dieses idiotische Schwein soll Ähnlichkeit mit meiner geringen Person haben.»

Die Verteidigung

Schon bei den ersten öffentlichen Lesungen aus den Peeperkorn-Kapiteln wurde es ruchbar, wen Thomas Mann da geschildert hatte. Ein Skandal konnte nur knapp vermieden werden. Endlich, am 11. April 1925, holte Thomas Mann zu einem Versuch aus, sein Vorgehen in einem Brief an Hauptmann zu rechtfertigen:

Lieber, großer, verehrter Gerhart Hauptmann,
lassen Sie mich Ihnen endlich schreiben! Ich habe längst gewünscht, es zu tun, habe es aber nicht gewagt. Ich habe ja ein schlechtes Gewissen, weiß, daß ich gesündigt habe. Ich sage «gesündigt», weil das Wort eine doppelte Dynamik hat: es ist stark und schwer, wie es sich gebührt, und doch auch wieder, in gewissem Gebrauchsfall, ein halb gutmütiges, vertrauliches und versuchsweise humoristisches Wort, das freilich für eigentlich niederträchtige Taten nicht gelten dürfte. Ich darf sagen: ich habe gesündigt, wie Kinder sündigen. Denn glauben Sie mir, (ich glaube, Sie glauben es): ich habe vom Künstlerkinde viel mehr in mir, als diejenigen ahnen, die von meinem «Intellektualismus» schwatzen; und da Sie auch ein Künstlerkind sind, ein erhabenes, verständnisvolles und nachsichtiges Kind der Kunst, so hoffe ich, mir mit diesen Zeilen, mögen sie auch noch so unzulänglich ausfallen, Ihre Verzeihung ganz zu erringen, die ich – lassen Sie mich das glauben – halb schon immer besaß.
Ich habe mich an Ihnen versündigt. Ich war in Not, wurde in Versuchung geführt und gab ihr nach. Die Not war künstlerisch: Ich trachtete nach einer Figur, die notwendig und kompositionell längst vorgesehen war, die ich aber nicht sah, nicht hörte, nicht besaß. Unruhig, besorgt und ratlos auf der Suche kam ich nach Bozen – und dort, beim Weine, bot sich mir an, unwissentlich, was ich, menschlich-persönlich gesehen, nie und nimmer hätte annehmen dürfen, das ich aber, in einem Zustande herabgesetzter menschlicher Zurechnungsfähigkeit, annahm, annehmen zu dürfen glaubte, blind von der begeisterten Überzeugung, der Voraussicht, der Sicherheit, daß in meiner Übertragung (denn natürlich handelt es sich nicht um Leben, sondern um eine der Wirklichkeit innerlich überhaupt fremde und äußerlich kaum noch verwandte Übertragung und Einstilisierung) die auf immer merkwürdigste Figur eines, wie ich nicht länger zweifle, merkwürdigen Buches daraus werden würde.
Das war kein Wahn, ich hatte recht. Ich tat Unrecht, aber ich hatte recht. Ich sage nicht, daß der Erfolg die Mittel heiligt. Aber waren diese Mittel, war der Geist, in dem ich mich jener menschlichen Äußerlichkeiten bediente, infam, boshaft, lieblos, ehrfurchtlos? Lieber, verehrter Gerhart Hauptmann, das war er nicht! Wenn ich Verrat geübt habe, so übte ich ihn gewiß nicht an meinen Empfindungen für Sie, die sich klar und deutlich noch in der Behandlung äußern, die ich der innerlich wirklichkeitsfernen Riesenpuppe zuteil werden lasse, vor der alle Schwätzer verzwergen; noch in dem Ehrfurchtsverhältnis, in das ich mein Söhnchen, den kleinen Hans Castorp, vom ersten Augenblick an zu dem Gewaltigen setze, der die Geliebte des Jungen besitzt und sie bei ihm aussticht. Kein Fühlender läßt sich darüber durch die – sagen wir: ironischen und grotesken Kunstmittel täuschen, die zu handhaben ich gewohnt bin. Ich lasse außer acht, was Sie wissen: daß keiner, der Sie nicht genau und nahe kennt, überhaupt «etwas merkt»; daß mit einem Worte die Sache nicht öffentlich ist. Das dient nicht zu meiner Entlastung. Ich habe immer gewußt und gesagt, daß es eine Sache ist zwischen Ihnen und mir. Aber Ihre nächsten Freunde, Jünger und Verehrer, die Reisiger, Chapiro, Loerke, Heimann, Eulenberg, die allenfalls etwas «merken» konnten und gemerkt haben, – sind sie beleidigt durch die Figur? Haben sie Ärgernis daran genommen und sich empört? Es ist eine Tatsache: sie haben es nicht getan, sie haben teilweise das gerade Gegenteil getan, und diese merkwürdige Erscheinung sollte doch, meine ich, auch Ihrem Zorne zu denken geben.
Lieber, verehrter Mann! Soll eines schlechten Streiches, einer Künstlersünde wegen alles vergessen sein, was ich über Sie gesagt habe, als es sich wirklich um Sie und nicht um eine großartige Maske handelte: jener Aufsatz zum Beispiel, der mir Ihre Freundschaft gewann und in dem ich Sie den König des Volkes nannte? In der Not darf ich Sie daran erinnern. Und auch Ihre strengere Gattin möge daran erinnert sein, – schon wage ich es, Sie zu bitten, bei ihr ein gutes Wort für mich einzulegen: so sehr glaube ich bereits an Ihre eigene Verzeihung.
Seien Sie versichert, daß ich keine übertriebenen Ansprüche an Ihre Güte stellen werde, wenn das Leben uns wieder einmal zusammenführt, – worauf ja Aussicht besteht. Ich bin mir klar darüber, daß mein Streich – auf Zeiten wenigstens – manches unmöglich gemacht hat, was sonst hätte sein können. Aber wenn der Augenblick kommt, so, bitte ich, versagen Sie mir nicht die Hand, die ich Ihnen im Geiste mit all der wahren Empfindung zu drücken wage, die niemals, zu keiner Stunde des Lebens und der Arbeit, in Ihrer Gesellschaft oder fern von Ihnen aufgehört hat für Sie in mir lebendig zu sein!
Ihr ergebener Thomas Mann

An Gerhart Hauptmann, 11. April 1925

Fern allem Groll

Hauptmann lenkte großzügig ein und sandte Thomas Mann ein «Fern allem Groll»-Telegramm (April 1925):

Fern allem Groll begrüsse ich Sie in alter Herzlichkeit. Brief folgt.
Gerhart Hauptmann.

Die beiden trafen sich am 7. Mai 1925 in München. Thomas Mann konnte es nicht lassen, an Erika das folgende zu schreiben:

Gestern waren wir mit Hauptmanns auf der Generalprobe seines Festspiels, fuhren sie und Benvenuto in unserem Wagen. Wir haben uns viel die Hände gedrückt, und alles ist wieder in der Reihe. Er ist ein so gutes Format, ich liebe ihn sehr. Und das Festspiel ist auch so eine zu Herzen gehende Quasselei.

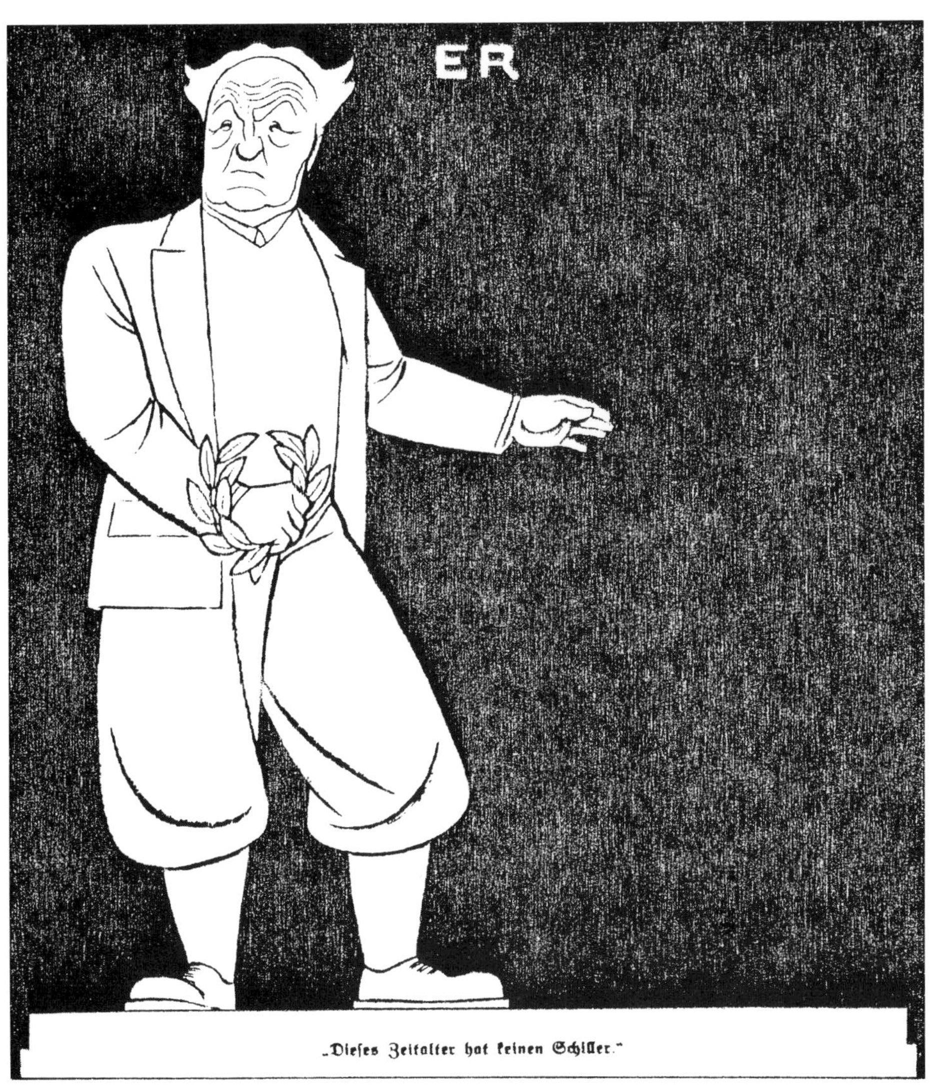
ER
„Dieses Zeitalter hat keinen Schiller."

Karikatur von Karl Arnold im «Simplicissimus» vom 21. 6. 1926

Hauptmann lobt

Hauptmann hatte den «Zauberberg» anfänglich gelobt, und dieses Urteil bestätigte er öffentlich an Thomas Manns 50. Geburtstag:

Im «Zauberberg» haben wir den ganzen Thomas Mann. Wir haben aber auch darin den Durchschnitt oder Querschnitt durch unsere kranke Kultur.
Was ich an Thomas Mann bewundere, ist das, was ich an seinem Buche bewundere: den scharfen, gewissenhaften, sowohl trennenden wie einigenden Blick, die gleiche Gewissenhaftigkeit und Genauigkeit, die seine Hand erreicht, wenn er das Gesehene mitteilt.
Solche hohen Eigenschaften sind erst mit dem «Zauberberg» zur Reife gelangt.
Und Thomas Mann ist ein Dichter. Die scheinbare Trockenheit seiner prosaischen Formgebung verbirgt diesen Umstand nicht.
Auch im Dichterischen steht mir der «Zauberberg» am höchsten. Mit der Vollendung des Realisten hat sich auch der Dichter erst herausgebildet.
Manchmal tritt er in überraschender Schönheit und Freiheit aus dem prosaischen Gewebe des «Zauberberges» hervor. Dies geschieht auf einer Anzahl, ich möchte sagen: unsterblicher Buchseiten, wo etwas, das keiner Beobachtung zugänglich ist, stark, intuitiv und schöpferisch gestaltet ist.
Thomas Manns Seitenstück in dieser Beziehung ist vielleicht der große Meredith.
Und wie Thomas Mann an sich arbeitet, ist im höchsten Sinne vorbildlich. Von den «Buddenbrooks» bis zum «Zauberberg», welch ein Weg! Wie schlicht, eigensinnig und unbeirrt ist der Aufstieg verwirklicht!
Freilich muß auf dergleichen Wegen der Genius Führer sein.

Dabei blieb es, wenigstens nach außen hin. Von Zeit zu Zeit flackerte freilich Hauptmanns Zorn wieder auf. Ganz verwunden hat er den Peeperkorn nie.

Der 50. Geburtstag

Familienfeier, 6. Juni 1925
Von links nach rechts, oberste Reihe: Arthur Eloesser, Thomas Mann, Golo. Mittlere Reihe: Maria Mann-Kanova, Erika, Monika, Heinrich Mann, Klaus, unbekannte junge Frau. Unten: Katja Mann.

BANKETT ZUM 50. GEBURTSTAG

Die offizielle Feier zu Thomas Manns 50. Geburtstag fand im Alten Rathaussaal zu München statt. Franz Muncker hielt den Festvortrag. Über das Bankett hat Kurt Martens berichtet:

Wenn jene Festessen, mit denen fünfzig-, sechzig- oder siebzigjährige Dichter neuerdings immer häufiger abgespeist werden, nur deren engsten Klüngel, die Sippe und die Gefolgschaft um Platten und Flaschen sammeln, findet nichts weiter statt als ein gesteigertes Familienkränzchen, mit dem die Öffentlichkeit nicht behelligt werden sollte.
Das Bankett um Thomas Mann aber war, ohne Übertreibung gesprochen, für die Teilnehmer ein Erlebnis, für die Öffentlichkeit sogar ein kleines Ereignis. Zunächst fiel angenehm auf, daß in München, dem Herd und Zentrum eines Parteihaders, der mit den klobigsten und gehässigsten Waffen ficht, zum ersten Mal wieder Vertreter der verschiedensten politischen Richtungen sich im Zeichen eines unsrer vornehmsten geistigen Führer um ein Tischtuch gruppierten, ohne es sofort grimmig zu zerschneiden. Delegierte der bayrischen Regierung, der erste Bürgermeister (von der Bayrischen Volkspartei) fanden sich in angeregtester Stimmung zusammen mit Sozialdemokraten und Radikalen. Der Dramatiker Hanns Johst z. B., der vor nicht allzu langer Zeit den Jubilar selbst in völkischen Blättern angegriffen hatte, trank auf sein Wohl. Stramm nationale Herren schwenkten, vielmehr schoben, pazifistische Damen im Tanz. Alle Klassen- und Rassenunterschiede waren, für etliche Stunden wenigstens, verwischt. Solche Stunden, man gebe die Hoffnung nicht auf, trugen schon manchmal das ihre dazu bei, neue Perioden einzuleiten.

Die Sensation des Abends aber und sein unbestrittener Höhepunkt trat ein, als der Festredner Geheimrat Litzmann, vormals Literarhistoriker der Universität Bonn, im Schimmer seiner noch immer nicht verblichenen kaiserlichen Orden sich erhob und Gehör erbat für – Heinrich Mann. Jeder der Gäste kannte den politischen Gegensatz der beiden Brüder; die meisten von ihnen, von uns, hatten die Fehde im eigenen Lager mit den Standarten Hie «Betrachtungen eines Unpolitischen» – Hie «Macht und Mensch» schmerzlich bedauert. Die Fehde war seit Jahr und Tag beigelegt, doch die Erregung zitterte noch nach, in den beiden Dichtern selbst wie in ihren erklärten Anhängern.

Nun steht also Heinrich Mann, seines Bruders respektabelster Rivale, auch auf dem Gebiete des Romans, an der Ehrentafel nur wenige Plätze von ihm entfernt und spricht mit kühler, klarer Stimme Worte eines Glückwunsches, dessen erlösende Wärme sich wie aus der Tiefe eines verschütteten Schachtes langsam ins Freie ringt. Er erinnert an ihre Kindheit, an die Geburtstage, die sie damals im Elternhause und dann niemals wieder gemeinsam feierten – bis auf diesen Tag, wo er bereit sei, am Ruhme des Bruders sich zu freuen. Thomas stürzt auf ihn zu und schließt ihn in seine Arme. Wenn ehedem gekrönte Häupter sich so, von jubelndem Beifall umtost, umarmten und küßten, wurde man den Eindruck von schalem Theater nie recht los. Aus der spröden Gefühlswelt und Lebensform dieser beiden Lübecker Senatoren-Söhne, Souveränen der deutschen, unserer deutschen Kultur, brach das Bewußtsein der Zusammengehörigkeit ohne eine Spur von Pathos oder Selbstgefälligkeit, mit unmittelbarer Gewalt, erschütternd hervor.

Kurt Martens, Die Brüder. Ein Nachwort zur Thomas Mann-Feier, Münchner Neueste Nachrichten, 15. Juni 1925

Thomas Mann, Porträtradierung von Max Liebermann, 1925
Das Porträt wurde auf Wunsch des S. Fischer Verlags angefertigt. Es erschien im ersten Band der 10-bändigen Werkausgabe, die der Verlag anläßlich des 50. Geburtstags des Dichters herausgab.

Unordnung und frühes Leid

Die Familie Mann im Garten ihres Hauses in München, 1925
Von links nach rechts:
Katja Mann, Michael, Golo, Thomas Mann mit Elisabeth, dahinter stehend Monika. Die kleine Elisabeth ist die kindliche Heldin der Erzählung «Unordnung und frühes Leid».

Klaus Mann, um 1924
Sein erstes Buch, «Vor dem Leben», erschien 1925.

Erika Mann wurde Schauspielerin und erhielt 1924 ein Engagement an die Max-Reinhardt-Bühnen in Berlin.

Phot. Atlantic

Klaus Mann,
der Sohn des Dichters Thomas Mann

Die neuen Eltern

Von

Klaus Mann

Die neuen Kinder

Ein Gespräch mit

Thomas Mann

Es sind wenige Jahre her, da die heute", begeistert Beifall klatschte, aus Weltanschauung verübt wurde. aller Übel zu sein, unter denen die Zutun der am Leben gebliebenen Wie man aus der Unterhaltung zwischen Vater und Sohn, ersehen als deren typischer Vertreter der berg" gelten darf, der älteren mehr während Thomas Mann als Vater ser jungen Gene-

junge Generation, die „Söhne von wenn auf der Bühne Vatermord Die „Väter" schienen die Ursache junge Generation litt. Ohne jedes Väter scheinen die Söhne abzurüsten. zwischen Thomas und Klaus Mann, kann, kommt die junge Generation, Sohn des Dichters vom „Zauber-als auf halbem Wege entgegen, sieht, welche schweren Schicksale die-ration noch harren.

Phot. Transozean

Thomas Mann,
der in einem Gespräch mit unserem Mitarbeiter zu dem Aufsatz seines Sohnes Stellung nimmt.

Doppelseite aus der Berliner Zeitschrift «Uhu», August 1926

Dem geschätzten Kollegen
sein hoffnungsvoller Vater..

Weihnacht 1924

Widmung Thomas Manns für Klaus im «Zauberberg», 1924

„Du weißt doch, Papa, Genies haben niemals geniale Söhne, also bist du kein Genie."

Aus dem «Simplicissimus», 1925

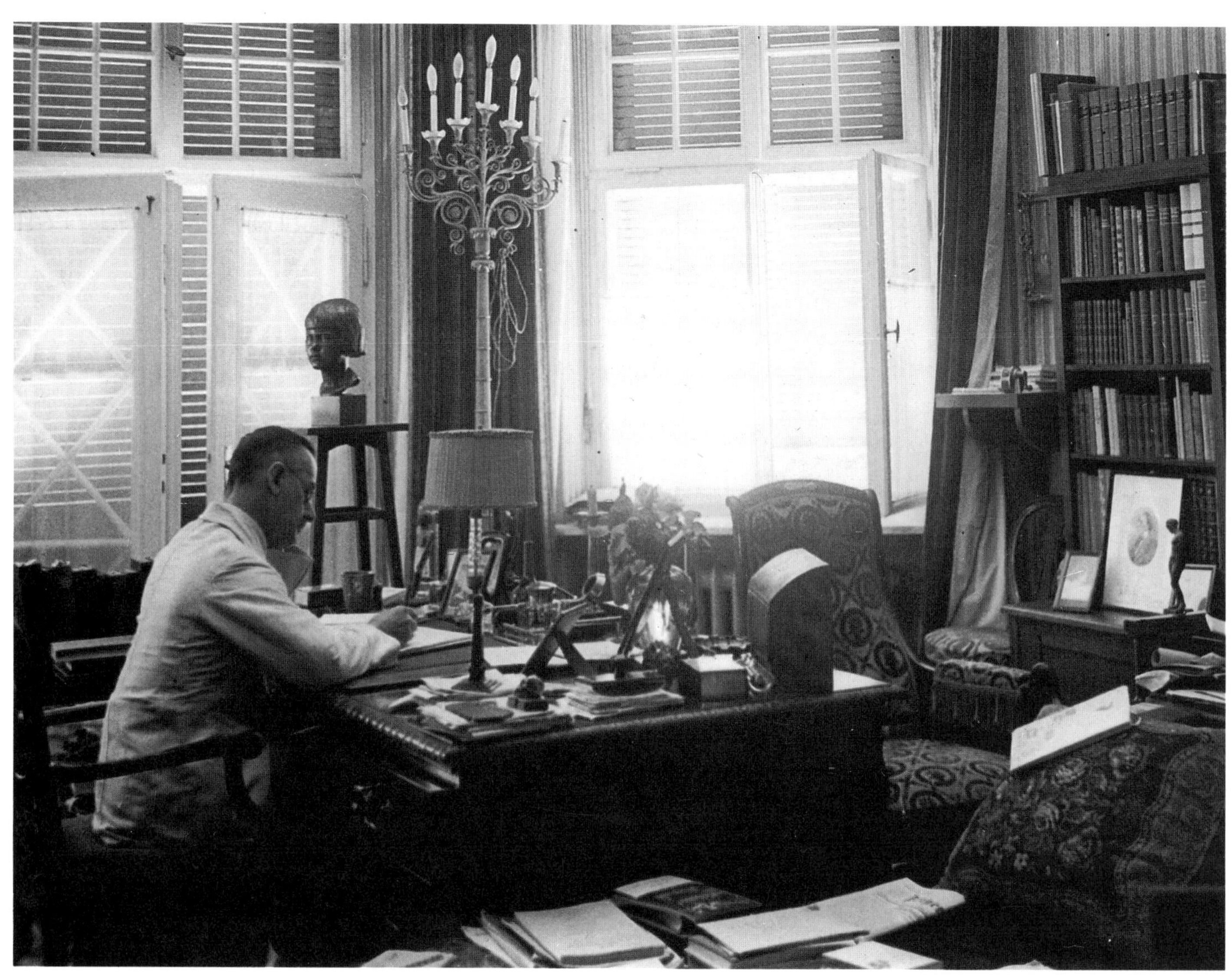

Thomas Mann, um 1930

1925–1932 Das Ende der Weimarer Republik

«Joseph und seine Brüder»
Sigmund Freud
Preußische Akademie der Künste
Der Nobelpreis
Strände
«Deutsche Ansprache.
Ein Appell an die Vernunft»
Das Goethejahr 1932

Joseph und seine Brüder

Karl Walsers Schutzumschläge zu den ersten drei «Joseph»-Bänden

Thomas Mann arbeitete – mit kleineren und größeren Unterbrechungen – 16 Jahre an den «Joseph»-Romanen: 1933 erschienen «Die Geschichten Jaakobs», 1934 «Der junge Joseph», 1936 «Joseph in Ägypten», 1943 «Joseph, der Ernährer».

Vom Jaakobsband fünf tausend Vorbestellungen. Die Umschlag-Zeichnung von Walser kam anbei, und ich betrachtete sie viel. Sie ist schön und nicht ohne Feingefühl dem Geiste des Buches angepaßt. Auch das Dekorativ-Symbolisch-Unbestimmte der Szene zieht mich an – ist es Abraham mit dem kleinen Isaak oder der erzählende Jaakob – man weiß es nicht recht; aber allgemeine Stimmung ist darin.

Tagebuch, 2. Oktober 1933

MYTHOS UND PSYCHOLOGIE

Die Formel «Mythos und Psychologie» tritt seit 1925 beherrschend in den Bereich von Thomas Manns künstlerischem Schaffen. Mit dem «Joseph» wendet er sich 1925 dem alttestamentlichen Mythos zu und versucht ihn «genau zu machen», d. h. ihn psychologisch zu durchdringen und historisch zu realisieren. Daß er die Josephsgeschichten wählt, hat seine Wurzeln in ihm selbst: Es geht um die Geschichte eines «Erwählten», eines Glückskindes, das durch alle Widerstände sich durchsetzt und schließlich zum «großen Ernährer» wird. Es ist aber auch ein Unternehmen, das Goethe schon geplant hat, so daß sich Thomas Mann mit dem Roman tatsächlich in Goethes Fußstapfen setzt. Daß er sich einem mythischen Stoff zuwendet, verwundert nicht. Schon bei Wagner hatte er den Umgang mit dem Mythos studiert, dann hatte er, im «Zauberberg», die Kunst entwickelt, Wagner-Mythen mit antiken zu kombinieren und dabei jene Substrattechnik entwickelt, die mehrere mythische oder modern-literarische Handlungsmuster übereinanderlegt, so daß die Castorp-Geschichte in geheimnisvoller Verbindung mit diesen Mustern steht: Unter dem Davoser Hochland öffnen sich die verschiedensten Zauberberge – der Venus- und der Blocksberg, aber auch der Hades. In der zweiten Romanhälfte dann freilich wird das Katabasis-Muster mit dem der Anabasis, der «Steigerung» konfrontiert; Thomas Mann setzt dazu an, nach dem Vorbild des «Wilhelm Meister» eine Bildungsgeschichte zu erzählen. Was sollen die Muster alle? Es geht bei dieser vielschichtigen Erzählkunst darum, vom «Bürgerlich-Individuellen weg zum Typischen, Generellen und Menschheitlichen» zu gelangen.

Auch die «Joseph»-Geschichten beginnen mit einer Katabasis: Es geht hinunter zum «Brunnen der Vergangenheit».

Anregungen

Um diese Zeit, oder etwas früher, zeigte ein Münchener Maler, Jugendfreund meiner Frau, mir eine Bildermappe, die er gefertigt und die die Geschichte Josephs, des Sohnes Jaakobs, in hübscher graphischer Darstellung bot. Der Künstler wünschte sich einen einleitenden Schriftsatz von mir zu seinem Werk, und halb gewillt, ihm den Freundschaftsdienst zu leisten, las ich in meiner alten Familienbibel, in der manche ins Graue verblichene Federunterstreichung von dem frommen Studium längst vermoderter Vorfahren zeugt, die reizende Mythe nach, von der Goethe gesagt hat: «Höchst anmutig ist diese natürliche Erzählung, nur erscheint sie zu kurz, und man fühlt sich berufen, sie ins einzelne auszumalen.» Noch wußte ich nicht, wie sehr mir dies Wort aus ‹Dichtung und Wahrheit› zum Motto kommender Arbeitsjahre werden sollte. Aber die Abendstunde war einer tastenden, versuchenden und wagenden Nachdenklichkeit voll, und die Vorstellung von etwas durchaus Neuem: aus aller gewohnten Modernität und Bürgerlichkeit nämlich so tief ins Menschliche erzählerisch zurückzudringen, übte einen unbeschreiblichen sinnlich-geistigen Reiz auf mich aus. Neigungen der Zeit trafen mit solchen meiner eigenen Jahre zusammen, mir einen solchen Stoff verlockend zu machen. Das Problem des Menschen hat vermöge extremer Erfahrungen, die er mit sich selbst gemacht, eine eigenartige Aktualität gewonnen; die Frage nach seinem Wesen, seiner Herkunft und seinem Ziel erweckt überall eine neue humane Anteilnahme – das Wort ‹human› in seinem wissenschaftlich-sachlichsten, von optimistischen Tendenzen befreiten Sinn genommen –; Vorstöße der Erkenntnis, sei es ins Dunkel der Vorzeit oder in die Nacht des Unbewußten, Erkundungen, die sich an einem gewissen Punkte berühren und zusammenfallen, haben das anthropologische Wissen in die Tiefen der Zeit zurück, oder, was eigentlich dasselbe ist, in die Tiefen der Seele hinab, mächtig erweitert, und die Neugier nach dem menschlich Frühesten und Ältesten, dem Vorvernünftigen, Mythischen, Glaubensgeschichtlichen ist rege in uns allen. Solche ernsten Liebhabereien der Zeit stimmen nicht schlecht überein mit dem Geschmack eines persönlichen Reifestandes, der anfangen mag, sich vom Individuell-Besonderen zu desinteressieren und sich dem Typischen, das heißt aber dem Mythischen zuzuwenden. [...]

Die Bezauberung wuchs. Viel trug zu ihrer Stärke die Idee der Einordnung, Fortsetzung, Kontinuität der Mitarbeit an etwas überliefert Menschlichem bei, eine Idee, die ebenfalls auf meiner Altersstufe an Kraft der Anziehung gewinnt. Der Stoff war uraltes Kultur- und Phantasiegut, ein Lieblingsgegenstand aller Kunst, hundertmal bearbeitet in Ost und West als Bild und Dichtung. Mein Werk, gut oder schlecht, würde seinen historischen Platz in dieser Reihe und Überlieferung einnehmen, geprägt von seiner Stunde und Zone. Das Wichtigste, das Entscheidende ist Legitimität. Diese Träume hatten ihre Wurzeln in meiner Kindheit.

Lebensabriß (XI, 136 ff.)

Joseph wird in den Brunnen geworfen
Aus der Bildermappe «Joseph in Ägyptenland» von Hermann Ebers

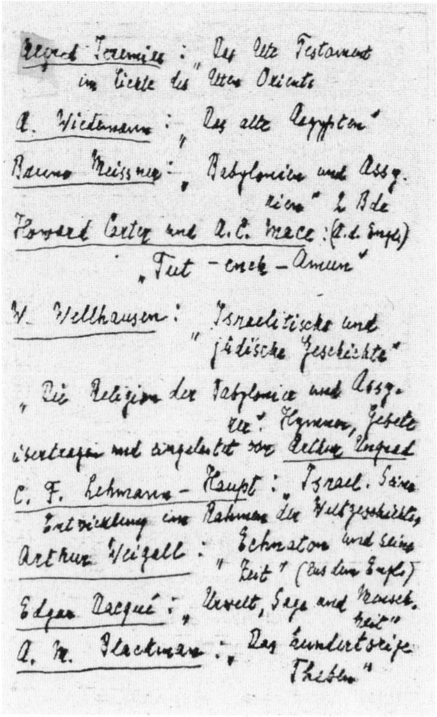

Bücherliste aus den Vorarbeiten
Thomas Mann studierte eine große Anzahl wissenschaftlicher Werke, um in die hebräisch-ägyptische Welt einzudringen.

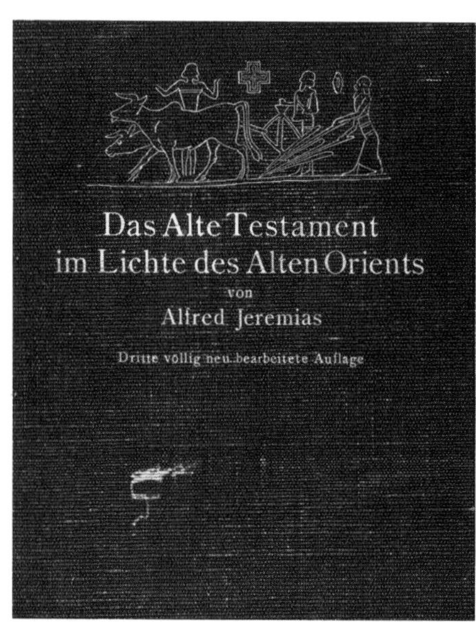

Eines der wichtigsten Quellenwerke zum Roman war das «Alte Testament im Lichte des Alten Orients» von Alfred Jeremias.

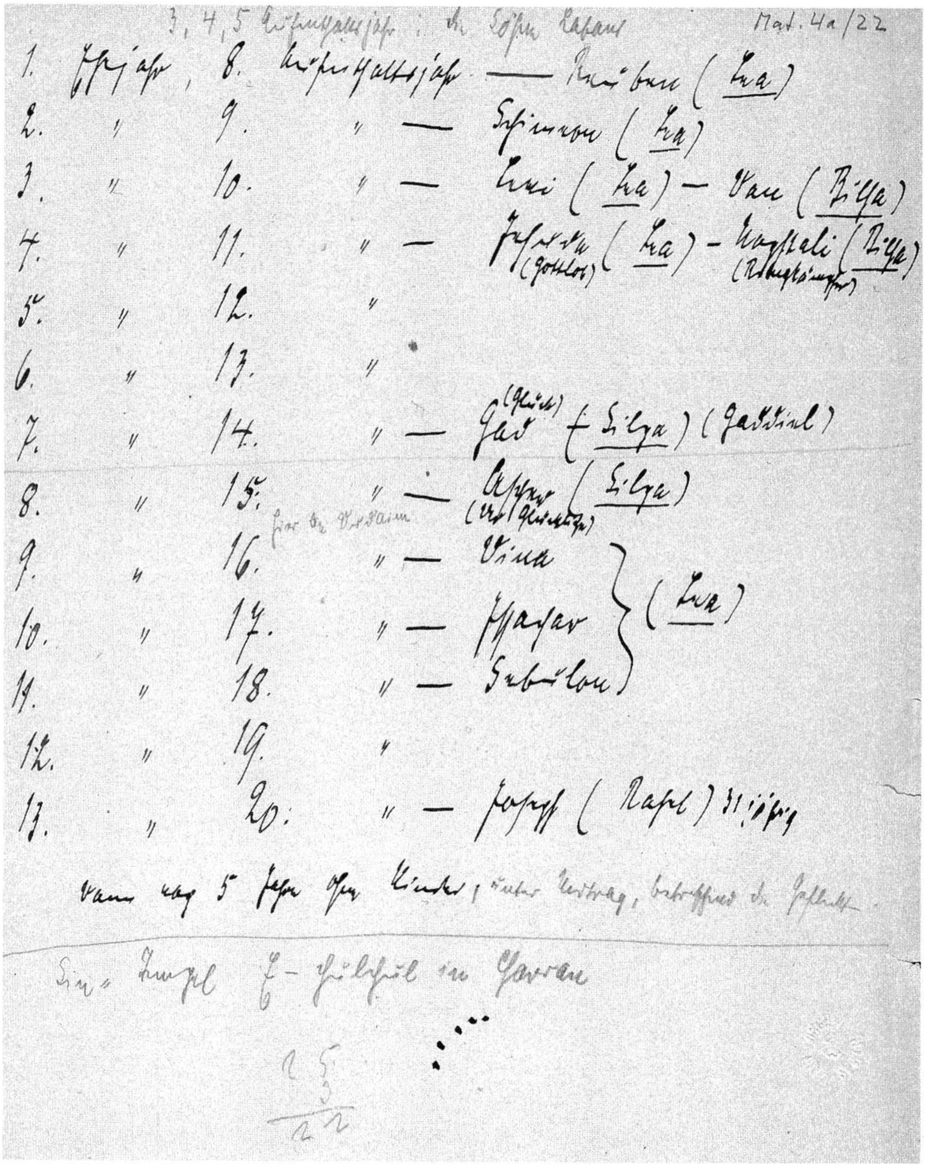

Notizblatt aus den Vorarbeiten zum Roman: Jaakobs Kinder

Die Neugier nach dem menschlich Frühesten und Ältesten, dem Vorvernünftigen – diese anthropologische Neugier nach dem Ursprung und Ziel des Menschen ist rege in uns allen, und das Interesse für den Mythus ist im hohen Maß eine Passion unserer Zeit. Freilich: die ultra-romantische Verleugnung der Großhirn-Entwicklung, der Stufe, die wir im Prozeß der geistigen Bewußtseins-Aufhellung erreicht haben, die Verfluchung des Geistes, die wir an der philosophischen und politischen Tagesordnung sehen – in gewissen Ländern wenigstens –, dieses Opfer des Intellekts war nicht meine Sache. Mir schwebte vielmehr die Vereinigung von Sympathie und Vernunft zu einer Ironie vor, die nicht unheilig zu sein brauchte. Mythus und Psychologie – konnte das zusammengehen? Ich dachte: ja. Es konnte, schien mir, lustig sein, vermittelst einer mythischen Psychologie eine Psychologie des Mythus zu versuchen.

On Myself (XIII, 164)

Stätten und Figuren

Ägypten-Reise

Im März 1925 reiste Thomas Mann auf Einladung einer Schiffahrtslinie zum erstenmal nach Ägypten:

12. 4. 1925

Wir waren in Luxor, in Karnak, in den Königsgräbern von Theben. Bei Nacht fuhr ein Schlafwagenzug uns hin und zurück. Ich habe in der Glut eines Himmels, von dem seit drei Jahren kein Tropfen Regen gefallen ist, die Trümmer einer Kultur ragen sehen, von der schwer begreiflich ist, wie dieser vom Nil befruchtete Streifen Landes zwischen Wüste und Wüste, wo Roggen, Mohn, Baumwolle und Zucker wächst, sie hat ernähren können; ich bin im Staube zwischen diesen Lotos- und Papyrussäulen, diesen Pylonen gewandelt, deren Flächen so zauberdicht mit Bild und ewiger Inschrift gefüllt sind. Ich bin auch mit den andern in die schwülen Grabzimmerfluchten der Söhne der Sonne in den Bergen am Rande der Libyschen Wüste hinabgestiegen, obgleich mir nicht wohl dabei war. Ich bin sicher, daß jeder Bessere empfinden wird wie ich, in der staubigen Hitze dieser weit und tief in den Berg vorgetriebenen Gemächer, deren Lufttrockenheit die Farben ihrer Wandmalereien durch die Jahrtausende so unglaublich frisch erhalten hat: das Gefühl beschämender Indiskretion verläßt einen bei keinem Schritt. Diese Menschen haben ihr Leben lang darauf gesonnen und keine Vorkehrung unterlassen, um genau das zu verhindern, was jetzt geschieht. Amenophis IV., an dessen glasbedeckter Mumie im Porphyrsarg ich lange in Rührung stand – die feinen Züge des jungen Königs sind vollkommen lebenskenntlich, die eingetrockneten Arme über die Brust gekreuzt –, hat zwei falsche Grabkammern mit falschen Königsmumien vor seine wirkliche legen lassen, um sich gewiß zu schützen. Es ist ihm gelungen für einige Zeit; die Wissenschaft hat sich lange bei der ersten, dann bei der zweiten Kammer beruhigt. Aber schließlich ist man ihm doch auf die Schliche gekommen und hat ihn persönlich gefunden. Es ist ein Jammer im Grunde.

Das Grab Tut-anch-Amons ist vollständig ausgeräumt. Nur noch die vergoldete Hülle der Mumie ist dort. Er war komplett für die Ewigkeit eingerichtet dort unten und glaubte sich sicher mit seinem Hausrat. Ich habe einen Teil der Schätze im Museum zu Kairo gesehen, vor allem den Stuhl mit den goldenen Löwenfüßen und der figürlich bemalten Rückenlehne, ein Werk von höchster Anmut. Ist es recht und gut, daß solche Schönheit der menschlichen Empfindung wieder fruchtbar gemacht wurde, oder hätte es uns nach einem Willen, dessen Würde durch keinen Zeitverlauf zunichte werden konnte, niemals vor Augen kommen dürfen? Ein Dilemma. Das Morgenland ... Doch, doch, ich habe es aufgenommen. Ich trage zeitlose Bilder mit fort, die unverändert sind seit den Tagen der Isis und sperberköpfiger Götter. Ich sah die braunen Männer von Keme die Schöpfeimer hochziehen an den Lehmufern des Nils, den Ackersmann mit Urgeräten den heiliggedüngten Boden bestellen, den Ochsen das Wasserrad drehen. Ich sah das Kamel, das weise, schäbige, nützliche, alte – Jahrtausende im Blick seines grotesken und klugen Schlangenkopfes –, noch immer sehe ich es, bepackt, mit Turbanreitern, eins hinter dem andern, in langer Zeile am Horizont hinziehen, ich werde es immer sehen, wenn ich will, das Morgenland ist doch mein geworden.

Unterwegs (XI, 360 f.)

Hebron
Hier nimmt die Geschichte ihren Anfang: «Es war jenseits der Hügel im Norden von Hebron ...»
Bild aus L. Preiss und P. Rohrbach «Palästina und das Ostjordanland».

Die Widder-Straße von Karnak

Nördlich von Luxor liegt das berühmteste aller ägyptischen Heiligtümer, der große Amuntempel von Karnak, der Reichstempel des hunderttorigen Theben, zu dem vom Flusse her eine von Ramses II. angelegte, von Widderfiguren eingefaßte Feststraße emporführte.

Georg Steindorff, «Die Kunst der Ägypter»

«Fällt dir die Widder-Straße wohl auf, die dort über Land vom Südlichen Frauenhause zur Großen Wohnung führt? Fünftausend Ellen ist die lang, mußt du wissen, mit lauter Amuns-Widdern besetzt zur Rechten und Linken, die Pharao's Bild zwischen den Beinen tragen».

Joseph in Ägypten (IV, 766)

Der Tempel von Luksor
Erbaut unter König Amenophis III., 18. Dynastie, um 1400 v. Chr. In: J. H. Breasted, «Geschichte Ägyptens».

Die Prunksäulenhalle

Seit langem, aus dunklen und schmalen Tagen des Ursprungs her, war sie im Zunehmen und auf dem Wege zu voller Schönheit; aber noch manches fehlte bis zu dem Punkte, wo ihre Herrlichkeit nicht mehr zu wachsen vermochte, unmöglich ferner zu steigern war, sondern vollendet stehenblieb und eines der sieben Weltwunder darstellte: im Ganzen sowohl wie auch bereits, und zwar hauptsächlich, durch einen ihrer Teile – die beispiellose Prunksäulenhalle ungeheuren Umfanges, die ein späterer Pharao mit Namen Ramessu oder ‹Die Sonne hat ihn erzeugt› dem Bautenkomplex des großen Amuntempels im Norden mit einem Kostenaufwand hinzufügte, der dem erreichten Höchstmaß der Schwere dieses Gottes entsprach.

Joseph in Ägypten (IV, 769)

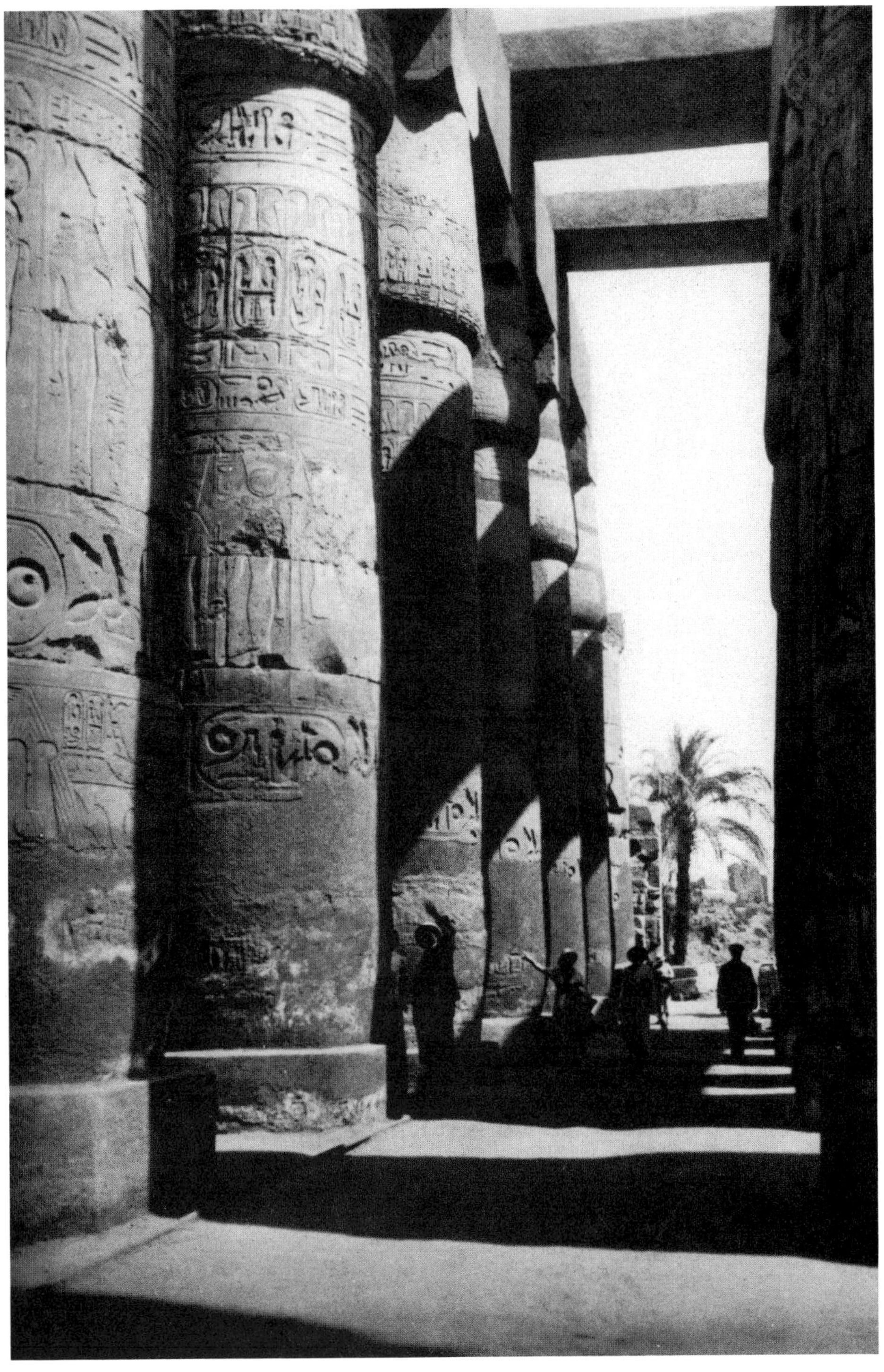

Säulengang im Tempel von Karnak
Aus der Zeit des Königs Ramses II., 19. Dynastie, um 1250 v. Chr. In: J. H. Breasted, «Geschichte Ägyptens».

Mont-kaw
Kopf des Fürsten Mentemhet.
Karnak, aus dem Tempel der Mut.
25.–26. Dynastie, um 665–640 v. Chr.
Kairo, Museum. In: J. H. Breasted,
«Geschichte Ägyptens».

Der Vorsteher war ein kräftig untersetzter Mann von fünfzig, mit ausdrucksvollem Haupt und dem entschiedenen Gebaren, das seine Stellung mit sich brachte, gemildert durch Wohlwollen. Sehr stark ausgebildete Tränensäcke waren unter seinen Augen und bedrängten sie von unten, so daß sie verschwollen und klein, fast als Schlitzaugen erschienen, von starken und noch ganz schwarzen Brauen überspannt. Tiefe Furchen gingen von seiner wohlgeformten, wenn auch breitgelagerten Nase zum Mund hinab, zu seiten der gewölbten und, wie die Wangen, glänzend rasierten Oberlippe, die sie stark aus dem Antlitz hervorhoben. Am Kinn saß ein grau gesprenkelter Knebelbart. Das Haar war schon weit von der Stirn und über dem Schädel zurückgewichen, aber am Hinterhaupt von dichter Masse und stand ihm fächerförmig hinter den Ohren, die Goldringe trugen. Etwas erbschlau Bäuerliches und wieder humoristisch Schiffsmannsmäßiges war in Mont-kaws Physiognomie, deren dunkel rotbraune Tönung kräftig gegen das Blütenweiß seiner Kleidung abstach – dieses unnachahmlichen ägyptischen Leinens, das sich so köstlich fälteln ließ [...]. Die muskulösen Formen seines Oberkörpers schimmerten mitsamt der Leibesbehaarung durch den Batist.

Joseph in Ägypten (IV, 791)

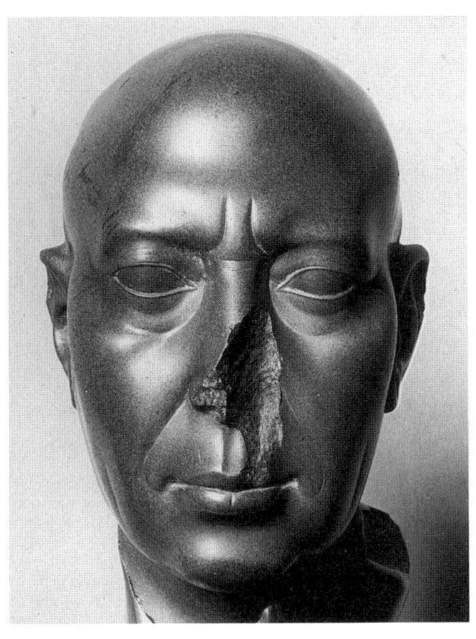

Beknechons
Männliches Bildnis aus Memphis, um 500 v. Chr. In: J. H. Breasted, «Geschichte Ägyptens».

Beknechons war hochgewachsen und trug sich außerdem noch sehr stolz und strack aus den Rippen emporgereckt, die Schultern zurückgenommen, das Kinn erhoben. Sein eiförmiger Kopf mit dem niemals bedeckten, glattrasierten Schädel war bedeutend und nach seinem Ausdruck gänzlich bestimmt durch ein tief und scharf eingeschnittenes Zeichen zwischen seinen Augen, das immer da war und an Strenge nichts einbüßte, wenn der Mann lächelte, was herablassenderweise und zum Lohne besonderer Unterwürfigkeit immerhin vorkam. Des Oberpriesters sorgfältig vom Barte gereinigtes, gemeißelt-ebenmäßiges und unbewegtes Gesicht mit den hochsitzenden Wangenknochen und den wie das Augenzeichen sehr stark eingeschriebenen Furchen um Nüstern und Mund hatte eine Art, über Menschen und Dinge hinwegzublicken, die mehr als hochmütig war, denn sie kam der Ablehnung alles gegenwärtigen Weltwesens gleich [...].

Joseph in Ägypten (V, 947)

Potiphar
Prinz Hem-On, Kalksteinstatue, 4. Dynastie. Bild aus dem Arbeitsmaterial zum «Joseph».

Der Würdenträger war vielleicht vierzig Jahre alt, oder fünfunddreißig, und wirklich von Turmesgröße – Joseph mußte an Ruben denken angesichts dieser Säulenbeine, sich abzeichnend unter dem Königsleinen des nicht ganz knöchellangen Gewandes, das auch die Falten und hängenden Bänder des Schurzes durchblicken ließ; doch war diese Leibesmassigkeit ganz anderer Art als die des heldischen Bruders: sehr fett nämlich überall; besonders aber in der Gegend der Brust, die doppelhügelig unter dem zarten Batiste des Obergewandes vorsprang und beim unnötig unternehmenden Absprung vom Wagen nicht wenig geschwappt hatte. Ganz klein war der Kopf, im Verhältnis zu dieser Höhe und Fülle, und edel gebildet, mit kurzem Haar, kurzer, fein gebogener Nase, zierlichem Munde, einem angenehm vorspringenden Kinn und lang bewimperten, stolz verschleiert blickenden Augen.

Joseph in Ägypten (IV, 807)

Mut-em-enet, die Frau des Potiphar
Frauenstatue, XVIII. Dynastie, um 1350 v. Chr.
In: J. H. Breasted, «Geschichte Ägyptens».

[...] eine Dame Ägyptens, hoch gepflegt, blitzenden Schmuck in den Pudellocken, Gold auf dem Halse, beringt die Finger und Lilienarme, deren einen sie – es war ein sehr weißer und wonniger Arm – zur Seite der Trage lässig herniederhängen ließ –, und Joseph sah unter dem Geschmeidekranz ihres Hauptes ihr persönlich-besonderes, dem Modesiegel zum Trotze ganz einmaliges und vereinzeltes Profil mit den kosmetisch gegen die Schläfen verlängerten Augen, der eingedrückten Nase, den schattigen Gruben der Wangen, dem zugleich schmalen und weichen, zwischen vertieften Winkeln sich schlängelnden Munde.

Joseph in Ägypten (IV, 816)

Erinnerungen

Thomas Mann hat Mut-em-enets Passion für Joseph Verse aus der Ehrenberg-Zeit unterlegt:

Dies sind die Tage des lebendigen
Fühlens!
Du hast mein Leben reich gemacht.
Es blüht – –
O horch, Musik! – – An meinem Ohr
Weht wonnevoll ein Schauer hin
von Klang –
Ich danke dir, mein Heil! mein Glück!
mein Stern! –

Im Tagebuch heißt es unter dem 6. Mai 1934: «[...] nach den Leidenschaftsnotizen jener Zeit im Stillen schon umgesehen in Hinsicht auf die Passion der Mut-em-enet». Und am 9. Januar 1935: «[...] fuhr mit der interessanten Vorbereitungsarbeit für die Liebesgeschichte fort. Bei Durchsicht des Notizbuches aus der P. E. und Tonio Kröger-Zeit mußte ich feststellen, mit wie sparsamer Auswahl nur die individuell-sentimentale, modern beobachtete Einzelheit leidenschaftlicher Art sich für die Stilistik meines Buches und seiner mythisch-primitiven Welt eignet. Bestimmend wird vielmehr die ‹Damengesellschaft› und die Idee des ‹Blutstillens› sein (J. soll ihr ‹das Blut stillen›, in jedem Sinn.)»

Im Roman lautet die Stelle:

Aber jener hat gar nichts getan, und alles kommt aus der Ergriffenen selbst. Nur kann sie's nicht glauben, sondern macht aus ihrem Enthusiasmus unter Dankgebeten die Göttlichkeit des anderen. «O Himmelstage des lebendigen Fühlens! ... Du hast mein Leben reich gemacht – es blüht!» Das war so ein Dankgebet Mut-em-enets, oder das Bruchstück eines solchen, gerichtet an Joseph, kniefällig zu Füßen ihres Ruhebettes gestammelt unter Wonnezähren, da niemand sie sah. Warum aber, wenn ihr Leben so sehr in Reichtum und Blüte stand, warum war sie dann mehr als einmal drauf und dran, die Nubierin nach der Giftnatter zu schicken, daß sie sie sich an den Busen lege; ja, warum hatte sie den Auftrag einmal tatsächlich schon erteilt, so daß die Viper bereits in einem Schilfkörbchen zur Stelle gewesen und Mut erst im letzten Augenblick noch einmal von ihrem Vorhaben abgekommen war? Nun, weil sie der Meinung war, bei der letzten Begegnung alles verdorben und nicht nur häßlich ausgesehen, sondern dem Geliebten auch, statt ihm mit ruhiger Gnade zu begegnen, ihre Liebe – die Liebe einer Alten und Häßlichen – durch Blick und Beben verraten zu haben, wonach es für sie nur noch den Tod gab: zur Strafe für sich und ihn, der aus ihrem Tode das Geheimnis ersehen mochte, für dessen schlechte Verwahrung sie sich ihn gab!

Joseph in Ägypten (V, 1113 f.)

«Die Damengesellschaft»
Diesen Wandmalereien in einem Grabe zu Theben entnahm Thomas Mann mehrere Sujets zur Beschreibung der Damengesellschaft, z. B. «Vorbereitung zum Fest», «Der blinde Harfenspieler», «Die Musikantinnen».
Kunstkarte aus dem Arbeitsmaterial zum «Joseph».

DIE DAMENGESELLSCHAFT

Ein reizendes Orchester von Harfenistinnen, Lautespielerinnen und Bläserinnen der Doppelflöte in weiten Hauchgehängen von Kleidern, durch welche man die gewirkten Gürtel ihrer Lenden sah, musizierten im Brunnenhof, wo die große Mehrzahl der Damen in zwanglosen Gruppen, teils zwischen den hochbeladenen Anrichten auf Stühlen und Hockern sitzend, teils auf bunten Matten kniend, sich niedergelassen hatte. [...]
Muts Freundinnen waren hold und kunstreich zu sehen: Duftfett schmolz salbend von ihren Scheiteln in ihr breit gelöstes, zu Fransen gedrehtes Haar, durch welches die goldenen Scheiben ihres Ohrschmucks schnitten, von lieblicher Bräune waren ihre Glieder, ihre glänzenden Augen reichten bis zu den Schläfen, ihre Näschen deuteten auf nichts als Hoch- und Übermut, und die Fayence- und Steinmuster ihrer Krägen und Armringe, die Gespinste, die ihre süßen Brüste umspannten, aus Sonnengold, wie es schien, oder Mondschein gewoben, waren von letzter Kultur. Sie rochen an Lotusblüten, reichten einander Näschereien zum Kosten und plauderten mit zwitschernd hohen und tiefer-rauheren Stimmen, wie sie ebenfalls weiblich vorkommen in diesen Breiten, – [...].

Joseph in Ägypten (V, 1213 f.)

Mit seiner Frau Katja auf der Ägyptenreise, 1930
Von Mitte Februar bis Anfang April 1930 unternahm Thomas Mann mit seiner Frau Katja eine zweite «Inspektionsreise» nach Ägypten und Palästina.

Sigmund Freud

Thomas Mann studiert in den Jahren 1925/26 Freuds Werke. Er fühlt sich dabei an Schopenhauers Unterscheidung zwischen Individuum und Gattung erinnert und erkennt, daß Menschen mythische Muster repräsentieren. Auf einer niederen Stufe tun sie es unbewußt wie der Knecht Eliezer, der gar nicht recht zu einer eigenen Individuation kommt; auf einer höheren dagegen tun sie es wie Joseph, der sich bewußt mit Tammuz, Osiris und Adonis, später mit Hermes identifiziert, d.h. eine mythische Rolle spielt. Josephs Leben wird zur bewußten mythischen «Nachfolge». Er ist gleichzeitig gebunden und frei: gebunden an die Muster der Tiefe und frei in der spielerisch-variierenden Imitation dieser Muster. Erzählen ist damit repraesentatio: Wiedervergegenwärtigung des Mythos. Dadurch daß sich in Thomas Manns Erzählungen oft mehrere Mythologien miteinander verbinden – in der Joseph-Rolle etwa der babylonische Tammuz mit dem ägyptischen Osiris und dem griechischen Adonis –, demonstriert das Fest der Erzählung gleichzeitig die «Einheit des Menschengeistes».
1936 dann wird Thomas Mann seinen großen Vortrag «Freud und die Zukunft» halten. Der Vortrag enthält die Schlüsselformeln zum Mythenwerk des «Joseph» und zu Thomas Manns Spätwerk überhaupt.

Sigmund Freud, 1926
Radierung von Ferdinand Schmutzer.

MYSTERIUM UND MYTHOS

Die Sagen-Genealogie ist mir außerordentlich willkommen und wertvoll. Ich habe schon viel darin gesucht und gefunden. Sie bestätigt mir wieder, daß Joseph eine typhonische Tamuz-Osiris-Adonis-Dionysos-Form ist, was aber nicht zu beweisen braucht, daß er nicht wirklich gelebt hat. Auch in Jesu Leben hat man nachträglich das ganze vorhandene religiöse Kulturgut hineingetragen, und auch sein Leben scheint nur ein Sonnenmythus. Ich tue wohl recht, den Joseph zu einer Art von mythischem Hochstapler zu machen, der früh beginnt, sich zu «identifizieren» und darin auch durch seine Umgebung bestärkt wird, die allgemein wenig geneigt ist, zwischen Sein und Bedeuten genau zu unterscheiden. Über diesen Unterschied zu streiten, wurde man erst 3000 Jahre später «reif». Was mich anzieht und was ich ausdrücken möchte, ist das Gegenwärtig werden der Überlieferung als zeitloses Mysterium, das Sich selbst als Mythus erleben. Das muß aber auf leichte, humoristisch-intellektuelle Art gemacht werden; auf Pathos und religiöse Inbrunst lasse ich mich nicht ein. Übrigens ist das, was ich vorläufig schreibe, nur eine Art von pseudowissenschaftlicher Fundierung der Geschichte; ich habe kaum richtig angefangen, obgleich von Joseph schon immer die Rede ist. Mein eigentlicher und geheimer Text steht in der Bibel, in der Geschichte zuletzt. Es ist der Segen des sterbenden Jakob über Joseph: Von dem Allmächtigen bist du gesegnet mit Segen oben vom Himmel herab, mit Segen von der Tiefe, die unten liegt. Damit man sich zu einem Werk entschließe, muß es, als Stoff, irgendwo einen Punkt haben, bei dessen Berührung einem regelmäßig das Herz aufgeht. Dies ist dieser produktive Punkt. –

An Ernst Bertram, 28. Dezember 1926

Am 16. Mai 1929 hielt Thomas Mann im Auditorium maximum der Universität in München den Vortrag «Die Stellung Freuds in der modernen Geistesgeschichte».

Die Stellung Freuds in der modernen Geistesgeschichte

Von

Thomas Mann

Fragte man mich, welcher unter den kühnen und umwälzenden Beiträgen Sigmund Freuds zur Erkenntnis des Menschlichen auf mich den stärksten Eindruck gemacht habe, und welche seiner literarischen Arbeiten mir zuerst in den Sinn kommen, wenn sein Name fällt, so würde ich ohne Besinnen die große, viergeteilte Abhandlung über „Totem und Tabu" im zehnten Band seiner Gesammelten Schriften nennen. Unwahrscheinlich übrigens, daß ich mit solcher Vorliebe allein stehe, denn mag es auch, angesichts des Weltruhmes, von dem heute die Gesamtleistung des großen Forschers getragen ist, eine Kundgebung fast rührender Gelehrtenbescheidenheit bedeuten, wenn er diese Aufsätze, im Vorwort, von seinem übrigen Lebenswerk unterscheiden zu sollen glaubt, indem er ihnen ausnahmsweise einen „Anspruch auf das Interesse eines größeren Kreises von Gebildeten" zuschreibt, so ist wohl richtig, daß sie die — in einem relativen und anspruchsvollen Sinn — populärste von seinen Schriften bilden, und zwar weil sie nach ihren Absichten und Einsichten die medizinische Sphäre weit ins allgemein Geisteswissenschaftliche hinaus überschreiten und vor dem der Frage des Menschen nachhängenden Leser ungeheure Perspektiven seelischer Vergangenheit, Urwelttiefen moralischer, gesellschaftlicher, mythisch-religiöser Früh- und Vorgeschichte der Menschheit erhellend aufreißen.

Der außerordentliche Reiz der Abhandlung ist verschiedentlich erklärbar. Zunächst ist sie ohne Zweifel die rein künstlerisch höchststehende unter den Arbeiten Freuds, nach Aufbau und literarischer Form ein allen großen Beispielen deutscher Essayistik verwandtes und zugehöriges Meisterstück. Das ist kein Wunder und hat doch etwas Geheimnisvolles. Denn in der hohen Lesbarkeit gerade dieses Werkes, das sich aus der klinischen Sphäre zur kühnen Weitsicht in die Sphäre des menschlich-allgemein Interessanten erhebt, bekundet sich das humane Gesetz der Form, die metaphysische Verbundenheit

— 3 — 1*

PROF. DR FREUD WIEN, IX., BERGGASSE 19

Dankbrief von Sigmund Freud an Thomas Mann vom 23. November 1929

23. XI. 1929
Wien, IX., Berggasse 19

Verehrter Herr Doktor

Die freundliche Zusendung Ihres Buches, das auch einen Aufsatz über mein Werk enthält, macht mir Mut, Ihnen auf diese umständliche Weise, indem ich Ihnen einen langen Brief schreibe, zu danken. Ich bin einer Ihrer ältesten Leser – ich meine natürlich: einer Ihrer frühesten, aber nach der Za[h]l meiner Jahre – 73 – darf ich das auch im anderen Sinne sagen. Ich habe immer Dichter bewundert und – beneidet, besonders wenn sie wie das Ideal meiner Jugend, Lessing, ihre Kunst dem Denken unterwarfen und sie in dessen Dienst stellten.

Ich danke Ihnen also besonders dafür, daß Sie mich so entschieden gegen den Vorwurf eines reaktionären Mystizismus verteidigen, daß Sie mich in den Zusammenhang des deutschen Geisteslebens einreihen, der ich für diese Nation ein Fremdkörper zu sein vermeinte, und daß Sie meine Unwissenheit als eine zweckmäßig bedingte entschuldigen. Ich wollte wirklich der Intuition nichts zu danken haben, – auch nicht der des Größten – und meine Behauptungen ausschließlich auf die Beobachtung stützen, alles der Sicherheit opfern. Von Nietzsche nichts wissen, war natürlich unmöglich; ich vermied es wenigstens ihn zu studieren.

In einem Punkte möchte ich Ihre Darstellung bestreiten. Ich glaube es ist nicht richtig, daß mir die «übermedizinische» Tragweite der analytischen Feststellungen lange verborgen blieb. Schon nach Vollendung der «Traumdeutung» (1899) schrieb ich meinem älteren Bruder nach Manchester, ich hätte ein Buch geschrieben, mit dem eine neue Psychologie beginnen werde, und daß keine der sog. Geisteswissenschaften die Psychologie entbehren kann, wußte ich ja. Auch rühren die ersten Versuche von Anwendung der Psychoanalyse fast auf allen Gebieten von mir her. Nein, ich war nur für meine Person bescheiden, nicht für mein Werk. Die Bedeutung desselben ermaß ich an dem Widerstand, den es wach rief, und ohne festen Glauben an die durchschnittliche Richtigkeit meiner Funde hätte ich die lange Zeit einer doch ungewöhnlich intensiven Vereinsamung und Befeindung nicht überstanden. Wenn ich damals hätte voraussehen können, daß der anerkannte Wortführer des besten Teils des deutschen Volkes einmal eine so freundliche Würdigung meiner Arbeit in die Öffentlichkeit schicken würde!

In wenigen Wochen werden Sie eine neue kleine Schrift von mir erhalten («Das Unbehagen in der Kultur»). Sie wird viel Nachsicht beanspruchen, aber sie ist hoffentlich meine letzte. Ich bin kränklich und müde. Das soll keine Klage sein, es beschreibt einen natürlichen Ablauf.

In herzlicher Ergebenheit Ihr Freud

Freud und die Zukunft (1936)

Der gelebte Mythos

Der gelebte Mythus aber ist die epische Idee meines Romans, und ich sehe wohl, daß, seit ich als Erzähler den Schritt vom Bürgerlich-Individuellen zum Mythisch-Typischen getan habe, mein heimliches Verhältnis zur analytischen Sphäre sozusagen in sein akutes Stadium getreten ist. Das mythische Interesse ist der Psychoanalyse genau so eingeboren, wie allem Dichtertum das psychologische Interesse eingeboren ist. Ihr Zurückdringen in die Kindheit der Einzelseele ist zugleich auch schon das Zurückdringen in die Kindheit des Menschen, ins Primitive und in die Mythik. Freud selbst hat bekannt, daß alle Naturwissenschaft, Medizin und Psychotherapie für ihn ein lebenslanger Um- und Rückweg gewesen sei zu der primären Leidenschaft seiner Jugend fürs Menschheitsgeschichtliche, für die Ursprünge von Religion und Sittlichkeit, – diesem Interesse, das auf der Höhe seines Lebens in ‹Totem und Tabu› zu einem so großartigen Ausbruch kommt. In der Wortverbindung «Tiefenpsychologie» hat «Tiefe» auch zeitlichen Sinn: die Urgründe der Menschenseele sind zugleich auch Urzeit, jene Brunnentiefe der Zeiten, wo der Mythus zu Hause ist und die Urnormen, Urformen des Lebens gründet. Denn Mythus ist Lebensgründung; er ist das zeitlose Schema, die fromme Formel, in die das Leben eingeht, indem es aus dem Unbewußten seine Züge reproduziert. Kein Zweifel, die Gewinnung der mythisch-typischen Anschauungsweise macht Epoche im Leben des Erzählers, sie bedeutet eine eigentümliche Erhöhung seiner künstlerischen Stimmung, eine neue Heiterkeit des Erkennens und Gestaltens, welche späten Lebensjahren vorbehalten zu sein pflegt; denn im Leben der Menschheit stellt das Mythische zwar eine frühe und primitive Stufe dar, im Leben des einzelnen aber eine späte und reife. Was damit gewonnen wird, ist der Blick für die höhere Wahrheit, die sich im Wirklichen darstellt, das lächelnde Wissen vom Ewigen, Immerseienden, Gültigen, vom Schema, in dem und nach dem das vermeintlich ganz Individuelle lebt, nicht ahnend in dem naiven Dünkel seiner Erst- und Einmaligkeit, wie sehr sein Leben Formel und Wiederholung, ein Wandeln in tief ausgetretenen Spuren ist. Der Charakter ist eine mythische Rolle, die in der Einfalt illusionärer Einmaligkeit und Originalität gespielt wird, gleichsam nach eigenster Erfindung und auf eigenste Hand, dabei aber mit einer Würde und Sicherheit, die dem gerade obenauf gekommenen und im Lichte agierenden Spieler nicht seine vermeintliche Erst- und Einmaligkeit verleiht, sondern die er im Gegenteil aus dem tieferen Bewußtsein schöpft, etwas Gegründet-Rechtmäßiges wieder vorzustellen und sich, ob nun gut oder böse, edel oder widerwärtig, jedenfalls in seiner Art musterhaft zu benehmen.

Freud und die Zukunft (IX, 493 f.)

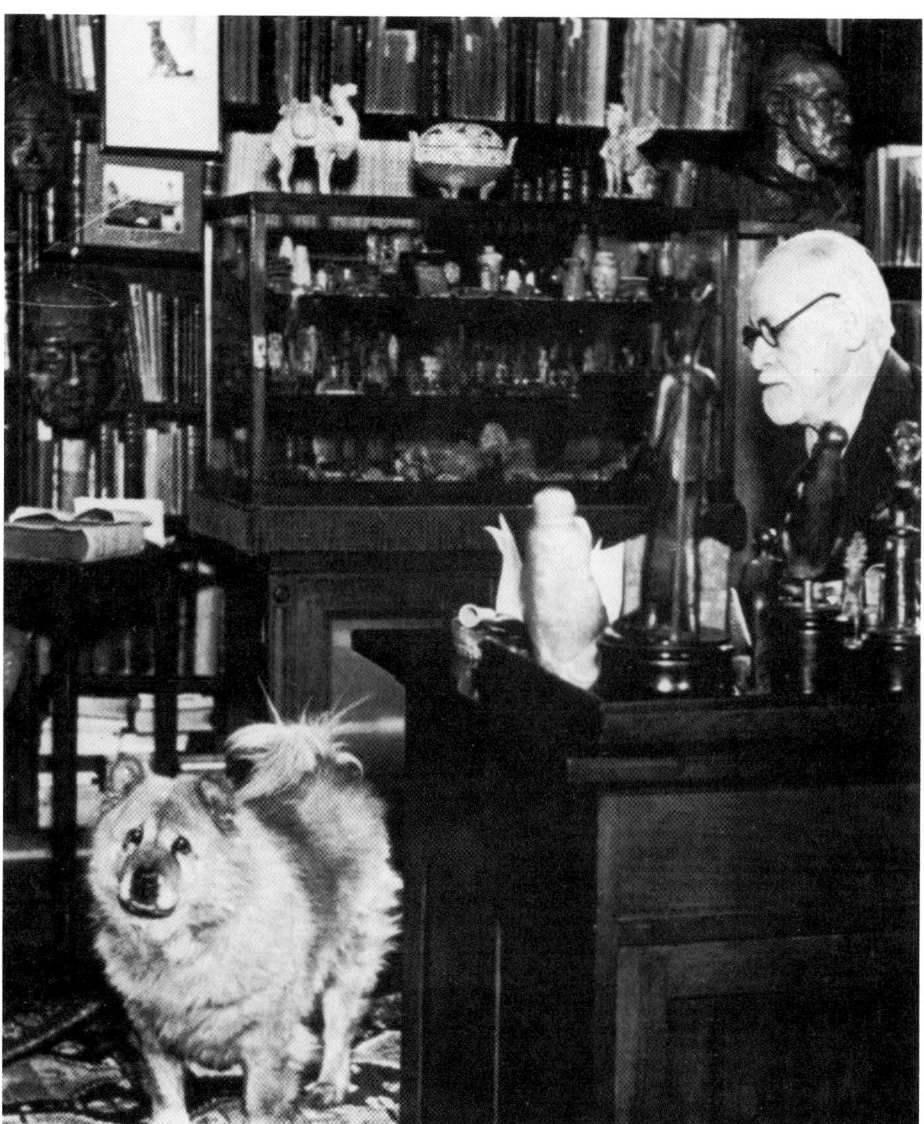

Sigmund Freud, 1937

Mythische Nachfolge

Aber eben dies Leben als Beleben, Wiederbeleben ist das Leben im Mythus. Alexander ging in den Spuren des Miltiades, und von Cäsar waren seine antiken Biographen mit Recht oder Unrecht überzeugt, er wolle den Alexander nachahmen. Dies «Nachahmen» aber ist weit mehr, als heut in dem Worte liegt; es ist die mythische Identifikation, die der Antike besonders vertraut war, aber weit in die neue Zeit hineinspielt und seelisch jederzeit möglich bleibt. Das antike Gepräge der Gestalt Napoleons ist oft betont worden. Er bedauerte, daß die moderne Bewußtseinslage ihm nicht gestatte, sich für den Sohn Jupiter-Amons auszugeben, wie Alexander. Aber daß er sich, zur Zeit seines orientalischen Unternehmens, wenigstens mit Alexander mythisch verwechselt hat, braucht man nicht zu bezweifeln, und später, als er sich fürs Abendland entschieden hatte, erklärte er: «Ich *bin* Karl der Große.» Wohl gemerkt – nicht etwa: «Ich erinnere an ihn»; nicht: «Meine Stellung ist der seinen ähnlich.» Auch nicht: «Ich bin wie er»; sondern einfach: «Ich *bin's*.» Das ist die Formel des Mythus.

Das Leben, jedenfalls das bedeutende Leben, war also in antiken Zeiten die Wiederherstellung des Mythus in Fleisch und Blut; es bezog und berief sich auf ihn; durch ihn erst, durch die Bezugnahme aufs Vergangene wies es sich als echtes und bedeutendes Leben aus. Der Mythus ist die Legitimation des Lebens; erst durch ihn und in ihm findet es sein Selbstbewußtsein, seine Rechtfertigung und Weihe. Bis in den Tod führte Kleopatra ihre aphroditische Charakterrolle weihevoll durch, – und kann man bedeutender, kann man würdiger leben und sterben, als indem man den Mythus zelebriert? Denken Sie doch auch an Jesus und an sein Leben, das ein Leben war, «damit erfüllet werde, was geschrieben steht». Es ist nicht leicht, bei dem Erfüllungscharakter von Jesu Leben zwischen den Stilisierungen der Evangelisten und seinem Eigenbewußtsein zu unterscheiden; aber sein Kreuzeswort um die neunte Stunde, dies «Eli, Eli, lama asabthani?» war ja, gegen den Anschein, durchaus kein Ausbruch der Verzweiflung und Enttäuschung, sondern im Gegenteil ein solcher höchsten messianischen Selbstgefühls. Denn dieses Wort ist nicht ‹originell›, kein spontaner Schrei. Es bildet den Anfang des 22. Psalms, der von Anfang bis zu Ende Verkündigung des Messias ist. Jesus zitierte, und das Zitat bedeutete: «Ja, ich bin's!» So zitierte auch Kleopatra, wenn sie, um zu sterben, die Schlange an ihren Busen nahm, und wieder bedeutete das Zitat: «Ich bin's!» –

Freud und die Zukunft (IX, 496 f.)

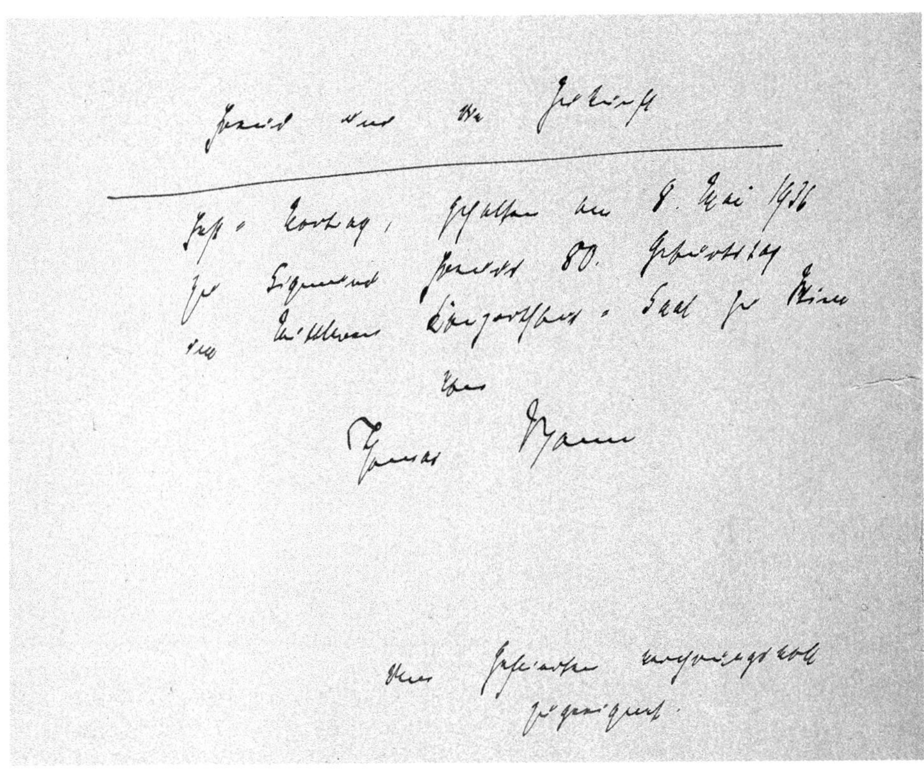
Freud und die Zukunft

Festvortrag, gehalten am 8. Mai 1936

Thomas Mann

Titelblatt des Vortrags
Am 8. Mai 1936, an der Feier von Freuds 80. Geburtstag in Wien, hielt Thomas Mann den Festvortrag «Freud und die Zukunft».

Freud mußte wegen Krankheit der Feier fernbleiben. Thomas Mann las ihm deshalb den Vortrag am 14. Juni 1936 «im kleinen Freundeskreis» vor. «Er hatte Tränen in den Augen zum Schluß» (an Ida Herz, 9. Juli 1936).

Preußische Akademie der Künste

Thomas Manns Lebensgeschichte nimmt auch in der Weimarer Republik wieder repräsentative Züge an: Er vertritt 1926 Deutschland in Frankreich («Pariser Rechenschaft»), er wird Mitglied der Akademie der Künste, er wird Nobelpreisträger. Er übernimmt Rollen, von denen sich der unsichere Nietzsche-Adept des fin-de-siècle kaum hat träumen lassen – oder vielleicht doch? Es wird einer ja nur, was er ist.

Festsitzung der Preußischen Akademie der Künste unter dem Vorsitz von Max Liebermann: Gründung der Sektion für Dichtkunst
Am 26. Oktober 1926 wurde in der Preußischen Akademie der Künste in Berlin die «Sektion für Dichtkunst» gegründet. Präsident der Akademie war Max Liebermann (1847–1935). Thomas Mann gehörte, neben Ludwig Fulda und Hermann Stehr, zu den Gründungsmitgliedern.

Preußische Akademie der Künste, Sektion für Dichtkunst
Sitzung in der Sektion für Dichtkunst, Berlin 1929.
Stehend von links: Bernhard Kellermann, Alfred Döblin, Thomas Mann, Max Halbe. Sitzend von links: Hermann Stehr, Alfred Mombert, Eduard Stucken, Wilhelm von Scholz, Oskar Loerke, Walter von Molo, Ludwig Fulda, Heinrich Mann.

Max Liebermann und Heinrich Mann
Heinrich Mann wurde 1931 Vorsitzender der Sektion für Dichtkunst.

Heinrich Manns «Kaiserreich-Trilogie»

Heinrich Manns Essaysammlung von 1929

Heinrich Mann schrieb in den Jahren der Weimarer Republik unzählige Artikel zum Tage. Einige sind gesammelt in «7 Jahre. Chronik der Gedanken und Vorgänge».

1923 wurde Heinrich als erster deutscher Schriftsteller zu den Entretiens de Pontigny nach Paris eingeladen. 1932 schlug ihn Kurt Hiller als Präsidenten der Republik vor. Heinrich lehnte eine Kandidatur ab und hoffte, Hindenburg könne der Damm sein, an dem der Nationalsozialismus aufgehalten werde.

Ich brauchte sechs Jahre immer stärkerer Erlebnisse, dann war ich reif für den «Untertan», meinen Roman des Bürgertums im Zeitalter Wilhelms des Zweiten. Der Roman des Proletariats, «Die Armen» benannt, kam im Krieg 1916 zustande. An die leitenden Gestalten des Kaiserreiches ging ich erst im Sommer 1918, wenige Monate vor seinem Zusammenbruch – dessen Zeitpunkt bis zuletzt unbestimmt war. Für meinen ersten Entwurf des Romans «Der Kopf» fand ich es noch geraten, die Handlung in ein Land mit ausgedachtem Namen zu verlegen.

Heinrich Mann, Ein Zeitalter wird besichtigt

Hofmannsthals Ausfall gegen Heinrich Mann

Wie kommt es eigentlich, lieber Herr Haas, daß man diesen Heinrich Mann überall mit einer Art von Hochachtung behandelt? Nach Jahren nahm ich wieder einmal etwas von ihm in die Hand: eine Erzählung Liane [Liliane] u. Paul. Das ist doch gar nichts als lumpiges Litteratentum, weder Gestaltung, noch Talent, noch Geist, noch Anstand; sujet und Haltung (mehr Allure als Haltung) copiert von Wedekind, einzelnes abgestohlen von Strindberg, das Ganze so flau und schal und gemein und dumm wie nur möglich! Warum toleriert man solche Figuren? Ein junger Historiker sagte mir, er habe aus Neugierde den Roman ‹der Kopf› von dem gleichen Individuum in die Hand bekommen, es sei von ekelerregender Flachheit und Dummheit – die äußerste Unkenntnis der Welt mit Anmaßung vermischt. Warum liest man nie ein wahres Wort über einen solchen Litteraten? Warum sind alle diese Zustände bei uns so verlogen? Mir kommt dieses litterarische Getue aller dieser älteren und jüngeren Menschen manchmal so ekelhaft vor, daß es nicht zu sagen ist!

Hugo von Hofmannsthal an Willy Haas, 19. Dezember 1926

Der Nobelpreis

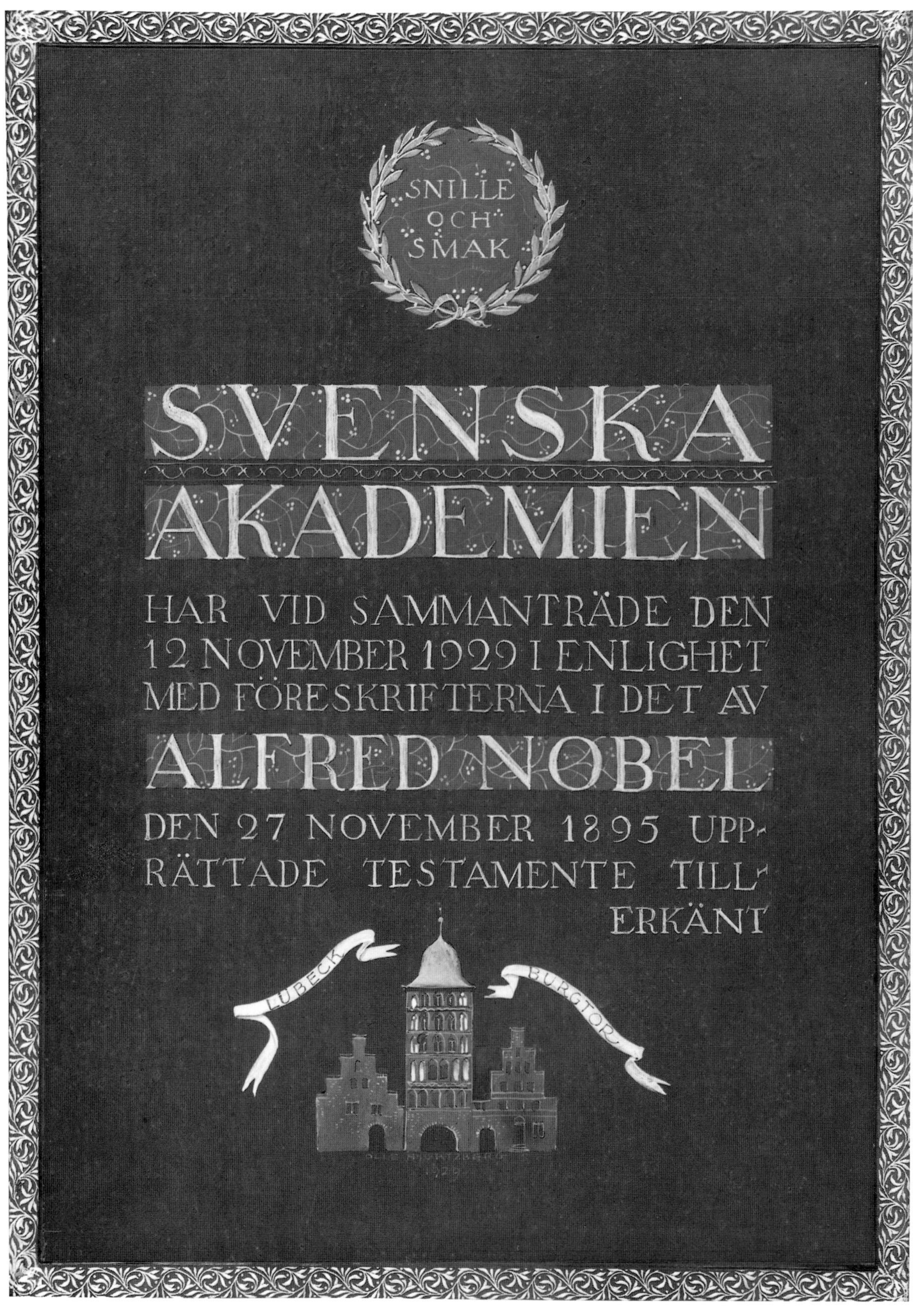

SNILLE OCH SMAK

SVENSKA AKADEMIEN

HAR VID SAMMANTRÄDE DEN 12 NOVEMBER 1929 I ENLIGHET MED FÖRESKRIFTERNA I DET AV

ALFRED NOBEL

DEN 27 NOVEMBER 1895 UPPRÄTTADE TESTAMENTE TILLERKÄNT

LÜBECK MARIENKIRCHE

THOMAS MANN

INNEVARANDE ÅRS LITTERÄRA NOBELPRIS, FÖRNÄMLIGAST FÖR HANS STORA ROMAN BUDDENBROOKS, VILKEN UNDER ÅRENS LOPP VUNNIT ALLTMER STADGAT ERKÄNNANDE SOM ETT AV DEN SAMTIDA LITTERATURENS KLASSISKA VERK

STOCKHOLM DEN 10 DECEMBER 1929

Verleihung des Nobelpreises in Stockholm am 10. Dezember 1929 im Konserthuset
Am Rednerpult der schwedische Germanist Prof. Frederik Böök (1883–1961). Prof. Böök setzte sich für die Verleihung des Preises an Thomas Mann ein. Auf seine Veranlassung erhielt Thomas Mann die Auszeichnung aber ausschließlich für «Buddenbrooks», nicht für sein Gesamtwerk.

Die sensationelle Auszeichnung, welche die Schwedische Akademie zu vergeben hat und die nach siebzehn Jahren zum erstenmal wieder nach Deutschland fiel, hatte, soviel ich wußte, schon mehr als einmal dicht über mir geschwebt und traf mich nicht unvorbereitet. Sie lag wohl auf meinem Wege – ich sage es ohne Überheblichkeit, aus gelassener, wenn auch nicht uninteressierter Einsicht in den Charakter meines Schicksals, meiner ‹Rolle› auf Erden, zu der nun einmal der zweideutige Glanz des Erfolges gehört und die ich durchaus menschlich betrachte, ohne viel geistiges Aufheben davon zu machen. Im Sinn einer solchen nachdenklich hinnehmenden Gelassenheit habe ich den geräuschvollen Zwischenfall, bei dem mir soviel Festlich-Freundliches geschah, als lebenszugehörig anerkannt und ihn in möglichst guter Haltung bestanden – auch innerlich, was das Schwierigere ist.

Lebensabriß (XI, 141)

Stockholm, Konserthuset

Nobelpreis – steuerpflichtig
Hans Blix in «Dagens Nyheter».

Schon 1928 hatte sich Thomas Mann eine Horch-Limousine gekauft.

[...] die Großmannssucht hat uns ja nun dahin gebracht, eine sehr prachtvolle 8 cylindrige Horch-Limousine zu bestellen, die wir 1. Juli bekommen sollen, und die wie geschaffen scheint, damit nach Frankfurt zu fahren. Bitte, halten Sie sich also zu Hause!

An Marie Liefmann, 18. Juni 1928

Thomas und Katja Mann im Horch H 18
Aus Reimar Zeller, Automobil. Das magische Objekt in der Kunst (Stadtmuseum München).

Strände

Thomas Mann in Kampen auf Sylt, um 1927

Travemünde, der Lido von Venedig, Glücksburg ... Jetzt waren es Kampen auf Sylt, Rauschen oder Viareggio. Bald einmal werden es die Strände von Long Island oder von Pacific Palisades sein. Ob Ost- oder Nordsee, Mittelmeer, Atlantik oder Pazifik: Es war das Meer, «seine» Landschaft, Landschaft der Wellen und der Träume, Landschaft der Unendlichkeit, der Verheißung. Und immer wieder waren die Strände mit Namen verbunden – Armin Martens, Willri Timpe, Tadzio, Oswald Kirsten, Klaus Heuser ...

Kampen auf Sylt, 1927

Klaus Heuser (geb. 1909 in Rom)
Sohn des ehemaligen Direktors der Düsseldorfer Kunstakademie, Werner Heuser. Thomas Mann lernte die Familie Heuser im Sommer 1927 in Kampen auf Sylt kennen und lud den achtzehnjährigen Klaus nach München ein. Die Begegnung hat auf den «Amphitryon»-Essay nachgewirkt, wohl auch auf «Mario und der Zauberer», den «Joseph»-Roman und «Die Betrogene». Das Bild zeigt Heuser zu Weihnachten 1938, als er schon im Fernen Osten lebte.

Später, am 6. Mai 1934, wird sich Thomas Mann im Tagebuch notieren (mit P. E. ist Paul Ehrenberg gemeint):

[...] suchte in alten Notizbüchern nach Versen der Barret-Browning und vertiefte mich in Aufzeichnungen, die ich damals über meine Beziehungen zu P. E. im Zusammenhang mit der Roman-Idee der «Geliebten» gemacht. Die Leidenschaft und das melancholisch psychologisierende Gefühl jener verklungenen Zeit sprach mich vertraut und lebenstraurig an. Dreißig Jahre und mehr sind darüber vergangen. Nun ja, ich habe gelebt und geliebt, ich habe auf meine Art «das Menschliche ausgebadet». Ich bin, auch damals schon, aber 20 Jahre später in höherem Maße, sogar glücklich gewesen und durfte wirklich in die Arme schließen, was ich ersehnte. – Ich hatte mich nach den Leidenschaftsnotizen jener Zeit im Stillen schon umgesehen in Hinsicht auf die Passion der Mut-em-enet, für deren ratlose Heimgesuchtheit ich zum Teil werde darauf zurückgreifen können. Auch stieß ich wieder auf die erste Notiz zu dem Plan, der hinter dem «Joseph» steht, der Faust-Novelle.
Das K. H.-Erlebnis war reifer, überlegener, glücklicher. Aber ein Überwältigtsein wie es aus bestimmten Lauten der Aufzeichnungen aus der P. E.-Zeit spricht, dieses «Ich liebe dich – mein Gott, – ich liebe dich!», – einen Rausch, wie er angedeutet ist in dem Gedicht-Fragment: «O horch, Musik! An meinem Ohr weht wonnevoll ein Schauer hin von Klang –» hat es doch nur einmal – wie es sich wohl gehört – in meinem Leben gegeben. Die frühen A. M.- und W. T.-Erlebnisse treten weit dagegen ins Kindliche zurück, und das mit K. H. war ein spätes Glück mit dem Charakter lebensgütiger Erfüllung, aber doch schon ohne die jugendliche Intensität des Gefühls, das Himmelhochjauchzende und tief Erschütterte jener zentralen Herzenserfahrung meiner 25 Jahre. So ist es wohl menschlich regelrecht, und kraft dieser Normalität kann ich mein Leben stärker ins Kanonische eingeordnet empfinden, als durch Ehe und Kinder. –

Tagebuch, 6. Mai 1934

Ostseebad Rauschen 1929

Im Ostseebad Rauschen, Sommer 1929

In Bad Rauschen arbeitete Thomas Mann an der Novelle «Mario und der Zauberer». Er verschmilzt darin Eindrücke seines Aufenthalts auf Sylt (1927) mit Erinnerungen an den alten Zauberer von Forte dei Marmi (1926). «Mario und der Zauberer» wendet die Venedig-Novelle ins Grotesk-Bösartige. Alle Motive sind da: Ganymed, der Liebeszauber, die Lähmung, die Unfähigkeit zur Abreise, der Verlust der Willensfreiheit, das Intoxikationsmotiv, «Behexung», Enthemmung, Verruchtheit. Alles ist krasser als im «Tod in Venedig». Der Junge wehrt sich mit der Waffe gegen den alten Zauberer und dessen hypnotische Gewalt. Der individual-psychologische Vorgang wird ins Politische erweitert: die Gewalt des Zauberers wird zur Demagogie, zur Volksbehexung.

Mario und der Zauberer

Aber zufrieden bin ich es doch, daß zu den Stegreifleistungen, vor denen bisher der Roman zurücktreten mußte, auch eine selbständige Erzählung gehört. Ich meine das «tragische Reiseerlebnis» ‹Mario und der Zauberer›, – und mechanischeren Ursachen hat wohl selten etwas – ich will es hoffen – Lebendiges seine Entstehung zu danken gehabt. Einmütig gewöhnt, keinen Sommer ohne einen Aufenthalt am Meere vorübergehen zu lassen, verbrachten wir, meine Frau und ich, mit den jüngsten Kindern im Jahre 1929 den August in dem samländischen Ostseebad Rauschen, eine Wahl, die durch ostpreußische Wünsche, besonders eine oft erneuerte Einladung des Königsberger Goethebundes, bestimmt gewesen war. Auf dieser bequemen, aber weitläufigen Reise das angeschwollene Material, das unabgeschriebene Manuskript des ‹Joseph› mitzuschleppen, empfahl sich nicht sehr. Da ich mich aber auf beschäftigungslose ‹Erholung› durchaus nicht verstehe und eher Nachteil als Nutzen davon erfahre, beschloß ich, meine Vormittage mit der leichten Ausführung einer Anekdote zu füllen, deren Idee auf eine frühere Ferienreise, einen Aufenthalt in Forte dei Marmi bei Viareggio und dort empfangene Eindrücke zurückging: mit einer Arbeit also, zu der es keines Apparates bedurfte und die im bequemsten Sinn des Wortes ‹aus der Luft gegriffen› werden konnte. Ich begann, die gewohnten Frühstunden hindurch auf meinem Zimmer zu schreiben, aber die Beunruhigung, die das Versäumnis des Meeres mir erregte, schien meiner Tätigkeit wenig zuträglich. Ich glaubte nicht, daß ich im Freien arbeiten könnte. Ich muß ein Dach dabei über dem Kopf haben, damit der Gedanke nicht träumerisch evaporiert. Das Dilemma war schwer. Nur das Meer hatte es zeitigen können, und glücklicherweise erwies sich, daß seine besondere Natur auch vermögend war, es aufzuheben. Ich ließ mich bereden, meine Schreiberei an den Strand zu verlegen. Ich rückte den Sitzkorb nah an den Saum des Wassers, das voll von Badenden war, und so, auf den Knien kritzelnd, den offenen Horizont vor Augen, der immerfort von Wandelnden überschnitten wurde, mitten unter genießenden Menschen, besucht von nackten Kindern, die nach meinen Bleistiften griffen, ließ ich es geschehen, daß mir aus der Anekdote die Fabel, aus lockerer Mitteilsamkeit die geistige Erzählung, aus dem Privaten das Ethisch-Symbolische unversehens erwuchs, – während immerfort ein glückliches Staunen darüber mich erfüllte, wie doch das Meer jede menschliche Störung zu absorbieren und in seine geliebte Ungeheuerlichkeit aufzulösen vermag.

Lebensabriß (XI, 139 f.)

Forte dei Marmi
In diesem Hotel hatte sich Thomas Mann im Sommer 1926 aufgehalten.

Besonders dankbar bin ich Ihnen dafür, daß Sie meinen Willen zur Gerechtigkeit anerkennen und keine Gehässigkeit gegen Italien und das Italienische in der Geschichte finden. Etwas Kritisch-Ideelles, Moralisch-Politisches ist mir freilich im Lauf der Erzählung aus dem Privaten und zunächst Unbedeutenden erwachsen, was eine bestimmte Abneigung erkennen läßt und der anfangs nur irritierenden Atmosphäre zuletzt den unheimlichen und explosiven Charakter gibt. Da es Sie interessiert: Der «Zauberkünstler» war da und benahm sich genau, wie ich es geschildert habe. Erfunden ist nur der letale Ausgang: In Wirklichkeit lief Mario nach dem Kuß in komischer Beschämung weg und war am nächsten Tage, als er uns wieder den Thee servierte, höchst vergnügt und voll sachlicher Anerkennung für die Arbeit «Cipolla's». Es ging eben im Leben weniger leidenschaftlich zu, als nachher bei mir. Mario liebte nicht wirklich, und der streitbare Junge im Parterre war nicht sein glücklicherer Nebenbuhler. Die Schüsse aber sind nicht einmal meine Erfindung: Als ich von dem Abend hier erzählte, sagte meine älteste Tochter: «Ich hätte mich nicht gewundert, wenn er ihn niedergeschossen hätte.» Erst von diesem Augenblick war das Erlebte eine Novelle, und um sie auszuführen, brauchte ich das Atmosphäre gebende anekdotische Detail vorher, – ich hätte sonst keinen Antrieb gehabt, davon zu erzählen, und wenn Sie sagen: ohne den Hotelier hätte ich Cipolla am Leben gelassen, so ist die Wahrheit eigentlich das Umgekehrte: um Cipolla töten zu können, brauchte ich den Hotelier – und das übrige vorbereitende Ärgernis. Weder Fuggerio noch der zornige Herr am Strande, noch die Fürstin hätten sonst das Licht der Literatur erblickt.

An Otto Hoerth, 12. Juni 1930

Nidden auf der Kurischen Nehrung

Sommer 1930 in Nidden
Katja und Thomas Mann mit Elisabeth, Michael und zwei fremden Kindern vor ihrem Sommerhaus. Auf der Bank: Monika Mann.

Zur sommerlichen Heimat ist mir ja auch, seit Jahren nun schon, die Kurische Nehrung geworden, insbesondere Nidden, wo ich mein Sommerhaus gebaut habe, aus Gründen, die ich ein paarmal schon auf Befragen öffentlich einbekannt habe. Für die eigentümliche Großartigkeit der Dünen-, Heide- und Meereslandschaft von Nidden wird jeder zeugen, der sie einmal gesehen hat.

Ein schönes Fleckchen Erde (XI, 426)

Strand von Nidden

Sommeraufenthalt 1930 in Nidden
Ankunft: Thomas Mann und seine Frau Katja in der Kutsche mit den Kindern Elisabeth, Monika und Michael.

Auf der Hausterrasse in Nidden
Thomas Mann, Hans Reisiger, Katja Mann, Michael, Elisabeth, Monika.

Am Strand von Nidden
Von links: Ilse Dernburg, die Kinder Elisabeth, Michael, Golo, Katja Mann, Monika, Thomas Mann.

Deutsche Ansprache. Ein Appell an die Vernunft

Thomas Mann hatte die Nationalsozialisten seit den frühesten Auftritten Hitlers beobachtet. In München war dazu Gelegenheit genug. Gegen das Ende der zwanziger Jahre setzte er sich immer entschiedener für eine Allianz von Bürgertum und Sozialdemokratie gegen die Nazis ein. Im Aufsatz «Kultur und Sozialismus» (1928) verlangte er einen «Pakt der konservativen Kulturidee mit dem revolutionären Gesellschaftsgedanken» – und traute damit der vermittelnden Kraft seines Idealismus mehr zu, als ihr politisch zugestanden werden konnte. Deutlicher war der Appell an die Vernunft in der «Deutschen Ansprache» von 1930, noch konkreter die «Rede vor Arbeitern in Wien» von 1932. Mitte Januar 1933 sagte Thomas Mann eine Rede vor dem sozialistischen Kulturbund in Berlin ab. Als Kultusminister Grimme insistierte, schrieb er ihm einen langen Brief; Teile daraus wurden an der Veranstaltung von Grimme vorgelesen, der Brief erschien unter dem (nicht von Thomas Mann gewählten) Titel «Bekenntnis zum Sozialismus».

Deutsche Ansprache, Berlin 1930
Am 17. Oktober 1930 hielt Thomas Mann im Beethovensaal in Berlin die «Deutsche Ansprache», in der er vor den aufkommenden Gefahren des Nationalsozialismus warnte. Nationalsozialisten, von Arnolt Bronnen angeführt, versuchten den Vortrag zu stören. Die NS-Presse veröffentlichte das Bild mit den abgewandten Zuhörern unter dem Titel «Thomas Mann hält einen Vortrag». In Wirklichkeit verhielt es sich so, daß das aufgebrachte Publikum zusah, wie die Störer durch die Polizei vertrieben wurden.

Völkischer Beobachter, Berliner Ausgabe, 20. Oktober 1930

Die Wandlungen des Thomas Mann

Vom Übernationalisten zum Sozialdemokraten.

Berlin, 18. Oktober.

Der Dichter Thomas Mann, der ganz früher sich als Nationalist gebärdete und später zur Flagge der demokratischen Partei schwur, veranstaltete gestern im Beethovensaal einen Vortrag, um in dessen Verlauf sein Überschwenken zur Sozialdemokratie zu verkünden. Unter geschwollenen, teilweise unverständlichen Phrasen und Schimpfereien gegen den Nationalsozialismus hielt er eine marxistische Werberede, die in der Mahnung gipfelte, das Bürgertum müsse mit der Sozialdemokratie stets „einig Hand in Hand“ gehen (offenbar unter jüdischer Oberleitung!). Ein Teil des Publikums war mit diesen Ausführungen des ehemaligen Übernationalisten nicht einverstanden und gab dem auch durch entsprechende Mißfallensäußerungen mehrfach Ausdruck. Darauf ließ Herr Thomas Mann die Polizei kommen, die mehrfach im Saale erschien und die Zurufer entfernte. Nur mit Mühe konnte Mann schließlich unter Polizeieskorte den Vortrag vor halb leerem Saale zu Ende führen.

Herr Thomas Mann, der bekanntlich deutsche Frontsoldaten als „Fliegertröpfe“ zu beschimpfen wagte, ist also glücklich dort gelandet, wo er hingehört. Wir müssen gestehen, daß uns da sogar sein Bruder Heinrich Mann immer noch sympathischer ist, der wenigstens immer schon zur Internationale geschworen hat.

… EIN TRAURIGER FALL

Am Freitag abend sprach Thomas Mann, einst betont unpolitischer Denker und Dichter, einst Bekenner der Romantik, Nachfolger Nietzsches, über bürgerliche Besinnung. Er sprach im gefüllten Beethoven-Saal zu einem Publikum, das ihn als Protagonisten seiner Welt beansprucht, bejubelt und verteidigt. Dieser feine Lübecker Schriftsteller, einst sublimste Aesthet und Ironiker, springt in die Arena, in der es nach Chypre duftet, wo ein vom internationalen Golde genährtes luxuriöses Allerweltsbürgertum durch seine bloße Existenz, durch seine Gesichter und seine Haltung allein schon den Begriff erledigt, den Thomas Mann leidenschaftlich, aber leider völlig instinktlos, «augenlos» verteidigt.

Thomas Mann findet, daß die Rechtfertigung der Kunst, als einer «spielend-leidenschaftlichen Vertiefung» ins Leben, versage in Stunden krisenhafter Bedrängnis wie heute. Es kommt auf die «Kunst» an, die sich dann nicht rechtfertigen ließe, wenn die Not das Volk aufwühlt. (Es ist nicht anzunehmen, daß Stefan George etwa seine Kunst gerade heute als nicht gerechtfertigt empfindet.) Thomas Mann also fühlt sich gelegentlich seines Berliner Aufenthaltes gedrängt (– von sich allein oder auch von geschäftigen Bewunderern?), die politische Bühne zu betreten, gegen das Wahlergebnis des 14. September und für ein Bündnis des deutschen Bürgertums mit der Sozialdemokratie, die gar nicht «marxistisch» sei, wie er beschwörend versichert, zu demonstrieren. Man weiß, was er dazu zu sagen hat: Die geistigen Grundströme des neuen Nationalismus, das «Mütterliche», bluthaft Leidenschaftliche, «Dionysische» meint er wohl im Sinne des einst so verehrten Nietzsche, sind ihm die eigentlichen Bedrohungen bürgerlich gesitteter Existenz. Thomas Mann kann aus seiner Stellung, Haltung, Geistigkeit, Morbidheit und völlig volks- und erdfremden Gebundenheit an diese weltstädtische Intellektualität diese tiefen, dunklen, religiösen und deshalb heldisch-unbürgerlichen Ströme nicht verstehen.

Wir glauben seiner Biederkeit, die Dekadenceinstinkte mit Humanität verwechselt, daß er den Nationalismus der deutschen Jugend nicht kränken will, wie er versichert. Aber sollte er wirklich nicht merken, wem er dient, wenn er vor diesem Parkett den Nationalsozialismus in seinen geistigen und vor allem seelischen und blutmäßigen Voraussetzungen befehdet?

Merkt er nicht, daß diese eleganten Leute aus Berlin W., die wütend jeden Widerspruch im Saale mit empörten Rufen nach der Polizei zu ersticken suchen (die Polizei griff auch unter den Augen des Kultusministers Grimme ein) – merkt Thomas Mann nicht, daß hier ja gar nicht das deutsche Bürgertum sitzt? Das alte Bürgertum, das er zu verteidigen meint, duldet, leidet, verarmt, stirbt anscheinend ab. Er kennt es ja gar nicht. Er sieht es ja gar nicht. Er sieht nur glitzernde «Geist-» und Goldoberfläche einer zerfallenden Gesellschaft. Er vergißt, daß das deutsche Volk sich aus dem Bauerntum, aus dem Bauernblut aufbaut und daß aus diesem noch nicht dekadenten Blut allein die Rettung Deutschlands kommen kann. Der Fall Thomas Mann ist ein trauriger Fall. Ein blamabler Fall. Ein erledigter Fall.

Curt Hotzel, Thomas Mann ‹politisch›, Deutsche Tageszeitung, 18. Oktober 1930

Skandal um Thomas Mann

Störungsversuche Jugendlicher im Beethovensaal. „Der Appell an Vernunft und Einigkeit in ernster Stunde." — Arnolt Bronnen als Zwischenrufer.

Der Beethovensaal war gestern abend während der „Deutschen Ansprache", die Thomas Mann vor einem zahlreichen Publikum hielt, Schauplatz rüpelhafter Störungsversuche einiger Fanitiker, die zweifellos mit dem festen Vorsatz, die ernste Veranstaltung unter allen Umständen unmöglich zu machen, gekommen waren. Man arbeitete wie immer mit verteilten Rollen, wenn der Eine niedergebrüllt war, fing der Andere auf die gleiche Weise an, sich bemerkbar zu machen.

Von Anfang an war die Stimmung im Saal ungeheuer nervös. Thomas Mann betrat fast auf die Minute das Pult und begann. Seine Stimme war etwas müde und heiser, er sprach nicht leicht verständlich. Die ersten Zurufe begannen mit „Lauter, bitte lauter!" Unbeirrt kam Thomas Mann bald auf den Kern seines Vortrages, die Darstellung der ernsten Lage, in der sich das deutsche Volk befindet. Die Krisen der Allgemeinheit erschüttern auch den Künstler, so war es vor sechzehn Jahren, als Deutschland in den Krieg zog, so war es vor zwölfen, als es zusammenbrach. Nun gehe eine neue Welle wirtschaftlicher Krisis über uns, das politische Denken der Masse sei in hohem Maße von seinem wirtschaftlichen Wohlbefinden abhängig. Nicht als Klassenmensch, nicht als Parteigänger möchte er sich mit den Erschienenen finden, „der Name, der voll Sorge und Liebe uns bindet, ist für alle nur einer: Deutschland!"

Thomas Mann kommt sehr bald auf den Nationalsozialismus zu sprechen. Nie hätte er als Nationalgesinnung die Macht gewinnen können, wenn nicht aus geistigen Quellen ihm Hilfe gekommen wäre, wenn nicht Germanistenromantik, Biedersinn, bündische Ideale und nordische Anbetung das Zuströmen pseudogeistiger Kreise verursacht hätten. Jetzt schon beteuert der Nationalsozialismus seine außenpolitische Unschuld und wendet sich nach innen in einem Haß auf alles, was Deutschlands geistiges Ansehen in der Welt ausmacht. Der Wunsch geht nach einem hackenzusammenschlagenden, strammstehenden Deutschland. Ist diese innere Gewalt-Blutreinigung möglich? Thomas Mann sagt nein, denn das deutsche Volk ist nicht radikalistisch in seinem Wesen. Der Fanatismus, den die Hitler und Frick predigen, sei nicht deutsch.

Nur ein Phantom erschwere dem deutschen Bürger die politische Orientierung, das Wort „Marxismus". Dabei gibt es keinen schärferen Gegensatz als den zwischen der deutschen Sozialdemokratie und dem kommunistischen Marxismus. Die Sozialdemokratie hat in der Zeit der Rheinlandbesetzung das Reich gerettet und das war nicht das erstemal. „Der politische Platz

des deutschen Bürgertums ist an der Seite der Sozialdemokratie!"

Zweimal kam es während der Rede zu derart störenden Zwischenfällen, daß Thomas Mann unterbrechen mußte. Die Besucher verlangten wütend die Entfernung der Störenfriede, unter denen sich als Zwischenrufer Arnolt Bronnen befand. Dann wurde von der Galerie noch einige Male erfolglos der Versuch gemacht, die Ausführungen zu unterbrechen.

Thomas Mann konnte sich für eine stürmische Vertrauenskundgebung bedanken, die ihm nach der ersten Unruhe zuteil wurde und mußte sich am Schluß oft dem Publikum zeigen. Unter den Anwesenden waren Kultusminister Grimme, Bruno Walter, Heinrich Mann und viele prominente Köpfe des deutschen Wirtschafts- und Geisteslebens.

Hermann Hacker.

Deutsche Tageszeitung, 18. Oktober 1930

Bronnen gibt zu Protokoll

Um etwaigen Störungs-Versuchen von vornherein zu begegnen, war die Veranstaltung sehr kurzfristig angesetzt worden. Ich rief also Ernst Jünger eilig an, und wir verabredeten uns zu fünft, er, Friedrich Georg Jünger, Edmund Schultz, Veit Roßkopf und ich, die Veranstaltung zu besuchen und dortselbst eine Diskussion zu entfachen. Wenige Stunden vor dem Vortrag erfuhr ich durch einen telephonischen Anruf, daß Goebbels zu meiner Unterstützung zwanzig SA-Männer in den Beethoven-Saal schicken werde. Ich war perplex, ich hatte Goebbels gar nichts von der Geschichte gesagt, weil ich ihm soviel Interesse für literarische Größen kaum zutraute, und bat den Adjutanten des Gauleiters – er selber war nicht erreichbar –, diese unglückliche Maßnahme zu stornieren. Aber Graf Schimmelmann erklärte mir, dies wäre ein Partei-Befehl, und überdies wären die Karten bereits gekauft, die Smokinge für die zwanzig SA-Mannen bereits gegen Kaution entliehen.

Ich ging etwas gedrückt in den überfüllten Beethoven-Saal, denn ich fürchtete, die SA-Rabauken würden wer weiß was für einen Zauber aufführen. Indessen geschah zunächst gar nichts, außer daß der Saal nervös und von einer gewissen Unaufmerksamkeit durchzuckt schien, was den offensichtlich gleichfalls nervösen Redner nicht zur vollen Entfaltung seiner Gaben gelangen ließ. So entstanden bald Pausen, in welche wir, vor allem Roßkopf mit seinem dröhnenden Organ, kurze Zwischenrufe einwarfen. Die Erregung wuchs. Alles wetzte auf den Sesseln herum. Schließlich war es so weit. Ein allerdings mächtiges «Oho» meines Nachbarn genügte, um einen wilden Krach ausbrechen zu lassen. Hunderte drehten sich herum, einige Besucher erkannten mich und nun brüllte man allerorten stürmisch nach der Polizei, damit diese für Ruhe sorge und die Ruhe-Störer hinausbefördere. Ich erhob mich, um gegen derartige Diskussions-Methoden zu protestieren. «Ein eigenartiges demokratisches Forum», krächzte ich, «das kein anderes Argument als die Polizei kennt!» Das verstärkte erst recht den Tumult. Man ging von allen Seiten auf mich los, Polizei kam in den Saal, Schützen-Reihen von Zuhörern und Polizisten preschten in drei, vier Reihen gleichzeitig gegen mich vor, der ich etwa in der Saal-Mitte stand. Fäuste und Gummi-Knüttel wurden geschwungen. In Erwartung von mancherlei Hartem vertauschte ich in aller Ruhe und Öffentlichkeit mein Monokel mit einer gewöhnlichen, kaum sichtbar bläulich gefärbten Schnee-Brille – woraus dann später die Legende von meiner Tarnung durch eine riesige blaue Brille entstand. Die Polizei forderte mich auf: «Kommen Sie unauffällig mit ...», ich protestierte, verschiedene Polizisten-Fäuste näherten sich mir, so folgte ich unter Protest und wiederholte auf der Treppe vor dem Saal meinen Protest. Ich verlangte energisch, wieder in den Saal gelassen zu werden, weil es das Recht jedes Besuchers wäre, in einer öffentlichen Versammlung Zwischenrufe zu machen. Schließlich erklärten die Herren von der Polizei, sie sähen in der Tat keinen Anlaß zum Einschreiten, und geleiteten mich zur Saal-Tür zurück.

Im Saal hatte sich inzwischen, trotz der Abwesenheit des Ruhe-Störers, die Ruhe-Störung weiter fortgesetzt, alle schrien gegen alle, und nur einundzwanzig Menschen waren ganz still: der Redner Thomas Mann, der wie verloren in der Brandung stand, und die zwanzig SA-Männer, die in ihren Leih-Smokingen saßen und Angst hatten, sie zu beschmutzen, da man ihnen unter fürchterlichen Drohungen eingeschärft hatte, sich nur geistig zu betätigen.

So wurde ich nur mehr Zeuge, wie Thomas Mann nervös und übereilt seine Rede beschloß.

Am nächsten Tage hagelte es Presse-Angriffe und parlamentarische Anfragen. Ich wurde als Führer eines literarischen Rollkommandos denunziert. Flesch ließ mich zu sich kommen und verlangte mein Ehren-Wort, daß ich mit diesem angeblichen Rollkommando nichts zu tun gehabt hätte. Ich erzählte ihm wahrheitsgetreu den Hergang, ich hatte erst nach der Veranstaltung von Schultz erfahren, daß die Kerle stur und stumm in der ersten Reihe des Balkons gesessen hatten, und ihre Scheu vor der Literatur war kaum geringer gewesen als die der Literatur vor ihnen. Flesch war ehrlich betrübt über mich und ich über ihn.

Arnolt Bronnen gibt zu Protokoll, Hamburg 1954

Die Brüder Heinrich und Thomas Mann in Berlin, 1930

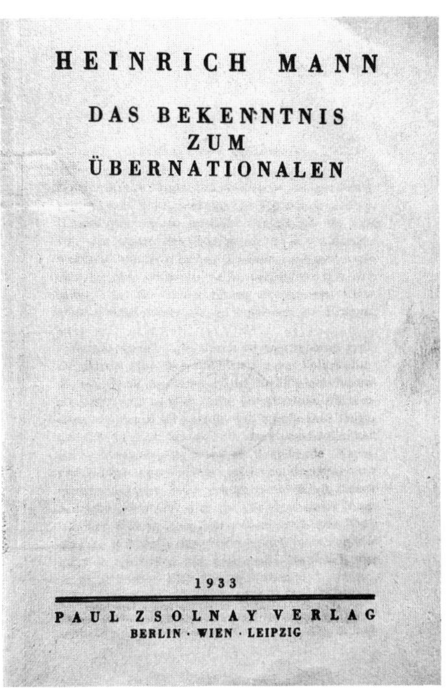

HEINRICH MANN

DAS BEKENNTNIS
ZUM
ÜBERNATIONALEN

1933

PAUL ZSOLNAY VERLAG
BERLIN · WIEN · LEIPZIG

Von Heinrich Mann erschien, noch 1932 zum Druck bereitgestellt, das «Bekenntnis zum Übernationalen». Die beiden Brüder hatten die Zeichen der Zeit erkannt – zu spät.

THOMAS MANNS REDE VON 1932

Wie heute alles liegt, sage ich, ist es für den geistigen, den Kulturmenschen eine falsche und lebenswidrige Haltung, auf die soziale, die politisch-gesellschaftliche Sphäre hochmütig herabzublicken und sie als zweiten Ranges zu bezeichnen im Verhältnis zur Welt der Innerlichkeit, der Metaphysik, des Religiösen und so weiter. Diese wertvergleichende Gegeneinanderstellung der persönlich innerlichen Welt und der gesellschaftlichen, die Kontrastierung also von Metaphysik und Sozialismus, wobei dieser als unfromm, unheilig und materialistisch, als ein Wille zum Termitenglück herausgestellt wird, ist heute nicht erlaubt. Es ist nicht erlaubt, in einer Welt, so widergöttlich und vernunftverlassen, wie die unsere es ist, dem Willen zum Besseren das Metaphysische, Innerliche, Religiöse als das Überlegene entgegenzustellen. Das Politische und Soziale ist ein Bereich des Humanen. Das humane Interesse, die humane Leidenschaft, das Gebundensein an das Problem des Menschen, die Sympathie mit seinem Los, dem Rätsel seines Daseins, dem Geheimnis seiner Stellung im All, seiner Vergangenheit und Zukunft, dieses Interesse und diese Leidenschaft umfaßt beide Bereiche, das des Persönlich-Innerlichen sowohl wie die äußerliche Ordnung menschlichen Zusammenlebens.

Rede vor Arbeitern in Wien, 2. Oktober 1932 (XI, 895 f.)

Das Goethejahr 1932

KAMPF GEGEN DIE BARBAREI …

Ursprünglich hatte Thomas Mann geplant, auf Goethes 100. Todestag ein Buch über ihn zu schreiben. Er verzichtete schließlich darauf, hielt aber 1932 im ganzen Land herum den Vortrag «Goethe als Repräsentant des bürgerlichen Zeitalters». Der Vortrag war nicht zuletzt ein Versuch, die sich allenthalben immer unverfrorener gebende nationalsozialistische Barbarei in Schach zu halten.

Goethe als Repräsentant des bürgerlichen Zeitalters
Festvortrag in der Preußischen Akademie der Künste in Berlin am 18. März 1932.
Unter den Zuhörern, vierter von links: Heinrich Mann

GOETHE

ALS REPRÄSENTANT
DES BÜRGERLICHEN ZEITALTERS

REDE ZUM 100. TODESTAG GOETHES
GEHALTEN AM 18. MÄRZ 1932
IN DER PREUSSISCHEN AKADEMIE DER
KÜNSTE ZU BERLIN
VON

THOMAS MANN
M·D·A

S. FISCHER VERLAG / BERLIN

Karikatur im «Völkischen Beobachter», 16. Februar 1932

Ansprache bei der Einweihung des erweiterten Goethe-Museums in Frankfurt am Main, 14. Mai 1932

Rivalitäten im Schatten Goethes

Hauptmann
Photographie, etwa 1927

Goethe
Lithographie von C. de Laste nach einer Kreidezeichnung von Ferdinand Jagemann, 1817

Nun fiel Goethes 100. Todestag mit Hauptmanns 70. Geburtstag zusammen. Während des ganzen Jahres wurden die Goethe-Feiern zu Hauptmann-Feiern. Es gab keinen Anlaß, an dem Hauptmann nicht mit Goethe verglichen worden wäre.

Thomas Mann fühlte sich durch Hauptmanns Allgegenwart zutiefst gestört. Schon immer hatte er den andern um seine stupende Fruchtbarkeit und seine Popularität beneidet. Die Peeperkorn-Figur hatte er in die Nachfolge Goethes gestellt: Peeperkorn ist eine königliche Persönlichkeit, voller Lebenskraft, eine Naturgewalt, ein Heidenpriester. Aber gleichzeitig hat dieser Peeperkorn etwas «Attrappenhaftes». Seine Augen sind keine Sternenaugen; sie sind wäßrig-matt und liegen erst noch zu nahe beisammen. Kommt dazu Peeperkorns Un-Sprache. Wo blieb da das Format? Wo blieb da die Goethe-Ähnlichkeit? Bewunderung und Neid, Staunen und Rachsucht liegen nahe beieinander.

Was es mit Thomas Manns «imitatio Goethe's» auf sich hatte, erfuhr die Welt nicht 1932, sondern erst einige Jahre später, in «Freud und die Zukunft» und im Goethe-Roman.

DER GROSSE VORDERMANN

In späteren Jahren ist Hauptmanns Ähnlichkeit mit dem alten Goethe in der Tat frappant, und beim Studium der Totenmaske wird man unwillkürlich an Goethe erinnert.
Der Dichter selbst machte keine Anstrengungen, diese physische Annäherung zu verbergen; im Gegenteil, er hob sie noch hervor, indem er seine Kleidung der Goetheschen anpaßte. [...]
Seiner großen Bewunderung für den Altmeister hat Hauptmann häufig Ausdruck verliehen; nie hat er gezögert, dem großen ‹Vordermann› für empfangene Anregungen rückhaltlosen Dank zu zollen. So legt er im Vorwort zur Erstveröffentlichung seiner ‹Iphigenie in Delphi› offen dar, daß die von Goethe in seiner ‹Italienischen Reise› für ein ähnliches Drama skizzierten Pläne ihn zu seinem Werke bestimmt hätten. «Ich hoffe», so setzt er voller Rechtfertigung hinzu, «daß niemand in dieser Tatsache den Gedanken des Wetteifers mit dem ingenium divinum Goethes oder Mangel an Ehrfurcht vor ihm vermuten wird. Stoffe wie dieser waren vor zweitausend Jahren schon alt und sind bereits damals dramatisch gestaltet worden: es ist doch wohl nichts dagegen zu sagen, wenn sie auch hundert und mehr Jahre nach Goethe noch ihre Anziehungskraft auf die Phantasie eines Dramatikers ausüben!»

Siegfried H. Muller, Gerhart Hauptmann und Goethe, Goslar 1950

Carl Zuckmayer schreibt 1966 in seiner Autobiographie:

Man sprach oft fälschlich von seinem ‹Goethekopf› – ich glaube, Goethe sah ganz anders aus. Bei aller klassischen Schönheit seiner Züge hatte Hauptmann etwas von einem Rübezahl, einem Elementargeist, auch von einem apostolischen Märtyrer, der dem Rost und den Pfeilen entgangen war, sie aber schon verspürt hatte – von einem antiken Dämon, der seine Schatten mit Menschenblut nährt, einem stets von mystischen Wolken umbrodelten Magus, einem tragischen Dionysos – und noch dazu ein wenig von einem Schmierendirektor. Dieser letztere Zug war vielleicht sein menschlichster, sein liebenswertester, sein naivster, sein persönlichster, sein unvergeßlichster; denn er entsprang ganz und gar seiner ursprünglichen Natur und seiner durch keine intellektuellen Anstrengungen zu brechenden großartigen Einfalt. Wenn er so daherkam, zu einer Premiere, zu einer Feier, zu einer Zusammenkunft unter Freunden, war um ihn eine unprätentiöse Würde, aber auch immer, speziell zu später Nachtstunde, ein Hauch von jenem Hassenreuter aus den ‹Ratten›, auch eine Lust an dessen Habitus, Humor und Redensarten, wohinter er, was eigentlich in ihm vorging und ihn beschäftigte, mit souveräner Schauspielerei verbarg.

Carl Zuckmayer, Als wär's ein Stück von mir

Ich sei, gewährt mir die Bitte, in eurem Bunde der Dritte
Photomontage, domino, Zürich 1953, Nr. 1, S. 5.

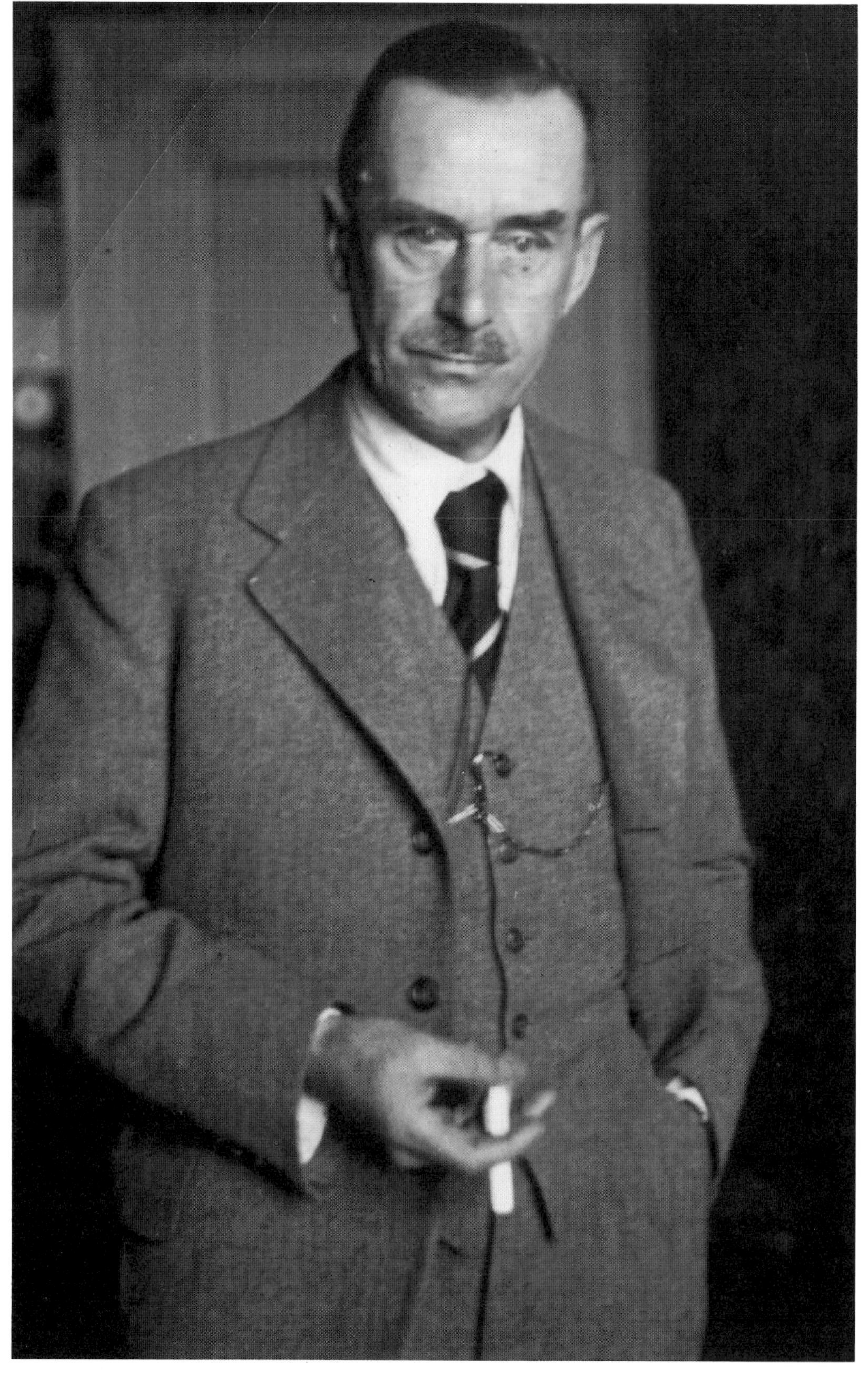

Thomas Mann, um 1933

1933–1938

Gegen den Nationalsozialismus Schweizer Exil

Die neuen Herren
Die Vertreibung
In Sanary-sur-Mer
In Küsnacht
Die Ausbürgerung
«Maß und Wert»
Das Münchner Abkommen

Die neuen Herren

Der Reichstagsbrand in der Nacht vom 27. Februar 1933

Die Schuld am Reichstagsbrand wurde von den neuen Machthabern den Kommunisten zugeschoben.

Am 30. Januar 1933 wurde Hitler zum Reichskanzler ernannt. Bald begannen sich die Ereignisse zu jagen. Am 27. Februar brannte der Reichstag, am 10. Mai fanden in ganz Deutschland die Bücherverbrennungen statt, am 30. Juni 1934 wurde Röhm ermordet und damit die SA entmachtet, am 2. August 1934 starb Hindenburg, und Reichskanzler Hitler wurde zusätzlich Reichspräsident – Aufrüstung, Autobahnen, Kraft durch Freude, Hitlerjugend, die Olympiade von 1936, Presse- und Radiorummel. Die ersten Gerüchte über Judenverfolgungen und Konzentrationslager kamen auf, am 9. November 1938, in der «Kristallnacht», brannten die Synagogen. Im März 1938 folgte der Einmarsch nach Österreich, im Oktober der Einmarsch in die Tschechoslowakei, im September 1939 der Angriff auf Polen, im Mai 1940 der Überfall auf Holland, Belgien und Frankreich und damit der Beginn des Zweiten Weltkriegs.

Plakat zur Reichstagswahl am 5. März 1933

Der Reichstag in Flammen!

Von Kommunisten in Brand gesteckt!

So würde das ganze Land aussehen, wenn der Kommunismus und die mit ihm verbündete Sozialdemokratie auch nur auf ein paar Monate an die Macht kämen!

Brave Bürger als Geiseln an die Wand gestellt! Den Bauern den roten Hahn aufs Dach gesetzt!

Wie ein Aufschrei muß es durch Deutschland gehen:

Zerstampft den Kommunismus! Zerschmettert die Sozialdemokratie!

Die neuen Herren
Am 9. November 1933 marschierten Hitler und die Seinen zur Feier des Putsches von 1923 durch München.

Hitler und seine Genossen am «Deutschen Tag» in Naumburg, September 1923

Die Vertreibung

Thomas Mann arbeitete den ganzen Januar 1933 an der Rede «Leiden und Größe Richard Wagners». Er tat es unter Zeitdruck, erschöpft «durch Grippe und Überarbeitung», wie er an Grimme schrieb. Der Essay schwoll auf siebzig Seiten an, am 30. Januar 1933, dem Tag der Machtübernahme durch Hitler, war der Vortrag fertig. Thomas Mann hielt ihn in München, Amsterdam, Brüssel und Paris. Bereits der Brüsseler Vortrag wurde am 17. Februar vom «Völkischen Beobachter» bissig kommentiert: «Herr Thomas Mann, seines Zeichens Schriftsteller und Sozialdemokrat, wird in Brüssel von der belgischen Presse begeistert als ‹großer Europäer› begrüßt.» In Paris traf überraschend Heinrich ein. Er war nach turbulenter Sitzung aus der Preußischen Akademie der Künste ausgestoßen worden und unverzüglich über Straßburg nach Paris geflohen.

Thomas Mann begab sich mit Katja, wie es vorgesehen war, nach Arosa zur Erholung. Er sollte nicht mehr nach München zurückkehren. Die Emigration hatte für ihn begonnen, ohne daß er ausgewandert war.

Dringender Appell!

Die Vernichtung aller persönlichen und politischen Freiheit

in Deutschland steht unmittelbar bevor, wenn es nicht in letzter Minute gelingt, unbeschadet von Prinzipiengegensätzen alle Kräfte zusammenzufassen, die in der Ablehnung des Faschismus einig sind. Die nächste Gelegenheit dazu ist der 31. Juli. Es gilt, diese Gelegenheit zu nutzen und endlich einen Schritt zu tun zum

Aufbau einer einheitlichen Arbeiterfront,

die nicht nur für die parlamentarische, sondern auch für die weitere Abwehr notwendig sein wird. Wir richten an jeden, der diese Überzeugung mit uns teilt, den dringenden Appell, zu helfen, daß

ein Zusammengehen der SPD und KPD für diesen Wahlkampf

zustande kommt, am besten in der Form gemeinsamer Kandidatenlisten, mindestens jedoch in der Form von Listenverbindung. Insbesondere in den großen Arbeiterorganisationen, nicht nur in den Parteien, kommt es darauf an, hierzu allen erdenklichen Einfluß aufzubieten. Sorgen wir dafür, daß nicht Trägheit der Natur und Feigheit des Herzens uns in die Barbarei versinken lassen!

Chi-yin Chen / Willi Eichler / Albert Einstein / Karl Emonts / Anton Erkelenz / Hellmuth Falkenfeld / Kurt Großmann / E. J. Gumbel / Walter Hammer / Theodor Hartwig / Vitus Heller / Kurt Hiller / Maria Hodann Hanns-Erich Kaminski / Erich Kästner / Karl Kollwitz / Käthe Kollwitz Arthur Kronfeld / E. Lanti / Otto Lehmann-Rußbüldt / Heinrich Mann Pietro Nenni / Paul Oestreich / Franz Oppenheimer / Theodor Plivier Freiherr von Schoenaich / August Siemsen / Minna Specht / Helene Stöcker / Ernst Toller / Graf Emil Wedel / Erich Zeigner / Arnold Zweig

Flugblatt zu den Reichstagswahlen vom 31. Juli 1932
Heinrich Mann und Käthe Kollwitz hatten das Flugblatt schon im Sommer 1932 unterzeichnet. Es wurde im Februar 1933 nochmals abgedruckt und diente der Akademie als Anlaß, die beiden Künstler auszuschließen. Heinrich floh am 21. Februar 1933 nach Frankreich.

Akademie-Präsident Max von Schillings ließ Mitte März eine von Benn verfaßte Umfrage an die Mitglieder der Sektion für Dichtkunst verschicken:

Sind Sie bereit, unter Anerkennung der veränderten geschichtlichen Lage weiter Ihre Person der Preußischen Akademie der Künste zur Verfügung zu stellen? Eine Bejahung dieser Frage schließt die öffentliche politische Betätigung gegen die Regierung aus und verpflichtet Sie zu einer loyalen Mitarbeit an den satzungsgemäß der Akademie zufallenden nationalen kulturellen Aufgaben im Sinn der veränderten geschichtlichen Lage.

Nationalsozialistische Karikatur zu den Ereignissen in der Akademie
Thomas Mann, Ricarda Huch, Alfred Döblin, Ludwig Fulda und Heinrich Mann.

Der Umbruch an der Preußischen Akademie der Künste

Ricarda Huch

Alfred Döblin

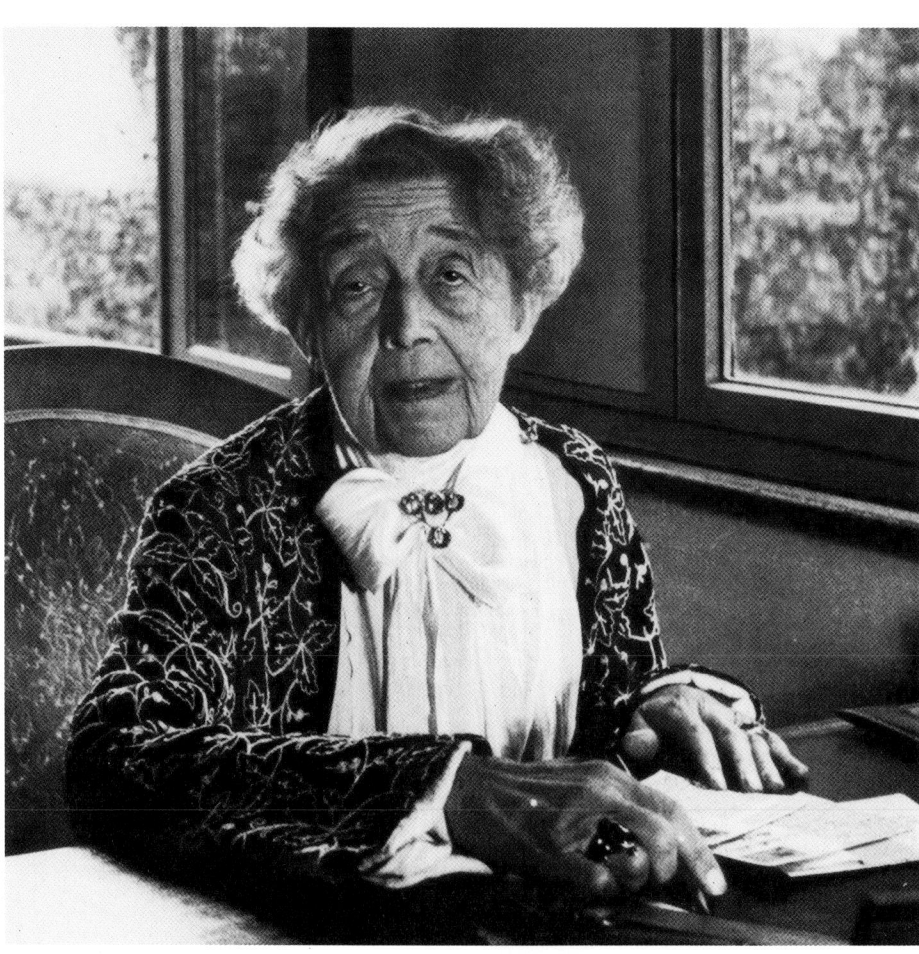

Aus der Akademie schieden aus:
Heinrich Mann (Präsident der Sektion)
Alfred Döblin
Leonhard Frank
Ludwig Fulda
Georg Kaiser
Bernhard Kellermann
Thomas Mann
Alfred Mombert
Alfons Paquet
Rudolf Pannwitz
René Schickele
Fritz von Unruh
Jakob Wassermann
Franz Werfel

Ludwig Fulda

Gottfried Benn

Rudolf G. Binding

Erwin Guido Kolbenheyer

Folgende Schriftsteller blieben in der Akademie oder wurden neu zugewählt:

Gottfried Benn
Rudolf G. Binding
Hans Friedrich Blunck
Hans Carossa
Paul Ernst
Gustav Frenssen
Hans Grimm
Gerhart Hauptmann
Hanns Johst
Erwin Guido Kolbenheyer
Agnes Miegel
Börries von Münchhausen
Josef Ponten
Wilhelm Schäfer
Jakob Schaffner
Will Vesper

Thomas Manns Zusammenbruch

Am 17. März trat Thomas Mann aus der Akademie der Künste aus. Dann brach er zusammen. «Nach dem Erwachen zunehmender Erregungs- und Verzagtheitszustand, krisenhaft, von 8 Uhr an unter K's Beistand. Schreckliche Excitation, Ratlosigkeit, Muskelzittern, fast Schüttelfrost u. Furcht, die vernünftige Besinnung zu verlieren.» (18. März 1933) So geht es weiter, über Tage und Wochen hin, in Arosa und auf der Lenzerheide zunächst, dann in Montagnola und Lugano. Hier hält Thomas Mann nach Mitte April den «Protest der Richard-Wagner-Stadt München» in Händen, in dem Münchner Persönlichkeiten, darunter Pfitzner, Knappertsbusch und Richard Strauss, sich von Thomas Manns Wagner-Vortrag distanzieren. Die Zeichen waren klar: Die nazistische Kulturpropaganda hatte Wagner annektiert. Wer noch Kritisches gegen ihn vorbrachte, war ein Feind der Nation. Thomas Mann war vom kulturellen Leben seines Landes ausgeschlossen.

Aus dem Tagebuch

Ich notiere meine Antwort an Schillings: «Den mir vorgelegten Revers kann ich in der gewünschten Form nicht beantworten. Ich habe nicht im Geringsten die Absicht, gegen die Regierung zu wirken und der deutschen Kultur glaube ich immer gedient zu haben, werde auch in Zukunft versuchen, es zu tun. Es ist aber mein Entschluß, von meinem Leben alles Amtliche abzustreifen, das sich im Lauf der Jahre daran gehängt hat, und fortan in vollkommener Zurückgezogenheit meinen persönlichen Aufgaben zu leben. Darum bitte ich Sie, s. v. Herr Pr., von meinem Austritt aus der S. f. D. d. Pr. Akademie Kenntnis zu nehmen.»

Lenzerheide, 19. März 1933

Die sonderbare Erscheinung der eingebildeten «Geschichte», gegenstandslose Siegesfeier mit Glocken, Te Deum, Fahnen u. Schulfeiern ins Blaue hinein, nach Volks- oder Regierungs- oder Partei-Beschluß. Wer ist besiegt? Der innere Feind, – der es immerhin geleistet hat, daß die Erhebung vor sich gehen kann. Närrisch. Aber wäre es nichts weiter und nicht mit soviel gemeiner, mörderischer Bösartigkeit verquickt.

Lenzerheide, 21. März 1933

Unerschöpfliches, nicht abzuschließendes Gespräch über den verbrecherischen und ekelhaften Wahnsinn, die sadistischen Krankheitstypen der Machthaber, die mit Mitteln von verrückter Schamlosigkeit ihr Ziel absoluter, unkritisierbarer Herrschaft erreicht ... Zwei Möglichkeiten des Sturzes: Die finanzielle Katastrophe oder eine außenpolitische Konflagration. Innige Sehnsucht danach, bereit zu jedem Opfer, jeder Mitleidenschaft. Durch keinen Ruin ist der Ruin dieses Abschaums der Gemeinheit zu hoch bezahlt! Es war den Deutschen vorbehalten, eine Revolution nie gesehener Art zu veranstalten: Ohne Idee, gegen die Idee, gegen alles Höhere, Bessere, Anständige, gegen die Freiheit, die Wahrheit, das Recht. Es ist menschlich nie etwas Ähnliches vorgekommen. Dabei ungeheuerer Jubel der Massen, die glauben, dies wirklich gewollt zu haben, während sie nur mit verrückter Schlauheit betrogen wurden, was sie sich noch nicht eingestehen können, – und das sichere Wissen der höher Stehenden, auch Konservativer, Nationaler (Kardorf), daß alles einem furchtbaren Verderben entgegensteuert.
Der groteske u. gemeine Betrug mit dem Reichstagsbrand. Der angebliche van der Lubbe soll, wie es scheint, ohne Prozeß «öffentlich hingerichtet werden». Ein schamloses Betrugsverbrechen, von dem jeder weiß, wird mit unumschränkter Gewalt in Schweigen erstickt. Dazu Glockengeläut und Erhebungsrausch. Man glaubt wieder ein großes Volk zu sein. Der Krieg, die Niederlage sind nicht gewesen, seine Folgen getilgt durch einen Kriegsersatz, der sich Revolution nennt und sich unter Nachahmung der Entente-Propaganda gegen das eigene Volk richtet. Rache des Typus, der den Krieg verlor. Er ist seelisch wiederhergestellt, während alles edlere Deutschland der Qual seelischer Heimatlosigkeit überantwortet ist. Konzentrationslager überall mit «Kriegsgefangenen».

Lugano, 27. März 1933

Mit Hermann Hesse
Von Ende März bis Ende April 1933 hielt sich Thomas Mann in Lugano auf. Oft besuchte er Hesse in Montagnola.

Der Ausgang könnte auf jeden Fall zerschmetternd sein, wie nach dem Volksorgiasmus von 1914. Aber man fühlt sich nicht unbedingt wohl in Gesellschaft derer, die draußen sind, dieser Kerr, Tucholski etc. Auch Hauptmann ist draußen, aber von größerem Trost ist mir das physische u. gesinnungsmäßige Außensein Hermann Hesses. Wie seltsam, daß man in Deutschland gegen die wahrhaft schweinischen Mittel, mit denen diese «Volksbewegung» gesiegt hat, offenbar nicht die Empörung, den Ekel aufbringt, den ich empfinde! Ist meine Rolle nur die eines Erasmus im Verhältnis zu einem neuen Luthertum? Große Revolutionen pflegen um ihrer blutigen u. leidensvollen Generosität willen die Sympathieen der Welt, Mitleid u. Bewunderung auf sich zu ziehen. Das war und ist bei der russischen nicht anders als bei der französischen, von der alle lebendigen Geister der Welt ergriffen waren. Was ist es mit dieser «deutschen», die das Land isoliert, ihm Hohn und verständnislosen Abscheu einträgt ringsum? Die nicht nur die Kerr und Tucholski, sondern auch Menschen u. Geister wie mich zwingt, außer Landes zu gehen.

Lugano, 2. April 1933

Der Protest der Richard-Wagner-Stadt München

Einzelpreis 20 Pfg.
in Oesterreich: 30 Groschen

Münchner Neueste Nachrichten

Handels- und Industrie-Zeitung, Alpine und Sport-Zeitung, Theater- und Kunst-Chronik

Größte Tageszeitung Bayerns und Süddeutschlands
Druck u. Verlag Knorr & Hirth G. m. b. H. — München
Briefadresse: München 2 BZ, Briefsach.
Postscheckkonto: 5920 München
Fernruf 9296

86. Jahrgang — Sonntag/Montag, 16/17. April 1933 — Nr. 105

bildner. Das Zeichnerische herrscht vor; seine formale Beweglichkeit kann aber nicht über eine gewisse Starrheit und Beschränktheit der inneren Schau hinwegtäuschen, die beispielsweise bei seinen „Faust"-Entwürfen so weit geht, daß man sie ohne Kenntnis der Ueberschriften kaum einreihen könnte. Gutes sieht man unter „Prinz von Homburg", „Ariadne auf Naxos". Mahnke wurde durch Prof. Adolf Linnebach 1920 an das Staatliche Schauspielhaus in Dresden berufen, wo er heute noch wirkt. Starke malerische Phantasie, dichterische Erfindung, kräftiger Sinn für Bühnenwirkung sprechen aus den Arbeiten von Rochus Gliese, der, vom Kunstgewerbe ausgehend und an Leo Impekovens Werkstätten in Berlin für die Bühnenpraxis ausgebildet, seit 1924 Hand in Hand mit dem Regisseur Jürgen Fehling seinen Aufstieg am Berliner Staatlichen Schauspielhaus nahm. Seine Farbigkeit und seine manchmal an van Gogh erinnernde rhythmisch zwingende Formgebung fesseln besonders in den Entwürfen zu Barlachs „Der blaue Boll", zu Lessings „Minna von Barnhelm", zu den Opern „Undine" und „Freischütz". S.

Protest der Richard-Wagner-Stadt München

Nachdem die nationale Erhebung Deutschlands festes Gefüge angenommen hat, kann es nicht mehr als Ablenkung empfunden werden, wenn wir uns an die Oeffentlichkeit wenden, um das Andenken an den großen deutschen Meister Richard Wagner vor Verunglimpfung zu schützen. Wir empfinden Wagner als musikalisch-dramatischen Ausdruck tiefsten deutschen Gefühls, das wir nicht durch ästhetisierenden Snobismus beleidigen lassen wollen, wie das mit so überheblicher Geschwollenheit in Richard-Wagner-Gedenkreden von Herrn Thomas Mann geschieht.

Herr Mann, der das Unglück erlitten hat, seine früher nationale Gesinnung bei der Errichtung der Republik einzubüßen und mit einer kosmopolitisch-demokratischen Auffassung zu vertauschen, hat daraus nicht die Nutzanwendung einer schamhaften Zurückhaltung gezogen, sondern macht im Ausland als Vertreter des deutschen Geistes von sich reden. Er hat in Brüssel und Amsterdam und an anderen Orten Wagners Gestalten als „eine Fundgrube für die Freudsche Psycho-Analyse" und sein Werk als einen „mit höchster Willenskraft ins Monumentale getriebenen Dilettantismus" bezeichnet. Seine Musik sei ebensowenig Musik im reinen Sinn, wie seine Operntexte reine Literatur seien. Es sei die „Musik einer beladenen Seele ohne tänzerischen Schwung". Im Kern hafte ihm etwas Amusisches an.

Ist das in einer Festrede schon eine verständnislose Anmaßung, so wird diese Kritik noch zur Unerträglichkeit gesteigert durch das fade und süffisante Lob, das der Wagnerschen Musik wegen ihrer „Weltgerechtheit, Weltgenießbarkeit" und wegen dem Zugleich von „Deutschheit und Modernität" erteilt wird.

Wir lassen uns eine solche Herabsetzung unseres großen deutschen Musikgenies von keinem Menschen gefallen, ganz sicher aber nicht von Herrn Thomas Mann, der sich selbst am besten dadurch kritisiert und offenbart hat, daß er die „Gedanken eines Unpolitischen" nach seiner Bekehrung zum republikanischen System umgearbeitet und an den wichtigsten Stellen in ihr Gegenteil verkehrt hat. Wer sich selbst als dermaßen unzuverlässig und unsachverständig in seinen Werken offenbart, hat kein Recht auf Kritik wertbeständiger deutscher Geistesriesen.

Amann Max, Verlagsdirektor, M. d. R.; Bauckner Arthur, Dr., Staatstheaterdirektor; Bauer Hermann, Professor, Präsident der Vereinigten Vaterländischen Verbände Bayerns; Berrsche Alexander, Dr., Musikschriftsteller; Bestelmeyer German, Geheimrat, Professor, Dr., Präsident der Akademie der bildenden Künste; Bleeker Bernhard, Professor, Bildhauer; Boehm Gottfried, Professor, Dr.; Demoll Reinhard, Geheimrat, Professor, Dr.; Doerner Max, o. Akademieprofessor; Dörnhöffer Friedrich, Geheimrat, Professor, Dr., Generaldirektor der Bayerischen Staatsgemäldesammlung a. D.; Feeser Friedrich Franz, Generalmajor a. D.; Fiehler Karl, Oberbürgermeister; v. Franckenstein Clemens, Generalintendant der Bayerischen Staatstheater; Gerlach Walther, Professor, Dr.; Groeber Hermann, o. Akademieprofessor; Gulbransson Olaf, o. Akademieprofessor; Hahn Hermann, Geheimrat, o. Akademieprofessor; v. Hausegger Siegmund, Geheimrat, Professor, Dr., Präsident der Akademie der Tonkunst; Heß Julius, o. Akademieprofessor; Hoeflmayr Ludwig, Geheimer Sanitätsrat, Dr.; Jank Angelo, Geheimrat, o. Akademieprofessor; Klemmer Franz, o. Akademieprofessor; Knappertsbusch Hans, Professor, Bayerischer Staatsoperndirektor; Küfner Hans, Geheimrat, Dr., rechtsk. Bürgermeister; Langenfaß Friedrich, Dekan; Leupold Wilhelm, Verlagsdirektor der Münchener Zeitung; v. Marr Carl, Geheimrat, Akademiedirektor a. D., Kunstmaler; Matthes Wilhelm, Musikschriftsteller; Miller Karl, o. Akademieprofessor; Musikalische Akademie: der Vorstand: Eduard Niedermayr, Michael Uffinger, Hermann Tuckermann, Emil Wagner; Ottow Fred, Chefredakteur der München-Augsburger-Abendzeitung; Pschorr Josef, Geh. Kommerzienrat, Präsident der Industrie- und Handelskammer; Pfitzner Hans, Professor, Dr., Generalmusikdirektor; Röschlein Christoph, 1. Präsident der Handwerkskammer von Oberbayern; Schemm Hans, bayerischer Staatsminister; Schiedt Adolf, Chefredakteur der Münchener Zeitung; Schinnerer Adolf, o. Akademieprofessor; Schmelzle Hans, Dr., Staatsrat, Präsident des Bayerischen Verwaltungsgerichtshofes; Sittmann Georg, Geheimrat, Dr., Professor; Strauß Richard, Dr., Generalmusikdirektor; Wagner [illegible]; Westermann Fritz, 1. Vorsitzender des Bayreuther Bundes.

Kleine Mitteilungen

Der stellvertretende Intendant des Stettiner Stadttheaters Dramaturg Dr. F. Landsittel wird noch vor Ablauf der im Mai zu Ende gehenden Spielzeit die Intendanz der Magdeburger Städtischen Bühnen übernehmen. Die bisherigen leitenden Persönlichkeiten Götze (Intendant), Beck (Kapellmeister) und Werckshagen (Verwaltungsdirektor) werden in Kürze aus dem Verbande ausscheiden. Der neue Intendant Dr. Landsittel steht im 37. Lebensjahr. Er kam vom Mannheimer Nationaltheater über das Künstlertheater Frankfurt a. M. nach Stettin, wo er nach dem Rücktritt Hans Meißners die Intendantengeschäfte versieht.

Die Dirigenten- und Musikkurse der Internationalen Stiftung Mozarteum in Salzburg haben für ihre neu errichtete Schauspielklasse die Schauspielerin Frida Richard verpflichtet.

Rudolf Paulsen gibt im Selbstverlag ein Buch heraus: „Briefe an einen jungen Maler", worin die Fragen der Malerei in unbefangener, deutscher Art erörtert werden. Die Schrift verzichtet bewußt auf alle

Der «Protest»
Als Initiant des Protests gilt Knappertsbusch.

Gestern, nachdem ich etwas gearbeitet, Verschärfung des Münchener Falles durch einen vielfach unterzeichneten «Protest der Wagner-Stadt München» in der Oster-Ausgabe der M. N. N. Frank überbrachte das hundsföttische Dokument. Heftiger Choc von Ekel und Grauen, durch den der Tag sein Gepräge erhielt. Entschiedene Befestigung des Entschlusses, nicht nach M. zurückzukehren und mit aller Energie unsere Niederlassung in Basel zu betreiben.

Tagebuch, Lugano, 19. April 1933

Die Denunziation

Der Bericht von Heydrich
Im Bericht des Oberführers Reinhard Heydrich an den bayerischen Reichsstatthalter wird Thomas Manns öffentliche Tätigkeit als «undeutsch», «nationalfeindlich» und «marxistisch» bezeichnet. Wäre Thomas Mann nach Deutschland zurückgekehrt, hätte ein Schutzhaftbefehl auf ihn gewartet. (Der Originalbericht befindet sich im Bayerischen Hauptstaatsarchiv in München.)

Reinhard Heydrich (1904–1942)
Heydrich trat 1931 der SS bei, wurde 1932 SS-Standartenführer und organisierte den «Sicherheitsdienst des Reichsführers SS». 1941 wurde er SS-Obergruppenführer und stellvertretender Reichsprotektor von Böhmen und Mähren, 1942 «Beauftragter der Endlösung der europäischen Judenfrage». Im selben Jahr fiel er in Prag einem Attentat zum Opfer. Zur Vergeltung machten SS-Truppen das Dorf Lidiče dem Erdboden gleich.

Bayerische Politische Polizei

Dienststellenzeichen: (bei Antwort stets anzugeben)

VI 1 6515/33.

München, den 12.Juli 1933.

An den
Herrn Reichsstatthalter in Bayern
München.

Der Reichsstatthalter in Bayern 03743 18.JUL.1933 1 Beilagen

Betreff:
Maßnahmen gegen Thomas Mann.
Zur Entschl.vom 23.6.33 Nr.2660.
Beilage:
1 Beschwerde des RA.Heins.
Berichterstatter: Oberführer Heydrich

Der Schriftsteller Thomas M a n n, geboren 6.Juni 1875 in Lübeck, welcher sich zuletzt in München aufgehalten hat und nunmehr sich im Ausland befindet, ist Gegner der nationalen Bewegung und Anhänger der marxistischen Jdee. Dies hat er zu wiederholten Malen in Wort und Schrift kundgegeben.

So hat er u.a. 1927 einen Aufruf des Kuratoriums für die Kinderheime der Roten Hilfe als dessen Mitglied mitunterzeichnet.

Jm gleichen Jahre folgte er einer Einladung des Polnisch-Literarischen Clubs in Warschau, trat auch für die Amnestie der an der Revolution 1918/19 Beteiligten ein.

Der Empfang der Ozeanflieger Köhl und Hünefeld in München im Jahre 1928 wurde von Mann als "nationaler Kopfstand" und die beiden Flieger als "Fliegertröpfe" bezeichnet.

Jn einem Vortragsabend im Jahre 1930 sprach Mann von einem "orgiastisch-naturkultischen, radikal-humanitätsfeindlichen, rauschhaft-dynamistischen, unbedingt ausgelassenen Charakter" der nationalen Bewegung und schrieb ihr "eine gewisse Philologen-Jdeologie, Germanistenromantik und Nordgläubigkeit aus akademisch-professoraler Sphäre zu, die in einem Jdiom von mystischem Bildersinn und verstiegener Abgeschmacktheit mit Vokabeln wie rassisch, völkisch, bündisch, heldisch auf die deutschen von 1930 einredet und der Bewegung das Jngredienz von verschwärmter Bildungsbarbarei hinzufügt."

Jm Jahre 1931 wurde Mann als Beisitzer des "Vereins zur Abwehr des Antisemitismus" gewählt. Seine judenfreundliche Einstellung bewies er auch durch seinen Roman "Der Zauberberg" in der er das Schächten geradezu verherrlicht.

1932 wurde in der kommunistischen Presse durch das Münchner Antikriegskomitee ein Antikriegsaufruf veröffentlicht, der auch von Thomas Mann unterzeichnet war.

Jm Oktober 1932 wurde von ihm in einer Rede im grossen Saal des Wiener sozialdemokratischen Volkshauses vor sozialdemokratischen Arbeitern erklärt, daß es zum erstenmal geschehe, daß er, "der bürgerlich geborene Schriftsteller, vor einem sozialdemokratischen Arbeiterpublikum spreche". Weiterhin führte er aus "ich empfinde das als epochemachend für mein ganzes Leben. Meine Ausführungen sollen nichts anderes sein, als ein Bekenntnis der Sympathie für Jhre sozialistische Sache. Sozialismus ist nichts anderes als der pflichtgemäße Entschluß, den Kopf nicht mehr vor den dringendsten Bedürfnissen und Forderungen zu verstecken, sondern sich auf die Seite derer zu schlagen, die der Erde einen Menschensinn geben wollen." Nach Presseberichten wurde "das erste Bekenntnis des großen deutschen Dichters zur Sozialdemokratie von den Wiener Arbeitern mit jubelndem Beifall aufgenommen."

Diese undeutsche, der nationalen Bewegung feindliche, marxistische und judenfreundliche Einstellung gab Veranlassung, gegen Thomas Mann Schutzhaftbefehl zu erlassen, der aber durch die Abwesenheit desselben nicht vollzogen werden kann.

Nach den Weisungen der Ministerien wurden jedoch sämtliche Vermögenswerte beschlagnahmt.

Heydrich

In Sanary-sur-Mer

Thomas Mann auf der Veranda seines Hauses in Sanary

Der Versuch, in Basel ein Haus zu finden, schlug fehl. Aber überraschend konnte René Schickele weiterhelfen. Er suchte in Sanary, wo er selbst seit einem Jahr wohnte, nach leerstehenden Häusern. Anfangs Mai fanden sich Katja und Thomas Mann in Bandol ein, und am 12. 6. 1933 bezogen sie das Haus «La Tranquille». Sanary-sur-Mer war damals Treffpunkt der Emigranten. Heinrich Mann, Herzog, Feuchtwanger, Brecht, Piscator, Toller, Kesten, Marcuse, Werfel: alle kamen auf einige Tage oder Monate hier vorbei oder ließen sich ganz nieder. Ihre Gespräche waren durch Wut und Ohnmacht gezeichnet. Das Schlimmste war die Ungewißheit.

AUS DEM TAGEBUCH

Dachte in der Stille des Abends über mein Leben nach, seine Pein und Schwere von frühan und seine Gunst vermöge gewisser glücklicher Seiten meines Charakters. Ich glaube doch, zuletzt werde ich seiner recht müde sein – und nicht nur seiner, sondern damit auch, im Gegensatz zu den metaphysischen Hoffnungen und Sehnsüchten meiner Jugend, des Lebens überhaupt. Genug, genug! Wenn man das am Ende sagt, so meint man nicht nur die eigene «Individuation», man meint das Ganze – aus der wahrscheinlich zutreffenden Erkenntnis wohl: Viel anders ist es nie. Der Sinn des Wortes «lebensmüde» ist nicht persönlich, er ist umfassend. –

Sanary-sur-Mer, 23. Juni 1933

Sanary-sur-Mer
Postkarte 1933

Die Emigranten an der französischen Südküste

Alma Mahler-Werfel und Franz Werfel

Bruno Frank mit seiner Frau Liesl

Heinrich Mann mit Nelly Kröger, seiner späteren Frau, in Nizza

Lion und Marta Feuchtwanger in ihrer Bibliothek in Sanary-sur-Mer

René Schickele

Im November 1939 heiratete Heinrich Mann in Nizza seine Lebensgefährtin Nelly Kröger.

NELLY KRÖGER

Heinrich Manns zweite Frau, Nelly Kröger, war als uneheliches Kind einer Dienstmagd am 18. Februar 1898 in Ahrensbök (Holstein) zur Welt gekommen und hieß eigentlich Emmy Johanna Westphal. Der Fischer Nicolaus Wilhelm Heinrich Kröger, wohnhaft in Niendorf an der Ostsee, hat die Dienstmagd geheiratet und dem Kind seinen Familiennamen gegeben. Nach dem Krieg zog die Tochter nach Berlin und schlug sich dort zunächst als Näherin durch. Bald geriet sie ins Berliner Vergnügungsviertel, war in der Tanzdiele «Delphin» an der Fasanenstraße und auch am Kurfürstendamm zu treffen. Sie dürfte als Animierdame gearbeitet haben. Ihren Vornamen Nelly bezeichnete sie als Künstlernamen. Sie war dann bis Mitte der zwanziger Jahre mit einem «Bankier» namens Schmidt verheiratet – davon hat sie später kaum je gesprochen. Heinrich Mann ist Nelly offenbar in einer Berliner Bar erstmals begegnet, man weiß nicht, war es die «Bajadere» in der Joachimstaler Straße oder die «Kakadu»-Bar. Er trennte sich 1928 von Maria Kanova, 1930 ließ er sich scheiden. Im Februar 1933 floh er nach Frankreich und ließ sich in Nizza nieder. Nelly folgte ihm über Dänemark, auf weiter nicht bekannten Wegen. Am 9. September 1939, nachdem der Krieg gegen Polen ausgebrochen war, kam es in Nizza zur Heirat. Von der Familie Thomas Mann wurde Frau Kröger nie akzeptiert. Im intellektuellen Milieu der Emigranten galt sie als ungebildet und vulgär.
Nachzulesen ist diese Geschichte und noch einiges mehr in der Darstellung von Joachim Seyppel (Heinrich-Mann-Jahrbuch 1986).

Postkarte von Thomas Mann aus Nizza

Schriften gegen Hitler

Heinrich Mann schrieb im französischen Exil Dutzende von Artikeln und Essays zum Tage. Die wichtigsten stellte er in Sammelbänden zusammen:
- *«Der Haß», 1933 (Amsterdam, Querido Verlag)*
- *«Es kommt der Tag», 1936 (Zürich, Europa-Verlag)*
- *«Mut», 1939 (Paris, Ed. du 10 mai 1939)*

LEIDEN AN DEUTSCHLAND

Auch in Thomas Mann braute es sich zusammen. Lange beschäftigte er sich mit dem Gedanken, ein Buch über Deutschland zu schreiben. Ein Buch des Unmuts und des Zorns sollte es sein, eine «Kampf- und Zeit-Schrift». Er wollte den Stab brechen über dem Lügengesindel und dem «Schand-Regime» ein Ende bereiten (Tagebuch, 31. Juli 1934). Die Beschäftigung mit dem Politikum füllte Wochen. Aber es war noch nicht Zeit für die Abrechnung. Thomas Mann hat die Tagebuchblätter von 1933/34, vermehrt um nachträgliche Einschübe, erst 1946 publiziert, unter dem Titel «Leiden an Deutschland».

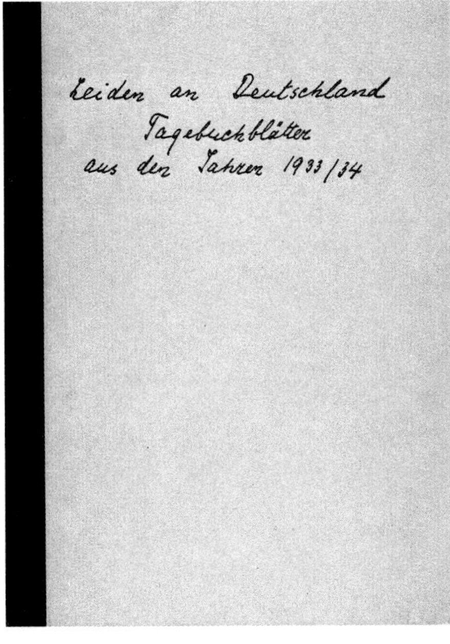

ECRASEZ L'INFAME!

Macht ein Ende! Écrasez l'infâme! Fort mit Hitler, dem elenden Subjekt, dem hysterischen Betrüger, dem hohlen Monstrum, dem undeutschen hergelaufenen Hochstapler der Macht, dessen ganze Kunst darin besteht, daß er mit eklem Mediumismus den Gemütsnerv des Volkes zu ertasten und in der obszönen Selbstverzückung einer unbeschreiblich niedrigen Rednergabe darauf zu spielen weiß! Fort mit ‹General› Göring, diesem putzsüchtigen Henker mit seinen dreihundert Uniformen, der sich prassend und schmatzend im viehischen Genuß der ihm verrückterweise zugefallenen Schwertgewalt wälzt und täglich Todesurteile über junge Menschen mit seinem Schreckensnamen unterschmiert, die, zu verzweifelter Gegenwehr getriebene Kämpfer für eine meinetwegen irrtümliche politische Heilslehre, viel hundertmal besser sind als er! Fort mit diesem riesenmäuligen Propaganda-Chef der Hölle, Goebbels geheißen, der, ein Krüppel an Leib und Seele, bewußt mit unmenschlicher Niedertracht die Lüge zum Gott, zum Alleinherrscher der Welt zu erheben trachtet! Fort mit diesem schamlosen Philosophaster Rosenberg, der mit seiner verhunzten Groschenwissenschaftlichkeit, seinem Viertelbildungsschmus und Rassengefasel, seinem Denkertum der Gosse das Verbrechen ‹ideologisch unterbaut›, die Gehirne zerrüttet und einem durch sein bloßes Dasein die Lust am Gedanken und Wort auf ewig verekeln könnte! Fort mit diesem ganzen apokalyptischen Gesindel, dieser Bande von Strolchen, dégénérés inférieurs und Volksverderbern, die in den anderthalb Jahren ihrer Schreckensherrschaft Deutschland in eine ehrlose Vereinsamung geführt, einen Abgrund aufgerissen haben zwischen ihm und der gesitteten Welt und es mit tödlicher Sicherheit in physischen und moralischen Ruin stürzen werden, wenn man ihnen nicht Einhalt gebietet.

Leiden an Deutschland (XII, 691 f.)

Heinrich Manns «Henri Quatre»

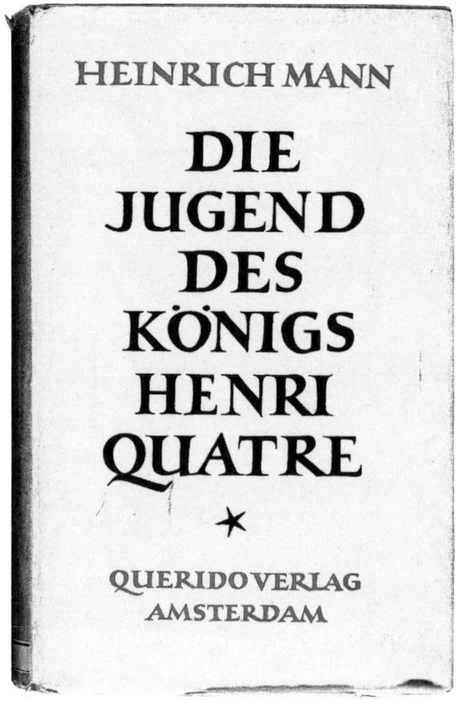

Heinrich Manns großer Exilroman erschien in zwei Bänden: «Die Jugend des Königs Henri Quatre» 1935, «Die Vollendung des Königs Henri Quatre» 1938. Die ersten Pläne gehen auf das Jahr 1925 zurück.

Sieben Jahre denkt man an den großen Plan, der wartet. Er kann es, X hat Zeit. Das Buch zu schreiben nimmt er sich noch einmal sechs. Das ist nun ein Aufenthalt, ironisch Exil benannt, in dem Königreich seines Henri. Auf seiner Spur lernt X es von Grund auf verstehen. Legt sich täglich nieder und steht wieder auf im Dienst derselben Gestalt – die ihm jung bleibt, auch er altert um ihrer willen noch nicht.

Heinrich Mann, Ein Zeitalter wird besichtigt

Mein neuer Roman

Mein neuer Roman behandelt die Jugend des Königs von Frankreich, Henri IV. Er spielt daher in der Blütezeit der Renaissance, an einem sehr malerischen Hof, unter Menschen, die sehr prompte Reaktionen hatten. Da gibt es Scenen und Bilder in Fülle, abwechselnd wird der Bericht märchenhaft, bunt, wild, schönheitstrunken oder sonderbar. Außerdem aber spielen hier Glaubenskämpfe, eine neue Zeit der Gewissensfreiheit und individuellen Befreiung zieht herauf. Der Haß, die Machtgier der Menschen und auch ihre höheren sittlichen Aspirationen, alles vereinigt sich, und das Moralische ist so wichtig wie das Leidenschaftliche oder Glanzvolle.

Nach der Bartholomäusnacht, in der er die meisten seiner Freunde auf blutige Art verloren hatte, wurde der junge Henri bei Hof im Königsschloß Louvre gefangen gehalten und lernte alles auf einmal kennen, den Lebensgenuß und die ständige Todesgefahr. Er mußte viel beobachten und sich verstellen, bevor er handeln konnte, und hatte viele bunte Abenteuer, bevor er groß auftrat und der größte König wurde. So lassen sich hier eine Menge moralischer Studien machen, andererseits aber bewegte, farbige Scenen schreiben.

Sehen Sie, ein Autor kommt manchmal, aber nur selten, dazu, das was er im Laufe des Lebens und Arbeitens gelernt hat, zu verbinden in einem und demselben Werk mit dem, was er schon vorher von Natur konnte. Man muß alt genug geworden sein und jung genug geblieben sein: dann kann ein solches Unternehmen vielleicht gelingen, wie es meine «Jugend des Königs Henri IV» ist oder sein will.

Heinrich Mann an «Books Abroad», 14. Dezember 1934

Thomas Manns Kommentar

Beendete abends Heinrichs Henri IV., ein seltenes Buch, alles weit überragend was heute in Deutschland hervorgebracht wird, großer Reichtum und Beweglichkeit der künstlerischen Mittel, das Geschichtsgefühl gehoben und vertieft durchs Gegenwärtige und oft allzu sehr darauf zugespitzt, stark und ermutigend in der schneidenden geistig-moralischen Verachtung menschlicher Verirrung und Dummheit, ergreifende dichterische Momente wie der Tod und die Amme und die letzte Schlacht. Großer Gesamteindruck: ein Werk, das den Emigranten-Verlag und die ganze Emigration ehrt und nach der Wendung der Dinge in Deutschland zu hohen Ehren aufsteigen wird.

Tagebuch, 25. September 1935

Die grossen Ernährer

Heinrichs Henri Quatre ist eine Parallelfigur zu Thomas Manns Joseph. Dieser wird Ägyptens «großer Ernährer»; seine Politik hat Ähnlichkeit mit Roosevelts «New Deal». Henri ist der Ernährer seines Volks und hat schließlich eine europäische Ausstrahlung. Unter der Hand hat ihm Heinrich Züge von Stalin gegeben, der, wie er glaubte, eine «Diktatur der Vernunft» anstrebte. Heinrich begann zu erwachen, als er von Stalins Schauprozessen hörte. An den Stalin-Hitler-Pakt wollte er zuerst gar nicht glauben: Da hatte der Ungeist von der Welt Besitz ergriffen.

Henri Quatre
Zeitgenössisches Porträt, um 1595.
Versailles, Museum

Henris Geliebte Gabrielle d'Estrées
Heinrich Mann verlieh ihr Züge seiner
Lebensgefährtin Nelly Kröger.

In Küsnacht bei Zürich

Am 27. September 1933 konnte sich Thomas Mann mit seiner Familie in Küsnacht am Zürichsee niederlassen. Seine Bücher erschienen, solange der S. Fischer Verlag nicht ausgewiesen wurde, noch in Deutschland – im Oktober 1933 «Die Geschichten Jaakobs», im April 1934 «Der junge Joseph», im Oktober 1936 «Joseph in Ägypten». Auch reisen konnte er noch. 1936 zum Beispiel hielt er in Wien den Vortrag «Freud und die Zukunft». Aber am Ende dieses Jahres wurde er der deutschen Staatsangehörigkeit für verlustig erklärt. Über den Zustand der Staatenlosigkeit half ein tschechischer Paß hinweg.

Das Haus in Küsnacht, Schiedhaldenstr. 33
Hier wohnte Thomas Mann vom 27. September 1933 bis zum 14. September 1938.

In Küsnacht, 1935

Die Pfeffermühle

Erika Mann als Pierrot

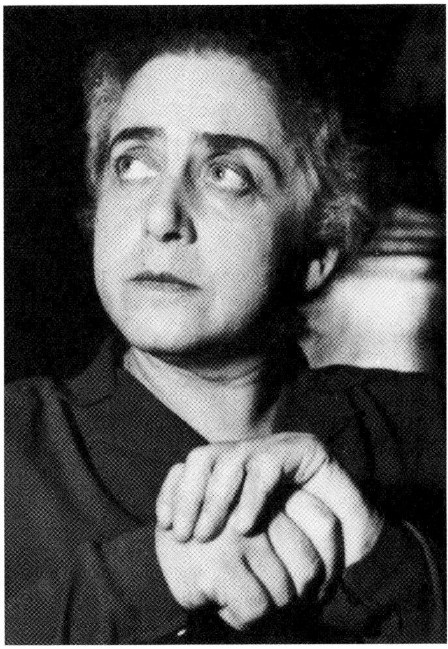

Therese Giehse
Therese Giehse (1898–1975) war Erikas Partnerin in der Pfeffermühle. Sie übernahm später ein Engagement am Zürcher Schauspielhaus.

Am 1. Januar 1933 eröffnete Erika Mann in München das Kabarett «Die Pfeffermühle». Wegen der politischen Verhältnisse durfte das Ensemble Ende Februar nicht mehr auftreten. Erika Mann verließ Deutschland am 12. März 1933, reiste nach Zürich und eröffnete dort am 30. September im Hotel Hirschen ihr Kabarett aufs neue. Sie spielte bis Ende Oktober 1933 und wieder ab 1. Januar 1934 bis Herbst 1934. Es kam auch in Zürich zu Störaktionen der «Frontisten».

Erika Mann auf der Bühne der «Pfeffermühle», 1934

Erika schenkte uns ein schönes Bild von ihr in dem weißen Pierrot-Kostüm, das ich unter Glas stellte und an dem ich meine Freude habe.

Tagebuch, 20. Juni 1934

«Kälte»
Text: Erika Mann, Musik: Magnus Henning. 1934 vorgetragen von Erika Mann.

KÄLTE

In Winterkälte ward ein Jahr geboren, –
Es ist so zart, – seid sorgsam mit dem Kind!
Man hat der Jahre manches schon verloren,
Und heutzutage geht ein scharfer Wind.

Der Schnee ist bläulich in der dünnen Kälte, –
Die kleinen Bäume frieren arm und kahl;
Zwei Raben kreisen hungrig über'm Felde, –
Ein Bauer stapft daher, wie Rübezahl.

Warum ist es so kalt?
Warum tut Kälte weh?
Warum? Die Welt wird bald
Nur lauter Eis und Schnee.

Kalt ist die Welt, – sie macht sich nichts zu wissen,
Von dem und jenem, was es leider gibt.
Gleichgültigkeit, dies kühlste Ruhekissen,
Ist sehr gefragt und allgemein beliebt.

Wer faselt da von Ungerechtigkeiten?
Von Mord und Marter, die zum Himmel schrein?
Was kümmert's mich, wenn andre Leute streiten?
Laßt mich in Ruh, – ich mische mich nicht ein!

Warum sind wir so kalt?
Warum, – das tut doch weh!
Warum? Wir werden bald
Wie lauter Eis und Schnee!

Beteiligt Euch, – es geht um Eure Erde!
Und Ihr allein, Ihr habt die ganze Macht!
Seht zu, daß es ein wenig wärmer werde,
In unserer schlimmen, kalten Winternacht.

Die ist erfüllt von lauter kaltem Grauen, –
Solange wir ihm nicht zuleibe gehn;
Wehrt Euch und kämpft, – und dann laßt uns doch schauen,
Ob die Gespenster diesen Kampf bestehen!

Bestehn? Ich glaub' es nicht.
Die Sonne siegt zum Schluß!
Warum? Weil solches Licht
Am Ende siegen muß!

Klaus Manns Exilzeitschrift «Die Sammlung»

Klaus Mann

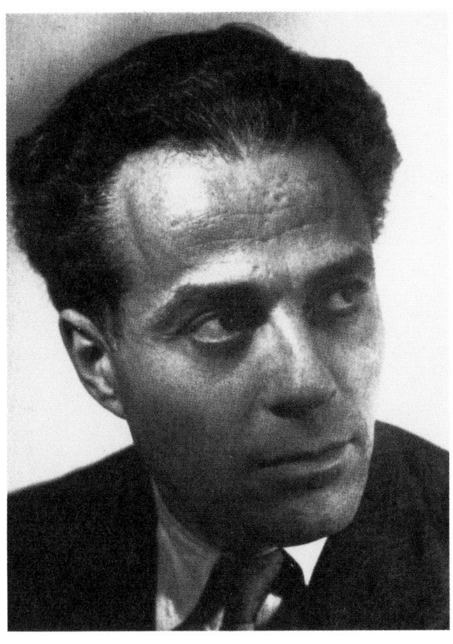

Fritz Landshoff

Klaus Mann gründete 1933 in Amsterdam die Exilzeitschrift «Die Sammlung». Sie erschien nur bis 1935. Thomas Mann war als Mitarbeiter vorgesehen, zog aber seine Zustimmung aus politischen Gründen zurück. Er wollte den S. Fischer Verlag und damit das Erscheinen seiner weiteren Josephbände in Deutschland nicht gefährden. Durch seine Haltung fühlten sich Klaus und andere Emigranten brüskiert.
Klaus Mann war eng mit dem Leiter der deutschen Abteilung des Verlags, Fritz Landshoff, befreundet.

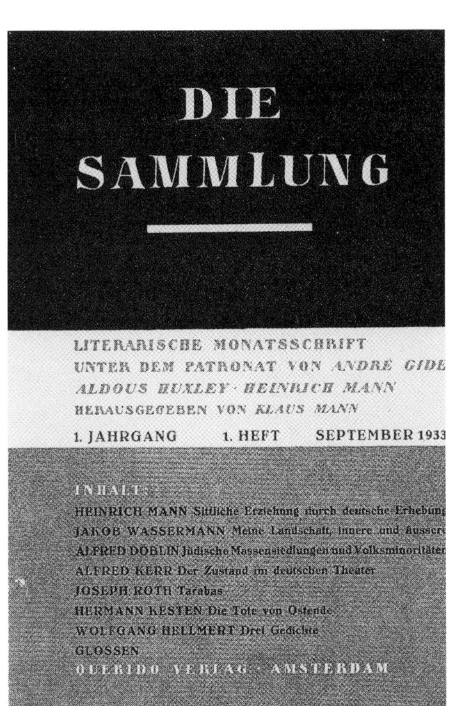

Das 1. Heft von Klaus Manns Exilzeitschrift, Querido-Verlag, Amsterdam

Literarische Emigranten-Zeitschriften

Zu den in Nr. 236 des Buchhändler-Börsenblattes veröffentlichten Ausführungen über die Emigranten Zeitschriften (vgl. Nr. 283 u. Bl.) erläßt die Reichsstelle zur Förderung des deutschen Schrifttums nunmehr folgende Erklärung:

„Thomas Mann, René Schickele und Alfred Döblin haben nach Erscheinen der ersten Nummer der Emigranten-Zeitschrift „Die Sammlung" folgende Erklärungen abgegeben:

„Kann nur bestätigen, daß Charakter erster Nummer Sammlung ihrem ursprünglichen Programm nicht entspricht." (Thomas) Mann.

In schriftlicher Ergänzung dieses Telegramms schrieb Thomas Mann:

„Ergänzen Sie meine Erklärung logischerweise dahin, daß mein Name von der Liste getilgt wird — denn darauf läuft sie hinaus."

„Bin von politischem Charakter „Sammlung" peinlich überrascht, da gelegentliche Mitarbeit nur für rein literarische Zeitschrift in Aussicht gestellt war. Stehe mit Querido in keinerlei Verbindung, halte mich auch weiterhin von allem Derartigen ausdrücklich fern." Schickele.

„Desavouiere jede schriftstellerische und politische Gemeinschaft mit Herausgeber der Zeitschrift Sammlung. Bitte das in geeigneter Form beschleunigt bekannt zu geben. Tendenz der Zeitschrift war mir unbekannt." Döblin.

Aus diesen Erklärungen geht hervor, daß die genannten Autoren über den Charakter der Zeitschrift getäuscht worden sind und jede Gemeinschaft mit ihr ablehnen. Darüber hinaus haben sie mehrfach öffentlich erklärt, daß sie sich jeder politischen Aeußerung im Auslande enthalten werden.

Da die Voraussetzungen, die zu einer solchen berechtigt scharfen Stellungnahme seitens der Reichsstelle führten, sich als hinfällig erwiesen, können wir den Vorwurf des geistigen Landesverrates nicht mehr aufrechthalten. Die Reichsstelle steht aber nach wie vor in keiner Weise hinter der geistigen und literarischen Haltung der angeführten Autoren. Reichsstelle zur Förderung des deutschen Schrifttum."

Distanzierungen
Fränkischer Kurier
Nürnberg, 18. Oktober 1933

Auf Wunsch des Verlags Bermann Fischer setzte Thomas Mann ein Telegramm auf, in dem er seinen Namen von der Mitarbeiterliste der «Sammlung» streichen ließ. Der Verkauf des ersten «Joseph»-Bandes – er war am 5. Oktober 1933 erschienen – sollte nicht gefährdet werden. Es versteht sich von selbst, daß Klaus Mann über das Verhalten seines Vaters alles andere als erbaut war.

Der sechzigste Geburtstag

Das Glückwunschblatt, das Gunter Böhmer im Auftrag von Hermann Hesse zeichnete

Titelblatt der Geburtstagskassette, 6. Juni 1935
Zum 60. Geburtstag schenkte der S. Fischer Verlag Thomas Mann eine Kassette mit Glückwünschen zahlreicher Schriftsteller und Freunde.

Die Artikel und Briefe, die mein 60. Geburtstag zeitigt, ergeben ein wesentlich anderes Bild von mir, wie es der Welt vorschwebt, als die Kundgebungen beim 50. Werk und Person sind gewachsen, die Akzente sind feierlicher, reinehrerbietiger, eine Art von Sicherung, Verewigung, hat eingesetzt, die Arbeiten bis zurück zu den Anfängen, stehen in einem veränderten, gereinigten Licht. Die Welt hat sich mit dem bleibenden Charakter dieses Lebens abgefunden und trägt einer geistigen Tatsache Rechnung in Ton und Haltung, die sich in schwankendem Prozeß mit der Zeit, halb gegen ihren Willen, durchgesetzt.

Tagebuch, 4. Juni 1935

Mit Bruno Walter und Arturo Toscanini in Salzburg, August 1935

Ein Brief Rudolf G. Bindings

Persönliche und dringende Angelegenheit!
Sehr geehrter Herr Minister,
als 2. Vorsitzender der Deutschen Akademie der Dichtung und zur Zeit mit deren Geschäften betraut wende ich mich zunächst mit einem persönlichen Schreiben in einer Angelegenheit an Sie, die es an sich hat daß ohne eine Entscheidung und Hilfe Ihrerseits jeder andere Schritt überflüssig wäre und möglicherweise sogar peinlich empfunden würde.
Die Deutsche Akademie der Dichtung wünscht – aus dem Geiste und als sichtbares Zeichen des neuen Deutschland, das sie in geistiger Beziehung vor aller Welt und im eigenen Volke zu vertreten hat, – am 6. Juni d. Js. Thomas Mann, der an diesem Tage sein sechzigstes Lebensjahr vollendet, durch einen Glückwunsch, vielleicht auch durch Entsendung einer Abordnung, welche der Senat beschließen mag, zu ehren.
Sie empfindet es als ein weithin sichtbares und zugleich unnötiges Unglück in des Wortes vollster Bedeutung, daß einer solchen Ehrung, die nur bei völliger und selbstverständlicher Übereinstimmung der führenden Stellen des Reiches vor der Welt Sinn und Würde hat, lediglich deshalb die ihr zukommende innere und äußere Wirkung entzogen bleibt, weil möglicherweise rein äußerliche Konflikte, Mißverständnisse und formale Maßnahmen noch aufrechterhalten werden, die wahrscheinlich gar nicht oder kaum noch im Sinne des Ministeriums sind an das ich mich mit diesem meinem Schreiben wende.
Würden Sie, Herr Minister, sich dazu vermögen, an diesem 6. Juni oder zu diesem 6. Juni die schon (wie wir in Erfahrung gebracht zu haben glauben) völlig vorbereitete Aufhebung der angedeuteten Mißstände oder Unterschiede herbeizuführen und so die Akademie, ganz Deutschland und die Welt, vor einer mißverständlichen Deutung oder Aufnahme der beabsichtigten Ehrung zu schützen? Denn daß sie ganz unterbliebe scheint der Akademie ebenfalls nicht im Sinne der zuständigen Reichsstellen zu liegen, wie wir aus einer gesprächsweisen Andeutung des der Akademie übergeordneten Reichs- und Preußischen Ministeriums für Wissenschaft, Erziehung und Volksbildung entnommen haben.
Ich stehe Ihnen, Herr Minister, oder Ihrem Ministerium zu allen Auskünften persönlich jederzeit zur Verfügung und bitte für den Fall daß solche benötigt werden mich über das Büro der Akademie (Pariser Platz 4) herbeizurufen. Leider muß ich darauf verzichten, diese Angelegenheit unmittelbar mündlich bei Ihnen vorzutragen und bin auf dieses Schreiben angewiesen, da ich nicht ständig in Berlin sein kann; jedoch werde ich für den Fall Ihres Rufes, der selbstverständlich allem vorgeht, zur Stelle sein.
Zu der Sache selbst darf ich mitteilen daß eine Senatssitzung der Deutschen Akademie der Dichtung auf den 4. Juni vormittags einberufen ist und daß wir hoffen in dieser Sitzung von Ihnen in diejenige Lage versetzt worden zu sein die wir nicht aus eigenem Interesse sondern im Interesse ganz Deutschlands erstreben.
Ich bitte Sie sehr eindringlich – fast möchte ich sagen inständig – um eine möglichst schnelle Antwort, auch wenn sie ablehnend ausfiele, da – wie mir scheint – in diesem schwierigen Falle alles von Ihrer Entscheidung und Ihrem Rate abhängt.

In großer Verehrung
mit dem Gruße Heil Hitler! –

Rudolf G. Binding an den Reichsminister des Innern, Dr. Wilhelm Frick, 23. Mai 1935

Die Ausbürgerung

DAS NEUE
TAGE-BUCH
Herausgeber: Leopold Schwarzschild
4. Jahrgang, Heft 2 PARIS-AMSTERDAM 11. Januar 1936

SCHWARZSCHILDS ANSCHULDIGUNGEN

Leopold Schwarzschild (1891–1950), der Herausgeber des «Neuen Tage-Buchs», veröffentlichte am 11. Januar 1936 einen Artikel, in dem er Gottfried Bermann Fischer als «Schutzjuden» des Nazi-Regimes bezeichnete und ihn verdächtigte, er wolle mit Goebbels' Einverständnis in Wien einen getarnten Exilverlag gründen.
Thomas Mann ließ am 18. Januar 1936 zusammen mit Hesse und Annette Kolb in der «Neuen Zürcher Zeitung» einen «Protest» erscheinen. Schwarzschild seinerseits kam im «Neuen Tage-Buch» vom 25. Januar auf den Protest zurück und forderte Thomas Mann auf, sich von Gottfried Bermann Fischers Plänen zu distanzieren.

KLEINE CHRONIK

Ein Protest. Die Unterfertigten fühlen sich verpflichtet, Einspruch gegen einen Artikel zu erheben, der in der Ausgabe vom 11. Januar der Wochenschrift «Das Neue Tage-Buch» erschienen ist und sich mit der Person Dr. Gottfried Bermann-Fischers, des Erben und gegenwärtigen Leiters des S. Fischer-Verlages beschäftigt. Dr. Bermann hat sich während dreier Jahre nach besten Kräften und unter den schwierigsten Umständen bemüht, den Verlag an der Stelle, wo er groß geworden ist, im Geiste des Begründers weiter zu führen. Er verzichtet jetzt auf die Fortsetzung dieses Versuches und ist im Begriffe, dem S. Fischer-Verlag im deutschsprachigen Ausland eine neue Wirkungsstätte zu schaffen. In diese Bemühungen bricht der erwähnte Artikel ein, indem er sie nicht nur bereits als gescheitert hinstellt, sondern auch, direkt und zwischen den Zeilen, an der Haltung und Gesinnung Bermanns eine sehr bösartige Kritik übt. Die Unterzeichneten, die zu dem Verlage stehen und ihm auch in Zukunft ihre Werke anvertrauen wollen, erklären hiermit, daß nach ihrem besseren Wissen die in dem Tage-Buch-Artikel ausgesprochenen und angedeuteten Vorwürfe und Unterstellungen durchaus ungerechtfertigt sind und dem Betroffenen schweres Unrecht zufügen.
Thomas Mann. – Hermann Hesse. – Annette Kolb.

Neue Zürcher Zeitung, 18. Januar 1936

Kleine Chronik

Ein Protest. Die Unterfertigten fühlen sich verpflichtet, Einspruch gegen einen Artikel zu erheben, der in der Ausgabe vom 11. Januar der Wochenschrift „Das Neue Tage-Buch“ erschienen ist und sich mit der Person Dr. Gottfried Bermann-Fischers, des Erben und gegenwärtigen Leiters des S. Fischer-Verlages beschäftigt. Dr. Bermann hat sich während dreier Jahre nach besten Kräften und unter den schwierigsten Umständen bemüht, den Verlag an der Stelle, wo er groß geworden ist, im Geiste des Begründers weiter zu führen. Er verzichtet jetzt auf die Fortsetzung dieses Versuches und ist im Begriffe, dem S. Fischer-Verlag im deutschsprachigen Ausland eine neue Wirkungsstätte zu schaffen. In diese Bemühungen bricht der erwähnte Artikel ein, indem er sie nicht nur bereits als gescheitert hinstellt, sondern auch, direkt und zwischen den Zeilen, an der Haltung und Gesinnung Bermanns eine sehr bösartige Kritik übt. Die Unterzeichneten, die zu dem Verlage stehen und ihm auch in Zukunft ihre Werke anvertrauen wollen, erklären hiermit, daß nach ihrem besseren Wissen die in dem Tage-Buch-Artikel ausgesprochenen und angedeuteten Vorwürfe und Unterstellungen durchaus ungerechtfertigt sind und dem Betroffenen schweres Unrecht zufügen.
Thomas Mann. — Hermann Hesse. — Annette Kolb.

Thomas Mann und Gottfried Bermann Fischer in Küsnacht

Erikas Zorn

Biel, am 19. Januar 36

Lieber Z., –
daß Dein «Protest» in der N.Z.Z. mir traurig und schrecklich vorkommen mußte, hast Du natürlich gewußt, – falls Du einen Gedanken in dieser Richtung gedacht haben solltest. Ich meinerseits weiß immer, daß ich kein Recht habe, Dir «Vorhaltungen zu machen» und mich sonstwie «einzumischen». Immerhin möchte ich Dir erklären, warum Deine Handlungsweise mir dermaßen traurig und schrecklich vorkommt, daß es mir schwierig scheint, Dir in näherer Zukunft überhaupt unter die Augen zu treten.
Zur Sache: Die Tagebuchglosse gegen Bermann mag zu «scharf» gewesen sein, – Schwarzschild mag sich vor allem ins Unrecht gesetzt haben, – man soll einen Juden, der nun also emigrieren will, wohl draußen nicht «denuncieren» [...]. Sicher ist, daß Bermann feste Zusagen gegeben haben muß, nichts Emigrantenfreundliches draußen zu unternehmen. Mir genügt das, um einem Vorkämpfer dieser Emigration das Recht einzuräumen, Unkundige vor dem «falschen Emigranten» zu warnen. Gleichviel. Dir genügt es nicht, Du hattest im Gegenteil den Wunsch, für Bermann einzutreten, – mit der Kolb und Hermann Hesse gemeinsam einzutreten, – öffentlich einzutreten, – in der N.Z.Z. einzutreten und Du weißt, daß dieser Satz drei Steigerungen enthält. Du hast Dir Deinen Wunsch in vollem Maße erfüllt, obwohl die Tatsache des Erscheinens Deiner Bücher im Bermann-Verlag ohnedies verraten haben würde, daß Du seinem Inhaber nichts Arges zutrauen magst. (Ebenso, wie etwa Deine Abwesenheit von Deutschland genügen muß, um der Öffentlichkeit Deine Abneigung gegen die Nazis zu demonstrieren, ohne daß Du ihr, der Abneigung, noch eigens Ausdruck zu verleihen brauchst.)
Doktor Bermann ist, soviel ich weiß, die erste Persönlichkeit, der, seit Ausbruch des dritten Reiches, Deiner Auffassung nach, Unrecht geschieht, zu deren Gunsten Du Dich öffentlich äußerst. Für niemanden sonst hast Du es bisher getan. Dein Appell für Ossietzky durfte nicht veröffentlicht werden, – Du schwiegst, als Hamsun denselben Ossietzky öffentlich anpöbelte und als der kleine Kesser den «Henry Quatre» erledigte, schriebst Du einen (wunderbaren) Privatbrief. Besonders empörend nanntest Du übrigens gesprächsweise die Tatsache, daß der Kesser den Verriß in der N.Z.Z. placiert hatte. Jedes andere Blatt schien Dir für unsereinen geeigneter, um Angriffe gegen einen verdienten Emigranten anzubringen. Schwarzschild nun ist ganz zweifellos, auch in Deinen Augen, ein hochverdienter Emigrant, – er ist einer der ganz wenigen, der etwas wirkt und sachlich zuwege bringt. Du selbst hast dieser Einsicht (privat!) oft genug Ausdruck gegeben. Auf der andern Seite war klar, daß weder Hesse, noch Annette, – beides Mitarbeiter an deutschen Tageszeitungen, – es sich würden leisten mögen und können, den Detail-Angriff gegen Schwarzschild durch die General-Verbeugung vor seiner Arbeit zu mildern, die bei dieser Gelegenheit wohl fällig gewesen wäre. Wolltest Du also mit diesen beiden «protestieren», so mußte es vorbehaltslos gegen Schwarzschild gehn.
Als Resumée bleibt: das erste Wort «für» aus Deinem Munde fällt für Doktor Bermann, – das erste Wort «gegen», – Dein erster officieller «Protest» seit Beginn des dritten Reiches richtet sich gegen Schwarzschild und das «Tagebuch» (in der N.Z.Z.!!!).
Meine persönliche Freundschaft für Schwarzschild ist gleich null. Meine Feindschaft für Bermann ist nicht persönlich. [...]
Er bringt es nun zum zweiten male fertig (das erste mal anläßlich des «Eröffnungsheftes» der «Sammlung»), daß Du der gesammten Emigration und ihren Bemühungen in den Rücken fällst, – ich kanns nicht anders sagen.
Du wirst mir diesen Brief wahrscheinlich sehr übel nehmen, – ich bin darauf gefaßt und weiß, was ich tue. Diese freundliche Zeit ist so sehr geeignet, Menschen auseinanderzubringen – in wievielen Fällen hat sie es schon getan. Deine Beziehung zu Doktor Bermann und seinem Haus ist unverwüstlich, – Du scheinst bereit, ihr alle Opfer zu bringen. Falls es ein Opfer für Dich bedeutet, daß ich Dir, mählich, aber sicher, abhanden komme, –: leg es zu dem übrigen. Für mich ist es traurig und schrecklich.

Ich bin Dein Kind E.

Deutsche Literatur im Emigrantenspiegel

E. K. Es ist Herrn Leopold Schwarzschild in Paris vorbehalten, in seinem „Neuen Tagebuch“ zu entdecken, daß das gesamte Vermögen der deutschen Literatur rechtzeitig ins Ausland verschoben worden ist. Der Verfasser, dem Literatur Ware ist, schreibt in dem angemessen merkantilen Stile wörtlich:

„Im Hintergrund steht das einzige deutsche Vermögen, das — merkwürdigerweise — aus der Falle des Dritten Reichs fast komplett nach draußen gerettet werden konnte: die Literatur. Man mag es für mehr oder weniger erheblich halten: Tatsache ist jedenfalls, daß dies Vermögen nahezu komplett ins Ausland ‚transferiert‘ werden konnte, nahezu nichts von Bedeutung ist drüben geblieben; Tatsache ist ferner, daß von allen ins Ausland geretteten Werten nur eben die Literatur komplett geblieben ist. Als einziger aller materiellen und kulturellen Werte kann also die deutsche Literatur in ihrer Gänze, nicht nur in Splittern und Partikeln, außerhalb des Reiches und außerhalb seines zerrüttenden Einflusses erhalten und für einen besseren Tag ‚einsatzbereit‘ überwintert werden. Ich glaube nicht, daß das geschichtlich ein Beispiel hat. Ich glaube nicht, daß schon einmal fast die ganze Literatur eines Landes, en gros und total, dem Zugriff eines Regimes, das sie teils zu vernichten, teils zu deformieren drohte, entwichen und ins Ausland abgewandert ist.“

Wem trägt Herr Schwarzschild solchen Aberwitz vor? Ausgerechnet Herrn Thomas Mann, weil seine Werke bisher noch in Deutschland erscheinen konnten und der Dichter der „Buddenbrooks“ doch wohl diese Emigrantensprache als eine Unverschämtheit empfindet. Ein feiner deutscher Literaturkenner, den das Schicksal ebenfalls ins Ausland verschlagen hat, hat wohl das Recht, solche Aeußerungen „Ghetto-Wahnsinn“ zu nennen. Hier hat man es schwarz auf weiß, daß ein Teil der Emigranten — wir hüten uns zu verallgemeinern — die deutsche Literatur mit derjenigen jüdischer Autoren identifiziert. Es gibt für sie keinen Gerhart Hauptmann, der ein Dichter war, keinen Hans Carossa, keinen Rud. Alexander Schröder, keinen Max Mell, keinen Waggerl, keinen Jakob Schaffner, keinen Emil Strauß, keinen Ernst Wichert, keinen Fr. G. Jünger, keinen Ernst Jünger, keine Ricarda Huch, keine Gertrud Le Fort — um nur auf gut Glück ein paar Namen zu nennen. Es gibt für sie keine Schweiz und kein Oesterreich — es gibt für sie nur den Querido-Verlag und De Lange-Verlag in Amsterdam. Nun werden die Nationalsozialisten triumphieren: Seht, wenn wir behaupteten, die Juden hätten vor 1933 die deutsche Literatur gepachtet und alles, was nicht ihres Stammes war, als nicht existent betrachtet — so wurden wir der Lüge bezichtigt. Heute bestätigt uns Herr Schwarzschild, daß die komplette deutsche Literatur ins Ausland transferiert worden ist. — Was ist denn ins Ausland transferiert worden? Etwa die deutsche Lyrik, die Herrlichkeiten der Gedichte Rud. A. Schröders? Wir wüßten nicht einen Dichter zu nennen. Ausgewandert ist doch vor allem die Romanindustrie und ein paar wirkliche Könner und Gestalter von Romanen. Betrachten sich diese als das Nationalvermögen der deutschen Literatur, dann ist es allerdings erschreckend zusammengeschrumpft.

Wir begreifen, wenn in Frankreich die Zahl derer wächst, die der Emigranten-Literatur eine ausgesprochene Skepsis entgegenbringen, und wir begreifen vor allem, daß es angesehene Schriftsteller in der Emigration gibt, die lieber nicht zu dieser deutschen Literatur gehören möchten, der der Haß lieber ist als das Streben nach Wahrheit und Gerechtigkeit.

* * *

Diese Bemerkungen lagen schon im Druck, als uns die folgende Erklärung zuging, die sich jedoch auf das „Pariser Tageblatt“ bezieht.

Erklärung:

Die Presse der deutschen Emigranten im Ausland hat bei Gelegenheit eines Feldzugs, den sie gegen den alten, verdienstvollen Verlag S. Fischer führt, auch meine Person mit hereingezogen, vor allem in einem Artikel G. Bernhards im Pariser Tageblatt. Da leider dieser Kampf unter anderm auch mit dem Mittel der Verleumdung geführt wird, sehe ich mich genötigt, gegenüber den Behauptungen jenes Artikels das Folgende festzustellen:

1. Ich bin nicht, wie die Emigrantenpresse es darstellt, deutscher Emigrant, sondern bin Schweizer, und lebe seit vollen vierundzwanzig Jahren ununterbrochen in der Schweiz.

2. Ich bin nicht, wie Herr Bernhard behauptet, Mitarbeiter der Frankfurter Zeitung.

Hermann Hesse.

KORRODIS ARTIKEL

Am 26. Januar 1936 glaubte Eduard Korrodi, Feuilletonredaktor der «Neuen Zürcher Zeitung», in die Debatte eingreifen zu müssen.

KLAUS MANNS TELEGRAMM

Am gleichen Tag (26. Januar 1936) erhielt Thomas Mann aus Amsterdam folgendes Telegramm:

bitten inständig auf Korrodis verhängnisvollen Artikel wie und wo auch immer zu erwidern / stop diesmal geht es wirklich um eine Lebensfrage für uns alle

Klaus und Landshoff

Eduard Korrodi (1885–1955)

Thomas Manns Stellungnahme erschien am 3. Februar 1936 in der «Neuen Zürcher Zeitung». Er erklärte darin seine Solidarität mit der Exilliteratur. Sein Brief führte zum offenen und endgültigen Bruch mit dem NS-Regime. Am 2. 12. 1936 verlor Thomas Mann die deutsche Staatsangehörigkeit.

Ich bin mir der Tragweite des heute getanen Schrittes bewußt. Ich habe nach 3 Jahren des Zögerns mein Gewissen und meine feste Überzeugung sprechen lassen. Mein Wort wird nicht ohne Eindruck bleiben.

Tagebuch, 31. Januar 1936

Ich mußte einmal mit klaren Worten Farbe bekennen: um der Welt willen, in der vielfach recht zweideutig-halb-und-halbe Vorstellungen von meinem Verhältnis zum Dritten Reiche herrschen, und auch um meinetwillen; denn schon lange war mir dergleichen seelisch nötig.

An Hermann Hesse, 9. Februar 1936

Ein Brief von Thomas Mann*)

Lieber Herr Dr. Korrodi,
Ihr Artikel «Deutsche Literatur im Emigrantenspiegel», erschienen in der Zweiten Sonntagsausgabe der «N.Z.Z.» vom 26. Januar, ist viel beachtet, viel diskutiert, von der Presse verschiedener Richtungen zitiert, um nicht zu sagen: ausgebeutet worden. Er stand überdies in einem gewissen, wenn auch lockeren, Zusammenhange mit der Erklärung, die ich im Verein mit ein paar Freunden zugunsten unserer alten literarischen Heimstätte, des S. Fischer Verlages, glaubte abgeben zu sollen. Darf ich also noch heute ein paar Bemerkungen daran knüpfen, vielleicht sogar ein paar Bedenken dagegen erheben?

Sie haben recht: Es war ein ausgemachter polemischer Mißgriff des Herausgebers des «Neuen Tage-Buchs», zu behaupten, die ganze zeitgenössische Literatur, oder so gut wie die ganze, habe Deutschland verlassen, sei, wie er sich ausdrückt, «ins Ausland transferiert» worden. Ich verstehe vollkommen, daß eine solche unhaltbare Übertreibung einen Neutralen wie Sie in Harnisch jagen mußte. Herr Leopold Schwarzschild ist ein sehr glänzender politischer Publizist, ein guter Hasser, ein schlagkräftiger Stilist; die Literatur aber ist nicht sein Feld, und ich vermute, daß er – vielleicht mit Recht – den politischen Kampf unter den heutigen Umständen für viel wichtiger, verdienstlicher und entscheidender hält, als all' Poesie. Auf jeden Fall mußte der Mangel an Überblick und künstlerischer Gerechtigkeit, den er mit seiner Behauptung bewiesen hat, einen Literaturkritiker wie Sie zum Widerspruch aufrufen, und einige der innerdeutschen Autorennamen, die Sie ihm entgegenhalten, widerlegen ihn unbedingt.

Zu fragen bleibt freilich, ob nicht einer oder der andere von den Trägern dieser Namen auch lieber draußen wäre, wenn es sich machen ließe. Ich will auf niemanden die Aufmerksamkeit der Gestapo lenken, aber in vielen Fällen mögen weniger geistige als recht mechanische Gründe da ausschlaggebend sein, und so ist die Grenze zwischen emigrierter und nicht emigrierter deutscher Literatur nicht leicht zu ziehen: sie fällt geistig gemeint, nicht schlechthin mit der Reichsgrenze zusammen. Die außerhalb dieser Grenze lebenden deutschen Schriftsteller sollten, so meine ich, nicht mit allzu wahlloser Verachtung auf diejenigen herabblicken, die zu Hause bleiben wollten oder mußten, und nicht ihr künstlerisches Werturteil ans Drinnen oder Draußen binden. Sie leiden; aber gelitten wird auch im Inneren, und sie sollten sich vor der Selbstgerechtigkeit hüten, die so oft ein Erzeugnis des Leidens ist. [...]

Lassen wir das. Die Gleichsetzung der Emigrantenliteratur mit der deutschen ist schon darum unmöglich, weil ja zur deutschen Literatur auch die österreichische, die schweizerische gehören. Mir persönlich sind von lebenden Autoren deutscher Sprache zwei besonders lieb und wert: Hermann Hesse und Franz Werfel – Romandichter beide und bewunderungswürdige Lyriker zugleich. Emigranten sind sie nicht, denn der eine ist Schweizer, der andere böhmischer Jude. – Eine wie schwere Kunst aber bleibt die Neutralität selbst bei so langer historischer Übung, wie Ihr Schweizer darin besitzt! Wie leicht verfällt der Neutrale bei der Abwehr einer Ungerechtigkeit in eine andere! In dem Augenblick, da Sie Einspruch erheben gegen die Identifikation der Emigrantenliteratur mit der deutschen, nehmen Sie selbst eine ebenso unhaltbare Gleichsetzung vor: denn merkwürdig, nicht der Irrtum selbst ist es, der Sie erzürnt, sondern die Tatsache, daß ein jüdischer Schriftsteller ihn begeht; und indem Sie daraus schließen, hier werde wieder einmal, in Bestätigung eines alten vaterländischen Vorwurfs, die Literatur jüdischer Provenienz mit der deutschen verwechselt, verwechseln Sie selber die Emigrantenliteratur mit der jüdischen.

Muß ich sagen, daß das nicht angeht? Mein Bruder Heinrich und ich sind keine Juden. Leonhard Frank, René Schickele, der Soldat Fritz von Unruh, der bayrisch bodenständige Oskar Maria Graf, Annette Kolb, A. M. Frey, von jüngeren Talenten etwa Gustav Regler, Bernard v. Brentano und Ernst Gläser sind es auch nicht. Daß in der Gesamt-Emigration der jüdische Einschlag zahlenmäßig stark ist, liegt in der Natur der Dinge; es ergibt sich aus der erhabenen Härte der nationalsozialistischen Rassephilosophie und, von der andern Seite, aus einem besondern Grauen der jüdischen Geistigkeit und Sittlichkeit vor gewissen Staatsveranstaltungen unserer Tage. Aber meine Liste, die auf Vollständigkeit so wenig Anspruch erhebt wie Ihre innerdeutsche, und auf deren Herstellung ich von mir aus nicht verfallen wäre, zeigt, daß von einem durchaus oder auch nur vorwiegend jüdischen Gepräge der literarischen Emigration nicht gesprochen werden kann.

Ich füge ihr die Namen Bert Brechts und Johannes R. Bechers hinzu, die Lyriker sind – weil Sie nämlich sagen, Sie wüßten nicht einen ausgewanderten Dichter zu nennen. Wie können Sie das, da ich doch weiß, daß Sie in Else Lasker-Schüler eine wirkliche Dichterin ehren? Ausgewandert, sagen Sie, sei doch vor allem die Romanindustrie «und ein paar wirkliche Könner und Gestalter von Romanen». Nun, Industrie heißt Fleiß, und fleißig müssen die entwurzelten und von einer wirtschaftlich geängstigten, in ihrer Hochherzigkeit beeinträchtigten Welt überall nur knapp geduldeten Menschen wohl sein, wenn sie ihr Leben gewinnen wollen; es wäre recht hart, ihnen daraus einen Vorwurf zu machen. [...]

Sie haben noch vor kurzem, gelegentlich der Karlweisschen Wassermann-Biographie, von dem Prozeß der Europäisierung des deutschen Romans mit gewohnter Divination und Feinheit gehandelt. Sie sprachen von der Veränderung im Typus des deutschen Romanciers, die durch eine Begabung, wie die Jakob Wassermanns, gezeitigt worden sei, und bemerkten: kraft der internationalen Komponente des Juden sei der deutsche Roman international geworden. Aber sehen Sie: an dieser «Veränderung», dieser «Internationalisierung», haben mein Bruder und ich nicht weniger Anteil gehabt als Wassermann, und wir waren keine Juden. Vielleicht war es der Tropfen Latinität (und Schweizertum, von unserer Großmutter her) in unserem Blut, der uns dazu befähigte. Die «internationale» Komponente des Juden, das ist seine mittelländisch-europäische Komponente – und diese ist zugleich deutsch; ohne sie wäre Deutschtum nicht Deutschtum, sondern eine weltunbrauchbare Bärenhäuterei. Das ist es ja, was heute die katholische Kirche, in einer Bedrängnis, die sie auch dem Zögling protestantischer Kultur wieder ehrwürdig macht, in Deutschland verteidigt, wenn sie erklärt: erst mit der Annahme des Christentums seien die Deutschen in die Reihe der führenden Kulturvölker eingetreten. Man ist nicht deutsch, indem man völkisch ist. Der deutsche Judenhaß aber, oder derjenige der deutschen Machthaber, gilt, geistig gesehen, gar nicht den Juden oder nicht ihnen allein: er gilt Europa und jedem höheren Deutschtum selbst; er gilt, wie sich immer deutlicher erweist, den christlich-antiken Fundamenten der abendländischen Gesittung: er ist der (im Austritt aus dem Völkerbund symbolisierte) Versuch einer Abschüttelung zivilisatorischer Bindungen, der eine furchtbare, eine unheilschwangere Entfremdung zwischen dem Lande Goethes und der übrigen Welt zu bewirken droht.

Die tiefe, von tausend menschlichen, moralischen und ästhetischen Einzelbeobachtungen und -eindrücken täglich gestützte und genährte Überzeugung, daß aus der gegenwärtigen deutschen Herrschaft nichts Gutes kommen kann, für Deutschland nicht und für die Welt nicht, – diese Überzeugung hat mich das Land meiden lassen, in dessen geistiger Überlieferung ich tiefer wurzele als diejenigen, die seit drei Jahren schwanken, ob sie es wagen sollen, mir vor aller Welt mein Deutschtum abzusprechen. Und bis zum Grunde meines Gewissens bin ich dessen sicher, daß ich vor Mit- und Nachwelt recht getan, mich zu denen zu stellen, für welche die Worte eines wahrhaft adeligen deutschen Dichters gelten:

«Doch wer aus voller Seele haßt das Schlechte,
Auch aus der Heimat wird es ihn verjagen,
Wenn dort verehrt es wird vom Volk der Knechte.
Weit klüger ist's, dem Vaterland entsagen,
Als unter einem kindischen Geschlechte
Das Joch des blinden Pöbelhasses tragen.»

Ihr sehr ergebener
Thomas Mann.

*) Anmerkung der Redaktion. Ungesäumt geben wir diesem freimütigen und entschiedenen Dokumente Thomas Manns Raum, das in ein Bekenntnis mündet, dessen Folgen der Dichter zu tragen gewillt ist. Nur *ein* Mißverständnis sei behoben. Wenn in der Glosse «Deutsche Literatur im Emigrantenspiegel» von Romanindustrie die Rede war, so konnte sicher nicht ein Dichter vom Range Thomas Manns gemeint sein. Eine Antwort auf den Brief Thomas Manns wird tunlichst bald folgen.

Die Red.

Neue Zürcher Zeitung, 3. Februar 1936

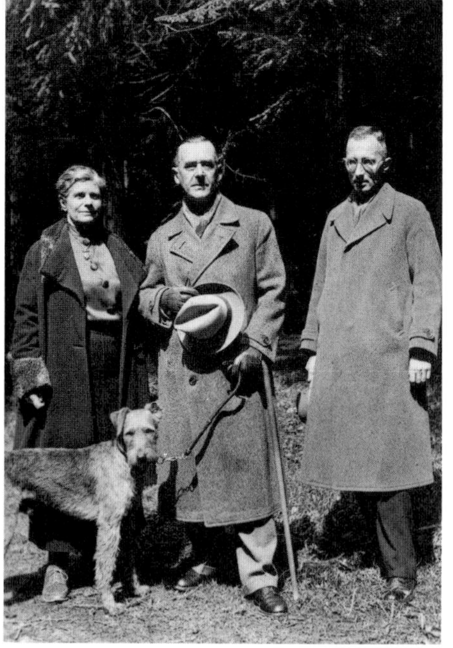

Ein Flüchtling
Katja Mann, Thomas Mann und Kuno Fiedler in Küsnacht 1936

Pastor Kuno Fiedler (1895–1973) war seit 1915 mit Thomas Mann befreundet. Er hatte 1918 die jüngste Tochter Elisabeth Mann getauft. Fiedler wurde 1936 wegen seines Widerstandes gegen die Gleichschaltung der protestantischen Kirche verhaftet. Am 19. September 1936 gelang ihm die Flucht aus dem Würzburger Polizeigefängnis. Er kam in die Schweiz und fand dort für die erste Zeit bei Thomas Mann Unterkunft. Bald darauf zog er nach St. Antönien in Graubünden, wo er wieder als Seelsorger wirken konnte.

Die Aberkennung der deutschen Staatsangehörigkeit

VOLKSSCHÄDLINGE

Im «Völkischen Beobachter» erschien am 5. Dezember 1936 die Anzeige des Reichsministeriums des Innern (Wilhelm Frick). Die Titel lauteten:

Ausstoßung von Volksschädlingen
Aberkennung der deutschen Staatsangehörigkeit

Und:

Volksverräter und Reichsfeinde
Das sind die Hetzer, die Deutschland ausstößt

21. Thomas Mann, Schriftsteller, früher in München wohnhaft. Nach dem Umschwung kehrte er nicht wieder nach Deutschland zurück und begründete mit seiner Ehefrau Katharina geb. Pringsheim, die einer jüdischen Familie entstammt, einen Wohnsitz in der Schweiz. Wiederholt beteiligte er sich an Kundgebungen internationaler, meist unter jüdischem Einfluß stehender Verbände, deren feindselige Einstellung gegenüber Deutschland allgemein bekannt war. Seine Kundgebungen hat er in letzter Zeit wiederholt offen mit staatsfeindlichen Angriffen gegen das Reich verbunden. Anläßlich einer Diskussion in einer bekannten Züricher Zeitung über die Bewertung der Emigrantenliteratur stellte er sich eindeutig auf die Seite des staatsfeindlichen Emigrantentums und richtete öffentlich gegen das Reich die schwersten Beleidigungen, die auch in der Auslandspresse auf starken Widerspruch stießen. Sein Bruder Heinrich Mann, sein Sohn Klaus und seine Tochter Erika Mann sind bereits vor längerer Zeit wegen ihres unwürdigen Auftretens im Ausland der deutschen Staatsangehörigkeit für verlustig erklärt worden.

Völkischer Beobachter, 5. Dezember 1936

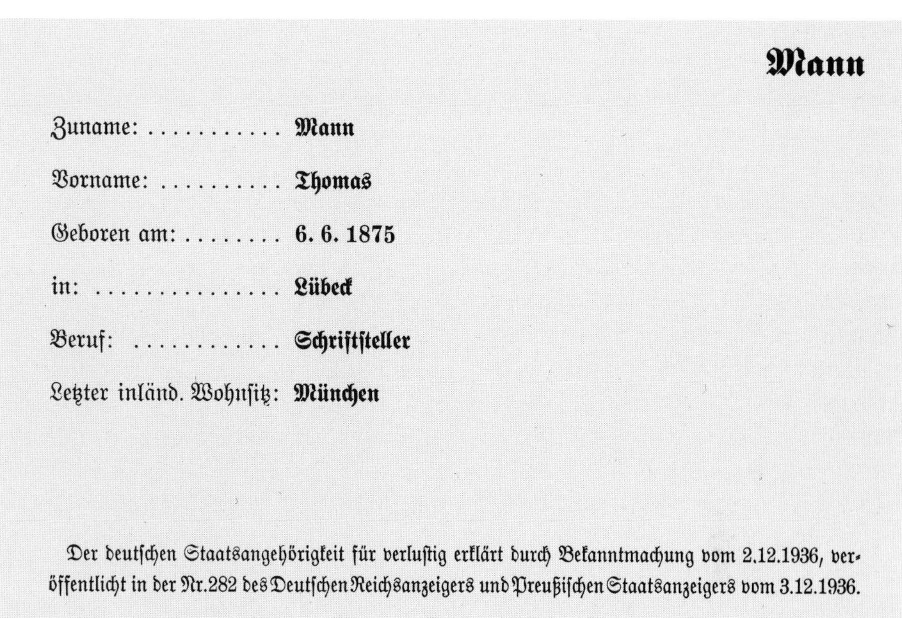

Mann

Zuname: .... Mann
Vorname: .... Thomas
Geboren am: 6. 6. 1875
in: .... Lübeck
Beruf: .... Schriftsteller
Letzter inländ. Wohnsitz: München

Der deutschen Staatsangehörigkeit für verlustig erklärt durch Bekanntmachung vom 2.12.1936, veröffentlicht in der Nr. 282 des Deutschen Reichsanzeigers und Preußischen Staatsanzeigers vom 3.12.1936.

Das Ausbürgerungsformular
Klaus Mann war bereits 1934 ausgebürgert worden, Erika 1935.

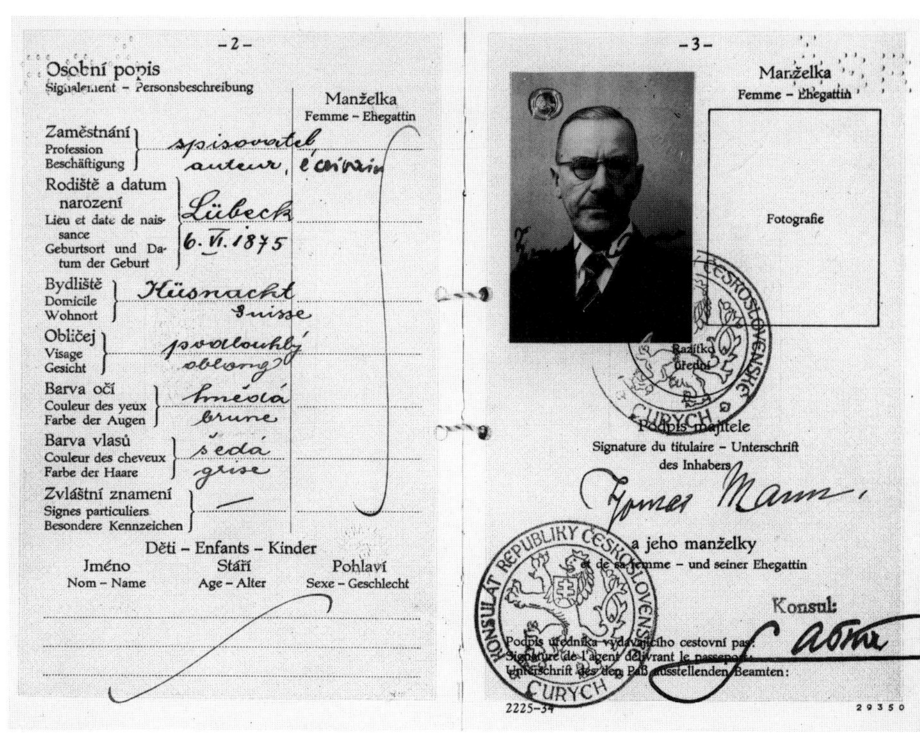

– 2 –

Osobní popis
Signalement – Personsbeschreibung

Manželka
Femme – Ehegattin

Zaměstnání / Profession / Beschäftigung: spisovatel, auteur, écrivain
Rodiště a datum narození / Lieu et date de naissance / Geburtsort und Datum der Geburt: Lübeck, 6. VI. 1875
Bydliště / Domicile / Wohnort: Küsnacht, Suisse
Obličej / Visage / Gesicht: podlouhlý, oblong
Barva očí / Couleur des yeux / Farbe der Augen: hnědá, brune
Barva vlasů / Couleur des cheveux / Farbe der Haare: šedá, grise
Zvláštní znamení / Signes particuliers / Besondere Kennzeichen: —

Děti – Enfants – Kinder
Jméno / Nom – Name | Stáří / Age – Alter | Pohlaví / Sexe – Geschlecht

– 3 –

Manželka
Femme – Ehegattin

Fotografie

Podpis majitele
Signature du titulaire – Unterschrift des Inhabers
Thomas Mann
a jeho manželky
et de sa femme – und seiner Ehegattin

Konsul:

Podpis úředníka vydávajícího cestovní pas
Signature de l'agent délivrant le passeport
Unterschrift des den Paß ausstellenden Beamten:

Konsulát Republiky Československé Curych

2225-34

29350

Thomas Manns tschechischer Paß
Im November 1936 verlieh die tschechische Gemeinde Proseč Thomas Mann und seiner Familie das Bürgerrecht.

Der Entzug des Bonner Ehrendoktorats

Kurz nach der Ausbürgerung entzog die Universität Bonn Thomas Mann den Ehrendoktor-Titel. Thomas Mann antwortete dem Dekan der Philosophischen Fakultät, Karl Justus Obenauer, am Neujahrstag 1937:

Ich habe es mir nicht träumen lassen, es ist mir nicht an der Wiege gesungen worden, daß ich meine höheren Tage als Emigrant, zu Hause enteignet und verfemt, in tief notwendigem politischem Protest verbringen würde. Seit ich ins geistige Leben eintrat, habe ich mich in glücklichem Einvernehmen mit den seelischen Anlagen meiner Nation, in ihren geistigen Traditionen sicher geborgen gefühlt. Ich bin weit eher zum Repräsentanten geboren als zum Märtyrer, weit eher dazu, ein wenig höhere Heiterkeit in die Welt zu tragen, als den Kampf, den Haß zu nähren. Höchst Falsches mußte geschehen, damit sich mein Leben so falsch, so unnatürlich gestaltete.

Briefwechsel mit Bonn (XII, 787)

Philosophische Fakultät der Universität Bonn

E i n s c h r e i b e n

R Bonn 1 731 a

Herrn

Schriftsteller Thomas M a n n ,

d.V. des Bermann-Fischer Verlags G.m.b.H.

W i e n III

Esteplatz 5

Philosophische Fakultät
der Rheinischen
Friedrich Wilhelms-Universität

BONN, den 19. Dezember 1936

J.-Nr. 58

Im Einverständnis mit dem Herrn Rektor der Universität Bonn muß ich Ihnen mitteilen, daß die Philosophische Fakultät sich nach Ihrer Ausbürgerung genötigt gesehen hat, Sie aus der Liste der Ehrendoktoren zu streichen. Ihr Recht, diesen Titel zu führen, ist gemäß § VIII unserer Promotionsordnung erloschen.

Philosophische Fakultät der Universität Bonn

Dekan

Herrn
Schriftsteller Thomas M a n n .

AUS THOMAS MANNS BRIEF AN DEN BONNER DEKAN

Sinn und Zweck des nationalsozialistischen Staatssystems ist einzig der und kann nur dieser sein: das deutsche Volk unter unerbittlicher Ausschaltung, Niederhaltung, Austilgung jeder störenden Gegenregung für den ‹kommenden Krieg› in Form zu bringen, ein grenzenlos willfähriges, von keinem kritischen Gedanken angekränkeltes, in blinde und fanatische Unwissenheit gebanntes Kriegsinstrument aus ihm zu machen. Einen anderen Sinn und Zweck, eine andere Entschuldigung kann dieses System nicht haben; alle Opfer an Freiheit, Recht, Menschenglück, eingerechnet die heimlichen und offenen Verbrechen, die es ohne Bedenken auf sich genommen hat, rechtfertigen sich allein in der Idee der unbedingten Ertüchtigung zum Kriege. Sobald der Gedanke des Krieges dahinfiele, als Zweck seiner selbst, wäre es nichts weiter mehr als Menschheitsschinderei – es wäre vollkommen sinnlos und überflüssig.

[...]

Nein, dieser Krieg ist unmöglich. Deutschland kann ihn nicht führen, und sind seine Machthaber irgend bei Verstande, so sind die Versicherungen ihrer Friedfertigkeit nicht das, als was sie sie vor ihren Anhängern blinzelnd ausgeben möchten: taktische Lügen, sondern entspringen der scheuen Einsicht in eben diese Unmöglichkeit. Kann und soll aber nicht Krieg sein – wozu dann Räuber und Mörder? Wozu Vereinsamung, Weltfeindschaft, Rechtlosigkeit, geistige Entmündigung, Kulturnacht und jeglicher Mangel? Warum nicht lieber Deutschlands Rückkehr nach Europa, seine Versöhnung mit ihm, seine freie, vom Erdkreis mit Jubel und Glockengeläut begrüßte Einfügung in ein europäisches Friedenssystem mit all ihrem inneren Zubehör an Freiheit, Recht, Wohlstand und Menschenanstand? Warum nicht? Nur weil ein das Menschenrecht in Wort und Tat verneinendes Regime, das an der Macht bleiben will und nichts weiter, sich selbst verneinen und aufheben würde, wenn es, da es denn nicht Krieg machen kann, wirklich Frieden machte? Aber ist das auch ein Grund? –

Ich habe wahrhaftig vergessen, Herr Dekan, daß ich noch immer zu Ihnen spreche. Gewiß darf ich mich getrösten, daß Sie schon längst nicht mehr weitergelesen haben, entsetzt von einer Sprache, deren man in Deutschland seit Jahren entwöhnt ist, voll Schrecken, daß jemand sich erdreistet, das deutsche Wort in alter Freiheit zu führen. – Ach, nicht aus dreister Überheblichkeit habe ich gesprochen, sondern aus einer Sorge und Qual, von welcher Ihre Machtergreifer mich nicht entbinden konnten, als sie verfügten, ich sei kein Deutscher mehr; einer Seelen- und Gedankennot, von der seit vier Jahren nicht eine Stunde meines Lebens frei gewesen ist und gegen die ich meine künstlerische Arbeit tagtäglich durchzusetzen hatte. Die Drangsal ist groß. Und wie wohl auch ein Mensch, der aus religiöser Schamhaftigkeit den obersten Namen gemeinhin nur schwer über die Lippen oder gar aus der Feder bringt, in Augenblicken tiefer Erschütterung ihn dennoch um letzten Ausdrucks willen nicht entbehren mag, so lassen Sie mich – da alles doch nicht zu sagen ist – diese Erwiderung mit dem Stoßgebet schließen:

Gott helfe unserm verdüsterten und mißbrauchten Lande und lehre es, seinen Frieden zu machen mit der Welt und mit sich selbst!

Küsnacht am Zürichsee, Neujahr 1937

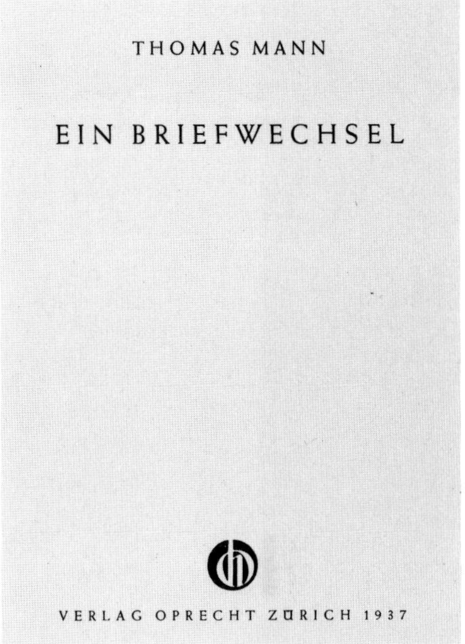

THOMAS MANN
EIN BRIEFWECHSEL
VERLAG OPRECHT ZÜRICH 1937

Der Brief an die Universität Bonn wurde vom Zürcher Verleger Emil Oprecht, zusammen mit dem Brief des Dekans, veröffentlicht. Der «Briefwechsel» verbreitete sich in kurzer Zeit über die ganze Welt.

Briefe …

Börries, Frhr. v. Münchhausen
Dr. jur., Dr. phil. h. c.
Windischleuba bei Altenburg, Thür.
Fernsprecher Altenburg 1564
Station Altenburg

22.4.37.

Sehr geehrter Herr Doktor,

auf einem wunderlichen Umwege, nämlich als Beilage zu einem anonymen Schmähgedicht aus La Plata in Argentinien, kommt mir die Antwort zu Gesicht, die Sie der Bonner Universität gegeben haben. In dem erwähnten Gedicht werde ich auf das Heftigste beschimpft, weil ich "um Gunst und Gewinn bei der neuen Regierung buhlte". Anscheinend hat der mutige Herr Namenlos die Presse des letzten halben Jahres nicht verfolgt, in der ich wegen einer harmlosen Buchbesprechung (Echtermeyers deutsche Gedichte) auf das Heftigste angegriffen wurde. Ich bin nicht Nationalsozialist, und wenn ich auch mit fast allem Guten, Tapferen und Echten im Dritten Reiche einverstanden bin, so tragen mir doch selbst meine seltenen und höchst bescheiden geäußerten Bedenken an gewissen Ungeschicklichkeiten nachgeordneter Stellen jedesmal ein wahres Trommelfeuer von Beschimpfungen ein.

Wir beide sind uns, wenn ich recht weiß, nur ein oder zweimal im Leben persönlich begegnet, aber ich möchte doch, da Sie wahrscheinlich meinen Namen kennen, und vielleicht auch meine Gesinnung, meine Ehrlichkeit und meinen moralischen Mut wissen, diese zufällige Bekanntschaft mit Ihrem Briefe nicht vorübergehen lassen, ohne Ihnen einige Worte darauf zu antworten.

Es ist ganz und gar sicher und offenkundig, daß Sie durch falsche wahrscheinlich verleumderische (das heißt also bewußt falsche) Nachrichten über Deutschland schwer getäuscht und betrogen sind, wenn Sie dieses Urteil über Deutschland schreiben können! Auch ein ähnliches, ein Brief von Ihnen an einen Schweizer Verleger, das mir vor Jahr und Tag zugeschickt wurde, litt unter denselben tragischen Irrtümern. Wenn ich nun auch nicht hoffen kann, daß meine Worte Ihre Überzeugungen irgend-

Börries von Münchhausen, 22. April 1937

Börries von Münchhausen, im ersten Weltkrieg Rittmeister, dann im Auswärtigen Amt tätig, hatte sich 1920 auf sein Gut in Windischleuba zurückgezogen, um dort als Balladendichter, Junker und Nationalpolitiker zu leben. Auf allen Gebieten kam er über den Wilhelminismus nicht hinaus. Er blieb zeit seines Lebens ein Rittmeister. Seine Balladen sind von Anfang bis zum Schluß voll von Pferdegetrappel, Reitergetümmel, Landsknechtslust und -derbheit – «Reiten, Trinken, Fechten, Küssen die ganze Nacht». Er war und blieb ein naiver Junker, als höchster Wert galt ihm der «Herrenstolz des Edelmannes», und nichts war ihm «fataler als Kleinleutegeruch». Dieser hätte ihn eigentlich stören müssen, als er mit den Nazis sympathisierte. Aber man glaubte damals noch vielerorten, Herrenmensch und Junker bleiben zu können, ohne vom Kleinbürgermief berührt zu werden. Der Freiherr von Münchhausen hat für diesen Irrtum bezahlt. Er nahm sich am 16. März 1945 das Leben.
Else Lasker-Schülers Brief trägt den Absender: Fraumünsterpost/postlagernd/ Zürich. Sie war im April 1933 nach Zürich geflohen. Die ersten Nächte hatte sie in einem Park am See verbracht. Kälte und Brutalität der Welt vermochten sie nicht umzubringen. Sie lebte im Märchen, unterschrieb ihre Briefe mit «Prinz von Jussuf», oder «Tino von Bagdad». Thomas Mann war für sie der «Konsul», Katja die «Kalifentochter»; Karl Kraus hieß der «Kardinal», Werfel «Prinz von Prag», Trakl «Ritter aus Gold». Franz Marc hat ihr Theben illustriert mit blauen Felsen, Zitronenpferden und Feuerochsen. Sie lebte als «verirrter Paradiesvogel» in einer Welt, die nicht die ihre war – elend und allgewaltig.

Else Lasker-Schüler, 29. Mai 1938. (Sie hat den Brief mit Blut unterzeichnet: Jussuf, Prinz von Theben.)

5) auch ein Indianer bin, immer ehrlich gekämpft habe.
Ich sprach Medi 2x. Sie sieht schön und gut aus. Und auch Klaus sprach ich; ich mag ihn gut leiden. Und vor paar Tagen traf ich in Baden Ihren zweiten Sohn, der gefällt mir auch. Am besten gefällt aber den noch viel jüngeren geschätzten Thomas Mann.
Ich grüsse Sie von mir sehr verehrten Thomas Mann mit dem Indianerblutgruss meiner Adler.

Jussuf Prinz

Ein Zeichen von Theben zu bewahrheiten wie traurig ich bin.

Ich spürte die Kälte [illegible] [illegible] Kümmernis [illegible]

Maß und Wert

MASS UND WERT

Zweimonatsschrift für freie deutsche Kultur

Herausgegeben von Thomas Mann und Konrad Falke

1. Jahrgang September-Oktober 1937 Heft 1

INHALT:

Vorwort:	„Mass und Wert"
Thomas Mann:	Lotte in Weimar
Erich Kahler:	Die preußische Oekonomie
H. Steinhausen:	Die Zukunft der Freiheit
Josef Breitbach:	Die Rückkehr
Karl Mannheim:	Zur Diagnose unserer Zeit
Konrad Falke:	Politische Aphorismen
Gerhard Scholz:	Lichtenberg und wir
Edmond Jaloux:	Der schöpferische Traum
René Schickele:	August
F. Lion: R. J. Humm:	Kritik

Einzelheft Fr. 2.50 – Jahresabonnement (6 Hefte) Fr. 12.–

VERLAG OPRECHT ZÜRICH

Vom Herbst 1937 bis September 1940 erschien im Verlag Oprecht in Zürich die Exilzeitschrift «Maß und Wert». Herausgeber waren Thomas Mann und Konrad Falke, Redaktor Ferdinand Lion.

Ferdinand Lion (1883–1965)
Der Elsässer Ferdinand Lion war Redaktor von «Maß und Wert» von 1937–1939. Als er nach Ausbruch des Krieges nach Frankreich zog, sprang Golo Mann ein und redigierte die Zeitschrift bis zu ihrem Eingehen 1940.

«MASS UND WERT»

Wir haben wohl einen und den anderen das Gesicht verziehen sehen beim Klang dieses Namens. «So artig? So konservativ?» schien er sagen zu wollen. «So esoterisch sogar und vornehm wollt ihr sein? Gab es keine zündendere, kecker werbende Parole einer deutschen Zeitschrift an die Stirn zu schreiben, die heute in Freiheit wirken darf und will? Hofft ihr mit solcher züchtigen Titel-Pädagogik einen Hund vom Ofen zu locken in Zeiten kundigsten Anreissertums und einer revolutionären Propaganda-Schmissigkeit, in der alles Angriff, Vorstoß, Umbruch und ‹junger Morgen› ist oder sich doch triumphierend so nennt?»

Nun denn, wir glauben, daß sehr bald kein Hund mehr vom Ofen zu locken sein wird mit den Fanfaren einer verlogenen Sieghaftigkeit und Zukünftigkeit; sie werden ein Ekel und Achselzucken geworden sein, sie sind es schon heute geworden für Jung und Alt. Das Vokabular der Revolution ist heillos geschändet, kompromittiert und ins Läppische gezogen, seit es ein Jahrzehnt lang und länger dem Massenspießer hat dienen müssen, sich revolutionär vorzukommen. Es ist spießige, schundige Welt, wo heute die kecken Devisen winken, – die Gegenwelt, unbedingt, zu der der Qualität, des Ranges, der Kunst, aus welcher die Wortsymbole stammen, mit denen wir unser Wollen, unseren Glauben bezeichnen.

Denn musische Zeichen und Begriffe sind es vor allem, diese beiden, «Maß» und «Wert»: Maß, das ist Ordnung und Licht […].

Vorwort zum ersten Jahrgang von «Maß und Wert» (XII, 798 f.)

Mit dem Verleger Emil Oprecht, 13. September 1938
Dr. Oprecht (1895–1952) war Gründer der Buchhandlung Dr. Oprecht und des Europa-Verlags in Zürich. Seine Hilfsbereitschaft machte das Haus an der Rämistraße bald zu einem Emigranten-Zentrum. Oprecht gehörte mit seiner Frau Emmie zu Thomas Manns engstem Zürcher Freundeskreis.

Am 13. September 1938 las Thomas Mann im Zürcher Schauspielhaus aus «Lotte in Weimar». Er leitete die Lesung mit einem Dank an die Stadt ein:

Ich habe diese Gelegenheit von Herzen gern ergriffen, denn ich kann sie wahrnehmen für eine weitergehende Danksagung, die heute am Platze ist: den Dank an Zürich für die Gastlichkeit, das freundliche Asyl, den Arbeitsfrieden, den es mir so lange gewährt hat. Es ist kein Anlaß zu übertriebener Wehmut, – eine eigentliche Trennung von Europa steht nicht in Rede, sie ist innerlich unmöglich, und ich bin fest entschlossen, sie, so lange die Umstände es irgend erlauben, durch alljährliche Rückkehr auch räumlich aufzuheben.

Aus der Einleitung zur Lesung vom 13. 9. 1938 im Schauspielhaus in Zürich

Thomas Mann bei der Lesung im Zürcher Schauspielhaus

Das Münchner Abkommen

München
Am 29. Oktober 1938 kam der britische Premierminister Neville Chamberlain in München an, um sich mit Hitler, Mussolini und Daladier zu treffen.

Hitler kündigt Blitz und Donner an

Jahrelang hatte Hitler seinen Friedenswillen beteuert. Am 10. November 1938 eröffnete er zynisch, nun beginne es «zu blitzen und zu donnern».

Die Umstände haben mich gezwungen, jahrzehntelang fast nur vom Frieden zu reden. Nur unter der fortgesetzten Betonung des deutschen Friedenswillens und der Friedensabsichten war es mir möglich, dem deutschen Volk Stück für Stück die Freiheit zu erringen und ihm die Rüstung zu geben, die immer wieder für den nächsten Schritt als Voraussetzung notwendig war. Es ist selbstverständlich, daß eine solche jahrzehntelang betriebene Friedenspropaganda auch ihre bedenklichen Seiten hat; denn es kann nur zu leicht dahin führen, daß sich in den Gehirnen vieler Menschen die Auffassung festsetzt, daß das heutige Regime an sich identisch sei mit dem Entschluß und dem Willen, den Frieden unter allen Umständen zu bewahren. Das würde aber nicht nur zu einer falschen Beurteilung der Zielsetzung dieses Systems führen, sondern es würde vor allem auch dahin führen, daß die deutsche Nation, statt den Ereignissen gegenüber gewappnet zu sein, mit einem Geist erfüllt wird, der auf die Dauer als Defaitismus gerade die Erfolge des heutigen Regimes nehmen würde und nehmen müßte. Der Zwang war die Ursache, warum ich jahrelang nur vom Frieden redete. Es war nunmehr notwendig, das deutsche Volk psychologisch allmählich umzustellen und ihm langsam klarzumachen, daß es Dinge gibt, die, wenn sie nicht mit friedlichen Mitteln durchgesetzt werden können, mit Mitteln der Gewalt durchgesetzt werden müssen. Dazu war es aber notwendig, nicht etwa nun die Gewalt als solche zu propagieren, sondern es war notwendig, dem deutschen Volk bestimmte außenpolitische Vorgänge so zu beleuchten, daß die innere Stimme des Volkes selbst langsam nach der Gewalt zu schreien begann. Daß heißt also, bestimmte Vorgänge so zu beleuchten, daß im Hirn der breiten Masse des Volkes ganz automatisch allmählich die Überzeugung ausgelöst wurde: wenn man das eben nicht im Guten abstellen kann, dann muß man es mit Gewalt abstellen; so kann es aber auf keinen Fall weitergehen. Diese Arbeit hat Monate erfordert, sie wurde planmäßig begonnen, planmäßig fortgeführt, verstärkt. Viele haben sie nicht begriffen, meine Herren; viele waren der Meinung, das sei doch alles etwas übertrieben. Das sind jene überzüchteten Intellektuellen, die keine Ahnung haben, wie man ein Volk letzten Endes zu der Bereitschaft bringt, geradezustehen, auch wenn es zu blitzen und zu donnern beginnt.

Aus Hitlers Rede vom 10. November 1938

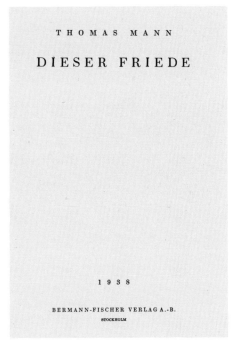

THOMAS MANN

DIESER FRIEDE

1938

BERMANN-FISCHER VERLAG A.-B.

STOCKHOLM

Über das Münchner Abkommen und die Abtretung des Sudetenlandes an das Deutsche Reich tief verzweifelt, schrieb Thomas Mann den Essay «Dieser Friede».

Dieser Friede

Die psychologische Bereitschaft Europas für die faschistische Infiltration in politischer, moralischer, intellektueller Beziehung habe ich nicht unterschätzt. Was ich allerdings, und nicht ich allein, unterschätzt habe, war die Schnelligkeit, mit der der Prozeß sich vollziehen sollte, es war der ausschlaggebende Einfluß, den binnen weniger Jahre die faschistischen Sympathien in den demokratischen Ländern selbst gewinnen würden, und der in der tschechischen Krise auf eine niederschmetternde und übrigens höchst infame Weise an den Tag gekommen ist. Die deutsche Emigration hat ein furchtbares Erlebnis mit denen gemeinsam, die innerhalb Deutschlands ihre Schmerzen und Hoffnungen teilten: Es war das qualvoll langsame, bis zum Äußersten immer wieder verleugnete Gewahrwerden der Tatsache, daß wir, die Deutschen der inneren und äußeren Emigration, Europa, zu dem wir uns bekannt hatten und das wir moralisch hinter uns zu haben glaubten, in Wirklichkeit nicht hinter uns hatten; daß dieses Europa den mehrmals in so greifbare Nähe gerückten Sturz der nationalsozialistischen Diktatur gar nicht wollte.

Dieser Friede (XII, 832 f.)

Thomas Mann in Princeton, 1939

1939–1941 Amerikanisches Exil Zweiter Weltkrieg

In Princeton
«Lotte in Weimar»
Der Krieg
Agnes E. Meyer
«Joseph und seine Brüder»
Hermes

In Princeton

Schon 1934 war Thomas Mann auf Einladung seines amerikanischen Verlegers, Alfred A. Knopf, erstmals nach New York gereist. Die amerikanische Ausgabe der «Geschichten Jaakobs» sollte gefeiert werden. Von da an ging er fast jedes Jahr in die USA. 1935 wurde er zum Ehrendoktor der Harvard University ernannt und von Präsident Roosevelt ins Weiße Haus gebeten. 1937 hielt er verschiedene Vorträge, vor allem zugunsten deutscher Emigranten. Er lernte dabei die einflußreiche Agnes E. Meyer, Gattin des Verlegers der «Washington Post», kennen. Im Frühjahr 1938 reiste er mit dem Vortrag «The Coming Victory of Democracy» durch fünfzehn amerikanische Städte. Während dieses Aufenthalts wurde ihm eine Art Ehrenprofessur in Princeton angetragen. Sie war seine Rettung.

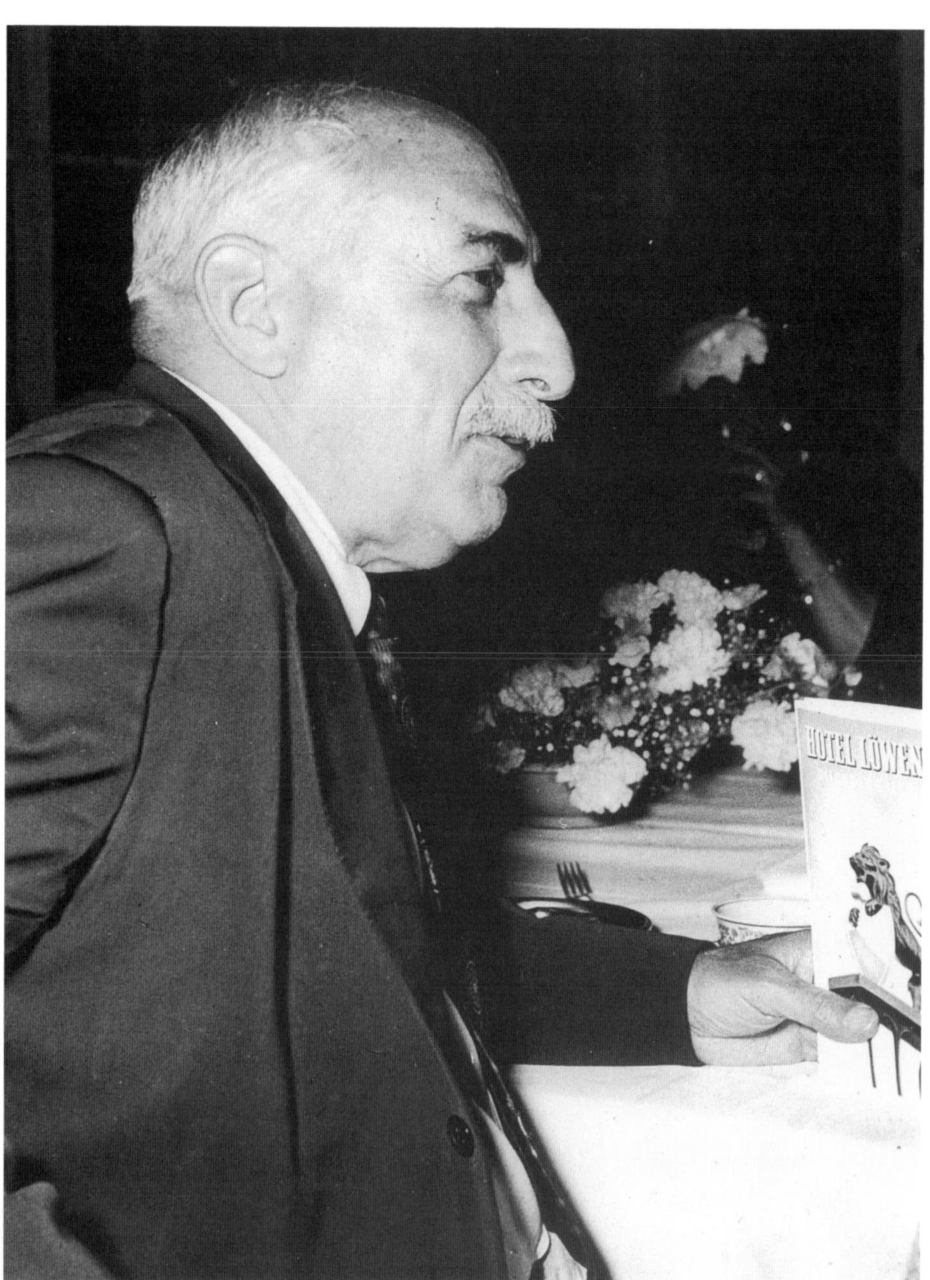

Alfred A. Knopf (1892–1984)
Knopf war seit 1924 Thomas Manns amerikanischer Verleger.
Mit ihm und seiner Frau Blanche (1894–1966) war Thomas Mann freundschaftlich verbunden.

June 20, 1938

Dear Sir

I have the honor to inform you that at a meeting of the Trustees of Princeton University held today you were appointed Lecturer in the Humanities for the academic year 1938-1939, at a salary of $6,000.

Respectfully yours

Alexander Leitch

Secretary of the University

To

Doctor Thomas Mann,
Jamestown, Rhode Island.

Die Universität Princeton ernennt Thomas Mann zum Lecturer in the Humanities

Caroline Newton
Bereits während seiner Amerikareise 1937 hatte Thomas Mann die Bekanntschaft der Psychoanalytikerin Caroline Newton (1893–1975) gemacht. Sie stellte ihre bedeutende Thomas-Mann-Sammlung – Manuskripte, Briefe, Erstausgaben – später der Princeton University zur Verfügung.

Die «Cabin», das Landhaus von Caroline Newton in Jamestown, Rhode Island
Hier wohnten Thomas und Katja Mann im Mai/Juni 1938.

Ein neues Haus

«The Mitford House» in Princeton, Stockton Street 65
Hier wohnte Thomas Mann von Ende September 1938 bis Mitte März 1941.

Die Übersiedelung nach Princeton erfolgte im September 1938. Zur Zeit der Münchner Konferenz und des nachfolgenden Einmarschs der deutschen Truppen in die Tschechoslowakei hatte Thomas Mann bereits sein großes Haus, 65 Stockton Street, bezogen. Auch in Princeton gab es Emigranten: Erich von Kahler und Hermann Broch wohnten im Haus 1 Evelyn Place, Einstein war da, Martin Gumpert kam von New York herüber. Das gesellschaftliche Leben nahm Thomas Mann in Anspruch. Dorothy Thompson, Agnes E. Meyer, Caroline Newton setzten sich für ihn ein, die Universitätsspitzen erleichterten ihm das Leben. Vortragsreisen, Hilfsaktionen für Emigranten setzten ihm zeitlich und psychisch zu.

Thomas Mann bewohnt hier mit seiner Familie – was gerade von ihr aus- und einflitzt – ein großes, sicherlich von einem Engländer erbautes Haus. Denn es ist – bis auf die nachträglich eingebauten Badezimmer – reinstes early Victorian. Sogar ein conservatory ist darin. Im Garten sind alle Tulpen im Flor, auch der Dogwood-Baum mit seinen Strahlenblüten, die vom Himmel gefallen scheinen. Wir kennen ihn bei uns nicht, noch seinen feinen Duft, der sich bei uns vielleicht verflüchtigen würde, wie hier etwas von dem des Flieders und der Rosen verlorengeht. Auch dem der Veilchen sagt man es nach.
Was aber sehe ich rechts von meinen Fenstern stehen? Eine Gruppe von Tannen und darunter einen Tisch mit Liegestühlen. War es nicht so vor Thomas Manns Haus in Küsnacht bei Zürich? –

Annette Kolb, Glückliche Reise, 15. Mai 1939

Katja und Thomas Mann in Princeton

Thomas Mann in Princeton, 1939, bei der Arbeit am Tagebuch

THOMAS MANN

ACHTUNG, EUROPA!

AUFSÄTZE ZUR ZEIT

Thomas Mann gab 1938 seine Reden und Aufsätze zum Tage im Sammelband «Achtung, Europa!» heraus.

Erich von Kahler (1885–1970)
Der Historiker und Philosoph Erich von Kahler, Thomas Mann aus München bekannt, war Gastdozent an der Princeton University. Er war 1933 in die Schweiz und 1938 in die USA emigriert. Während ihrer gemeinsamen Jahre in Princeton standen sich Thomas Mann und Kahler sehr nahe.

Thomas Mann als Wanderredner

Unterwegs, Mai 1939

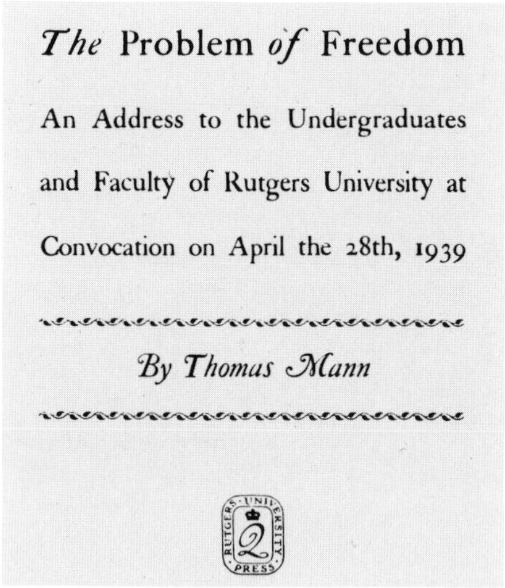

The Problem *of* Freedom

An Address to the Undergraduates and Faculty of Rutgers University at Convocation on April the 28th, 1939

By Thomas Mann

«The Problem of Freedom»: Diesen Vortrag hielt Thomas Mann in verschiedenen amerikanischen Städten, zum Teil in abgeänderter Form und unter anderen Titeln, z. B. «War and Democracy», «How to Win the Peace».

Am 13. März 1952 wird er an Ferdinand Lion schreiben: «[...] meine demokratische Attitüde ist nicht recht wahr, sie ist blosse Gereiztheitsreaktion auf den deutschen ‹Irrationalismus› und Tiefenschwindel (mit seiner giftigen Distinktion von ‹Dichter› und ‹Schriftsteller›) und auf den Faschismus überhaupt, den ich nun einmal wirklich und ehrlich nicht leiden kann. Er hat es fertig gebracht, mich zeitweise zum demokratischen Wanderredner zu machen, – eine Rolle, in der ich mir oft wunderlich genug vorkam. Ich fühlte immer, dass ich zur Zeit meines reaktionären Trotzes in den ‹Betrachtungen› viel interessanter und der Platitüde ferner gewesen war.» Er hat seine Vortragsreisen durch die amerikanischen Städte als Kreuzfahrten gegen Hitler aufgefaßt; sie waren aber auch Kreuzfahrten im andern Sinn – Leiden und Opfer. Statt Essays zum Tage zu schreiben und Vorträge zu halten, hätte er lieber an seinem eigentlichen Werk gearbeitet – Künstler wollte er sein, nicht Wanderprediger.

Praeses et Curatores Universitatis Princetoniensis
Omnibus has litteras lecturis
Salutem in Domino.

Quandoquidem aequum sit et rationi prorsus consentaneum eos qui labore et studio bonas artes didicerunt praemia suis meritis digna referre, eo ut et ipsis bene sit et aliorum prouocetur industria, quando etiam huc potissimum spectant amplissima illa iura nostrae Universitati publico diplomate collata;

Quumque **Thomas Mann** uir sit non tantum moribus inculpatus, litteris humanioribus penitus instructus, sed etiam sibi tantam in **litteris ad altiora prouehendis** cognitionem acquisiuerit ut summos publicos honores probe mereatur:

Idcirco notum sit omnibus quod nos Senatusconsulto Academico supradictum **Thomam Mann** titulo graduque **Litterarum Doctoris** honoris causa adornandum et dehinc pro Doctore habendum uoluimus.

Cuius rei haec membrana sigillo nostrae Universitatis rata et nominibus Praesidis et Scribae munita testimonio sit.

Datum Aulae Nassouicae
die XVIII Maii
Anno Domini MDCCCCXXXIX

Harold W. Dodds Praeses
Wilson Farrand Scriba

Die Ehrendoktorurkunde der Princeton University 1939
Thomas Mann erhielt zwischen 1935 und 1939 von amerikanischen Universitäten sechs Ehrendoktorate:

1935	*Harvard University*
1938	*Columbia University*
1938	*Yale University*
1939	*28. April: Rutgers University*
1939	*18. Mai: Princeton University*
1939	*29. Mai: Dubuque University*

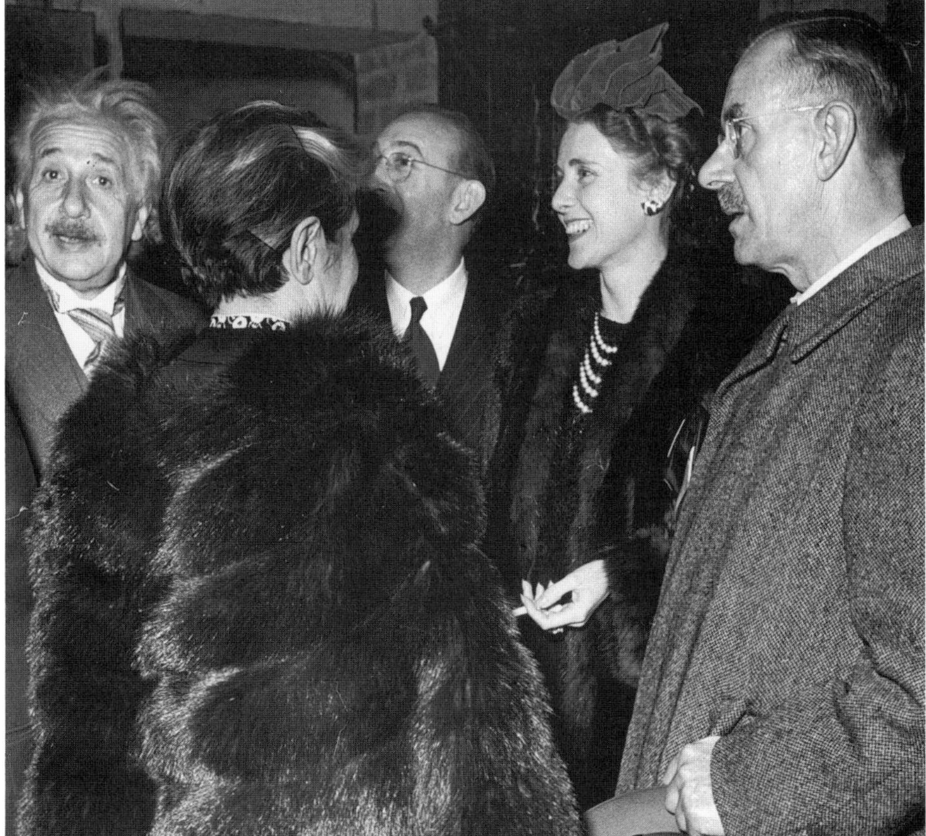

Ehrendoktor der Princeton University
Am 18. Mai 1939 erhielt Thomas Mann den Ehrendoktor der Princeton University. Tags darauf, am 19. Mai, sprachen er und Albert Einstein in der Chapel der Princeton University vor den Theologen der Universität.

Lotte in Weimar

Im Oktober 1938 vollendete Thomas Mann den Roman «Lotte in Weimar». Er hatte ihn im November 1936 in Küsnacht begonnen – das Ganze war als Einschub in den «Joseph» gedacht. In der «Lotte» erreicht Thomas Manns «imitatio Goethe's» ihren Höhepunkt. Wohl schon seit den neunziger Jahren, als er zum erstenmal den «Faust» sah, träumte Thomas Mann davon, einmal Goethes Nachfolge anzutreten. Er wollte Werke ähnlichen Ranges schaffen. Goethe tritt in der «Schweren Stunde» (1905) auf – Schiller denkt zu ihm hinüber; in den stilistischen Vexierspielen des frühen «Krull» ist Goethe präsent; in «Goethe und Tolstoi» wird er zum pädagogischen, mit dem «Lotte»-Roman zum «mythischen» Vorbild. Was Thomas Mann zeigt und andeutet, ist die «unio mystica» mit dem Vater, die offenbare und geheime Identifikation mit dem selbstgewählten Vaterbild. Dieses Vaterbild tritt nicht etwa an die Stelle des «Dreigestirns der Jugend», Schopenhauer, Nietzsche, Wagner, sondern neben sie. Rückblickend hat Thomas Mann sagen können, daß sein Lebenswerk jenes von Goethe spielerisch-ernst wiederhole: «Tonio Kröger» sei sein «Werther», der «Zauberberg» sein «Wilhelm Meister», «Krull» trete neben «Dichtung und Wahrheit», der «Joseph» sei aus einem Goetheschen Plan entstanden. Der «Faustus»-Plan dann hat Thomas Mann seit 1904 begleitet, über vierzig Jahre lang. Nachahmung wird produktiv; sie gibt seinem Leben Halt, sie steigert es.

Kalenderblatt aus dem Arbeitsmaterial zu «Lotte in Weimar»

Imitatio Goethes

Infantilismus, auf deutsch: rückständige Kinderei – welch eine Rolle spielt dies echt psychoanalytische Element im Leben von uns allen, einen wie starken Anteil hat es an der Lebensgestaltung der Menschen, und zwar gerade und vornehmlich in der Form der mythischen Identifikation, des Nachlebens, des In-Spuren-Gehens! Die Vaterbindung, Vaternachahmung, das Vaterspiel und seine Übertragungen auf Vaterersatzbilder höherer und geistiger Art – wie bestimmend, wie prägend und bildend wirken diese Infantilismen auf das individuelle Leben ein! Ich sage: «bildend»; denn die lustigste, freudigste Bestimmung dessen, was man Bildung nennt, ist mir allen Ernstes diese Formung und Prägung durch das Bewunderte und Geliebte, durch die kindliche Identifikation mit einem aus innerster Sympathie gewählten Vaterbilde. Der Künstler zumal, dieser eigentlich verspielte und leidenschaftlich kindische Mensch, weiß ein Lied zu singen von den geheimen und doch auch offenen Einflüssen solcher infantilen Nachahmung auf seine Biographie, seine produktive Lebensführung, welche oft nichts anderes ist als die Neubelebung der Heroenvita unter sehr anderen zeitlichen und persönlichen Bedingungen und mit sehr anderen, sagen wir: kindlichen Mitteln. So kann die imitatio Goethe's mit ihren Erinnerungen an die Werther-, die Meister-Stufe und an die Altersphase von ‹Faust› und ‹Divan› noch heute aus dem Unbewußten ein Schriftstellerleben führen und mythisch bestimmen; – ich sage: aus dem Unbewußten, obgleich im Künstler das Unbewußte jeden Augenblick ins lächelnd Bewußte und kindlich-tief Aufmerksame hinüberspielt.

Freud und die Zukunft (IX, 498 f.)

Unio mystica mit dem Vater

Wenn es mir gelungen ist, das Naturphänomen eines großen Mannes und großer Menschlichkeit überhaupt dem Leser näherzubringen, so war mir das nur nach der im «Joseph» geleisteten Vorarbeit, durch die jahrelange Bemühung um das Mythische, möglich. Denn auch der jüngste Roman handelt ja von einem Mythos, von dem Mythos Goethe. Das Buch macht Voraussetzungen – und das ist vielleicht nicht künstlerisch. Das Abenteuerliche, das in der Verwirklichung eines Mythos liegt, wird wohl nur wirksam, wenn man mit diesem Mythos vertraut ist, – in unserem Fall also mit dem Mythos der deutschen Kultur-Tradition. Das Aufregende, das dies Buch überhaupt erst zum Roman macht, fällt weg, wenn es an dieser Vertrautheit fehlt. Zur Entschuldigung mag mir dienen, daß der Goethe-Mythos denn doch, erstens, über die deutsche Bildungssphäre weit hinausgewachsen und Welt-Erlebnis geworden ist; und daß zweitens im Grunde das Buch nicht nur von ihm persönlich, sondern vom Genius an sich, dem Problem des Großen Mannes selbst handelt.
Es ist ein Joseph-Spiel, dieser Roman. Der imitatio Gottes, in der Rahels Sohn sich gefällt, entspricht meine imitatio Goethes: eine Identifizierung und unio mystica mit dem Vater.

On Myself (XIII, 168 f.)

August von Goethe
Porträt, gezeichnet von Grünler, in «Goethes Sohn» von Wilhelm Bode (Berlin 1918).

Ottilie von Goethe, geb. von Pogwisch, Gemahlin von August
Kreidezeichnung von Heinrich Müller, in «Goethe und die Seinen» von Ludwig Geiger (Leipzig 1908).

Aus Thomas Manns Arbeitsmaterial

Charlotte Kestner, geb. Buff
Porträt aus dem Quellenwerk «Goethe, ein Bilderbuch» von Rudolf Payer-Thurn

Lottes Besuch

Lustspielhaft setzt «Lotte in Weimar» ein: mit der Ankunft einer distinguierten alten Dame, die den Gasthof der kleinen Residenzstadt, in dem sie absteigt, in begreiflichen Aufruhr versetzt – sie ist keine Geringere als Madame Charlotte Kestner, geborene Buff, dieselbe Lotte Buff, der Goethe in «Werthers Leiden» ein Denkmal gesetzt hat. Das Modell ist nach so vielen Jahren immer noch nicht ganz mit dem Erlebnis fertig, und es erhofft sich aus einem Wiedersehen mit dem würdig und berühmt gewordenen Jugendfreund sozusagen ein happy end, eine Aussprache, die den befreienden Schlußpunkt unter die alte quälende Frage setzt: warum jene «Liebe zu einer Braut» – denn Lotte war ja damals schon verlobt mit dem Mann, dessen Namen sie jetzt trägt, als Witwe und Mutter vieler Kinder [...].
Ob Lotte auf ihre Fragen befriedigende Antwort erhält, mag der Leser entscheiden. Lustspielhaft beginnt es, als ein Spiel um Goethe, der erst spät selbst in Erscheinung tritt, der würdig gewordene Künstler – Sie sehen: wieder geht es mir um dieses Thema – der würdig gewordene Geist, der sich, sein Eigenstes unter steif-listigen Masken vor der neugierigen Welt versteckt. Er ist der Genius, dem man dient, und der nicht dankt, nur schenkt, dadurch eben, daß er vorhanden ist, ein großer Mensch und zugleich doch kein Mensch mehr; darum die Menschen ihn denn oft auch kalt und herzlos, ja geradezu mephistophelisch-nihilistisch finden. Ihre Liebe zu ihm ist von Haß nicht frei, sie fühlen sich durch ihn so sehr beglückt wie bedrückt. Er ist der Vater, gegen den man sich verehrungsvoll empört. Doch Opfer ist auch er, der Genius, und der, der es bringt. Er ist die Flamme, aber die brennende Kerze doch auch, die ihren Leib opfert, damit das Licht leuchte ...

On Myself (XIII, 167 f.)

Goethes Haus am Frauenplan in Weimar
Stich von 1827, in «Goethe, ein Bilderbuch» von Rudolf Payer-Thurn

Goethes Arbeitszimmer
Handschrift von Thomas Mann

Professor Johann Heinrich Meyer (1760–1832), der «Kunscht-Meyer» aus Stäfa
Zeichnung von Joseph Schmeller, in «Goethe, ein Bilderbuch» von Rudolf Payer-Thurn.

Dr. Friedrich Wilhelm Riemer (1774–1845)
Riemer war Lehrer von Goethes Sohn August, auch Gesprächspartner und Berater Goethes.
Porträt, gez. von Joseph Schmeller, in «Goethes Sohn» von Wilhelm Bode.

Adele Schopenhauer (1797–1849)
Die Schwester von Arthur Schopenhauer lebte mit ihrer Mutter Johanna in Weimar und gehörte zu Goethes Bekanntenkreis. Zeichnung von A. von Sternberg, 1814.

Der «maulende» Famulus

Riemer sehen Sie sehr richtig als einen älteren Eckermann, sogar mit unsympathischeren Zügen – ich habe ihn auch so zu charakterisieren versucht, was noch deutlicher würde, wenn nicht seine mit in den Dialog eingeflochtene Biographie in «M. u. W.» aus Raumgründen hätte weggekürzt werden müssen. Der Dialog selbst gehört natürlich zu den platonischen, ist fiktiv, nicht real, aber dramatisch doch wohl in dem Sinne, daß er charakteristisch ist für die Sprechenden, nicht nur für den unheimlichen Gegenstand ihres Gesprächs: für die innerlich überanstrengte, nicht zur Ruhe kommende Lotte und für den «maulenden» Famulus, einen Hörigen, der aufmuckt. Ihre Unterscheidung zwischen dem Historischen und dem Künstlerischen ist gut und am Platze. Ich gebe das Historische ziemlich leichten Herzens preis, zumal ich denke, daß eine gewisse pädagogische Verklärung des einstigen Deutschland heute nicht schaden kann. «Das Schlimmste geschah, man sah sie traurig an», heißt es in «Königliche Hoheit».

An Kuno Fiedler, 21. Dezember 1937

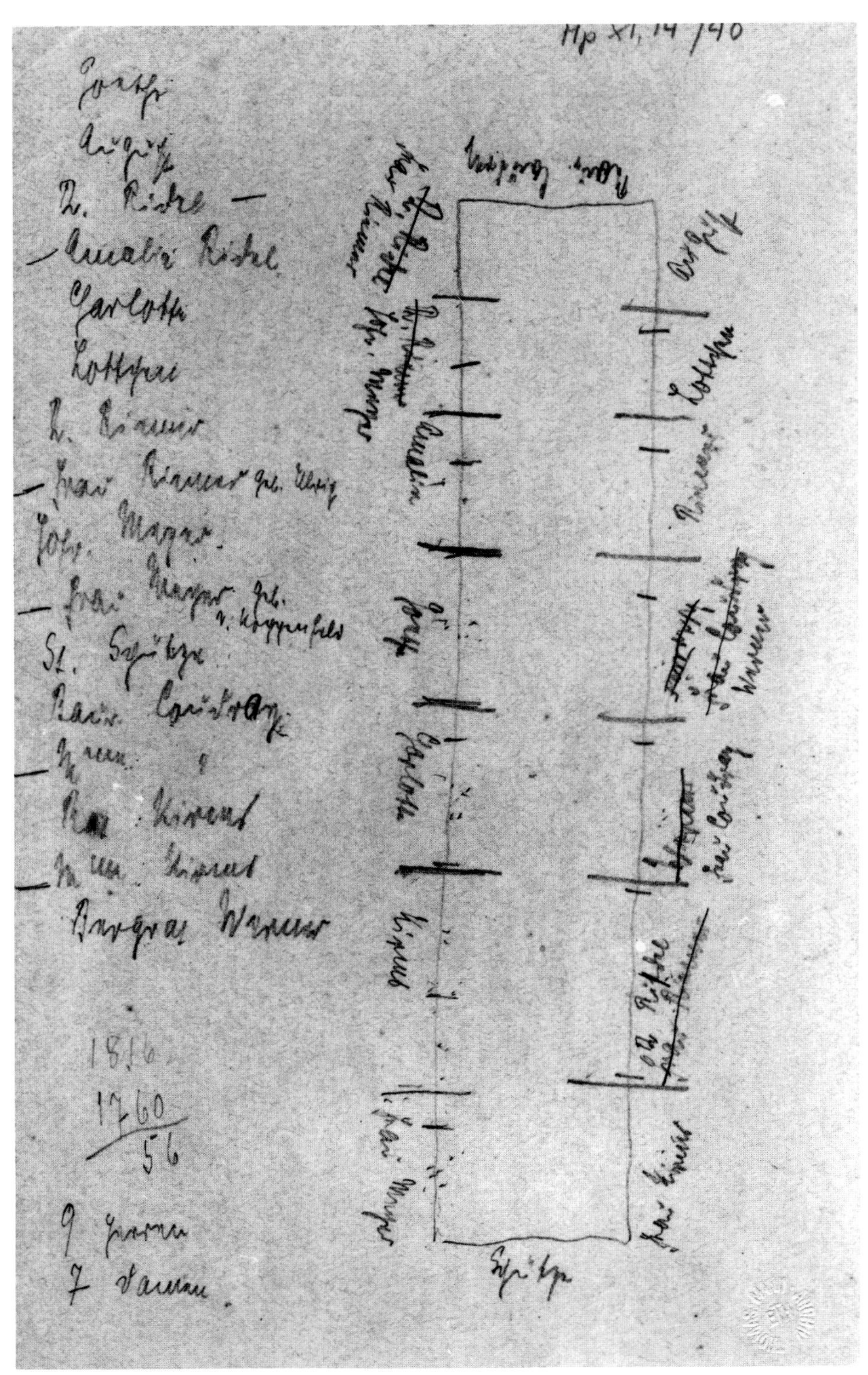

Skizze zur Tischordnung beim Mittagessen in Goethes Haus
Blatt aus den Vorarbeiten zum Roman

Die Szene im Wagen

Mit der Szene im Wagen zwischen Lotte und Goethe steht es so. In historischer Wirklichkeit hat kein zweites Wiedersehen zwischen den beiden stattgefunden. Die Begegnung nach dem Theater ist also – im Gegensatz zu dem Mittagessen am Frauenplan – erfunden. Aber auch als Erfindung ist sie nicht wirklich oder nicht unzweifelhaft wirklich, – denn eine kleine Hintertür zu der Möglichkeit [,] sie real zu nehmen, bleibt dem Leser immerhin offen. Aber mehr als eine Wendung des Textes deutet auf die nur «höhere» Wirklichkeit des Gespräches hin und darauf, daß «der Mantelträger» im Wagen nur eine Vision ist. Der Leser konnte mit der Enttäuschung, die das Wiedersehen in G.'s Hause mit sich bringt, nicht wohl entlassen werden; vor allem aber konnte Lotte selbst sich nicht damit zufrieden geben. Ich ließ sie die versöhnende Aussprache selbst aus sich hervorbringen, – inspiriert wie sie ist durch das vorangegangene Jamben-Theater, das denn auch auf das imaginäre Gespräch mit dem Jugendfreund deutlich abfärbt. Ich glaubte, auf diese Weise einen relativ beruhigenden Ausklang gefunden zu haben, zumal dem Leser die Annahme unbenommen bleibt, daß Goethe von sich aus bei der Unterhaltung spirituell mitwirkt und daß eine Art von Gedankenbegegnung stattfindet, die denn doch wieder die Realität der Szene erhöht.

An Jürg Fierz, 11. Juli 1940

Der Krieg

1939: SO BEGANN'S

Am 1. September 1939 fiel die deutsche Wehrmacht in Polen ein. Die Heeresgruppe Nord griff aus Ostpreußen, die Heeresgruppe Süd aus Schlesien und der Slowakei an. Warschau kapitulierte am 28. September. Bereits am 17. September waren zwei sowjetische Heeresgruppen in Ostpolen eingerückt. Am Tag von Warschaus Kapitulation wurde in Moskau zwischen Deutschland und der Sowjetunion ein Grenz- und Freundschaftsvertrag abgeschlossen.

Berliner Ausgabe

Berliner Ausgabe

VÖLKISCHER BEOBACHTER

Kampfblatt der national-sozialistischen Bewegung Großdeutschlands

Deutsche Antwort auf englische Heuchelei und Herausforderung

Aufrufe des Führers an Volk, Partei, Ost- und Westarmee / Der Führer auf dem Weg zur Front

Motorisierte deutsche Einheit beim Vormarsch in Polen

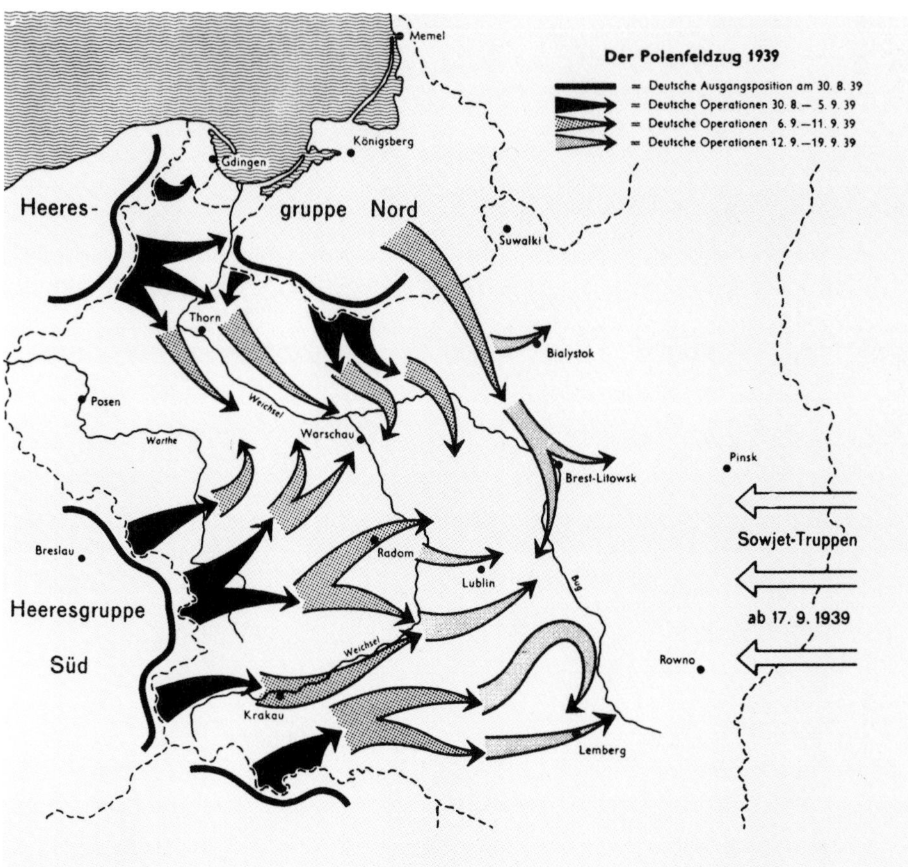

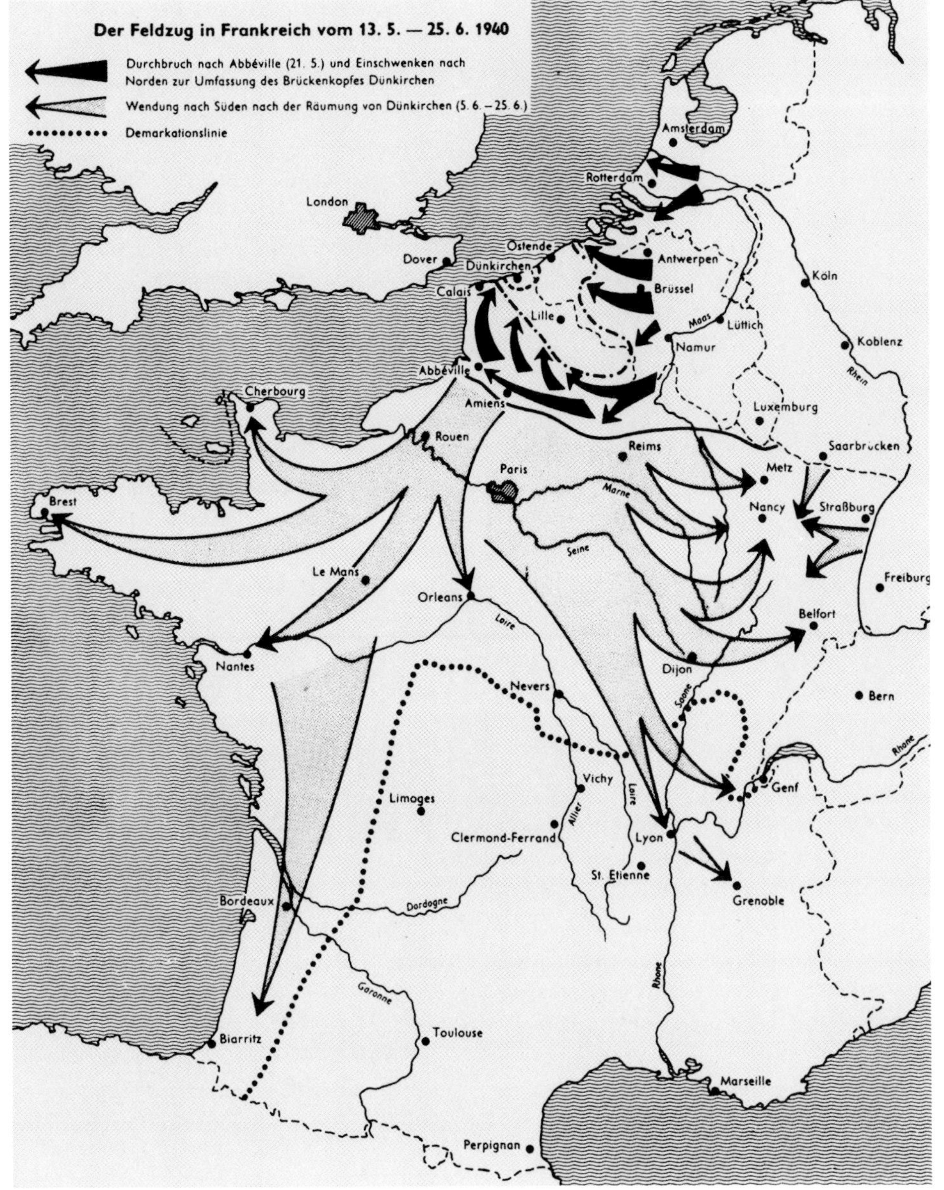

1940: SO GING ES WEITER

Im Mai 1940 fielen die deutschen Truppen in Holland, Belgien und Frankreich ein. Ende Juni kam es zum Waffenstillstand Frankreichs mit dem Dritten Reich. Eine neue Welle von Emigranten überflutete die USA. Unter der Leitung des Präsidenten der Newark University, Dr. Frank Kingdon, wurde das «Emergency Rescue Committee» gegründet, in dem, zusammen mit andern deutschen Emigranten, auch Thomas Mann tätig war.

Der Krieg weitete sich aus: Im Juni 1941 griff die deutsche Wehrmacht Rußland an. Am 7. Dezember überfiel die japanische Luftwaffe Pearl Harbor. Tags darauf erklärten die Vereinigten Staaten Japan den Krieg, am 11. Dezember folgten die Kriegserklärungen Deutschlands und Italiens an die Vereinigten Staaten.

In Noordwijk aan Zee, Juli 1939
Thomas Mann mit seinen Verlegern Gottfried Bermann Fischer (Mitte) und Emil Oprecht (links außen)

NOCHMALS NACH EUROPA

Im Sommer 1939 reiste Thomas Mann nochmals nach Europa. Der Küsnachter Haushalt wurde endgültig aufgelöst. Dann flog Thomas Mann nach Stockholm, wo er über «Das Problem der Freiheit» hätte sprechen sollen. Es kam nicht mehr dazu. Am 1. September überfielen die Deutschen Polen. Thomas Mann trat am 9. September von Southampton aus eine abenteuerliche Rückfahrt nach New York an: Die «Washington» war überfüllt, man schlief auf Pritschen, aß in Schichten – aber die Fahrt führte ans sichere Ufer.

AUS DEM TAGEBUCH

Saltsjöbaden, Donnerstag den 31. VIII. 39
[...] Die Spannung kommt aufs Äußerste. Kriegs-Comité in Deutschland mit Goering an der Spitze, kompetent für Verfügungen, die nicht die Unterschrift Hitlers brauchen. Nicht ersichtlich, wie man dem Krieg noch ausweichen will. Der Russenpakt übrigens ratifiziert. Einberufungen auch dort. Voll-Mobilisation überall. Ist man entschlossen, den Menschen nicht mehr herauszulassen und dem unerträglichen Zustand um jeden Preis ein Ende zu machen?

Freitag den 1. IX. 39, Saltsjöbaden
Bombardement von Warschau und anderen polnischen Städten, Einmarsch der Hitler-Truppen in Polen, Bombardement Danzigs, dessen Einverleibung proklamiert. Voll-Mobilisation der Westmächte. Chamberlain: «Wenn die Kundgebung Herrn H's bedeutet, daß Deutschland Polen den Krieg erklärt –». Statement Molotows, recht einleuchtend. Hitler deklariert die Abstinenz Italiens. –

Saltsjöbaden, Sonnabend den 2. IX. 39
Dann dem Londoner Sender zugehört. Ultimatum Englands. Entschlossenheit, dem nat. sozialistischen Regime ein Ende zu machen. Loyalitätskundgebungen der Dominions. Ansprache eines Hochschullehrers der deutschen Sprache, einfach und wirksam. Welt-Pressebericht. Nun wird unsere Sprache gesprochen, Hitler ein Wahnsinniger genannt. Spät, spät! Halifax hat sich sogar nach Schuschnigg erkundigt ... Gleichviel, die Erschütterung ist groß. Ich denke viel an den Bonner Brief u. seine Voraussagen. Wir sprachen noch lange. Hätte der unselige Mensch einen Funken der «Liebe zu Deutschland», aus der er angeblich seine Untaten begangen, so würde er sich eine Kugel in den Kopf schießen und hinterlassen, daß man aus Polen abziehe.

DIESER
KRIEG

Der grösste deutsche Schriftsteller unserer Zeit gibt in diesem Büchlein einen entscheidend wichtigen Beitrag zur restlosen Klarstellung der Vorgeschichte dieses Krieges und seines unausbleiblichen Ausgangs

Tarnausgabe, die zur geheimen Zirkulation in Deutschland bestimmt war. Hersteller unbekannt
Ende 1939 schrieb Thomas Mann den Essay «Dieser Krieg», Bermann Fischer übernahm die Erstveröffentlichung. Das Büchlein wurde im April 1940 in Amsterdam gedruckt. Als die deutschen Truppen im Mai in Holland einmarschierten, beschlagnahmten sie den Bestand und vernichteten ihn bis auf wenige Exemplare. Das Büchlein erschien im selben Jahr in englischer Sprache in New York und London.

Aus dem Tagebuch

Saltsjöbaden, Sonntag den 3. IX. 39
Wieder sommerlicheres Wetter. Ich schrieb meine Seite wie gewohnt, der Ereignisse gewärtig. Ging mittags zum Bade-Insel-Klippenweg u. wurde auf einer Bank sitzend von einem schwedischen Lehrer angesprochen, mit dem ich mich einige Zeit unterhielt. Um 12 Uhr lief das englische Ultimatum ab. Seit dieser Stunde sind England u. Frankreich mit Deutschland im Kriegszustand. Im deutschen Radio Marschlieder, die Antwort auf die englische Forderung (von trotziger Lügenhaftigkeit) und Hitlers Proklamation an die Truppen im Osten, zu denen er abreist. Das Schicksal nimmt seinen Lauf. Man will in 14 Tagen Polen niederwerfen und am Westwall den Feind abwehren. Es wird von den Monaten «und Jahren» gesprochen, die kommen. Wird in Deutschland das Volk diese Jahre abwarten wollen? In der Welt glaubt niemand, daß es das kann. – Die «Kungsholm» ist überfüllt nach N. Y. abgegangen. Anzunehmen, daß wir von Bergen aus am 12. reisen können. – Rede des Königs von England. Reden im Unterhaus. In Deutschland Einziehung aller Apparate, durch die das Ausland zu hören. – Botschaft Chamberlains ans deutsche Volk.

Saltsjöbaden, Montag den 4. IX. 39
Heiteres Wetter. Vormittags am 8ten Kapitel. Bei den Korrekturen nachmittags starke Unzufriedenheit mit den vorletzten Teilen des Siebenten, die steif geworden. Tagüber, zwischen dem Politischen, Umarbeitung erwogen. – Abreise der Fischers nach Stockholm. – Frankreich meldet Beginn der Feindseligkeiten zu Lande, zu Wasser u. in der Luft. Torpedierung eines englischen, nach Canada bestimmten Flüchtlingsschiffes durch die Deutschen, die einfach leugnen. Empörung überall.

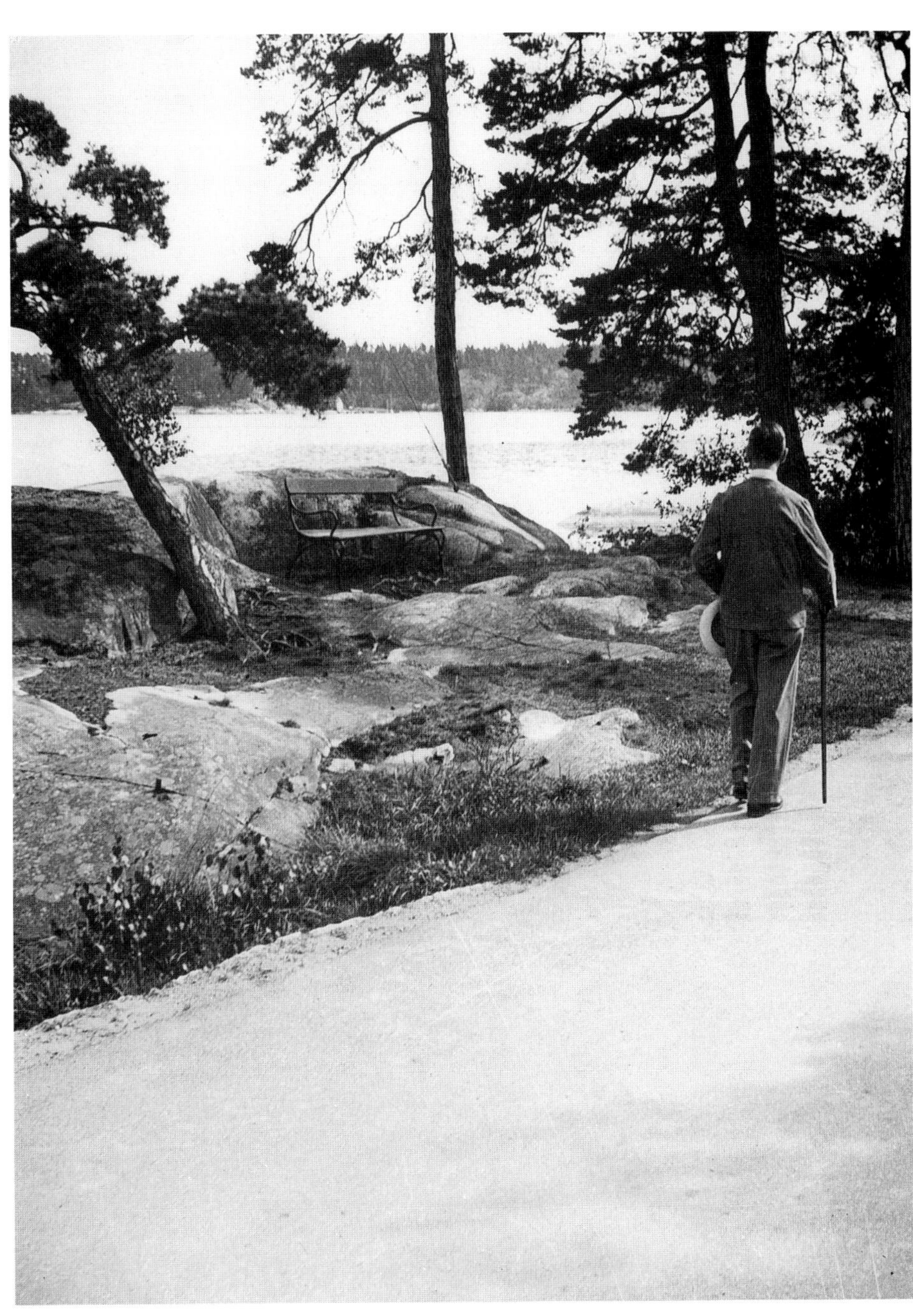

Thomas Mann in Saltsjöbaden, September 1939
Es war sein letzter Aufenthalt in Europa für mehrere Jahre.

Flüchtlinge aus Europa

Heinrichs Ankunft
Am 13. Oktober 1940 traf das Schiff «Nea Hellas» mit vielen Emigranten an Bord, darunter Heinrich und Golo Mann, in New York ein.

Golo Mann, 1940
Die Flucht aus Frankreich nach Spanien führte auf beschwerlichem Weg über die Pyrenäen.

Der Ziegensteig nach dem Exil überhob vieler peinlicher Eindrücke, er strengte körperlich an. Ich hatte seit Jahrzehnten keinen beträchtlichen Berg mehr bestiegen, war nunmehr ungeschickt und nicht jung: ich fiel recht oft auf die Dornen. In die Füße drangen sie ohnedies, fehlte noch, mit den Händen hineinzugreifen. Mehrmals unterstützte mein Neffe mich, dann überließ er es meiner Frau, die an sich selbst genug gehabt hätte. Er nahm die noch steileren Abkürzungen, kehrte aber zurück, wenn wir gescheitert auf einem Stein saßen.

Heinrich Mann, Ein Zeitalter wird besichtigt

Klaus Mann im Hotel Bedford in New York, um 1940

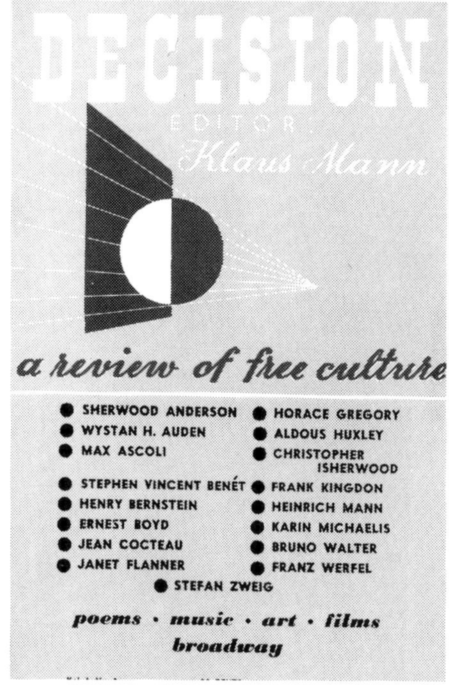

Im Herbst 1940 bereitete Klaus Mann eine neue Exilzeitschrift vor: «Decision». Die erste Nummer erschien im Januar 1941. Auch Thomas Mann war Mitarbeiter. Die Zeitschrift ging 1942 aus finanziellen Gründen ein.

New York Journal American

CHARACTER — QUALITY — ENTERPRISE — ACCURACY

AN AMERICAN PAPER FOR THE AMERICAN PEOPLE

*** ** TUESDAY, OCTOBER 29, 1940

REUNION IN A FREE COUNTRY

Mrs. Monica Lanyi, one of Thomas Mann's three daughters, gets a fervent kiss from her mother after arrival here on the S. S. Cameronia. The 32-year-old child of the exiled German writer made a previous attempt to reach America. That ended tragically when the City of Benares was torpedoed by a U-boat in the North Atlantic last month. Her husband, Jeno Hungarian historian, died.

Katja Mann und Tochter Monika Lányi-Mann
Monika traf am 28. Oktober 1940 mit dem Schiff «Cameronia» in New York ein. Ihr erster Versuch, nach Amerika zu gelangen, war fehlgeschlagen. Das Schiff «City of Benares», auf dem sie sich mit ihrem Mann, Jenö Lányi, befand, wurde am 23. September auf der Fahrt von England nach Kanada von einem deutschen U-Boot torpediert. Monika wurde gerettet, ihr Mann kam ums Leben.

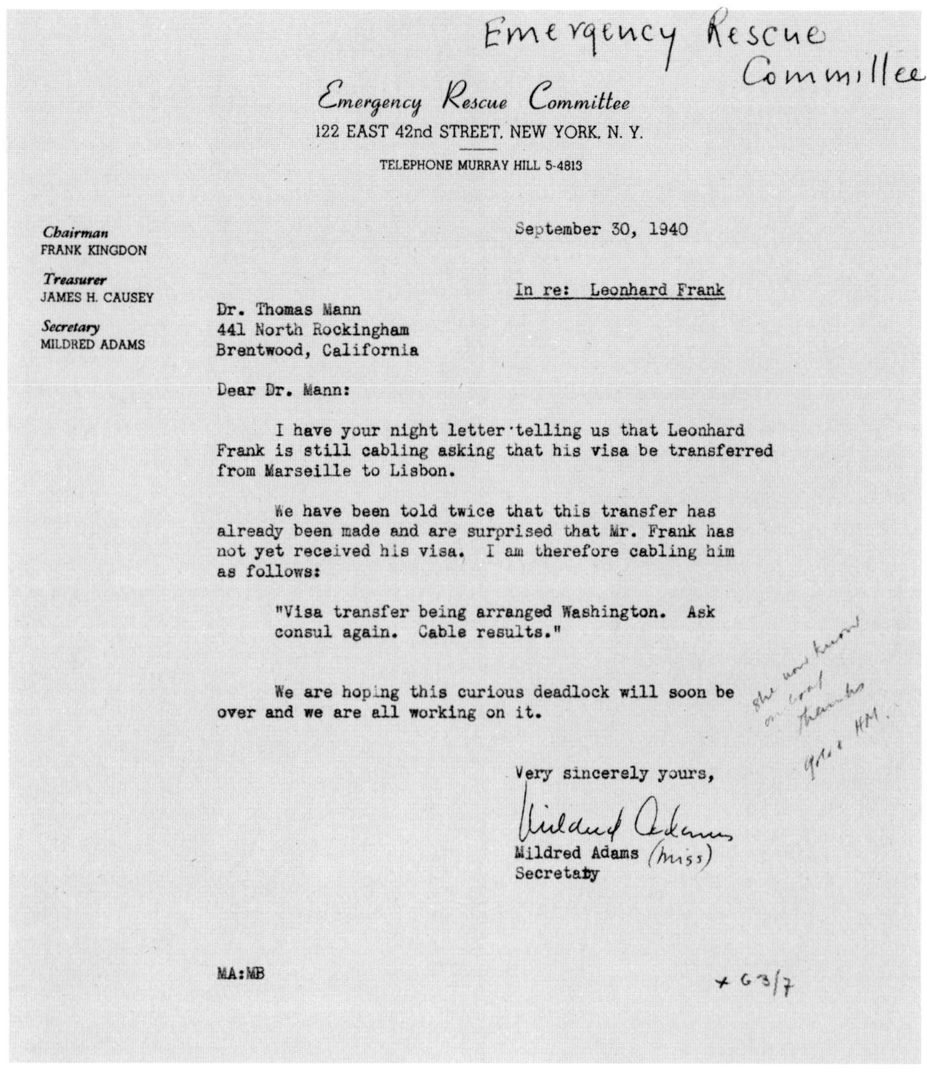

Emergency Rescue Committee

Emergency Rescue Committee
122 EAST 42nd STREET, NEW YORK, N. Y.
TELEPHONE MURRAY HILL 5-4813

Chairman
FRANK KINGDON
Treasurer
JAMES H. CAUSEY
Secretary
MILDRED ADAMS

September 30, 1940

In re: Leonhard Frank

Dr. Thomas Mann
441 North Rockingham
Brentwood, California

Dear Dr. Mann:

I have your night letter telling us that Leonhard Frank is still cabling asking that his visa be transferred from Marseille to Lisbon.

We have been told twice that this transfer has already been made and are surprised that Mr. Frank has not yet received his visa. I am therefore cabling him as follows:

"Visa transfer being arranged Washington. Ask consul again. Cable results."

We are hoping this curious deadlock will soon be over and we are all working on it.

Very sincerely yours,

Mildred Adams (Miss)
Mildred Adams
Secretary

MA:MB

Der hier abgebildete Brief betrifft die Visabeschaffung für Leonhard Frank.

Unser Haus ist zu einem Rettungsbureau für Gefährdete, um Hilfe Rufende, Untergehende geworden. Der Erfolg kommt der Mühe nicht gleich …

An A. M. Frey, 10. August 1940

THOMAS MANN

DEUTSCHE HÖRER

25 Radiosendungen nach Deutschland

1942

BERMANN-FISCHER VERLAG/STOCKHOLM

«Deutsche Hörer»
Titelblatt der Buchausgabe von 1942

Von Oktober 1940 bis Ende des Krieges 1945 sendete Thomas Mann monatlich eine Radioansprache nach Deutschland. Die Ansprachen erschienen 1942, in erweiterter Ausgabe 1945.

Ich spreche diese vaterländischen Grüße hier auf Platten, die nach New York geschickt werden. Dort läßt man sie durch das Telephon nach London laufen, von wo sie per Radio nach dem Continent gesandt werden. Alle Schweizer Freunde hören sie immer. Wer sie in Deutschland hört, das wissen freilich die Götter.

An Ida Herz, 22. Juli 1941

Mai 1941

Natürlich bin ich mir bewußt, daß mit euch heute schlecht reden ist. Siegesnachrichten prasseln auf euch nieder, wie die Brandbomben der Menschenquäler, die euch regieren, auf London niederprasseln, und setzen eure Gemüter – zum mindesten diejenigen der Schwachen, Dummen und Rohen – in flammende, jeder Mahnung unzugängliche Begeisterung. Bilder schweben vor euren trunkenen Augen, die für jeden, der für menschliche Ehre noch Sinn hat, ein Grauen und Ekel sind: das idiotische und abscheuliche Bild der auf dem Berge Olympos wehenden Hakenkreuzfahne. Bald wird sie auch auf der Akropolis wehen – es ist unvermeidlich. Klüglich, für alle Fälle, hat man euch zu verstehen gegeben, daß diesmal das Terrain der großen Erfindung des Blitzkrieges nicht günstig sei; rasche Entscheidungen, wie im Westen, seien wahrscheinlich nicht zu erwarten. Überflüssige Vorsicht. Es geht alles noch schneller, als man euch hoffen ließ und als einige unter euch fürchteten. Die deutsche Kriegsmaschine, ein technisches Monstrum, arbeitet mit überwältigender Präzision und Geschwindigkeit. Gegen sie hilft kein Heldenmut, – erbarmungslos, in mechanischem Triumph, stampft sie den Glauben, die Rechtszuversicht, die Freiheit des – ich weiß nicht mehr wievielten – Volkes nieder.

Deutsche Hörer! (XI, 1002 f.)

April 1942

Zum ersten Mal jährt sich der Tag der Zerstörung von Coventry durch Görings Flieger, – einer der schauderhaftesten Leistungen, mit denen Hitler-Deutschland die Welt belehrte, was der totale Krieg ist und wie man sich in ihm aufführt. In Spanien fing's an, wo die Maschinisten des Todes, diese nationalsozialistisch erzogene Rasse mit den leeren, entmenschten Gesichtern, sich vorübten für den Krieg. Welch ein Sport, wo es gar keine Gegenwehr gibt, im Tiefflug in flüchtende Zivilistenmassen hineinzupfeffern, – frisch und fröhlich! Das Gedenken an die Massakers in Polen ist auch unsterblich, – genau das, was man ein Ruhmesblatt nennt. Und Rotterdam, wo in zwanzig Minuten dreißigtausend Menschen den Tod fanden dank einer Bravour, die von moralischem Irresein zu unterscheiden nicht leichtfällt. Der Edle von Ribbentrop verhüllte sein Angesicht und schluchzte: «Das haben wir nicht gewollt!» Es waren gute Zeiten, wo es nur zu schluchzen gab über das, was man andern zufügte. Die Zeit kommt und ist schon da, wo Deutschland zu schluchzen hat auch über das, was es erleidet, und dieses Rührungsmotiv wird überhandnehmen in dem Maß, wie eine Welt, die von solcher Art Dienst an der Menschheit nichts hatte wissen wollen und nicht darauf vorbereitet war, in ihre Verteidigungsaufgabe hineinwächst und den Lehrling abgibt, der den Meister überflügelt. Hat Deutschland geglaubt, es werde für die Untaten, die sein Vorsprung in der Barbarei ihm gestattete, niemals zu zahlen haben?

Deutsche Hörer! (XI, 1033 f.)

14. Januar 1945

Weißt du, der mich jetzt hört, von Maidanek bei Lublin in Polen, Hitlers Vernichtungslager? Es war kein Konzentrationslager, sondern eine riesenhafte Mordanlage. Da steht ein großes Gebäude aus Stein mit einem Fabrikschlot, das größte Krematorium der Welt. Eure Leute hätten es gern rasch noch vernichtet, als die Russen kamen, aber größtenteils steht es, ein Denkmal, das Denkmal des Dritten Reiches. Mehr als eine halbe Million europäischer Menschen, Männer, Frauen und Kinder, sind dort in Gaskammern mit Chlor vergiftet und dann verbrannt worden, vierzehnhundert täglich. Tag und Nacht war die Todesfabrik in Betrieb, ihre Kamine rauchten immer. Schon war ein Erweiterungsbau begonnen ... Die Schweizer Flüchtlingshilfe weiß mehr. Ihre Vertrauensmänner sahen die Lager von Auschwitz und Birkenau. Sie sahen, was kein fühlender Mensch zu glauben bereit ist, der's nicht eben mit Augen gesehen: die Menschenknochen, Kalkfässer, Chlorgasröhren und die Verbrennungsanlage, dazu die Haufen von Kleidern und Schuhen, die man den Opfern ausgezogen, viele kleine Schuhe, Schuhe von Kindern, wenn du, deutscher Landsmann, du, deutsche Frau, es hören magst. Vom 15. April 1942 bis zum 15. April 1944 sind allein in diesen beiden deutschen Anstalten eine Million siebenhundertfünfzigtausend Juden ermordet worden. Woher die Zahl? Aber eure Leute haben Buch geführt, mit deutschem Ordnungssinn! Man hat die Registratur des Todes gefunden; dazu Hunderttausende von Pässen und Personalpapieren von nicht weniger als zweiundzwanzig Nationalitäten Europas. Buch geführt haben diese Verblödeten auch über das Knochenmehl, den aus diesem Betrieb gewonnenen Kunstdünger. Denn die Überreste der Verbrannten wurden gemahlen und pulverisiert, verpackt und nach Deutschland geschickt zur Fertilisierung des deutschen Bodens, – des heiligen Bodens, den deutsche Heere danach noch verteidigen zu müssen, verteidigen zu dürfen glauben gegen Entweihung durch den Feind!

Deutsche Hörer! (XI, 1107 f.)

Agnes E. Meyer

Thomas Mann traf Agnes E. Meyer 1937, anläßlich seiner dritten Amerikareise, zu einem Interview. Es erschien auf der Titelseite der «Washington Post». Thomas Mann scheint sich keine Gedanken darüber gemacht zu haben, sonst hätte er merken müssen, daß diese Plazierung mit der Dame vielleicht mehr zu tun hatte als mit ihm selbst. Agnes E. Meyer war die Gattin von Eugene Meyer, des Inhabers der «Washington Post». Über diese Zeitung begann sie auf die amerikanische Politik Einfluß zu nehmen, zudem bekleidete sie im kulturellen Leben verschiedene hohe Ehrenämter. Sie förderte in den folgenden Jahren Thomas Mann, wo sie nur konnte: Daß er den Leseauftrag in Princeton erhielt, daß ihn Roosevelt zu sich nach Hause einlud, war zum guten Teil ihr Werk. Sie war eine Mäzenin ersten Ranges, und er dankte es ihr und nannte sie «Fürstin».

Liebe Fürstin

Ihr kultureller Hintergrund ist interessant. Sie war deutschstämmiger Abkunft. 1908 reiste sie nach Europa, las Goethe und Nietzsche, lernte Rilke, Rodin und Gustav Mahler kennen. Zu Claudel, der von 1916–1932 französischer Botschafter in den Vereinigten Staaten war, unterhielt sie ein leidenschaftliches Verhältnis. Er versuchte sie zum Katholizismus zu bekehren. Auch Toscanini und Paderewski gehörten zu den von ihr Verehrten. Als sie Thomas Mann kennenlernte, war er 62, sie 50. Sie hielt ihn für den größten unter den lebenden Schriftstellern und setzte alles daran, ihn in den Vereinigten Staaten bekannt zu machen. Aber ihr Ehrgeiz war ihm gegenüber so wenig altruistisch, wie er es gegenüber Claudel gewesen war: Sie wollte nicht nur sein Werk interpretieren, sondern ihm auch persönlich nähertreten. Im Mai 1939 gesteht sie ihm in einem Brief, ihre eigene Erfüllung hänge ganz damit zusammen, «daß ich Sie [...] von der Furcht vor der Frau als Verführerin befreie.» Thomas Mann sah sich wider Willen in eine seinem Alter ohnehin nicht entsprechende Joseph-Rolle gedrängt. In seiner Erwiderung wich er aus: «Ich gebe zu, daß ich mehr auf das Menschliche, als auf das speziell Weibliche aus bin.»

Es kam zu Spannungen, zu Zerwürfnissen, Versöhnungen, und über all dem entstand ein Briefwechsel, der jetzt 363 Briefe Thomas Manns und 114 der Meyer umfaßt. Thomas Mann wollte sich den Segen (auch den materiellen) der geistvollen Frau erhalten. Umgekehrt war er durchaus nicht in der Lage, allen ihren Wünschen zu entsprechen. Das Dubiose mischte sich so auf beiden Seiten in eine Beziehung, die den Anspruch auf großen Stil erhob. Solchen Stil bewies Agnes E. Meyer, als sie 1943 den Vortrag «The War and the Future» kritisierte: er sei nicht auf der Höhe dessen, was Thomas Mann sonst geboten habe. Thomas Mann vertrete einen falschen Demokratiebegriff, liege nicht richtig mit seiner Beurteilung des Kommunismus, und er unterschätze das amerikanische Publikum. «[...] as long as we are friends I must try to shield you even though you misunderstand that impulse.»

Es entsprach der Bedeutung der beiden Briefpartner, daß ihr Austausch über alles Persönliche hinaus kulturelle und politische Dimensionen annahm. Der Briefwechsel mit Agnes E. Meyer ist eines der wichtigsten Dokumente aus Thomas Manns Amerika-Zeit.

Agnes E. Meyer als Reporterin

Mit Eugene Meyer, dem Besitzer und Herausgeber der «Washington Post»

May 12, 1939
1624 Crescent Place, N. W.
Washington, D. C.

Verehrter Herr Doktor –
Das ersehnte Manuskript ist angekommen und wird Ihnen morgen zurückgeschickt. Sie hatten zufällig 1824 statt 1624 als Addresse angegeben.
Ich habe sofort die anregenden Seiten gelesen und erstaunte gleich bei der Einleitung nicht nur einige Gedanken sondern die selben Worte zu finden die ich Ihnen in meiner Ouvertüre vorgelesen hatte, denn ich konnte durch solchen Zufall sehen daß ich gelernt habe über Sie in Ihren eigenen Weise zu denken und zu schreiben.
Auch hatte ich seit unserem «Gespräch» den Vergleich gemacht zwischen der deutschen «quest for purity» im 19ten Jahrhundert und der französischen; Schop.[enhauer] Nietzsche, T. M. vs. Rimbaud, Baudelaire, Verlaine, was ja das selbe Thema ist daß Sie in den letzten Seiten berühren als Gral-motiv – und nicht nur der Zau[berberg] sondern Ihr ganzes Werk und Leben ist ja ein fortwährendes Suchen der absoluten Reinheit, des Ewigen, Wahren und Guten, was Sie in diesen Aufsatz «das ewige Geheimnis» nennen.
Und das, lieber Freund, ist ja auch der Grund warum ich zu dieser Arbeit über Sie gezwungen bin. Die Rettung der eigenen Seele ist im Spiel und meine armen, vernachlässigten Kräfte und Gaben dehnen sich täglich bis ich fast verzage, nur um die klare Einsicht in Ihrem heroischen Streben in würdiger Form herzustellen. Die Bürde ist furchtbar aber es gibt kein Entrinnen. Und wenn ich tief im Mystischen greifen darf, so gestehe ich daß meine eigene ganze Erfüllung damit zusammen hängt daß ich Sie zur selben Zeit von der Furcht vor der Frau als Verführerin befreie. Bitte, seien Sie nicht empört über diese dreiste Empfindung. Die deutsche Askese ist zweifellos eine höhere Conception des irdisch-seelischen Konflicts als die sündenhaft französische die den hochbegabten Rimbaud zerstört hat, aber es gibt doch eine mehr liebevolle, höhere Einsicht wo Furcht ganz verschwindet und zur vollen Erlösung führt. Sie haben das Fleisch in Wort verwandelt, und sind jetzt auf dem Wege, das Wort wieder in Fleisch umzuwandeln. Der mythische Glaube daß der Gott ganz Mensch werden mußte um die Seelen der Menschheit zu retten hat das Christentum so lange in Bann gehalten weil es die Wahrheit ist.
Vergeben Sie mir daß ich wieder auf das selbe Thema zurück komme. Ich sollte wissen und weiß auch daß man der höchsten künstlerischen Einbildungskraft nichts zweimal zu sagen braucht. Diese Obsession ist eben ein Teil der Gährung, der Steigerung, die in mir vorgeht.

Immer Ihre dehmütig ergebene,
Agnes E. Meyer

Agnes E. Meyer an Thomas Mann, 12. Mai 1939

13. V. 39
65 Stockton Street
Princeton, N. J.

Verehrte Freundin,
ich bin froh, Ihren Vortrag nun schön gedruckt zu besitzen und auch darüber, daß das lecture-Manuskript sich gefunden hat. 18 oder 16, die Post ist schon recht faul! Man sollte doch denken, daß «Crescent Place», ja «Washington», ja «Amerika» als Ihre Adresse genügen müßte.
Sie hätten mir nicht schöner schreiben können über die Zbg-Plauderei, als Sie es getan haben. Unmöglich konnten Ihnen diese gutmütig belehrenden Äußerungen irgend etwas Neues sagen. Aber purity, Reinheit, ist es ja eigentlich nicht, wonach H. C. «sucht». Weder er noch ich haben asketische Neigungen. Was ihn ergreift, ist das Problem des Menschen überhaupt, die Frage nach seinem «Stande und Staate». Es handelt sich um seine humane Erziehung, und in Erziehungsromanen gibt es Führungen und Verführungen. Mme. Chauchat ist verführerisch erstens in einem Sinn, gegen den ich nichts einwenden möchte, und zweitens auch ein bißchen im geistigen Sinn, wie Settembrini es meint. Aber sie ist es doch nicht mehr als dieser selbst mit seinem Vernunfthörnchen oder Naphta oder andere imponierende Versuchungen des Romans, und ungern würde ich es auf mir sitzen lassen, daß ich in der Frau nur die Verführerin sehe. Das hat auch Mérimée gewiß nicht getan, obgleich er «Carmen» geschrieben hat. Man muß doch zugeben, daß mein Bild der Frau des Potiphar die Ehrenrettung eines vor aller Welt als liederliche Verführerin angesehenen Weibes durch die Leidenschaft ist. Und die tiefe Rührung, die auf mich und andere von der Figur der Rahel ausgeht, weiß auch nichts von Verführung. Ich gebe zu, daß ich mehr auf das Menschliche, als auf das speziell Weibliche aus bin. Aber durchaus stimme ich der reizenden Huldigung zu, die Goethe dem Weiblichen in den Versen dargebracht hat:

«Denn das Naturell der Frauen
Ist so nah mit Kunst verwandt.»

Alles Gute und Schöne für Ihre Arbeit!
Ihr Thomas Mann

An Agnes E. Meyer, 13. Mai 1939

Agnes E. Meyer (1887–1970)

7. Sept. [recte: Oktober] 41
740 Amalfi Drive
Pacific Palisades, California

Liebe Freundin
[...] Sie nennen mein Leben «hart», aber ich kann es nicht so empfinden. Im Prinzip empfinde ich es mit Dankbarkeit als ein glückliches, gesegnetes Leben – ich sage: im Prinzip; denn nicht darauf kommt es an, daß in einem solchen Leben nicht natürlich auch allerlei Qual und Dunkelheit und Fährnis vorkommt, sondern darauf, daß sein Untergrund heiter, sozusagen sonnig ist, – und von diesem her ist denn endlich doch alles bestimmt. Ich bewundere es oft ganz sachlich, rein als Phänomen, wie ein freundlich intentioniertes Individuelles sich auch gegen die widrigsten äußeren Umstände durchzusetzen und für sich das Beste daraus zu machen weiß. In den Anfängen des neuen Joseph-Bandes heißt es einmal: «Allerdings waren diese beiden, sein Ich und die Welt, nach seiner Einsicht, auf einander zugeordnet und in gewissem Sinne Eines, also, daß jene nicht einfach die Welt war, ganz für sich, sondern eben *seine* Welt und dadurch einer Modelung zum Guten und Freundlichen unterlag. Die Umstände waren mächtig; woran aber Joseph glaubte, war ihre Bildsamkeit durch das Persönliche, das Übergewicht der Einzelbestimmung über die allgemein bestimmende Macht der Umstände. Wenn er sich einen ‹Weh-Froh-Menschen› nannte, wie Gilgamesch, so in dem Sinne, daß er die frohe Bestimmung seines Wesens zwar anfällig wußte für dieses Weh, aber auch wieder an kein Weh glaubte, schwarz und opak genug, daß es sich für sein eigenstes Licht, oder das Licht Gottes in ihm, ganz undurchlässig hätte erweisen sollen.»
Das ist ein Einblick in das Gemüt eines Sonntagskindes, und es ist einiges subjektives Erlebnis dabei im Spiel, wie der liebe Leser wohl merkt. Wirklich, wenn ich das Maß von Blut und Tränen, Elend und Untergang in Betracht ziehe, das heute auf Erden herrscht, so habe ich allen Grund, meinem Schicksal dankbar zu sein, wie richtig und günstig und angemessen es doch immer mit mir hinausgewollt hat. Das ist relativ zu verstehen; ich möchte nicht euphorisch scheinen. Natürlich hat es viel Verlust und Verstörung und schwierige Umgewöhnung auch für mich gegeben. Aber mein Werk ist ungestört fortgeschritten, neue

Möglichkeiten, mich um das Menschliche verdient zu machen, sind mir zugewachsen, viel Zutrauen und Ehrerweisung sind mir treu geblieben, und meine äußere Lebensform hat keine merkliche Erniedrigung erlitten. Meine Stellung in diesem Lande ist so, daß ich nur eine Sorge haben sollte: sie nicht durch Unvorsichtigkeit zu verscherzen. Ist es eine Kleinigkeit, daß ich in der Fremde (die aber im Grunde nicht fremder ist, als die Welt immer schon war) eine Freundin und Fürsprecherin gefunden habe wie Sie, die in meiner Arbeit das sieht, was Sie darin sehen? Das gab es in Deutschland kaum.

Ein hartes Leben? Ich bin ein Künstler, das heißt: ein Mensch, der sich unterhalten will – darüber soll man kein feierliches Gesicht ziehen. Freilich – und es ist wieder ein Joseph-Citat – kommt es darauf an, wie hoch man es bringt in der Unterhaltung: je höher, desto absorbierender wird die Geschichte. In der Kunst hat man es mit dem Absoluten zu tun, und das ist kein Kinderspiel. Aber ein Kinderspiel ist es dann eben doch wieder, und ich vergesse nie das ungeduldige Wort Goethes: «Von Leiden kann ja bei der Kunst keine Rede sein.» Rückblickend hat er dann später gesagt: «Es war das ewige Wälzen eines Steines, der immer von Neuem gehoben sein wollte.» Gut bemerkt. Aber man sollte uns den verfluchten Felsblock nur wegnehmen, und wir würden sehen, welches Heimweh wir danach hätten! Nein, von Leiden kann in der Kunst nicht die Rede sein. Wer sich ein im tiefsten Grunde so vergnügliches Geschäft erwählt hat, soll vor ernsthaften Leuten nicht den Märtyrer spielen.

An Agnes E. Meyer, 7. Oktober 1941

Thomas Mann und Peter Pringsheim in den Talaren, in der Mitte Katja Mann

Am 27. März 1941 erhielt Thomas Mann zusammen mit seinem Schwager, dem Physiker Peter Pringsheim, den Ehrendoktor der University of California in Berkeley. Pringsheim war seit 1930 ordentlicher Professor in Berlin gewesen. 1933 wurde er seines Amts enthoben. Er gelangte nach Amerika und arbeitete in Chicago am Argonne National Laboratory.

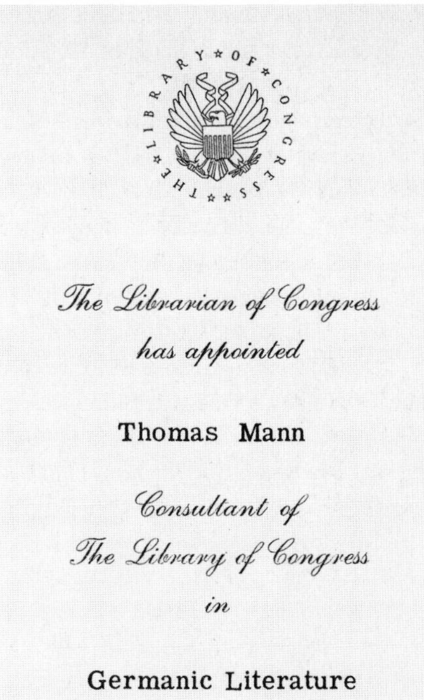

THE LIBRARY OF CONGRESS

The Librarian of Congress
has appointed

Thomas Mann

Consultant of
The Library of Congress
in

Germanic Literature

Urkunde der Library of Congress

Joseph, der Ernährer

JOSEPH

Andererseits war Josephs Schönheit zu dieser Frist dem Stadium vormännlicher Jugendanmut entwachsen, auf der wir sie seinerzeit zu würdigen hatten. Er war bei vierundzwanzig Jahren noch immer und erst recht zum Gaffen schön, aber seine Schönheit war über den Doppelreiz jener Frühe hinausgereift, sie bewahrte wohl ihre allgemein gewinnende Wirkung, hatte aber ihre Gefühlswirksamkeit viel entschiedener in einer Richtung, nämlich in der auf den weiblichen Sinn gesammelt. Dabei hatte sie sich, indem sie männlicher wurde, sogar veredelt. Sein Gesicht war die anmutig verfängliche Beduinenbubenphysiognomie von ehedem nicht mehr; es bewahrte Spuren davon, besonders wenn er, obgleich nichts weniger als kurzsichtig, die Rahelaugen nach Art der Mutter auf eine gewisse schleiernde Weise schmal zusammenzog, war aber voller, ernster, auch dunkler von Oberägyptens Sonne, dabei in den Zügen regelmäßiger, vornehmer geworden. Von den Veränderungen, die sich an seiner Figur und, ein Erzeugnis nicht nur der Jahre, sondern auch der Aufgaben, in die er hineingewachsen, in seinen Bewegungen, dem Klang seiner Stimme vollzogen hatten, wurde schon beiläufig Notiz genommen. Dazu aber kam, als Werk der Landeskultur, eine Verfeinerung seines Äußeren, die nicht außer acht gelassen werden darf, wenn seine damalige Erscheinung richtig vor Augen stehen soll. Man muß ihn sich in der weißen Linnentracht eines Ägypters gehobeneren Standes denken, bei der die Unterkleidung durch die obere schimmerte und deren weite und kurze Ärmel die an den Handgelenken mit Emailleringen geschmückten Unterarme frei ließen; den Kopf bedeckt bei strengeren Gelegenheiten – denn bei bequemeren zeigte er sein eigenes glattes Haar – mit einer leichten Kunstperücke, welche, die Mitte haltend zwischen Kopftuch und Haartour, aus bester Schafwolle, dem oberen Kopf in sehr feinen und gleichlaufend dichten Strähnen, ähnlich gerippter Seide, anlag und so auch in den Nacken reichte, aber von einer bestimmten, schräg laufenden Linie an die Faktur wechselte und in kleinen und ebenmäßigen, wie Dachziegel sich ineinanderschiebenden Löckchen auf die Schultern hinabfiel; um den Hals noch außer dem bunten Kragen eine aus Rohr und Gold gefertigte Flachkette, an der ein schützender Skarabäus hing; die Miene ein wenig ins hieratisch Bildmäßige verfremdet durch Künstlichkeiten, die er anpassungswillig in seine Morgentoilette aufgenommen hatte, eine ebenmäßig nachziehende Verstärkung der Brauen, eine lineare Verlängerung der oberen Augenlider gegen die Schläfen hin: so ging er, wohl einen langen Stab vor sich hinsetzend, als des Vorstehers oberster Mund durch die Wirtschaft, so fuhr er zu Markte, so stand er bei Tafel, den Dienern winkend, hinter Petepré's Stuhl, – so sah ihn die Herrin, im Saal oder wenn er im Frauenhause erschien und etwa vor sie selber trat, um irgendeiner Verordnung wegen in unterwürfiger Haltung und Sprache vor ihr zu reden, – erst so sah sie ihn überhaupt; denn vorher, als nichtigen Käufling und noch zu Zeiten, da er dem Potiphar schon das Herz zu erwärmen gewußt, hatte sie ihn überhaupt nicht gesehen, ja, als er im Hause schon wuchs wie an einer Quelle, waren immer noch Dûdu's klagende Hinweise nötig gewesen, um ihr für seine Person die Augen zu öffnen.

Joseph in Ägypten (V, 1017 ff.)

Nach einer Unterbrechung von 4 Jahren nahm Thomas Mann im August 1940 die Arbeit am letzten «Joseph»-Band auf: «Joseph, der Ernährer».

Die Jaakobsgeschichten und ihr Nachfolger «Der junge Joseph» sind noch ganz in Deutschland entstanden. In die Arbeit am dritten Bande, «Joseph in Ägypten», fiel der Bruch meiner äußeren Existenz [...].
Im Zeichen des Abschiedes von Deutschland stand dieser dritte der Josephsromane, – im Zeichen des Abschiedes von Europa der vierte.

Joseph und seine Brüder,
Ein Vortrag (XI, 660 f.)

Joseph
Cha-em-het, Vorsteher der Scheunen unter König Amenophis III. Aus seinem Grabe in Theben. Museum in Berlin. Abbildung in: Georg Steindorff, Die Blütezeit des Pharaonenreichs

Das Gespräch in der Kretischen Laube

Im Mittelpunkt des Bandes steht Josephs Gespräch mit Pharao in der «Kretischen Laube». Der Sonnenkönig hat von sieben fetten und sieben mageren Kühen geträumt. Da er gehört hat, daß Joseph Träume deuten kann, läßt er ihn kommen. Joseph deutet den Traum und sagt auch gleich, was zu tun ist: Auf sieben fette Jahre werden sieben magere folgen. Ägypten muß sich also vorsehen und rechtzeitig seine Scheunen füllen, damit es die Dürre überlebt. Pharao ernennt Joseph zum obersten Verwalter der Ernten.

Zu den Abzeichen der Herrschaft gehört auch der Thron der Lebenden, der große Thron, auf dem der König bei Audienzen erscheint. Dieser Thron ist freilich einfach genug; er besteht seit uralter Zeit aus einem lehnenlosen würfelförmigen Sitze mit wenig erhöhtem Rückenbrett, über das ein Kissen gelegt ist. [...] Im übrigen aber entbehrt dieser Thron jedes symbolischen Schmuckes. Erst im neuen Reiche stellt man ihn unter einen Baldachin, der von schlanken Holzsäulen getragen wird, und dessen buntglänzende Verzierungen uns den einfachen Sessel als Königssitz erkennen lassen [...].

Erman/Ranke, Ägypten und ägyptisches Leben im Altertum

Echnaton auf dem «Thron der Lebenden»

Tutanchamun und seine Gemahlin
Georg Steindorff, Die Kunst der Ägypter

Den prächtigsten Teil des Thrones bildet aber seine Rückenlehne. In einer von Blumensträußen begrenzten Palasthalle sitzt links der König auf seinem mit einem Polster belegten Throne. Die linke Hand des Herrschers liegt auf dem Knie, während sein rechter Arm sich lässig auf die Lehne stützt. Auf dem Haupte trägt er eine reich ausgestattete, mit zahlreichen Schlangen verzierte Krone. Das feine Gesicht ist zweifellos porträtmäßig gestaltet und zeigt die jugendlichen Züge Tutanchamuns. [...] Das ganze Bild ist von ungeheurer Lebendigkeit, voll zarter Empfindung, eine jener köstlichen, ganz im Amarna-Stil geschaffenen Darstellungen aus dem Privatleben des Pharao. In der Tat stammt der Thron auch noch aus jener Zeit, in der der König der Lehre Echnatons anhing und in Amarna seine Residenz hatte.

Georg Steindorff, Die Blütezeit des Pharaonenreichs

Pharao

Der junge König über Ägyptenland saß zur Linken vor der Bilderwand auf einem löwenfüßigen, mit Kissen reichlich und weichlich ausgestatteten Armstuhl mit schräger Lehne, von der er den Rücken weggehoben hatte, indem er, lebhaft vorgebeugt, die Füße unter den Sitz geschoben, die Armlehnen mit seinen schlanken, skarabäusgeschmückten Händen umfaßt hielt. Man muß hinzufügen, daß diese wie zum Aufspringen bereite Haltung gespannter Aufmerksamkeit, mit der Amenhotep, rechtshin gewandt, die grau verschleierten Augen möglichst weit geöffnet, den eingetroffenen Deuter seiner Träume betrachtete, nicht sogleich voll ausgebildet war, sondern sich im Lauf einer Minute – so lange dauerte dies – stufen- und ruckweise entwickelte und auf den Grad steigerte, daß Pharao sich schließlich wirklich etwas vom Sessel erhoben und sein Schwergewicht ganz den klammernden Händen übergeben hatte, deren Knöchelspiel die Anspannung deutlich zeigte. [...] und sich in die Kissen seines Stuhles zurücksinken ließ, indem er die Haltung wieder einnahm, in der er offenbar vorher sich mit den Meistern besprochen hatte: eine außerordentlich lässige, weiche und überbequeme Haltung, denn der Sitz seines Stuhles war ausgehöhlt für ein Kissen, das aber zu nachgiebig war, als daß Pharao nicht darin hätte versinken sollen, und so saß er nicht nur sehr schräg, sondern auch sehr tief, ließ eine Hand schlaff über die Armlehne hängen [...].

Joseph, der Ernährer (V, 1413)

Reliefkopf des Königs Amenophis des III im Stile seiner Zeit.

Kalkstein. H. vom Kinn bis zum Haaransatz rd. 13 cm. Berlin 14 503.

Der König trägt eine runde Perücke über einer Leinenkappe, deren glatter Rand sichtbar ist. Um den Stirnreif ringelt sich der Leib der Königsschlange. Das Untergesicht hat der Künstler nachträglich etwas zurückgenommen. Die dadurch notwendig gewordene Änderung an dem großen, zur Amtstracht des Königs gehörigen künstlichen Barte ist nicht klar durchgeführt, durfte man doch bei der ganzen Verbesserung auf die jetzt fehlende Bemalung rechnen. – Der Künstler gehört zu den großen Meistern der formenschönen Kunst seiner Zeit; sie faßt das Bildnis in straffere Linien als die Amarnakunst, vgl. Tafel 7 und 8.

Aus dem Grabe des Chaëmhet in Theben.

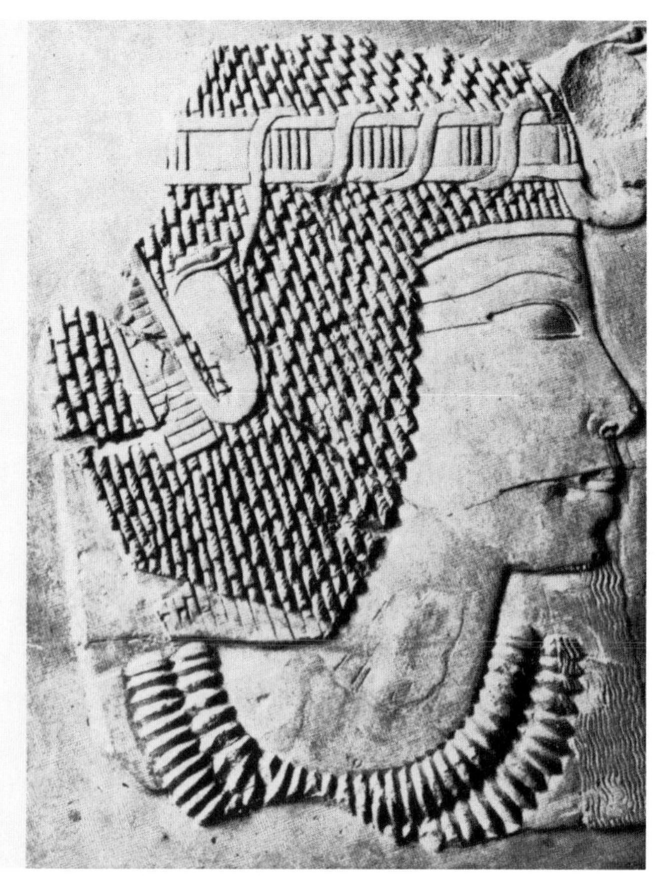

Pharao

Nefer-cheperu-Rê-Amenhotep war damals so alt, wie Joseph, der nun als ein Dreißigjähriger vor ihm stand, gewesen war, als er «ein Hirte des Viehs ward mit seinen Brüdern» und den Vater ums bunte Kleid beschwatzte, nämlich siebzehn. Doch schien er älter, nicht nur, weil in seiner Zone die Menschen rascher reifen, auch nicht allein durch die Anfälligkeit seiner Gesundheit, sondern auch kraft seiner frühen Verpflichtung auf das Weltganze, vielfältiger Eindrücke, die, aus allen Himmelsgegenden kommend, seine Seele bestürmt hatten, und seiner eifrig-schwärmerischen Bemühtheit um das Göttliche. Bei der Beschreibung seines Gesichts unter der runden blauen Perücke mit Königsschlange, die er heute über der Leinenkappe trug, dürfen die Jahrtausende uns nicht von dem zutreffenden Gleichnis abschrecken, daß es aussah wie das eines jungen, vornehmen Engländers von etwas ausgeblühtem Geschlecht: langgezogen, hochmütig und müde, mit nach unten ausgebildetem, also keineswegs mangelndem und dennoch schwachem Kinn, einer Nase, deren schmaler, etwas eingedrückter Sattel die breiten, witternden Nüstern desto auffallender machte, und tief träumerisch verhängten Augen, von denen er die Lider nie ganz aufzuheben vermochte, und deren Mattigkeit in bestürzendem Gegensatz stand zu der nicht etwa aufgeschminkten, sondern von Natur krankhaft blühenden Röte der sehr vollen Lippen. So war eine Mischung schmerzlich verwickelter Geistigkeit und Sinnlichkeit in diesem Gesicht – auf der Stufe des Knabenhaften und vermutlich sogar des zu Übermut und Ausgelassenheit Geneigten. Hübsch und schön war es mitnichten, aber von beunruhigender Anziehungskraft; man wunderte sich nicht, daß Ägyptens Volk ihm Zärtlichkeit erwies und ihm blumige Namen gab.

Joseph, der Ernährer (V, 1414 f.)

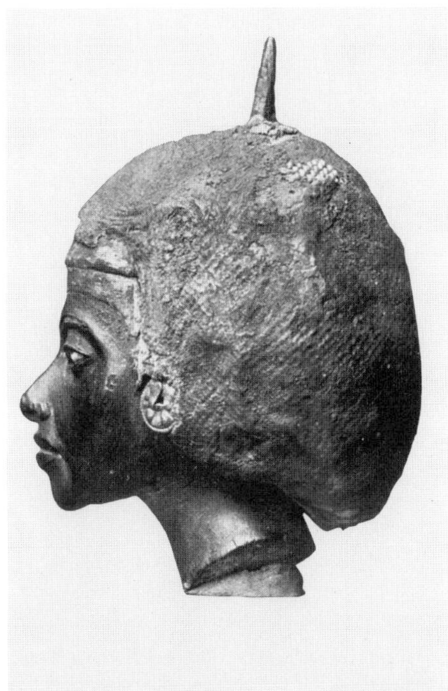

Echnaton und Nofretete

Sein Familienleben lag offen und unverhüllt vor dem Volke. Er liebte seine Kinder über alles und erschien mit ihnen und ihrer Mutter, der Königin, zusammen bei allen möglichen Gelegenheiten, als wäre er nur der niedrigste Schreiber im Tempel des Aton. Er ließ sich selbst auf den Denkmälern darstellen, wie er sich des innigsten und ungeziertesten Verkehrs mit seiner Familie erfreute, und immer, wenn er im Tempel erschien, um zu opfern, nahmen die Königin und die Töchter, die sie ihm geboren hatte, an dem Gottesdienste teil.

Georg Steindorff, Die Kunst der Ägypter

Teje, die Mutter des Pharao

TEJE

Amenhotep-Nebmarê's Witwe thronte ihm gerade gegenüber auf hohem Stuhl mit hohem Schemel, gegen das Licht, vor dem mittleren der tiefreichenden Bogenfenster, so daß ihr ohnedies bronzefarben gegen das Gewand abstechender Teint durch die Verschattung noch dunkler schien. Dennoch erkannte Joseph ihre eigentümlichen Züge wieder, wie er sie vordem bei königlichen Ausfahrten das eine und andere Mal erblickt: das fein gebogene Näschen, die aufgeworfenen, von Furchen bitterer Weltkunde eingefaßten Lippen, die gewölbten, mit dem Pinsel nachgezogenen Brauen über den kleinen, schwarzglänzenden, mit kühler Aufmerksamkeit blickenden Augen. Die Mutter trug nicht die goldene Geierhaube, in der Jaakobs Sohn sie im Öffentlichen gesehen. Ihr gewiß schon ergrautes Haar – denn sie mußte ihres Alters gegen Ende Fünfzig sein – war in ein silbriges Beuteltuch gehüllt, das den goldenen Streifen einer Stirn- und Schläfenspange frei ließ, und von dessen Scheitel zwei ebenfalls goldene Königsschlangen – gleich zwei, als hätte sie auch die ihres in den Gott eingegangenen Gemahles übernommen – sich herabringelten und sich vor der Stirn aufbäumten. Runde Scheiben aus dem gleichen bunten Edelstein, aus dem auch ihr Halskragen gefertigt war, schmückten ihre Ohren. Die kleine, energische Gestalt saß sehr gerade, sehr aufgerichtet und wohlgeordnet, sozusagen im alten, hieratischen Stil, die Oberarme auf den Lehnen des Sessels, die Füßchen auf dem Hochschemel geschlossen nebeneinander gestellt. Ihre klugen Augen begegneten denen des verehrend Eintretenden, wandten sich aber, nachdem sie flüchtig an dessen Gestalt heruntergeglitten waren, in begreiflicher und selbst gebotener Gleichgültigkeit gleich wieder ihrem Sohne zu, wobei die lebensbitteren Falten um ihren vortretenden Mund sich zu einem spöttischen Lächeln formten [...].

Joseph, der Ernährer (V, 1412 f.)

Joseph macht Hochzeit

ASNATH

Bei all dieser Wehr und äußerlich betonten Stech-Bereitschaft nun aber war Asnath ein sowohl liebreizendes wie höchst gutartiges, sanftes und fügsames, in den Willen ihrer vornehmen Eltern, in den Pharao's und dann in den ihres Gatten bis zur eigenen Willenlosigkeit ergebenes Kind, und gerade die Vereinigung heilig-spröder Versiegeltheit mit einer ausgesprochenen Neigung zum Mit-sich-geschehen-Lassen und zum duldenden Hinnehmen ihres weiblichen Loses war das Kennzeichen für Asnaths Charakter. Ihr Gesicht war von typisch-ägyptischer Bildung, feinknochig, mit etwas vorgebautem Unterkiefer, entbehrte aber nicht eines persönlichen Gepräges. Noch waren die Wangen kindlich voll, voll auch die Lippen mit einer weichen Vertiefung darunter zwischen Mund und Kinn, die Stirne rein, das Näschen allenfalls etwas zu fleischig, der Blick der großen, schön ummalten Augen von einem eigentümlich starren, lauschenden Ausdruck, ein wenig wie bei Tauben, ohne daß sie im entferntesten taub gewesen wäre: es malte sich in diesen Blicken nur innere Gewärtigkeit, das Horchen auf einen vielleicht bald erschallenden Befehl, eine dunkel-aufmerksame Bereitschaft, den Ruf des Schicksals zu vernehmen. [...]
Lieblich und gewissermaßen einmalig war auch ihr Körperbau, der durch die gesponnene Luft ihrer Kleidung schien, ausgezeichnet durch eine von Natur ausnehmend schmal und wespenartig eingezogene Taillengegend mit entsprechend ausladendem Becken und langer Bauchpartie darunter, einem gebärtüchtigen Schoß. Ein starrender Busen und Arme von schlankem Ebenmaß mit großen Händen, die sie gern völlig ausgestreckt trug, vollendeten das bernsteinfarbene Bild dieser Jungfräulichkeit.

Joseph, der Ernährer (V, 1516 f.)

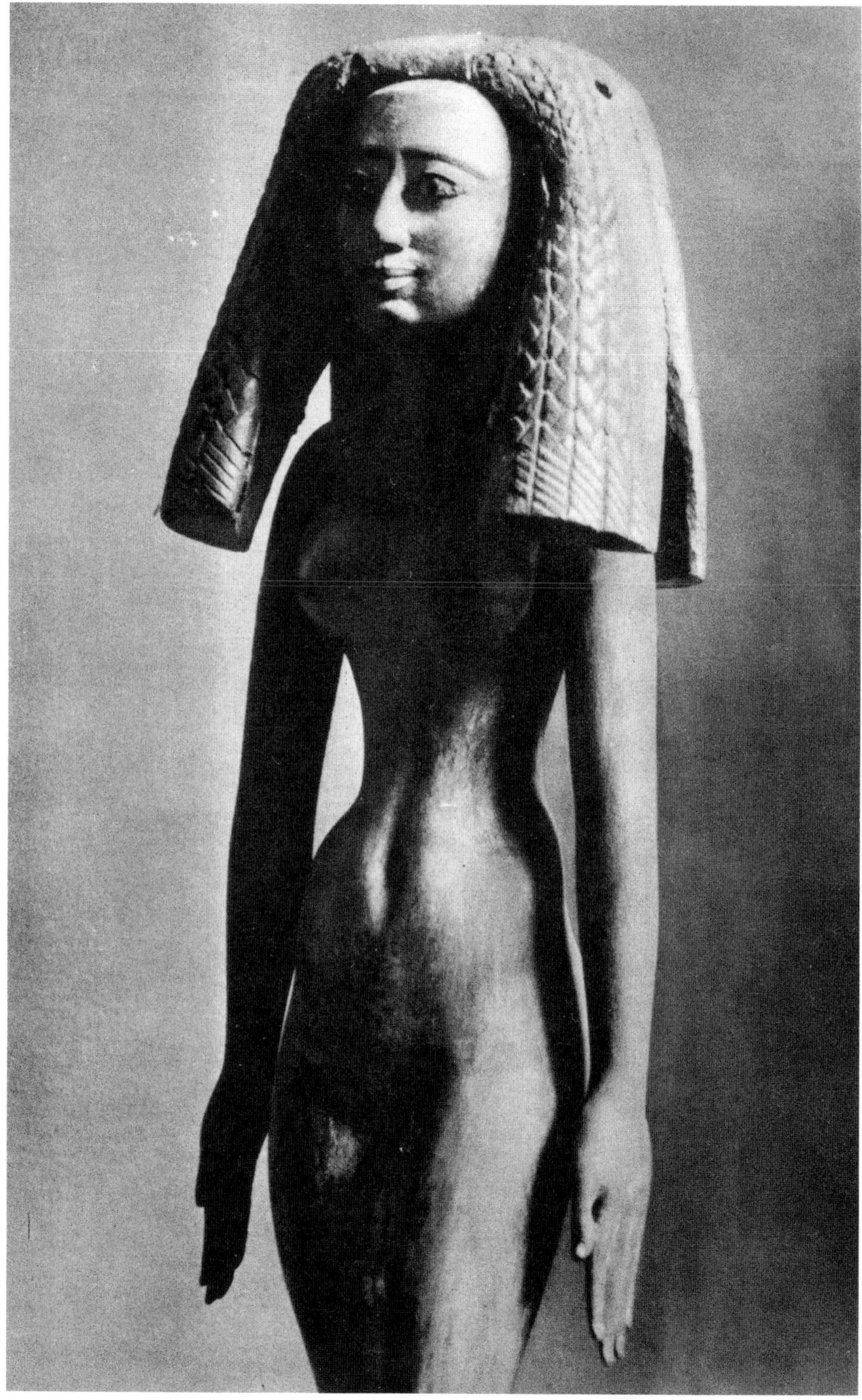

Asnath
Statuette der Imeret-Nebes, um 1800 v. Chr. Bild aus dem Arbeitsmaterial zum Roman

Joseph macht Hochzeit

Asnath, das Mädchen, denn also wurde mit vierundzwanzig ausgesuchten Sklavinnen hinaufgesandt nach Menfe in Josephs Haus zur jungfräulichen Hochzeit, und auch die hochpriesterlichen Eltern, tief gebeugt von wegen des unfaßlichen Raubes, reisten von On hinauf, gleich wie Pharao selbst hinabkam von Nowet-Amun, um teilzunehmen an den Mysterien dieser Eheschließung, seinem Günstling selbst die rare Braut zu überhändigen und, ein erfahrener Ehemann, ihn dabei aufs neue der Annehmlichkeiten zu versichern, die das Verheiratetsein mit sich brachte. Es ist zu sagen, daß zwölf der jungen und schönen Dienerinnen, die mit Asnath kamen und mit ihr in den Besitz des Dunklen Bräutigams übergingen, so daß man unwillkürlich an das Gefolge denken muß, das früher lebendig mit in das Grab des Königs eingeschlossen worden war: daß also zwölf von den vierundzwanzig zum Jauchzen, Blumenstreuen und Musizieren da waren, die anderen zwölf aber zum Wehklagen und Brüsteschlagen; denn die Hochzeitszeremonien, wie sie in Josephs Ehrenhaus, besonders im fackelerleuchteten Geviert des Brunnenhofes sich abspielten, um den alle Wohnräume gelagert waren, – diese Begehungen hatten einen starken Einschlag von Begräbnis, und wenn wir nicht mit letzter Genauigkeit darauf eingehen, so geschieht es aus einer Art von Rücksicht auf den alten Jaakob daheim, der so ganz irrtümlich seinen Liebling, dauernd siebzehnjährig, im Tode geborgen glaubte, und über sehr vieles, was hier bei seiner Hochzeit angestellt wurde, die Hände über dem Kopf zusammengeschlagen hätte. [...] Hinter seinem Rücken kann man zugeben, daß eine gewisse Verwandtschaft besteht zwischen Hochzeit und Tod, Brautgemach und Grab, dem Raub der Jungfräulichkeit und Mord, – weshalb denn auch der Charakter eines gewalttätig entführenden Totengottes von keinem Bräutigam ganz zu entfernen ist. Gewiß, die Ähnlichkeit zwischen dem Schicksal des Mädchens, das, ein verschleiertes Opfer, die ernste Lebensgrenze zwischen Magdtum und Weibtum überschreitet, und dem des Saatkorns, das in die Tiefe versenkt wird, um dort zu verwesen und aus der Verwesung als ebensolches Korn, jungfräulich aufs neue ans Licht zurückzukehren, diese Ähnlichkeit ist zuzulassen; und die von der Sichel dahingemähte Ähre ist ein schmerzliches Gleichnis für das Hinweggerissenwerden der Tochter aus den Armen der Mutter – die übrigens auch einmal Jungfrau und Opfer war, auch mit der Sichel gemäht wurde und ihr eigenes Schicksal in dem der Tochter wiedererlebt. So spielte denn auch die Sichel bei der vom Haushalter Mai-Sachme besorgten Ausschmückung der Festräume, namentlich des von einem Säulengang umlaufenen Brunnenhofs, eine hervortretende Rolle, die man sinnig nennen mag; und eine ebensolche spielte bei den Aufführungen, die vor und nach dem Hochzeitsmahl den Gästen geboten wurden, das Korn, das Getreide, das Saatgut: Männer streuten es auf die Fliesen aus und gossen unter bestimmten Anrufungen Wasser nach aus den Kannen, die sie mitführten; Frauen trugen Gefäße auf dem Kopf, die einerseits mit Samen gefüllt waren und in deren anderem Abteil ein Licht brannte.

Joseph, der Ernährer (V, 1521 f.)

Das Göttliche Mädchen

Sie sollen doch wissen, daß «Das göttliche Mädchen» mich richtig erreicht hat, und daß ich mich ausgiebig und mit Genuß habe belehren lassen durch die außerordentlich interessante Schrift. Sie werden die Spuren davon eines Tages in dem Kapitel des letzten Joseph-Bandes finden, das die Hochzeit des Erhöhten mit dem Mädchen Asnath aus On behandelt, und an dem ich jetzt gerade schreibe. Daß dort Jungfräulichkeit auf Jungfräulichkeit trifft, schien mir Grund genug, eine Art von Mysterium daraus zu machen, bei dem ich kecklich oder, wenn Sie wollen, unverfroren, einiges Demetrisch-Eleusinische benutze. Das wird so un-ägyptisch nicht sein, da die irrende und suchende Mutter ja auch am Nil zu Hause ist und die Verwandtschaft von Demeter und Isis auf der Hand liegt, obgleich es sich bei dieser um einen gemordeten Sohn handelt. Im Übrigen gehen gerade in diesem letzten Bande die Mythologien, die jüdische, ägyptische, griechische so ungeniert durcheinander, daß es auf eine Lizenz mehr oder weniger nicht ankommt.
Zwischen uns hat sich ja längst eine Art von entfernter und Uneingeweihten natürlich garnicht erkennbarer Zusammenarbeit hergestellt, die so legitim, wenn auch weniger deklariert, ist, wie Ihre so fruchtbare und wissenschaftlich glückliche Zusammenarbeit mit Jung. Dies Einander in die Hände arbeiten von Mythologie und Psychologie ist eine höchst erfreuliche Erscheinung! Man muß dem intellektuellen Fascismus den Mythos wegnehmen und ihn ins Humane umfunktionieren. Ich tue längst nichts anderes mehr.

An Karl Kerényi, 7. September 1941

Hermes

Hermes von Lysipp

Schon als Kind fühlte sich Thomas Mann zu Hermes hingezogen. Auf der Lübecker Puppenbrücke begegnete er ihm, auch im Mythologiebuch seiner Mutter. In seinen Tagträumen spielte der schwebende Gott eine hervorragende Rolle.
Im «Tod in Venedig» dann zeigt der Gott dem sterbenden Gustav von Aschenbach den Weg ins Verheißungsvoll-Ungeheure. Den Hades-Fahrer Hans Castorp begleitet er als Thot Trismegistos. Im «Joseph» tritt er in verschiedenen Gestalten auf: als Anup ist er da; als «Eilbote» dann und als «Mann auf dem Felde». Anup ist in der Gestalt des Hermes von Lysipp beschrieben, dessen Statue an der Poschingerstraße im Garten stand (Tagebuch, 19./23. Februar 1934). «Hermes, meine Lieblingsgottheit», schreibt Thomas Mann schon am 24. März 1934 an Karl Kerényi.

Hermes in den Joseph-Romanen

Anup

[...] sein Leib aber war menschlich gestaltet bis zu den wenig bestaubten Zehen und angenehm zu sehen wie eines feinen, leichten Knaben Leib. Er saß auf dem Brocken in lässiger Haltung, etwas vorgeneigt und einen Unterarm auf den Oberschenkel des eingezogenen Beines gelehnt, so daß eine Bauchfalte sich über dem Nabel bildete, und hielt das andere Bein vor sich hingestreckt, die Ferse am Boden. Dies ausgestreckte Bein mit dem schlanken Knie und dem langen und leicht geschwungenen, feinsehnigen Unterschenkel war am wohlgefälligsten zu sehen.

Die Geschichten Jaakobs (IV, 288)

Hermes, Eurydike und Orpheus
Marmorrelief aus der 2. Hälfte des 5. Jhs. v. Chr. Bildvorlage für die Hermesgestalt im Kapitel «Der Mann auf dem Felde»

DER MANN AUF DEM FELDE

Verwirrt betrachtete Joseph ihn von der Seite. Er sah ihn recht gut. Der Mann war eigentlich noch kein Mann in des Wortes vollster Bedeutung, sondern nur einige Jahre älter als Joseph, doch höher gewachsen, ja lang, in einem ärmellosen Leinenkleide, das bauschig durch den Gürtel hinaufgezogen und so zum Wandern kniefrei gemacht war, und einem über die eine Schulter zurückgeworfenen Mäntelchen. Sein Kopf, auf etwas geblähtem Halse sitzend, erschien klein im Verhältnis, mit braunem Haar, das in schräger Welle einen Teil der Stirn bis zur Braue bedeckte. Die Nase war groß, gerade, und fest modelliert, der Zwischenraum zwischen ihr und dem kleinen, roten Munde sehr unbedeutend, die Vertiefung unter diesem aber so weich und stark ausgebildet, daß das Kinn wie eine kuglige Frucht darunter hervorsprang. Er wandte den Kopf in etwas gezierter Neigung zur Schulter und blickte über diese aus nicht unschönen, aber mangelhaft geöffneten Augen mit matter Höflichkeit auf Joseph hinab, schläfrig verschwommenen Ausdrucks, wie er entsteht, wenn einer zu blinzeln verabsäumt. Seine Arme waren rund, aber blaß und ziemlich kraftlos.

Der junge Joseph (IV, 536 f.)

DER EILBOTE

[...] ein Mann hüpfte hervor, ein junger, leicht ebenfalls, schlank wie die Eilbarke, die ihn getragen, mit magerem Gesicht und mit langen, sehnigen Beinen. [...] er lief oder flog so schnell dahin gegen die Zitadelle, die man ihm wies, daß trotz seiner Schlankheit die gemachte Atemlosigkeit wohl zur wirklichen werden mochte. Denn die kleinen Flügelpaare aus Goldblech, die er hinten an seinen Sandalen und an seiner Kappe trug, konnten ihm natürlich nicht ernstlich von der Stelle helfen, sondern waren nur das äußere Abzeichen seiner Eilfertigkeit.

Joseph, der Ernährer (V, 1369 f.)

Hermes, das göttliche Kind

bloßer Stein war das Kultmal eines anderen göttlichen Kindes im böotischen Dorfe Thespiai: des Eros[1]), den wir nicht bloß wegen dieser Darstellungsweise neben Hermes erwähnen müssen.

Eros ist eine Gottheit, die mit Hermes durch engste Wesensverwandtschaft verbunden wird. Seine kindliche Gestalt wurde in der griechischen Mythologie immer bewahrt, und bewahrt auf ihn bezogen auch das Mythologem vom Auftauchen des Urkindes. Sein Wesen, das durch seinen Namen: Eros, die „verlangende Liebe“, ausgedrückt wird, ist eintöniger als das Wesen des Hermes. Doch bleibt derselbe Grundton auch in Hermes unverkennbar. Das Weltall kennt eine Melodie — so können wir dieses etwas komplexere Wesen umschreiben — vom ewigen Zusammenhang von Liebe und Diebstahl und Handel[2]): diese Melodie ist — in männlicher Tonart — Hermes. In der weiblichen Tonart heißt dieselbe (und doch etwas derart Verschiedenes, wie Weib und Mann verschieden sind): Aphrodite. Die Wesensverwandtschaft von Eros und Hermes zeigt sich am besten in ihrer beider Beziehung zur Liebesgöttin. Aphrodite und Eros gehören zueinander, wie wesensmäßig zusammengehörende Kräfte und Prinzipien. Eros, das göttliche Kind, ist der natürliche Begleiter und Gefährte der Aphrodite. Wird aber in *einer* Gestalt sowohl der männliche wie der weibliche Aspekt des gemeinsamen Wesens von Aphrodite und Eros zusammengefaßt, so ist diese Gestalt *Aphrodite und Hermes* in einem: Hermaphroditos. Dieses Zweigeschlechterwesen wird im Sinne der olympischen Ordnung als Kind der Aphrodite und des Hermes genealogisiert[3]). Man kennt seine hellenistischen und noch späteren Darstellungen. Doch ist „Hermaphrodit“ keineswegs die neue Erfindung einer späten,

[1]) Paus. IX 27, 1.

[2]) Vgl. den erotischen Sinn des lateinischen Wortes für Diebstahl (*furtum*, W. F. Otto: Die Götter Griechenlands 142) und das deutsche Wort: „Liebeshandel“. Für die homerische Hermeswelt sei auf Ottos klassische Hermesdarstellung hingewiesen.

[3]) Ovid. Metamorph. IV 288.

62

dekadenten Kunst: in jener Kunst hatte diese Gestalt schon ihren Sinn verloren und die Stufe der bloßen Anwendung — einer höchst reizvollen Anwendung — erreicht. Sie ist ein Götterbild von urtümlichem, primitivem Typus[1]). Es gibt über diesen Typus eine ganze Literatur in der Ethnologie[2]). Auf antikem Gebiet wird seine Urtümlichkeit durch den alten gemeinsamen Kult des Hermes und der Aphrodite in Argos[3]) und durch den mit argivischen Gebräuchen[4]) übereinstimmenden kyprischen Kult des Aphroditos[5]), der männlichen Aphrodite, bewiesen. Die Etrusker haben seit ältester Zeit beide Gottheiten unter demselben griechischen — oder richtiger: vorgriechischen — Namen gekannt: Hermes als *turms*, Aphrodite als *turan*[6]). Wo der eine der „Herrscher“ ist (*ὁ τύραννος*) ist die andere die „Herrscherin“ (*ἡ τύραννος*): ein uraltes Götterpaar[7]) oder — in der tiefsten Schicht — die zwei Aspekte desselben Urwesens.

Das Mythologem vom Auftauchen des göttlichen Kindes aus dem Urzustand erscheint bei den Griechen in Verbindung mit zwei Gottheiten: mit Eros und Aphrodite, und es erscheint dementsprechend in zwei Variationen: als die Geburt eines zweigeschlechtigen Urwesens und als die Geburt der Aphrodite. Die erste Variation ist die orphische, die deshalb so genannt wird, weil eine dem Orpheus zugeschriebene Kosmogonie sie enthalten hat. Am Uranfang entstand ein zweigeschlechtiges Wesen aus dem Urei — so lautete

[1]) Vgl. J. P. B. Josselin De Jong: De Oorsprong van den goddelijken bedrieger, Mededeel. Akad. Wetensch. Afd. Letterk. 68, B 1, S. 5 ff.

[2]) J. Winthuis: Das Zweigeschlechterwesen 1928; Die Wahrheit über das Zweigeschlechterwesen 1930; Einführung in die Vorstellungswelt primitiver Völker 1931; Mythos und Kult der Steinzeit 1935.

[3]) Paus. II 19, 6.

[4]) Dem Hybristika genannten Aphroditefest im Hermesmonat, vgl. Nilsson: Griechische Feste, Leipzig 1906, 371 ff., und Jessen in Pauly-Wissowas Realenc. s. v. Hermaphroditos.

[5]) Nilsson 373 f.

[6]) Vgl. C. Clemen: Die Religion der Etrusker, Bonn 1936, 35.

[7]) Vgl. Plutarch: Coniug. praec. 138 d.

63

Es muß Thomas Mann wie Schuppen von den Augen gefallen sein, als er den Hermes-Passus im «Göttlichen Kind» las: In der Gestalt des Hermes war alles vereinigt, was er, ohne genau zu wissen, was er tat, in Joseph, Felix, Castorp und auch im Goethe des Lotte-Romans angelegt hatte. «Es ist ein extrem interessantes Buch», schrieb er Kerényi am 18. Februar 1941. «Es würde Sie amüsieren, zu sehen, mit wieviel An- und Unterstreichungen die Seiten meines Exemplars bedeckt sind. Für mein Teil habe ich mich gefreut, zu sehen, wie eifrig und aufgeregt ich noch lesen kann, wenn ich wirklich in meinem Elemente bin, – und was sollte mein Element derzeit wohl sein als Mythos plus Psychologie.»

C. G. JUNG UND K. KERÉNYI

DAS GÖTTLICHE KIND

IN MYTHOLOGISCHER UND PSYCHOLOGISCHER BELEUCHTUNG

Karl Kerényi (1897–1973), ungarischer Philologe und Religionswissenschaftler
Thomas Mann stand mit ihm seit 1934 in Briefwechsel und lernte ihn 1935 in Budapest persönlich kennen. Kerényi war Thomas Manns Gesprächspartner in religionswissenschaftlichen Fragen. Der Briefwechsel zwischen ihnen wurde 1945 veröffentlicht. Kerényi lebte seit 1943 in Ascona.

KARL KERÉNYI

ROMANDICHTUNG UND MYTHOLOGIE

EIN BRIEFWECHSEL
MIT
THOMAS MANN

HERAUSGEGEBEN
ZUM SIEBZIGSTEN GEBURTSTAG DES DICHTERS
6. JUNI 1945

RHEIN-VERLAG ZÜRICH

JOSEPHS ERHÖHUNG ZUM HERMES

Am Ende des Gesprächs in der «Kretischen Laube» empfängt Joseph aus Pharaos Hand Leier und Ring. Sie besiegeln seine Erhöhung zum Hermes und Bruderkind. Das Tammuz-Osiris-Adonis-Schema, in dem Joseph bisher gelebt hat, wird im Hermes-Mythologem aufgehoben.

«Lehrreich ist es», erwiderte der König, «indem es bekundet, daß Götter-Kinder nur verstellte Kinder sind – sie sind's nur aus Schelmerei. Der aus der Höhle trat denn auch, sobald er nur wollte, als heiter gewandter Jüngling daher, auskunftsreich und um handlichen Rat nie verlegen, ein Helfer der Götter und Menschen. Was erfand er nicht alles noch, nach der Meinung der Leute dort, was vorher nicht da war: Schrift und rechnende Zahl, dazu auch den Ölbau und die klug beschwatzende Rede, die auch den Trug nicht scheut, doch trügt sie mit Anmut. Mein Gewährsmann, der Seefahrer, hielt ihn hoch als seinen Patron. Denn er sei ein Gott des freundlichen Zufalls, sagte er, und des lachenden Fundes, Segen spendend und Wohlstand, so redlich oder ein bißchen auch fälschlich erworben, wie es das Leben erlaube, ein Ordner und Führer, der durch die Windungen führe der Welt, rückwärts lächelnd mit aufgehobenem Stabe. Selbst die Toten führe er, sagte der Mann, in ihr Mondreich, und selbst die Träume noch, denn der Herr des Schlafes sei er zu alldem, der die Augen der Menschen schließe mit jenem Stabe, ein milder Zauberer am Ende gar in aller Schläue.»

Joseph, der Ernährer (V, 1428)

Bogen und Leier
Einbandsignet von H. E. Mende (1924)

Mit Hilfe des Hermes-Bildes gelang es Thomas Mann, seine ganze Kunst besser zu verstehen. 1924 hatte er zugestimmt, als die Apollon-Attribute Leier, Pfeil und Bogen seinen Werken als Signet aufgedruckt wurden. Pfeil und Bogen: Das wies damals auf das Wort, das die Dinge trifft und «erledigt». Die Leier dagegen bedeutete Traum, Schlaf, Verschmelzung.

Bei Kerényi erfuhr Thomas Mann nun, daß Hermes die Leier erfunden hatte, nicht Apoll. Das Leier-Symbol erhielt eine neue Bedeutung: Hermes ließ die Töne zusammenklingen. Er war damit der Gott der Beziehungen, der Gott des Beziehungsreichtums und -zaubers. Er war der Gott des verbindend-verbindlichen Worts, er war ein Mittler-Gott.

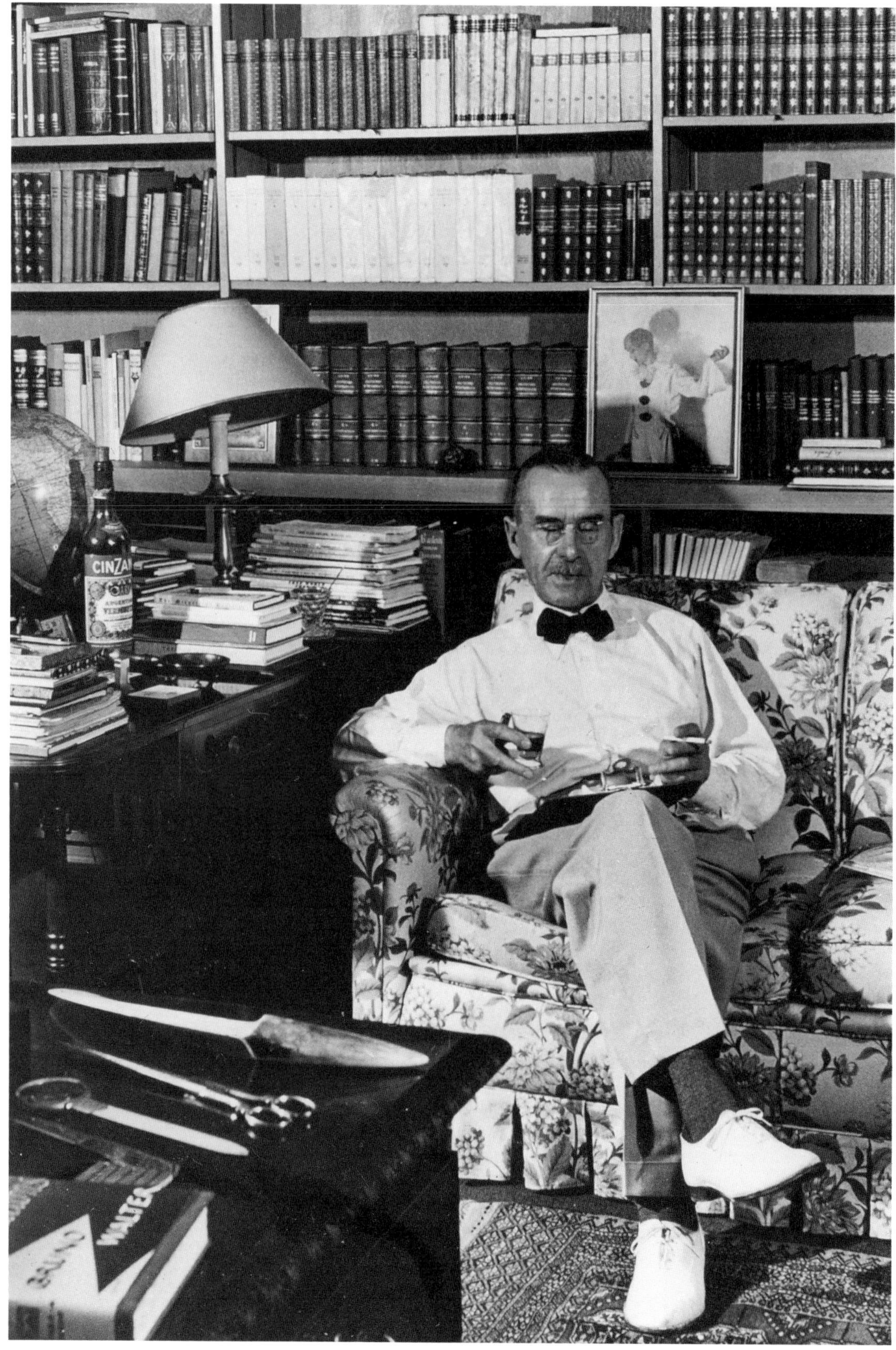

In Pacific Palisades, 1947

1941–1947 Kalifornien Das Ende des Zweiten Weltkriegs

In Pacific Palisades
«Doktor Faustus»
«Deutschland und die Deutschen»
Das Ende

In Pacific Palisades

Am 8. April 1941 bezog Thomas Mann ein Miethaus am Amalfi Drive 740 in Pacific Palisades

Thomas Mann hatte bereits im März 1941 den Princetoner Haushalt aufgelöst und in Pacific Palisades ein Haus am Amalfi Drive gemietet. Im Februar 1942 bezog seine Familie das neu erbaute Haus am San Remo Drive. Kurz vorher, am 7. Dezember 1941, hatten die Japaner Pearl Harbor überfallen. Thomas Mann war nun, wie schon in Princeton, fast pausenlos mit politischen Vorträgen und Radiosendungen beschäftigt: 1941 «The War and the Future», 1942 «How to Win the Peace». Im gleichen Jahr stellte er den Sammelband «The Order of the Day» – «Die Forderung des Tages» – zusammen. Er war, wieder einmal, zum Wanderprediger in politicis geworden. Er schrieb und reiste aus «Haß auf den Faschismus und auf Hitler», er tat es aus einer Art Pflichtgefühl, aus einem ihm eingeborenen Imperativ. «Wir haben alle», wird er am 8. 4. 1945 an Hermann Hesse schreiben, «unter argem Druck eine Art Vereinfachung erfahren. Alle haben das Böse in seiner ganzen Scheußlichkeit erlebt und dabei – es ist ein verschämtes Geständnis – unsere Liebe zum Guten entdeckt. […] Ich glaube, nichts Lebendes kommt heute ums Politische herum. Die Weigerung ist auch Politik; man treibt damit die Politik der bösen Sache.»

HONNI SOIT QUI MAL Y PENSE
ODER DER VERSCHMITZTE HERMES

Sie fragen auch nach meiner Gesundheit – es ist mit ihr das altbekannte, etwas vexatorische Lied. Sie kennt eigentlich kein rechtes Wohlsein, aber ernste Krankheit kennt sie auch kaum; das Organische ist in guter Ordnung, und ich glaube im Grunde, daß meine Natur ihrem ganzen Tempo und Charakter nach auf Geduld, Ausdauer, einen weiten Weg, auf ein Zu-Ende führen, um nicht zu sagen: auf Vollendung angelegt ist. Aus diesem Instinkt erklärt sich ja auch der Drang nach neuer Etablierung, nach dem Hausbau – ein etwas kecker, eigensinniger Streich in meinem Alter, unter den heutigen Umständen und bei meinen gegenwärtigen Verhältnissen; aber er ist in meinen Gewohnheiten, Bedürfnissen, Ansprüchen, dem natürlichen Stil meines Lebens entschieden begründet, und – wenn ich das bekennen darf – ich habe mich manchmal gefragt, weshalb eine zu Huldigungen, die nichts kosten, so bereite Welt (ich denke an die 7 Doktor-Capes, die man mir hierzuland umgehängt hat) sich um solche Äußerlichkeiten, die doch mit dem Produktiven in nahem Zusammenhange stehen, so gar nicht kümmert und sich in dieser Beziehung so garnichts einfallen läßt. Gegenteiliges kommt doch schließlich vor. Meinem Freunde Hermann Hesse, dem Dichter, hat ein reicher Schweizer Mäzen, aus der Familie Bodmer, in Montagnola im Tessin ein schönes Haus gebaut, wo ich ihn oft besucht habe. Der Gute wollte es nicht einmal zum Besitz haben, um den damit verbundenen Verpflichtungen zu entgehen; das Haus bleibt dem Erbauer, und Hesse wohnt nur eben mit seiner Frau für Lebenszeit darin. – Warum ist in diesem Lande nie eine Stadt, eine Universität auf den Gedanken gekommen, mir etwas Ähnliches anzutragen, sei es auch nur aus «Ehrgeiz» und um sagen zu können: «We have him, he is ours?» Weil ich früher einmal viel verdient habe und den Nobel-Preis bekam, – den doch natürlich die Nazis geschluckt haben nebst dem Übrigen, ausgenommen ein bischen Vermögen, das zufällig in der Schweiz lag, und dem ich die Freiheit verdanke? Es muß die Vorstellung sein, daß man «einem solchen Mann» doch nicht zu helfen braucht – oder es ist pure Gedankenlosigkeit. Dieselbe Gedanken-

Am San Remo Drive 1550 baute sich die Familie Mann ein eigenes Haus. Sie bezog es am 5. Februar 1942.

losigkeit, die beständig auf meinen Idealismus zählt und honorarlose Ehren-Ansprüche an mich stellt, weil «ein solcher Mann» doch nicht an Geld denken darf. Es wäre allerdings richtiger und würdiger, wenn er nicht daran zu denken brauchte.

Das Haus baue ich mir nun also selbst – natürlich nicht ganz leichtsinniger Weise. Es reicht schon dazu; die Federal Loan hätte sonst kein freundlich Gesicht gemacht, – wenn sie es auch vielleicht mehr im Hinblick auf meine Stellung überhaupt, als auf meine augenblicklichen Verhältnisse gemacht hat. Da hätte sie recht getan, denn der Unterschied ist nicht außer acht zu lassen. Selbstverständlich sind meine Mittel durch den Verlust des deutschen, des europäischen Marktes stark zurückgegangen. Auch meine Einkünfte hierzulande sind, seit dem Ankauf des Grundstücks, geschrumpft, denn «Lotte in Weimar» war nicht viel mehr, als ein Achtungserfolg, und die «Vertauschten Köpfe» sind mit Recht auf die leichte Achsel genommen worden. Von Sorge und Not kann nicht die Rede sein, wohl aber von Unbequemlichkeit, Enge, Aufpassen-müssen, sodaß man bei der Einrichtung sich jeden Stuhl genau ansehen muß – nicht ob er einem gefällt, sondern ob er auch nicht zu sehr ins Geld läuft. Und doch entspricht das alles nicht recht der Wirklichkeit – ich meine: meiner Gesamt-Existenz im Gegensatz zum Momentanen. Ich gebe dem Kriege noch zwei, drei, ja vier Jahre – länger wird die Messe kaum dauern können. Der Sieg der Sache der Freiheit würde die Stellung derjenigen, die die Hölle von Anfang an beim rechten Namen genannt und sie nach Kräften bekämpft haben, zweifellos bedeutend erhöhen, und es steht zu vermuten, daß ein enthitlertes Deutschland, ein erlöster Kontinent unsere Bücher einsaugen würde wie der luftleere Raum die einpfeifende Luft. Aber lassen wir Krieg und Sieg bei Seite. Lassen wir nun den Joseph fertig sein, an dem ich emsig arbeite. Deutsche und englische Gesamt-Ausgaben des Werkes sind für diesen Augenblick geplant; die Vollendung würde voraussichtlich dem Ganzen einen schönen Auftrieb geben, und es ist sogar so gut wie sicher, daß, wenn nicht bis dahin die öffentlichen Verhältnisse garzu zerrüttet sind, ein Film großen Stils aus dem Buch hergestellt werden würde – wenigstens sagen mir das Leute des Fachs, wie Dieterle, mit vieler Bestimmtheit und es würde nicht wenig helfen, mein Schifflein wieder flott zu machen, wenn man so sagen darf von einem Schifflein, das ja auch im Augenblick nicht eigentlich auf dem Sande sitzt.

Kurzum, «ich» bin ein Unternehmen, das als finanzwürdig zu betrachten ist, und das man inzwischen nicht verstimmen, der Geniertheit überlassen sollte. Schreiben Sie es dem hermetischen Geschäftsgeist zu, den Joseph jetzt personifiziert, wenn ich – ein wenig zur eigenen Befremdung – so spreche. Ich denke zuweilen so, und Ihr von weiblicher Intuition eingegebener Brief hat meinem Denken die Zunge gelöst – das sollte er ja, nicht wahr?

An Agnes E. Meyer, 7. Oktober 1941 (Amalfi Drive)

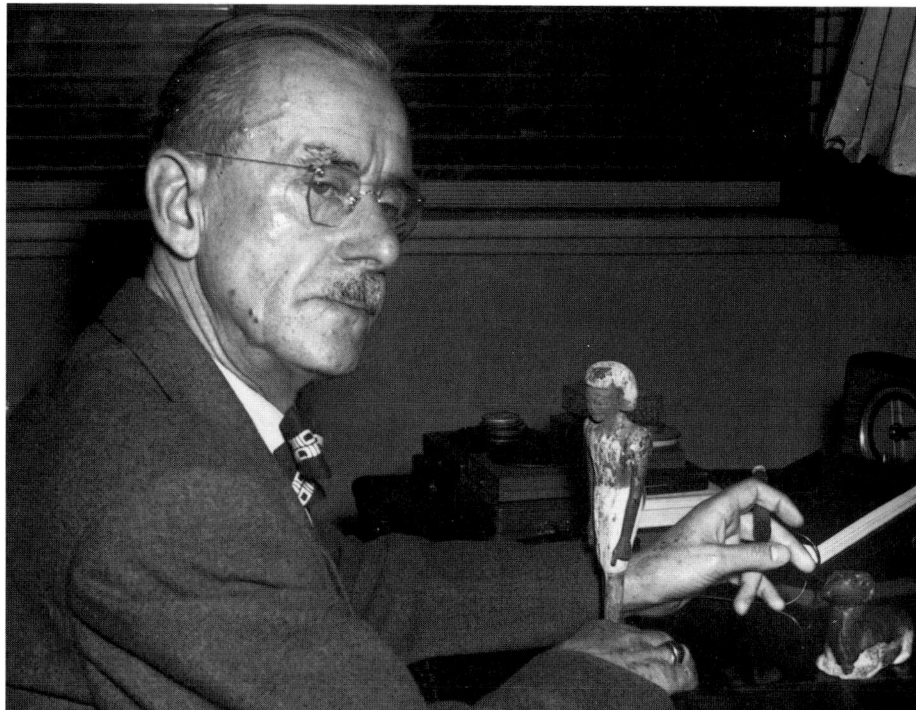

Im Arbeitszimmer. Auf dem Schreibtisch die Joseph-Statuette

Thomas Mann in seinem Garten am San Remo Drive

Ich treibe es so unter äußeren Umständen, für deren Gunst ich nicht dankbar genug sein kann – in dem schönsten Arbeitszimmer meines Lebens. Die Landschaft um unser Haus herum, mit dem Blick auf den Ozean, sollten Sie sehen; den Garten mit seinen Palmen, Öl-, Pfeffer-, Citronen- und Eukalyptus-Bäumen, den wuchernden Blumen, dem Rasen, der wenige Tage nach der Saat geschoren werden konnte. Heitere Sinneseindrücke sind nicht wenig in solchen Zeiten, und der Himmel ist hier fast das ganze Jahr heiter und sendet ein unvergleichliches, alles verschönendes Licht.

An Hermann Hesse, 15. März 1942

Emigranten in Los Angeles

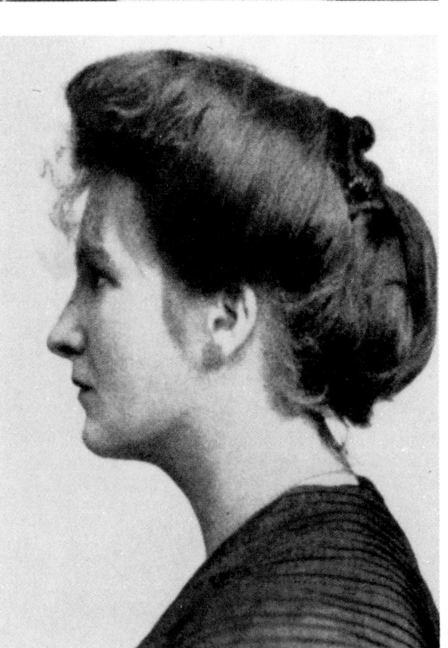

Bert Brecht (1898–1956)
Nach verschiedenen Exilaufenthalten in skandinavischen Ländern floh Brecht 1941 über Wladiwostok in die USA. Er ließ sich in Santa Monica nieder. Seine Beziehungen zu Thomas Mann blieben frostig. Er nannte ihn kurzerhand «das Reptil». Brecht kehrte 1947 nach Europa zurück, zunächst in die Schweiz, dann nach Ost-Berlin.

Alfred Döblin (1878–1957)
Alfred Döblin emigrierte 1933 in die Schweiz, später nach Paris und 1940 in die USA, wo er sich in Los Angeles niederließ. Er kehrte 1945 nach Europa zurück. Thomas Mann war ihm zu bürgerlich. Döblin liebte ihn nicht.

Franz Werfel (1890–1945)
Franz Werfel emigrierte 1938 mit seiner Frau Alma Mahler-Werfel nach Frankreich und 1940 nach Kalifornien. Das Ehepaar wohnte in Beverly Hills, man besuchte sich gegenseitig.

Alma Mahler-Werfel (1877–1964)
Alma Mahler-Werfel war in erster Ehe mit Gustav Mahler verheiratet. Nach dessen Tod verheiratete sie sich 1915 mit dem Architekten Walter Gropius und trennte sich 1918 wieder von ihm. 1929 heiratete sie Franz Werfel.

Leonhard Frank (1882–1961)
Leonhard Frank floh 1933 aus Berlin nach Zürich, 1937 nach Paris und 1940 über Portugal nach Amerika. Frank lebte einige Jahre in Hollywood. 1950 kehrte er nach Deutschland zurück, wo 1952 seine Autobiographie «Links, wo das Herz ist» erschien.

Bruno Frank (1887–1945)
Bruno Frank und seine Frau Liesl (1903–1979), eine Tochter Fritzi Massarys, waren Freunde und Nachbarn Thomas Manns in München. Franks verließen Deutschland 1933. In Kalifornien waren sie erneut Nachbarn von Thomas Mann.

Alfred Neumann (1895–1952)
Der Münchner Schriftsteller Alfred Neumann emigrierte 1933 mit seiner Frau Kitty nach den USA und ließ sich schließlich in Los Angeles nieder.

Lion Feuchtwanger (1884–1958)
Lion Feuchtwanger emigrierte 1933 nach Südfrankreich und 1940 in die USA. Auch er wohnte in Pacific Palisades.

Bruno Walter (1876–1962)
Bruno Walter gehörte zeitlebens zu Thomas Manns engsten Freunden. Sie waren Nachbarn im Münchner Herzogpark. Bruno Walter emigrierte 1933 in die USA und ließ sich in Beverly Hills nieder. Erika Mann war ihm, wohl ohne Wissen ihres Vaters, leidenschaftlich zugetan.

Otto Klemperer (1885–1973)
Otto Klemperer, vor seiner Emigration Leiter der Kroll-Oper in Berlin und Dirigent der Berliner Staatsoper, emigrierte 1933 nach Amerika. Er war mehrere Jahre Leiter des Philharmonic Orchestra in Los Angeles.

Amerikanischer Staatsbürger

Am 23. Juni 1944 wurde Thomas Mann amerikanischer Staatsbürger.

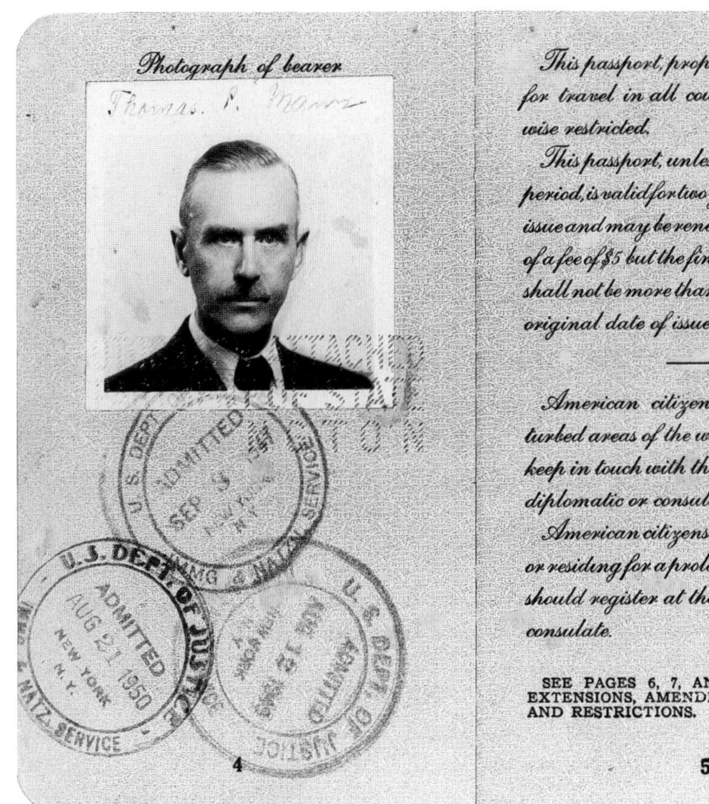

Photograph of bearer

This passport, properly visaed, is valid for travel in all countries unless otherwise restricted.

This passport, unless limited to a shorter period, is valid for two years from its date of issue and may be renewed upon payment of a fee of $5 but the final date of expiration shall not be more than four years from the original date of issue.

American citizens traveling in disturbed areas of the world are requested to keep in touch with the nearest American diplomatic or consular officers.

American citizens making their homes or residing for a prolonged period abroad should register at the nearest American consulate.

SEE PAGES 6, 7, AND 8 FOR RENEWAL, EXTENSIONS, AMENDMENTS, LIMITATIONS, AND RESTRICTIONS.

4 5

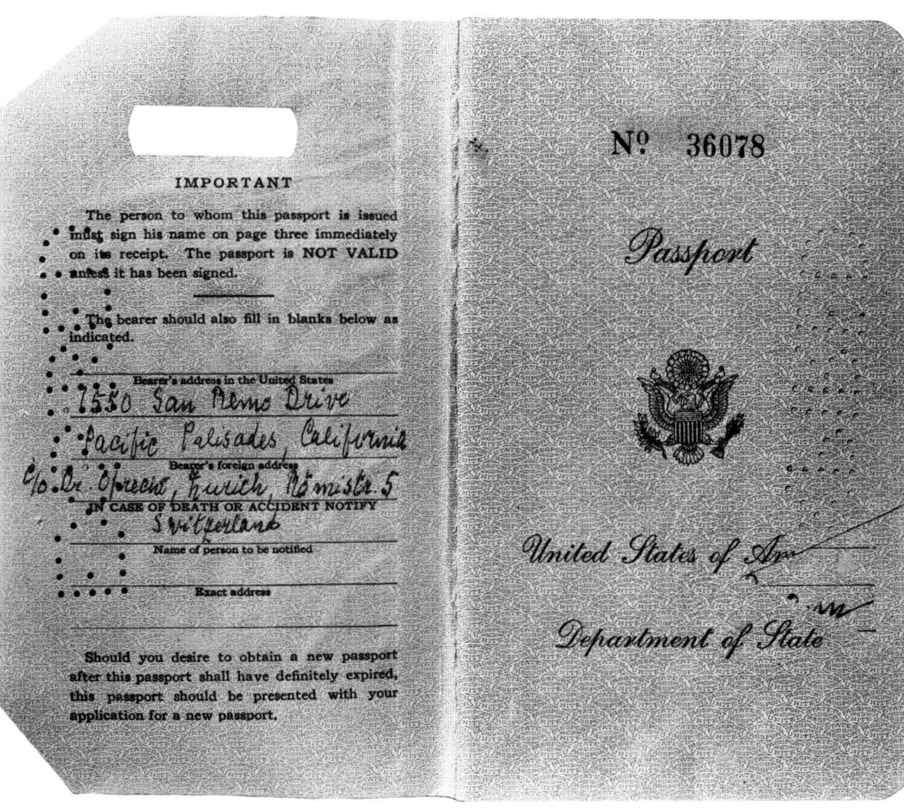

IMPORTANT

The person to whom this passport is issued must sign his name on page three immediately on its receipt. The passport is NOT VALID unless it has been signed.

The bearer should also fill in blanks below as indicated.

Bearer's address in the United States

1550 San Remo Drive
Pacific Palisades, California

Bearer's foreign address

c/o Dr. Oprecht, Zurich, Rämistr. 5

IN CASE OF DEATH OR ACCIDENT NOTIFY

Switzerland

Name of person to be notified

Exact address

Should you desire to obtain a new passport after this passport shall have definitely expired, this passport should be presented with your application for a new passport.

Nº 36078

Passport

United States of America

Department of State

Der 70. Geburtstag

Heinrich Manns Gratulation zum 6. Juni 1945:

Als mein Bruder nach den Vereinigten Staaten übersiedelt war, erklärte er schlicht und recht: «Wo ich bin, ist die deutsche Kultur.»
Wirklich erfassen wir erst hier die Worte ganz: «Was du ererbt von deinen Vätern hast, erwirb es, um es zu besitzen!» Das ist unser mitbekommener Inhalt an Vorstellungen und Meinungen, Bildern und Gesichten. Sie ändern sich im ganzen Leben nicht wesentlich, obwohl sie bereichert und vertieft werden. Endlich sind sie an keine Nation mehr gebunden. Unsere Kultur – und jede – hat die Nation unserer Geburt als Ausgang und Vorwand, damit wir vollwertige Europäer werden können. Ohne Geburtsstätte kein Weltbürgertum. Kein Eindringen in andere Sprachen, Literaturen gar, ohne daß gleichzeitig unser angeborenes Idiom, gedruckt und mündlich, von uns erlebt worden ist bis zur Verzweiflung, bis zur Seligkeit. Anfangs seiner zwanziger Jahre war mein Bruder den russischen Meistern ergeben, mein halbes Dasein bestand aus französischen Sätzen. Beide lernten wir deutsch schreiben – erst recht darum, wie ich glaube.

Ihn sehe ich an meiner Seite, wir beide jung, meistens auf Reisen, zusammen oder allein: an nichts gebunden – hätte man gesagt. Man weiß nicht, wie viel unerbittliche Verpflichtung ein Gezeichneter, der sein Leben lang hervorbringen soll, als Jüngling überall hin und mit sich trägt. Es war schwerer, als ich mir heute zurückrufen kann. Später wäre der Zustand der Erwartung unerträglich gewesen. Wir bedurften der ganzen Widerstandskraft unserer Jugend. [...]
Die beste Gegenkraft hieß «Buddenbrooks, Verfall einer Familie». In unserem kühlen, steinernen Saal, auf halber Höhe einer Treppengasse, begann der Anfänger, mit sich selbst unbekannt, eine Arbeit, – bald sollten viele sie kennen, Jahrzehnte später gehörte sie der ganzen Welt. In dem Entwurf, den er unternahm, war es einfach unsere Geschichte, das Leben unserer Eltern, Voreltern, bis rückwärts zu Geschlechtern, von denen uns überliefert worden war, mittelbar, oder von ihnen selbst.
Die alten Leute haben bedachtsamer als wir ihre Tage gezählt, sie führten Buch. Die Geburten im Familienhaus, ein erster Schulgang, die Krankheiten und was sie die Etablierung ihrer Kinder nannten, Eintritt in die Firma, Verheiratung, alles wurde schriftlich aufbewahrt, besonders eingehend die Kochrezepte, mit den erstaunlich niedrigen Preisen der Lebensmittel, – die Urgroßmutter klagte dennoch über Teuerung. Diese Dinge waren, als wir einander daran erinnerten, hundert Jahre vergangen, unsere miterlebten keine zehn.

Wenn ich mir die Ehre beimessen darf, habe ich an dem berühmten Buch meinen Anteil gehabt; einfach als Sohn desselben Hauses, der auch etwas beitragen konnte zu dem gegebenen Stoff. Hätte aber hinter uns ein abgeschiedener Herr gestanden im gestickten Kleid, mit gepudertem Haar, er hätte mehr als ich zu sagen gehabt. Der junge Verfasser hörte hin: die Einzelheiten der Lebensläufe zu wissen war unerläßlich. Jede forderte inszeniert zu werden. Das Wesentliche, ihr Zusammenklang, die Richtung, wohin die Gesamtheit der Personen sich bewegte, – die Idee selbst gehörte dem Autor allein.
Nur er begriff damals den Verfall; erfuhr gerade durch seinen eigenen, fruchtbaren Aufstieg, wie es geht, daß man absteigt, aus einer zahlreichen Familie eine kleine wird und den Verlust eines letzten tüchtigen Mannes nie mehr verwindet. Der zarte Junge, der übrig ist, stirbt, und gesagt ist alles für die ganze Ewigkeit. In Wirklichkeit, wie sich dann herausstellte, blieb vieles nachzutragen, wenn für keine Ewigkeit, doch für die wenigen Jahrzehnte, die wir kontrollieren. Die «verrottete» Familie, so genannt von einem voreiligen Pastor, sollte noch auffallend produktiv sein.
Dies war die tatkräftige Art eines neu Beginnenden, sich zu befreien von den Anfechtungen seines ungesicherten Gemütes. Als sein Roman mitsamt dem Erfolg da waren, habe ich ihn nie wieder am Leben leiden gesehen. Oder er war jetzt stark genug, um es mit sich abzumachen. Der letzte tüchtige Mann des Hauses war keineswegs dahin. Mein Bruder bewies durchaus die Beständigkeit unseres Vaters, auch den Ehrgeiz, der seine Tugend war. Der Ehrgeiz veredelt die Selbstsucht, wenn er nicht von ihr ablenkt.

Heinrich Mann, Mein Bruder,
Die Neue Rundschau, Juni 1945

Während der Rekonvaleszenz im Billings Hospital
Von links: Katja Mann, Erika Mann, Thomas Mann, Elisabeth Mann-Borgese. Im April 1946 mußte sich Thomas Mann einer Lungenoperation unterziehen. Er war mehrere Wochen – von Mitte April bis Ende Mai – in der Universitätsklinik «Billings Hospital» in Chicago.

Es war kein Kinderspiel – und hohe Zeit, daß es geschah. Ein paar Monate weiteren Zuwartens, und unendliche Scherereien, schlimmer als der Tod, wären mein Los gewesen. Es handelte sich um einen Abscess in der Lunge, der durch Bronchoskopie festgestellt wurde und im Begriffe war, heillos auszuarten. Jetzt bin ich davon gereinigt.
Ich war schon (noch mit dem Rollstuhl) im Freien ...

An Agnes E. Meyer, 20. Mai 1946

Klaus Mann (1906–1949)
Im September 1942 erschien Klaus Manns Autobiographie «The Turning Point». Im Dezember desselben Jahres trat er in die amerikanische Armee ein.

Das Exerzieren fällt mir ziemlich *schwer*; vor allem mit dem Schießgewehr weiß ich gar nichts Rechtes anzufangen. Werde trotzdem mit einer Mischung aus Respekt und gutmütiger Ironie behandelt. In meinem Zelt, oder Bungalow, heiße ich ‹the Professor›.

Brief an Katja Mann, Camp Joseph T. Robinson, Arkansas, 14. Februar 1943

Golo Mann (1909–1994)
Der zweitälteste Sohn Thomas Manns, Golo, war nach seiner Emigration in die USA Professor an den Colleges von Olivet/Michigan und Claremont/Kalifornien. Sein Buch «Friedrich von Gentz» erschien 1947 im Europa-Verlag in Zürich.

Michael Mann (1919–1977)
Michael Mann, Thomas Manns jüngster Sohn, bildete sich in Zürich, Paris und New York zum Violonisten und Solobratschisten aus. Wegen eines Nervenleidens gab er die Musikerlaufbahn auf und studierte Germanistik. Von 1962 bis zu seinem Tod 1977 war er Professor für Deutsche Literatur an der University of California in Berkeley.

Doktor Faustus

«Es ist eine Art von moderner Teufelsverschreibungsgeschichte und ein Gebilde aus Theologie, Medizin, Musik und Politik, denn die deutsche Traurigkeit soll mit hinein», hatte er am 18. 5. 1943 an Erich von Kahler geschrieben. Der Roman wurde sein «wildestes Buch», Anklage des deutschen Charakters, der deutschen Tiefe, eine maßlose Selbstbezichtigung, eine Wiederholung von Nietzsches Zusammenbruch, von «Doctor Fausti Höllenfahrt», eine Geschichte von Teufelspakt und Erlösungsbedürftigkeit, von Heimsuchung und Gnade. Die ganze deutsche Geschichte sollte hinein, ihr Einmaliges und Unvergleichliches, deutsche Metaphysik, deutsche Musik, deutsche «Innerlichkeit»: Das «böse Deutschland» erscheint im Roman als das «fehlgegangene gute, das gute im Unglück, in Schuld und Untergang» – so ist es in «Deutschland und die Deutschen» zu lesen.

Ich möchte gern wieder etwas schreiben und verfolge einen sehr alten Plan, der aber unterdessen gewachsen ist: eine Künstler- (Musiker-) und moderne Teufelsverschreibungsgeschichte aus der Schicksalsgegend Maupassant, Nietzsche, Hugo Wolf etc., kurzum das Thema der schlimmen Inspiration und Genialisierung, die mit dem Vom Teufel geholt Werden, d.h. mit der Paralyse endet. Es ist aber die Idee des Rausches überhaupt und der Anti-Vernunft damit verquickt, dadurch auch das Politische, Faschistische, und damit das traurige Schicksal Deutschlands. Das Ganze ist sehr altdeutsch-lutherisch getönt (der Held war ursprünglich Theologe), spielt aber in dem Deutschland von gestern und heute. Es wird mein «Parsifal».

An Klaus Mann, 27. April 1943

Thomas Mann hat Dürers Bild in seinen Werken und Briefen oft erwähnt. Es gehört für ihn in den Zusammenhang, auf den Nietzsche in seinem Brief an Erwin Rohde vom 8. Oktober 1868 verweist: «Mir behagt an Wagner, was mir an Schopenhauer behagt, die ethische Luft, der faustische Duft, Kreuz, Tod und Gruft.»

Ritter, Tod und Teufel
Kupferstich von Albrecht Dürer, 1513. Aus Wilhelm Waetzoldt, Dürer und seine Zeit (1935)

Der frühe Notizbuch-Plan

Der Drei-Zeilen-Plan zum «Doktor Faustus» aus dem 7. Notizbuch, 1904
Zu Beginn der Niederschrift des Romans holte Thomas Mann diese Notizen wieder hervor.

Vormittags in alten Notizbüchern. Machte den Drei-Zeilen-Plan des Dr. Faust vom Jahre 1901 [Ende 1904] ausfindig. Berührung mit der Tonio Kröger-Zeit, den Münchener Tagen, den nie verwirklichten Romanplänen ‹Die Geliebten› und ‹Maja›. ‹Kommt alte Lieb' und Freundschaft mit herauf›. Scham und Rührung beim Wiedersehen mit diesen Jugendschmerzen …

Tagebuch, 17. März 1943

Zum Roman
Der syphilitische Künstler nähert sich von Sehnsucht getrieben einem reinen, süßen jungen Mädchen, betreibt die Verlobung mit der Ahnungslosen und erschießt sich dicht vor der Hochzeit.

Novelle oder zu ‹Maja› Figur des syphilitischen Künstlers: als Dr. Faust und dem Teufel Verschriebener. Das Gift wirkt als Rausch, Stimulans, Inspiration; er darf [geniale] in entzückter Begeisterung geniale, wunderbare Werke schaffen, der Teufel führt ihm die Hand. Schließlich aber *holt ihn der Teufel:* Paralyse. Die Sache mit dem reinen jungen Mädchen, mit dem er es bis zur Hochzeit treibt, geht vorher.

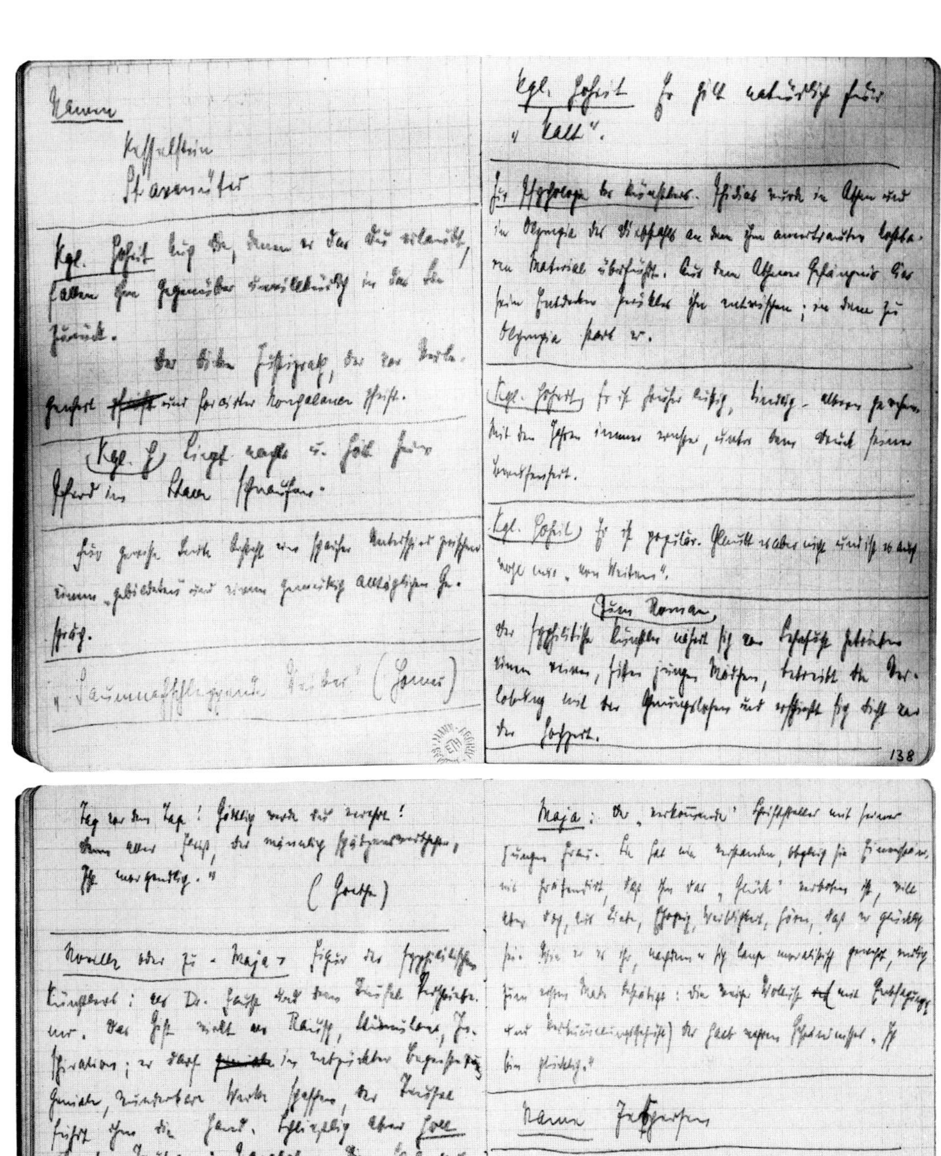

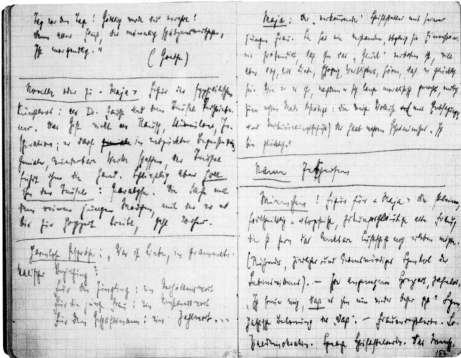

Der Neun-Zeilen-Plan zum «Doktor Faustus» aus dem 7. Notizbuch, 1904

Das Gewebe

Leverkühns erfundene Biographie korrespondiert insgeheim mit der Vita Nietzsches, der Faustus-Sage und dem Luzifer-Mythos. Dazu kommen viele autobiographische Züge.

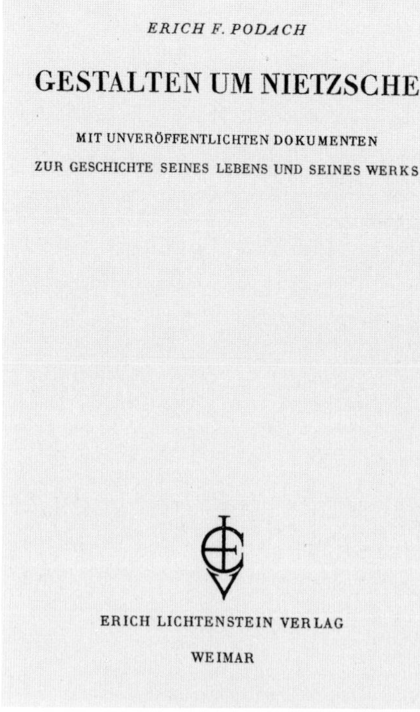

ERICH F. PODACH

GESTALTEN UM NIETZSCHE

MIT UNVERÖFFENTLICHTEN DOKUMENTEN
ZUR GESCHICHTE SEINES LEBENS UND SEINES WERKS

ERICH LICHTENSTEIN VERLAG
WEIMAR

NIETZSCHES
ZUSAMMENBRUCH

BEITRÄGE
ZU EINER BIOGRAPHIE
AUF GRUND
UNVERÖFFENTLICHTER
DOKUMENTE
VON
E. F. PODACH

NIELS KAMPMANN VERLAG · HEIDELBERG

Friedrich Nietzsche, 1885

Die
Sage vom Faust
bis zum
Erscheinen des ersten Volksbuches, mit Literatur
und Vergleichung aller folgenden;
Faust auf der Volksbühne,
in den Puppen- oder Marionettenspielen;
Zauber-Bibliothek
des Magiers:
Höllenzwang. — Drei- und vierfacher Höllenzwang. —
Der große Meergeist. — Wunderbuch. — Der schwarze
Rabe. — Geister-Commando. — Praxis magica.
— Schätzeheber u. s. w.

Auch dritter Band von „Doctor Johann Faust."

Von
J. Scheible.

Mit 46 lithographirten Blättern und mit Holzschnitten.

Stuttgart, 1847.
Verlag des Herausgebers.
Leipzig: Expedition des Klosters.

Zu den ersten Studien gehörte die Lektüre der alten «Sage vom Faust»

Dürer-Bilder

Der Roman steht «mit einem Fuß» im deutschen 16. Jahrhundert. Thomas Mann studierte Dürers Werk und gab einzelnen Figuren die Züge von Dürerbildnissen.

Nikolaus Leverkühn, Geigenbauer
Der «Baumeister Hieronymus von Augsburg» war das Modell zu Leverkühns Onkel.

Albrecht Dürer:
Der «Schmerzensmann»
Zur Vorbereitung auf Leverkühns Zusammenbruch las Thomas Mann Nietzsches «Ecce homo». Äußerlich gab er Leverkühn die Züge von Dürers «Schmerzensmann».

Jonathan und Elisabeth Leverkühn
Adrian Leverkühns Eltern wurden nach Dürers «Philipp Melanchthon» und dem «Bildnis einer Deutschen aus Venedig» gezeichnet.

Das Dürer-Haus in Nürnberg
Adrian Leverkühn besucht in Kaisersaschern das Gymnasium. Er wohnt im Hause seines Onkels, des Geigenbauers Nikolaus Leverkühn. Thomas Mann hat es nach Dürers Haus am Tiergärtnertor in Nürnberg beschrieben.

Theologisches

UNION THEOLOGICAL SEMINARY
BROADWAY AT 120TH STREET
NEW YORK

May 23. 1943

Mr. Thomas Mann
1550 San Remo Drive
Pacific Palisades, Calif.

Lieber Herr Thomas Mann :

Herzlichen Dank fuer Ihren Brief. Nachdem ich gestern meine student papers beendet habe, beginne ich heute meine Antwort. Obgleich es fuer mich befriedigender waere , Ihre Fragen in Form eines biographischen Essays zu beant worten , glaube ich doch, dass Ihnen mehr mit einer " stueckhaften " Beantwortung Ihrer Fragen gedient ist. Ausserdem nimmt es weniger Zeit in Anspruch.

Der theologische Studiengang auf den deutschen Universitaeten um die Jahrhundertwende begann nach bestandenem Abiturienten examen von einem humanistischen Gymnasium. Griechisch und Latein und meistens auch Hebraeisch war vorausgesetzt, wenn man das Studium begann.

Ich selber wurde im Herbst 1904 in Berlin immatrikuliert, im Fruehjahr 1905 ging ich nach Tuebingen und im Herbst 1905 nach Halle, wo ich vier Semester studierte. Herbst 1907 kehrte ich nach Berlin zurueck und machte im Winter 1909 mein erstes theologisches Examen vor dem Konsistorium der Provinz Brandenburg, 1912 mein zweites theologisches Examen vor derselben Behoerde; im August 1912 wurde ich von dem General- Superintendenten der Provinz Brandenburg ordiniert. Dazwischen machte ich 1910 meinen Doktor der Philosophie in Breslau und 1911 mein Lic. der Theologie in Halle. Ich schreibe dies , weil es ein typischer Studiengang fuer den evangelischen Theologen war, der sich gleichzeitig fuer den praktischen Dienst

Brief von Paul Tillich (1886–1965) über den theologischen Studiengang
Thomas Mann holte sich bei Tillich mehrmals Rat zu theologischen Fragen.

Martin Luther. Von Lukas Cranach
Adrian Leverkühn studiert in Halle anfänglich Theologie. Für die Figur des Theologieprofessors Ehrenfried Kumpf, des «saftigsten Sprechers» an der ganzen Hochschule, stand Luther Modell.

Autobiographisches

Der Hof der Familie Schweighardt in Polling

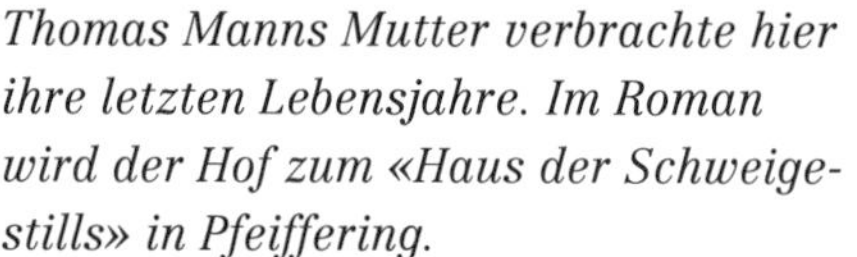

Thomas Manns Mutter verbrachte hier ihre letzten Lebensjahre. Im Roman wird der Hof zum «Haus der Schweigestills» in Pfeiffering.

Die Abtsstube im Haus der Schweigestills, Leverkühns Studierzimmer
Sie ist nach Dürers Arbeitszimmer gezeichnet.

Viele Freunde und Bekannte Thomas Manns fanden sich im «Doktor Faustus» wieder, und nicht alle waren über ihr Porträt erfreut …

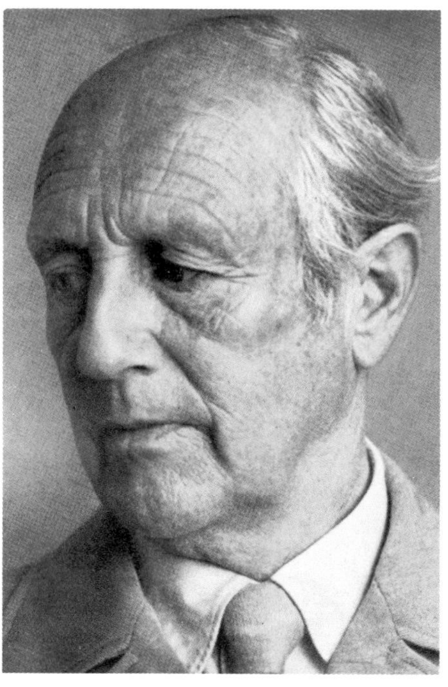

Emil Preetorius (1883-1973), Graphiker, Illustrator und Bühnenbildner
Preetorius war das Modell zum Sixtus Kridwiss (Kapitel XXXIV des Romans).

Der Schriftsteller Hans Reisiger (1884–1968)
Reisiger war Herausgeber und Übersetzer von Walt Whitmans Werk (1922). Er gehörte zeitlebens zu Thomas Manns nächsten Freunden. Im «Doktor Faustus» trägt Rüdiger Schildknapp seine Züge.

Annette Kolb (1875–1967)
Sie ist das Modell zu Jeanette Scheurl. Daß Thomas Mann dieser Dame ein «Schafsgesicht» gab, zerstörte Annettes Freundschaft zu den Manns.

Frido Mann (*1940)
Frido ist das Modell zum Knaben «Echo» (Nepomuk Schneidewein).

Ich schilderte den zarten Kömmling im Elfenreiz, steigerte eine Zärtlichkeit meines eigenen Herzens ins nicht mehr Rationale, zu einer Lieblichkeit, welche die Leute heimlich an Göttliches, an ein von hoch- und weither zu Besuch Kommendes, eine Epiphanie glauben läßt.

Entstehung des Doktor Faustus (XI, 290 f.)

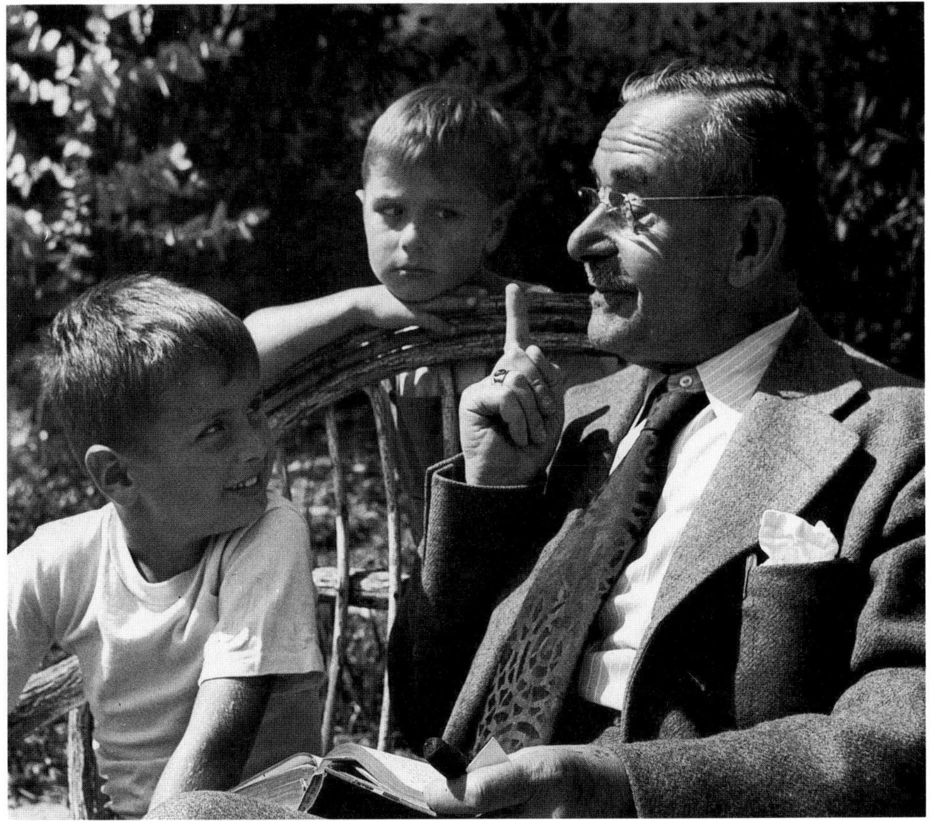

Im Garten mit den Enkeln Frido (sitzend neben Thomas Mann) und Toni

Nachspiele

Theodor W. Adorno (1903–1969)

Adorno, Thomas Manns musikalischer Berater während der Arbeit am «Doktor Faustus», hat seinen Anteil an diesem Werk nie verhehlt. Bekannten gegenüber soll er launig gesagt haben, er habe den «Doktor Faustus» geschrieben. Tatsächlich hat Thomas Mann eine ganze Reihe von Stellen aus Adornos Schrift «Zur Philosophie der neuen Musik» wörtlich in den Roman übernommen. Im Gespräch, das Leverkühn im steinernen Saal zu Palestrina träumt, hat Adorno den Teufelspart zu übernehmen. Er ist also nicht nur Mitverfasser, sondern auch Figur: «Ich bin der Teufel», hat er bei Gelegenheit gesagt.

Die Schwierigkeiten beginnen erst. Ihre größte wird die fiktiv-überzeugende Placierung eines Musikers (Komponisten) von Bedeutung innerhalb der zeitgenössischen Musikgeschichte sein, deren Rollen und Plätze ja besetzt sind: da ist Schönberg, da Bartók, da Alban Berg, da Stravinsky, da Krenek etc.

An Agnes E. Meyer, 21. Juli 1943

Beethovens «Arietta» aus der Klaviersonate in c-moll, op. 111, in der Handschrift Adornos
Arbeitsunterlage für das Kapitel VIII, wo Kretzschmar das Arietta-Thema erläutert.

Manuskriptblatt aus dem Notizenkonvolut zur «Entstehung des Doktor Faustus»

Entstehung des „Faustus“

„In alten Notizbüchern“: 17. März 43
„Begann vormittags ‚Dr. Faust‘ zu schreiben“: 23. Mai 43
Vorbereitungen also knapp mehr als 2 Monate.
Während dieser Ansammlung eines umfangr. Convoluts von Notizen u. Excerpten musikalischer, theologischer, medizinischer, historischer, psychologischer, kulturhistorischer Art.
Schon am nächsten Tag wieder anderes.

9. Okt. 43 Abreise nach Chicago – Washington – Boston. Canada. Philadelphia. Rochester, Cansas City
Rückkehr nach großen Anstrengungen 8. Dezember.

Anfang Januar 44: Einbürgerung (Prüfung)

20 März 44 neue Reise nach Chicago.
Rückkehr 4 April

Amerik. Bürger: 23. Juni 1944

November 44: Grippe-Erkrankung
" „Beginn von „Deutschl. u. d. Deutschen“ (Abgebrochen)

Beginn des Teufelskapitels (XXV) Dezember 44

Wiederaufnahme von Deutschl. u. d. Deutschen: Februar 45.
Beendet Mitte März 45

21. Mai 45: Antritt der Geburtstagsreise

Time-Correspondent: 22. XII. 45

Ende: Mittwoch den 29. Jan. 47

[24]

Der Brief

Höchst aufschlußreich ist Thomas Manns Brief vom 30. Dezember 1945 an Adorno:

Lieber Dr. Adorno,
ich möchte Ihnen einen Brief schreiben über das Manuskript, das ich neulich bei Ihnen zurückließ, und das Sie wohl gar schon zu lesen im Begriff sind. Ich habe nicht das Gefühl, mich dabei in meiner Arbeit zu unterbrechen.
Die wunderliche, vielleicht unmögliche Komposition (soweit sie vorliegt) in Ihren Händen zu wissen, hat etwas Spannendes für mich; denn in immer häufigeren Zuständen der Müdigkeit frage ich mich, ob ich nicht besser täte, sie fallen zu lassen, und es kommt ein wenig auf das Gesicht an, das Sie dazu machen werden, ob ich daran festhalte.
Worüber es mich hauptsächlich kommentierend Rede zu stehen verlangt, ist das Prinzip der Montage, das sich eigentümlich und vielleicht anstößig genug durch dieses ganze Buch zieht, – vollkommen eingeständlich, ohne ein Hehl aus sich zu machen. Es wurde mir noch neulich wieder auf halb amüsante, halb unheimliche Weise auffällig, als ich eine Krankheitskrise des Helden zu charakterisieren hatte und dabei die Symptome Nietzsche's, wie sie in seinen Briefen vorkommen, nebst den vorgeschriebenen Speisezetteln etc. wörtlich und genau ins Buch aufnahm, sie, jedem kenntlich sozusagen aufklebte. So benutze ich montagemäßig das Motiv der unsichtbar bleibenden, nie getroffenen, im Fleisch gemiedenen Verehrerin und Geliebten, Tschaikowsky's Frau Meck. Historisch gegeben und bekannt wie es ist, klebe ich es auf und lasse die Ränder sich verwischen, lasse es sich in die Komposition senken als ein mythisch-vogelfreies Thema, das jedem gehört. (Das Verhältnis ist für Leverkühn ein Mittel, das Liebesverbot, Kälte-Gebot des Teufels zu umgehen).
Ein weiteres Beispiel: Gegen Ende des Buches verwende ich offenkundig und citatweise das Thema der Shakespeare-Sonette: das Dreieck, worin der Freund den Freund zur Geliebten schickt, damit er für ihn werbe – und der «wirbt für sich selbst». Gewiß, ich wandle das ab: Adrian tötet den Freund, den er liebt, indem er ihn durch die Verbindung mit jener Frau einer mörderischen Eifersucht (Ines Rodde) ausliefert. Aber an dem unverfrorenen Diebstahl-Charakter der Übernahme ändert das wenig.
Die Berufung auf das Molière'sche «Je prends mon bien où je le trouve» scheint mir selber nicht recht ausreichend zu sein zur Entschuldigung dieses Gebarens. Man könnte von einer Altersneigung sprechen, das Leben als Kulturprodukt und in Gestalt mythischer Klischees zu sehen, die man der «selbständigen» Erfindung in verkalkter Würde vorzieht. Aber ich weiß nur zu wohl, daß ich mich schon früh in einer Art von höherem Abschreiben geübt habe: z. B. beim Typhus des kleinen Hanno Buddenbrook, zu dessen Darstellung ich den betreffenden Artikel eines Konversationslexikons ungeniert ausschrieb, ihn sozusagen «in Verse brachte». Es ist ein berühmtes Kapitel geworden. Aber sein Verdienst besteht nur in einer gewissen Vergeistigung des mechanisch Angeeigneten (und in dem Trick der indirekten Mitteilung von Hanno's Tod).
Schwieriger, um nicht zu sagen: skandalöser liegt der Fall, wenn es sich bei der Aneignung um Materialien handelt, die selbst schon Geist sind, also um eine wirkliche literarische Anleihe, getätigt mit der Miene, als sei das Aufgeschnappte gerade gut genug, der eigenen Ideen-Komposition zu dienen. Mit Recht vermuten Sie, daß ich hier die dreisten – und hoffentlich nicht auch noch völlig tölpelhaften – Griffe in gewisse Partien Ihrer musikphilosophischen Schriften im Sinne habe, die gar sehr der Entschuldigung bedürfen, besonders da der Leser sie vorderhand nicht feststellen kann, ohne daß doch, um der Illusion willen, eine rechte Möglichkeit gegeben wäre, ihn auf sie hinzuweisen. (Fußbemerkung: «Dies stammt von Adorno-Wiesengrund»? Das geht nicht). – Es ist merkwürdig: mein Verhältnis zur Musik hat einigen Ruf, ich habe mich immer auf das literarische Musizieren verstanden, mich halb und halb als Musiker gefühlt, die musikalische Gewebe-Technik auf den Roman übertragen, und noch kürzlich, zum Beispiel, hat Ernst Toch in einem Glückwunsch mir «musikalische Initiiertheit» ausdrücklich und nachdrücklich bescheinigt. Aber um einen Musiker-Roman zu schreiben, der zuweilen sogar den Ehrgeiz andeutet, unter anderem, gleichzeitig mit anderem, zum Roman der Musik zu werden –, dazu gehört mehr als «Initiiertheit», nämlich Studiertheit, die mir ganz einfach abgeht. Deshalb denn auch war ich von Anfang an entschlossen, in einem Buch, das ohnehin zum Prinzip der Montage neigt, vor keiner Anlehnung, keinem Hilfsgriff in fremdes Gut zurückzuschrecken: vertrauend, daß das Ergriffene, Abgelernte sehr wohl innerhalb der Komposition eine selbständige Funktion, ein symbolisches Eigenleben gewinnen könne – und dabei an seinem ursprünglichen kritischen Ort unberührt bestehen bleibe.
Ich wollte, Sie könnten diese Auffassung teilen. – Tatsächlich haben Sie mir, dessen musikalische Bildung kaum über die Spät-Romantik hinausgelangt ist, den Begriff von modernster Musik gegeben, dessen ich für ein Buch bedurfte, welches unter anderem, zusammen mit manchem anderen, die Situation der Kunst zum Gegenstand hat. Meine «initiierte» Ignoranz bedurfte, nicht anders, als damals beim Typhus des kleinen Hanno, der Exaktheiten, und Sache Ihrer Gefälligkeit ist es nun, korrigierend einzugreifen, wo diese der Illusion und Komposition dienenden Exaktheiten (die

ich nicht ganz ausschließlich Ihnen verdanke) schief, mißverständlich und das Gelächter des Fachmannes erregend herauskommen. Eine Stelle ist fachmännisch ausgeprobt. Ich habe Bruno Walter die Abschnitte über opus 111 vorgelesen. Er war begeistert. «Nun, das ist großartig! Nie ist Besseres über Beethoven gesagt worden! Ich habe keine Ahnung gehabt, daß Sie so in ihn eingedrungen seien!» Und dabei möchte ich nicht einmal allzu rigoros den Fachmann allein zum Richter einsetzen. Gerade der musikalische Fachmann, immer sehr stolz auf seine Geheimwissenschaft, ist mir etwas allzu leicht zum überlegenen Lächeln bereit. Mit Vorsicht und cum grano salis könnte man sagen, daß etwas als richtig wirken, sich richtig ausnehmen könnte, ohne es eben so ganz zu sein. – Aber ich will nicht gut Wetter bei Ihnen machen. –

Der Roman ist so weit vorgetrieben, daß Leverkühn, 35jährig, unter einer ersten Welle euphorischer Inspiration, sein Hauptwerk, oder erstes Hauptwerk, die «Apocalipsis cum figuris» nach den 15 Blättern von Dürer oder auch direkt nach dem Text der Offenbarung in unheimlich kurzer Zeit komponiert. Hier will ein Werk (das ich mir als ein sehr deutsches Produkt, als Oratorium, mit Orchester, Chören, Soli, einem Erzähler denke) mit einiger Suggestiv-Kraft imaginiert, realisiert, gekennzeichnet sein, und ich schreibe diesen Brief eigentlich, um bei der Sache zu bleiben, an die ich mich noch nicht herantraue. Was ich brauche, sind ein paar charakterisierende, realisierende Exaktheiten (man kommt mit wenigen aus), die dem Leser ein plausibles, ja überzeugendes Bild geben. Wollen Sie mit mir darüber nachdenken, wie das Werk – ich meine Leverkühns Werk – ungefähr ins Werk zu setzen wäre; wie Sie es machen würden, wenn Sie im Pakt mit dem Teufel wären; mir ein oder das andere musikalische Merkmal zur Förderung der Illusion an die Hand geben? – Mir schwebt etwas Satanisch-Religiöses, Dämonisch-Frommes, zugleich Streng-Gebundenes und verbrecherisch Wirkendes, oft die Kunst Verhöhnendes vor, auch etwas aufs Primitiv-Elementare Zurückgreifendes (die Kretzschmar-Beissel-Erinnerung), die Takt-Einteilung, ja die Tonordnung Aufgebendes (Posaunenglissandi); ferner etwas praktisch kaum Exekutierbares: alte Kirchentonarten, A-capella-Chöre, die in untemperierter Stimmung gesungen werden müssen, sodaß kaum ein Ton oder Intervall auf dem Klavier überhaupt vorkommt etc. Aber «etc.» ist leicht gesagt. –

– Während ich diese Zeilen schrieb, erfuhr ich, daß ich Sie früher als gedacht sehen werde, eine Verabredung für Mittwoch Nachmittag schon getroffen ist. Nun, so hätte ich Ihnen dies alles auch mündlich sagen können! Aber es hat auch wieder sein Schickliches und mich Beruhigendes, daß Sie es Schwarz auf Weiß in Händen haben. Unserem Gespräch, nächstens, mag es vorarbeiten, und gibt es eine Nachwelt, so ist es etwas für sie.

Ihr ergebener Thomas Mann

Thomas Mann an Theodor W. Adorno, 30. Dezember 1945

Nach dem Erscheinen des Romans im Oktober 1947, schrieb Thomas Mann die «Entstehung des Doktor Faustus». Sie erschien 1949.

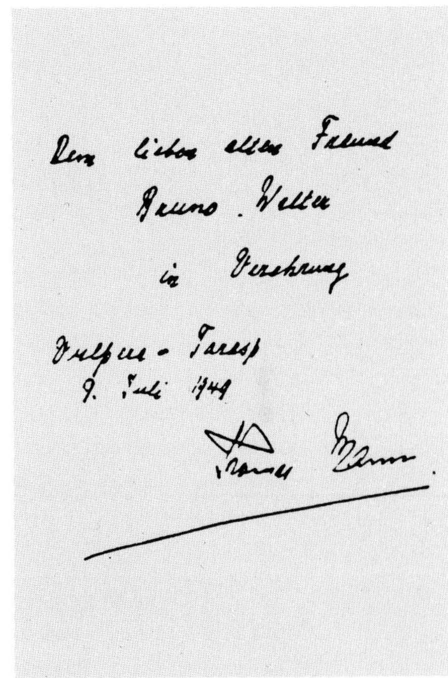

Dem lieben alten Freund
Bruno Walter
in Verehrung
Vulpera-Tarasp
9. Juli 1949
Thomas Mann

Widmung an Bruno Walter

Thomas Mann schrieb den «Roman eines Romans» hauptsächlich, um Th. W. Adorno seinen Dank abzustatten. Er hatte ihn beigezogen, als er nicht wußte, wie ein moderner Komponist, der in der Linie Wagner-Mahler stand, weiterkomponieren sollte. Adorno überzeugte Thomas Mann davon, daß dieser Komponist mit der Tradition brechen und sich an Schönbergs Zwölftontechnik halten müsse. Leverkühn schlägt nun einen neuen Weg ein. Das führt zu einem Bruch im Roman. Aber Schönbergs Kompositionsweise kam Thomas Mann auch wieder entgegen, weil sie ihn an seine eigene «Kompositionstechnik» erinnerte, in der es auch keine freie Note gab.

ARNOLD SCHOENBERG
116 N. ROCKINGHAM AVENUE
LOS ANGELES, CALIF.
Phone ARizona 35077

25. Februar 1948

Lieber Dr. Mann,
herzlichsten Dank für Ihren Brief.
Ich bin über diese Lösung sehr erfreut, obwohl ich immer davon überzeugt war, dass es mir gelingen werde, Ihnen meine Gefährdung deutlich genug darzustellen.
Mein synthetischer Hugo Triebsamen, den ich aus Hugo Riemann und Dr. Rubsamen hergestellt hatte ist vielleicht eine Drohung in der näheren Zukunft, nicht vielleicht erst im Jahr 2048. Ich kann das <u>belegen</u>, aus Druckwerken. Denn wie ich in einem kleinen Artikel vor einigen Monaten geschrieben habe; ---das Bedürfnis der Urheber meiner Ideen zu sein, ist so bedrängend, dass sehr bald jeder es sein wird, ausgenommen ich.
Meine Situation ist ungewöhnlich im Vergleich zu anderen Neuerern. Den Deutschen bin ich Jude, den Romanen Deutscher, den Kommunisten bin ich Bourgeois und die Juden sind für Hindemith und Strawinsky. Im Vergleich dazu sind die gewöhnlichen Ursachen der Schwerfasslichkeit unbedeutend, weil sie nicht einmal auf soviel Sachlichkeit beruhen wie diese.
Ich weiss, dass ich nur auf Nachruhm rechnen darf und den sollte ich nicht noch verteidigen müssen.
Herzlichsten Dank. Ich bin froh, dass ich mich nicht in Ihnen getäuscht habe
Mit vielen herzlichsten Grüßen,
Ihr
Arnold Schoenberg

8/100

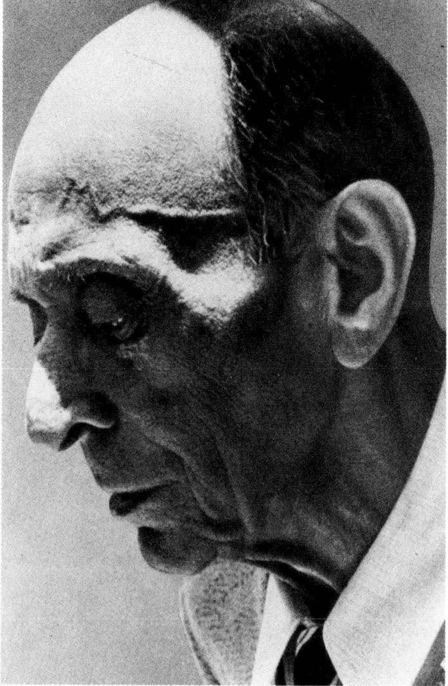

Arnold Schönberg (1874–1951)
Während der Arbeit am «Doktor Faustus» studierte Thomas Mann Schönbergs «Harmonielehre». Adrian Leverkühn komponiert einige seiner Werke in der Zwölftontechnik. Das führte beim Erscheinen des Buches zu einer Kontroverse zwischen Schönberg und Thomas Mann. Man einigte sich schließlich auf eine Nachbemerkung, die darauf hinwies, daß Schönberg der «Erfinder» der Zwölftontechnik ist.

Es scheint nicht überflüssig, den Leser zu verständigen, daß die im XXII. Kapitel dargestellte Kompositionsart, Zwölfton- oder Reihentechnik genannt, in Wahrheit das geistige Eigentum eines zeitgenössischen Komponisten und Theoretikers, Arnold *Schönbergs,* ist und von mir in bestimmtem ideellem Zusammenhang auf eine frei erfundene Musikerpersönlichkeit, den tragischen Helden meines Romans, übertragen wurde. Überhaupt sind die musiktheoretischen Teile des Buches in manchen Einzelheiten der Schönberg'schen Harmonielehre verpflichtet.

Thomas Mann

Baden, 12. Dezember 1947

Lieber Herr Thomas Mann
Besseres konnte ich mir in diesen etwas öden, verdösten Wochen der Badener Kur nicht wünschen als einen Brief von Ihnen, und gar einen so erfreulichen und verheißungsvollen, denn er verspricht mir, oder zeigt doch als möglich und auch von Ihnen selbst erstrebt zwei wunderschöne Dinge an, die ich mir beide schon gewünscht habe, und zwar das eine, den ganzen ausgeführten «Krull» schon seit Jahrzehnten, das andre den Faustkommentar ad usum Germanorum, im Lauf der letzten Jahre auch mehr als einmal. Über «Krull» brauche ich nichts zu sagen, Sie wissen längst, wie lieb mir diese Gestalt ist, und können sich denken, wie sehr ich nicht nur mir diesen großen Lesegenuß, sondern auch Ihnen das längere Weilen bei dieser Arbeit wünsche und gönne, deren entzückende Tonart und Atmosphäre ja schon vorhanden ist, und die ich mir unter andrem auch als einen Spaziergang in artistischer Höhenluft, im Spiel mit einer von aktuellen und makabern Problemen freien Materie vorstelle. Möchten gute Sterne darüber stehen!
Seit Sie nicht mehr von mir gehört haben, habe ich auch den «Leverkühn» gelesen. Das ist ein großer und kühner Wurf, nicht nur durch die Problemstellung und durch die bezaubernd lichte und entstofflichte Weise, mit welcher diese Problematik auf das musikalische Gebiet entführt und dort mit der Objektivität und Ruhe analysiert wird, die nur im Abstrakten möglich sind. Nein, für mich ist das Erstaunliche und Aufregende dabei, daß Sie dieses reinliche Präparat, diese ideale Abstraktion nicht im idealen Raume ausschwingen lassen, sondern es mitten in eine realistisch gesehene Welt und Zeit hineinstellen, eine Welt, die zum Lieben und zum Lachen, zum Hassen und Ausspeien reizt. Da steht nun freilich vieles, das man Ihnen übelnehmen wird, aber daran ist man ja gewöhnt, Sie werden es nicht zu schwer nehmen. Mir selbst ist, nach dem erstmaligen Lesen, die Innenwelt Leverkühns sehr viel klarer, geordneter, durchsichtiger als seine Umwelt, und dies grade gefällt mir so, daß diese Umwelt so mannigfaltig, figurenreich und so verschiedentlich belichtet ist, daß sie Raum hat für die Hallenser Theologenkarikaturen wie für das holde Kind Nepomuk, daß der Dichter uns den Guckkasten so reich besteckt hat und kaum jemals die gute Laune, den Spaß am Theater verliert. [...]
Noch etwas: auf manchen Seiten Ihres Buches, wo Leverkühnsche Musik analysiert wird, fand ich mich an eine Nebenfigur des «Glasperlenspiel» erinnert, an Tegularius, dessen Glasperlenspiele zu Zeiten die Neigung haben, auf scheinbar legitimstem Wege in Melancholie und Ironie zu enden.
Meine Kur ist zu Ende, in wenigen Tagen bin ich wieder zu Hause. Ihnen beiden die herzlichsten Grüße von Ninon und Ihrem

H. Hesse

Hermann Hesse an Thomas Mann, 12. Dezember 1947

Bei Bruno Walter
Von links: Klaus Mann, Katja Mann, Thomas Mann, Lotte Walter, Bruno Walter am Flügel

Deutschland und die Deutschen

Die Wende des Krieges: Stalingrad. Soldaten der 6. Armee (General Paulus) auf dem Weg in die Gefangenschaft, 1943

1943, mit der Niederlage von Stalingrad, begann der Anfang des Endes. Die deutschen Truppen wurden langsam aus Rußland verdrängt, sie kapitulierten in Nordafrika, wichen aus Sizilien und Italien zurück, die Alliierten landeten in der Normandie; schließlich, Ende April 1945, vereinigten sich sowjetische und amerikanische Truppen an der Elbe. Der 9. Mai 1945, war der Tag der bedingungslosen Kapitulation. Erst jetzt wurden die Greueltaten in den Konzentrationslagern in ihrer ganzen Grauenhaftigkeit sichtbar. Im Krieg waren über 55 Millionen Menschen umgekommen, in den Lagern 4 bis 6 Millionen in den Tod getrieben worden.

DEUTSCHLAND UND DIE DEUTSCHEN

VORTRAG,
GEHALTEN IN DER LIBRARY OF CONGRESS
ZU WASHINGTON IM JUNI
1945

«Deutschland und die Deutschen» überschreibt Thomas Mann 1945 einen Vortrag, in dem er die Frage nach der deutschen Schuld stellt. «Dieses Deutschland ist ‹vom Teufel geholt›, kein Deutscher hat das Recht, sich von der Schuld zu distanzieren, es gibt nur eines: die Solidarität mit dem deutschen Unglück» (25. 3. 1945 an Alexander Moritz Frey).

Es wird wohl etwas wie ein essayistischer Ableger des Romans zustande kommen, mit dem Thema der musikalischen Weltfremdheit der Deutschen, ihrer unglücklichen politischen Geschichte, bestimmt von Luthertum und Romantik. Man muß in der Kritik die melancholische Größe dieses Volks seiner Schuld die Waage halten lassen und zeigen, wie der Teufel seine Hand im Spiele hat, daß aus Innerlichkeit Verbrechen wird.

An Agnes E. Meyer, 7. März 1945

Die Deutsche Schuld

Sollte man als Deutscher heute dies Thema meiden? Aber ich hätte kaum gewußt, welches denn sonst ich mir für diesen Abend hätte setzen sollen, ja, mehr noch, es ist heute kaum irgendein über das Private sich erhebendes Gespräch denkbar, das nicht fast unvermeidlich auf das deutsche Problem, das Rätsel im Charakter und Schicksal dieses Volkes verfiele, welches der Welt unleugbar so viel Schönes und Großes gegeben hat und ihr dabei immer wieder auf so verhängnisvolle Weise zur Last gefallen ist. Das grausige Schicksal Deutschlands, die ungeheuere Katastrophe, in die seine neuere Geschichte jetzt mündet, erzwingt Interesse, auch wenn dies Interesse sich des Mitleids weigert. Mitleid erregen zu wollen, Deutschland zu verteidigen und zu entschuldigen wäre gewiß für einen deutsch Geborenen heute kein schicklicher Vorsatz. Den Richter zu spielen aus Willfährigkeit gegen den unermeßlichen Haß, den sein Volk zu erregen gewußt hat, es zu verfluchen und zu verdammen und sich selbst als das ‹gute Deutschland› zu empfehlen, ganz im Gegensatz zum bösen, schuldigen dort drüben, mit dem man gar nichts zu tun hat, das scheint mir einem solchen auch nicht sonderlich zu Gesichte zu stehen. Man hat zu tun mit dem deutschen Schicksal und deutscher Schuld, wenn man als Deutscher geboren ist. Die kritische Distanzierung davon sollte nicht als Untreue gedeutet werden. Wahrheiten, die man über sein Volk zu sagen versucht, können nur das Produkt der Selbstprüfung sein.

Deutschland und die Deutschen (XI, 1128)

Die Verhexung

Ich denke zurück an den deutschen Weltwinkel, aus dem die Traumwelle des Lebens mich her verschlug und der den ersten Rahmen meines Daseins bildete: Es war das alte Lübeck, nahe dem Baltischen Meer, einst Vorort der Hansa, gegründet schon vor der Mitte des zwölften Jahrhunderts und von Barbarossa zur Freien Reichsstadt erhoben im dreizehnten. Das außerordentlich schöne Rathaus, in dem mein Vater als Senator aus und ein ging, war vollendet in dem Jahr, als Martin Luther seine Thesen anschlug ans Tor der Schloßkirche von Wittenberg, also bei Anbruch der neuen Zeit. Aber wie Luther, der Reformator, nach Denkungsweise und Seelenform zum guten Teil ein mittelalterlicher Mensch war und sich zeit seines Lebens mit dem Teufel herumschlug, so wandelte man auch in dem protestantischen Lübeck, sogar in dem Lübeck, das ein republikanisches Glied des Bismarck'schen Reiches geworden war, tief im gotischen Mittelalter, – und dabei denke ich nicht nur an das spitz getürmte Stadtbild mit Toren und Wällen, an die humoristisch-makabren Schauer, die von der Totentanz-Malerei in der Marienkirche ausgingen, die winkligen, verwunschen anmutenden Gassen, die oft noch nach alten Handwerkszünften, den Glockengießern, den Fleischhauern, benannt waren, und an die pittoresken Bürgerhäuser. Nein, in der Atmosphäre selbst war etwas hängengeblieben von der Verfassung des Menschengemütes – sagen wir: in den letzten Jahrzehnten des fünfzehnten Jahrhunderts, Hysterie des ausgehenden Mittelalters, etwas von latenter seelischer Epidemie. Sonderbar zu sagen von einer verständig-nüchternen modernen Handelsstadt, aber man konnte sich denken, daß plötzlich hier eine Kinderzug-Bewegung, ein Sankt-Veits-Tanz, eine Kreuzwunder-Exzitation mit mystischem Herumziehen des Volkes oder dergleichen ausbräche, – kurzum, ein altertümlich-neurotischer Untergrund war spürbar, eine seelische Geheimdisposition, deren Ausdruck die vielen ‹Originale› waren, die sich in solcher Stadt immer finden, Sonderlinge und harmlos Halb-Geisteskranke, die in ihren Mauern leben und gleichsam wie die alten Baulichkeiten zum Ortsbilde gehören: ein gewisser Typus von ‹altem Weib› mit Triefaugen und Krückstock, im halb spaßhaften Geruch des Hexentums stehend; ein Kleinrentner mit purpurner Warzennase und irgendwelchem tic nerveux, lächerlichen Gewohnheiten, einem stereotyp und zwanghaft ausgestoßenen Vogelruf; eine Frauensperson mit närrischer Frisur, die in einem Schleppkleide verschollener Mode, begleitet von Möpsen und Katzen, in irrer Hochnäsigkeit die Stadt durchwandert. Und dazu gehören die Kinder, die Gassenjungen, die hinter diesen Figuren herziehen, sie verhöhnen und, wenn sie sich umwenden, in abergläubischer Panik vor ihnen davonrennen …

Deutschland und die Deutschen (XI, 1129ff.)

Schon in «Lübeck als geistige Lebensform» (1925) hatte Thomas Mann Bilder aus Nietzsches «Geburt der Tragödie» zitiert, um die Dämonie plötzlich hervorbrechender Massenhysterien zu schildern.

Das Ende

Am 7. Mai 1945 notierte Thomas Mann in seinem Tagebuch:

Kapitulation Deutschlands erklärt [...] Truman und Churchill werden morgen das Ende des europ. Krieges verkünden. In Europa, Rom, Oslo, Stockholm, Jerusalem wird gejubelt. Dabei aber wird noch gekämpft, angeblich weil die Kommunikations-Verbindungen mit den Truppen in Deutschland langsam arbeiten, in Wahrheit aber wohl, weil die Autorität der Döniz und Jodl sehr zweifelhaft und Teile von Panzergrenadieren, S. S. Leuten, Hitlerjugend einfach nicht parieren.

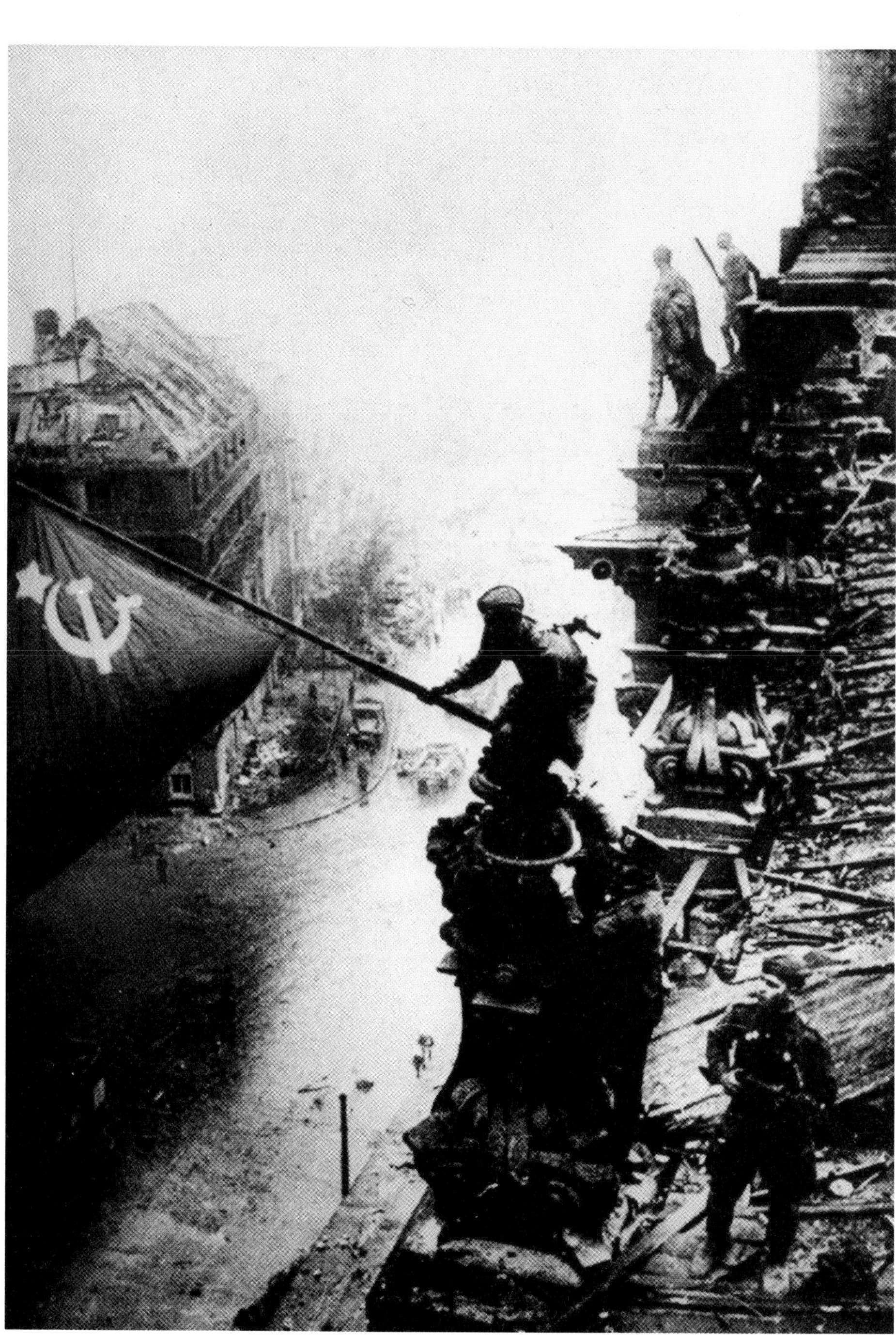

Auf dem Reichstag wird die Sowjetfahne gehißt

The End

By THOMAS MANN

He who has been called the greatest living man of letters writes the obituary of the evil that overtook the German soul.

THE destiny of the most repulsive monster of our era, National Socialism, is on the point of fulfillment—a destiny appropriate to its character, a destiny that from the start was graven on its forehead, visible to every seeing eye, a destiny whose fulfillment was always only a question of time. If its agony were only its own and not at the same time that of a great and unfortunate nation that is now suffering for its credulity, its seductibility and besottedness, its lack of political judgment, we could view the catastrophe with greater equanimity, with a colder sense of satisfaction for that which is right, just, and necessary.

If we were vindictive, we exiles who were abused as enemies of our people or, at least, as obsolete thinkers, we who were despised as representatives of "retarded humanity"—good lord!—we would be less moved than we are by the agony, the torment, the misery of the community that ejected us. But this agony far exceeds any suffering that we could ever have wished upon it. When I think back, before the beginnings of our exile, to that time of uprootment, of agitation, of anguish, of homelessness—what was our predominant emotion, our ever-recurring thought in all our personal anxiety? It was pity: anticipatory pity that certainly underestimated the time of retribution;—or the full answer to the question, "What is to become of these people?"

I turn the pages of my diary of twelve years ago, to the years 1933 and 1934, that time when the din of narcotizing festivities, of unwarranted jubilation over victories and liberty echoed from Germany to the adjacent countries, with its accompaniment of church bells and paeons, flags and endless Roman holidays by decree of the people, the government, the party. It was a time when the sight of the infamous internal war of revenge, of justice gagged to suffocation, of violence and supreme falsehood shook my heart with horror and bitterness.

Here are the words of my diary: "We are profoundly aware that these fools, these unmitigated bunglers, will come to a bad end. And what then? What will become of this unfortunate German people, now intoxicated with pseudo-happiness? What disappointments will it have to swallow, what physical and spiritual catastrophes are reserved for it? The awakening which awaits it will be ten times more horrible than that of 1918." And again: "Pity, from the first moment, for the people that saw the shipwreck of all its great hopes and that is now to experience the frustration of the ultimate pledge of its faith. What is shortly to become of the people who have staked such a measure of faith in falsehood? But I doubt whether pity is appropriate in view of the degree of delusion, the lack of sense for the evil, that this people demonstrates in its faith."

After all that has happened, this doubt of the propriety of pity is more vivid today than ever. The "lack of sense for the evil," for the obviously and unequivocally wicked, that large masses of the German people have shown, was and always will be crim-

15

Am 7. Mai 1945 unterschrieb Generaloberst Jodl im alliierten Hauptquartier in Reims die bedingungslose Kapitulation der deutschen Wehrmacht.
Von links: Jodls Adjutant Oberst Wilhelm Oxenius, Jodl, Generaladmiral Hans-Georg von Friedeburg.

Kapitulation an der Ostfront
Generalfeldmarschall Wilhelm Keitel (vorn), Generaloberst Hans-Jürgen Stumpff (Mitte), Generaladmiral Hans-Georg von Friedeburg (rechts hinten) im russischen Hauptquartier in Karlshorst, 8. Mai 1945.

8. Mai 1945: Ende des Zweiten Weltkrieges
Für die New-Yorker Zeitschrift «Free World», März 1945, schrieb Thomas Mann den Aufsatz «The End», «eine Art von Nekrolog auf den Nationalsozialismus».

Das zerstörte Haus

Klaus Mann wurde 1945 als Sonderberichterstatter der Zeitschrift «Stars and Stripes» von Rom nach Deutschland gesandt. In München suchte er das Elternhaus an der Poschingerstraße auf.

Über zerborstene Stufen kletterte ich zum Portal und schlüpfte durch ein rußgeschwärztes Loch – wohin? Wo befand ich mich? Doch nicht in unserer Diele? Die war größer gewesen, mindestens doppelt so groß und überhaupt ganz anders. Durch Schutt und Asche tastete ich mich weiter ins Haus hinein. Fremd, fremd, fremd – und doch auch wieder nicht.

Klaus Mann, Der Wendepunkt

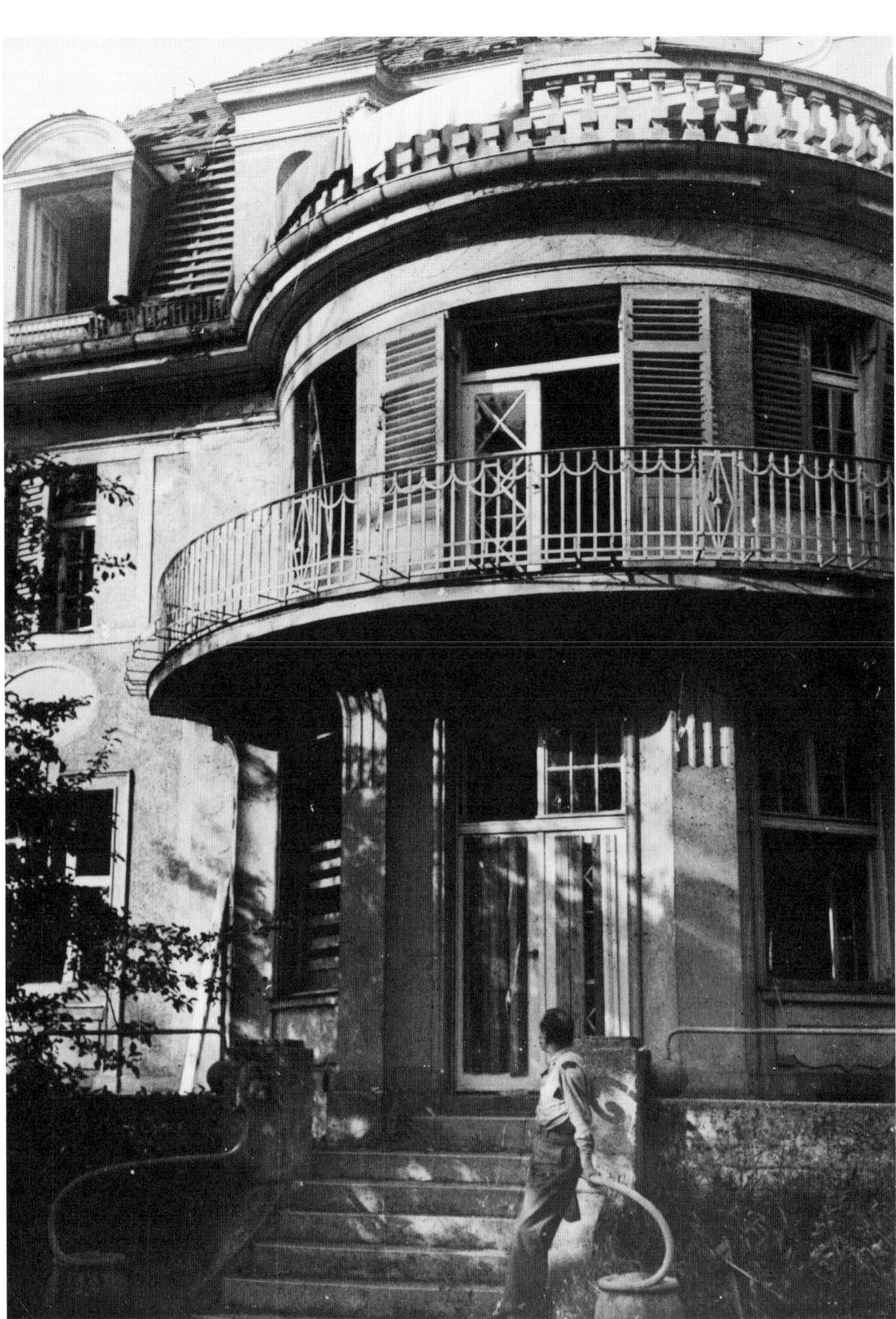

Klaus Mann vor dem zerstörten Elternhaus in München

Das Haus hatte Obdachlosen als Unterschlupf gedient. Sie hatten die Parkettböden herausgerissen, um Brennmaterial zu haben.

Warum ich nicht nach Deutschland zurückgehe

Walter von Molo an Thomas Mann

Mit dem vorliegenden Abdruck eines Streitgesprächs zwischen den Dichtern Thomas Mann und Frank Thieß soll der Auftakt zu einer Reihe ähnlicher Veröffentlichungen gegeben werden, die dem Leser in zusammengefaßter Weise Probleme gegenwärtiger geistiger Strömungen nahezubringen beabsichtigen.

Die Einfachheit der äußeren Form wird in der Leserschaft als Gebot der Stunde erkannt und um so verständnisvoller aufgenommen werden, je stärker der Wert auf den Inhalt gelegt wird. Um dieses Ziel stets zu erreichen, sollen uns Anregungen und Hinweise über künftig zu gestaltende Themen aus den Reihen der Leser dankbar willkommen sein. Zuschriften an: „Druckschriften Vertriebsdienst" Dortmund, Töllnerstraße 9.

Lieber Herr Thomas Mann!

In den langen Jahren der Bestürzung der Menschenseelen habe ich viele Ihrer Aeußerungen gehört — soweit sie gedruckt zu mir gelangen konnten — auch gelesen. Und immer freute, erschütterte mich Ihr treues Festhalten an unserem gemeinsamen Vaterlande. Nun lernte ich als letzte Ihrer veröffentlichten Kundgebungen die kennen, die am 18. Mai in München veröffentlicht wurde; auch hier wieder fand ich dankbar und mit nicht geringer Erschütterung das gleiche —. Man sagte mir, daß Sie im Rundfunk am Tage Ihres 70. Geburtstages gesprochen hätten und mitteilten, Sie freuten sich auf das Wiedersehen mit Deutschland.

Mit aller, aber wahrhaft aller Zurückhaltung, die uns nach den furchtbaren zwölf Jahren auferlegt ist, möchte ich dennoch heute bereits und in aller Oeffentlichkeit ein paar Worte zu Ihnen sprechen: Bitte, kommen Sie bald, sehen Sie in die vom Gram durchfurchten Gesichter, sehen Sie das unsagbare Leid in den Augen der vielen, die nicht die Glorifizierung unserer Schattenseiten mitgemacht haben, die nicht die Heimat verlassen konnten, weil es sich hier um viele Millionen Menschen handelte, für die kein anderer Platz auf der Erde gewesen wäre als daheim, in dem allmählich gewordenen großen Konzentrationslager, in dem es bald nur mehr Bewachende und Bewachte verschiedener Grade gab.

Bitte, kommen Sie bald und geben Sie den zertretenen Herzen durch Menschlichkeit den aufrichtigen Glauben zurück, daß es Gerechtigkeit gibt, man nicht pauschal die Menschheit zertrennen darf, wie es so grauenvoll hier geschah. Dieser Anschauungsunterricht entsetzlicher Art darf für die ganze Menschheit nicht verloren gehen, die nach Glauben und Wissen in einer dämonischen und höchst unvollkommenen Welt zu existieren versucht, mit dem in unserer Epoche die Blutrache beendenden, nach fester Ordnung suchenden Flehen: „Vergib uns unsere Schuld wie auch wir vergeben unseren Schuldigern. Erlöse uns von dem Uebel."

Wir nennen das Humanität!

Bitte, kommen Sie bald und zeigen Sie, daß der Mensch die Pflicht hat, an die Mitmenschen zu glauben, immer wieder zu glauben, weil sonst die Menschlichkeit aus der Welt verschwinden müßte. Es gab so viele Schlagworte, so viele Gewissensbedrückungen, und so viele haben alles vor und in diesem Kriege verloren, schlechthin alles, bis auf eines: Sie sind vernünftige Menschen geblieben, ohne Uebersteigerung und ohne Anmaßung, deutsche Menschen, die sich nach der Rückkehr dessen sehnten und sehnen, was uns einst im Rate der Völker Achtung gab.

Ihnen, dem Seelenkundigen, genügt es zu sagen, daß wohl Haß, Brutalität und Verbrechen überall ausgerottet werden müssen, aber nicht darf dies, um der Zukunft der Menschheit und um der heranwachsenden Jugend in allen Ländern der Erde willen, durch neuen, in Leidenschaft verallgemeinerten Haß geschehen, wie ihn hier krank gewordene Gehirne und Herzen übten.

Das deutsche Volk hat — ungeachtet recht zahlreicher und lebhafter Aufforderungen von der Frühe bis in die Nacht — vor dem Kriege und im Kriege nicht gehaßt, und es haßt nicht, es ist nicht dazu fähig, weil es wahrhaft seine Großen und seine Meister, die die Welt liebt und verehrt, verdiente und noch immer verdient, denn — ich spreche in voller Verantwortung es aus — Ihr Volk, das nunmehr seit einem Dritteljahrhundert hungert und leidet, hat im innersten Kern nichts gemein mit den Missetaten und Verbrechen, den schmachvollen Greueln und Lügen, den furchtbaren Verirrungen Kranker, die daher wohl soviel von ihrer Gesundheit und Vollkommenheit posaunten.

Von diesen und für diese spreche ich nicht, aber ich sage, vor allem um den Zukunft der Gesamtmenschheit willen, der wir weiter Hoffnung geben müssen als nunmehr Altgewordene, die diese Pflicht zu erfüllen haben, solange uns Frist gegeben ist:

Wir müssen endlich jeder dem alle Menschen Einigenden dienen, das Gemeinsame, Verbindende, nicht weiter oder neu das Trennende suchen, denn Haß und pauschale Herabsetzung und unrichtig abgekürzte Geschichtsbetrachtungen zu vergänglichen Zwecken sind unfruchtbar und führen zu Katastrophen; das haben wir doch in unserer Lebensspanne in schrecklicher Art erfahren.

Kommen Sie bald wie ein guter Arzt, der nicht nur die Wirkungen sieht, sondern die Ursache der Krankheit sucht und diese vornehmlich zu beheben bemüht ist, der allerdings auch weiß, daß chirurgische Eingriffe nötig sind, vor allem bei den zahlreichen, die einmal Wert darauf gelegt haben, geistig genannt zu werden. Sie wissen, daß es sich um keine unheilbare Krankheit unseres Volkes handelt, wir wollen alle zusamt den Siechen, dem vor allem Vertrauen fehlt, gesund machen, ihn aber nicht in seiner Schwächung durch Demütigungen und Enttäuschungen neu krank und dann vielleicht unheilbar werden lassen.

Kommen Sie bald zu Rat und Tat. Ich glaube, stete Wachsamkeit, auch über sich selbst, sichert allein die Freiheit des allverbindenden Geistes. An dieser Wachsamkeit haben es wohl alle Menschen auf der ganzen Erde fehlen lassen, weil die Weltkrisen seit 1914 zu sehr verwirrten und müde machten. Suchen wir wieder gemeinsam — wie vor 1933 — die Wahrheit, indem wir uns alle auf den Weg zu ihr begeben und helfen, helfen, helfen!

In diesem Sinne Ihr Walter von Molo.

Walter von Molos Offener Brief
Hessische Post, 4. August 1945

Walter von Molo (1880–1958)

Thomas Mann tat sich schwer mit der Antwort. Sie trägt den Titel «Warum ich nicht nach Deutschland zurückgehe». Gewiß, er habe den «Hexensabbat» nur von Augen erlebt, aber den «Geruch von Blut und Schande», der deutscher Kultur zwischen 1933 und 1945 angehaftet habe, ertrage er nicht, obwohl er sich selbst zum guten-bösen Deutschland rechne – immerhin: mitgetanzt und Herrn Urian aufgewartet habe er nicht. Das mutete Frank Thiess und weitere zurückgebliebene Schriftsteller als selbstgerecht und überheblich an. Sie attackierten im Namen der «inneren Emigration» jene, die aus den «Logen und Parterreplätzen des Auslandes der deutschen Tragödie» zugeschaut hätten und nun den vom Leiden Gezeichneten gute Ratschläge erteilen wollten. Der Graben zwischen Exil und «innerer Emigration» ließ sich nicht mehr schließen, jener zwischen Exilanten und Mitläufern ohnehin nicht.

WARUM ICH NICHT NACH DEUTSCHLAND ZURÜCKGEHE

[...] Daß alles kam, wie es gekommen ist, ist nicht meine Veranstaltung. Wie ganz und gar nicht ist es das! Es ist ein Ergebnis des Charakters und Schicksals des deutschen Volkes – eines Volkes, merkwürdig genug, tragisch-interessant genug, daß man manches von ihm hinnimmt, sich manches von ihm gefallen läßt. Aber dann soll man die Resultate auch anerkennen und nicht das Ganze in ein banales ‹Kehre zurück, alles ist vergeben!› ausgehen lassen wollen.

Fern sei mir Selbstgerechtigkeit! Wir draußen hatten gut tugendhaft sein und Hitlern die Meinung sagen. Ich hebe keinen Stein auf, gegen niemanden. Ich bin nur scheu und ‹fremdle›, wie man von kleinen Kindern sagt. Ja, Deutschland ist mir in all diesen Jahren doch recht fremd geworden. Es ist, das müssen Sie zugeben, ein beängstigendes Land. Ich gestehe, daß ich mich vor den deutschen Trümmern fürchte – den steinernen und den menschlichen. Und ich fürchte, daß die Verständigung zwischen einem, der den Hexensabbat von außen erlebte, und Euch, die Ihr mitgetanzt und Herrn Urian aufgewartet habt, immerhin schwierig wäre. Wie sollte ich unempfindlich sein gegen die Briefergüsse voll lange verschwiegener Anhänglichkeit, die jetzt aus Deutschland zu mir kommen! Es sind wahre Abenteuer des Herzens für mich, rührende. Aber nicht nur wird meine Freude daran etwas eingeengt durch den Gedanken, daß keiner davon je wäre geschrieben worden, wenn Hitler gesiegt hätte, sondern auch durch eine gewisse Ahnungslosigkeit, Gefühllosigkeit, die daraus spricht, sogar schon durch die naive Unmittelbarkeit des Wiederanknüpfens, so, als seien diese zwölf Jahre gar nicht gewesen. Auch Bücher sind es wohl einmal, die kommen. Soll ich bekennen, daß ich sie nicht gern gesehen und bald weggestellt habe? Es mag Aberglaube sein, aber in meinen Augen sind Bücher, die von 1933 bis 1945 in Deutschland überhaupt gedruckt werden konnten, weniger als wertlos und nicht gut in die Hand zu nehmen. Ein Geruch von Blut und Schande haftet ihnen an; sie sollten alle eingestampft werden.

[...]

Vor einigen Wochen habe ich in der Library of Congress in Washington einen Vortrag gehalten über das Thema: ‹Germany and the Germans›. Ich habe ihn deutsch geschrieben, und er soll im nächsten Heft der Juni 1945 wiedererstandenen ‹Neuen Rundschau› abgedruckt werden. Es war ein psychologischer Versuch, einem gebildeten amerikanischen Publikum zu erklären, wie doch in Deutschland alles so kommen konnte, und ich hatte die ruhige Bereitwilligkeit zu bewundern, mit der, so knapp nach dem Ende eines fürchterlichen Krieges, dies Publikum meine Erläuterungen aufnahm. Meinen Weg zu finden zwischen unstatthafter Apologie – und einer Verleugnung, die mir ebenfalls schlecht zu Gesicht gestanden hätte, war natürlich nicht leicht. Aber ungefähr ging es. Ich sprach von der gnadenvollen Tatsache, daß oft auf Erden aus dem Bösen das Gute kommt – und von der teuflischen, daß oft das Böse kommt aus dem Guten. Ich erzählte in Kürze die Geschichte der deutschen ‹Innerlichkeit›. Die Theorie von den beiden Deutschland, einem guten und einem bösen, lehnte ich ab. Das böse Deutschland, erklärte ich, das ist das fehlgegangene gute, das gute im Unglück, in Schuld und Untergang. Ich stände hier nicht, um mich, nach schlechter Gepflogenheit, der Welt als das gute, das edle, das gerechte Deutschland im weißen Kleid zu empfehlen. Nichts von dem, was ich meinen Zuhörern über Deutschland zu sagen versucht hätte, sei aus fremdem, kühlem, unbeteiligtem Wissen gekommen; ich hätte es alles auch in mir; ich hätte es alles am eigenen Leibe erfahren. Das war ja wohl, was man eine Solidaritätserklärung nennt – im gewagtesten Augenblick. Nicht gerade mit dem Nationalsozialismus, das nicht. Aber mit Deutschland, das ihm schließlich verfiel und einen Pakt mit dem Teufel schloß. Der Teufelspakt ist eine tief-altdeutsche Versuchung, und ein deutscher Roman, der eingegeben wäre von den Leiden der letzten Jahre, vom Leiden an Deutschland, müßte wohl eben dies grause Versprechen zum Gegenstand haben. Aber sogar um Faustens Einzelseele ist, in unserem größten Gedicht, der Böse ja schließlich betrogen, und fern sei uns die Vorstellung, als habe Deutschland nun endgültig der Teufel geholt. Die Gnade ist höher als jeder Blutsbrief. Ich glaube an sie, und ich glaube an Deutschlands Zukunft, wie verzweifelt auch immer seine Gegenwart sich ausnehmen, wie hoffnungslos die Zerstörung erscheinen möge. Man höre doch auf, vom Ende der deutschen Geschichte zu reden! Deutschland ist nicht identisch mit der kurzen und finsteren geschichtlichen Episode, die Hitlers Namen trägt. Es ist auch nicht identisch mit der selbst nur kurzen Bismarck'schen Ära des Preußisch-Deutschen Reiches. Es ist nicht einmal identisch mit dem auch nur zwei Jahrhunderte umfassenden Abschnitt seiner Geschichte, den man auf den Namen Friedrichs des Großen taufen kann. Es ist im Begriffe, eine neue Gestalt anzunehmen, in einen neuen Lebenszustand überzugehen, der vielleicht nach den ersten Schmerzen der Wandlung und des Überganges mehr Glück und echte Würde verspricht, den eigensten Anlagen und Bedürfnissen der Nation günstiger sein mag als der alte.

Ist denn die Weltgeschichte zu Ende? Sie ist sogar in sehr lebhaftem Gange, und Deutschlands Geschichte ist in ihr beschlossen. Zwar fährt die Machtpolitik fort, uns drastische Abmahnungen von übertriebenen Erwartungen zu erteilen; aber bleibt nicht die Hoffnung bestehen, daß zwangsläufig und notgedrungen die ersten versuchenden Schritte geschehen werden in der Richtung auf einen Weltzustand, in dem der nationale Individualismus des neunzehnten Jahrhunderts sich lösen, ja schließlich vergehen wird? Weltökonomie, die Bedeutungsminderung politischer Grenzen, eine gewisse Entpolitisierung des Staatenlebens überhaupt, das Erwachen der Menschheit zum Bewußtsein ihrer praktischen Einheit, ihr erstes Ins-Auge-Fassen des Weltstaates – wie sollte all dieser über die bürgerliche Demokratie weit hinausgehende soziale Humanismus, um den das große Ringen geht, dem deutschen Wesen fremd und zuwider sein? In seiner Weltscheu war immer so viel Weltverlangen; auf dem Grunde der Einsamkeit, die es böse machte, ist, wer wüßte es nicht, der Wunsch, zu lieben, der Wunsch, geliebt zu sein. Deutschland treibe Dünkel und Haß aus seinem Blut, es entdecke seine Liebe wieder, und es wird geliebt werden. Es bleibt, trotz allem, ein Land voll gewaltiger Werte, das auf die Tüchtigkeit seiner Menschen sowohl wie auf die Hilfe der Welt zählen kann und dem, ist nur erst das Schwerste vorüber, ein neues, an Leistungen und Ansehen reiches Leben vorbehalten ist.

Warum ich nicht nach Deutschland zurückgehe (XII, 956 ff.)

Frank Thieß (1890–1977)

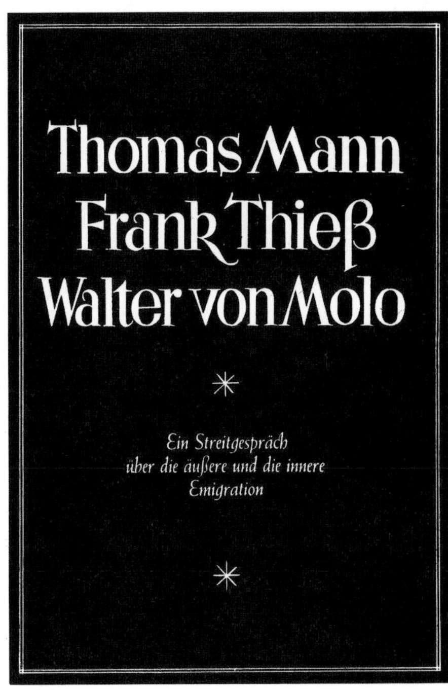

Titelblatt des Streitgesprächs, das 1946 erschien

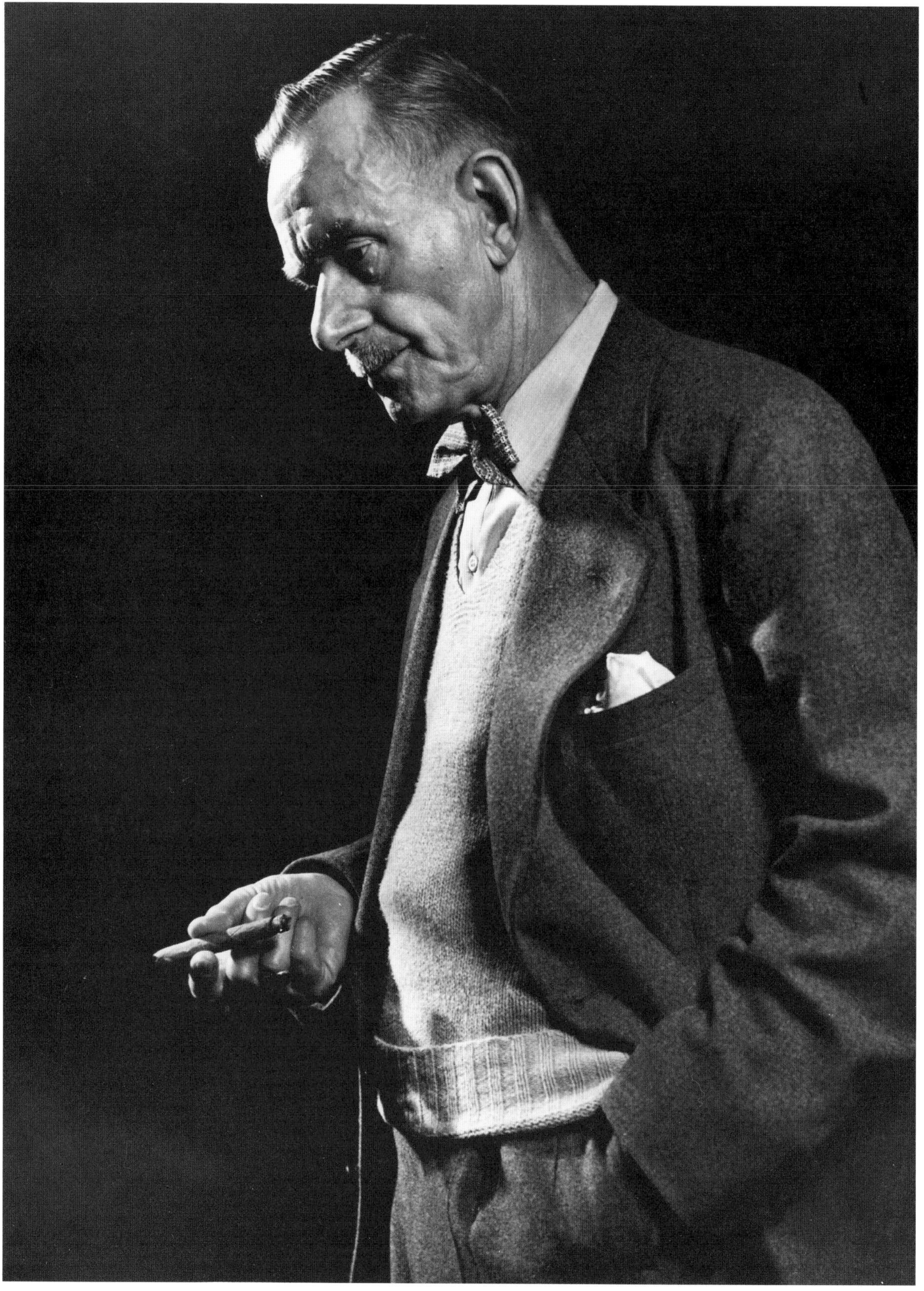

Thomas Mann, 1946

1947–1952 Das Ende des amerikanischen Exils

Europareise 1947: Der Nietzsche-Vortrag
Das Goethejahr 1949
Der Tod Heinrich Manns
«Der Erwählte»
Der Kalte Krieg

Europa-Reise 1947: Der Nietzsche-Vortrag

Thomas Mann, 1947

Der «Doktor Faustus» wurde am 29. Januar 1947 abgeschlossen. Es folgten einige Tage «sinnender und bessernder Beschäftigung mit dem Manuskript», und bereits am 9. Februar begann Thomas Mann mit der Vorbereitung des Nietzsche-Essays, der als «Nachspiel» des Romans zu betrachten ist. Mit dem Vortrag über Nietzsche reiste er im Mai nach Europa – acht Jahre waren vergangen, seit er zum letztenmal dort gewesen war. Er hielt den Vortrag in London und in Zürich. Viele andere Lesungen folgten. Nach Deutschland ging er nicht. «Doktor Faustus» erschien im Oktober. Die ersten schweizerischen Besprechungen waren «enthusiastisch», die Bewegung in Deutschland war groß; ein Jahr später erschien der Roman auch als «Book of the Month», mit einer Auflage von 100'000. Thomas Mann war damals zweifellos der bekannteste Autor der Weltliteratur – und der aktuellste zugleich. Die Leidensgeschichte des deutschen Tonsetzers Adrian Leverkühn, gekoppelt mit der Leidensgeschichte Nietzsches und dem luziferischen Absturz des Doctor Faustus erschütterte nicht nur das deutsche Volk.

BOTSCHAFT

Ich bin mir voll bewußt der außerordentlich schwierigen und leidensvollen Lage, in der Deutschland sich heute befindet, und nehme als Deutscher von Herzen Anteil daran. Man muß aber sagen, daß es nicht zu erwarten war, daß bloße zwei Jahre nach einer so furchtbaren Katastrophe, wie sie Deutschland erlitten hat, Deutschland schon wieder genesen sein würde. Aber ich hoffe und glaube, daß nach zwei, drei oder fünf Jahren der Horizont wieder heller sein wird und daß, dank der eingeborenen Tüchtigkeit und Lebenskraft, Deutschland an seiner Zukunft nicht zu verzweifeln braucht.

Man kann nicht sagen, daß nur die deutschen Führer für die Tragödie der vergangenen Jahre verantwortlich zu machen sind. Der Nationalsozialismus hatte gewisse Wurzeln im geistigen Charakter und in der Tradition der Deutschen. In den ersten Jahren des nationalsozialistischen Regimes war Deutschland wirklich begeistert und glaubte an den Nationalsozialismus. Die gegenwärtige Not ist das unvermeidliche Ergebnis der Regierung Hitlers und seiner Maßnahmen, für die das deutsche Volk seinen Reichtum, seine Intelligenz, seinen Mut und seine Tatkraft hingab.

Das deutsche Volk kann nicht von außen her umerzogen werden. Jede wirksame Umerziehung muß von innen heraus wachsen. Die beste Umerziehung wird eine allgemeine Aufwärtsentwicklung der Welt mit sich bringen, die dem deutschen Volk klar macht, daß es keine Aussicht auf einen neuen Krieg hat, die es überzeugt, daß die Welt einen Stand erreicht hat, in dem alle nationalistischen, nazistischen und militaristischen Ideen sinnlos geworden sind.

Botschaft an das deutsche Volk, Mai 1947 (XIII, 789)

DAS TRAGISCHE LEBENSSCHAUSPIEL

Was Thomas Mann in der Spätzeit an Nietzsche mehr und mehr beeindruckte, war das «tragische Lebensschauspiel», das dieser seinen Betrachtern bot. Es erfüllte gleichzeitig mit Ehrfurcht und Erbarmen:

Nietzsche, der Denker und Schriftsteller, [...] war eine Erscheinung von ungeheuerer, das Europäische resumierender, kultureller Fülle und Komplexität, welche vieles Vergangene in sich aufgenommen hatte, das sie in mehr oder weniger bewußter Nachahmung und Nachfolge erinnerte, wiederholte, auf mythische Art wieder gegenwärtig machte, und ich zweifle nicht, daß der große Liebhaber der Maske des hamletischen Zuges in dem tragischen Lebensschauspiel, das er bot – ich möchte fast sagen: das er veranstaltete, wohl gewahr war. Was mich, den ergriffen sich versenkenden Leser und «Betrachter» der nächstfolgenden Generation, betrifft, so habe ich diese Verwandtschaft früh empfunden und dabei die Gefühlsmischung erfahren, die gerade für das jugendliche Gemüt etwas so Neues, Aufwühlendes und Vertiefendes hat: die Mischung von Ehrfurcht und Erbarmen. Sie ist mir niemals fremd geworden. Es ist das tragische Mitleid mit einer überlasteten, über-beauftragten Seele, welche zum Wissen nur berufen, nicht eigentlich dazu geboren war und, wie Hamlet, daran zerbrach; mit einer zarten, feinen, gütigen, liebebedürftigen, auf edle Freundschaft gestellten und für die Einsamkeit gar nicht gemachten Seele, der gerade dies: tiefste, kälteste Einsamkeit, die Einsamkeit des Verbrechers, verhängt war; mit einer ursprünglich tief pietätvollen, ganz zur Verehrung gestimmten, an fromme Traditionen gebundenen Geistigkeit, die vom Schicksal gleichsam an den Haaren in ein wildes und trunkenes, jeder Pietät entsagendes, gegen die eigene Natur tobendes Prophetentum der barbarisch strotzenden Kraft, der Gewissensverhärtung, des Bösen gezerrt wurde.

[...]

Man hat das Bild einer hochbegabten Edel-Normalität, die eine Laufbahn der Korrektheit auf vornehmem Niveau zu gewährleisten scheint. Statt dessen, von dieser Basis, welch ein Getriebenwerden ins Weglose! Welch ein Sich-Versteigen in tödliche Höhen! Das Wort «verstiegen», zum moralischen und geistigen Urteil geworden, stammt aus der Alpinistensprache und bezeichnet die Situation, wo es im Hochgestein weder vorwärts noch rückwärts mehr geht und der Bergsteiger verloren ist. Dies Wort anzuwenden auf den Mann, der sicher nicht nur der größte Philosoph des ausgehenden neunzehnten Jahrhunderts, sondern einer der unerschrockensten Helden überhaupt im Reich des Gedankens war, klingt wie Philisterei. Aber Jacob Burckhardt, zu dem Nietzsche wie zu einem Vater aufblickte, war kein Philister, und doch hat er die Neigung, ja den Willen zum Sich-Versteigen und zur tödlichen Verirrung früh schon der Geistesrichtung des jüngeren Freundes angemerkt und sich weislich von ihm getrennt, ihn mit einer gewissen Gleichgültigkeit, die Goethe'scher Selbstschutz war, fallenlassen ...

Nietzsches Philosophie im Lichte unserer Erfahrung (IX, 675 ff.)

THOMAS MANN

NIETZSCHES PHILOSOPHIE
IM LICHTE UNSERER ERFAHRUNG

1948

SUHRKAMP VERLAG VORM. S. FISCHER

Am 3. und 4. Juni 1947 fand in Zürich der XIV. Internationale PEN-Kongreß statt. Thomas Mann hielt den Vortrag «Nietzsches Philosophie im Lichte unserer Erfahrung».

Die Reise

Viktor Mann (1890–1949)
Thomas Manns jüngster Bruder war Landwirt und arbeitete später im Bankfach. Seit 1914 mit Nelly Kilian verheiratet, lebte er wie seine Geschwister in München. Während des NS-Regimes blieb er in Deutschland; Thomas Mann sah den Bruder erst nach dem Zweiten Weltkrieg in der Schweiz wieder. Viktor Mann verfaßte die Familienchronik «Wir waren fünf», die 1949 posthum erschien.

24. Mai 1947: Ankunft auf dem Flugplatz Zürich-Dübendorf
Von links: Die Schwiegertochter Gret Mann-Moser, Emil und Emmie Oprecht helfen Thomas Mann aus dem Flugzeug.

BEDENKEN

Unser Besuch in München, lieber Vikko, ist ein sehr ernstes Problem, über das wir viel nachdenken und diskutieren. Könnte ich als Privatmann in aller Stille kommen und gehen, so wäre die Sache sehr einfach. Aber ich käme ja offiziell, unvermeidlich mit ziemlichem Geräusch, müßte mich der Öffentlichkeit darstellen – und der Gedanke gewinnt, seien wir ehrlich, von Tag zu Tag ein brenzlicheres Ansehen. Wie die Dinge in Deutschland sich entwickeln, wie die Atmosphäre heute dort schon wieder ist (wieder einmal nicht ohne Verschulden der anderen, aber das ist ein Kapitel für sich) – kann es mich nicht befremden, daß alles mich beschwört, nicht hinzugehen.

An Viktor Mann, 27. März 1947

Wiedersehen mit dem Enkel Frido

Zwei Briefe — zwei Auffassungen

Zu dem am 28. Mai im „Weser-Kurier" unter der Überschrift „Thomas Mann" von Manfred Hausmann veröffentlichten Leitartikel nimmt Thomas Mann in der „Neuen Zeitung", München, in einem Brief aus seinem schweizerischen Aufenthaltsort Stellung.

Thomas Mann schreibt

„Flims, Graubünden, den 25. Juni 1947.

Sehr geehrte Herren,

durch deutsche Blätter verbreitet der Schriftsteller Manfred Hausmann die Nachricht, ich hätte im Jahre 1933 in einem Brief an den Innenminister Frick inständig um die Erlaubnis gebeten, ins nationalsozialistische Deutschland zurückzukehren, mit der Versicherung, ich würde dort — sehr im Gegensatz zu meinem Benehmen vorher — Schweigen bewahren und mich in die politischen Dinge nicht mehr mischen. Auf keinen Fall wolle ich in die Emigration gehen. So, nach Hausmann, mein Brief, der unbeantwortet geblieben sei. Gern also wäre ich damals ins Dritte Reich eingekehrt, hätte aber gegen meinen Willen draußen bleiben müssen, weil ich die Erlaubnis nicht erhielt, es zu betreten.

Der Widersinn der Nachrede liegt auf der Hand. Zu meiner Rückkehr nach Deutschland bedurfte es 1933 keiner „Erlaubnis". Diese Rückkehr war ja das, was gewünscht wurde: von der Münchener Gestapo, damit sie Rache nehmen könne für meinen Kampf gegen das heraufziehende Unheil, von der Berliner Goebbels-Propaganda aber aus internationalen Prestigegründen und damit die Literatur-Akademie über meinen Namen verfüge. Mehr als ein Wink mit dem Zaunpfahl (durch die „Frankfurter Zeitung" etwa) bedeutete mich, das Vergangene solle vergessen sein, wenn ich wiederkehrte.

In jüngst veröffentlichten Tagebuchblättern aus den Jahren 1933/34 spiegelt sich das tiefe Grauen vor Deutschland, das ich damals empfand, und dessen ich, fürchte ich, nie wieder ganz ledig werden kann. Es spricht auch daraus die unerschütterliche Überzeugung, daß nichts als Elend, nichts als blutiges Verderben für Deutschland und für die Welt aus diesem Regime entstehen könne — nebst frühem Erbarmen mit dem deutschen Volk, das eine solche Menge von Glauben, Begeisterung, stolzer Hoffnung ins offenkundig Makabre und Verworfene investiere. Durch meine öffentlichen Äußerungen in der Schweiz, mein Bekenntnis zur Emigration erzwang ich die Ausbürgerung, die Goebbels keineswegs gewünscht hatte. „Solange ich etwas zu sagen habe, geschieht das nicht." Jetzt soll ich um die Erlaubnis gefleht haben, dem Führer den Treueid zu leisten und in die Kulturkammer einzutreten. Hausmann weiß es.

Warum er mir mit der sinnlosen Denunziation in den Rücken fällt, womit ich es um ihn verdient, was ich ihm zuleide getan habe, das weiß ich nicht. Ist er so zornig, weil ich heute „nicht will", was ich damals „nicht durfte"? Es sind keine zwei Jahre, daß er an unseren gemeinsamen Verleger nach Amerika schrieb, er sei tief verzweifelt in Deutschland, ein Fremder im eigenen Lande. Dies Volk sei hoffnungslos, bis in die Wurzeln verdorben, und er ersehne nichts mehr, als den Staub von den Füßen zu schütteln und ins Ausland gehen zu können. Heute spricht er von einem „zwar armseligen und unglücklichen, aber doch einigermaßen demokratischen Deutschland", in das ich häßlicherweise nicht zurückkehren wolle. Es steht — und wer wollte sich darüber wundern? — grundunheimlich um das deutsche Equilibrium.

Wenn unter den „Briefen in die Nacht" (so wollte René Schickele sie nennen), die ich in meiner Qual zu jener Zeit schrieb —, wenn unter diesen Rufen, dem davonschwimmenden Deutschland nachgesandt, sich auch ein Brief an Frick befand, und wenn Manfred Hausmann es verstanden hat, sich in den Besitz dieses Briefes zu setzen, so soll er ihn in seiner Gänze veröffentlichen, statt mit einer offensichtlich verfälschten Inhaltsangabe hausieren zu gehen. Ich bin gewiß, daß ein solches Dokument aus dem Jahre 1933 mir nicht zur Unehre gereichen wird, sondern zur Schande nur dem seither Gerichteten, der, wie Hausmann mit einer Art von Genugtuung feststellt, „nicht darauf antwortete".

Ihr sehr ergebener Thomas Mann."

Manfred Hausmann antwortet

Manfred Hausmann hat daraufhin an die „Neue Zeitung" folgenden Antwortbrief gesandt:

„Sehr geehrte Herren,

einige Deutsche, darunter auch ich, sind nicht einer Meinung mit Thomas Mann über die innere Lage in Deutschland. Wir wissen, daß neben tief deprimierenden Erscheinungen, die einen schon in einer unguten Stunde zu verzweifelten Äußerungen veranlassen können, auch bewegende und bewundernswerte Dinge geschehen sind, und noch täglich geschehen. Und zwar nicht nur als Taten von einzelnen, sondern als Leistung einer breiten, tragenden Schicht. Allerdings glauben wir, daß über die Schatten- wie über die Lichtseiten nur jemand zulänglich urteilen kann, der das Schicksal des deutschen Volkes seit 1933 geteilt hat. Denn es haben sich Dinge ereignet, außen wie innen, es sind Qualen gelitten, außen wie innen, die einfach nicht, auch beim besten Willen nicht, von einem Fernstehenden nachempfunden werden können. Darum haben wir es nicht verstanden, wie schuldig sich der einzelne auch fühlen mochte (ich selbst zum Beispiel fühle mich durchaus schuldig), daß der zutiefst verehrte Schriftsteller Thomas Mann, der in seinen Werken wieder und wieder dargetan hat, mit was für einer geradezu unheimlich anmutenden Hellsichtigkeit er um die schwierigsten Probleme der Menschenseele weiß, daß gerade er von der kalifornischen Küste her so verständnislose, selbstgewisse und ungerechte Worte an uns richtete oder über uns aussagte. Er wußte ja nichts Zutreffendes über uns und konnte auch, wie die Dinge nun einmal lagen, gar nichts wirklich Zutreffendes wissen. Seine Vorwürfe drängten uns ihm gegenüber in die Verteidigung. Als er nun nach Europa kam, ja bis an die Grenzen seiner Heimat, da hätten wir nichts freudiger begrüßt als seinen Besuch bei uns. Auf diese Weise wäre es wahrscheinlich, wenn auch nicht ein leichtes, so doch ein mögliches gewesen, die Entfremdung und die Mißverständnisse zu beseitigen. Aber Thomas Mann kam nicht. Das war gewiß sein gutes Recht. Nur hätte er dann doch lieber nicht fortfahren sollen, uns Vorwürfe zu machen. Er fuhr aber damit fort und da hielt ich es allerdings für richtig, ihn daran zu erinnern, daß alle Menschen Nachsicht nötig haben, daß es keinen Gerechten auf Erden gibt und daß auch er in seinen Entscheidungen und Meinungen, gemessen an seiner gegenwärtigen Einstellung, nicht unfehlbar gewesen ist. Der von mir erwähnte Brief Thomas Manns an Frick ist geschrieben. Ich habe einen Durchschlag bis 1942, als die Haussuchung drohte, bei mir gehabt. Es steht zu erwarten, daß das Original sich unter den Akten des ehemaligen Innenministeriums befindet. An den Inhalt kann ich mich deshalb so genau erinnern, weil der Brief mir damals von einem gemeinsamen Freunde gerade zu dem Zweck übermittelt wurde, mich in meinem Entschluß, in Deutschland zu bleiben, zu bestärken, „denn Thomas Mann will ja auch zurückkommen", und weil ich ihn später immer wieder gelesen und anderen vorgelesen habe. Es handelte sich ja um einen Brief von dem großen Thomas Mann! Weder ist mir noch irgend wem je in den Sinn gekommen, dem verehrten Schriftsteller seine Entscheidung zu verargen. Seine Entscheidung war ja auch unsere Entscheidung. Wir waren im Gegenteil von der tragischen Anhänglichkeit an Deutschland, an das geheime Deutschland natürlich, erschüttert. Ich finde, es besteht kein Grund für Thomas Mann, diese seine Einstellung heute zu verleugnen. Es war der Brief und die Haltung eines im Innersten getroffenen und gepeinigten Menschen. Ganz so, meinten wir, habe Thomas Mann schreiben müssen. Diesen Brief wird jeder, der ihn zu Gesicht bekommen sollte, verstehen. Was von vielen, auch von mir, nicht verstanden wird, sind die Worte der letzten Zeit. Und darum geht es.

Ihr Ihnen ergebener

Manfred Hausmann."

Der Briefwechsel zwischen Thomas Mann und Manfred Hausmann im «Weser-Kurier» vom 10. Juli 1947

Thomas Manns Besuch in Europa löste eine neue heftige Pressekampagne aus. Manfred Hausmann warf ihm u. a. vor («Weser-Kurier» vom 28. 5. 1947), er habe 1933 das Innenministerium gebeten, nach Deutschland zurückkehren zu dürfen.

Emil Oprecht veranstaltete zu Ehren Thomas Manns einen Empfang im «Huguenin» in Zürich

Bild: Thomas Mann mit Richard Schweizer

Das Goethejahr 1949

Johann Wolfgang Goethe
Aus dem Ayrer'schen Silhouetten-Album

Im Goethe-Jahr 1949 reiste Thomas Mann zum zweitenmal nach Europa, mit dem Vortrag «Goethe und die Demokratie». Diesmal ging er nach Deutschland. Im Zeichen Goethes glaubte er es tun zu können. Am 25. Juli hielt er seine «Ansprache im Goethejahr» in der Frankfurter Paulskirche, am 1. August im Nationaltheater Weimar. Goethes Geburtsstadt, die Stadt seines Sterbens: Thomas Mann wollte auf die tiefere Einheit des getrennten Deutschland hinweisen. Das erwies sich als eine Fehleinschätzung der politischen Lage, vielleicht auch als Selbstüberschätzung. Thomas Mann wurde wegen seines Besuchs im kommunistischen Weimar von der westdeutschen Presse und dann auch von der amerikanischen angegriffen. Er hatte sich mit seiner Vermittlergebärde zwischen Stuhl und Bank gesetzt.

Am Vortragspult im Taylorian Institute
Thomas Mann wurde am 13. Mai 1949 von der Oxford University zum Ehrendoktor ernannt. Am gleichen Tag hielt er im Taylorian Institute den Vortrag «Goethe und die Demokratie».

Alsob ich in den Krieg ginge

Thomas Mann sah dem Besuch in Deutschland nicht ohne Sorgen entgegen:

Noch habe ich nicht zugesagt, aber ich werde es wohl tun müssen, und meine Ruh' ist hin. Ich sollte es wohl nicht so schwer nehmen, aber ich kann nicht umhin, das Wiedersehen nach diesen 16 Jahren der Entfremdung als ein gespenstisches Abenteuer und als eine rechte Prüfung zu empfinden. Allzu lange war «nach Deutschland gebracht zu werden», «in die Hände der Deutschen zu fallen» ein Alptraum! Und was soll ich sagen? Es ist alles so äußerst kompliziert. Kaum kann ich etwas anderes tun, als innere Versuche mit einer Rede anzustellen – und kann es auch wieder nicht, denn es ist da eine Sperre, und das Bewußtsein, wie sehr man sich in all den Jahren auseinandergelebt hat, läßt mich den Ton nicht finden.

An Hans Reisiger, 19. März 1949

Am Morgen des 23. Juli 1949, vor Antritt der Reise, notiert er sich in seinem Zürcher Hotel: «Gefühl, alsob ich in den Krieg ginge.»

Die Goethe-Feier in Frankfurt

Festakt in der Paulskirche in Frankfurt, 25. Juli 1949

Mit Freude denke ich an die musikalisch geschmückte Feier in der Frankfurter Paulskirche zurück, bei der ich mich für die Zuerteilung des Goethe-Preises mit einem aus persönlichen Bekenntnissen und Huldigungen für den großen Dichter gemischten Vortrag bedankte. Trotz rüder Drohungen, die vorangegangen waren, gab es nicht den leisesten Mißton; die Herzlichkeit der Stimmung war vollkommen, und mag auch das den Neubau füllende Publikum mehr oder weniger ausgewählt gewesen sein, so waren bestimmt die Menschen es nicht, die draußen bei der Abfahrt zu Hunderten Spalier bildeten, und deren Zurufe «Auf Wiedersehen!» und sogar «Dableiben!» lauteten.

Reisebericht (XI, 501)

ANSPRACHE IM GOETHEJAHR

Zum Bußprediger fehlt mir alles und alles zum Propheten, der sich im Besitze der Wahrheit weiß, die Zukunft kennt, dem Leben predigend den Weg vorschreibt. Nichts eignet mir von dieser Anmaßung, und Wahrheit ist mir von interviewenden Journalisten nicht, noch von bedürftiger Jugend abzufragen. Ich komme zu Ihnen als ein armer, leidender Mensch, der sich mit den Problemen dieser in Geburtswehen des Neuen, in Umwälzungen und qualvollen Anpassungsnöten liegenden Zeit herumschlägt wie irgendeiner von Ihnen. Zu meinem verstorbenen Sohn, einem Opfer dieser Krisenzeit, sagte ein großer französischer Freund, André Gide: «Wann immer junge Leute kommen, sich bei mir Rats zu holen, fühle ich mich so beschämend inkompetent, so hilflos, so verlegen. Immer fragen sie mich, ob es einen Ausweg gibt aus der gegenwärtigen Krisis, ob irgendeine Logik, ein Zweck, ein Sinn ist hinter dem Durcheinander. Aber wer bin ich, ihnen zu antworten? Ich weiß es ja selber nicht.» – Wenn der so sprechen konnte, sprechen mußte, – wer bin ich, daß ich es besser wissen sollte? Die Ratlosigkeit, wie dies alles sich lösen, ordnen, setzen, wie es ins gleiche kommen, politisch, sozial, ökonomisch, allgemein geistig, und zwar unter Vermeidung einer Katastrophe und Explosion, die an Greuelhaftigkeit jede Erfahrung weit überträfe und dabei gar nichts lösen würde: wie der Mensch wieder den Segen einer moralischen Autorität gewinnen, zu einem Glauben gelangen könne, der sich nicht als Not-Aberglaube und kümmerlicher Unterschlupf, als ein bloßes Versteck vor dem fordernden Blick der Sphinx erwiese, – diese Ratlosigkeit ist groß, und nur die Stumpfheit oder ein zynisches Konjunkturrittertum, das jede Situation kaltblütig für seine persönlichen Zwecke auszubeuten weiß, leiden nicht unter ihr. Ich bekenne offen: Wenn nicht die Zuflucht der Phantasie wäre, wenn sie nicht wären, die immer wieder, nach jedem Fertigsein zu neuen Abenteuern und erregenden Versuchen weiter lockenden, zu steigerndem Weitermachen verführenden Spiele und Unterhaltungen des Fabulierens, der Gestaltung, der Kunst – ich wüßte nicht, wie zu leben, vom Rat und guter Lehre für andere ganz zu schweigen.

Ansprache im Goethejahr 1949 (XI, 488 f.)

Die Goethe-Feier in Weimar

Thomas Manns Einladung nach Weimar kam erst nach allerlei heiklen und drolligen Vorspielen zustande. Heinz Winfried Sabais, der damals mit der Planung und Durchführung des Goethejahres beauftragt war, hat nach seiner Flucht in den Westen aus dem Gedächtnis darüber berichtet. Sabais' Vorschlag, Thomas Mann mit der Festansprache zu betrauen, wurde vom Weimarer Goethe-Ausschuß zunächst verworfen. Der Sprecher der SED bezeichnete Thomas Mann kurzerhand als einen «Knecht der Wallstreet». Da griff, auf Wunsch von Sabais, Kulturminister Johannes R. Becher telegraphisch in die Diskussion ein. Auf sein Betreiben wurde nun beschlossen, Thomas Mann die Ehrenbürgerschaft zu verleihen und ihn gleichzeitig mit dem neugeschaffenen «Goethe-Nationalpreis 1949» zu ehren. Es blieb bei der einmaligen Verleihung des Preises. Thomas Mann hat die 20'000 Ostmark für die Renovation der Herder-Kirche zur Verfügung gestellt. Becher erhielt übrigens einen Monat später den mit 100'000 Ostmark dotierten «Goethe-Nationalpreis I. Klasse».

Vor dem Nationaltheater in Weimar (Goethe- und Schillerdenkmal), 1. August 1949
Erste Reihe von rechts: Kulturminister Johannes R. Becher (1891–1958), Thomas Mann, Oberbürgermeister von Weimar Hermann Buchterkirchen.

Karikatur von H. U. Steger, Weltwoche, Zürich, 10. Juni 1949

Festakt im Nationaltheater in Weimar am 1. August 1949
Oberbürgermeister Buchterkirchen überreicht Thomas Mann den Goethepreis 1949. Links, applaudierend, Johannes R. Becher.

DER FESTAKT

Der Festakt hob mit Mozart an, gespielt von dem vortrefflichen Weimarer Bosse-Quartett. Danach hielt Stadtverordnetenvorsteher Kirchenrat D. Hermann seine Rede, die sehr klug auf die Thomas Mannsche Sentenz, daß die Sprache auch für die Gesittung stehe, aufgebaut war. Dem folgte Johannes R. Becher, der den Dichter als «Sprachbildner und Menschengestalter», vor allem aber als den «streitbaren Humanisten, der das historische Phänomen der großen Russischen Sowjetunion gerecht und sachlich gewürdigt» habe, pries. «Du unser lieber, geliebter!» hörte Thomas Mann sich vom Rednerpult her angesprochen und mußte auch das am Abend vorher geschmiedete schülerhafte Preissonett entgegennehmen – «Tränen in den Augen», wie die kommunistischen Berichterstatter vom Parkett her gesehen haben wollten –, mit dem Becher seine Rede sinnreich schloß. Ich geleitete Thomas Mann auf die Bühne, wo ihm Oberbürgermeister Buchterkirchen, ergriffen von der Feierlichkeit des Augenblicks, mit fast gerufenen Worten der Beschwörung, das gemeinsame und unteilbare Vaterland niemals zu vergessen, den Ehrenbürgerbrief Weimars überreichte.

Heinz Winfried Sabais, Thomas Mann in Weimar

ORGANISIERTE SPONTANEITÄT

Auch auf dem Rückweg Richtung Zonengrenze kam es zu verschiedenen Einlagen vor allem der FDJ-Gruppen – Sabais spricht in seinem Bericht etwas ironisch von «organisierter Spontaneität» und «arrangierter Zufälligkeit».

Überall waren wiederum FDJ-Gruppen bereitgestellt mit Fahnen und Transparenten, auf denen man etwa lesen konnte: Die FDJ grüßt ihren Freund Thomas Mann. Überall wurden unbescheidene Mengen von Blumen überreicht, und die Erfurter FDJ schmückte den Buick sogar mit Fähnchen und Girlanden. [...]
In Gotha hatte man eine Volkspolizeikapelle aufgebaut, die für die Kopf bei Kopf aufmarschierten Massen und dann für Thomas Mann schmissige Weisen aus dem kriegerischen Musikrepertoire der sowjetischen Besatzungsmacht zum besten gab. Hier sah man auch auf den Transparenten Texte von besonderer Kuriosität, die eher anzudeuten schienen, daß Thomas Mann Ehrenmitglied der SED als Ehrenbürger von Weimar geworden war.
[...]
Unmöglich aber, in Eisenach gewesen zu sein und keinen Blick auf die Wartburg geworfen zu haben, die da oben auf ihre Art die «Nationale Front» der Deutschen repräsentierte. Der Burgwart, Professor Nebe, der sonst immer zum Vergnügen vieler Besucher doppelbödig historische Anekdoten erzählte, was man ihm bei der Obrigkeit seit langem verübelte, zeigte sich ausnahmsweise sehr loyal und wies Thomas Mann auf das große vergoldete Kreuz hin, das auf dem höchsten Turm der Burg in das Land grüßte. Die Nazis hätten es zu mehreren Malen herabgestürzt und schließlich ganz zu entfernen befohlen, nun aber dürfe es wieder Zeugnis ablegen von dem Geist, der diesen historischen Ort beseelt habe. Thomas Mann wandte sich daraufhin an den Bischof und meinte scherzhaft, daß «die Brüder von der anderen Fakultät» sich denn eigentlich doch recht tolerant zeigten. Der Bischof lächelte verlegen, die roten Prominenzen etwas hintergründiger. Eilends wurden auch noch ein paar Pressefotos gemacht, Thomas Mann mit Wartburg, auch mit Buick, Wartburg und Thomas Mann, die dann durch die Ostpresse liefen, wobei der Bischof allerdings aus dem Bild verloren ging. Dann stand man an der Zonengrenze bei Wartha. Abschiedsreden und Händedrücke, fröhliche Mienen bei der Prominenz, skeptischere bei den Manns. Ich hatte den kindischen Wunsch, den letzten Händedruck zu ergattern, bekam ihn auch und rief, bevor ich den Wagenschlag zuschlug: «Vergessen Sie uns hier drüben nicht!» Dann fuhr der Buick an den von Berlin her instruierten sowjetischen Wachen und den salutierenden Polizeiposten vorbei in den anderen Teil Deutschlands, wo nicht nur die Ehrenbürger das Recht haben, von der Freiheit und der Würde des Individuums zu reden. Wir blieben hinter dem schon leicht abgenutzten roten Triumphbogen mit dem hölzernen Sowjetstern zurück und winkten. Manch einem traten die Tränen in die Augen.

Heinz Winfried Sabais, Thomas Mann in Weimar

Nachspiele

Offener Brief AN THOMAS MANN

VON PAUL OLBERG, STOCKHOLM

Sehr geehrter Herr Professor!

[...] Das Verhalten der deutschen politischen Parteien legt, meiner Meinung nach, keineswegs Zeugnis von einem Willen ab, ein neues Deutschland auf den Grundlagen der Völkerverständigung, der Toleranz, der Menschenrechte und der Demokratie überhaupt aufzubauen.

Vielmehr kennzeichnet sich die neueste Entwicklung in Deutschland in erschreckender Weise durch zunehmenden Ultranationalismus, Chauvinismus, Antisemitismus und Völkerhaß. All das wird zur Genüge bezeugt durch schlimme Taten, Reden führender Personen und einwandfreie Berichte. Es dürfte Ihnen sicher nicht unbekannt sein, daß ziemlich umfangreiche deutsche Kreise nicht vor der Dreistigkeit zurückscheuten, eine Rehabilitierung der nazistischen Hauptkriegsverbrecher des Nürnberger Prozesses zu fordern. Laut ihrem Programm sollen nazistische Untaten überhaupt nicht mehr bestraft werden. Nazistische Führer und Funktionäre beginnen erneut und ganz offen eine politische Rolle zu spielen. Sie werden um so anmaßender, je mehr Beweise sie zu haben glauben, daß die Stunde ihrer erneuten Herrschaft wieder geschlagen habe. Und wie sollten sie nicht? Fordern doch auch Menschen, die sich fortschrittlich-demokratischer Gesinnung rühmen, es sei nun endlich an der Zeit, die Verbrechen des nazistischen Regimes zu «vergessen». Muß es nicht schlimm um die Mentalität breiter deutscher Volksschichten stehen, wenn selbst die Führung der Sozialdemokratischen Partei Deutschlands als Sprachrohr der nationalistischen Politik auftritt und aggressive Parolen gegen die Westmächte ausgibt?

Wenn man trotzdem manche Argumente zugunsten Ihres Besuches und Ihrer Vorträge in den Westzonen anführen kann, so muß dagegen Ihr Auftreten in Weimar, also in der deutschen Ostzone, Ihre Annahme des Goethe-Preises und des Ehrenbürgerrechtes, erteilt vom russischen Gewaltregiment, bei allen Freunden der Freiheit und der Demokratie das größte Erstaunen erwecken. Freilich, Sie brachten in Ihrer Ansprache in Frankfurt am Main den Gesichtspunkt zum Ausdruck, wonach für Sie keine Zonen beständen. Ihr Besuch, so sagten Sie, gälte Deutschland selbst, und die deutsche Sprache sei Ihre Heimat. Gestatten Sie mir, zu bemerken, daß diese Motivierung doch sehr den Eindruck einer Abstraktion, um nicht zu sagen einer künstlichen Konstruktion macht, die mit dem, was wirklich in der russischen Zone Deutschlands ist und vor sich geht, recht kurzen Prozeß macht. Es ist, mit andern Worten, eine Fiktion, eine Selbsttäuschung, wenn man sagt, daß es für eine Kulturnation wie für einen Dichter in Deutschland keine Zonen gäbe. Dieser Behauptung widerspricht in allem und jedem die offensichtliche Tatsache, daß der Gemeinsamkeit der Sprache zum Trotz Deutschland durch eine tiefe Kluft getrennt ist. Infolge ihrer verschiedenartigen politischen Verwaltungssysteme, viel mehr aber noch wegen der Ungleichheit ihrer sozialen Verhältnisse stellen die Westzonen und die Ostzone zwei verschiedene Welten dar. Ungeachtet gewisser durch das Besetzungsstatut bedingter Einschränkungen sind in den Westzonen dem Volke politische Freiheiten und staatsbürgerliche Rechte garantiert. Hingegen herrscht in der russischen Zone ein ausgesprochen totalitäres Regime. Die Freiheit des Wortes, der Vereinsbildung, der persönlichen Unantastbarkeit, mit einem Wort die politische Freiheit, wird rücksichtslos unterdrückt. Nur die Kommunistische Partei, die nach dem Diktat der Okkupationsverwaltung handelt, genießt Rechte und wirtschaftliche Privilegien. Selbst die Sprache, das Grundelement der nationalen Kultur, auf die Sie sich als ein verbindendes Glied eines einheitlichen Deutschlands berufen, wird in der russischen Zone als ein Instrument der Unterdrückungspolitik gehandhabt. Sie kommt als ein Faktor zur Förderung des geistigen Lebens des Volkes nicht in Betracht. Der Schriftsteller, der Dramaturg, der Journalist, der Schauspieler in der Ostzone ist ebensowenig frei, wie er im nazistischen Deutschland frei war; er darf nur das produzieren, was den Gewalthabern genehm ist. Tausende und aber Tausende deutscher Sozialdemokraten und bürgerlicher Demokraten schmachten nur wegen ihrer Überzeugung in den Konzentrationslagern der Ostzone. Die Methoden der Behandlung der politischen Gefangenen können an Grausamkeit mit den Zuständen in den Hitlerschen Lagern wetteifern. Und sie sind, wie gesagt, in russische Kerker auf deutschem Boden nur deshalb geworfen worden, weil sie die brutale russische Gewaltherrschaft nicht anerkennen wollten. In der Ostzone ist Zwangsarbeit für Männer und Frauen an der Tagesordnung. Im Grunde genommen spiegeln die Zustände in der Ostzone nur das sowjetrussische Regime wider, das Regime des reaktionärsten Polizeistaates in Europa, in dem Zwangsarbeit, oder genauer gesagt, Sklavenarbeit im Gesetzbuch offiziell verankert ist. [...]

Ihr ergebener Paul Olberg.

Volksrecht, Zürich, 9. September 1949

Thomas Manns Antwort

27. August 1949

Sehr geehrter Herr Olberg,
[...]
Ihr Brief ist wohlwollend, aber überbesorgt. Ich habe ganz und gar nicht das Gefühl, mir mit der «Ansprache im Goethe-Jahr», die ich in Frankfurt und Weimar hielt, etwas vergeben, meine Emigration, meine Haltung im Kriege verleugnet zu haben. Über die «Nationale Revolution» von 1933 habe ich gesagt: «Vergiftet schien mir Deutschland, nicht erhoben. Verfratzt und verfremdet, bot es mir keine Atemluft mehr. Es gab keine Rückkehr ... Wäre mein tiefer Haß auf die Verderber des Landes vom deutschen Bürgertum, vom deutschen Volk entschiedener und durchgehender geteilt worden, – es hätte mit Deutschland nicht zu kommen brauchen, wohin es gekommen ist.» Hier fiel Applaus ein. Nennen Sie es eine Entschuldigung?

Nie und nirgends habe ich gesagt, daß man die Nazigreuel vergessen müsse. (Ich habe mehr als einmal ganz das Gegenteil gesagt.) Und niemals habe ich behauptet, daß der gegenwärtige Geisteszustand der deutschen Massen besonders glücklich und Hoffnung erweckend sei. Daß er es nicht ist, hat seinen Grund zum Teil im deutschen Volke selbst, zum andern in einer unglückseligen Weltkonstellation, die die schlechten Elemente in Deutschland begünstigt, die guten zurückdrängt. Ich bin in die alte Heimat gegangen, weil es mir unmöglich schien, im Jahr der Feier von Goethes 200. Geburtstag in England, Schweden, Dänemark und der Schweiz über Goethe zu sprechen, nur nicht in Deutschland. Ich bin auch gegangen in der leisen Hoffnung, daß mein Besuch jenen bedrängten besseren Elementen in Deutschland vielleicht eine kleine Hilfe, wenn auch nur eine seelische, moralische, bedeuten könnte. Fast hätte es den Anschein, als ob es so wäre.

Nach Weimar bin ich gegangen, weil ich die «tiefe Kluft», die, wie Sie sagen, durch Deutschland läuft, beklage und der Meinung bin, daß man sie nicht vertiefen, sondern womöglich, sei es auch nur festlich-augenblicklicher Weise, überbrücken soll. Die Leute dort haben mir Dank gewußt dafür, daß ich sie nicht vergaß, sie nicht als verlorene Kinder Deutschlands behandelte, die man wie Pestkranke meiden muß, sondern daß ich auch zu ihnen kam und zu ihnen sprach, wie zu Auch-noch-Deutschen.

Vielleicht wissen Sie nicht, daß das politische Regime in Thüringen kein reines Ein-Partei-System ist. Nicht-Kommunisten sitzen in der Regierung, noch mehr im Stadtrat. So ist der Oberbürgermeister von Weimar, Buchterkirchen, der mich eingeladen hatte, christlicher Demokrat. Die Einleitungsrede bei der Feier im bewundernswert erneuerten Nationaltheater hielt Kirchenrat Hermann, Vorsteher der Stadtverordneten, ein Geistlicher also, dem manches Wort erlaubt war, über dessen evangelische Freiheit Sie sich gewundert hätten. In Eisenach hatte zur Begrüßung auch der Landesbischof, sein goldenes Kreuz auf der Brust, sich eingefunden, zum Dank dafür, daß ich die 20 000 Ost-Mark des Goethepreises für den Wiederaufbau der Weimarer Herder-Kirche gestiftet hatte, – eine Verwendung, die nicht so ganz nach dem Sinn der Kommunisten gewesen sein mag.

Daß von diesen unsere Fahrt durch Thüringen zu einem Volksfest gestaltet wurde, wie ein Schriftsteller es wohl selten oder nie zu bestehen hatte, mit Fahnen, Blumen, Girlanden, Spruchbändern, Ehrentrünken, singenden Kindern und ausgerückten Stadtmusiken, danke ich einer Sympathie, die ich mir durch ein Bekenntnis zum Kommunismus nie erworben habe. Meine öffentliche Meditation darüber, daß in dem ungeheuren Russenlande Autokratie und Revolution durch viele Jahrzehnte einen grausamen Kampf gegeneinander geführt, sich nun aber, im Resultat, zusammengefunden haben, daß wir eine autokratische Revolution vor Augen haben, die sich der selben unheimlichen Methoden bedient wie der Polizeistaat der Zaren, wenn auch zu ganz verschiedenen Zwecken, – diese Betrachtung ist von der russischen Presse sehr übel aufgenommen worden. Trotzdem, die Tatsache allein, daß ich mir vorbehalte, einen Unterschied zu machen zwischen dem Kommunismus zum Menschheitsgedanken – und der absoluten Niedertracht des Faschismus; daß ich mich weigere, an der Hysterie der Kommunistenverfolgung und der Kriegshetze teilzunehmen und dem Frieden zugunsten rede in einer Welt, deren Zukunft ohne kommunistische Züge ja längst nicht mehr vorzustellen ist, – dies allein genügt offenbar, mir in der Sphäre jener Sozialreligion ein gewisses Vertrauen einzutragen, um das ich nicht geworben habe, das aber als ein schlechtes Zeichen für meine geistige und moralische Gesundheit zu empfinden mir nicht gelingen will.
[...]

Ihr sehr ergebener Thomas Mann

Antwort an Paul Olberg (XIII, 795 ff.)

Reisebericht

Nach den Vereinigten Staaten zurückgekehrt, publizierte Thomas Mann im «New York Times Magazine» vom 25. September 1949 einen Bericht über «Germany Today». Diese Impressionen erschienen im Dezember 1949 dann auch in der «Neuen Schweizer Rundschau», unter dem Titel «Reisebericht». Darin schreibt er:

In der Paulskirche schon hatte ich, unter Beifall, erklärt, daß mein Besuch dem alten Vaterlande als Ganzem gelte, daß es für mich keine Zonen gebe und hatte die Frage gestellt, wer denn die Einheit Deutschlands gewährleisten und repräsentieren solle, wenn nicht ein unabhängiger Schriftsteller, dessen wahre Heimat die freie, von Besatzungszonen unberührte deutsche Sprache sei. Dies war der Gesichtspunkt, unter dem ich – natürlich in vollem Einvernehmen mit der amerikanischen Behörde – die Fahrt nach Weimar unternahm, um meinen Dank abzustatten für die Verleihung des Ehrenbürgerbriefes der Stadt und des Goethe-Preises der Ost-Zone. Durfte ich nicht einigen optimistischen Gebrauch von der Tatsache machen, daß einmal, in kultureller Sphäre, abseits und oberhalb von allen ideologischen, politischen, ökonomischen Gegensätzen, eine Übereinstimmung sich ergeben hatte und beide Preise demselben Schriftsteller – gleichviel welchem – zugesprochen worden waren? Ich tat es bei der Feier in dem geschmackvoll erneuerten Nationaltheater, einer Veranstaltung, deren Regie von größter Würde war, und bei der mir die beiden von einem Künstler der Buchbinderei prachtvoll ausgestatteten Dokumente überreicht wurden. Vertreter der Regierung, der Stadt und der russischen Okkupationsmacht wohnten ihr bei. Wie bei allen offiziellen Gelegenheiten trug ich die kleine Kokarde der American Academy of Arts and Sciences im Knopfloch, und ich sprach als Amerikaner, als ich in meiner Ansprache erklärte, daß in jeder sozialen Revolution die teuer bezahlten Errungenschaften der Menschheit, Freiheit, Recht und die Würde des Einzelwesens heilig bewahrt und in die Zukunft überführt werden müßten. An dieser Stelle meiner Rede brachen die 2000 Personen, welche die Halle füllten, in Beifall aus. Der russische Stadtkommandant, ehemaliger Metallarbeiter, ein Bär in weißer Bluse, neigte sein Ohr zu dem deutschkundigen Adlatus zu seiner Rechten, um sich das Gesagte übersetzen zu lassen.

[...]

Gewisse Gegner meiner Weimar-Fahrt hatten mich in Frankfurter Blättern mit einer Ironie, deren Bewunderung ich ihnen selbst überlasse, aufgefordert, doch ja das Lager Buchenwald zu besichtigen. So gut ich konnte, und unter der Hand, habe ich mich über die Zustände dort informieren lassen. Ich hörte, die Belegschaft bestehe zu einem Drittel aus schlechthin asozialen Elementen und verwilderten Landfahrern, zum zweiten Drittel aus Übeltätern der Nazi-Zeit und nur zum dritten aus Personen, die sich manifester Quertreibereien gegen den neuen Staat schuldig gemacht und notwendig hätten isoliert werden müßen. Folter, Prügel, Vergasung, die sadistische Erniedrigung des Menschen, wie in den Nazi-Lagern, gebe es dort nicht. Aber die Sterbeziffer sei hoch infolge von Unterernährung und Tuberkulose. Wo man überhaupt nicht viel zu essen habe, seien diese Ausgeschiedenen eben die letzten, die etwas bekämen. – Das Bild ist traurig genug. Wir wollen hoffen, daß es nicht auch noch zu schön gefärbt ist.

Im Übrigen ist es schwer, von dem Volksfest, zu dem Regierung und Stadt unseren Besuch gestaltet hatten, ein zulängliches Bild zu geben. Für einen Schriftsteller, eigentlich einen Mann der Stille und des zarteren Gedankens also, ist es durchaus nicht leicht, das rechte Gesicht zu machen, wenn er plötzlich in der Rolle des Nationalhelden und Volksführers eine stationenreiche Triumphstraße trommelnder und jauchzender Popularität zurückzulegen hat. Alles, was man an gutem Humor, bescheidwissender Menschenfreundlichkeit und Skepsis sein eigen nennt, will da aufgeboten sein, um glücklich und mit Anstand durch- und davonzukommen.

Reisebericht (XI, 501 ff.)

MEIN «KOMMUNISMUS»

An abgelegenem Ort, in der Zeitschrift «Extempore», Luzern, wollte Thomas Mann gegen den Vorwurf Stellung nehmen, er sei pro-kommunistisch. Im Tagebuch notiert er:

P. P. Donnerstag den 29. XII. 49
Gestern schloß ich den vehementen Aufsatz «Anläßlich einer Zeitschrift» ab und las ihn abends, unter Ausschluß von Borgese, der Familie vor. Es ist ein gutes Prosa-Stück, aber seine Veröffentlichung ist sehr zu bedenken, da sie mir hier den Hals brechen könnte. Bewegtheit Erikas, Einwände Golo' s. K. hält die Veröffentlichung mit ausgleichenden Retouchen für möglich. Längere Diskussion. –

Stellen aus dem Artikel:

Es tut hier eine persönliche Einschaltung not, bevor ich fortfahre. Über meinen «Kommunismus», meinen «Verrat an der Freiheit», meine «Verherrlichung von Gewalt und Rechtlosigkeit» ist letzthin, besonders in der westdeutschen Presse viel Zetermordio geschrieen worden. Es ist kein wahres Wort daran. Zwar halte ich die russische Revolution für ein geschichtliches Ereignis ersten Ranges und glaube, daß der jetzt wütende sozioökonomische Gegensatz zwischen Ost und West sich einmal ausgleichen und, wie frühere Polaritäten, sich in der Civilisation auflösen wird. Dann wird sich wahrscheinlich zeigen, daß die Rezeption sogenannter östlicher Ideen durch den Westen stärker war, als umgekehrt. Aber wiederholt habe ich meiner tiefen Abneigung gegen die Methoden des Polizei-Staates Ausdruck gegeben: gegen das «Abgeholt» werden und Verschwinden von Menschen, gegen Rechtsunsicherheit und Konzentrationslager, gegen totalitäre Gängelung der Kultur, verordnete Kunst, die Bestimmung ihres Niveaus von unten her, nach unbelehrtem Geschmack.
[...]
Um den Sowjet-Staat stehe es so schlecht, wie unsere Zeitungsüberschriften es ausschreien – ich finde nicht, daß es bei uns sehr gut steht. Wer wollte leugnen, daß seit Franklin Roosevelts Tagen, seit der Zeit, als «der große Präsident», wie das Schweizer Blatt ihn noch nennt, zu einer gemeinnützigen Ordnung der Weltwirtschaft, einer Verschmelzung der wirtschaftlichen Interessen aller Rassen und Völker nicht ohne Widerhall aufforderte; seit er einen Frieden verkündete, der aus der Unterordnung der Wirtschaft unter eine Rechtsordnung hervorgehen sollte; seit er erklärte: «In der künftigen Welt darf der Mißbrauch der Macht, wie er sich in dem Wort ‹Machtpolitik› ausdrückt, nicht der herrschende Faktor in den internationalen Beziehungen sein», – daß seitdem ein erschreckender moralischer Abstieg in diesem Lande und zugleich ein erschütterndes Hinschwinden seines moralischen Ansehens in der Welt sich vollzogen haben? Daran ändert nichts, daß sehr viele dies gar nicht wissen und verstehen.

Thomas Mann bezeichnete diese ausführliche Stellungnahme als sein «J'accuse». Sie ist damals nicht veröffentlicht worden, blieb aber im Nachlaß erhalten. Abgedruckt ist sie in: Tagebücher 1949–1950, S. 669–681.

Thomas Mann 1949

Klaus Manns Freitod in Cannes

Klaus Mann nahm sich am 21. Mai 1949 in Cannes das Leben. Die Nachricht erreichte Thomas Mann in Stockholm:

Bei Ankunft im Hotel schwerster Chock. Telegramm, daß Klaus in der Klinik von Cannes in verzweifeltem Zustand liege. Bald darauf Telephonat von seiner u. Erikas Freundin dort: Mitteilung seines Todes. Langes Beisammensein in bitterem Leid. Mein Mitleid innerlich mit dem Mutterherzen und mit E.. Er hätte es ihnen nicht antun dürfen. Die Handlung offenbar von ihm selbst unerwartet geschehen, mit Schlafkapseln, die er aus einer New Yorker Drogerie bezog. Sein Aufenthalt in Paris verhängnisvoll (Morphium). Viel über ihn und den von langer Hand unwiderstehlich wirkenden Todeszwang. Das Kränkende, Unschöne, Grausame, Rücksichts- und Verantwortungslose. Beratung auch über unsere Reisezukunft, ob alles abzubrechen und direkte Heimkehr geboten. In völliger Erschöpfung gegen 2 zu Bette.

Tagebuch, 22. Mai 1949

Damit war ein Vater-Sohn-Drama an sein Ende gekommen, das beiden Beteiligten über Jahrzehnte hinweg den Atem genommen hatte. In den Tagebüchern finden sich genug Stellen, die zeigen, wie rettungslos das Ganze war. Der Sohn beneidete den Vater um seines Werks willen. Thomas Mann stand ihm im Wege wie nur je ein Vater dem Sohn im Wege gestanden ist. Am 30. März 1938 notiert sich Klaus Mann:

Verschiedenes spricht dafür, daß Z. in Hollywood wirklich großen Abschluß getätigt. Meine Reaktion – mir selbst überraschend und eigentlich fatal –: ich muß mir zugeben, Neid und eine sinnlose Gekränktheit überwiegen. Er siegt, wo er hinkommt. Werde ich je aus seinem Schatten treten? Reichen meine Kräfte so lang? … Bref: «große Männer» sollten doch wohl keine Söhne haben …

«Er siegt, wo er hinkommt.» Ein Leben lang leidet Klaus Mann unter der Kälte, die Thomas Mann ihm entgegenbringt:

Empfinde wieder sehr stark, und nicht ohne Bitterkeit, Z.'s völlige Kälte, mir gegenüber. Ob wohlwollend, ob gereizt (auf eine sehr merkwürdige Art «geniert» durch die Existenz des Sohnes): niemals interessiert; niemals in einem etwas ernsteren Sinn mit mir beschäftigt. Seine allgemeine Interesselosigkeit an Menschen, hier besonders gesteigert. – Konsequente Linie von der ungeheuer oberflächlichen – weil uninteressierten – Schilderung in «Unordnung», bis zu der Situation: mich in dieser Zeitschriftensache glatt zu vergessen. Dieses trifft meine Freunde mit, (im aktuellen Fall: F.) – Verstehe nur zu genau Bruno F.'s Zorn über diese tiefe Uninteressiertheit, eigentliche Unnahbarkeit. – Reizende Äußerungen, wie etwa gelegentlich «Flucht i. d. N.» oder «Mephisto» kein Gegenbeweis. Schreibt an gänzlich Fremde ebenso reizend. Mischung aus höchst intelligenter, fast gütiger Konzilianz – und Eiseskälte. – Dies alles mir gegenüber besonders akzentuiert. Ich irre mich nicht.

Klaus Mann, Tagebuch, 25. Februar 1937

Klaus Mann wurde im Dezember 1942 in die US-Army einberufen
Nach der Grundausbildung und Dienst in verschiedenen Camps in den USA wurde er im Dezember 1943 mit einem Truppentransport nach Europa versetzt. 1944 nahm er am alliierten Feldzug in Italien teil, wurde Mitarbeiter der US-Armeezeitung «Stars and Stripes» und kam im Mai/Juni als Berichterstatter nach Österreich und Deutschland. Am 28. September 1945 wurde er aus dem Armeedienst entlassen.

Woher kam diese «besondere» Kälte? Klaus Mann hatte ausgelebt, was der Vater sich verbot. Thomas Mann sah in seinem Sohn sein alter ego: So hätte er gelebt, so wäre er gestorben, wenn er sich nicht frühzeitig eine «Verfassung» gegeben und damit seine Gesellschaftsfähigkeit gerettet hätte. Er fürchtete und er haßte dieses alter ego. Von hier aus ist zu verstehen, was er schon zu Tonio-Kröger-Zeiten sich notierte: «Man ist als Litterat innerlich immer Abenteurer genug. Äußerlich soll man sich gut anziehen, zum Teufel, und sich benehmen wie ein anständiger Mensch.» Niemand kann etwas für seine Veranlagung. Thomas Mann hatte seine homophilen Neigungen unterdrückt, er war auf Distanz gegangen, zum Augenerotiker geworden. Klaus Mann hatte sich seiner Veranlagung hemmungslos und ohne Gewissensbisse hingegeben. Der Preis war Einsamkeit, schließlich der Untergang. Klaus Mann hatte auch das mit ungemeinem Scharfblick erkannt:

Heute Nacht beim «Wagner»-Lesen notiert, daß das Thema der «Verführung» für Zauberer so charakteristisch – im Gegensatz zu mir. Verführungsmotiv: Romantik – Musik – Wagner – Venedig – Tod – «Sympathie mit dem Abgrund» – Päderastie. Verdrängung der Päderastie als Ursache dieses Motivs (Überwindung der «Verführung» bei Nietzsche; siehe Wagner.) – Bei mir anders. Primärer Einfluß Wedekind – George. – Begriff der «Sünde» – unerlebt. Ursache: ausgelebt. Päderastie. Rausch (sogar Todesrausch) immer als Steigerung des Lebens, dankbar akzeptiert; nie als «Verführung». Noch im Fall der Drogen so, die höchstens physisch für mich gefährlich, nicht psychisch. Grundsätzlich nichts abgelehnt. Todesverbundenheit: Teil des Lebensgefühls. Auch Wagner wäre also ungefährlich –: wenn er überhaupt Verführungstiefe für mich hätte, was er nicht hat.

Klaus Mann, Tagebuch, 4. April 1933

Als Thomas Mann 1952 den «Wendepunkt» liest, notiert er sich:

Las viel in dem Buch, bewegt von den späteren Teilen, dann doch recht gequält von Vielem. Eine kranke Literaten-Existenz, angezogen von allem Faulen, was schon recht wäre, wenn es dabei auch einen Sinn für das Gesunde, Lebengesegnete, Heilvolle gäbe. Wo ist ein Interesse an Goethe, Tolstoi, kurz an der Kraft und irgendwelcher Erquickung durch sie?

Tagebuch, 27. Mai 1952

Klaus Mann in seinem letzten Lebensjahr, Cannes 1949

Der Tod Heinrich Manns

In Amerika Fuß zu fassen, wie sein Bruder es getan, gelang Heinrich Mann nicht. In tiefer Einsamkeit, mehr und mehr in die Vergangenheit eingesponnen, vollendete er seine Alterswerke, die Romane «Empfang bei der Welt» und «Der Atem». Dazu kam sein Memoiren-Werk «Ein Zeitalter wird besichtigt». «Mag sein, daß zuletzt die persönliche Gegenwart zurücktritt hinter die Erinnerungen. Ohne Vorsatz und kaum daß ich weiß warum, habe ich plötzlich angefangen, ‹Buddenbrooks› zu lesen», gesteht er seinem Bruder am 15. 4. 1942. Aus dieser Zeit stammen auch einige Dutzend Zeichnungen, die auf Jugenderlebnisse zurückgehen und einen manchmal wie Illustrationen zu «Buddenbrooks» oder «Professor Unrat» anmuten.
Heinrichs Frau Nelly war am 18. 12. 1944 gestorben. In ihrer inneren Verelendung hatte sie zum Alkohol gegriffen. Heinrich selbst arbeitete unentwegt weiter, aber er wurde zusehends teilnahmsloser; schließlich starb er, am 12. März 1950, an einer Gehirnblutung. In den letzten Monaten seines Lebens beunruhigte ihn ein Angebot der Ostberliner Akademie der Künste: Er sollte deren Präsidentschaft übernehmen. «Mag sein, man will mich herumzeigen und verkünden, daß wieder einer zurückkehrt.» Und doch: Man versprach ihm eine Villa, einen Wagen mit Chauffeur. War es, in hohem Alter, endlich der Ruhm, die Anerkennung? Er wollte mit einem polnischen Schiff nach Danzig fahren, von dort nach Berlin weiterreisen. Der Tod war schneller.

Am 12. März 1950, kurz vor der bevorstehenden Rückkehr nach Deutschland, starb Heinrich Mann, 79jährig, in Santa Monica.

THOMAS MANN ÜBER SEINEN BRUDER, 1946

Die Entfernungen hierzulande sind beschwerlich. Die zwischen seinem Platz und unserem könnte hinderlicher sein: Sie beträgt eine halbe Stunde Wagenfahrt, wenn man Glück hat mit den Lichtern. Es ist so, daß wir näher dem Ozean, schon in den Hügeln von Santa Monica leben, während er in städtischerer Gegend, landeinwärts, nicht gerade down-town, aber in Los Angeles doch, seine Wohnung hat. Gern, einmal wöchentlich gewiß, läßt er sich von uns ins Ländliche holen und verbringt die Stunden vom Lunch bis zum Dunkelwerden bei uns. Zur Abwechslung finden wir uns bei ihm zu einer Art von Picknick-Abendessen ein, das außerordentlich gemütlich zu sein pflegt und nach welchem er uns, nach Befinden, aus neuen Merkwürdigkeiten liest, die er geschrieben, oder von dem zu hören verlangt, was ich zustande gebracht.

Man plaudert, man spricht von der Vergangenheit, von italienischen Tagen, von unseres Lebens wunderlicher Führung, in deren Billigung wir uns finden, von den Zeitereignissen. Seine Art, sich über diese zu äußern, könnte man jovial nennen, da sie nicht weit entfernt ist von dem, was kritische Beobachter Goethe's seine «Toleranz ohne Milde» nannten. Nein, milde ist er nicht, aber duldsam von oben herab und recht pessimistisch. Dem Faschismus verheißt er noch eine große Zukunft – natürlich, denn da nie ernstlich und ungebrochenen Willens gegen ihn Krieg geführt wurde, ist er auch nicht geschlagen und wird bewußt, halbbewußt, am liebsten unbewußt begünstigt so gut wie zur Zeit des appeasement. [...]

Es gibt über diese Dinge zwischen uns keine Meinungsverschiedenheiten. Zu seiner Nichte Erika, meiner Ältesten, hat er auf einer Heimfahrt von uns einmal gesagt: «Mit Deinem Vater verstehe ich mich politisch jetzt wirklich recht gut. Etwas radikaler ist er als ich.» Das klang unendlich komisch, aber was er meinte, war unser Verhältnis zu Deutschland, dem teuern, auf das er weniger zornig ist als ich, aus dem einfachen Grunde, weil er früher Bescheid wußte und keinen Enttäuschungen ausgesetzt war.

[...]

«Wie heute die Dinge liegen», meinte er kürzlich, «bleibt man am besten zu Hause.» Auch das kam rührend komisch heraus, denn es ist ja, gelinde gesagt, ein etwas zufälliges Zuhause, das er so nennt, – irgendwo in der Gegend, wo Los Angeles in Beverly Hills übergeht. Er hängt aber an seiner bequemen kleinen Parterre-Wohnung, South Swall Street, von wo er zu Fuß seine Einkäufe machen kann und durch die noch der Atem der Verstorbenen weht. Der nach der Straße gelegene living-room, gut eingerichtet, mit elegantem Schreibtisch, den er aber nicht benützt, da er zurückgezogen im Schlafzimmer arbeitet, hat einen vorzüglichen Radio-Apparat, und viel hört er abends Musik – in Kalifornien ausgerechnet hat er seine Kenntnis des symphonischen Weltbestandes bedeutend erweitert und vertieft. Zu bestimmten Stunden des Tages liest er französisch, deutsch und englisch, und zwar, wenn die Prosa es wert ist, laut. Am Morgen, wenn er seinen starken Kaffee gehabt, früh sieben Uhr wohl bis Mittag, schreibt er, produziert unbeirrbar in alter Kühnheit und Selbstgewißheit, getragen von jenem Glauben an die Sendung der Literatur, den er so oft in Worten von stolzer Schönheit bekannt hat, – fördert das aktuelle Werk, indem er, immer noch mit eingetauchter Stahlfeder, Blatt auf Blatt mit seiner überaus klaren und deutlich ausgeformten Lateinschrift bedeckt, – gewiß nicht mühelos, denn das Gute ist schwer, aber doch mit der trainierten Fazilität des großen Arbeiters.

Da entstehen denn die unermüdeten, von seines Geistes Siegel unverwechselbar geprägten Neuigkeiten, von denen man bald hören wird: die in eigentümlichem Emaille-Glanz historischen Kolorits leuchtenden episch-dramatischen Szenen, die, überraschende Stoffwahl, dialogisch das Leben des preußischen Friedrich erzählen; der Roman ‹Empfang bei der Welt›, gespenstische Gesellschaftssatire, deren Schauplatz überall und nirgends; ein neuer Roman schon wieder, ich weiß noch nicht welchen Gegenstandes; vor allem (ich finde: vor allem) das faszinierende Memoiren-Buch ‹Ein Zeitalter wird besichtigt›, von dem große Teile in der Moskauer ‹Internationalen Literatur› zu lesen waren und dessen englische Übersetzung abgeschlossen ist: eine Autobiographie als Kritik des erlebten Zeitalters von unbeschreiblich strengem und heiterem Glanz, naiver Weisheit und moralischer Würde, geschrieben in einer Prosa, deren intellektuell federnde Simplizität sie mir als die Sprache der Zukunft erscheinen läßt.

Bericht über meinen Bruder, 6. Februar 1946 (XI, 477 ff.)

Heinrich Mann, um 1949

Heinrichs Abschied

In seinem letzten Roman, «Der Atem», hat Heinrich Mann noch einmal zu seinem Bruder gesprochen. Die sterbende Maria Theresia von Traun, Baronin Kowalski, sagt zu ihrer Schwester, der erfolgreicheren Marie-Louise, Duchesse de Vigne: «Marie-Lou, hasse mich nicht, weil ich lebte, oder weil ich sterbe. Ich weiß, du hasstest mich nur mit Selbstverleugnung, wir waren doch Schwestern. […] Wir kränkten uns mit unserer Unabänderlichkeit, gleichwohl habe ich dich geliebt, Marie-Lou, am meisten, wenn wir verfeindet waren. Du weißt es. Weißt du es nicht?» Aus dem Traum spricht sie weiter: «‹Sehr jung war ich, als du mir schon ansahest, daß ich es bis zu dem Rang einer Sternkreuzordensdame niemals bringen werde. Es verstimmte dich, obwohl du schon damals vorgehabt hast, mich zu überholen. […] Dich verstimmte, daß ich den Wettbewerb ausschlug, anstatt trotz Widerstand besiegt zu werden. Dies währte bis du für endgültig hinnahmest, deine, nicht meine Natur sei der Erfolg.›» Der Wirklichkeit schon entrückt, fügt sie bei: «‹Marie-Louise, ma soeur bien aimée, tu m'as vaincue et bien vaincue, est-ce là une raison pour me haïr? […] Mußt du allein sein, dann wärest du es gern mit mir, bevor es endet. Wir dürfen uns wieder lieben. War es doch von Haus aus, mit allem, was uns bevorstand, daß wir uns liebten so gut wie haßten.›»

Thomas Manns Nachruf

Er war in letzter Zeit sehr alt geworden, heimgesucht von wechselnden Leiden. Er arbeitete nicht mehr, schrieb einige Briefe, in denen er von den Vorbereitungen zu seiner Abreise sprach, las ein wenig und hörte Musik. Mit der Produktivität ist es sonderbar: wird man schließlich zu müde für sie, so vermißt man sie auch nicht; ich habe ihn nie über das Versagen seiner Arbeitskraft klagen hören, sie ließ ihn scheinbar ganz gleichgültig. Auch wußte er wohl, daß sein Werk – ein gewaltiges Werk! – getan war, wenn auch sein letztes ganz großes Unternehmen, die in eigentümlichem Emailleglanz historischen Kolorits leuchtenden episch-dramatischen Szenen, welche (überraschende Stoffwahl!) dialogisch das Leben des preußischen Friedrich erzählen, unvollendet liegenblieb. Was liegt daran, daß diese Fragmente Fragment blieben! Sein Kunsterleben ist vollendet ausgeklungen in den beiden letzten Romanen, dem ‹Empfang bei der Welt›, einer geisterhaften Gesellschaftssatire, deren Schauplatz überall und nirgends ist, und dem ‹Atem›, dieser letzten Konsequenz seiner Kunst, Produkt eines Greisen-Avantgardismus, der noch die äußerste Spitze hält, indem er verbleicht und scheidet.

Auf ebendieselbe Weise hat der große Essayist sich vollendet in dem faszinierenden Memoirenbuch ‹Ein Zeitalter wird besichtigt›, einer Autobiographie als Kritik des erlebten Zeitalters von unbeschreiblich strengem und heiterem Glanz, naiver Weisheit und moralischer Würde, geschrieben in einer Prosa, deren intellektuell federnde Simplizität sie mir als Sprache der Zukunft erscheinen läßt. Ja, ich bin überzeugt, daß die deutschen Schullesebücher des einundzwanzigsten Jahrhunderts Proben aus diesem Buch als Muster führen werden. Denn die Tatsache, daß dieser nun Heimgegangene einer der größten Schriftsteller deutscher Sprache war, wird über kurz oder lang auch von dem widerstrebenden Bewußtsein der Deutschen Besitz ergreifen.

Seinen letzten Abend hatte er ungewöhnlich ausgedehnt, hatte bis gegen Mitternacht mit Genuß Musik gehört und war von seiner Pflegerin nur schwer zu überreden gewesen, zu Bette zu gehen. Dann, man weiß nicht zu welcher Nachtstunde, im Schlaf, die Gehirnblutung, ohne Laut oder Regung von seiner Seite. Am Morgen war er einfach nicht mehr zu erwecken. Das Herz arbeitete noch bis in die Nacht hinein weiter, bei nicht mehr meßbarem Blutdruck und längst unstörbarer Bewußtlosigkeit. Es war im Grunde die gnädigste Lösung.

Die Trauerfeier war würdig. Feuchtwanger und Reverend Stephen Fritchman von der Unitarian Church sprachen, und das Temianka-Quartett spielte einen schönen langsamen Satz von Debussy. Das hätte ihm zugesagt. Dann folgte ich dem Sarge über den warmen Rasen des Friedhofs von Santa Monica.

An die Germanic Review, 29. März 1950 (X, 521 f.)

Der Erwählte

Stab und Stütze war ihm in den letzten Amerika-Jahren wie immer sein Werk. Am 21. 1. 1948 hatte er die ersten Zeilen der Gregorius-Legende geschrieben. Am 26. 10. 1950 beendete er das Werk: «Schrieb die letzten Zeilen von ‹Der Erwählte› und das Valete.» Das Buch handelt von Sünde und Gnade. Die Sünde ist die des Triebes, hier in der Form der Blutschande, des Inzests. Können Reue und Buße aus der Schuld befreien? Nach Luthers Auffassung ist Selbstrettung nicht möglich: Die Gnade ist allein bei Gott.

Die alte fromme Geschichte von Gregorius erscheint im «Erwählten» als Parodie. Das Lächeln solcher Parodie ist «eher melancholisch als frivol, und der verspielte Stil-Roman, die Endform der Legende, bewahrt mit reinem Ernst ihren religiösen Kern, ihr Christentum, die Idee von Sünde und Gnade».

Glockenschall, Glockenschwall

Der «Glockenschall, Glockenschwall supra urbem» erweist sich als eine Reminiszenz aus Pfitzners «Palestrina»:

Gebt acht! Durch das Fenster von Palestrina's Arbeitsstübchen gewahrt man die Kuppeln von Rom. Ganz früh, am Ende der ersten Szene schon, als Silla, der hoffnungsvolle Eleve, der's mit den Florentiner Futuristen hält, hinausblickt, hin über Rom, und sich in gemütlich ironischen Worten von dem konservativen alten Nest verabschiedet, geht im Orchester, nach dem majestätisch ausladenden Motiv der Stadt, ein mäßig starkes, monotones Leiern in Sekunden an, das nicht enden zu wollen scheint, und dessen Sinn vorderhand unerfindlich ist. Die Leute tauschten verwunderte und lächelnde Blicke bei dieser sonderbaren Begleitung, und da war niemand, der einem so schrullenhaft nichtssagenden Einfall irgendwelche dramatische Zukunft prophezeit hätte. Ich sage: gebt acht! Seit damals ist in Wirklichkeit eine reichliche Stunde, illusionsweise aber eine ganze Nacht vergangen, und eine Welt von Dingen hat sich ereignet. Die schwindende Engelsglorie hat irdische Morgendämmerung zurückgelassen, rotglühend und rasch hebt sich der Tag über die Kuppeln draußen, das ist Rom, sein gewaltiges Thema wird breit und prunkend verkündet im Orchester, – und da, wahrhaftig, kommt auch das vergessene Leiern von gestern abend wieder in Gang, es gleicht einem Läuten, ja, das sind Glocken, die Morgenglocken von Rom, nicht wirkliche Glocken, nur nachgeahmt vom Orchester, doch so, wie hundertfach schwingendes, tönendes, dröhnendes Kirchenglockenerzgetöse überhaupt noch niemals künstlerisch nachgeahmt wurde, – ein kolossales Schaukeln von abenteuerlich harmonisierten Sekunden, worin, wie in dem vom Gehör nicht zu bewältigenden Tosen eines Wasserfalls, sämtliche Tonhöhen und Schwingungsarten, Donnern, Brummen und Schmettern mit höchstem Streichergefistel sich mischen, ganz so, wie es ist, wenn hundertfaches Glockengedröhn die Gesamtatmosphäre in Vibration versetzt zu haben und das Himmelsgewölbe sprengen zu wollen scheint.

Betrachtungen eines Unpolitischen (XII, 410 f.)

Der Erwählte

Wer läutet?

Glockenschall, Glockenschwall supra urbem, über der ganzen Stadt, in ihren von Klang überfüllten Lüften! Glocken, Glocken, sie schwingen und schaukeln, wogen und wiegen ausholend an ihren Balken, in ihren Stühlen, hundertstimmig, in babylonischem Durcheinander. Schwer und geschwind, brummend und bimmelnd, – da ist nicht Zeitmaß noch Einklang, sie reden auf einmal und alle einander ins Wort, ins Wort auch sich selber: an dröhnen die Klöppel und lassen nicht Zeit dem erregten Metall, daß es ausdröhne, da dröhnen sie pendelnd an am anderen Rande, ins eigene Gedröhne, also daß, wenn's noch hallt „In te Domine speravi", so hallt es auch schon „Beati, quorum tecta sunt peccata", hinein aber klingelt es hell von kleineren Stätten, als rühre der Meßbub das Wandlungsglöcklein.

Von den Höhen läutet es und aus der Tiefe von den sieben [illegible] erzheiligen Orten der Wallfahrt und allen ~~Pfarrkirchen der sieben Sprengel~~. Vom Aventin läutet's, von den Heiligtümern des Palatin und von Sankt Johannes im Lateran; es läutet über dem Grabe dessen, der die Schlüssel führt, im Vatikanischen Hügel, von Santa Maria Maggiore, in Foro, in ~~Domnica, und in~~ Domnicâ, in Cosmedin und in Trastevere; von Ara Celi, Sankt Paulus außer der Mauer, Sankt Peter in Banden und vom Haus zum hochheiligen Kreuz in Jerusalem. Aber von den Kapellen der Friedhöfe, den Dächern der Saalkirchen und Oratorien in den Gassen läutet es auch. Wer nennt die Namen und weiß die Titel? Wie es tönt,

1

Die erste Manuskriptseite des «Erwählten»

Arbeit am Mythos

Meine erste Berührung mit der Gregorius-Legende fiel in die Zeit der Arbeit am ‹Doktor Faustus›. Damals war ich auf der Suche nach produktiven Motiven für Adrian Leverkühn und las in dem alten Buch ‹Gesta Romanorum›, dessen Verfasser oder vielmehr Kompilator ein um 1230 verstorbener deutscher oder englischer Mönch namens Elimandus gewesen ist, einige Geschichten nach, die ich meinem Komponisten zur Verarbeitung als groteske Puppenspiele aufgab. Bei weitem am besten von ihnen gefiel mir eine, die in den ‹Gesta› auf wenig mehr als einem Dutzend Seiten erzählt ist und dort den Titel trägt: ‹Von der wundersamen Gnade Gottes und der Geburt des seligen Papstes Gregor›. Tatsächlich gefiel sie mir so gut, und so große erzählerische Möglichkeiten schien sie mir der ausspinnenden Phantasie zu bieten, daß ich mir gleich damals vornahm, sie dem Helden meines Romans eines Tages wegzunehmen und selber etwas daraus zu machen.

Ich wußte nicht, daß der Reiz, der auf mich von dem Gegenstande ausging, schon von vielen geteilt worden war und sie zur Nachbildung verlockt hatte. Außer der Geschichte von Joseph ist vielleicht keine so oft erzählt worden wie diese; aber nur Schritt für Schritt ließen mich meine Nachforschungen ihrer historischen Hintergründe und ihrer weitverzweigten, über ganz Europa bis nach Rußland hinreichenden Beziehungen, Verwandtschaften und Abwandlungen gewahr werden. Daß sie aus der Antike stammt, ein Ableger der Ödipus-Sage ist, liegt auf der Hand. Sie gehört in den Kreis, oder vielmehr in die lange Reihe von Ödipus-Mythen, in denen das vom Schicksal verhängte Motiv des Inzest-Greuels mit der Mutter (neben dem des Mordes am Vater) seine Rolle spielt und von denen die Legende von Judas Ischariot ein Beispiel ist.

Bemerkungen zu dem Roman ‹Der Erwählte› (XI, 687 f.)

Gesta Romanorum

das älteste

Mährchen- und Legendenbuch

des

christlichen Mittelalters

zum ersten Male vollständig aus dem Lateinischen in's Deutsche übertragen, aus gedruckten und ungedruckten Quellen vermehrt, mit Anmerkungen und einer Abhandlung über den wahren Verfasser und die bisherigen Ausgaben und Uebersetzungen desselben versehen

von

Dr. Johann Georg Theodor Gräße.

Erste Hälfte.

Die ersten 140 Geschichten enthaltend.

3. Ausgabe.

Unveränderter Neudruck der Original-Ausgabe von 1842.

Leipzig

Verlag von Richard Löffler.

1905.

Die Werke

Hartmanns von Aue.

IV.

Gregorius.

Herausgegeben

von

Hermann Paul.

Dritte Auflage.

Halle a. S.

Max Niemeyer.

1906.

In den «Gesta Romanorum» stieß Thomas Mann auf die Legende des Papstes Gregor. Von Hartmanns «Gregorius» ließ ihm Professor Samuel Singer, Bern, eine nhd. Übersetzung herstellen.

Urmensch und Mysterium

von

KARL KERÉNYI

46 KARL KERÉNYI

So erzählt Lukrez die Anthropogonie im Rahmen einer wissenschaftlichen Lehre von der Entstehung der Lebewesen auf der Erde. Die Quelle dieser Lehre ist mit großer Wahrscheinlichkeit zu erschließen, denn diese wird noch einmal vorgetragen: in der Weltgeschichte des Diodor von Sizilien, eines griechischen Historikers der Zeit des Augustus[4]. Ihm wurde sie vermutlich durch Hekataios von Abdera vermittelt; dieser entnahm sie aus einer Schrift des großen Philosophen von Abdera, Demokritos, dessen wissenschaftlichem Denken eine solche Lehre durchaus würdig ist. Demokrit war auch für Epikur eine große Autorität, und die Hypothese von *uteri* der Erde und von der «Milch», die sie zur Ernährung der ersten Menschen entwickelt habe, ist ausdrücklich als ein Gedanke Epikurs überliefert[5]. Danach war er selbst der Vermittler zwischen Demokrit und Lukrez und ihm gehörte – über die nüchterne, wissenschaftliche Lehre des Demokrit hinaus – auch schon jene Betonung, ja Ausmalung der mütterlichen Funktionen der Erde, die eher einem mythologischen als einem wissenschaftlichen Bild entsprechen. Bei Diodor fehlen diese Züge; sie fehlten also wohl auch bei Hekataios und Demokrit. Mit großer Liebe läßt hingegen Lukrez sie hervortreten, so daß wir sagen dürfen: er verbinde die naturwissenschaftliche Hypothese wiederum mit ihrem mythologischen Hintergrund, mit Erzählungen von der Abstammung der Menschheit von der Erde als der wahren Ur-Mutter.

Aus dem längern Abschnitt, der bei Lukrez das Angeführte von der Schilderung des Urzustandes der Menschen trennt, haben wir noch die Zeilen zu lesen, die der außer-

[4] K. Reinhardt, Hekataios von Abdera und Demokrit, Hermes 47 (1912), 492 über Diodor I 7, 8.
[5] Censorinus De die nat. 4, 9; Usener, Epicurea 333.

Ich möchte eine viel erzählte Legende des Mittelalters, «Gregorius auf dem Steine» in moderner Prosa noch einmal erzählen, eine Abart der Ödipus-Sage, die Erwählung eines furchtbar inzestuösen Sünders durch Gott selbst zum römischen Papst. Es ist eine fromme Groteske, bei deren Conception ich viel lachen muß, handelt aber eigentlich von der Gnade.

An Agnes E. Meyer, 17. Februar 1948

Parodie und Spiel

Ich gestehe, daß ich Hartmanns mittelhochdeutsches Gedicht zum erstenmal studiert habe, als die knappe und primitive Fassung der ‹Gesta› mir Lust zu dem Stoff gemacht hatte. An den äußeren Gang der Handlung, wie Hartmann sie sich angeeignet, hielt ich mich so getreu wie bei den Josephsromanen an die Daten der Bibel. Und wie damals war mein eigenes Dichten ein Amplifizieren, Realisieren und Genaumachen des mythisch Entfernten, bei dem ich mir alle Mittel zunutze machte, die der Psychologie und Erzählkunst in sieben Jahrhunderten zugewachsen sind. Den Schauplatz verlegte ich aus dem ‹Aquitanien› der Legende in ein scheinhistorisches Herzogtum Flandern-Artois und erfand mir ein zeitlich ziemlich unbestimmtes übernational-abendländisches Mittelalter mit einem Sprachraum, worin das Archaische und das Moderne, Altdeutsche, Altfranzösische, gelegentlich englische Elemente sich humoristisch mischen. In manchen Stücken, fand ich, hatte Hartmann, hatte die Legende selbst es sich zu leicht gemacht. So sollte Gregorius die siebzehn Jahre seiner Buße auf dem nackten Felsen überlebt haben, nicht nur ohne jeden Schutz seines Menschenleibes gegen die Unbilden der Witterung, sondern auch ohne andere Nahrung als «das Wasser, das aus dem Felsen sickerte». Das war unmöglich, und das handgreiflich Unmögliche konnte ich bei meiner Realisierung der Geschichte nicht brauchen. Ich mußte es mit einer Art von Schein-Möglichkeit umkleiden, und darum nahm ich das antike Motiv der Erdmilch, mit der der kindliche Frühmensch sich nährte, zu Hilfe, ja ließ den Büßer zum verzwergten Naturwesen und Winterschläfer, schließlich zum bloßen bemoosten Naturding, unempfindlich gegen Wind und Wetter, herabgesetzt werden. Ich mußte es in den Kauf nehmen, daß das zugleich eine Herabsetzung der Schwere seiner Buße bedeutete. Sein Wille zur radikalen Buße schien mir das Entscheidende, und die Gnade erkennt diesen Willen an, indem sie den tief Erniedrigten wieder zum Menschen, ja über alle Menschen erhebt.

‹Der Erwählte› ist ein Spätwerk in jedem Sinn, nicht nur nach den Jahren seines Verfassers, sondern auch als Produkt einer Spätzeit, das mit Alt-Ehrwürdigem, einer langen Überlieferung sein Spiel treibt. Viel Travestie – nicht lieblos – mischt sich hinein. Höfische Epik, Wolframs ‹Parzival›, alte Marienlieder, das Nibelungenlied klingen parodistisch an, – Merkmale einer Spätheit, für die Kultur und Parodie nah verwandte Begriffe sind. Amor fati – ich habe wenig dagegen, ein Spätgekommener und Letzter, ein Abschließender zu sein und glaube nicht, daß nach mir diese Geschichte und die Josephsgeschichten noch einmal werden erzählt werden. Als ich ganz jung war, ließ ich den kleinen Hanno Buddenbrook unter die Genealogie seiner Familie einen langen Strich ziehen, und als er dafür gescholten wurde, ließ ich ihn stammeln: «Ich dachte – ich dachte – es käme nichts mehr.» Mir ist, als käme nichts mehr. Oft will mir unsere Gegenwartsliteratur, das Höchste und Feinste davon, als ein Abschiednehmen, ein rasches Erinnern, Noch-einmal-Heraufrufen und Rekapitulieren des abendländischen Mythos erscheinen, – bevor die Nacht sinkt, eine lange Nacht vielleicht und ein tiefes Vergessen.

Bemerkungen zu dem Roman ‹Der Erwählte› (XI, 689 ff.)

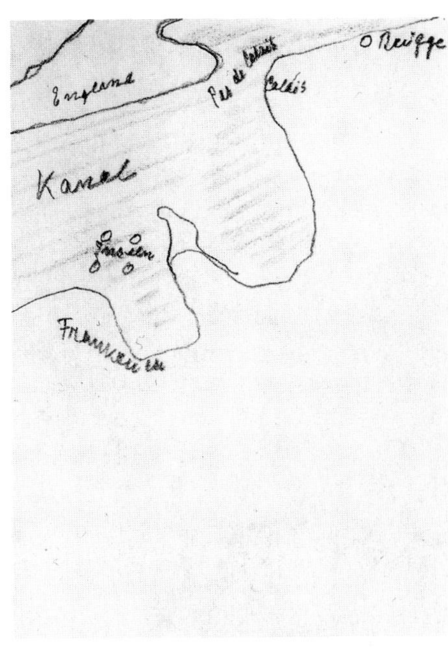

«Flandern-Artois», eigenhändige Skizze Thomas Manns

Ich imaginiere ein Herzogtum von Flandern-Artois, mit französischen Einschlägen, aber mit Personen-Namen wie Grimald, Herburg, Willigis, Sigunde, alles legendär-international. Die Geschichte lasse ich von einem irischen Mönch, der in St. Gallen zu Besuch ist, zur Unterhaltung aufschreiben. Er ist etwas abstrakt von Person, eigentlich «der Geist der Erzählung», und es ist weder ganz sicher, wann er dort sitzt, noch in welcher Sprache er eigentlich schreibt. Er sagt, es sei die Sprache selbst.

An Samuel Singer, 8. März 1948

Die Mär von Sünde und Gnade

Von Sünde und Gnade

Was mir gefällt an Bruder Clemens' Denkungsweise, ist, daß er bei aller Empörung gegen den «Gleichmut der Natur» (nur sie ist cynisch in dem Buch, sonst niemand) das Geschlechtliche nicht allzu schwer nimmt und die Tötung des guten Hundes im Grunde schlimmer findet als den ganzen anderen Greuel. Er hat auch wohl einen Schimmer davon, daß der Inzest eigentlich ein Vorrechts-Tabu war, – Göttern und Königen erlaubt und nur dem gemeinen Haufen untersagt. Isis und Osiris waren Geschwister, und nach ihrem Vorbild war in den Pharaonen-Familien die Geschwisterehe nichts ganz Seltenes. Daß auch Zeus und Here Bruder und Schwester waren, vergißt man leicht. Und sogar was das Mutter-Sohn-Verhältnis betrifft, so war in den vorderasiatischen Frühreligionen, die doch stark auf das Christentum abgefärbt haben, der Geliebte so manches Mal der Sohn. Wenn das Geschlechtliche mysteriös wird (und dazu neigt es), geht es immer ein bißchen bunt darin zu. Nicht umsonst wendet sich Sibylla in ihrem Versgebet an das «heilig Megedin» mit dem Anruf: «Du, die des Obersten Kind, Mutter und Braut!»

An William H. McClain, 13. Februar 1952

Sibylla und Wiligis
Meister des Sterzinger Altars:
Ulmer Verlöbnis (um 1460)
Museum of Art, Cleveland, Ohio.
Thomas Mann hatte eine Kopie
des Bildes in seinem Arbeitszimmer
aufgehängt.

Grigorss
Zeitungsausschnitt aus dem Arbeitsmaterial zum «Erwählten».

Im Tagebuch notiert sich Thomas Mann am 14. März 1949:

– Gestern in der Zeitung Bild eines jungen Totschlägers, in Waisenhäusern aufgewachsen u. adoptiert, so schön und so meiner Vorstellung vom Grigorß entsprechend, daß ich's mir ausschnitt. –

GREGORIUS, DER «SEHR GROSSE PAPST»

Seitlich saß er zu der, die eintrat und sich schon an der Tür zum ersten Tiefknicks niederließ, und wandte sein Haupt gegen sie, das in eine rote, mit Hermelin verbrämte, in den Nacken und halb über die Ohren reichende Sammetkappe gehüllt war. Das ist eine feine Kopfbedeckung, dem Papste vorbehalten, und sehr gefällt mir auch der Stutzmantel aus gleichen Stoffen, den er über der weißen Dalmatika um die Schultern trug, – darüber das Pallium, mit Kreuzen bestickt. Streng war in der Kappe sein vom Barte freies Antlitz; blank und so stark zeichneten die Wangenknochen sich darin ab, daß es aussah, als würden sie durch ein Zusammenpressen der Kiefer hervorgetrieben, und überaus ernst lag die etwas weit vorn an der Nase ansetzende Oberlippe auf der unteren. Die dunklen Augen aber erschimmerten, wie sie der Büßerin entgegenschauten, in Tränen [...].

Der Erwählte (VII, 250 f.)

Gregorius, «der sehr große Papst», «Joseph, der Ernährer» und Goethe als «Dichter der Menschheit»: Es sind bei Thomas Mann immer Einzelne, die das Geschick der Menschheit tragen und lenken. Sie müssen «Atlasschultern» haben und «Gottesklugheit»: die Fähigkeit, das Vergangene zu tragen und die Zukunft so einzurichten, wie der historische Augenblick es erfordert. Nur wenn sie beide Fähigkeiten haben, sind sie wahrhaft Erwählte.

Papst Gregor XII.
In: Ferdinand Gregorovius, Geschichte der Stadt Rom im Mittelalter.
Das Buch steht in der Nachlaßbibliothek Thomas Manns.

Der Kalte Krieg

Antibolschewismus – Eine «Grundtorheit»?

1944 erschien in «Atlantic Monthly» der Aufsatz «What is German?» (deutsch unter dem Titel «Schicksal und Aufgabe» in den «Deutschen Blättern», Santiago de Chile). Thomas Mann weist hier darauf hin, daß schon «die religiösen Volksbewegungen des ausgehenden Mittelalters einen eschatologisch-kommunistischen Charakter hatten» – der Kommunismus sei also älter als Marx. Über die aktuellen Brutalitäten des Leninismus und Stalinismus glaubt Thomas Mann hinwegsehen zu können. Im übrigen hatte auch Nietzsche auf das gemeinsame Genußrecht an den «Gütern der Erde» hingewiesen.

Sie sehen, daß ich in einem Sozialismus, in dem die Idee der Gleichheit die der Freiheit vollkommen überwiegt, nicht das menschliche Ideal erblicke, und ich glaube, ich bin vor dem Verdacht geschützt, ein Vorkämpfer des Kommunismus zu sein. Trotzdem kann ich nicht umhin, in dem Schrecken der bürgerlichen Welt vor dem Wort Kommunismus, diesem Schrecken, von dem der Faschismus so lange gelebt hat, etwas Abergläubisches und Kindisches zu sehen, die Grundtorheit unserer Epoche. Dieses Wort gleicht tatsächlich einem Schreckgespenst für Kinder. Der Kommunismus ist der Gottseibeiuns der Bourgeoisie, genau so wie um das Jahr 1880 bei uns in Deutschland die Sozialdemokratie es war. Das war damals, unter Bismarck, der Inbegriff aller sansculottischen Zerstörung und Auflösung, des chaotischen Umsturzes. Ich höre noch unseren Schuldirektor, als einige böse Buben unter uns Tische und Bänke mit dem Messer zerschnitten hatten, uns anfahren: «Ihr habt Euch benommen wie die Sozialdemokraten!» Heute würde er sagen: Wie die Kommunisten!, denn der Sozialdemokrat, das ist unterdessen ein kreuzbraver Mann geworden, vor dem niemand sich fürchtet.

Verstehen Sie mich recht: Der Kommunismus ist ein scharf umschriebenes, politisch-ökonomisches Programm, gegründet auf die Diktatur einer Klasse, des Proletariats, geboren aus dem historischen Materialismus des neunzehnten Jahrhunderts, und in dieser Form stark zeitgebunden. Er ist aber als Vision zugleich viel älter und enthält auch wieder Elemente, die erst einer Zukunftswelt angehören. Älter ist er, weil schon die religiösen Volksbewegungen des ausgehenden Mittelalters einen eschatologisch-kommunistischen Charakter hatten: schon damals sollten Erde, Wasser, Luft, das Wild, die Fische und Vögel allen gemeinsam gehören, auch die Herren sollten um das tägliche Brot arbeiten, und alle Lasten und Steuern sollten aufgehoben sein. So ist der Kommunismus älter als Marx und das neunzehnte Jahrhundert. Der Zukunft aber gehört er an insofern, als die Welt, die nach uns kommt, in der unsere Kinder und Enkel leben werden und die langsam ihre Umrisse zu enthüllen beginnt, schwerlich ohne kommunistische Züge vorzustellen ist: das heißt, ohne die Grundidee des gemeinsamen Besitz- und Genußrechtes an den Gütern der Erde, ohne fortschreitende Einebnung der Klassenunterschiede, ohne das Recht auf Arbeit und die Pflicht zur Arbeit für alle.

Schicksal und Aufgabe (XII, 934 f.)

Kaum war die Kapitulation Deutschlands besiegelt, begann in den USA eine Front gegen den Kommunismus und dessen alt-neue Weltherrschaftspläne zu erstarken. An der Feier zu Thomas Manns 70. Geburtstag – sie fand am 25. Juni 1945 im Waldorf-Astoria Hotel New York statt – sagte Harold Ickes dazu:

What Russia needs more than anything else in the world is peace, a peace that would allow her time to develop her enormous resources, to build up her ravaged industry, and to restore her devastated lands. When I view the efforts of the fomentors of suspicion, it seems to me that, in our relations with Russia, "the only thing that we have to fear is fear itself" – a phrase of pure gold so indicative of the character and mental excursions of Franklin D. Roosevelt.

In making this denunciation of those in this country who would edge us into war with Russia, I am well aware that the determination of the question whether the United States and Russia shall ever go to war is not one which can be resolved by the United States alone. The resolution of this question also depends upon Russia, but I can see no reason why the Russians would wish for war with the United States.

Diese Ermahnung konnte die antikommunistische Welle in den Vereinigten Staaten nicht verhindern. Roosevelt war am 12. April 1945 gestorben. Am 5. März 1946 warnte Churchill im Westminster-College, Fulton/Missouri, vor den Weltherrschaftsplänen der Sowjetunion. Diese Rede markiert den Anfang des Kalten Kriegs und damit des immer hektischer werdenden Wettrüstens zwischen den USA und den Sowjets.

Die McCarthy-Bewegung

Der Kalte Krieg führte in den USA zu den Bespitzelungen unter McCarthy. Brecht, Feuchtwanger, Eisler wurden wegen prokommunistischer Umtriebe zu Verhören geladen; Paßentzug oder Ausweisung konnte die Folge solcher Verhöre sein. Das FBI führte auch über Thomas Mann ein Dossier. 1950 wurde wegen seines Ostdeutschland-Besuchs der jährliche Vortrag an der «Library of Congress» abgesagt. Es kam zu Angriffen in der Presse. Wenn sich die Zeichen mehrten: Sollte er nicht doch die Vereinigten Staaten verlassen? «Der Gedanke einer wiederholten Emigration spukt längst, und dies Tagebuch kehrt gewissermaßen zu seinem Beginn, Arosa 1933, zurück», notiert er sich am 18. Juli 1950 in St. Moritz. Er vertraute indessen vorläufig seinen einflußreichen Freunden in Amerika und reiste trotz der Angst vor der McCarthy-Bewegung nach Kalifornien zurück.

Erikas Ängste

Thomas Manns Bedenken gegenüber der McCarthy-Bewegung wurden vor allem von Erika geschürt. Ihre Vorträge waren seit Kriegsende nicht mehr gefragt: Nazi-Deutschland lag am Boden, Sowjet-Sympathien wurden als deplaziert oder als gefährlich empfunden. Sie selbst dachte, erschöpft wie sie war, in den alten Kategorien weiter und war erstaunt, wenn ihre Aufsätze nicht mehr angenommen wurden (Thomas Mann im Tagebuch, 14. August 1950). Kam dazu, daß sie durch den Gebrauch von Drogen körperlich geschwächt war und zu Depressionen neigte. Während des Schweizer Aufenthalts von 1950 steigerte sie sich in psychotische Zustände hinein, glaubte, Amerikas Häscher warteten auf ihre Rückkehr, um sie zu internieren und zur Unperson zu machen. Es kam zu stundenlangen Debatten mit den hilflosen und präokkupierten Eltern. Diese reisten schließlich allein. Erika folgte nach weiteren Verzögerungen – und wurde bei ihrer Einreise in New York überhaupt nicht beachtet. Gerade das verletzte sie wieder: Sie war unwichtig geworden, wo sie doch geglaubt hatte, so wichtig zu sein. Thomas Mann nennt am 21. Oktober 1950 ihren Zustand «psychogen».

Was Thomas Mann im Tagebuch schreibt, zeigt, daß Erikas Ängste nicht völlig grundlos waren:

Zürich, Mittwoch den 16. VIII. 50

[...] Lotte überbringt die Nachricht von Erikas Anwalt Jacobson, er befürchte, daß sie bei der Ankunft in New York nach Ellis Island gebracht werde. Neue Verstörung unserer Reisepläne. Beratung mit Golo. Anmeldung eines Ferngesprächs mit E. in Paris.

Zürich, Donnerstag den 17. VIII. 50

Wir aßen gestern mit Oprechts im «Rüden» zu Abend. Bei der Heimkehr Verbindung mit Erika. Ihr kommt die Sache nicht unerwartet, aber ich sage ihr, daß ich gegebenen Falles mit ihr nach Ellis Island gehen und den Besuch der Ausstellung absagen würde. Meine Erbitterung und Erregung sind ausnehmend und können mich an Ort und Stelle weit führen.

London, Freitag den 18. VIII. 50

[...] 11 Uhr traf Erika ein. Sie beschwichtigt. Will entweder auf jedes Risiko hin am 20. mit uns fliegen oder sich durch Golo vertreten lassen und hier bleiben, um uns in der Schweiz den Boden zu bereiten. Gegen die Hinnahme ihres Arrestes empört sich alles in mir. Sie wiegelt ab. Man dürfe die Handlungen eines wahnsinnigen Landes nicht persönlich nehmen.

London, Sonnabend den 19. VIII. 50

[...] Die Entscheidung befestigt sich, daß morgen nur K. und ich fliegen, Erika dagegen zunächst nach Amsterdam geht, wo der manisch-depressive Landshoff sich in geschlossener Anstalt befindet, dann zurück nach Zürich und uns in ca. 10 Tagen über Canada nachfolgt – wenn sie durchkommt.

P. P. Sonnabend den 2. IX. 50

Telegramm von Erika, unterzeichnet «Mann», daß sie schon heute Abend hier eintrifft und mit Taxi zu uns kommt. Etwas unheimlich, zumal in ihrem letzten Brief aus Zürich dunkel von «Schwierigkeiten» die Rede war.

[...] Tranken Kaffee nach dem Abendessen und warteten auf Erika, die ca. 1/2 11 Uhr eintraf, ohne besonders Böses zu bringen.

Diskussionen

P. P. Sonntag den 3. XII. 50

[...] Gespräch über den Ernst der Lage, die Möglichkeit einer wirklichen faschistischen Revolution. Dringend gewordene Ratsamkeit, das Land zu verlassen. Erika für die Anordnung, daß K. und ich schon im Januar nach der Schweiz reisen und für einige Monate im Waldhaus Dolder Wohnung nehmen, während E. hier die Geschäfte abwickelt, den Verkauf des Hauses bewerkstelligt etc..

P. P. Donnerstag den 7. XII. 50

Mit K. über das Problem unseres Verbleibens. Sie ist besonders gegen die Verschleuderung des Hauses; harmoniert nicht mit Erika in deren unbedingtem Willen zum Verlassen des Landes.

Erikas Fluchtversuche: ihre Hektik, ihr Zugriff zu Drogen waren die Zeichen ihrer «turbulenten Einsamkeit» (TM im Tagebuch). In der Schweiz dann wurde sie Ruhmesverwalterin des Vaters, war bei allen Auftritten an seiner Seite – und verkam, wie sie einmal sagte, zum «Nachlaßschatten».

Tillingers Angriff

THOMAS MANN'S LEFT HAND

By EUGENE TILLINGER

THE RANKS of the intellectuals who sign every Communist-inspired manifesto and join every Moscow propaganda front are growing sparser. But Thomas Mann is still in the vanguard of this curious parade. With amazing consistency he continues to back every Stalinist organization that carries the word "peace" in its title.

The eminent German novelist — now an American citizen and a resident of California — sponsored the Win the Peace group in 1946. In 1948 he was chairman of the Conference for Peace. In 1949 he not only endorsed the Cultural and Scientific Conference for World Peace held at the Waldorf-Astoria, but denounced "the machinations aimed at discrediting" this party-line assembly. Now Thomas Mann is backing the newly formed American Peace Crusade, along with Paul Robeson, Howard Fast, Rockwell Kent, Elmer Benson, National Chairman of the Progressive Party, and such leaders of Communist-dominated unions as Ben Gold, Abram Flaxer and Hugh Bryson. The initial statement of this group calls for the withdrawal of American troops from Korea, an end to war in the Far East and to the armaments race, and "recognition of the right of the Chinese People's Republic to representation in the UN."

Thus the author of "The Magic Mountain," who has emphasized that "Anti-Bolshevism is the fundamental folly of our time," further deepens his own moral eclipse. The American press has paid little attention to certain pronouncements made by Thomas Mann in lectures and interviews, mostly abroad. But the Moscow propaganda machine has played them up to the full. The least that can be said of them is that they were just what the Kremlin publicists were looking for.

A few months ago it appeared that Thomas Mann, in the seclusion of his ivory tower in Santa Monica, felt a bit uneasy about some of his pro-Soviet statements. His denial that he had ever signed the so-called Stockholm Peace Appeal was carried in a United Press dispatch from Los Angeles, dated October 31, 1950. He declared: "I have never signed the Stockholm Peace Appeal, even if this is erroneously so often stated." And he added: "I heard about this assertion only comparatively late, because I traveled around the whole summer. Then, when I learned about it, I didn't deny it because it was too late and because I have always been for peace."

Dr. Mann's reference to the "assertion" that he had signed the Stockholm Appeal is vague, but this writer can refresh his memory. On May 18, 1950, the French weekly *Les Lettres Françaises* published an exclusive interview with Thomas Mann on its front page, under a screaming three-column headline. *Les Lettres Françaises* is not an obscure literary periodical; it is the French Communist Party's official organ in the cultural field. Its publisher, Claude Morgan, who interviewed Dr. Mann, is one of the foremost French Stalinist intellectuals. In granting this exclusive interview Thomas Mann must have been well aware with whom he was speaking — the more so because Morgan began by bringing him the greetings of the World Committee of the Partisans of Peace.

"Why did you sign the Stockholm Appeal?" Morgan asked.

Answered Thomas Mann: "I signed the Stockholm Appeal because I support every movement whose goal is to further peace. In an atomic war, I am convinced, there will be neither victor nor loser, but the world will suffer general destruction. For that reason I have signed. I think I have [thus] acted in the interest of my new fatherland, America. . . ."

Another interview, in the French Communist-front periodical *Droit et Liberté* (May 25, 1950), quotes Thomas Mann as saying: "We must save the peace; this today is the most important thing. Therefore the movement for peace that started in Stockholm should be heartily welcomed." This article emphasizes the fact that "the night before this interview was granted, Thomas Mann had signed the Stockholm Appeal."

The entire Communist press of Europe, inside and outside the Iron Curtain, featured excerpts from Dr. Mann's interview with Claude Morgan. It seems, therefore, rather strange

APPEL DU COMITÉ MONDIAL DES PARTISANS DE LA PAIX

POUR L'INTERDICTION ABSOLUE DE L'ARME ATOMIQUE

Nous exigeons l'interdiction absolue de l'arme atomique, arme d'épouvante et d'extermination massive des populations.

Nous exigeons l'établissement d'un rigoureux contrôle international pour assurer l'application de cette mesure d'interdiction.

Nous considérons que le gouvernement qui le premier utilisera contre n'importe quel pays l'arme atomique commettrait un crime contre l'humanité et serait à traiter comme criminel de guerre.

Nous appelons tous les hommes de bonne volonté dans le monde à signer cet appel.

Adresse ______

Commune de ______

Noms des membres du foyer :	Signatures :
Thomas	Mann

Enfants :

MARCH 26, 1951 397

Tillingers Angriff vom 26. März 1951

Der Brief an Olberg vermochte die Öffentlichkeit nicht zu befriedigen. In den Vereinigten Staaten meldete sich vor allem der Journalist Eugene Tillinger zu Wort. Er bezeichnete Thomas Mann als «America's Fellow Traveler No. 1» und spannte bald einmal auch das Federal Bureau of Investigation (FBI) in seine Kampagne ein. Das Dossier, das dessen Direktor, J. Edgar Hoover, über Thomas Mann anlegte, ist nicht zuletzt von Tillinger genährt worden. Tillinger, der früher in Berlin und Wien für Zeitungen geschrieben hatte, erstellte ein politisches Sündenregister, das bis zu Thomas Manns Kriegsschriften von 1914 zurückging. Aus der Zeit zwischen 1937–1941 machte er eine ganze Reihe von Artikeln namhaft, die alle auf «premature antifascism» hinwiesen und bald einmal von Äußerungen kommunistischer Tendenz gefolgt worden seien. Was Tillinger in den Jahren 1949–1951 betrieb, war nichts anderes als eine Hetzkampagne. Sein erster Artikel erschien im Dezember 1949 in der Zeitschrift «Plain Talk» unter dem Titel «The Case against Thomas Mann. The Moral Eclipse of a Great Writer». Thomas Mann wird darin nicht eigentlich als Kommunist, sondern als Mitläufer des Kommunismus gebrandmarkt. Er reagierte zunächst nicht. Als aber am 26. März 1951 im «Freeman» Tillingers zweite Polemik erschien, unter dem Titel «Thomas Mann's Left Hand», nahm Thomas Mann im «Aufbau» dazu Stellung. Es kam zu einer Reihe weiterer Belästigungen, aber eine Zitierung vor das House Committee on Un-American Activities (HCUAA) unterblieb.

Ich bin kein Kommunist

Thomas Mann wies die Anschuldigungen zurück. Am 13. April 1951 erschien sein offener Brief an die Redaktion des New Yorker «Aufbau»: «Ich stelle fest».

Während der letzten Wochen sind in diesem Lande wiederholt und öffentlich die irrigsten Anklagen gegen mich erhoben worden. Die Kampagne begann am 26. März mit einem Aufsatz von Eugene Tillinger in einem Magazin, das ‹The Freeman› heißt und sich in der Tat große Freiheiten nimmt. Bedauerlicherweise hat am 29. März die United Press von Mr. Tillingers ‹Enthüllungen› Gebrauch gemacht und ihnen so eine Verbreitung gesichert, wie der ‹Freeman› sie weder verdient noch genießt.

[...]

Ich bin kein Kommunist und bin nie einer gewesen. Auch ein Reisekamerad bin ich weder, noch könnte ich je einer sein, wo die Reise ins Totalitäre geht. Daß aber für dieses Land, dessen Bürger zu werden mir eine Ehre und Freude war, der hysterische, irrationale und blinde Kommunistenhaß eine Gefahr darstellt, weit schrecklicher als der einheimische Kommunismus; ja, daß der Verfolgungswahnsinn und die Verfolgungswut, in die man verfallen und der sich mit Haut und Haar zu überlassen man im Begriffe scheint – daß all dies nicht nur zu nichts Gutem führen kann, sondern zum Schlimmsten führen wird, wenn man sich nicht schleunigst besinnt, wollte bei dieser Gelegenheit ausgesprochen sein.

Ich stelle fest ... (XI, 795 ff.)

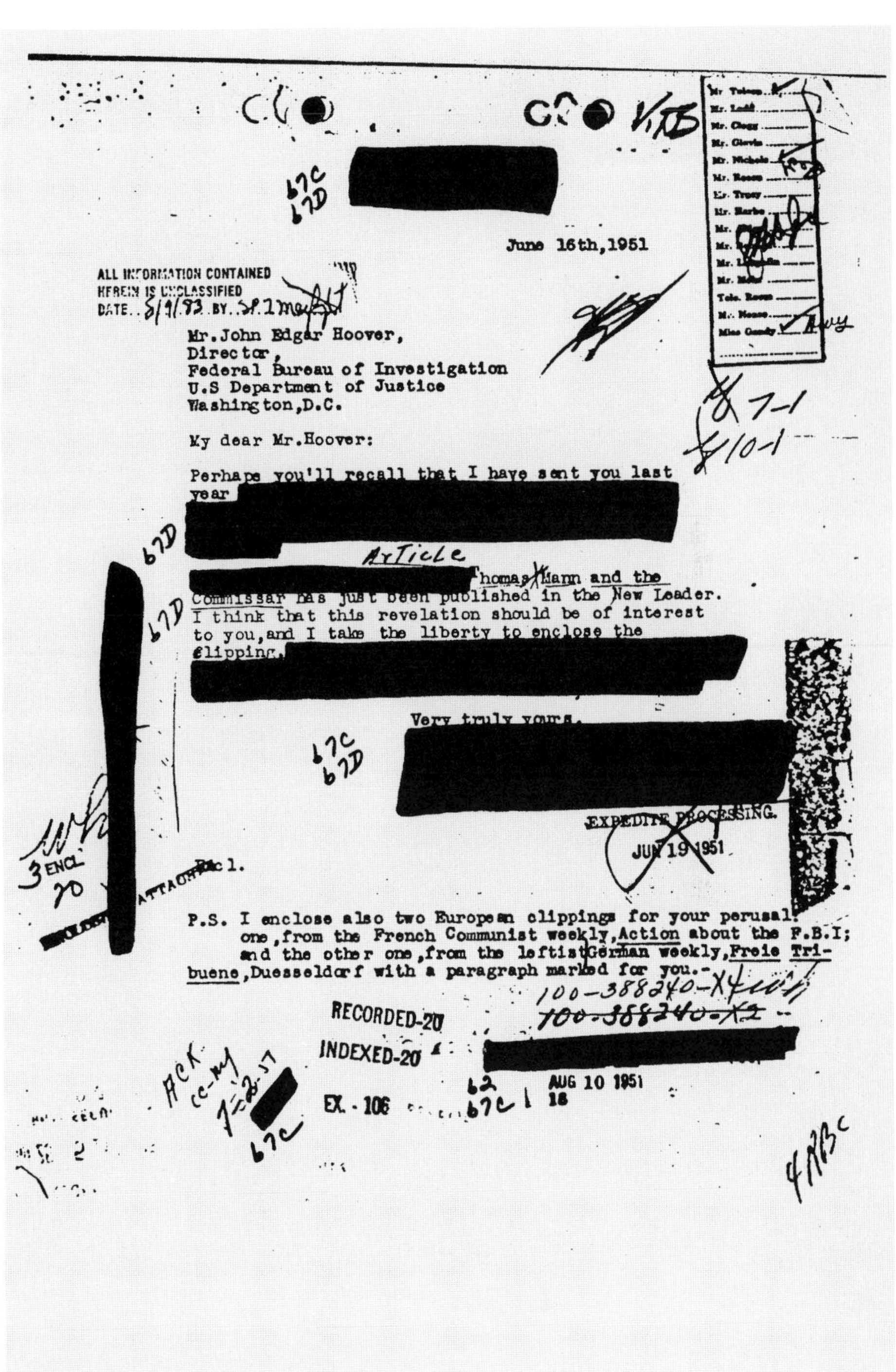
[redacted]

June 16th,1951

ALL INFORMATION CONTAINED HEREIN IS UNCLASSIFIED DATE 8/9/93 BY

Mr.John Edgar Hoover,
Director,
Federal Bureau of Investigation
U.S Department of Justice
Washington,D.C.

My dear Mr.Hoover:

Perhaps you'll recall that I have sent you last year [redacted] Article [redacted] Thomas Mann and the Commissar has just been published in the New Leader. I think that this revelation should be of interest to you, and I take the liberty to enclose the clipping. [redacted]

Very truly yours,

[redacted]

EXPEDITE PROCESSING. JUN 19 1951

Encl.

P.S. I enclose also two European clippings for your perusal: one, from the French Communist weekly, Action about the F.B.I; and the other one, from the leftist German weekly, Freie Tribuene, Duesseldorf with a paragraph marked for you.-

100-388240-X

RECORDED-20

INDEXED-20 [redacted]

EX.-106 AUG 10 1951

Eugene Tillingers Brief vom 16. Juni 1951 an das FBI. (Der Name des Absenders ist eingeschwärzt.)

Im Garten seines Hauses in Pacific Palisades

Der Künstler und die Politik

Den Kommunisten abzugeben, bin ich sehr schlecht ausgestattet, – meine Schriften sind ja voll von allen vom Kommunismus perhorreszierten Lastern, wie Formalismus, Psychologismus, dekadente Neigungen und was man will, den Humor und eine gewisse Schwäche für die Wahrheit nicht zu vergessen, – denn Liebe zur Wahrheit ist Schwäche in den Augen unbedingter Parteilichkeit. Und doch gilt es hier zu unterscheiden. Der Kommunismus ist eine Idee, deren Wurzeln tiefer reichen als Marxismus und Stalinismus und deren reine Verwirklichung sich der Menschheit immer wieder als Forderung und Aufgabe stellen wird. Der Faschismus aber ist überhaupt keine Idee, sondern eine Schlechtigkeit, der hoffentlich kein Volk, klein oder groß, sich je wieder ergeben wird. Er war es, der mich durch seine Siege und seine nicht recht erwünschte Niederlage mehr und mehr auf die linke Seite der Gesellschaftsphilosophie getrieben und mich tatsächlich zeitweise zu einer Art von Wanderredner der Demokratie gemacht hat, – eine Rolle, für deren Komik ich, selbst zur Zeit meines leidenschaftlichsten Verlangens nach Hitlers Untergang, nie ohne Blick war.

Unleugbar hat ja das politische Moralisieren eines Künstlers etwas Komisches, und die Propagierung humanitärer Ideale bringt ihn fast unwiderruflich in die Nähe – und nicht nur in die Nähe – der Platitüde. Das habe ich erfahren, und wenn ich vorhin gesellschaftlich reaktionäre Neigungen eines Schriftstellers als ein Paradoxon hinstellte, gewissermaßen als einen Widerspruch zwischen seinem Beruf und seiner Art, ihn auszuüben, – so war ich mir wohl bewußt, daß diese Paradoxie und dieser Widerspruch hohen geistigen Reiz besitzen können, daß sie geistig dankbarer sind und einen unvergleichlich besseren Schutz vor dem Banalen bilden als die politische Gutmütigkeit. Es ist sehr die Frage, vielmehr es ist kaum die Frage, wer der geistig interessantere politische Schriftsteller war, Joseph de Maistre oder Victor Hugo. Aber wenn das keine Frage ist, so tritt dafür die andere ein, ob es in politischen Dingen, im Umgang mit menschlicher Bedürftigkeit, so sehr auf Interessantheit ankommt und nicht vielmehr auf Güte.

«Almost too good to be true» hat ein englischer Kritiker, Philip Toynbee, die politische Haltung genannt, die ich seit dreißig Jahren einnehme. Er tat es in einem ‹Observer›-Artikel, ‹The Isolated World Citizen›, – bloßen siebenhundert Worten, die das Richtigste sind, was in England – und vielleicht irgendwo – über meine Existenz gesagt worden ist. Der junge Toynbee hat recht: es steht leise fragwürdig um diese Haltung, um alles, was Optimismus, Demokratismus, Menschheitsgläubigkeit an ihr ist – und sogar um meine ‹World Citizenship›. Denn meine Bücher sind verzweifelt deutsch, und was je an Einmischung in gesellschaftlich-politische Fragen darin vorkam, war nicht nur natürlicher Bescheidenheit abzugewinnen, sondern auch dem Pessimismus eines durch Schopenhauers Schule gegangenen Geistes, der zur generös-humanitären Gestik im Grunde wenig geschickt ist. Geradeheraus: ich habe nicht viel Glauben, glaube aber auch nicht sehr an den Glauben, sondern weit mehr an die Güte, die ohne Glauben bestehen und geradezu das Produkt des Zweifels sein kann.

Der Künstler und die Gesellschaft (X, 397 f.)

Erika Mann, Katja und Thomas Mann im Wohnzimmer ihres Hauses am San Remo Drive in Pacific Palisades, 1951

Thomas Mann in seinem Arbeitszimmer in Pacific Palisades – «wohl das schönste, das ich je hatte»

Der Beschluss zur Rückkehr nach Europa

Im Sommer 1952 glaubte Thomas Mann dem Druck der Umstände nachgeben zu müssen: «Eine unglückselige Welt-Konstellation hat Veränderungen in der Atmosphäre des so begünstigten, zu ungeheurer Macht aufgestiegenen Landes hervorgebracht.» Er empfand diese Atmosphäre als «bedrückend und besorgniserregend». Die Rückkehr nach Europa hatte indessen noch einen anderen Grund: Es war ihm eine «seelische Tatsache», daß er sich in Amerika immer mehr seines Europäertums bewußt wurde, «und trotz bequemster Lebensbedingungen ließ mein schon weit vorgeschrittenes Alter den fast ängstlichen Wunsch nach Heimkehr zur alten Erde, in der ich einst ruhen möchte, immer dringender werden». Thomas Mann begab sich zurück in die Schweiz.

Thomas Mann in seinem Erlenbacher Arbeitszimmer, 1953

1952–1955 Wieder in Europa

In Erlenbach
«Die Betrogene»
«Bekenntnisse des Hochstaplers Felix Krull»
«Die Erotik Michelangelo's»
In Kilchberg
«Luthers Hochzeit»

In Erlenbach

Ankunft auf dem Flugplatz Zürich, 30. Juni 1952: Begrüßung durch Richard Schweizer

Das Haus in Erlenbach

Im Dezember 1952 ließ sich Thomas Mann vorläufig in Erlenbach nieder. Er mietete ein Haus an der Glärnischstraße 12. Hier schrieb er «Die Betrogene» und die letzten Kapitel des «Felix Krull».

Wir haben in Erlenbach, hoch überm See, ein Häuschen gemietet und hoffen, Mitte des Monats dort einziehen zu können. Es ist die Wiederaufnahme der Lebensform von 1933–1938, die ich mir in 15 amerikanischen Jahren eigentlich immer zurückgewünscht habe.

An Robert Faesi, 2. Dezember 1952

In Erlenbach, 1953

Ehrungen

Die französische Regierung verlieh Thomas Mann im Dezember 1952 das Offizierskreuz der Ehrenlegion.

Ein schöneres Weihnachtsgeschenk, wahrhaftig, konnte mir nicht beschert werden. Es ist keine Redensart, wenn ich sage, daß nie eine Ehrung, die meiner Arbeit von irgend einer Seite zuteil wurde, mir solche Freude gemacht hat wie diese; und besonders tief und glücklich berührt bin ich von den Worten, mit welchen die französische Regierung die hohe Auszeichnung begründet, die sie mir gewährt.

Dankesbrief an Minister Robert Schuman, 26. Dezember 1952

THOMAS MANN
Professor Dr. Dr. h.c.
Member of the American Academy
of Arts and Letters
Officier de la Légion d'Honneur

Erlenbach-Zürich

Ich spaziere nur noch mit der Rosette eines Officiers der Ehrenlegion im Knopfloch herum. Bin unbändig eitel darauf, ganz wie ein Franzos.

An Ida Herz, 16. Januar 1953

Die Audienz beim Papst, 1953

«Auch als Protestant muß man niederknien vor der zweitausendjährigen religiösen Größe Roms», sagte mir Thomas Mann nach seiner Audienz bei Pius XII. Wir trafen uns während eines Empfangs, den die Accademia dei Lincei ihrem Preisträger anläßlich seines römischen Frühjahrsbesuches in der von Raffael ausgeschmückten und von Goethe besonders geliebten Villa Farnesina am Tiberufer gegeben hatte. Thomas Mann, der inzwischen nach Zürich zurückgereist ist, war von dem etwa viertelstündigen Privatgespräch mit Pius XII., wie er sagte, tief beeindruckt; um die Audienz hatte er selbst beim vatikanischen Staatssekretariat nachgesucht. Lebhaft, erstaunlich jugendlich, die Worte in spürbarer Diskretion sorgfältig wägend, erzählte er von der Begegnung. In Pius XII. verkörpere sich die Idee eines universalen Christentums, in seiner Sorge um religiöse Verinnerlichung scheine er über dem Konflikt einiger religiöser Formen zu stehen. Es seien in dieser durchaus persönlichen Unterredung die verschiedensten Probleme berührt worden, und dem Besucher sei klar geworden, wie sehr dem Papst an einer harmonischen Einheit der Menschheit gelegen sei. Die Entwicklung der Verhältnisse in Deutschland verfolge Pius XII., so berichtete Thomas Mann weiter, mit größter Anteilnahme. Wenn es auch gegenwärtig sehr schwierig erscheine, die Einheit Deutschlands zurückzugewinnen, so habe Pius XII. doch nachdrücklich gemeint, es würden und müßten historische Kräfte gleichsam schicksalhaft zu dieser notwendigen Vereinigung treiben und führen.

Gustav René Hocke, Thomas Mann bei Pius XII., Frankfurter Neue Presse, 16. Mai 1953

Katja Manns 70. Geburtstag

An der Feier im Hotel Eden au Lac, Zürich

Am 24. Juli 1953 feierte Katja Mann ihren 70. Geburtstag.

Hier steht ein Familienfest bevor: der 70. Geburtstag meiner Frau. Kinder und Enkel versammeln sich; jede Kammer besetzt, die Tafel lang, und ich bin zerstreut. Muß auch zuviel nachdenken über das Zusammenleben und alles zusammen Tragen seit 48 Jahren.

An Kuno Fiedler, 19. Juli 1953

THOMAS MANNS DANK AN KATJA

«Angefangen an trautem Ort» schrieb ich ihr einst in ihr Exemplar von ‹Lotte in Weimar› –

Angefangen an trautem Ort –
Schrieb in der Fremde daran fort.
Einmal fehlt' ich, macht 's einmal gut –
Es wurde fertig in Deiner Hut.
Bleibe Du mir auf dieser Erden,
So soll alles fertig werden!

Verzeihen Sie das Selbstzitat, aber es ist in diese Privatverslein eines Prosaikers so vieles eingeschlossen und versiegelt an Gefühl für das Traute und für die Traute, die Märchenbraut von einst, die nun in ihrer heiteren Alterswürde neben dem Alten sitzt, dem verwegenen Freier von einst.

Katja Mann zum siebzigsten Geburtstag (XI, 522)

Katja Mann im Alter von 86 Jahren
Ölgemälde von Edeltraut Abel, Kilchberg 1969

Die Betrogene

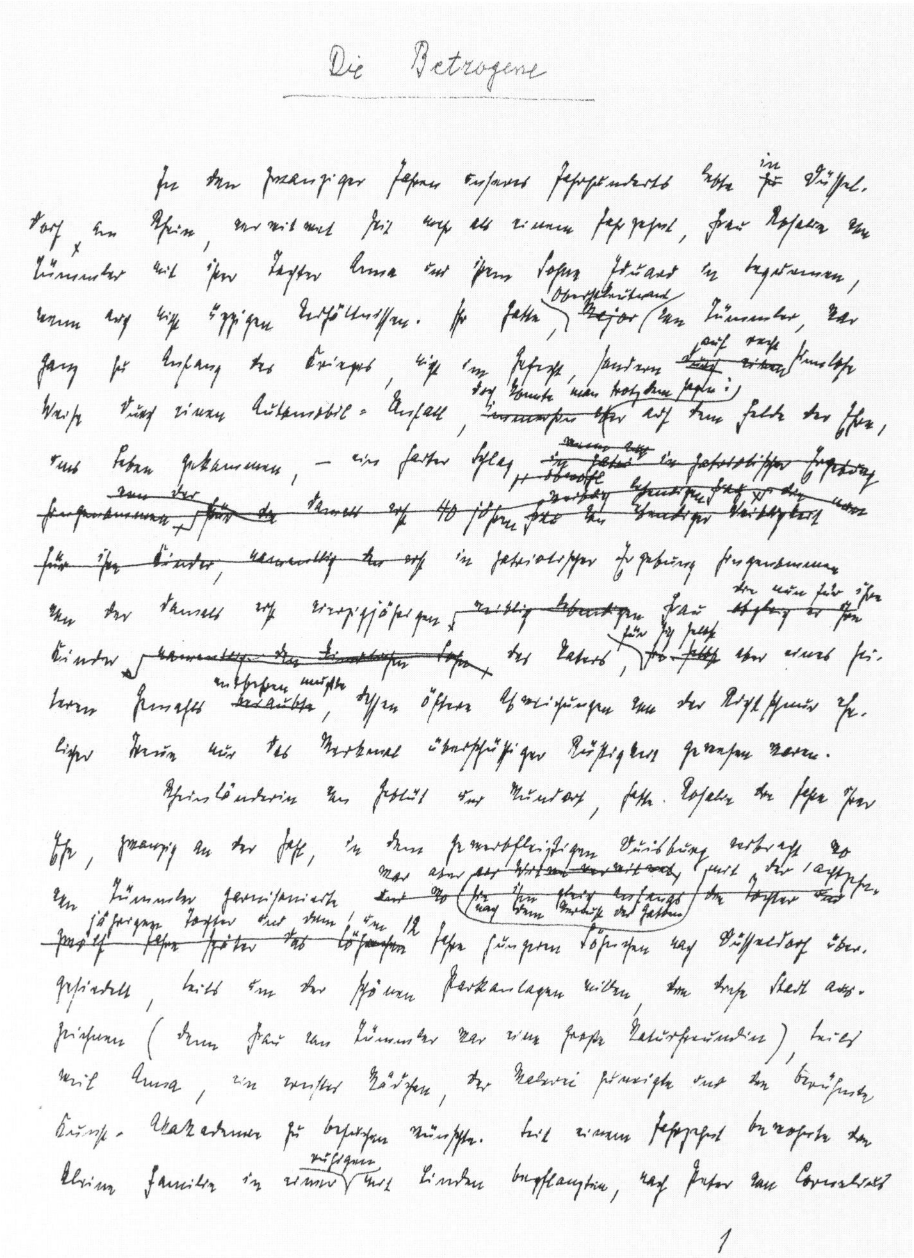

Gut zu zwei Dritteln bin ich mit einer Geschichte fertig, die «Die Betrogene» heißt und von einer herzlich naturliebenden Frau handelt, die von der Natur betrogen wird. Mit über 50, als es ihr zu ihrem Kummer schon garnicht mehr nach der Weiber Weise geht, verliebt sie sich leidenschaftlich in den jungen Hauslehrer ihres Sohnes und wird, vermeintlich vor lauter Liebe und von Gnaden der lieben Natur, wieder zum fließenden Brunnen, was sie hoch beglückt. Dann stellt sich aber heraus, daß die Blutung nur das Anzeichen eines weit vorgeschrittenen Gebärmutter-Krebses war, und sie stirbt, ohne der Natur den Betrug nachzutragen, gegen die aber der Autor sich ziemlich bissig verhält. Die Geschichte, eine Anekdote, die ich hörte, ist recht geistreich ausgeführt und im Stil der klassischen Novelle vorgetragen.

An Hermann Hesse, 8. Januar 1953

Rosalie von Tümmler
Das Bild von Gertrud von le Fort lag beim Material zur «Betrogenen».

DR. OBERLOSKAMP
RECHTSANWALT

DÜSSELDORF 76 14. Februar 1953
Bolkerstraße 65 I. (Eingang Hunsrückenstraße)
Rhein-Düssel-Haus
Fernruf 21138
0/-er

Herrn

Dr. Thomas M a n n ,
Erlenbach-Zürich/ Schweiz.

Sehr verehrter Herr Dr. Mann !

Die in Ihrem Schreiben vom 9. 2. ds. Js. enthaltenen Fragen habe ich im wesentlichen bereits mit meinem Schreiben an Sie vom gleichen Tage beantwortet. Ich muss Ihnen lediglich noch schreiben, dass die Abfahrtstelle der Motorboote für das Stadtzentrum, die Pegeluhr am Rathausufer ist, welche auf einer der Ihnen geschickten Postkarten sichtbar ist. Eine Person, die in der Nähe des Hofgartens wohnt, braucht also nur den Hofgarten zu durchqueren, um zur Abfahrtstelle zu gelangen. Falls ich das Werbeamt der Stadt Düsseldorf noch bemühen soll, werden Sie es mich wohl wissen lassen.

Zu der hohen Ehrung, welche Ihnen von seiten der franz. Regierung zuteil geworden ist, gestatte ich mir, Ihnen meine besten Glückwünsche auszusprechen.

Mit verbindlichen Empfehlungen
Ihr sehr ergebener

Brief von Dr. Oberloskamp mit Angaben über die Motorboot-Abfahrtsstelle bei der Pegeluhr

Bei der Pegeluhr, am Rathausufer, der Abfahrtsstelle, wollte man sich früh neun Uhr am übernächsten Tage zusammenfinden.

Die Betrogene (VIII, 938)

Die Pegeluhr am Düsseldorfer Rathausufer

Schloß Benrath
Schauplatz der Geschichte ist Düsseldorf. Dort war Thomas Mann 1927 Klaus Heuser begegnet.
Die Örtlichkeiten sind nach Bildern aus einem Merian-Heft beschrieben.

Bekenntnisse des Hochstaplers Felix Krull

Nach Abschluß des «Erwählten» hatte Thomas Mann, im Januar 1951, die Arbeit am «Krull» wieder aufgenommen: «Während Sie nun in Frankfurt aus dem Abgetanen ein Buch fabrizieren, versuche ich an etwas vor 40 Jahren Liegengebliebenes wieder anzuknüpfen und an den Bekenntnissen Felix Krulls weiterzuschreiben. Gewissermaßen macht es mir Spaß, über all die Zeit und all das inzwischen Getane hinweg den Bogen zu schlagen. Aber es ist eben ein bißchen viel getan unterdessen und Felix von Joseph stark überhöht. Ich muß sehen, ob mir die Sache auf die Dauer noch schmeckt.» Nach dem «Doktor Faustus» war ihm schon «Der Erwählte» als Nachspiel vorgekommen. Jetzt transponierte er Felix Krull ins Hermes-Muster, schickte den Göttersohn und -liebling auf Reisen, gaukelte ihm Himmel- und Hadesfahrten vor und ließ das Glückskind schließlich am Busen einer allgewaltigen Hera landen.

VERSUCH DER WIEDERANKNÜPFUNG

[...] Der «Erwählte» ist endgültig fertig. Der Augenblick wäre wieder gekommen, wo ich, wie schon Mai 43 die Felix Krull-Papiere wieder hervorzog, nur um mich, nach flüchtiger Berührung damit, dann doch dem «Faustus» zuzuwenden. Der Versuch der Wiederanknüpfung muß, rein um Beschäftigung, eine vorhaltende Aufgabe zu gewinnen, gemacht werden. Ich habe sonst nichts; keine Novellen-Ideen, keinen Romangegenstand. Etwas wie der einst geplante «Friedrich» ist undenkbar; andere alte Pläne noch, wie «Maja» oder «Die Geliebten» sind aufgegangen und zernutzt, der Geschwister-Roman weitgehend im «Faustus» inkorporiert. Am möglichsten wäre die Luther-Erasmus-Novelle; aber es ist mir da von anderen essayistisch viel weggenommen worden. Dennoch habe ich immer auf alles acht gehabt, was den Gegenstand betraf. Aber es ist derzeit unerfindlich, wie er angegriffen werden und welche Neuheit ihm verliehen werden könnte. Für den «Hochstapler» spricht der Reiz des Ausfüllens eines weit offen Gelassen[en] im Werk; des Bogen-schlagens über 4 mit soviel anderem erfüllte Jahrzehnte hinweg. Das Jugend-Buch ist originell, komisch und mit Recht berühmt. Aber ich blieb stecken, war überdrüssig, auch wohl ratlos, als es weitergehen sollte und ich mich statt dessen zum «T.i.V.» wandte. Wird es möglich sein, neu anzugreifen? Ist genug Welt und Personal, sind genug Kenntnisse vorhanden. Der homosexuelle Roman interessiert mich nicht zuletzt wegen der Welt- und Reise-Erfahrungen, die er bietet. Hat meine Isoliertheit genug Menschen-Erlebnis aufgefangen, daß es zu einem gesellschaftssatirischen Schelmenroman reicht? Alles, was ich weiß, ist, daß ich unbedingt etwas zu tun, eine Arbeitsbindung und Lebensaufgabe haben muß. Ich kann nicht nichts tun. Doch zögere ich, das alte Material wieder vorzunehmen, aus Besorgnis, es möchte mir nach all dem inzwischen Getanen nichts oder nicht genug mehr sagen, und ich möchte gewahr werden, daß mein Werk tatsächlich getan ist. [...] Mittags mit Erika über den «Krull» als Plan und Idee. Das Faustische des Stoffes. Das Insistieren Schillers bei Goethe, Faust müsse in die Welt geführt werden. Erweiterung des Schauplatzes nach Amerika? Erweiterung von Felix' Rollenfach ins Alles-Mögliche, denn in jeder Maske muß er überzeugend sein.

Tagebuch, 25. November 1950

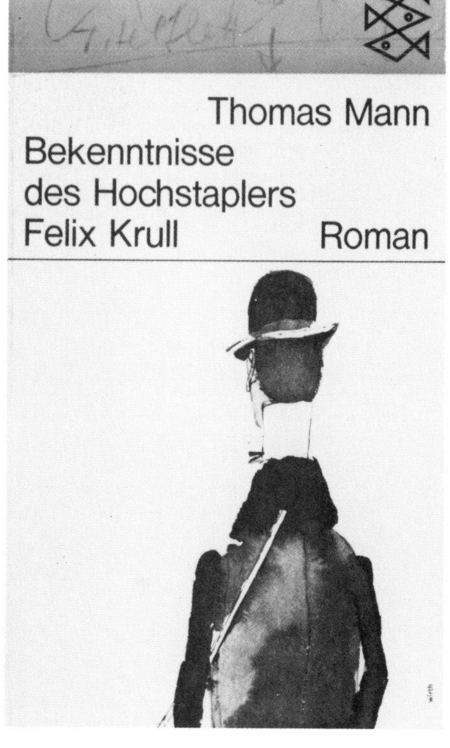

Umschlag der Taschenbuchausgabe

Krull in Paris

Vorlage zur Szene auf der Hotel-Dachterrasse, wo Krull den Marquis de Venosta trifft
Ausschnitt aus der «Woche», Berlin, 9. Juli 1910

Der Five o'clock im Hotel
Ausschnitt aus der «Woche», Berlin, 10. Dezember 1910

Mme Houpflés Ankunft
Ausschnitt aus der «Woche», Berlin, 9. Juli 1910

Madame Houpflé
Mrs. Jan Bullough, geb. Miß Lily Elsie. Eine Schönheit der Londoner Gesellschaft. Bildvorlage aus der «Woche», Berlin, 22. Februar 1913

[…] trat sie bei mir ein, in einem wundervollen weißen Seidenkleid mit kurzer Schleppe, Spitzen und gestickter Tunika, deren Taille ein schwarzes Sammetband gürtete, um den Hals ein Collier milchig schimmernder, untadelig gestalteter Perlen […].

Bekenntnisse des Hochstaplers Felix Krull (VII, 439)

Zaza
New-Yorker Wintergarten. Beim Versuchen eines «Cocktails». Modell zur Figur der Zaza aus der «Woche», Berlin, 1. März 1913

– eine vollschlanke Brünette mit wunderschönen, immer entblößten Armen, einer etwas phantastisch gebauschten und den Nacken bedeckenden Frisur, die zuweilen durch ein sehr kleidsames, turbanartiges Kopftuch mit seitlich herabhängenden Silberfransen und einem Federaufsatz über der Stirn verhüllt war, – mit Stumpfnase, süßem Plappermäulchen und dem ausgepichtesten Augenspiel.

Bekenntnisse des Hochstaplers Felix Krull (VII, 494 f.)

Krulls Weltreise: Der Rollentausch:

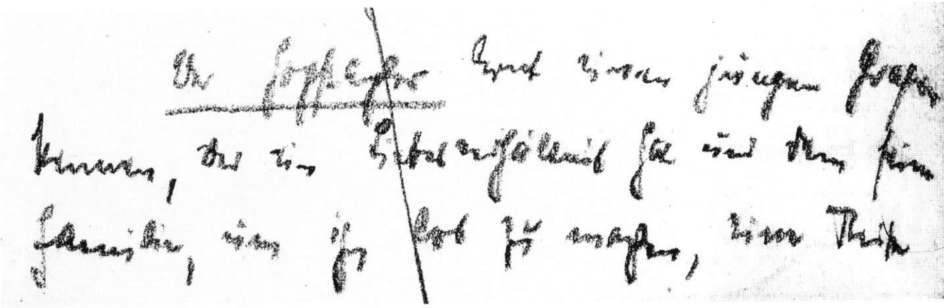

Krulls Rollentausch mit dem Grafen lehnt sich an J. J. Davids Erzählung «Die Weltreise des kleinen Tyrnauer» an (1906).

Die Weltreise
des kleinen Tyrnauer
Bibl. mod. deutscher Autoren. Band 17.
4

FRÜH GEPLANT, SPÄT AUSGEFÜHRT

Der Hochstapler lernt einen jungen Grafen kennen, der ein Liebesverhältnis hat und dem seine Familie, um ihn los zu machen, eine Reise um die Welt verordnet hat. Sie hat ihm eine große Summe dazu geschickt und verlangt Briefe von Stationen. Felix macht ihm den Vorschlag, zu tauschen. Er empfängt das Geld, sie schreiben zusammen nach dem Bädeker die Briefe, und Felix reist als Graf u. gibt die Briefe an den betr. Stationen auf, während der wirkl. Graf bei seinem Liebchen bleibt.

Eintrag im 9. Notizbuch, 1910

Krull imitiert die Unterschrift des Marquis de Venosta
Notizblatt, 1951

Hôtel-Halle

Erste Notiz zum «Gedanken der Vertauschbarkeit» auf einer Reklamepostkarte, datiert 26. Januar 1916:

Hôtel-Halle. Moderne «Aristokratie». Der Kellner könnte ebenso gut «Herrschaft» sein und jemand von der Herrschaft Kellner. Es ist der reine Zufall, daß es umgekehrt ist.

Thomas Mann führte diesen Gedanken 35 Jahre später im Roman aus.

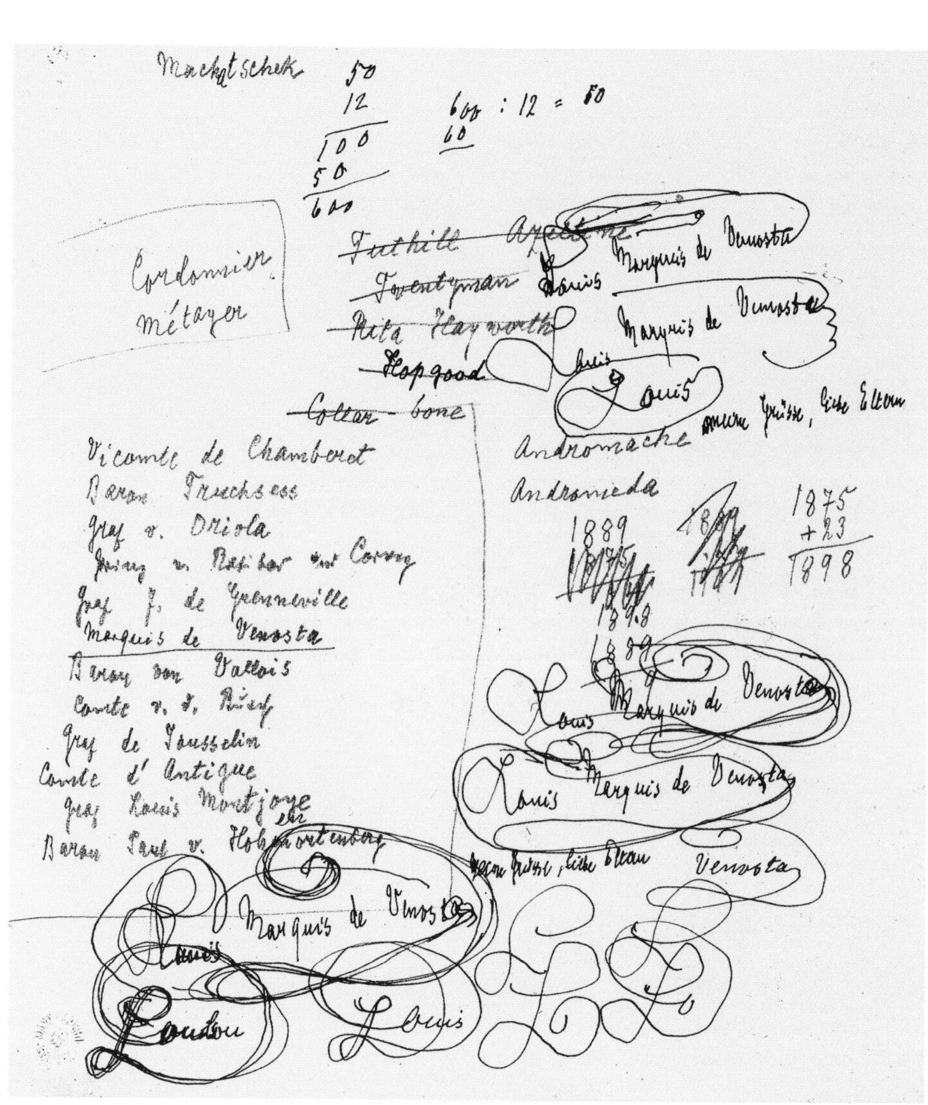

Der Gedanke der «Vertauschbarkeit»

Ich kann mein inneres Verhalten zur Welt, oder zur Gesellschaft, nicht anders als widerspruchsvoll bezeichnen. Bei allem Verlangen nach Liebesaustausch mit ihr eignete ihm nicht selten eine sinnende Kühle, eine Neigung zu abschätzender Betrachtung, die mich selbst in Erstaunen setzte. Ein Beispiel dafür ist der Gedanke, der mich zuweilen beschäftigte, wenn ich gerade, im Speisesaal oder in der Halle, die Hände mit der Serviette auf dem Rücken, einige Minuten müßig stand und die von den Blaufräcken umschwänzelte und verpflegte Hotel-Gesellschaft überblickte. Es war der Gedanke der *Vertauschbarkeit.* Den Anzug, die Aufmachung gewechselt, hätten sehr vielfach die Bedienenden ebensogut Herrschaft sein und hätte so mancher von denen, welche, die Zigarette im Mundwinkel, in den tiefen Korbstühlen sich rekelten – den Kellner abgeben können. Es war der reine Zufall, daß es sich umgekehrt verhielt – der Zufall des Reichtums; denn eine Aristokratie des Geldes ist eine vertauschbare Zufallsaristokratie.

Bekenntnisse des Hochstaplers Felix Krull (VII, 491 f.)

Krull in Lisboa

Lissabon, Krulls Reiseziel
Bildvorlagen aus der «Woche», Berlin, 7. Januar 1911

... durchschritt ich eine Art von Triumphbogen oder Monumentaltor, das sich an der dem Hafen entgegengesetzten Seite des Handelsplatzes gegen eine der schmucksten Straßen der Stadt, die Rua Augusta, auftut, wo ich eine gesellschaftliche Obliegenheit zu erfüllen hatte.

Bekenntnisse des Hochstaplers Felix Krull (VII, 555)

Cintra. Das alte Königinnenschloß

Der berühmte Kreuzgang von Belem

CINTRA UND KLOSTER BELEM

Ein solcher Augenblick kam, und nie vergesse ich ihn, als wir denn also endlich – der Ausflug war lange verschleppt worden – in meiner Kalesche hinaus zum Dörfchen Cintra gefahren waren, unter Dom Miguels belehrender Führung das alte Schloß im Dorf, danach auf den felsigen Anhöhen die weitschauenden Burgen besichtigt hatten und dann dem berühmten, von einem so frommen wie prunkliebenden König, Emanuel dem Glücklichen, zu Ehr und Andenken der einträglichen portugiesischen Entdekkungsfahrten errichteten Kloster Belem, das heißt: Bethlehem, unseren Besuch abstatteten. Offen gestanden gingen mir Dom Miguels Belehrungen über den Baustil der Schlösser und des Klosters und was sich da an Maurischem, Gotischem, Italienischem, mit einer Zutat sogar von Nachrichten über indische Wunderlichkeiten zusammengemischt hatte, wie man zu sagen pflegt, zum einen Ohr hinein und zum anderen wieder hinaus. [...] Desungeachtet muß ich doch eintragen, daß die unglaubliche, aus aller Zeit fallende und in keiner bekannten wirklich angesiedelte, wie von einem Kinde erträumte Zauberzierlichkeit des Kreuzganges von Kloster Belem, mit seinen Spitzentürmchen und fein-feinen Pfeilerchen in den Bogennischen, seiner gleichsam von Engelshänden aus mild patiniertem weißem Sandstein geschnitzten Märchenpracht, die nicht anders tat, als könne man mit dünnster Laubsäge in Stein arbeiten und Kleinodien durchbrochenen Spitzenzierats daraus verfertigen – daß, sage ich, diese steinerne Féerie mich wahrlich entzückte [...].

Bekenntnisse des Hochstaplers Felix Krull (VII, 635 f.)

Krull als Tennisspieler, 1953
Ausschnitt aus der «Neuen Zürcher Zeitung», 22. Juli 1953.
Aus dem Arbeitsmaterial zum «Krull»

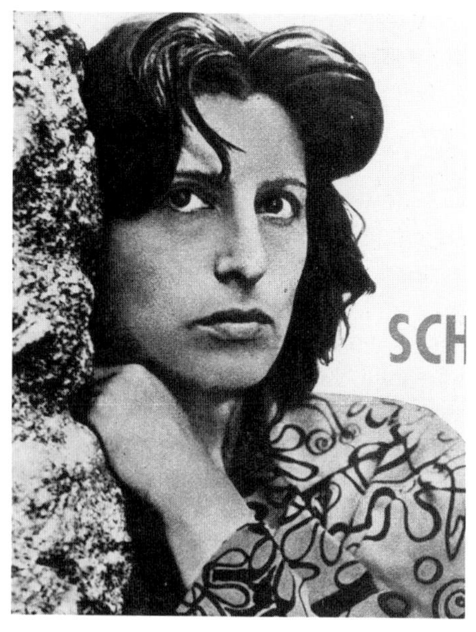

Senhora Maria Pia Kuckuck
Die Filmschauspielerin Anna Magnani war ein Modell zu Senhora Kuckuck.

Zouzou
Zouzou wurde nach dem Mannequin eines amerikanischen Magazins gezeichnet.

Noch sehe ich mich zum Annehmen eines tiefen Vorhanddrives, das eine Bein vorgestreckt, mit dem anderen ins Knie gehen, was ein gar hübsches Bild ergeben haben muß, da es mir Applaus von den Zuschauerbänken eintrug [...].

Bekenntnisse des Hochstaplers Felix Krull (VII, 618)

– Schönheit von Weitem. Auf dem Tennisplatz unten, während einer bestimmten Vormittagsstunde, junger Argentinier, schon ausgezeichneter Spieler, mit dem Trainer sich vervollkommnend. Dunkles Haar, Gesicht ungenau kenntlich, schlanker, bewundernswerter Wuchs, Hermesbeine. Das ausholende Schlagen, der spielende Umgang mit den Bällen, das Gehen, Laufen, Hinspringen, gelegentliche übermütige Tänzeln. Federnde Ruhelosigkeit des Körpers bei Inaktivität auf der Bank. Wechsel der Beinkreuzung, Schlenkern, Zusammenschlagen der weißbeschuhten Füße, Aufstehen, Weggehen, Wiederkommen, Ergreifen der Barriere mit den Händen. Weißes Spielkostüm, kurze Hose, nach der Übung Sweater über den Schultern. – Tiefes erotisches Interesse. Aufstehen von der Arbeit, um zu schauen. Schmerz, Lust, Kummer, zielloses Verlangen. Die Kniee. Er streichelt sein Bein, – was jeder möchte. – Der Schmerz um Den auf dem Dolder hat sich in diesen Tagen, unter dem Einfluß der Luft, der herrlichen Landschaft, der Mischung von Begeisterung und Unpäßlichkeit, die der Ort mir zufügt, zu einer allgemeinen Trauer um mein Leben und seine Liebe vertieft und verstärkt, dieser allem zu Grunde Liegende, wahnhafte und doch leidenschaftlich behauptete Enthusiasmus für den *unvergleichlichen, von nichts in der Welt übertroffenen Reiz* männlicher Jugend, die von jeher mein Glück und Elend, nicht auszusagen, enthusiastisch und stumm, – keine «promesse de bonheur», sondern nur der Entbehrung und zwar einer nicht zu bestimmenden, wunschvoll-wunschunmöglichen. – Las beim Signieren das Kapitel «Von der Schönheit» im «Jungen Joseph» nach. Scherzen über das Tiefste in mir. Das Illusionäre, wolkenhaft Unfaßbare, Ungreifbare, das dennoch das Leidend-Begeisterungsvollste ist, Unsinn und Schwur, Fundament der Kunstübung – – «In deinem Atem bildet sich mein Wort.» – – –

Tagebuch, St. Moritz Suvretta, Sonntag den 6. August 1950

Corrida de Toro

Einmal, während der Stier, geschwächt wohl bereits und degoutiert von der Vergeblichkeit all seines Zornes, abgewandt stand und dumpf vor sich hin brütete, sah man seinen Partner, ihm den Rücken kehrend, im Sande knien und sehr schlank aus dieser Stellung aufgerichtet, mit erhobenen Armen und geneigtem Kopf den Mantel hinter sich spreizen.

Bekenntnisse des Hochstaplers Felix Krull (VII, 654 f.)

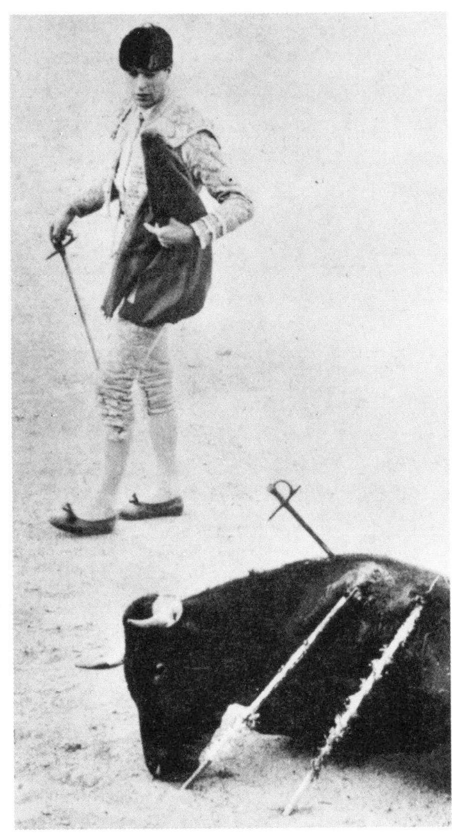

Der Todesstoß
Bild aus dem Arbeitsmaterial zum «Krull»

Ribeiro

«Das ist Ribeiro», sagte er dann. «Ein beachtlicher Junge.» Aus der Gruppe der Kampfspieler löste sich einer der Espadas, mit «Ah's» und grüßenden Zurufen empfangen, die seine Popularität bezeugten, und nahm, da sonst jedermann sich zurückhielt, zusammen mit dem blutend wütenden Stier allein die Manege ein. Schon bei der Prozession war er mir aufgefallen, denn das Schöne und Elegante sondert mein Auge sogleich aus dem Gewöhnlichen aus. Achtzehn- oder neunzehnjährig, war dieser Ribeiro in der Tat bildhübsch. Unter schwarzem Haar, das ihm glatt und ungescheitelt tief in die Brauen hing, trug er ein fein geschnittenes spanisches Gesicht zur Schau, das bei einem ganz leisen, vielleicht vom Beifall erzeugten, vielleicht nur Todesverachtung und das Bewußtsein seines Könnens andeutenden Lächeln der Lippen mit stillem Ernst aus schmalen schwarzen Augen blickte. Das gestickte Jäckchen mit den Schulterüberfällen und den gegen das Handgelenk sich verengenden Ärmeln kleidete ihn – ach, mit einem ganz ebensolchen hatte mein Pate Schimmelpreester mich einst kostümiert – kleidete ihn so vortrefflich, wie es mich einst gekleidet. Ich sah, daß er schlank gegliederte, durchaus noble Hände hatte, mit deren einer er eine bloße, blanke Damaszenerklinge beim Gehen wie einen Spazierstock aufsetzte. Mit der anderen hielt er ein rotes Mäntelchen an sich.

[…]

Sehr ließ er ihn nahen, ganz heran, griff im genauesten Augenblick den Degen vom Boden auf und stieß dem Tiere blitzschnell den schmalen und blanken Stahl bis halb zum Heft in den Nacken. Es sackte zusammen, wälzte sich massig, bohrte einen Augenblick die Hörner in den Grund, als gälte es das rote Tuch, legte sich dann auf die Seite, und seine Augen verglasten.

[…] Noch sehe ich Ribeiro, seinen Mantel unterm Arm, ein wenig auf den Zehenspitzen, als wollte er leise auftreten, beiseite gehen, indem er sich nach dem Gefällten umschaute, der sich nicht mehr regte.

Bekenntnisse des Hochstaplers Felix Krull (VII, 653 ff.)

Krull und Lord Kilmarnock

«Mich giftet meine Kolbennase, die mißgeschaffen ist.» (Alfred Kerr)
Karikatur in «Dagens Nyheter», 1929

Erst gegen Schluß der Arbeit am «Krull» hat Thomas Mann die Lord-Kilmarnock-Episode nachgetragen:

«Wirklich?» frug er und wandte mir langsam den von unten, von der Tischplatte her gegen mein Gesicht aufsteigenden Blick zu. Sein Blick hatte immer etwas Erzwungenes und etwas von Überwindung. Doch diesmal war seinen Augen anzusehen, daß die Anstrengung gern geschah. Sein Mund lächelte mit feiner Schwermut. Darüber aber sprang mir gerade und schwer die überdimensionierte Nase entgegen.
Wie kann man nur, dachte ich, einen so feinen Mund und eine so klobige Nase haben?
«Wirklich!» bestätigte ich in einiger Verwirrung.
«Vielleicht, mon enfant», sagte er, «erhöht Selbstverneinung die Fähigkeit zur Bejahung des Anderen.»
Damit stand er auf und ging aus dem Saal. In mancherlei Gedanken blieb ich am Tischchen zurück, das ich abräumte und neu instand setzte.

[...]
«Welche soll ich denn nehmen?»
«Der Händler», antwortete ich, «empfiehlt diese.» Und ich deutete auf die beringten. «Persönlich würde ich, wenn es erlaubt ist, eher zur anderen raten.»
Ich konnte es nicht unterlassen, ihm Gelegenheit zur Courtoisie zu geben.
«So werde ich mich an Ihr Urteil halten», sagte er denn auch, griff aber noch nicht zu, sondern ließ mich die beiden Kistchen weiter ihm darbieten und blickte auf sie nieder.
«Armand?» fragte er leise in die Musik hinein.
«Mylord?»
Er änderte die Anrede und sagte:
«Felix?»
«Mylord befehlen?» frug ich lächelnd.
«Sie hätten nicht Lust», kam es von ihm, ohne daß er die Augen von den Zigarren erhoben hätte, «den Hoteldienst mit einer Stellung als Kammerdiener zu vertauschen?»
Da hatte ich es.
«Wie das, Mylord?» fragte ich scheinbar verständnislos.
Er wollte gehört haben «Bei wem?» und antwortete mit leichtem Achselzucken:
«Bei mir. Das ist sehr einfach. Sie begleiten mich nach Aberdeen und Schloß Nectanhall. Sie entledigen sich dieser Livree und tauschen ein Zivil von Distinktion dafür ein, das Ihre Stellung markiert und sie von der anderen Dienerschaft unterscheidet. Es ist allerlei Dienerschaft da: Ihre Pflichten würden sich ganz auf die Betreuung meiner Person beschränken. Sie würden immer um mich sein, auf dem Schloß und im Sommerhaus in den Bergen. Ihr Salaire», fügte er hinzu, «wird vermutlich das Doppelte und Dreifache des hier bezogenen ausmachen.»
Ich schwieg, ohne daß er mich durch einen Blick zum Reden angespornt hätte.

Bekenntnisse des Hochstaplers Felix Krull (VII, 483 f.)

Felix-Krull-Modell Franz Westermeier 1950 vor dem Hotel Dolder in Zürich

Nach dem Erscheinen der Tagebücher 1950 meldete sich der Kellner Franz Westermeier in einer deutschen Wochenzeitschrift zu Wort. Bei ihm hatte Thomas Mann damals im Hotel Dolder die Zigarren ausgesucht – so wie es dann Lord Kilmarnock im «Krull»-Roman wieder tut.

Ich kann mich noch sehr gut an Thomas Mann erinnern, aber daß er in mich verliebt war und mich zum Vorbild für seinen Romanhelden Felix Krull nahm, davon habe ich erst durch Ihren Bericht erfahren. Als wir uns im Züricher Hotel Dolder 1950 kennenlernten, war ich gerade 19 und hatte noch nie etwas von ihm gelesen. Wenn ich an Thomas Manns Tisch servierte, war er immer sehr freundlich und steckte mir heimlich Trinkgeld zu, damit ich es nicht abliefern mußte. Nie ist er mir in irgendeiner Weise zu nahe getreten. Später habe ich von ihm noch einen netten Brief aus Kalifornien bekommen, den ich leider verloren habe. Bis heute bin ich meinem Beruf treu geblieben und arbeite als Bankett-Oberkellner in New York.

Franz Westermeier,
Forest Hills/New York

Stern, Nr. 24/1991

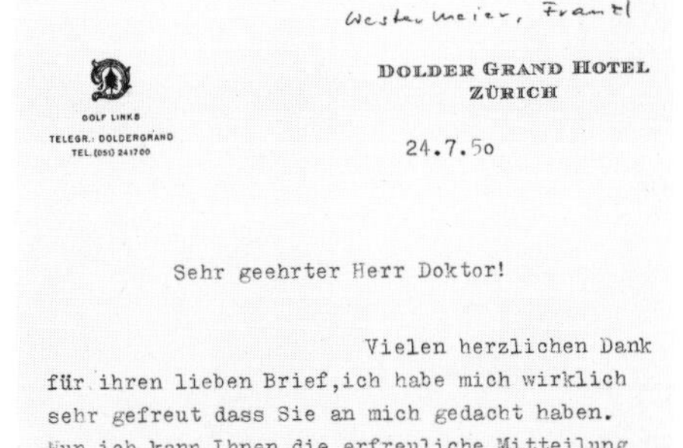

Westermeier, Franzl

GOLF LINKS
TELEGR.: DOLDERGRAND
TEL. (051) 241700

DOLDER GRAND HOTEL
ZÜRICH

24.7.5o

Sehr geehrter Herr Doktor!

Vielen herzlichen Dank für ihren lieben Brief,ich habe mich wirklich sehr gefreut dass Sie an mich gedacht haben. Nun ich kann Ihnen die erfreuliche Mitteilung machen dass ich in Genf die Stellung bekommen habe.Ich werde dort Anfang Oktober wenn alles mit der Arbeitsbewilligung klappt anfangen. Mann lässt mich hier im Dolder nicht vor Saisonschluss gehen,was ja verständlich ist. Vorläuffig werde ich noch als Kellner arbeiten müssen bis in der Küche ein Platz frei wird.

Nun ich wünsche Ihnen sowie Ihrer werten Frau Gemahlin noch recht schöne Ferientage und mit nochmals recht herzlichen Dank für Alles begrüsse ich Sie als Ihr ergebener

Franzl Westermeier

Aus dem Tagebuch

Zürich, Dolder, Dienstag den 1. VII. 50

Durchtränkt und überschattet alles von entbehrender Trauer um den Erreger, Schmerz, Liebe, nervöse Erwartung, stündliche Träumereien, Zerstreutheit und Leiden. Sah sein Gesicht, das es mir angetan, einmal flüchtig bei der Herabkunft im Lift. Er wollte nichts von mir wissen. Sein Interesse an meiner Teilnahme scheint mir erloschen. Weltruhm ist mir nichtig genug, aber wie garkein Gewicht hat er mehr gegen ein Lächeln von ihm, den Blick seiner Augen, die Weichheit seiner Stimme! Platen und andere, von denen ich nicht der Unterste, haben das in Scham, Schmerz und mutlosem Gefühl, das dennoch seinen Stolz hat, erlebt. Wie gering dabei die Energie zur Wirklichkeit. Schließlich bestünden Möglichkeiten, dem Gefühl zielstrebig nachzugehen, Begegnungen herbeizuführen. Wenn ich mich morgens gleich anzöge und auf der Terrasse frühstückte, könnte es leicht sein, daß er Dienst für mich hätte. Außer der Scheu vor der Erschütterung und außer dem Zwang, das Geheimnis zu wahren, ist es sogar Bequemlichkeit, was mich abhält, – Widerwille gegen Aktivität und Unternehmen, bei soviel Ergriffenheit! – Drei Tage noch, und ich werde den Jungen überhaupt nicht mehr sehen, sein Gesicht vergessen. Aber nicht das Abenteuer meines Herzens. Aufgenommen ist er in die Galerie, von der keine «Literaturgeschichte» melden wird, und die über Klaus H. zurückreicht zu denen im Totenreich, Paul, Willri und Armin.

Zürich, Dolder, Mittwoch den 12. VII. 50

[...] Eine freundliche Fügung wollte, daß der Junge während des größeren Teils der Mahlzeit bei uns servierte. Zulächeln. Ich zeigte ihn K.: «Der aus Tegernsee». Zulächeln und Koketterie. Nannte ihn Franzl. Bat um anderen Salat. Er bediente mit höflicher Zierlichkeit, auf die er sich beruflich zugute tat. Fragte nach seinen Aussichten in Genf. «Noch keine Stelle». Wonach ich eben gefragt hatte. Zündete mir die Cigarette an. Warten auf das brauchbare Brennen des Zündholzes in seiner hohlen Hand. Zulächeln. Von seinem Gesicht, seiner Stimme wieder tief entzückt. K. fand seine Augen sehr kokett. Sagte ihr, er wisse längst, daß ich ein Faible für ihn habe. Später verschwand er. War sehr glücklich und bewegt über die freundliche und schlichte Erheiterung der Beziehung. –

Sils Maria, Sonntag den 16. VII. 50. Waldhaus

[...] Der Gedanke meiner «letzten Liebe» erfüllt mich dauernd, ruft alle Unter- und Hintergründe meines Lebens wach. Der erste Gegenstand, Armin, wurde zum Trinker nach dem Verfall seines Zaubers durch die Pubertät, und starb in Afrika. Auf ihn meine ersten Gedichte. Er lebt im «T.K», Willri im «Zbg.», Paul im Faustus. Eine gewisse Verewigung haben alle diese Leidenschaften gewonnen. Klaus H., der mir am meisten Gewährung entgegenbrachte, gehört die Einleitung zum Amphitryon-Essay. – Plan, den Zurückgelassenen per Karte um Nachricht über das Gelingen seiner Genfer Wünsche zu bitten und ihm zu sagen: «Ich habe Sie nicht vergessen» – – –

Die «Bekenntnisse» – 1910 begonnen, dann über Jahrzehnte zurückgestellt – erschienen im Oktober 1954.

Die Erotik Michelangelo's

GESTEIGERTES LEBEN

Am 18. Juli 1950, Thomas Mann befand sich in St. Moritz, Suvretta Haus, traf Hans Mühlesteins Übersetzung von Michelangelos Gedichten ein. Thomas Mann war aufs tiefste bewegt. Bereits drei Tage später begann er einen Aufsatz über die Gedichte zu schreiben: Es ging um seine Sache. Das göttliche Kind Hermes, die Schönheit des Joseph, Michelangelos Verse auf Vittoria Colonna und auf junge Männer, Goethes Spätliebe zu Ulrike von Levetzow, das alles klingt in Thomas Manns Aufgewühltheit zusammen, und er vermag es über Monate hinweg nicht, dieser Aufgewühltheit Herr zu werden.

DICHTUNGEN

Michelagniolo

QUOS EGO VERLAG CELERINA

La Forza d'un Bel Viso

«La forza d'un bel viso a che
mi sprona?»
Ch'altro non è ch'al mondo mi diletti!»
[...]

«Nel vostro fiato son le mie parole.»
«In Deinem Atem bildet sich mein
Wort.»
[...]

«So wär's denn Zeit: schenkt mir
den schönen Trug!
Was könnte ehrlich Lieben andres
hoffen,
Als was geliebtes Antlitz ihm von
außen zeigt?»

«Ch'all'alte cose nuove
Tardi si viene e poco poi si dura.»
«So suchte immer die Natur
Zeiten und Zeiten lang, bis sie dein
Antlitz schuf.»

Immer ist vom Antlitz die Rede und von der «Forza d'un bel viso», der man unterliegt. Wie ganz entstand mein Gefühl aus dem Anblick seines Gesichts, – nach dem zu suchen die Natur sich wohl nicht gar viel Mühe gegeben. Seine Gestalt hat mich nicht sehr gekümmert. Es müßte lieblich sein, mit ihm zu schlafen, aber ich stelle mir von seinen Gliedern nichts Besonderes vor und wäre zärtlich zu ihnen um seiner Augen – also beinahe um etwas «Geistigen» willen. Beeinflussung durch Michelangelos Platonismus? Aber ich glaube, es ist mehr. – Gegen 8 auf nach ziemlicher ruhiger Nacht. Was mich an jenen Gedichten anspricht von gleich zu gleich ist die «Ermächtigung» des Alters zur Liebe, die ich mit dem melancholischen Bildhauer wie mit Goethe und Tolstoi teile. Mächtig aushaltende Naturen.

Tagebuch, 19. Juli 1950
(St. Moritz, Suvretta-Haus)

Dichtung und Erlebnis

Zu Hans Mühlesteins Ausgabe von Michelangelos Gedichten schreibt Thomas Mann:

Das Buch hat mich dank seiner Aufgewühltheit, seiner oft verzweifelten Gefühlsmacht tief ergriffen. Es ist dichterischer Wildwuchs – ja, wiewohl die obligate Sonettform vielfach eingehalten ist, haben wir es mehr noch mit Ausbrüchen des Schmerzes, der Bitterkeit, der Liebe und des Elends einer großen, übergroßen, leidend durchs Schöne zu Gott strebenden Seele zu tun, als mit Gedichten. Einer kurzen Liebesklage und -frage: «Come può esser ch'io non sia più mio?», «Wie kann's nur sein, daß ich nicht mehr mein eigen bin?», worin ganze zwei Zeilen einfach aus dem fassungslosen Ruf «O Dio, o Dio, o Dio!», «O Gott, o Gott, o Gott!» bestehen, kommt eher der Name eines tiefen Seufzers und Stöhnens als der des Gedichtes zu. Aber gerade durch das erschüttert Hingewühlte dieser einsamen Geständnisse des gewaltigen Künstlers packen sie so ungeheuer, auf eine fast außerkünstlerische, außerkulturelle, nackt menschliche Weise, unser Gemüt; und man muß zugeben, daß der Übersetzer ihnen mit ungewöhnlicher nachfühlender Kraft und meist genau sich anpassender sprachbildnerischer Schönheit gerecht geworden ist.

Die Erotik Michelangelo's (IX, 783)

Wird da Erlebnis in Literatur umgesetzt, oder Literatur in Erlebnis?

[...] Weh und schwer. Erinnerungen glimmen an erschaute und geliebte Jugend. O Dio! O Dio! O Dio! Wundes Herz. In vostro fiato son le mie parole. Das will mir nicht aus dem Sinn, Augen, Hermesbeine, la forza d'un bel viso. – Dies die letzte Station der langen Herfahrt, das Ziel noch weit, und es ist unsicher. Dunkelheit der Zukunft. Möge sie mir soviel Ruhe gewähren, daß ich mich in der Arbeit zerstreuen und sammeln kann, die noch am meisten ans Leben bindet. Möge Erika bald kommen! Möchte ich Frido noch wiedersehen! Möchte vielleicht der Junge vom Dolder nur einmal schreiben! – Blick auf den weiten See, Ufer, Bäume, Straße mit eilenden Automobilen. – Zuviel gelitten, zuviel gegafft und mich entzückt. Mich zuviel von der Welt am Narrenseil führen lassen. Wäre alles besser nicht gewesen? Es war und der Händedruck, das «Ich habe mich wirklich sehr gefreut» bleibt ein schmerzlicher Schatz. – – Warum schreibe ich dies alles? Um es noch rechtzeitig vor meinem Tode zu vernichten? Oder wünsche, daß die Welt mich kenne? Ich glaube, sie weiß, wenigstens unter Kennern, ohnedies mehr von mir, als sie mir zugibt. – – –

Tagebuch, 25. August 1950
(Chicago, Shoreland)

Vittoria Colonna und Andromache

P. P. Freitag den 15. IX. 50
Reisetasche aus Zürich mit Wäsche und Papieren, darunter Franzl Westermeiers Brief, den ich genau so werte wie die Bleistiftschnitzel W. T.'s. Nichts hat sich in dieser Beziehung geändert. Das Portrait der Vittoria Colonna, zugehörig, füge ebenfalls diesem Hefte bei – mit dem Hintergedanken übrigens alle Tagebücher in irgend einem sich empfehlenden Augenblick zu verbrennen.

Die Bleistiftschnitzel W. T.'s werden in der Hippe-Episode des «Zauberbergs» erwähnt. Mit W. T. ist Williram Timpe gemeint, der als Pribislav Hippe in den Roman eingegangen ist. Das Erlebnis im Fliesenhof des Katharineums liegt über sechzig Jahre zurück.

VITTORIA COLONNA

Sein bestes Glück hat er zweifellos in der Liebe zu Vittoria Colonna, im Seelenbunde mit der hohen, ernsten Frau, der Dichterin, gefunden, in dieser Leidenschaft, die zwölf Jahre lang, von seinem sechzigsten etwa bis über den Tod der «Herrin» hinaus (1547) dauert. In ihrer Ätherik und als ‹Bildungserlebnis› erinnert sie sehr an Goethe's Verhältnis zu Frau von Stein, wie er denn in einem Sonett zu ihr sagt, daß er zweimal zur Welt gekommen sei: erst nur als Modell seiner selbst, in schlechtem Ton, dann aber durch sie, durch Neugeburt im Steine, als vollkommenes Werk, und zwar durch die züchtigende und zähmende Arbeit, die ihre Güte an seinem ursprünglich wilden Wesen getan, zusetzend, was ihm gefehlt habe, wegfeilend, was roh und überschüssig an ihm gewesen sei. Der in Weimar war freilich jung und biegsam, als er dies bildende Frauenwerk an sich geschehen ließ, der Schöpfer der ‹Nacht› aber in der Capella Medici, des ‹Moses› und des ‹Jüngsten Gerichts› beinahe ein Greis, was seiner «dankbaren Behauptung» etwas Illusorisch-Schwärmerisches, nicht recht Glaubwürdiges gibt.

Die Erotik Michelangelo's (IX, 789)

SCHÖNHEIT UND TOD

Was das Schöne zufügt an Schmerz, was es in unbegreiflicher Einheit damit an Glückseligkeit spendet, diese Gedichte sagen es aus. Es sind auch darin die inspiriertesten Gedanken geformt über die Kunst, die immer im Bunde mit der Verliebtheit, verschränkt mit ihr sein Leben beherrscht: die «wahre Dauererbin» der vergänglichen Zeit, die Verewigerin, die Rächerin des Geschicks, daß das Geschöpf der Natur ein Raub der Zeit ist. Er, der mit dem Stein gerungen, weiß wohl, daß Arbeit Zeit und Tod besiegt. Wie bei Goethe ist hier die Kunst, auch sie, Natur, und ihr Sohn, der Künstler, erwirkt dem Vergehenden solches Bestehen, daß noch nach tausend Jahren sein Werk Zeugnis geben wird, «wie schön ihr wart, und ich wie häßlich wild, – Doch auch, daß ich kein Narr war, Liebe euch zu weihn!» Nie vergesse ich diese Verse:

Ch'all' alte cose nuove
Tardi si viene e poco poi si dura –

daß man spät, nach vielem Suchen und Proben, bei neuen hohen Dingen anlangt und daß dann unsere Bahn bald zu Ende ist. Welcher Enthusiasmus und welches geisterhafte Grauen zugleich liegen in dem Gedanken, den er in seinem vielleicht höchsten Gedicht, um 1543, ein Achtundsechzigjähriger, ausdrückt: daß so auch die Natur Zeiten und Zeiten lang nur gesucht und geirrt habe, «bis sie dein Antlitz schuf», und daß damit ihr Beruf zu Ende sei, daß sie sich danach, alt geworden, zum Tode neige! Es gibt nichts tiefer Verworrenes, seliger Angstvolles, als die Gefühle, mit denen er ihr Antlitz betrachtet, und in denen sich höchste Lust mit solchen des Endes, des erreichten Zieles, des Weltunterganges mischt.

Die Erotik Michelangelo's (IX, 790f.)

Hat Thomas Mann Vittoria Colonnas Gesichtszüge auf Andromache im «Krull» übertragen?

War Andromache etwa menschlich, ‹La fille de l'air›, wie sie auf dem langen Programmzettel hieß? Noch heute träume ich von ihr, und obgleich ihre Person und Sphäre dem Närrischen so fern waren wie möglich, war sie es eigentlich, die ich im Sinne hatte, als ich mich ausließ über die Clowns. Sie war der Stern des Cirkus, die große Nummer, und tat eine Hochtrapez-Arbeit ganz ohnegleichen. Sie tat sie – und das war eine sensationelle Neuerung, etwas Erstmaliges in der Cirkusgeschichte – ohne ein unten ausgespanntes Sicherheits- und Fangnetz [...]. War sie zwanzig Jahre alt, oder weniger, oder mehr? Wer will es sagen. Ihre Gesichtszüge waren streng und edel und wurden merkwürdigerweise nicht verunschönt, nein, nur noch klarer und anziehender durch die elastische Kappe, die sie zur Arbeit über ihr voll aufgeknotetes braunes Haar zog, da dieses sich ohne solche Befestigung beim Kopf-über, Kopf-unter ihrer Taten notwendig hätte auflösen müssen.
[...]
Sie lächelte kaum. Ihre schönen Lippen, fern von Verpreßtheit, standen meist leicht geöffnet, aber das taten freilich auch, gespannt, die Flügel ihrer griechisch gestalteten, ein wenig niedergehenden Nase. Sie verschmähte jedes Liebäugeln mit dem Publikum. Kaum daß sie, nach einem Tour de force auf der hölzernen Querstange eines der Geräte ausruhend, eine Hand am Seil, den anderen Arm ein wenig zum Gruße ausstreckte. Aber ihre ernsten Augen, geradeaus blickend unter den ebenmäßigen, nicht gerunzelten, aber unbeweglichen Brauen, grüßten nicht mit.

Bekenntnisse des Hochstaplers Felix Krull (VII, 458 f.)

«Un uomo in una donna»: Auch Andromache, «la fille de l'air», schwebt schließlich zwischen den Geschlechtern.

In Kilchberg

Anfang 1954 kaufte sich Thomas Mann in Kilchberg ein Haus. Es war etwas kleiner als die Domizile in München, Princeton und Pacific Palisades. Für alle Kinder Platz zu haben, war nicht mehr nötig: Klaus hatte sich am 21. Mai 1949 in Cannes das Leben genommen, Golo kam gelegentlich aus Deutschland herüber, Elisabeth wohnte in Chicago, Monika auf Capri, Michael in Berkeley. Einzig Erika hatte ihren Standort noch bei den Eltern, aber sie war häufig unterwegs. Der Familien- und Freundeskreis war enger geworden. Alle paar Monate waren Nachrufe zu schreiben, Gedenkreden zu halten, auf Alfred Neumann und Emil Oprecht, auf Gerhart Hauptmann und Max Reinhardt, auf Albert Einstein. Die hohen Geburtstage mehrten sich: Hesse, Feuchtwanger, Katja, Reisiger, Trebitsch, Lukács. Ursachen zur Zersplitterung gab es viele. Aber hatte die Arbeitskraft nicht überhaupt nachgelassen? Thomas Mann kränkelte oft, fühlte sich müde, merkte, daß er langsamer vorankam als früher. Aber er arbeitete unentwegt – wenigstens versuchte er es. Er wußte: Er lebte, solange er schrieb.

Kilchberg, alte Landstraße 39

In Conrad Ferdinand Meyers Kilchberg habe er ein Haus erworben, sagt Thomas Mann in «Rückkehr»:

[...] mit schönem Ausblick auf den See, seine besiedelten Ufer und die «türmende Ferne», ganz nahe dem Ländlichen, den Wäldern der freien Natur und doch in bequemem Kontakt mit der Stadt gelegen. Nach so viel Wanderung und Wechsel, die das Leben mit sich brachte, soll es meine definitiv letzte Adresse sein.

Rückkehr (XI, 527)

Im Kilchberger Arbeitszimmer, 1954

Zürich
Im Zürcher Oprecht Verlag erschien 1953 ein Bildband über Zürich. Thomas Mann schrieb dazu das Vorwort «Die liebe Züristadt».

Luthers Hochzeit

Noch bevor die «Bekenntnisse des Hochstaplers Felix Krull» auch nur erschienen (1954), hatte er sich nach einem weniger frivolen Stoff umgesehen. Die lockere Schelmengeschichte war, so schien es ihm, seinem Alter nicht recht angemessen. Es zog ihn aus der griechischen Heiterkeit hinüber in die Sphäre von «Kreuz, Tod und Gruft», zurück damit auch zu Plänen, die er schon seit den zwanziger Jahren gehegt hatte: Er wollte eine Novelle über Luther und Erasmus schreiben. Im Sommer 1954 überlegt er, ob er «eine Reihe von 7 historischen Charakterszenen aus dem 16. Jahrhundert» in Angriff nehmen solle – er denkt an Luther, Hutten, Erasmus, Karl V., Leo X., Zwingli, Münzer, Riemenschneider. Im März 1955 entscheidet er sich zugunsten der dramatischen Form, notiert sich den Titel «Luthers Hochzeit» und beginnt eine Reihe von Büchern über Luther und seine Zeit zu lesen. «Luthers Hochzeit»: Schon Wagner hatte, 1868, ein Musikdrama dieses Titels erwogen. Thomas Mann stand also mit seinem Stück in Wagners Nachfolge, es war auch die Sphäre des «Doktor Faustus», der «Gesta Romanorum», von Pfitzners «Palestrina» – es war seine Sphäre. Aber – die Kraft reichte nicht.

Martin Luther

Katharina von Bora

Porträts aus Roland H. Bainton, «Hier stehe ich», Das Leben Martin Luthers (1952)

Unter uns gesagt habe ich ganz anderes im Kopf, nämlich ein aufführbares Stück «Luthers Hochzeit», wofür ich viel lese und notiere, ohne etwa sicher zu sein, daß ich es zustande bringe.

An Agnes E. Meyer, 16. März 1955

Mein Verhältnis zu der gewaltigen Gestalt Martin Luthers hatte immer dieselbe Ambivalenz wie das zu anderen großen Deutschen, zu Bismarck, zu Wagner. Aber wie bin ich in meinem Herzen dreist gewesen gegen die schicksalhafte Mächtigkeit dieser Gestalt, und jener Landesbischof hat mich nicht gut gelesen, wenn er Ehrfurchtslosigkeit bei mir wahrzunehmen glaubte. Daß ein Geist wie Goethe mir näher steht, als Luther, ist schließlich begreiflich. Der hätte sich zum Trubel der Reformation ungefähr so verhalten wie Erasmus und wäre aus Sympathie mit objektiven Ordnungen sicher bei der alten Kirche geblieben.

An Heinz Flügel, 23. Mai 1952

Ein Blatt aus dem Notizenkonvolut «Die Heirat»

Die Heirat

Auch die Begründung des «protestantischen Pfarrhauses» war unvorhergesehen und ungewollt. Sie ergab sich, wurde herbeigeführt. Luther rief noch auf der Wartburg, als die Mönche anfingen zu heiraten: *«Guter Gott! Mir werden Sie kein Weib geben.»* Nachher sagte er: «Wenn mir jemand *in Worms* (Karl V.: «Der wird mich nicht zum Ketzer machen») *gesagt hätte, in vier Jahren würde ich eine Frau haben*, hätt ichs nicht geglaubt.» Aber seit 3 Jahren hatte er gegen das mönchische Keuschheitsgelübde gesprochen, es für widerchristlich u. ungültig erklärt, nämlich die Verpflichtung zum Cölibat, die die Priesterweihe auferlegte. Bei seiner Ich-Bezogenheit bedeutete das, daß er sich selbst frei fühlte und *theoretisch auf Freiersfüssen ging*. Seine Freunde sah er mit Beifall von dieser Freiheit Gebrauch machen u. ermunterte. Er ermunterte dadurch sich selbst, obgleich er noch Jahre lang kein Beispiel gab. Blieb in seinem Kloster, auch nachdem er die Kutte abgelegt. (Auf der Wartburg Junkertracht und Bart.) Wohnt in dem *vereinsamten Kloster* mit dem *ehem. Prior Eberhard Brisger*. Verödung, Versiegen der Einkünfte, Fehlen des Nötigsten. Vor seiner Verehelichung macht ihm ein Jahr lang niemand sein Bett. (Er selbst auch nicht, fällt nach des Tages Arbeit hinein.)
Sucht Geselligkeit. Der *trinkt mit anderen Doctoren Bier*, ist derb fröhlich, *weiß wohl die Laute zu schlagen*, treibt übrigens Luxus, trägt einen *kostbaren Ring*, und *«Hemder mit Bändelein»*. Darüber reden nicht nur die Papisten, sondern vorzüglich die Männer der mystischen Gottgelassenheit u. Selbstabtötung, die *Anhänger Münzers und Carlstadts*. Münzer gegen *«das sanftlebende Fleisch in Wittenberg»*. Ähnlich der Schulmeister *Jckelsamer* aus dem Carlstadt'schen Anhang in Rotenburg. Der behauptet auch, daß man in Wittenberg manchen Mitgliedern der Universität in Dingen des unzüchtigen Wandels durch die Finger sehe. Gegen ihn selbst kann man freilich in der Beziehung nichts vorbringen.

Trübsinn u. schwere Anfechtungen kehren bei ihm wieder. Seelisches Gemisch. *Der Bauernkrieg als Produkt seiner Lehre im Wirklichen; das Grauen vor dem Wirklichen;* die Reue über sein «Zerschmeisset, würget, stechet», das gerade heraus gekommen, während die Bauern gemetzelt wurden; *Enttäuschung über die Menschheit; Furcht vor dem Chaos;*

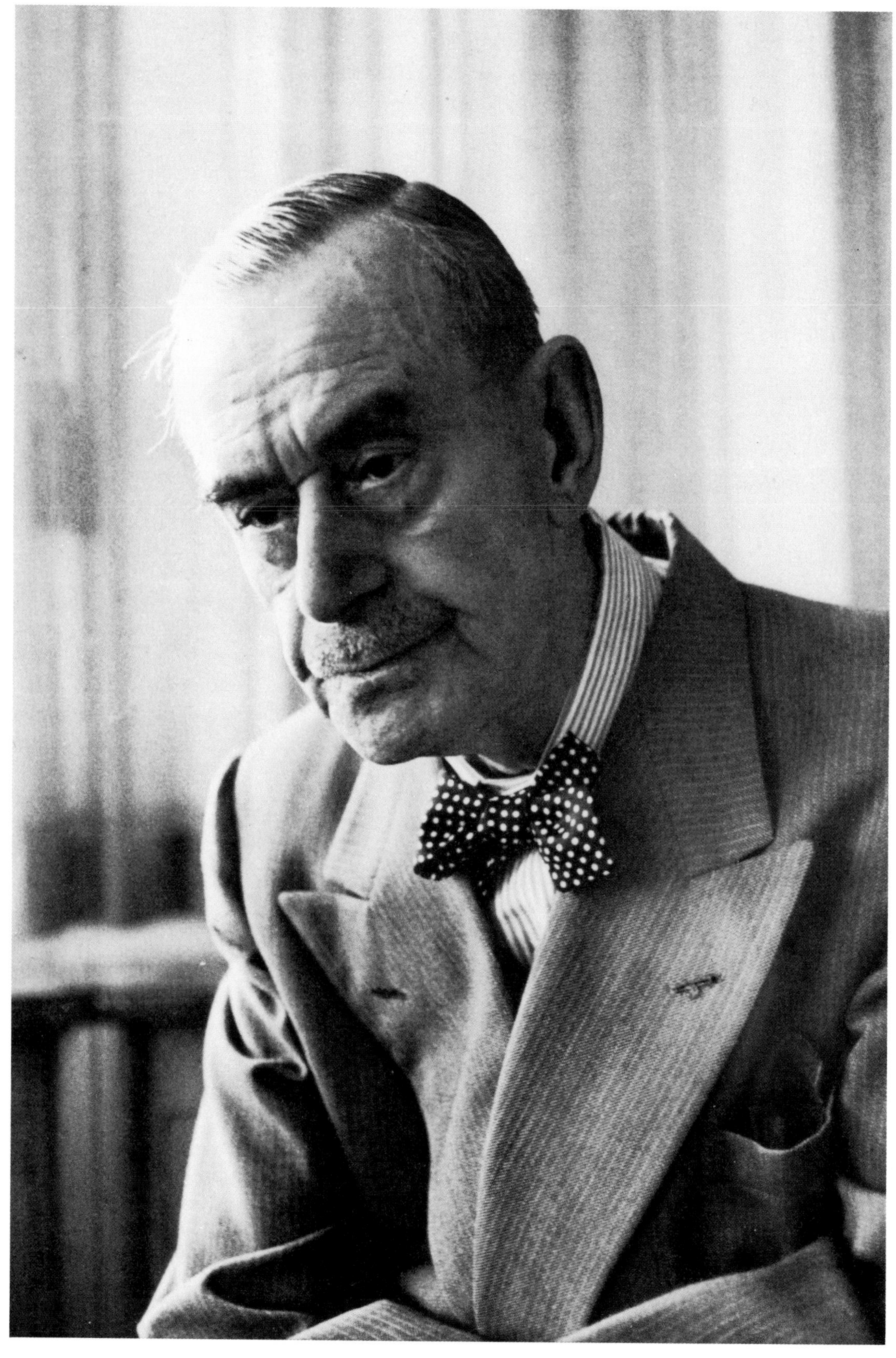

In Kilchberg, 1955

1955 Das letzte Jahr

«Versuch über Schiller»
Der 80. Geburtstag
Das Grab in Kilchberg

Versuch über Schiller

Jetzt geht es bei mir sehr ernsthaft zu. Nächsten Mai soll ich in Stuttgart die offizielle Schiller-Rede halten, und das ist eine Aufgabe, deren Lösung ich nicht früh genug hinter mich und in Sicherheit bringen kann. Es fällt schwer, sie mir leicht zu machen, – denn leicht, persönlich, herzlich muß sie sein, wenn sie in ihrer Art und für ihren Zweck irgend bestehen soll vor den Gebirgen hochverdienter literar-historischer Behandlungen des herrlichen Gegenstandes. Ich muß mich in meine 15 Jahre zurückversetzen, als «Semele» und «Don Carlos» mich die erste Sprachbegeisterung lehrten.

An Max Rychner, 10. September 1954

Schiller im 35. Lebensjahr
Nach einer Kreideskizze von Ludovica Simanowitz

Quellenwerk zum Essay «Versuch über Schiller»

Am Anfang und am Ende: Schiller

Zu Weihnachten 1889 hatte Thomas Mann Schillers Werke geschenkt bekommen – wohl die ersten Gesammelten Werke, die er besaß. Jetzt traten beide Deutschland mit dem Wunsch an ihn heran, er möge zu Schillers 150. Todestag die Festrede halten. Er entschloß sich, den Doppelbesuch von 1949 zu wiederholen. Das war, zwei Jahre nach dem Volksaufstand vom 7. Juni 1953 in der DDR, kein einfacher Entschluß. In Stuttgart, Schillers Geburtsstadt, beehrte ihn Bundespräsident Theodor Heuss mit seinem Besuch. In Weimar empfing ihn wieder Kulturminister Johannes R. Becher; die Universität Jena verlieh ihm die Ehrendoktorwürde.

Noch einmal erfährt Thomas Mann beim «Versuch über Schiller» die hohe Lust der Arbeit. Müdigkeit und Unmut fallen ab von ihm. Die «Sprachbegeisterung», die er schon früh an Schillers Werken erlebt hat, wiederholt sich. Er findet des Zitierens kein Ende. Die imitatio Goethes war eine Velleität; sie stellte höchste Anforderungen an ihn, gerade weil er anders war als Goethe. Schiller, dem «sentimentalischen» Dichtertypus, fühlte er sich mit größerem Recht verwandt – auch wenn einer, der durch die Schule Nietzsches und Schopenhauers gegangen war, die triumphalen Trompeten der Moral nicht mit dem gleichen Impetus schmettern lassen konnte.

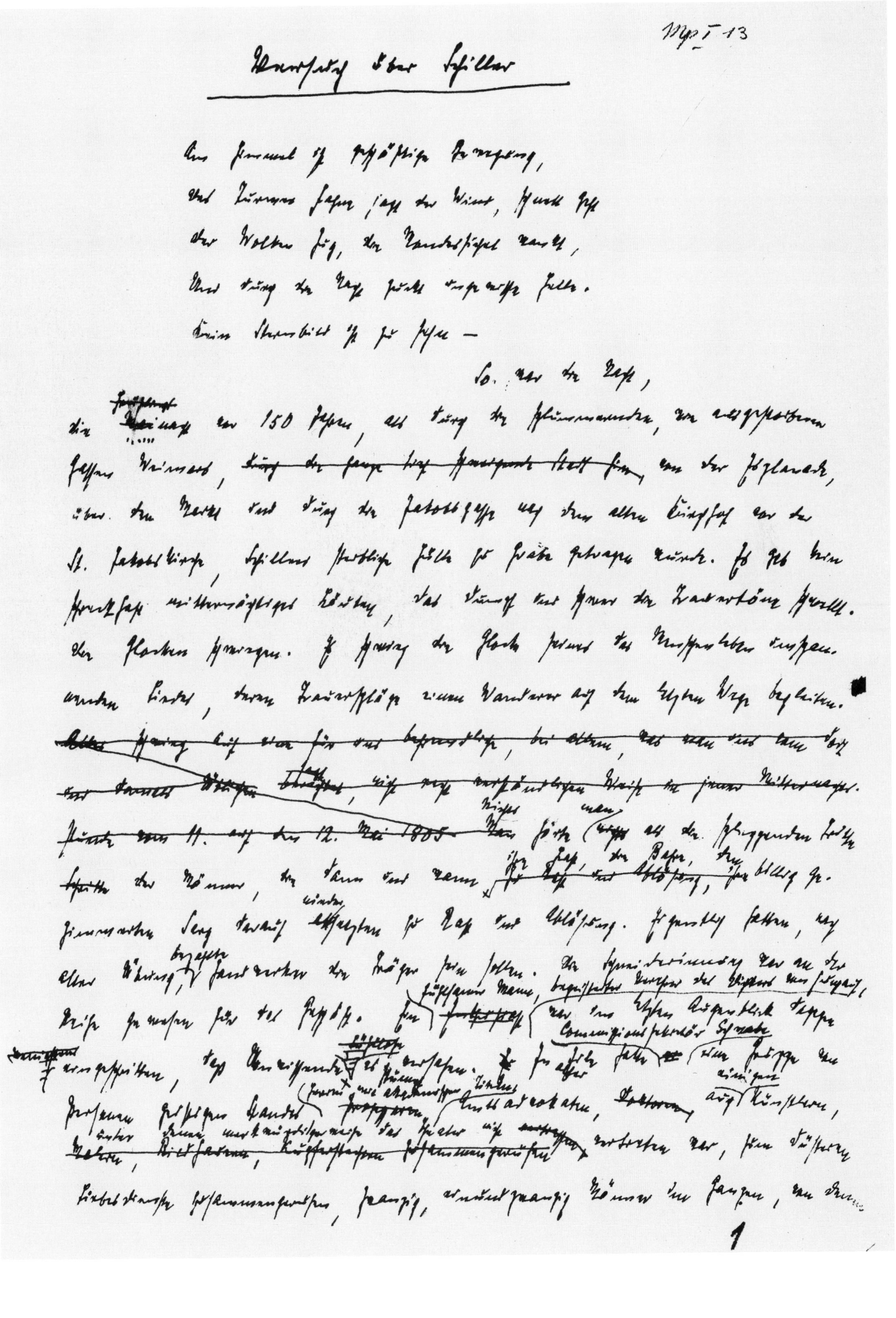

Mp I 13

Versuch über Schiller

Am Himmel ist geschäftige Bewegung,
Des Turmes Fahne jagt der Wind, schnell geht
Der Wolken Zug, die Mondessichel wankt,
Und durch die Nacht zuckt ungewisse Helle.
Kein Sternbild ist zu sehn —

So war die Nacht,

die ~~[illegible]~~ Frühlingsnacht vor 150 Jahren, als durch die schlummernden, die ausgestorbenen Gassen Weimars, ~~durch die ganze [illegible] Stadt hin,~~ von der Esplanade, über den Markt und durch die Jakobsgasse nach dem alten Kirchhof an der St. Jakobskirche, Schillers sterbliche Hülle zu Grabe getragen wurde. Es gab kein [illegible] mitternächtiges [illegible], das durch das [illegible] der Trauertöne schwellt. Die Glocken schwiegen. Es schwieg die Glocke jenes das Menschenleben umspannenden Liedes, deren Trauerschläge einen Wanderer auf dem letzten Wege begleiten.

~~[illegible] [illegible] auf [illegible], die Alten, [illegible] [illegible], [illegible] in jener Mitternachtsstunde vom 11. auf den 12. Mai 1805.~~ Nichts hörte man als die schlurfenden Schritte der Männer, die dann und wann ihre Last, die Bahre, den billig gezimmerten Sarg darauf, wieder absetzten zu Rast und Ablösung. Eigentlich hätten, nach alter Übung, bezahlte Handwerker die Träger sein sollen. [illegible]

[illegible] Künstlern, ~~Malern, Bildhauern, Kupferstechern~~ [illegible]

Liebesdienst zusammengefunden, zwanzig, einundzwanzig Männer im Ganzen, von denen

1

Die Schiller-Feiern in Stuttgart und Weimar

SONNTAG, 8. MAI 1955

11.00 UHR im Großen Haus der Württ. Staatstheater in Stuttgart

GEDENKFEIER DER DEUTSCHEN SCHILLERGESELLSCHAFT

in Verbindung mit dem Süddeutschen Rundfunk

und den Württ. Staatstheatern

(Nur für Mitglieder und geladene Gäste)

Ouvertüre in D-dur von Johann Sebastian Bach

Begrüßungen: Der Vorsitzende der Deutschen Schillergesellschaft

Bibliotheksdirektor Dr. W. Hoffmann

Der Ministerpräsident des Landes Baden-Württemberg

Dr. Gebhard Müller

Festvortrag von Professor Dr. Thomas Mann

Ansprache des Bundespräsidenten, Professor Dr. Theodor Heuss

Maurerische Trauermusik von Wolfgang Amadeus Mozart

Es spielt das Orchester der Württ. Staatstheater unter der Leitung von Generalmusikdirektor Ferdinand Leitner.

Mit dem Bundespräsidenten Theodor Heuss

In Anwesenheit des Bundespräsidenten hielt Thomas Mann am 8. Mai den Festvortrag im Großen Haus des Stuttgarter Landestheaters.

WIEDER IN BEIDEN DEUTSCHLAND?

Lieber Dr. Fiedler,

Dank für Ihren so wohlgemeinten, fürsorglichen Brief. Sie können aber doch selber nicht glauben, daß ich mich von dem provinziellen Geschimpf einiger einfältiger Schweizer Sozialdemokraten (die deutschen sind wesentlich gescheiter) so ins Bockshorn jagen lasse, daß ich im letzten Augenblick erkläre: «Nein, ich wage es nicht, der Mut, den ich 1949 aufbrachte, ist mir entsunken, ich gehe nicht zur Schillerfeier nach Weimar, wo man mich erwartet, und wo die Universität Jena, die ‹Schiller-Universität›, das philosophische Ehrendoktor-Diplom für mich bereit hält.» Als was für ein Feigling stünde ich da vor einer Welt, die von meinen Absichten längst unterrichtet ist und sie nach Lage der Dinge entschieden ruhiger aufnimmt, als noch vor sechs Jahren. Sie können sich denken, daß ich solche Reaktionen [...] in meine Entschlüsse einkalkuliert habe und auf sie gefaßt war. Sie können sich auch denken, daß ich nicht blind, rücksichtslos und eigenmächtig handle, sondern im Einvernehmen mit den westlichen Instanzen. Ich habe zunächst den Vorsitzenden der Stuttgarter Schiller-Gesellschaft, Dr. Hoffmann, als er hier war, gefragt, wie seine Organisation sich dazu verhalten würde, wenn ich meine Rede in beiden Schiller-Städten hielte. Er hat mir geantwortet, daß es ihm und der Gesellschaft «geradezu lieb» sein werde. Fern sei es von mir, sagte ich, die offizielle Stuttgarter Feier beeinträchtigen zu wollen. Wenn es etwa dem Bundespräsidenten Heuss durch mein Vorhaben unmöglich gemacht würde, nach Stuttgart zu kommen, so würde ich *nicht* nach Weimar gehen.

An Kuno Fiedler, 29. April 1955

Schillerfeier im Weimarer Nationaltheater, 14. Mai 1955

Die Schillerreise im Tagebuch

Dann mit dem Wagen weiter nach Eisenach, wo Becher u. a. uns empfingen. Weiterfahrt nach Weimar, triumphal, der große Deutsche, in den Dörfern Transparente, Kinder mit ihren Lehrern, Bürgermeister, Blumen über Blumen. Begrüßung vorm Hotel International. Bürgermeister von Weimar. Die ganze Zeit viel Kaviar, der zu hartkörnig. Am nächsten Vormittag die Rede im Nationaltheater nach Vorrede von Becher. Mauern von Menschen. Ehrenpräsident der Akademie. Verkündigung der Einsetzung des wissensch. Kommitees zur Pflege u. Erforschung meines Werkes. Nächsten Tages im Schloß Promotion zum Ehrendoktor der Universität Jena. Lehrkörper herübergekommen. Rede des Rektors. Laudatio von Prof. Müller, Literarhistoriker. Improvisierte Danksagung mit Glück.

Tagebuch, 26. Mai 1955

Der 80. Geburtstag, 6. Juni 1955

Thomas Manns letzte große Auftritte waren die Schiller-Feiern in Stuttgart und Weimar. Am 20. Mai wurde ihm im Lübecker Rathaus die Ehrenbürgerschaft verliehen. Dann folgten die Feierlichkeiten zum 80. Geburtstag in Zürich. Es war eine triumphale Zeit, und Thomas Mann war Sonntagskind genug, sich gebührend feiern zu lassen: Empfänge, Ehrendoktorate, Orden, Festschriften, eine Flut von Telegrammen und Gratulationsschreiben – alles gehörte dazu, und er ließ es sich gefallen. Wäre es nicht eingetreten, er hätte es vermißt.

In Lübeck

Ehrenbürgerbrief

Dem großen Erzähler und Denker, dem Meister der deutschen Sprache, dessen Künstlerschaft aus dem Erbe hansischen Patriziertums erwuchs, der in keinem seiner die Zeiten deutenden Werke seinen Ursprung aus stadtstaatlicher Lebensform verleugnete, schon in hochmögender Jugend seine Heimat zum Symbol für die geistigen Wandlungen unseres gärenden Jahrhunderts erhob, der als Gestalter unvergänglicher Schöpfungen Weltgeltung erlangte und als unbeirrbarer Kämpfer für Freiheit und Menschlichkeit sich dem Streite der Meinungen gestellt hat,

dem Sohne unserer Stadt

THOMAS MANN

verleiht in Dankbarkeit und Verehrung die Lübecker Bürgerschaft Recht und Würde eines

EHRENBÜRGERS

DER HANSESTADT LÜBECK.

Geschehen im Rathaus zu Lübeck am 20. Mai 1955

BÜRGERMEISTER.

Thomas Mann trägt sich am 20. Mai 1955 im Lübecker Rathaus in das goldene Buch der Stadt ein

Besuch im Katharineum

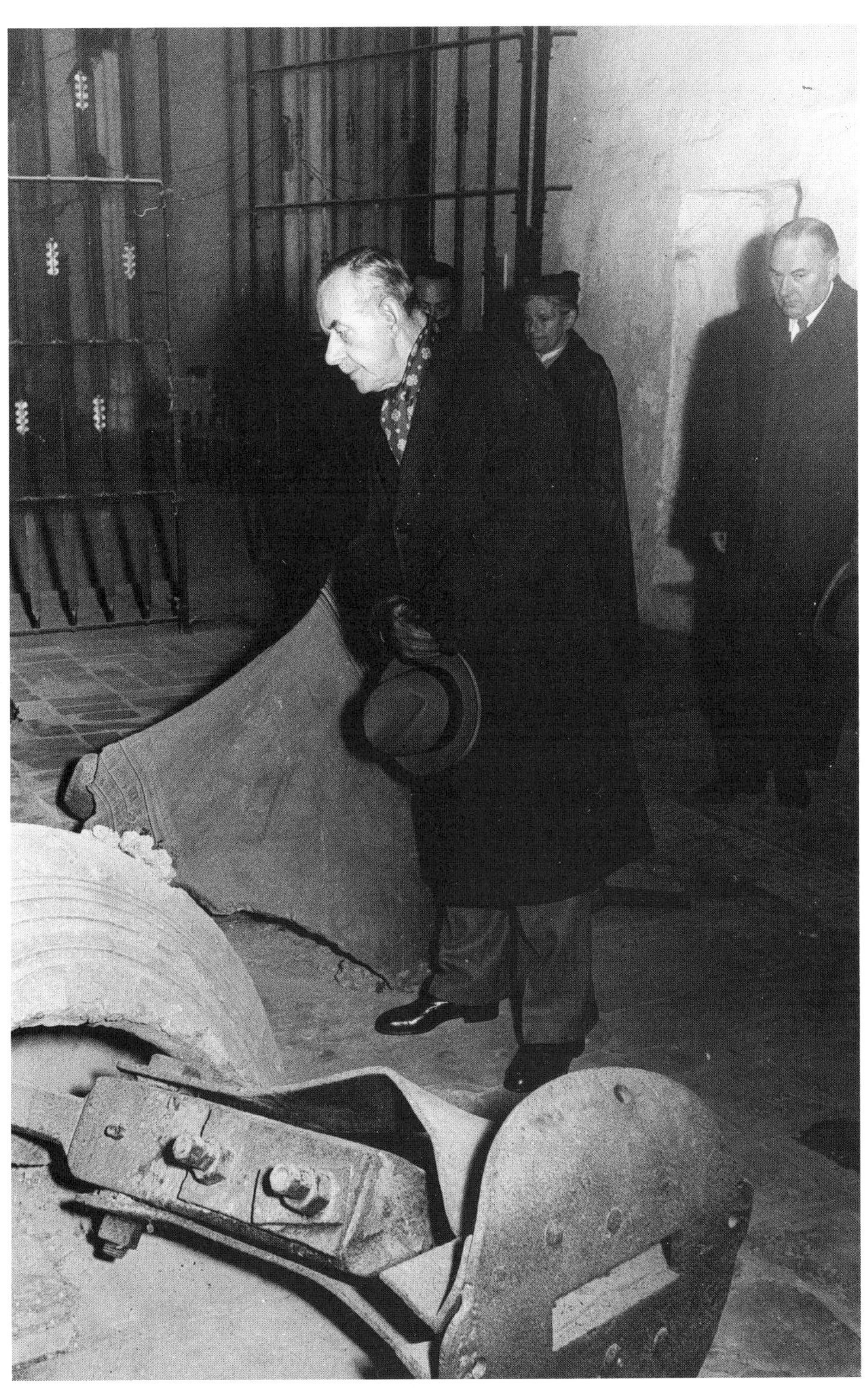

Thomas und Katja Mann vor den zerborstenen Glocken der Marienkirche, Mai 1955

Besuch der Marienkirche, des St. Annenmuseums, des Katharineums. Worte in der Aula, wo Primaner aus den «Räubern» deklamierten. Auf dem Schulhof. Erinnerung an Grautoff und Willri Timpe, den Zweiten in der Galerie. Umringt von lustigen Jungen, mit dem Direktor. –

Tagebuch, 26. Mai 1955

Die Feiern in Zürich und Kilchberg

Ehrendoktor der ETH
Feier im Conrad-Ferdinand-Meyer-Haus in Kilchberg, veranstaltet von der Gemeinde Kilchberg. Der Rektor der Eidg. Technischen Hochschule, Prof. Dr. Karl Schmid (1907–1974), überreicht Thomas Mann das Diplom eines Ehrendoktors der Naturwissenschaften.

Die Eidgenössische Technische Hochschule
verleiht durch diese Urkunde Herrn

Professor Dr.
Thomas Mann
in Kilchberg bei Zürich

der, ein großer Dichter, immer allen Wissenschaften verbunden blieb, die dem Geheimnis des Lebens zugewendet sind;

der, scharfsinnig und heiter, Wissen und Bewußtheit als die Pflicht des Lebens empfindet, wenn es aus dem Dumpfen zur Stufe der Menschheit aufsteigt,

und der für das hohe Gut der Geistesfreiheit lebenslänglich in Wort und Tat einstand,

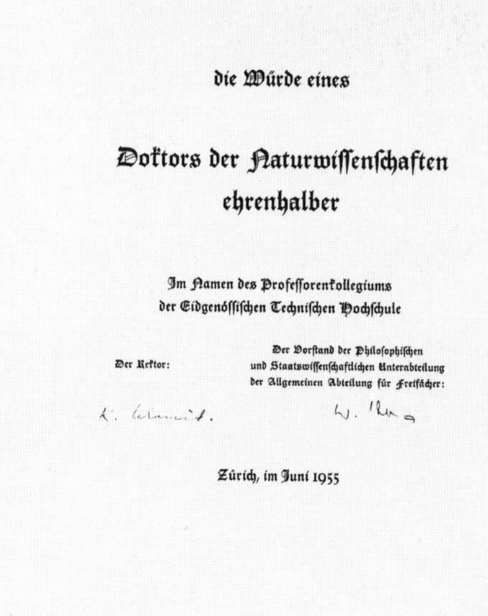

die Würde eines

Doktors der Naturwissenschaften
ehrenhalber

Im Namen des Professorenkollegiums
der Eidgenössischen Technischen Hochschule

Der Rektor:

Der Vorstand der Philosophischen
und Staatswissenschaftlichen Unterabteilung
der Allgemeinen Abteilung für Freifächer:

Zürich, im Juni 1955

Ehrendoktor-Urkunde der Eidgenössischen Technischen Hochschule

Am 4. begannen die Festlichkeiten, immer begleitet von Lawinen garnicht zu öffnender geschweige zu lesender Briefe. Telegramme, Zeitschriften, Zeitungsbeilagen etc. aus aller Welt. Frühstück der Stadt mit Reden von Landolt und mir. Denselben Tag Feier der Gemeinde Kilchberg im C. F.-Meyer-Haus in Gegenwart des Bundespräsidenten Petitpierre. Streichquartett, Reden des Gemeinde-, des Bundespräsidenten (deutsch), des Rektors der E.T. H., der das Ernennungsdokument zum Ehrendoktor der Naturwissenschaften überreichte. Improvisierte Dank-Rede, leidliche Patzerei. Anschließend Festessen im «Löwen». – Am 5ten Schauspielhaus-Feier mit Strichs Ansprache u. verbindenden Worten zu Vorlesungen aus meinen Büchern durch ausgewählte Schauspieler.

Tagebuch, 15. Juni 1955

Feier im Zürcher Muraltengut, 4. Juni 1955
Stadtpräsident Dr. Emil Landolt beglückwünscht den Jubilar.

EIN QUERSCHNITT
DURCH DAS WERK THOMAS MANNS

zusammengestellt und mit Zwischentexten versehen
von Prof. Dr. Fritz Strich

Aus «*Der Erwählte*» gelesen von Maria Becker

Aus «*Buddenbrooks*» gelesen von Gustav Knuth

«*Süßer Schlaf*» gelesen von Therese Giehse

«*Schwere Stunde*» gelesen von Erwin Parker

Aus «*Der Zauberberg*» gelesen von Maria Becker

«*Im Spiegel*» gelesen von Therese Giehse

Aus «*Josef und seine Brüder*» gelesen von Herman Wlach

Aus «*Josef und seine Brüder*» gelesen von Maria Becker

Fritz Strich spricht

THOMAS MANN

liest aus «*Bekenntnisse des Hochstaplers Felix Krull*»

Programm der Geburtstagsfeier des Schauspielhauses Zürich, 5. Juni 1955

Bruno Walter dirigierte an der Feier im Schauspielhaus Mozarts «Kleine Nachtmusik»

Ehrungen in Holland

Am 1. Juli 1955 hielt Thomas Mann in der Universität Amsterdam die Ansprache «Versuch über Schiller». Gleichzeitig wurde ihm das Ordenskreuz von Oranje-Nassau verliehen. Am 11. Juli empfing ihn die holländische Königin Juliana auf ihrem Sommerschloß Soestdijk bei Amsterdam.

Vorgestern haben wir die Königin auf ihrem Landsitz, eine Stunde von hier mit dem Wagen, besucht zum Dank für den wunderbar schönen Orden, den ich von ihr (oder mit ihrer Genehmigung) bekam, eine Pracht, Kommandeur-Kreuz von Oranje-Nassau, das hübscheste Spielzeug für große Kinder.

An Carl Jacob Burckhardt, 14. Juli 1955

Postkarte aus Noordwijk aan Zee an Richard Braungart, 13. Juli 1955

«Je maintiendrai» Das Ordenskreuz von Oranje-Nassau

Nach den vielen Festlichkeiten reiste Thomas Mann Anfang Juli zur Erholung nach Noordwijk aan Zee, an das geliebte Meer.

Die Küste ist mir unendlich lieb, schon längst, auch im Nebel, wie er jetzt herrscht. Dies schreibe ich in meiner Strandhütte, die dem sehr sanft rollenden Meere zugekehrt ist.

An Carl Jacob Burckhardt, 14. Juli 1955

Das letzte Porträt. Kohlestiftzeichnung des holländischen Malers Paul Citroen

Das Ende

Um den 20. Juli erkrankte Thomas Mann an einem Gefäßleiden. Er flog am 23. Juli nach Zürich zurück und begab sich zur Behandlung ins Kantonsspital. Dort starb er am 12. August 1955, 20.00 Uhr, an einem Kreislaufkollaps.

Das Grab in Kilchberg

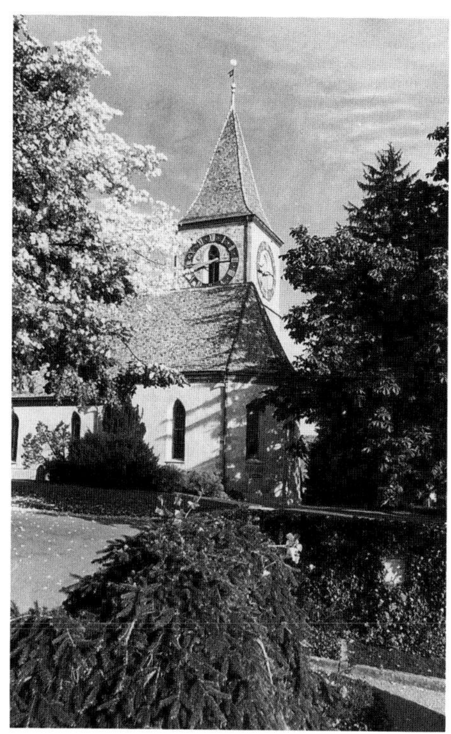

Die Kirche von Kilchberg

Die Begräbnisfeier

Am Dienstag, dem 16. August, eine Viertelstunde vor 2 Uhr, begann Kilchberg zu läuten; die Glocken der Zürcher Gemeinde über dem See riefen die Getreuen des Dichters Thomas Mann, der am 12. August gestorben war, zum letzten Geleite zusammen. Aus allen Richtungen der Welt kamen sie. Die Kinder des Dorfes standen bei den Hecken – verwunderte Zuschauer eines ruhigen Aufzugs, in dem Senatoren, Gesandte, Räte aus kleinen und großen Gegenden, Dichter, Gelehrte, Verleger erschienen; und Freund um Freund kam herbei. Die Bänke der hellen, reinen Kirche füllten sich. Die Mitte des Raumes, in der Gegend des Taufsteins, war von Kränzen überlagert, Sommerwunder in der Begräbnisstunde. Und dann dort, am Anfang zum Chor, ein tiefgrüner Blattring, mit schwarzroten Rosen dicht bestickt; auf der Schleife, die nach vorn niederfiel, stand: «Die Deinen.» Darum herum die andern Blumengebinde: vom Stadtrat Zürich, vom Gemeinderat Kilchberg, von der Hansestadt Lübeck; vorn rechts der Kranz, auf dessen Schleife stand: Theodor Heuss; dann die Kränze des Zürcher und des schweizerischen Schriftstellervereins, des Zürcher PEN-Clubs, des Zürcher Schauspielhauses. Und weiter eine Fülle, nicht zu überblicken. Vor dem Eingang in die Kirche, links und rechts, Monsterräder von Nelken, Gladiolen und Dahlien, zwei und wohl einen halben Meter im Durchmesser, im Verhältnis zur Kirchenpforte zu groß in Auftrag gegeben. Von wem? Von Wilhelm Pieck, dem Präsidenten der Deutschen Demokratischen Republik, und von Johannes R. Becher, dem ostdeutschen Kultusminister. Der erste hatte auf die Schleife schreiben lassen: «Thomas Mann, dem unsterblichen Dichter der deutschen Nation»; der zweite wußte es noch genauer, ließ notieren: «Dem größten deutschen Dichter des Jahrhunderts, unserem unvergeßlichen Thomas Mann.» Das war die einzige großdimensionierte Episode der Begräbnisfeier. Was sonst geschah, war still und von noblem Geist, evangelisch-christlich, wie es Thomas Mann sich gewünscht hatte. – Gegen 2 Uhr fiel aus dem Glockenschwall im Turm eine Stimme nach der andern heraus, bis zuletzt nur noch der leichteste Klöppel einigen Laut schlug. Dann wurde die Orgel gespielt, ehe der Pfarrer von Kilchberg zu reden begann. Was er sagte, kam vom Text des 90. Psalms her. «Unser Leben währet siebzig Jahre, und wenn's hoch kommt, so sind's achtzig Jahre, und wenn's köstlich gewesen ist, so ist es Mühe und Arbeit gewesen; denn es fähret schnell dahin, als flögen wir davon.» Was war im Gedanken an den großen Toten Genaueres, Besseres zu sagen als dies: daß Mühe und Arbeit die Köstlichkeiten eines Daseins ausmachen? Das Werk Thomas Manns bezeugt nichts anderes – arbeitsethische Heiterkeit. Nach der Rede des Pfarrers spielte das Stierli-Quartett ruhige Musik. Dann sprach Richard Schweizer Worte, in denen keines ein falsches war. Er sagte: «Am vergangenen Samstag hat eine erschütterte Welt die Nachricht vom Tode Thomas Manns empfangen. Die Welt ist um einen großen Geist ärmer geworden, und wir, die ihn kannten, die ihm nahe standen, haben einen Freund verloren.

Erwarten Sie von mir keine Würdigung seines Lebens und seines Schaffens, dies käme mir nicht zu, und ich vermöchte es auch nicht. Ich spreche auf Wunsch der Familie des Verstorbenen und versuche als Freund in dieser Stunde einige Worte zu finden.

Das Grab

Im Namen der Familie danke ich all denen, die Thomas Mann zeit seines Lebens Freundschaft und Verehrung entgegengebracht haben. Ich danke den Ärzten und Schwestern des Kantonsspitals Zürich, die sich des Kranken in liebevoller Weise angenommen haben. Vor allem aber danke ich Ihnen, die Sie heute gekommen sind, um dem Toten die letzte Ehre zu erweisen.

Der Tod kam unerwartet. Vor wenigen Wochen hatte sich Thomas Mann zur Erholung an die holländische Küste begeben. Er war von seiner Gattin Katja begleitet. Wie hätte es anders sein können, eine Reise ohne sie wäre nicht denkbar gewesen. Nach vierzehn Tagen befiel ihn ein Leiden, dem er anfänglich keine Bedeutung beimaß, das sich aber in der Folge als nicht ungefährlich erwies. Nun mußte der Aufenthalt abgebrochen werden; mit aller Umsicht wurde der Patient in ein Flugzeug gebettet und nach Hause geflogen. Geduld und Disziplin waren Thomas Mann stets in höchstem Maße eigen, geduldig und gefaßt hat er sich auch in seine letzte Krankheit geschickt. Er las und ließ sich vorlesen, er hörte Musik, aufmerksam und hingegeben wie immer, und erst in den letzten Tagen mochte sie ihm nicht mehr erklingen. In der Nacht vom Donnerstag auf den Freitag verschlimmerte sich unversehens sein Zustand, und am nächsten Abend schwand die Hoffnung, daß er genesen würde. Im Einschlummern verlangte er nach seiner Brille, er wollte sie in der Nähe wissen, damit er beim Erwachen lesen könne. Lesen und Schreiben, Empfangen, Betrachten und Erkennen, Gestalten und Verschenken – das war der Sinn dieses tätigen Lebens. Nun sollte es erlöschen. Kurz nach 8 Uhr richtete sich der Arzt, der sich über den Schlafenden gebeugt hatte, auf und sagte: ‹Das Herz steht still.›»

Werner Weber, Die Begräbnisfeier für Thomas Mann, Neue Zürcher Zeitung, 18. August 1955

Monolog

Ich bin ein kindischer und schwacher Fant,
Und irrend schweift mein Geist in alle Runde,
Und schwankend fass' ich jede starke Hand.

Und dennoch regt die Hoffnung sich im Grunde,
Daß etwas, was ich dachte und empfand,
Mit Ruhm einst gehen wird von Mund zu Munde.

Schon klingt mein Name leise in das Land,
Schon nennt ihn Mancher in des Beifalls Tone:
Und Leute sind's von Urtheil und Verstand.

Ein Traum von einer schmalen Lorbeerkrone
Scheucht oft den Schlaf mir unruhvoll zurnacht,
Die meine Stirn einst zieren wird, zum Lohne

Für dies und jenes, was ich hübsch gemacht.

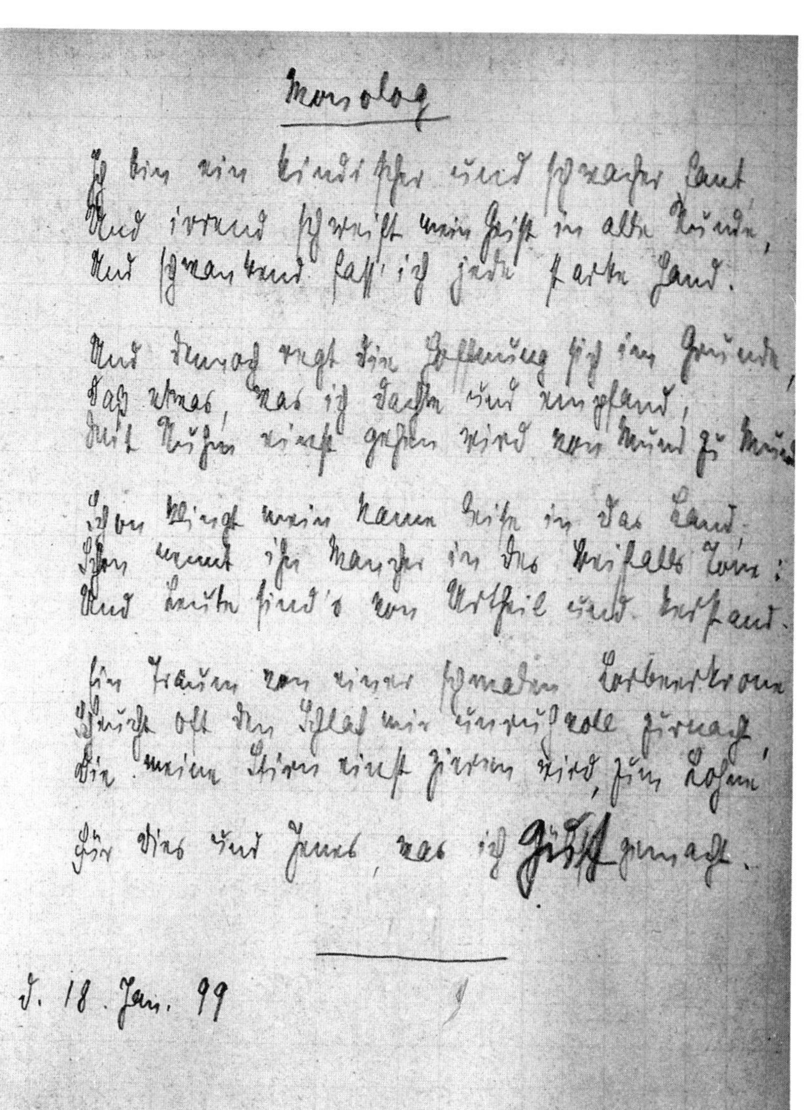

Monolog

Ich bin ein kindischer und schwacher Fant
Und irrend schweift mein Geist in alle Runde,
Und schwankend fass' ich jede starke Hand.

Und dennoch regt die Hoffnung sich im Grunde,
Daß etwas, was ich dachte und empfand,
Mit Ruhm einst gehen wird von Mund zu Munde.

Schon klingt mein Name leise in das Land.
Schon nennt ihn Mancher in des Beifalls Tone:
Und Leute sind's von Urtheil und Verstand.

Ein Traum von einer schmalen Lorbeerkrone
Scheucht oft den Schlaf mir unruhvoll zurnacht,
Die meine Stirn einst zieren wird, zum Lohne

Für dies und jenes, was ich hübsch gemacht.

d. 18. Jan. 99

Der Traum von der Lorbeerkrone, 1899

Lauter Licht, lauter Freiheit

Thomas Manns letzte große Arbeit, der «Versuch über Schiller», handelt vom Triumph des Geistes über die Nöte des Lebens:

... und des Erdenlebens
Schweres Traumbild sinkt und sinkt
und sinkt.
Des Olympus Harmonien empfangen
Den Verklärten in Kronions Saal,
Und die Göttin mit den Rosenwangen
Reicht ihm lächelnd den Pokal.

Die Erhöhung des Herakles! Die Erhöhung dessen, der auf Erden unverzagt die αϑλα auf sich genommen hat und schließlich von Zeus unter die Götter erhoben worden ist. Thomas Mann zitiert Schillers Plan, eine Szene im Olymp darzustellen, «– alles Sterbliche ausgelöscht, lauter Licht, lauter Freiheit, lauter Vermögen – kein Schatten, keine Schranke, nichts von dem allen mehr zu sehen», das Gemüt «von allem Unrat der Wirklichkeit» reingewaschen. So hätte er sterben mögen, er sprach es Schiller nach. Wie Herakles hatte er gelebt und gelitten, mit Atlas-Schultern seine Last getragen, jetzt wurde alles leicht und licht.

Anhang

Zu diesem Band

Kaum ein Schriftsteller des Jahrhunderts ist so häufig photographiert worden wie Thomas Mann. Das hat objektive und subjektive Gründe: Thomas Manns Präsenz im politischen Leben war groß; er hat seine Zeitgenossenschaft mit unzähligen öffentlichen Auftritten bezeugt. Auch das Interesse, das seinem künstlerischen Werk entgegengebracht wurde, bekundet sich in Hunderten von illustrierten Artikeln. Und dann ist seine Freude an Selbstdarstellung nicht zu übersehen. Sicher, er hat um seine Person keinen Bildkult entwickelt wie etwa George; aber er hat sich den Photographen auch nicht entzogen.

Wer eine *Thomas-Mann-Biographie in Bildern* plant, hat aus einer Flut von Dokumenten auszuwählen. Allein die Sammlung des Zürcher Thomas-Mann-Archivs umfaßt über 3500 Photographien. Hier wiedergegeben sind an die 700. Die Auswahlkriterien ergeben sich von der Sache her: Zu zeigen sind die Person des Schriftstellers, seine Familie, die Stationen seines Lebens; zu zeigen sind in Andeutung die Werke, die mit diesen Stationen verbunden sind; zu zeigen ist das historische Umfeld: Wie wird ein Schriftsteller durch die Geschichte geprägt, wie prägt er sie? Es geht dabei nicht nur um «Dokumente»; auch das Atmosphärische soll zu spüren sein. Daß sich in der Auswahl und im Arrangement der Schatten des Herausgebers abzeichnet, ist nicht zu vermeiden.

Neben die Bilder treten *Selbstkommentare* und *Berichte von Zeitgenossen.* Sie können die Bilder beleuchten oder als selbständige Dokumente auftreten. Selbstkommentare schaffen bekanntlich ein eigenwilliges Bild. Kommentare von Dritten relativieren es. Manchmal sagen sie allerdings mehr über den Betrachter aus als über den Betrachteten. Die *Kommentare der Herausgeber* mußten aus Raumgründen kurz gehalten werden. Sie sollen die großen Zusammenhänge herausstellen, Bezüge zwischen Leben und Werk andeuten, Dokumente erläutern. Interpretationen können sie nicht geben.

Damit der Band nicht zu stark anschwelle, mußte vieles gekürzt oder ganz weggelassen werden, darunter die Kapitel «Zeitgenossen», «Polemik mit Theodor Lessing», «Amerika-Reisen». Der historische Rahmen konnte nur angedeutet werden.

Ich habe zu danken: der Familie Mann und unzähligen Einzelnen, die dem Archiv über Jahrzehnte hinweg Photographien übergeben haben; der ETH Zürich, die seit 1958 das Archiv unterhält und es wachsen läßt; Yvonne Schmidlin, deren kenntnisreicher Arbeit der Band viel verdankt; Rosmarie Hintermann, die mit großer Effizienz die Druckvorlage erstellt hat; dem Artemis-Verlag für die angenehme Zusammenarbeit und Heinz von Arx für die graphische Gestaltung des Bandes und seine allzeitige Bereitschaft, auf unsere Wünsche einzugehen.

Hans Wysling

Thomas-Mann-Archiv
der Eidgenössischen Technischen Hochschule
Zürich, 6. Juni 1993

Bildnachweise

Museum für Kunst und Kulturgeschichte der Hansestadt Lübeck; Björn R. Kommer ‹Das Buddenbrookhaus, Wirklichkeit und Dichtung›. Lübeck: Museum für Kunst und Kulturgeschichte 1983 32f., 100
Buddenbrook-Haus, Dr. H. Wisskirchen, Lübeck 34f., 40 o., 57, 66 u., 113 o. l., 149
Wilfried F. Schoeller ‹Heinrich Mann›. München: Spangenberg 1991 36, 225 o., 234, 310, 311, 323 r., 430, 432
‹Thomas Mann, Breite Straße 38›. Lübeck: Landesbank Schleswig-Holstein 1975 40 u.
Karsten Blöcker ‹Das letzte Wohnhaus der Familie Mann in Lübeck, Roeckstraße 7›. In: ‹Lübeckische Blätter›, Lübeck, Jg. 158, H. 10, 8. Mai 1993 41 u.
Julia Mann ‹Aus Dodos Kindheit›. Konstanz: Rosengarten-Verlag 1958 44
Johanna Spyri-Stiftung, Zürich 46, 47
Gustav Lindtke ‹Die Stadt der Buddenbrooks›. Lübeck: M. Schmidt-Römhild 1981 50, 51, 66 o., 67
Gustav Lindtke ‹Lübeck, Ansichten aus alter Zeit›. Honnef Rhein: H. Peters Verlag 1959 51
Hartwig Dräger ‹Buddenbrooks›. Lübeck: Dräger Druck 1993 52 l., 55 u., 58 o. l., 62, 65 u., 101, 111, 118 r.
Heinrich Mann ‹Die ersten zwanzig Jahre›. Zeichnungen. Berlin, Weimar: Aufbau-Verlag 1975 52, 53, 55, 105, 189 o.
Privatbesitz, Lübeck 56, 209
Richard Carstensen ‹Thomas Mann sehr menschlich›. Lübeck: Verlag Gustav Weiland Nachf. 1974 58 o. r., 63, 110, 269 u., 291 o. r., 462 l., 478 u. r.
Volker Hage ‹Eine Liebe fürs Leben›. ZEITmagazin, Hamburg, 1989, Nr. 42 64
Hans Schönherr ‹Lübeck einst und jetzt›. Lübeck: Verlag Lübecker Nachrichten 1959 65 o.
Zentralbibliothek Zürich, Graphische Sammlung 70f.
Richard Bauer ‹Das alte München›. Photographien, ges. von Karl Valentin. München: Schirmer-Mosel 1982 72
Richard Bauer ‹Prinzregentenzeit›. München: C. H. Beck 1988 73, 90 r., 93 u., 218 u.
‹Thomas Mann – München als Kulturzentrum›. Heidelberg: Europäische Kulturstätten 1968 74
Jürgen Kolbe ‹Heller Zauber›. Berlin: Siedler 1987 75 o., 91 u., 95 m., u., 173 r.
Klaus Jürgen Seidel ‹Das Prinzregenten-Theater in München›. Nürnberg: J. Schoierer 1984 75 u.
Manuel Gasser ‹München um 1900›. Bern/Stuttgart: Hallwag Verlag 1977 89 u.
Norbert Goetz ‹Prinzregentenzeit›. München: Beck 1988 91 o.
Robert Boehringer ‹Mein Bild von Stefan George›. Düsseldorf/München: Helmut Kupper 1967 94
Curt Hohoff ‹München›. München: Prestel Verlag 1970 92
Joachim Friedenthal ‹Das Wedekindbuch›. München: Georg Müller 1914 93 o.
Rolf Flügel ‹Lebendiges München›. München: F. Bruckmann 1958 125
‹Jugendstil-Musik?›. Bayerische Staatsbibliothek, Ausstellungskatalog 40, Wiesbaden: Ludwig Reichert Verlag 1987 131, 230 l.
Heinrich Mann 1871–1971. Ergebnisse der Heinrich-Mann-Tagung in Lübeck, hrsg. von Klaus Matthias (Beitrag Lea Ritter-Santini). München: Fink 1973 139 r.
Hanns Arens ‹Unsterbliches München›. München: Bechtle Verlag 1968 143 l.
‹Alfred Kubin, Leben, Werk, Wirkung›, im Auftrag von Kurt Otte, Kubin-Archiv Hamburg. Hamburg: Rowohlt 1957 144 l.
B. F. Dolbin/Willy Haas ‹Gesicht einer Epoche›. München: Albert Langen 1962 157 r.
Heinrich Mann-Archiv, Berlin 169
Ernst Müller ‹Schiller›. Intimes aus seinem Leben. Berlin: A. Hofmann 1905 178 r., 474
‹Friedrich der Große und seine Zeit in Bild und Wort›. Text nach Kugler, hrsg. von Bruno Schrader. Hamburg: Hansa-Verlag o. J. 179 o. r.
Rud. Payer-Thurn ‹Goethe – Ein Bilderbuch›. Leipzig: Schulz 1931 192, 354f., 356 l.
Sergio Zanco, Venezia 199
Wolfgang Born ‹Der Tod in Venedig›. Ein Cyklus farbiger Lithographien zu Thomas Manns Novelle. München: Bischoff 1921 198, 203
Oswald Georg Bauer ‹Richard Wagner. Die Bühnenwerke von der Uraufführung bis heute›. Zürich: Verlag NZZ 1982 204
Höhenklinik Valbella, Davos 207
Sigrid Anger ‹Heinrich Mann, 1871–1950›. Berlin/Weimar: Aufbau-Verlag 1977 146 l., 215 l., 286 u. r.
Stefan Lorant ‹Sieg Heil! Hail to victory›. N. York: W. W. Norton 1974 218 o.
Thomas Manns Briefe an Paul Amann 1915–1952, hrsg. von Herbert Wegener. Lübeck: Schmidt-Römhild 1959 223
Klaus Schröter ‹Heinrich Mann›. Reinbek b. Hamburg: Rowohlt 1967, Ro-ro-ro Nr. 125 224, 323 l.
Otto Ernst Schüddelkopf ‹Der 1. Weltkrieg›. Gütersloh: Bertelsmann 1977 236 u.
Gerhard Schmolze ‹Revolution und Räterepublik in München 1918/19›. Düsseldorf: Karl Rauch Verlag 1969 237, 238
Ernst Toller ‹Quer durch›. Berlin: Kiepenheuer 1930 240
Hellmuth G. Dahms ‹Deutsche Geschichte im Bild›. Frankfurt/M.: Ullstein 1969 241 u., 308 o.
Maria Möring ‹A. Kirsten, Hamburg›. Hamburg: Wirtschaftsgeschichtliche Forschungsstelle 1952 248 u.
Stadtbibliothek Lübeck: 253, 301 r.
Fischer-Almanach 84. Frankfurt/M.: S. Fischer 1970 256 r.

‹Die Zeit›, Hamburg, 5. Dez. 1986 262
Staatsbibliothek Berlin, Potsdamerstraße 33 263
‹Simplicissimus›, München, 21. Juni 1926 265
Ursula Hummel ‹Erika und Klaus Mann›, Bilder und Dokumente. München: Edition Spangenberg 1990 269 o., 325 l.
Hermann Ebers ‹Joseph in Ägyptenland›, Bildermappe. München: H. E. 1923 273
L. Preiss und P. Rohrbach ‹Palästina und das Ostjordanland›. Stuttgart: Hoffmann 1925 275
Georg Steindorff ‹Die Kunst der Ägypter›. Leipzig: Insel-Verlag 1928 276 o., 373, 375
J. H. Breasted ‹Geschichte Ägyptens›. Deutsch von Hermann Ranke. Wien: Phaidon-Verlag 1936 276 u., 277, 278, 279, 280
‹Sigmund Freud›. Sein Leben in Bildern und Texten. Hrsg. von Ernst Freud u. a. Frankfurt/M.: Suhrkamp 1976 282, 284
Reimar Zeller ‹Automobil. Das magische Objekt in der Kunst›. Frankfurt/M.: Insel-Verlag 1985 291 u.
‹Wirklichkeit und Traum›. Gerhart Hauptmann 1862–1946. Ausstellung der Staatsbibliothek Preuss. Kulturbesitz Berlin 1987, Katalog 31 304
Georg Bailey ‹Munich›. Amsterdam: Time-Life Books 1980 309 o.
Heinz Huber und Arthur Müller ‹Das Dritte Reich›, Bd. 1. München: Kurt Desch 1964 309 u., 317 o. r., 319 u. r., 406, 409 o.
‹Alfred Döblin 1878–1978›. Ausstellung des Deutschen Literaturarchivs im Schiller-Nationalmuseum Marbach a. N. 1978, Katalog Nr. 30 312 o. l.
‹Dichter›, Autoren der Gegenwart. Texte von Günther Steinbrinker. Gütersloh: C. Bertelsmann Verlag 1958 312 o. r., 313 o. l.
Bayerisches Hauptstaatsarchiv, Dir. Dr. Busley, München 317 u.
Deutsches Literaturarchiv im Schiller-Nationalmuseum Marbach a. N. 318
‹Lion Feuchtwanger›. Eine Biographie von Volker Skierka, hrsg. von Stefan Jaeger. Berlin: Quadriga Verlag J. Severin 1984 319 o., m., u., o. r., 388 m. r.
Therese Giehse ‹Ich hab nichts zum Sagen›. München, Gütersloh: C. Bertelsmann 1973 325 r.
Helga Keiser-Hayne ‹Beteiligt euch, es geht um eure Erde›. Erika Mann und ihr politisches Kabarett die ‹Pfeffermühle› 1933–1937. München: Edition Spangenberg 1990 326
‹S. Fischer Verlag›. Von der Gründung bis zur Rückkehr aus dem Exil. Eine Ausstellung im Schiller-Nationalmuseum in Marbach 1985. Marbach: Deutsche Schillergesellschaft 1985, Katalog Nr. 40 327 o. r.
‹Der Zweite Weltkrieg›, Bd. 1. Zürich: Verlag das Beste aus Reader's Digest 1971 342
Thomas Mann – Agnes E. Meyer, Briefwechsel 1937–1955. Hrsg. von Hans Rudolf Vaget. Frankfurt/M.: S. Fischer 1992 347 u. l., 348 o., 349 o., 366
Wilhelm Bode ‹Goethes Sohn›. Berlin: Mittler 1918 353 o., 356 m.
Ludwig Geiger ‹Goethe und die Seinen›. Leipzig: Voigtländer 1908 353 u.
Walter Abendroth ‹Arthur Schopenhauer in Selbstzeugnissen›. Reinbek b. Hamburg: Rowohlt Taschenbuch Verlag 1967 356 r.
‹Chronik des 20. Jahrhunderts›. Hrsg.: Bodo Harenberg. Dortmund: Chronik Verlag, 6. Aufl. 1984 358, 359, 409 u.
‹Journal New York and American›, Oct. 29, 1940 393
Georg Steindorff ‹Die Blütezeit des Pharaonenreichs›. Bielefeld: Velhagen & Klasing 1926 371
Erman/Ranke ›Ägypten und ägyptisches Leben im Altertum›. Tübingen: Mohr 1923 372
Heinrich Schäfer ‹Amarna in Religion und Kunst›. Leipzig: Hinrichs 1931 374
Heinrich Bulle ‹Der schöne Mensch im Altertum›. München: Hirth 1922 378, 379
Hermann Kesten ‹Meine Freunde die Poeten›. Wien/München: Donau-Verlag 1953 387, 388
Frau Lotte Klemperer, Zollikon/Zürich 388 u. r.
Wilhelm Waetzoldt ‹Dürer und seine Zeit›. Wien: Phaidon-Verlag 1935 392, 395, 396, 398 o. r.
Julius Köstlin ‹Martin Luther›. Elberfeld: R. L. Friderichs 1875 397
Peter Gosztony ‹Der Kampf um Berlin 1945›, in Augenzeugenberichten. Düsseldorf: Karl Rauch Verlag 1970 408
Ferdinand Gregorovius ‹Geschichte der Stadt Rom im Mittelalter›. Dresden: Jess 1926 439
‹Horizonte›. Festschrift für Herbert Lehnert zum 65. Geburtstag, hrsg. von Hannelore Mundt u. a. Tübingen: Niemeyer Verlag 1990 443
‹Stern›, Hamburg, Nr. 24, 6. 6. 1991 462 r.
‹Zürich›. Bildband. Zürich: Oprecht Verlag 1953 469
Roland H. Bainton ‹Hier stehe ich›. Das Leben Martin Luthers. Göttingen: Deuerlich 1952 470
Schauspielhaus Zürich 481

Die übrigen Bilder stammen aus dem Thomas-Mann-Archiv der ETH Zürich. In Fällen wo ein Nachweis nicht möglich war, bittet der Verlag die Inhaber des Copyrights um Nachricht.

Literaturverzeichnis

1. Werke, Briefe, Tagebücher u. a.

Thomas Mann, Gesammelte Werke in dreizehn Bänden. Frankfurt a. M.: S. Fischer 1974

Thomas Mann, Aufsätze, Reden, Essays. Hrsg. von Harry Matter. Berlin und Weimar: Aufbau-Verlag 1983 ff.

Thomas Mann, Briefe. Hrsg. von Erika Mann. 3 Bände, Frankfurt a. M.: S. Fischer 1961, 1963, 1965

Thomas Mann, Briefwechsel mit Autoren. Hrsg. von Hans Wysling, Frankfurt a. M.: S. Fischer 1988. Mit Verzeichnis der bisher veröffentlichten Briefsammlungen

Thomas Mann, Briefe an Paul *Amann* 1915–1952. Hrsg. von Herbert Wegener. Lübeck: Schmidt-Römhild 1959

Thomas Mann an Ernst *Bertram*. Briefe aus den Jahren 1910–1955. Hrsg. von Inge Jens. Pfullingen: Neske 1960

Thomas Mann, Briefe an Otto *Grautoff* 1894-1901 und Ida *Boy-Ed* 1902–1927. Hrsg. von Peter de Mendelssohn. Frankfurt a. M.: S. Fischer 1975

Der Briefwechsel zwischen Thomas Mann und Gerhart *Hauptmann*. Hrsg. von Hans Wysling und Cornelia Bernini. Teil 1: Briefe 1912–1924, Teil 2: Briefe 1925–1932 und Dokumentation. In: Thomas Mann Jahrbuch. Hrsg. von Eckhard Heftrich und Hans Wysling. Frankfurt a. M.: Klostermann, Bd. 6, 1993 und Bd. 7, 1994

Hermann *Hesse* – Thomas Mann. Briefwechsel, hrsg. von Anni Carlsson. Frankfurt a. M.: Suhrkamp/Fischer 1968. Erweiterte Ausgabe von Volker Michels, Frankfurt a. M.: Suhrkamp/Fischer 1975 = Bibliothek Suhrkamp, Bd. 441

Thomas Mann – Heinrich *Mann*. Briefwechsel 1900–1949. Hrsg. von Hans Wysling. Erweiterte Neuausgabe. Frankfurt a. M.: S. Fischer 1984

Thomas Mann – Kurt *Martens*. Briefwechsel 1899–1935. 2 Teile. Hrsg. von Hans Wysling unter Mitwirkung von Thomas Sprecher. In: Thomas Mann Jahrbuch. Hrsg. von Eckhard Heftrich und Hans Wysling. Frankfurt a. M.: Klostermann. Bd. 3, 1990, S. 175–247; Bd. 4, 1991, S. 185–260

Thomas Mann – Agnes E. *Meyer*. Briefwechsel 1937–1955. Hrsg. von Hans Rudolf Vaget. Frankfurt a. M.: S. Fischer 1992

Dichter oder Schriftsteller? Der Briefwechsel zwischen Thomas Mann und Josef *Ponten* 1919–1930. Hrsg. von Hans Wysling unter Mitwirkung von Werner Pfister. Bern: Francke Verlag 1988 = Thomas-Mann-Studien, Bd. 8

Jahre des Unmuts. Thomas Manns Briefwechsel mit René *Schickele* 1930–1940. Hrsg. von Hans Wysling und Cornelia Bernini. Frankfurt a. M.: Klostermann 1992 = Thomas-Mann-Studien, Bd. 10

Thomas Mann, Notizbücher, Bd. 1, 1–6, Bd. 2, 7–14. Hrsg. von Hans Wysling und Yvonne Schmidlin. Frankfurt a. M.: S. Fischer 1991/1992

Thomas Mann, Tagebücher 1918–1921, 1933–1934 ff. Hrsg. von Peter de Mendelssohn, später von Inge Jens. Frankfurt a. M.: S. Fischer 1975 ff.

Frage und Antwort. Interviews mit Thomas Mann 1909–1955. Hrsg. von Volkmar Hansen und Gert Heine. Hamburg: Knaus 1983

Dichter über ihre Dichtungen, Bd. 14/I–III: Thomas Mann. 3 Bände. Hrsg. von Hans Wysling unter Mitwirkung von Marianne Fischer. München/Frankfurt a. M.: Heimeran/S. Fischer 1975, 1979, 1981

Klaus Schröter (Hrsg.), Thomas Mann im Urteil seiner Zeit. Dokumente 1891–1955. Hamburg: Christian Wegner Verlag 1969

2. Nachschlagewerke

Hans Bürgin, Das Werk Thomas Manns. Eine Bibliographie unter Mitarbeit von Walter A. Reichart und Erich Neumann. Frankfurt a. M.: S. Fischer 1959

Georg Potempa, Thomas Mann-Bibliographie. Das Werk. Mitarbeit Gert Heine. Morsum/Sylt: Cicero Presse 1992

Hans Bürgin und Hans-Otto Mayer, Thomas Mann. Eine Chronik seines Lebens. Frankfurt a. M.: S. Fischer 1965, [2]1974

Klaus W. Jonas, Fifty Years of Thomas Mann Studies. A Bibliography of Criticism. Minneapolis: University of Minnesota Press 1955

Klaus W. Jonas und Ilsedore B. Jonas. Thomas Mann Studies. Vol. 2. Philadelphia: University of Pennsylvania Press 1967

Klaus W. Jonas, Die Thomas-Mann-Literatur. Bibliographie der Kritik. In Zusammenarbeit mit dem Thomas-Mann-Archiv Zürich. Bd. 1 ff. Berlin: Schmidt 1972 ff.

Harry Matter, Die Literatur über Thomas Mann. Eine Bibliographie 1898–1969. 2 Bände. Berlin und Weimar: Aufbau-Verlag 1972

Die Briefe Thomas Manns, Regesten und Register. Bearbeitet und herausgegeben unter Mitarbeit von Yvonne Schmidlin (Thomas-Mann-Archiv Zürich) von Hans Bürgin und Hans-Otto Mayer. Mit einem Vorwort von Hans Wysling. 5 Bände. Frankfurt a. M.: S. Fischer 1976–1987

Ernst Loewy. Thomas Mann. Ton- und Filmaufnahmen. Ein Verzeichnis. Zusammengestellt und bearbeitet von Ernst Loewy. Hrsg. vom Deutschen Rundfunkarchiv. Frankfurt a. M.: S. Fischer 1975

Register

1. Werke Thomas Manns

2. Namen

3. Örtlichkeiten

Glockenschall, Glockenschwa

in ihrem vom Klang überfüllten Lüften
schaukeln, wogen und wiegen ausholend
stimmig, in babylonischem Durcheinander
bimmelnd – da ist nichts Geringes mehr
einander das Wort und Wort auf sich
lassen sich jetzt dem ewigen Metall,
an am andern Rande, und eigene
te Domine speravi", so hallt es auch
hinein aber klingelt es hell vom
Wandlungsglöcklein.

Von den hohen Türmen
zu heiligen Orten der Wallfahrt und a